45

Albrecht Dümling
Laßt euch nicht verführen

Albrecht Dümling

Laßt euch nicht verführen

Brecht und die Musik

verlegt bei Kindler

© 1985 by Kindler Verlag GmbH, München
Alle Rechte vorbehalten, auch die des teilweisen Abdrucks,
des öffentlichen Vortrags und der Übertragung
durch Rundfunk und Fernsehen.
Fotomechanische Wiedergabe nur mit Genehmigung des Verlages.
Umschlaggestaltung: Graupner + Partner
Umschlagfoto: Stadtarchiv Augsburg
Satz: Appl, Wemding
Druck und Aufbindung: Franz Spiegel Buch GmbH, Ulm
Printed in Germany
8-1-3-10-5
ISBN 3-463-40033-2

Inhalt

Teil II:

Musikalische Experimente in der Weimarer Republik

Teil III:

Kunst im Exil

Teil IV:

Musik im Übergang

Teil V:

Er hat Vorschläge gemacht.
Drei Komponisten der Gegenwart äußern sich
zu Brecht

Anhang

Bertold Friedrich Eugen Brecht im Jahre 1899.
(Quelle: Bertolt Brecht-Erben, Berlin, DDR)

Zur Einleitung

Wenn die Haifische Menschen wären, gäbe es bei ihnen natürlich auch eine Kunst. Es gäbe schöne Bilder, auf denen die Zähne der Haifische in prächtigen Farben, ihre Rachen als reine Lustgärten, in denen es sich herrlich tummeln läßt, dargestellt wären. Die Theater auf dem Meeresgrund würden zeigen, wie heldenmütige Fischlein begeistert in die Haifischrachen schwimmen, und die Musik wäre so schön, daß die Fischlein unter ihren Klängen, die Kapelle voran, träumerisch und in die allerangenehmsten Gedanken eingelullt, in die Haifischrachen strömten.

1.

Bertolt Brecht, der wie kein anderer Dichter Komponisten und Musiker beeinflußt hat, dessen Stücke und Gedichte sich in Verbindung mit Melodien in aller Welt verbreiteten, stand der Musik nicht mit schwärmerischer Begeisterung, sondern mit Skepsis gegenüber. Daß die »Moritat vom Mackie Messer« wie ein Schlager aufgenommen wurde, empfand er als eine Niederlage. An der Verzückung und den glasigen Augen seiner Fans sah Brecht, daß er nicht verstanden worden war; wieder einmal wirkte die Musik wie ein Rattenfänger, magisch, faszinierend, einlullend, lähmend. Brecht wußte sehr wohl, welche Macht Musik ausüben konnte, hatte er doch selbst einst als Augsburger Balladensänger solche verführerische Macht besessen und durch seinen Gesang seine Zuhörer gebannt. Gegen diese magische Wirkung, die den Menschen wehrlos macht, weil sie ihn unterschwellig erreicht, kämpfte er später unermüdlich und voll Vertrauen in die Macht der Aufklärung an. Seine »Hauspostille« ließ er in den Gesang »Gegen Verführung« einmünden. Dies war die Quintessenz: »Laßt euch nicht verführen! Laßt euch nicht betrügen! Laßt euch nicht vertrösten!«

Am eigenen Leibe hatte Brecht erfahren, daß fast alle Versuche der Verführung, nicht nur bei der Liebe, von Musik begleitet waren. Wo Argumente nicht mehr ausreichten – in der Religion ebenso wie im Krieg –, mußte Musik nachhelfen. Sie half auf wunderbare Weise wie ein Zaubermittel, sie schuf ein Klima der Sympathie, sie überredete, wo man sich zuvor sträubte und wo Überzeugung sonst nicht zustande kam. Auch in schlechten Zeiten gaukelte sie noch ein Stückchen Glück vor, wurde zum Glücksersatz. Sie lenkte ab, dämpfte aufkommendes Unbehagen oder gar Protest und führte zur Passivität. Brecht beobachtete sehr genau, daß die starke Wirkung des bürgerlichen Musiklebens auf der Ausblendung der Wirklichkeit beruhte; der Konzertsaal war eine Sonderwelt, abgeschottet gegen den Lärm von draußen, eine Arche in der Sintflut. Schritt für Schritt hatte sich jene »absolute Musik« entwickelt, die keine Funktion und keinen Bezug zur Realität mehr beanspruchte, in der die einstigen Inhalte, selbst Beethovensche Forderungen nach Freiheit und Menschlichkeit, zur tönend-bewegten Form geronnen waren. Die Hörer wurden dabei zu passiven Konsumenten. Im Konzert lernten sie, sich ihrem Schicksal zu fügen. Die Saaltüren werden geschlossen. Zum Schluß kommt der Beifall.

Musik – das sah Brecht – verführte nicht nur zur Ausblendung der Realität, zur Passivität, zum Verzicht auf Protest, zur Konsumhaltung, sondern überhaupt zum Verzicht auf kritisches Denken. Wie eine Droge konnte Musik, während sie das Unterbewußtsein aktivierte, Teile des Bewußtseins außer Kraft setzen. Sie erreichte archaische, vorbewußte Schichten des menschlichen Denkens, führte zur Regression und ließ den Hörer dann auch solchen Gedanken zustimmen, die er bei klarem Bewußtsein kaum akzeptiert hätte. Wohl mancher, der begeistert Schlager, Choräle, Hymnen, Opernarien singt, würde sich empört weigern, den zugrundeliegenden Text losgelöst von der Melodie zu sprechen; er müßte über den Unsinn, den er soeben gesungen hat, laut protestieren. Viele, die verzückt die »Moritat vom Mackie Messer« anstimmten, wären entsetzt, wenn sie die Worte still und konzentriert läsen. Musik verführt zur blinden Zustimmung. In keiner anderen Sprache akzeptiert man Lügen so leicht und widerspruchslos. Hanns Eisler sprach deshalb von »musikalischer Dummheit«.

So schädlich die Ausschaltung von kritischer Aktivität durch tröstende und vertröstende Musik schon ist – wirklich gefährlich wird es erst, wenn Musik dazu verführt, sich blind einem falschen Kollektiv anzuschließen: wenn der Rattenfänger ein Politiker ist, ein Demagoge, und sein Zug in Krieg und Rassenhaß führt. Hanns Eisler nannte dies einen Mißbrauch verirrter sozialistischer Gefühle des Menschen. »Hitler hat es verstanden, einem großen Teil der deutschen Jugend, dem überwältigenden Teil der deutschen Jugend, das Klassenbewußtsein auszutreiben und sie auf die Romantik des Frühkollektivs – das sich dann ummodelt ins Militärkollektiv – auszurichten.«[1] Schon im ersten Weltkrieg hatte Brecht an sich selbst die fatale, rauschhafte Wirkung von patriotischen Gesängen gespürt. Voll Schrecken bemerkte er, daß 20 Jahre später – aller dazwischenliegenden Anti-Romantik und Neuen Sachlichkeit zum Trotz – Hitler mit Musik ähnliche Effekte erzielte. Die einfachen Leute verführte er mit dem »Horst-Wessel-Lied«, das er an die Stelle der proletarischen Kampflieder setzte, das bürgerliche Publikum mit Wagner. Musik half mit, einen so rationalen Begriff wie »Klassengesellschaft« zu vergessen und an seine Stelle die gefühlsbehaftete »Volksgemeinschaft« zu setzen. Den braunen Rattenfängern gelang es, den traditionellen Gruß der Arbeiterbewegung, die geballte Faust, in den Hitler-Gruß, den gestreckten Arm, zu verwandeln; aus »Rot Front!« wurde der Ruf »Heil Hitler!«, aus Protest Zustimmung – Zustimmung zum eigenen Untergang.

Thomas Mann war überzeugt, daß die starke Beeinflußbarkeit durch Musik ein spezifisch deutsches Phänomen sei – die dunkle Kehrseite des Volkes der Denker und Dichter. »Soll Faust der Repräsentant der deutschen Seele sein, so müßte er musikalisch sein; denn abstrakt und mystisch, das heißt musikalisch, ist das Verhältnis des Deutschen zur Welt, – das Verhältnis eines dämonisch angehauchten Professors, ungeschickt und dabei von dem hochmütigen Bewußtsein bestimmt, der Welt an ›Tiefe‹ überlegen zu sein. Worin besteht diese Tiefe? Eben in der Musikalität der deutschen Seele, dem, was man ihre Innerlichkeit nennt, das heißt: dem Auseinanderfallen des spekulativen und des gesellschaftlich-politischen Elements menschlicher Energie und der völligen Prävalenz des ersten vor dem zweiten.«[2] Bei Brecht löste der Gedanke an Faust ähnliche Assoziationen aus: »Faust. Im Tornister jedes Deutschen. Singend in den Tod. Die Vöglein im Walde, die sangen so wunderwunderschön. Nie sollst du mich befragen! Ist Shakespeare Engländer? Wir Deutschen sind das gebildetste Volk. Faust. Der deutsche Schullehrer hat den Siebziger Krieg gewonnen. Gasvergiftung und mens sana. Als Wissenschaftler im Venusberg. Friede seiner Asche: er hat durchgehalten. Bismarck war musikalisch. Gott ist mit den Rechtschaffenen, sie wissen nicht, was sie tun.«[3]

2.

Brecht sah die Gefahren, die Musik bedeuten konnte, doch war er kein Musikfeind. Er glaubte an die Möglichkeit einer aufgeklärten, vernünftigen Musik, die nicht Rausch oder Vernebelung auslöst. Dazu müsse allerdings die Entwicklung zur »absoluten Musik« des Konzertsaals rückgängig gemacht und die frühere Verbindung zu Leben, Alltag und Funktion wiederhergestellt werden. Musik sollte nicht bloß kontemplativ betrachtet, sondern wieder benutzt werden können. Anstelle der »Darbietungsmusik« sollte die »Umgangsmusik« wieder neues Gewicht erhalten, funktionale, angewandte Musik. Brecht griff gerade auf vorbürgerliche Musikformen, auf Kirchenmusik und Bänkelsang, zurück. Musik wollte er nicht in einen abgeschlossenen Raum verbannen, sondern wieder auf die Straße holen. Auch die Musik mußte dem kritischen Alltagsblick standhalten. Sie stand dann auf keinem Sockel, sondern wurde angeeignet, wurde verändert, war volkstümlich. Dem deutschen Tiefsinn, der Kunst-Metaphysik, wich er aus und griff statt dessen – Vereinfachungen in Kauf nehmend – auf angelsächsische, französische und sogar chinesische Traditionen zurück: auf Shakespeare, Kipling, Villon und Me-ti. Auf die deutsche Romantik antwortete er nicht mit der Klassik, sondern mit der Aufklärung. Sehr genau erkannte er, daß sich die Musik von Beethoven und Wagner demagogisch mißbrauchen ließ, die von Bach, Haydn und Mozart aber nicht.

Immer wieder neue Versuche stellte Brecht an, um den Musikhörer aus seiner Passivität zu wecken. Besorgt nahm er die Konsumhaltung wahr, in die die Zuhörer durch Medien wie Rundfunk und Film gedrängt wurden. Eine Aktivierung des Publikums erreichte er in seinen frühen Stücken und Liedern vor allem durch Provokationen. Brecht wollte keine blinde Zustimmung. Um so enttäuschter war er deshalb, als bei der *Dreigroschenoper* die Musik nicht, wie er es sich erhofft hatte, als Schmutzaufwirblerin und Denunziantin, sondern als Genußmittel wirkte. Genuß – das war eben die Funktion bürgerlicher Kunst, die er bloßstellen wollte, am deutlichsten in der Oper *Aufstieg und Fall der Stadt Mahagonny*. Immer wesentlicher wurde es jedoch für Brecht, statt eines bürgerlichen ein Arbeiterpublikum zu aktivieren. Er produzierte für die bis 1933 blühende deutsche Arbeiterkulturbewegung, er erfand das Lehrstück, in dem der Hörer nicht mehr bloß Konsument, sondern Teil der Aufführung war. Auch bei dieser didaktisch-aufklärerischen Kunstgattung spielte Musik eine Rolle: sie sollte das Denken fördern. Dazu mußten alle solchen Elemente, die aus der Romantik stammten, ausgespart bleiben. Die neusachlichen und neoklassischen Tendenzen in der Musik der zwanziger Jahre kamen dem entgegen.

Brecht, der Aufklärer, erarbeitete Gegenstrategien gegen die alte verführende Funktion von Musik. Um seinen eigenen Werken die Aura des unabänderlich Schicksalhaften zu nehmen, die die klassischen Symphonien, Opern und Dramen umweht hatte, bezeichnete er sie ganz bewußt als »Versuche«. Um den rauschhaften Anschluß des einzelnen an ein falsches Kollektiv zu verhindern, machte er ganz bewußt die Frage des Einverständnisses des einzelnen mit dem Kollektiv zum Thema mehrerer Lehrstücke; niemand sollte sich einer Gruppe anschließen, ohne wirklich davon überzeugt zu sein.

Brecht wußte natürlich, daß unabhängig von seiner eigenen Produktion die rauschhafte Wirkung von Musik weiterbestehen würde, daß gerade auf dem Gebiet der Musik das Elend der Aufklärung, die Flucht ins Gefühl, seine größten Triumphe feierte. Er sah das Interesse der kapitalistischen Kulturindustrie an abhängigen, über die Macht der Gefühle lenkbaren Konsumenten, er registrierte ihre permanente Anstrengung, es dem Hörer noch leichter, noch bequemer zu machen, seine Passivität zu fördern. An die Stelle des eigenen Gesangs von Arbeits-, Liebes- oder Spottliedern ist der Knopfdruck getreten, wobei Brecht noch nicht einmal den Siegeszug des Fernsehens und anderer neuer Medien registrierte. Mit vorschnellen oder nur kosmetischen Lösungen gab sich Brecht deshalb nicht zufrieden: »Gegen schlechte Kunst losziehen und bessere verlangen oder den Geschmack des Volkes schmähen, was soll das nützen? Statt dessen sollte man fragen: Warum braucht das Volk Rauschgift?«[4] Brechts Ziel war nicht weniger als eine Gesellschaft, in der die Kunst nicht mehr die Funktion eines Rauschgifts übernehmen muß. Voraussetzung dafür sei allerdings die Aufhebung des Gegenübers von Ausgebeuteten und Ausbeutern, von Verführern und Verführten. In einer solchen Gesellschaft könnte auch die verführerischste Musik niemandem gefährlich werden.

3.

In einem Beitrag »Die neue Musik und ihre Texte« für die Zeitschrift »Melos« schrieb der Musikkritiker Hans Mersmann 1931: »Die junge Musik in Deutschland hatte ihren Dichter gefunden. Dieser Dichter war Bertolt Brecht.« Mit ihm entstanden »neue, nur von der Musik aus erfüllbare Formen: das ›Lehrstück‹ mit seiner Tendenz zur Aktivierung des Hörers, das Songspiel und später die Oper (›Mahagonny‹) als eine Kritik an der bestehenden Gesellschaftsordnung, der ›Lindberghflug‹ und der ›Jasager‹ als kantatenartige Stücke, die mit verschiedener Deutlichkeit für die Aufführung durch Laien bestimmt sind, die ›Dreigroschenoper‹ als eine abseits der bisherigen Formen stehende Erneuerung des Operngedankens überhaupt, die ›Maßnahme‹ als Fundament einer oratorischen Chormusik mit der Basis des Arbeiterchors. Brechts Texte stellen sich in ein entscheidend neues Verhältnis zur Musik. Im Gegensatz zur Selbstvernichtung des Wortes bei Strawinsky ist es hier dessen absolutes Übergewicht. Immer steht hinter dem Wort die Idee, in ihren Ausdrucksformen greifbar und stark, manchmal bis zu lehrhaftem Rationalismus gesteigert. Brecht verzichtet auf jede ›literarische‹ Gestaltung im alten Sinne. Er ist rücksichtslos, aufrichtig, zynisch, brutal und oft bis an die äußersten Grenzen aggressiv. Durch ihn wurde die Musik vor völlig neue Aufgaben gestellt. Sie konnte diese Texte nicht ›vertonen‹, nicht umschmelzen; sie konnte sich nur unter sie stellen, um sie dadurch völlig zu realisieren. (...) Es ist nicht mehr so, daß die werdende Musik einen fertigen Text sucht, sondern daß beide in einem Grade aufeinander angewiesen sind und nur durch einander bestehen, wie kaum zuvor. Hier liegen Möglichkeiten von unüberblickbarem Ausmaß.«[5]

Was Komponisten wie Kurt Weill, Paul Hindemith, Hanns Eisler und Paul Dessau zu Brecht hinzog, war, daß dieser Dichter seine Texte spürbar auf Musik hin konzipierte, ohne doch dabei die Komponisten einzuengen. Mit seinen Texten gab Brecht der Musik nicht allein inhaltliche, rhythmische und formale, sondern auch funktionale Rahmenbedingungen vor. Gerade die Einbeziehung des Wirkungszusammenhangs zeichnete ihn vor allen anderen Dichtern seiner Zeit aus. Anders als etwa die zuvor bei Musikern beliebten Dichter Goethe, Heine und Hofmannsthal hat Brecht die Musik nicht nur stilistisch, sondern in ihrem ganzen Gattungsgefüge beeinflußt.

Von Brecht fühlten sich auch Komponisten und Musiker angesprochen, mit denen er nicht persönlich zusammenarbeitete; als überaus anregend erwiesen sich sein Werk, seine Theorien und seine Modellinszenierungen auch für solche Musiker, die den Dichter nicht – wie etwa Gottfried von Einem – persönlich gekannt haben. So war etwa für Aribert Reimann, heute einer der erfolgreichsten deutschen Opernkomponisten, die Berliner »Jasager«-Aufführung 1946 im Hebbeltheater, bei der er den Knaben sang, der entscheidende Anstoß zur späteren Auseinandersetzung mit dem Musiktheater. Ein anderer wichtiger Opernkomponist, Rolf Liebermann, später Opernintendant in Hamburg und Paris, begann seine Komponistenlaufbahn mit einer kleinen Brecht-Vertonung. Den Anstoß gab eine literarische Diseuse namens Lieselotte Wilke, die später unter dem Namen Lale Andersen (»Lili Marleen«) berühmt wurde. Brecht-Texten war sie schon begegnet, als sie bei der Berliner »Mahagonny«-Aufführung in zweiter Besetzung mitgespielt hatte. Im Winter 1932/33 übergab sie in Zürich dem jungen Liebermann mit den Worten »Versuch doch mal! Hier ist ein so schöner Text!« das Brecht-Gedicht »Erinnerung an die Marie A.«.[6] Das Erlebnis blieb prägend. Liebermann hat sich auch später noch an den epischen Stilmitteln Brechts orientiert.[7]

Es gibt vielfältige Ebenen der musikalischen Brecht-Rezeption. Während die Nachahmung eines »Brecht-Stils« oberflächlich und eigentlich kulinarisch bleibt – es ist dann eine Kulinarik der »armen« Bühnenmittel –, dringt der für die »neue Subjektivität« charakteristische Zugang über seine Persönlichkeit schon tiefer zum Wesentlichen vor. Richtig verstanden wird Brecht aber nur, wenn man an ihm das Moment des Einspruchs gegen herrschende Verhältnisse erkennt. Ein wirkliches Aufgreifen Brechtscher Intentionen kann es deshalb nur bei Komponisten, Musikern und Sängern geben, die mit Musik nicht beschönigen, verklären und glätten, sondern auch Widersprüche austragen – die verändern wollen.

Die Trennung zwischen ernster und unterhaltender Musik, die neben dem Realitätsverlust ein weiteres Kennzeichen der bürgerlichen Musikentwicklung ist, hat Brecht bekämpft. Er hielt diese Aufspaltung für den Wirklichkeitsverlust beider Sparten und für den Qualitätsabfall bei der sogenannten U-Musik verantwortlich. Werke wie *Die Dreigroschenoper* oder *Die Mutter* lassen sich nicht mehr einfach der E-Musik oder der U-Musik zuordnen; in ihrer Ratlosigkeit stellen deshalb viele Schallplattenläden und Rundfunkanstalten Brecht-Vertonungen unter die Rubrik »Chanson« oder gar »Literatur«. Die Musik von Eisler, Weill und Dessau steht quer zur üblichen Trennung der Sparten. In ihr verbindet sich Ernst mit Unterhaltung, Vergnügen mit Belehrung.

Eine Verschmelzung der Sphären von »hoher« und »niederer« Kunst wie bei Weill und Eisler hat es danach nur noch bei wenigen Komponisten gegeben, so bei den Amerikanern Marc Blitzstein und Leonard Bernstein.

Der musikalische Einfluß Brechts reicht jedoch weiter, er ist ein internationales Phänomen. Die Breite seiner Wirkung kann hier nur angedeutet werden. So vertonten Brecht-Texte die Chilenen Juan Allende-Blin und Gustavo Becerra-Schmidt, die Engländer Benjamin Britten, Alan Bush und Bernard Rands, die Deutschen Jürgen Becker, Reiner Bredemeyer, Hartmut Fladt, Hans-Werner Henze, Rolf Liebermann, Siegfried Matthus, Kurt Schwaen und Eduard Steuermann, die Italiener Luciano Berio, Luca Lombardi und Luigi Nono, die Schweizer Paul Burkhard und Max E. Keller, die Österreicher Friedrich Cerha und Gottfried v. Einem, der Spanier Cristobal Halffter, der Franzose Darius Milhaud und der Amerikaner Roger Sessions.

Trotz ständiger Boykott- und Zensurversuche – auch von seiten des Rundfunks[8] – wird Brecht gesungen, in Italien von Milva, in Großbritannien von David Bowie (»Baal«), in Brasilien von Chico Buarque (»Opera do Malandro«), in Griechenland von Maria Farantouri. Auch der frühe Bob Dylan verdankte Brecht, vermittelt über seine Freundin Suze Rotolo, entscheidende Anregungen.[9] Die deutsche Liedermacherszene, so vor allem Wolf Biermann, Franz-Josef Degenhardt, Walter Moßmann und Dieter Süverkrüp, wäre ohne Brecht nicht denkbar, ebensowenig aber auch die Entwicklung des Musiktheaters durch Walter Felsenstein, Hans Neuenfels, Götz Friedrich, Ruth Berghaus und Harry Kupfer. Sogar die Jazz-Szene, nicht zuletzt der Free Jazz, beruft sich auf Brecht und Eisler, besonders deutlich auf der 1970 unter der Leitung des Bassisten Charles Haden eingespielten Langspielplatte »Liberation Music« (mit Roswell Rudd, Don Cherry und Paul Motion), aber auch beispielsweise auf den Platten des niederländischen Willem Breuker Kollektiv oder des Frankfurter Duos Goebbels & Harth.[10] Angeregt durch das Brechtsche Kollektivprinzip entstanden Peter Steins Schaubühne am Halleschen Ufer, Hans Werner Henzes Kunstwerkstatt in Montepulciano und zahlreiche freie Theatergruppen. In den New-Wave-Rockgruppen spielt neuerdings das Verfremdungsprinzip eine erstaunlich große Rolle. Alle diese Versuche sind musikalische Bausteine zur Veränderung der Lebenskunst, Versuche, die Konsumenten mündiger zu machen und sie aus der Gewalt der Rattenfänger zu befreien.

4.

Brecht und die Musik – ein Gebiet von fast verwirrender Vielfalt, aus der allerdings die Namen Weill, Eisler und Dessau herausragen. Um so erstaunlicher erscheint es deshalb, daß in der Fülle der Brecht-Literatur ein Buch zu diesem Thema bislang fehlte. Auf diese merkwürdige Tatsache stieß der Verleger Helmut Kindler, als er einen Band »Brecht in der Kritik« vorbereitete. Im April 1976 machte er – nachdem er zuvor im Eisler-Sonderband der Zeitschrift »Das Argument« meinen Aufsatz »Eisler und

Schönberg« gelesen hatte – mir den Vorschlag, ein Buch über Brecht und seine Komponisten zu schreiben. Mit diesem Vorschlag begann für mich eine Entdeckungsreise, deren Umfang und Dauer damals noch nicht abzusehen war. Immer mehr schälte sich Brecht als belebender Gegenpol heraus zur schwülen Esoterik von Arnold Schönbergs epochalem Liederzyklus »Das Buch der hängenden Gärten« nach Stefan George, über den ich damals meine Doktorarbeit schrieb. Das vorliegende Buch versteht sich als Ergänzung und Fortsetzung von »Die fremden Klänge der hängenden Gärten« (Kindler Verlag 1981). Brechts künstlerische Arbeit war eine Antwort auf die spätbürgerliche Lebens- und Kulturkrise, ein Neuanfang nach einer sich dem Ende zuneigenden Epoche. Der einsamen Kunst Schönbergs und Georges, die privatesten und innersten Bezirken entstammt, stellte Brecht eine öffentliche Kunst gegenüber; er suchte nicht die Trennung, sondern die Einheit von Kunst und Leben, von Kunst und Alltag.

Besaß für mich die Beschäftigung mit den künstlerischen Dokumenten Georges und Schönbergs oft eine beklemmende, lähmende Wirkung, so ging von den Gedichten, Stücken, Aufsätzen, Briefen und Tagebucheintragungen Brechts immer wieder eine anfeuernde und belebende Kraft aus. Anfeuernd wirkte aber auch immer wieder Helmut Kindler, dem für seine vielen nützlichen Anregungen und Hinweise, nicht zuletzt aber auch für seine erstaunliche Geduld hiermit sehr herzlich gedankt sei; ohne sein lebhaftes Interesse, das sich ebenso in Lob wie in herber, produktiver Kritik äußerte, gäbe es dieses Buch nicht.

Angeregt durch Helmut Kindler führte ich noch 1976/77 neben meinen Schönberg-Arbeiten Gespräche mit Ernst Busch, Paul Dessau, Herbert Jhering, Hans Heinz Stuckenschmidt und Wladimir Vogel. Herbert Jhering war wohl einer der ersten gewesen, der nicht nur Brechts Bedeutung für das Theater, sondern auch für die Musik erkannte; schon im Januar 1928 hatte er anläßlich der Volksbühnen-Aufführung von *Mann ist Mann* geschrieben: »Brecht berührt sich auf der einen Seite mit dem Ausdruck des Films (Chaplin, Buster Keaton), auf der anderen mit den versachlichenden Bestrebungen der Musik (Klemperer, Hindemith, Weill), auf der anderen mit Piscator. Was bisher getrennt nebeneinander- und auseinanderlief, das verbindet sich.« Wie sehr Brecht eine Integrationsfigur war, das ging sehr lebendig auch aus den Erzählungen und Mitteilungen seiner frühen Augsburger Freunde und Zeitgenossen Marie-Rose Eigen-Aman, Paula Banholzer, Otto Bezold, Walter Brecht, Walter Groos, Armin Kroder, Else Paepke, Ludwig Prestel und Marietta Rosner geb. Neher hervor; für ihre freundliche Hilfsbereitschaft danke ich ihnen und Werner Frisch. In München traf ich zu meiner großen Freude Erwin Faber, der schon 1922 Hauptrollen in Brecht-Stücken spielte, sowie Generalmusikdirektor Karl Tutein, der sich gern an das Jahr 1919 erinnerte, als er die Sängerin

Marianne Zoff ans Augsburger Stadttheater engagierte. Briefliche Auskunft gaben freundlicherweise Gottfried von Einem, Theo Lingen, Walter Mehring, Carl Orff und Carl Zuckmayer. In Wien sprach ich mit Günther Anders über Brechts amerikanische Zeit sowie über Walter Benjamin, während Georg Eisler und vor allem Louise Eisler-Fischer eine Fülle von Informationen über Hanns Eisler beisteuerten. Harry Buckwitz (Zürich) war hilfreich, indem er seine Korrespondenz mit Dessau und Eisler zur Verfügung stellte. Die Universal Edition Wien, Eislers und Weills Musikverlag, gestattete bereitwillig Einsicht in den Briefwechsel mit Eisler, Weill und Brecht. Einzelauskünfte gaben ferner Heinz Budjuhn (Locarno), Blandine Ebinger (Berlin), Friedrich Hommel (Darmstadt), Giselher Schubert vom Frankfurter Hindemith-Archiv, Ella Winter und Don Ogden Stewart, die ich noch in London besuchen durfte, sowie in den USA Mordecai Bauman, Wes Blomster, Joe Machlis, Elie Siegmeister, Ronald Shull, Leonard Stein und Karl-August Wittfogel. Sehr hilfreich waren die Hinweise der in Berlin lebenden Amerikaner Leonard Lehrman und Raymond Wolff. Im Zusammenhang mit diesem Buch standen auch die teilweise hier abgedruckten Gespräche über Brecht mit Reiner Bredemeyer, Friedrich Cerha, Hans Werner Henze, Nicolaus A. Huber, Heiner Müller und Luigi Nono.

Besonders wichtig für die Arbeit war die tatkräftige Unterstützung des Bertolt-Brecht-Archivs, vor allem von Frau Herta Ramthun, sowie des Hanns-Eisler-Archivs der Akademie der Künste der DDR, zu dessen Beständen mir der viel zu früh verstorbene Manfred Grabs sowie Helga Rienäcker bereitwilligst Zugang verschafften. Kollegiale Hilfe kam während meiner mehrjährigen Arbeiten immer wieder von Fritz Hennenberg (Leipzig) sowie von Hanns-Werner Heister (Berlin/W.). Ganz besonders herzlich danken möchte ich aber Stefanie Eisler (Berlin/DDR) sowie Walter Jens (Tübingen), dessen Einwände und Vorschläge mir bei der Herstellung der Schlußfassung des Manuskripts eine sehr wertvolle Hilfe bedeuteten.

Auch an anderer Stelle zeigt sich, daß das so lange vernachlässigte Thema »Brecht und die Musik« nun stärker Beachtung findet. So waren die Brecht-Tage 1984 des Brecht-Zentrums der DDR diesem Thema gewidmet. 1984 erschien das von Fritz Hennenberg herausgegebene dreibändige »Große Brecht-Liederbuch«, das allen Brecht-Interessenten eine große Hilfe ist, da es die wichtigsten Brecht-Vertonungen leicht greifbar macht; auch ich beziehe mich in Querverweisen jeweils auf Hennenbergs Buch. Weitere in jüngster Zeit erschienene oder angekündigte Arbeitshilfen sind das zweibändige Brecht-Handbuch von Jan Knopf, das Eisler-Handbuch von Manfred Grabs sowie das Verzeichnis der Brecht-Vertonungen sowie von Brechts Äußerungen zur Musik, für das Achim Lucchesi und Ronald Shull verantwortlich zeichnen. Die Entdeckungsreise zum Thema

»Brecht und die Musik« ist also noch lange nicht abgeschlossen. Dieses Buch ist eine erste zusammenfassende Zwischenbilanz, ein »Versuch« im Brechtschen Sinne.

Berlin (West), im März 1985

Teil I

Von Augsburg nach Berlin – der frühe Brecht und die Entwicklung seiner Musikauffassung

Die Bürgerwelt

Ich bin aufgewachsen als Sohn
Wohlhabender Leute. Meine Eltern haben mir
Einen Kragen umgebunden und mich erzogen
In den Gewohnheiten des Bedientwerdens
Und unterrichtet in der Kunst des Befehlens.

Das Lied der Rosen vom Schipkapaß

Im Jahre 1898, in dem der erste Kanzler des Deutschen Reiches, Fürst
Otto von Bismarck, starb und der Berliner Hofkapellmeister Richard
Strauss seine sinfonische Dichtung *Ein Heldenleben* schrieb, wurde am
10. Februar in der bayrisch-schwäbischen Stadt Augsburg als erstes Kind
des kaufmännischen Angestellten Berthold Friedrich Brecht und seiner
Frau Wilhelmine Friederike Sophie geb. Brezing ein Junge geboren. Gemäß patriarchalischer Familientradition wurde er nach dem Vater benannt
– im Zähringer-Namen Berthold klingt dessen badische Herkunft nach –:
Eugen Berthold Friedrich Brecht.
Wenn auch die Spielzeugtrompete und das Pferdchen, die der Einjährige
auf einer Fotografie von 1899 in der Hand hält, nicht von den Eltern aus-
gesucht, sondern gängige Dekorationsrequisiten des königlich-bayrischen
Hofphotographen Ressler aus der Augsburger Bahnhofstraße gewesen
sein mögen, so sind sie doch kennzeichnend für das konservative, patrio-
tisch-militärische Milieu, in dem der kleine »Aigihn«, wie Brechts erster
Vorname schwäbisch ausgesprochen wurde, aufwuchs. Die alte, ehemals
Freie Reichsstadt Augsburg war 1806 durch Napoleon dem bayrischen
Staat zugeschlagen worden und besaß seitdem bloß noch provinzielle Bedeutung. Dies galt auch für das kulturelle Leben. Tonangebend in dieser
Stadt waren Beamtenschaft und Militär. Beide Kreise zeigten ein nur mäßiges Interesse für Kultur. Diejenigen Augsburger, denen die regelmäßigen Platzmusiken der Militärkapellen nicht genügten, waren deshalb vor
allem auf die musikalischen Aktivitäten der Kirchen beider Konfessionen
angewiesen.
Kirchlicher und nicht städtischer Initiative waren tatsächlich die wichtigsten Einrichtungen des Augsburger Musiklebens zu verdanken. So begründete der protestantische Kantor an der traditionsreichen St.-Anna-

Brechts Vater (links außen) und Mitglieder der »Augsburger Liedertafel«, 1912.
(Quelle: Heiner Hagg, Augsburg)

Kirche, Hans Michael Schletterer, 1865 das erste Berufsorchester der Stadt, 1866 den Oratorienverein und 1873 die nachmals bekannte Augsburger Musikschule. Erst sehr viel später wurden Orchester und Musikschule von der Stadt übernommen und damit finanziell abgesichert.

Zu den gesellschaftlich und musikalisch wichtigsten Einrichtungen bürgerlichen Musiklebens in der Stadt gehört bis heute die »Augsburger Liedertafel«. 1843 hatte sie der Kaufmann Johannes Rösle »mit sangesfreudigen Männern in der Strehleschen Brauerei ... zur Pflege des Gesanges und zu freundschaftlicher Geselligkeit«[1] gegründet. Bei der Übergabe eines Banners an die »Liedertafel« am Tage der heiligen Cäcilia am 22. November 1843 sprach ein Gönner, Ferdinand Freiherr v. Schäzler, kgl. Kämmerer, Abgeordneter der Stadt Augsburg und Vorstand der Gemeindebevollmächtigten, die programmatischen Worte: »Voran als Banner soll diese Standarte fliegen im Kampfe gegen alles Unedle, Undeutsche, Unchristliche; um sie als Panier sollen sich scharen die Freunde des Lieds, treu unserm Gott, treu dem König, treu dem Vaterland.« Worauf Rösle »in freudiger Erregung« erwiderte: »Wir wollen stets nur wahre Kunst fordern, nur deutsche Weisen ertönen lassen, die wie geläutert Gold aus treuer, für alles Gute und Schöne beseelter Brust entströmen und veredelnd, erfreuend und kräftigend in ihrer Wirkung sein sollen.«[2] Wie einer Vereinsgeschichte von 1925 zu entnehmen ist, sind dies stets die tragenden Prinzipien der »Liedertafel« geblieben. Für die maßgeblichen

23

Kreise der Stadt verstand es sich von selbst, daß in der Kunst Gesellschaftskritik keinen Platz besaß.

1893 war Brechts Vater nach Augsburg übergesiedelt, wo er vierundzwanzigjährig als Commis in die G. Haindlsche Papierfabrik, einen katholischen Familienbetrieb, eintrat. 1895 wurde er Mitglied der »Liedertafel«. Dies nicht nur wegen seiner schönen Tenorstimme. Denn hier, wo neben anderen einflußreichen Persönlichkeiten auch der technische Direktor der Firma, Clemens Haindl, Mitglied war, konnte der zugewanderte Junggeselle die für seinen sozialen Aufstieg notwendigen gesellschaftlichen Beziehungen anknüpfen. Berthold Friedrich Brecht, ein Mann von liberal-konservativen Prinzipien, diente sein Leben lang zugleich der Firma und der »Liedertafel«. »Nach den Gesangsproben saßen die Herren meist noch im Cafe Kernstock bis in die Nacht zusammen, es war damals das Sängerheim der ›Liedertafel‹. Vater Brecht war auch außerhalb seines Geschäftsbereichs ein geschätzter Mann und voller Humor, er war ein vorzüglicher Gesellschafter.«[3]

Auch nach seiner Heirat im Jahre 1897 blieb Berthold Friedrich Brecht ein begeisterter Chorsänger. In der »Liedertafel« lernte er Stücke recht unterschiedlicher musikalischer und textlicher Qualität kennen. Unter der Leitung des Lehrers Wilhelm Gößler, der von 1905 bis 1919 Erster Chordirektor der »Augsburger Liedertafel« war, sang der Chor so anspruchsvolle spätromantische Werke wie »Verwandlungsmusik und Abendmahlsszene« aus Wagners *Parsifal*, den Schlußchor der *Meistersinger*, den Schlußchor aus der *Faust-Symphonie* von Franz Liszt, Bruckners *Tedeum* und *Fausts Verdammnis* von Berlioz, aber auch viele gesellige Lieder erheblich geringeren Anspruchs. Als man etwa 1906 unter den Chormitgliedern einen Gedichtwettbewerb veranstaltete, wurden die folgenden Texte zur Vertonung ausgewählt: »Sonnaschei'« und »Gretele!« von Max Welcker, »Ich liebe dich, du Holde!« von Blondl (»In meinem Herzen klingt ein Lied,/so hell wie ein Glöcklein von Golde;/Ich sing' es mit meinem ganzen Gemüt:/›Ich liebe dich, du Holde.‹«), »Die Glücklichen« von Anton Held (»Ich sah am Weg zwei Vögelein, / Die schauten gar so glücklich drein«), »Mit der Musik da konst malen g'nua« und »Der sterbende Weihnachtsbaum« von Heinrich Fried.

Lieder solchen Niveaus wird Brecht, den sein Vater gelegentlich zu den Proben der »Liedertafel« mitnahm, auch zu Hause gehört haben. Später, um 1922, spielte er mit seinem Gedicht »Das Lied der Rosen vom Schipkapaß«[4] ironisch auf solche Gesänge an:

> Ein Sonntag war's in meinen jungen Jahren
> Und Vater sang mit seinem schönen Baß
> Und sang, als Krug und Glas geleeret waren
> Das Lied der Rosen vom Schipkapaß.

Wie zu vielen anderen Gedichten entwarf Brecht auch zu diesem eine Melodie, die in seiner eigenen Kürzel-Notenschrift für die 1. Zeile so lautet:

Für die 4. Zeile:

Übertragen auf die übliche Notenschrift hätten Brechts Melodieentwürfe die folgende Gestalt:

Unverkennbar ist die Verwandtschaft dieser Melodie mit der der altfranzösischen Romanze »L'Etendard de la Pitié«, die Brecht besonders geschätzt und auch für sein »Lied der Seeräuber« und das Auftrittslied der Mutter Courage wiederverwendet hat.

Zu Hause trug Vater Brecht aber nicht nur Lieder vom Schlag der »Rosen vom Schipkapaß« vor. Eine Cousine erinnerte sich auch an den Gesang von Kunstliedern. Kam ein Freund seiner Söhne Eugen und Walter[5], der Klavier spielen konnte, so bestand der Vater zuweilen darauf, daß »der junge Mann ihn zu dem Schubertlied ›Das Meer‹ begleitete, denn dieses Lied gefiel ihm sehr.«[6] Der Vater, der keine Notenkenntnisse besaß, hatte das teure Instrument für seine beiden Söhne gekauft. Diese bevorzugten aber die Gitarre und fielen deshalb als Klavierbegleiter aus. Mit dem Schubertlied ist vermutlich »Am Meer« aus dem »Schwanengesang« nach Heine gemeint, ein immer wieder ins Gespenstische umbrechendes Lied, das wegen seines sehr langsamen Tempos atemtechnisch nicht eben leicht zu bewältigen ist. Ein weiteres Lieblingslied des Vaters war die Ballade »Die Uhr« von Carl Loewe.[7]

Im Jahre 1901 wurde Berthold Friedrich Brecht, der strebsame Geschäftsmann mit dem weichen Gemüt, von seiner Firma zum Prokuristen ernannt. Als er 1902 auch noch das Augsburger Bürgerrecht erhielt, war er in der städtischen Bürgerschaft fest etabliert. Sein Sohn Eugen Berthold Friedrich wuchs in sicheren Verhältnissen auf.

Musik der Kirche

Die Orgel braust so trunken schwer.

Nicht nur das Musikleben, sondern auch das Stadtbild Augsburgs war geprägt von seinen Kirchen. Zu den bedeutendsten gehörte neben dem Dom, den Kirchen St. Anna und St. Ulrich die 1407 erbaute große Barfüßer-Kirche am Fuße des Perlachbergs. Heute steht nach einem Luftangriff von 1944 nur noch der Ostchor. Der Name der Kirche rührt daher, daß 1221 an dieser Stelle die erste deutsche Niederlassung der Franziskaner – im Volksmund »Barfüßer« genannt – gegründet worden war. In der Barfüßerkirche, die schon seit 1536 evangelische Gemeindekirche war, wurde Eugen Brecht am 20. März 1898 evangelisch getauft und 14 Jahre später, am 29. März 1912, konfirmiert. Sein Konfirmationsspruch lautete: »Es ist ein köstlich Ding, daß das Herz fest werde.«[1]

Die protestantische Erziehung ihrer beiden Söhne Eugen und Walter hatte die bewußt evangelische Mutter bei ihrem katholischen Mann durchsetzen können. Ihm hatte sie schon zuvor eine evangelische Trauung abgerungen. Beide Söhne, denen die Mutter gern das geistliche Volkslied »So nimm denn meine Hände« vorsang, besuchten den evangelischen Kindergarten und die konfessionelle Barfüßer-Volksschule, an der es neben Religion sogar das Fach »Protestantische Geschichte« gab – und dies schon in der 3. und 4. Klasse![2] In beiden Fächern bekam Eugen bessere Noten als etwa in Sprachlehre, Rechtschreiben, Aufsatz oder Gesang. Offenbar hat ihn Religion besonders interessiert. Zum Religionsunterricht gehörte das Auswendiglernen von Gesangbuchliedern, die dann auch im Fach Gesang – der Musikunterricht an den Schulen erschöpfte sich damals im Singen – wiederholt wurden. So heißt es im Lehrplan: »Während der ganzen Schulzeit müssen die Kinder die nötigen Kirchenlieder und außerdem wenigstens 12 andere Lieder dem Gedächtnisse einprägen und singen lernen ... Der Lehrer benützt die Geige, eventuell ein anderes geeignetes Instrument, und singt vor.«[3]

Brecht nahm den Religions- und Konfirmandenunterricht sehr ernst. »Mühelos konnte er die aufgetragenen Bibeltexte hersagen«, erinnert sich ein Jugendfreund.[4] Bei seinem auffallend guten Gedächtnis wird er auch die Kirchenlieder sicher beherrscht haben. Noch auf dem Gymnasium gehörten die Gesangbuchlieder von Sexta bis einschließlich Untersekunda zum Lehrstoff des wöchentlich zweimal stattfindenden Religionsunterrichts. In den Jahresberichten des königlichen Realgymnasiums Augsburg ist genau verzeichnet, welche Choräle die Brecht-Klasse zwischen 1908 und 1914 memoriert hat. So wiederholte der junge Brecht beispielsweise im Schuljahr 1908/09 als Sextaner die Choräle »Vom Himmel hoch«, »O Traurigkeit, o Herzeleid« und »Jesus lebt«; neu erklärt und memoriert wurden in diesem Schuljahr die Kirchenlieder »Nun danket alle Gott«, »O Gott, du frommer Gott«, »Wie soll ich dich empfangen«, »Gelobet seist du Jesu Christ«, »O Haupt voll Blut und Wunden« und »Willkommen, Held im Streite«.[5] Da auch im Gymnasium der Gesangsunterricht die Choräle aufgriff, nahmen Kirchenlieder in Brechts Schulzeit einen großen Stellenwert ein. Den Religionsunterricht in der Sexta gab derselbe Pfarrer und spätere Dekan Detzer, der Brecht schon in der Barfüßer-Schule unterrichtet hatte und der ihm dann in seiner Wohnung Konfirmandenunterricht gab.

Besonders hatten es dem jungen Brecht die biblischen Geschichten angetan. Später bekannte er einer Freundin, daß er seine dichterische Sprache vor allem seiner Großmutter Brezing verdanke, die ihm so ausgezeichnet aus der Bibel vorgelesen habe.[6] Und auf die Umfrage einer Berliner Zeitung nach seinem Lieblingsbuch antwortete Brecht noch 1928: »Sie werden lachen: die Bibel.« Das erste abgeschlossene »Drama«, das der Vierzehnjährige 1912 in einer Schülerzeitschrift veröffentlichte, hieß *Die Bibel*. Biblische Stoffe wie die Geschichte von Absalom und Bathseba, die Sintflut, der Kampf Davids gegen Goliath sowie biblische Redewendungen und überhaupt die Form des »Gleichnisses« kehren in seinem späteren Werk immer wieder. Ohne die intensive religiöse Erziehung in Schule und Elternhaus wären die Psalmdichtungen, die »Hauspostille« und Kirchenliedparodien wie etwa die Anti-Hitler-Choräle gar nicht denkbar.

Auch die gottesdienstliche Liturgie, die Kirchenmusik und hier vor allem die Orgelmusik waren für den jungen Brecht von Bedeutung.[7] Gerade die Stadt Augsburg war berühmt für ihre Orgeltradition. Schon um 1400 gab es an der Barfüßerkirche einen besoldeten Organisten. 1609 bis 1612 errichtete der Augsburger Max Günzer an der Barfüßerkirche eine neue Orgel. Als im 18. Jahrhundert die Kirche mit großem Aufwand durch Umbau der gotischen Fenster, Anbringung von Stuck und Malereien im Stil der Zeit barockisiert wurde, schuf für den 2000 Sitzplätze umfassenden Bau der berühmte Orgelbaumeister Johann Georg Andreas Stein, ein Silbermann-Schüler, 1756 bis 1757 mit einer neuen, größeren Orgel sein Hauptwerk. Auf ihr hat auch Mozart improvisiert; sein Vater stammte bekanntlich aus Augsburg. Der junge Brecht muß bei den sonntäglichen Gottesdiensten dieses berühmte Instrument, das im Zweiten Weltkrieg zerstört wurde, gehört haben.

1914 und 1915 schrieb er über seine Erfahrungen mit Orgelmusik drei Texte: die Gedichte »Dankgottesdienst« und »Die Orgel« und eine ebenfalls »Dankgottesdienst« überschriebene Novelle. Das Gedicht »Die Orgel«, am 6. Januar 1916 mit einer Widmung für Herrn Clemens Haindl, den Chef des Vaters, in den »Augsburger Neuesten Nachrichten« abgedruckt, beginnt mit den Worten:

Wenn der preisende Orgelton aufschwillt, dunkelt der Raum,
Schweben die Decken lautlos empor, werden gläsern die Wände und
weisen das dunkle Land.
Erde. Meer. Äcker. Wälder. Darüber ein endloser Himmel gespannt.
Blau wölbt sich über Erde und Meer der Traum.

Mit diesem Gedicht war freilich nicht die Kirchenorgel, sondern die
Privatorgel des Chefs gemeint. Wie andere deutsche Fabrikanten, so etwa
Siemens in Berlin, hatte sich auch Kommerzienrat Clemens Haindl in
seiner Privatvilla in der Sebastianstraße im Jahre 1910 einen Orgelsaal
einrichten lassen. Wenn der Chef abends auf seiner modernen elektro-
pneumatischen Orgel, einem »herrlichen Instrument«[8], improvisierte, gehörten manchmal sein Prokurist Brecht und dessen beide Söhne zu den
ehrfürchtigen Zuhörern.

In der Barfüßerkirche erlebte der junge Brecht einmal Bachs *Matthäus-
passion;* er war davon so bewegt, daß er um seine Gesundheit fürchtete
und deshalb weitere Aufführungen mied. Noch 1944 im amerikanischen
Exil erinnerte er sich daran. »Schon als Junge, als ich die Matthäuspassion
in der Barfüßerkirche gehört hatte, beschloß ich, nicht mehr so wo hinzu-
gehen, da ich den Stupor verabscheute, in den man da verfiel, dieses wilde
Koma, und außerdem glaubte, es könne meinem Herzen schaden (das
durch Schwimmen und Radfahren etwas verbreitert war).«[9]

Patriotismus in Schule und ersten Veröffentlichungen

> Faust. Im Tornister jedes Deutschen. Singend in den
> Tod. Die Vöglein im Walde, die sangen so wunderwun-
> derschön. (...) sie wissen nicht, was sie tun.

Im Jahre 1908 wurde der Prokuristensohn Eugen Brecht Schüler des
Königlich Bayrischen Realgymnasiums an der Blauen Kappe, wo seine
Erziehung einen neuen Akzent erhielt: Hatte man an der Barfüßer-Schule
besonders Wert auf die Religion gelegt, so wurde auf dem Gymnasium
nun vor allem das Bayrisch-Patriotische wichtig. Diese vaterländische
Ausrichtung des Unterrichts hat der junge Eugen – in die Bürgerwelt einschließlich ihrer Ideologie integriert – zumindest bis 1914 voll akzeptiert.

Nicht nur der Unterricht, sondern auch die begleitenden Schulveranstal-
tungen, bei denen Musik eine wichtige Rolle spielte, waren königlich-
bayrisch orientiert. Nationale Gedenktage aller Art wurden mit Feiern
begangen. So veranstaltete das Gymnasium, das einst auch Ludwig Gang-

hofer, der Lieblingsschriftsteller des deutschen Kaisers, besucht hatte, anläßlich des 90. Geburtstages des Prinzregenten von Bayern am 11. März
1911 unter Beteiligung sämtlicher Schüler und Lehrer einen Gottesdienst
mit anschließender Feier im Börsensaal – womit der innige Zusammenhang von Staat, Kirche, Wirtschaft und Schule deutlich demonstriert wurde. Obligatorisch bei solchen Anlässen waren deklamatorische und musikalische Vorträge der Schüler.
Die Vortragsfolge des Schulfestes, mit dem man am 14. Juni 1913 der Be-
freiungskriege und des Regierungsantritts des deutschen Kaisers gedachte,
ist überliefert:

1. II. Satz aus der Militär-Symphonie (C-Dur) von Joseph Haydn
2. Aufruf. Gedicht von Theodor Körner
3. Der Husar von Auerstädt. Gedicht von Adolf Friedrich Graf v.
   Schack
4. a) Schwertlied von Carl Maria v. Weber
   b) Schlachtgebet von Friedrich v. Himmel. Vierstimmige Chöre
5. Festrede, gehalten von Prof. Dr. Hans Ockel
6. Deutscher Freiheit Schlachtruf von Albert Methfessel. Allgemeiner Gesang
7. III. und IV. Satz aus dem Klavier-Quintett (Es-Dur) von Prinz
   Louis Ferdinand v. Preußen (gefallen bei Saalfeld 10. Okt. 1806)
8. Szene aus Schillers Wilhelm Tell (I,4). Vorgetragen von Schülern
   der Oberklasse
9. Vaterlandsliebe. Vierstimmiger gemischter Chor von Franz Abt
10. Der Trompeter an der Katzbach. Gedicht von Julius Mosen
11. Die Leipziger Schlacht. Gedicht von Ernst Moritz Arndt
12. Blücher am Rhein. Gedicht von August Kopisch
13. Deutsche Hymne. Vierstimmiger gemischter Chor
14. Was wir gewonnen. Gedicht von König Ludwig I.
15. Regentenhymne von Henry Carey. Allgemeiner Gesang[1]

Die Auswahl der Kompositionen – die Chöre wurden vom Schulchor,
dem zeitweise auch Brecht angehörte, vorgetragen – entspricht deutlich
der Zielsetzung der Veranstaltung. Selbst Haydn interessierte hier nur unter dem militärischen Aspekt. Die angegebenen patriotischen Lieder fanden sich in vielen Männerchorsammlungen und studentischen Kommers-
liederbüchern.
Das Gedicht vom *Trompeter an der Katzbach* durfte damals in keinem Lesebuch fehlen. Es ist, wie Brecht später bemerkte, an geistlichen Vorbildern
orientiert und bezieht hieraus seine Wirkung. »Der erste Vers erinnert
durch Rhythmus und Inhalt an Paul Gerhardts ›O Haupt voll Blut und
Wunden‹.

Von Wunden ganz bedecket
Der Trompeter sterbend ruht
An der Katzbach hingestrecket
Aus der Wunde fließt das Blut.«[2]

In den fünfziger Jahren schlug er dieses Gedicht als abschreckendes Beispiel für Chauvinismus vor[3]; in seiner eigenen Schulzeit aber scheint Brecht, von seinen Lehrern deutschnational erzogen, die patriotischen Ergüsse sogar mit innerer Anteilnahme erlebt zu haben. Ihre offenkundige Nähe zum Kitsch, die ständige Verquickung von vaterländischen und religiösen Gefühlen, wie sie etwa auch aus der Programmfolge für ein Schulfest zur Krönung König Ludwigs III. hervorgeht, scheint er zunächst nicht bemerkt zu haben.

1. Krönungsmarsch aus der Oper »Der Prophet« von Meyerbeer für Streichorchester und Klavier
2. Ansprache (Dr. Richard Ledermann)
3. Ludwigshymne. Chor mit Streichorchester und Klavierbegleitung
4. Gedicht: An König Ludwig III. Verfaßt von Graf, Kl. IX.
5. Andante Religioso. Streichorchester
6. Gedicht »Weiß und Blau«
7. Gedicht »Bayernland«
8. Psalm. Gemischter Chor und Orchester

Über den Charakter des Vortrags von Dr. Richard Ledermann, der Brecht zwischen 1910 und 1916 in den Fächern Geschichte, Deutsch, Französisch und Geographie unterrichtete, kann man sich anhand einer Ledermann-Dichtung ein Bild machen, die 1915 im Jahresbericht der Schule veröffentlicht wurde. Unter der Überschrift »Geschichte« hatte dort Brechts Lehrer die folgenden Gedanken publiziert:

Erhaben, rein, voll Jugendkraft und Schöne
Steht dort Germania in treuer Wacht,
Schickt löwenmutig ihre Heldensöhne
Zum heilgen Kampfe in die Varusschlacht.
Gestärket durch des Kreuzes heilge Weihe
Behaupten Deutsche ehrenvoll das Feld,
Es trägt der Kaiser glanzerfüllte Reihe
Den deutschen Namen durch die ganze Welt.[4]

Brecht war 1914 wie fast alle seine Mitschüler vom Ausbruch des Krieges begeistert. Sein erster veröffentlichter Text, der am 8. August 1914 in den »Augsburger Neuesten Nachrichten« erschien, handelt von Eindrücken bei der nächtlichen »Turmwacht« zur Beobachtung feindlicher Flugzeuge: »Es war wunderbar schön hier in mitternächtiger Stunde auf dem hohen

Turm. (...) Manchmal auch ertönte unter uns ein Lied in die stille Nacht. Im Ratskeller sangen sie patriotische Lieder. Mächtig schwollen die Töne der *Wacht am Rhein* zu uns empor. Und dann erklang es leis und weh: *Muß i denn, muß i denn zum Städtele naus.*«[5] Zwei Tage später, am 10. August 1914, bezeichnete der Sechzehnjährige, den nur die Unterschrift des Vaters vor der Teilnahme an den vormilitärischen Jungmannschaftsübungen der Gymnasiasten bewahrte, in der gleichen Zeitung den Untergang eines deutschen Schlachtschiffs als schicksalhaft. Der junge Brecht propagierte in seinen »Kriegsbriefen« für die »Augsburger Neuesten Nachrichten« todesbereiten Patriotismus – und war im stillen froh, nicht selbst Frontsoldat zu sein. Es genügte ihm das erhebende vaterländische Gefühl, in das er sich in seinen Beiträgen hineinsteigerte. Da »schwellen die Hochrufe ... brausend auf«, wenn die Soldaten in die Schlacht ziehen, da beschreibt Berthold Eugen, wie sich der junge Autor nannte, »ergriffen ... das Gebaren eines alten Mannes«: »Dieses grobe Gesicht war wie ein Gebet.« Ohne Distanz ist die Rede von Menschen, die »in frommer, heiliger Begeisterung glühten«, vom trunkenen Siegesrausch im »Dankgottesdienst«:[6]

> Siegsonntag! Es rauscht der Freude Meer
> Die Orgel braust so trunken schwer,
> Über der Kanzel jahrhundertgeheiligter Pracht
> Glänzt golden und lacht
> Ein Sonnenfunkeln her.
> Siegsonntag!

Patriotismus, Religion und Musikerlebnis sind hier zu einer fatalen Einheit gebracht. Ihre Verwandtschaft beruht auf ähnlich starken Gefühlswirkungen. Gerade die Musik spielte bei Brechts Begeisterung eine besondere Rolle. Sie wirkte unmittelbar auf das Gefühl und konnte so unterstreichen, verstärken und aufputschen. Für Brecht zählte beim Dankgottesdienst offensichtlich primär der Gefühlsüberschwang; er beschrieb ihn deshalb auch wie ein musikalisches Ereignis:

> Viel hundert Stimmen schauen empor,
> Verklärt von der Freude Gold.
> Viel hundert Stimmen erbrausen im Chor,
> Wie das stürmt und jauchzt, wie wenn es empor
> Zum Himmel sich schwingen wollt.

Auch in seinem »Augsburger Kriegsbrief« vom 3. September stellte er patriotische Gefühle als Musikerlebnis dar. Ihn bewegten die »einfachen, rührenden Weisen« von Chorälen und Vaterlandsliedern, die man am Vorabend des Jahrestages der Schlacht von Sedan vom Perlachturm blies. »Erschüttert, mit entblößtem Haupte, stand die Menge. In vielen Augen

stand ein Glänzen. Viele Hände falteten sich. Der alte Platz, über den Jahrhunderte geschritten sind, hat wohl selten ein solch packendes Bild gesehen.«[7]
Ganz auf Gefühlswirkung berechnet war auch die nächtliche Sedansfeier vor dem bengalisch erleuchteten Stadttheater, vor dem sich »halb Augsburg« versammelte. »Und doch war es, als das Fest begann, so ruhig wie in einer Kirche.« Mit keinem Wort geht Brecht auf die politische Problematik der Feiern ein; sind die Gefühle nur stark, schwindet jeder Zweifel an ihrem Anlaß. Es fällt auf, daß in Brechts Bericht die mittlere, gemäßigte Gefühlslage ganz fehlt. Charakteristisch für sein Musikhören sind »brausende« und »rauschende« Wasser-Metaphern. »Mächtig rauschten die Töne des Mendelssohnischen Kriegsmarsches über den Platz. Dann fielen die Männerchöre ein. Kraftvolle patriotische Lieder brausten durch die Nacht. Kinkels wundersam ergreifendes Lied *Kriegers Abschied* ertönte. Eigen tief und süß klang das schwermütige *Weh, daß wir scheiden müssen* empor. – Aus der ein wenig wehmütigen Stimmung riß uns das große *Lied der Deutschen*, in das die ganze Zuhörerschaft jubelnd einstimmte.
Der Oberbürgermeister hielt eine kernige Rede, zu deren Schluß er ein Telegramm verlas, das den Sieg bei Reims meldete. Da brauste der Jubel empor, so stark, so kraftvoll, daß man ihn an den äußeren Enden der Stadt vernahm.
Und wieder rauschte Gesang empor, der *Sturmbeschwörung* bannender Strahl, des *Segensspruches* milde Verheißung. Und dann, dann schwoll es auf, das ewige Lied des Deutschtums, das Lied, das klingen wird, solang ein Tropfen deutschen Blutes noch glüht: *Die Wacht am Rhein.* Schwoll auf, stürmte, donnerte, gesungen von einem ganzen Volk, und klang und klang und jauchzte hinaus in die Nacht, verkündend die Wahrheit von deutscher Einigkeit.
Und dieses letzte Lied, dieser Sang, gesungen, nein gebetet von Tausenden, dieser Sang, geboren aus der Not und dem Jubel der Stunde, war das Schönste, was diese Woche brachte.«[8]
Bertolt Brecht als glühender Bewunderer chauvinistischer Lieder – eine merkwürdige Konstellation. Was Brecht später so eindeutig ablehnte, hat er in seiner eigenen Jugend sehr eingehend kennengelernt. Seltsam bleibt, daß ihn die Stärke des Eindrucks, das »mächtige Rauschen und Brausen« der Töne, das Stürmen, Donnern und Jubeln der Chöre, völlig blind machte für die vermittelten Inhalte. Der Patriotismus war für ihn wie die Musik und teilweise auch die Religion »bannender Zauber«, schicksalhaft wie eine Naturgewalt.

»Gigantenseele« – Brecht als Tristan-Dirigent

> Wie ist das, daß die Nacht anhebt zu singen. Und der
> Baum singt und die Decke und das Gebälk singt auch.
> Ich bin voll Unruhe, als gebäre ich eine Welt.

Eigenwillige Klassik-Rezeption

In den Kreisen, aus denen Brecht stammte, gehörte ein Interesse für »Bildungsgüter« wie etwa die klassisch-romantische Musiktradition zum guten Ton. Durch die Eltern ermutigt, hat sich zunächst auch Brecht auf traditionellen Hausmusikinstrumenten versucht und etwa von der 4. Klasse des Gymnasiums an für einige Jahre am freiwilligen Violinunterricht teilgenommen. Den Unterricht gab Chordirektor Rauch, der auch für das Singen an der Schule zuständig war. Aus Brechts Klasse lernten auf diese Weise etwa zehn bis fünfzehn Schüler das Geigenspiel – eine für heutige Verhältnisse erstaunlich große Zahl. Andere Instrumente wurden in der Schule wohl nicht gelehrt; Gitarre und Blockflöte waren damals als Schulinstrumente noch ungebräuchlich. Ziel des Geigenunterrichts war es unter anderem, Nachwuchs für das Schulorchester heranzubilden, das einmal jährlich, nämlich zur Abschlußfeier, auftrat. Der Unterricht wurde als Gruppenunterricht gegeben, wobei die bereits musikalisch Vorgebildeten raschere Fortschritte machten. Für Brecht war die Violine anscheinend das erste Instrument; er zeigte keine besonderen Fähigkeiten. Möglicherweise liegen in diesem Geigenunterricht schon die Wurzeln für seine spätere Antipathie gegen Streichinstrumente. Das Vorhaben, Blockflöte zu lernen, gab er auf, als sich Probleme mit der Spieltechnik zeigten. Für einen gründlichen Instrumentalunterricht war er, der damals rasche Erfolge sehen wollte, zu ungeduldig und zu unruhig. Aus dem gleichen Grunde bezeichnete er in einer frühen Tagebuchnotiz auch die Sitzfleisch erfordernde Romanform als für sich ungeeignet; mit Lyrik konnte er dagegen schneller und unmittelbarer auf momentane Eingebungen reagieren. Eine ähnliche Haltung nahm Brecht gegenüber dem Klavierunterricht ein. Anders als sein jüngerer Bruder Walter, der recht gut Klavier und Gitarre spielte, hatte Eugen »wenig Lust an langweiligen Übungsstunden und gab den Unterricht wieder auf«.[1] Hierin unterschied er sich kaum von seiner Freundin Paula Banholzer, genannt »Bittersüß«, abgekürzt »Bi«. Sie hatte freilich noch andere Motive: »Ich habe neun Jahre lang Klavier gelernt; aber ich habe wenig spielen können. Das liegt nicht daran, daß ich mich nicht interessiert hätte. Mein Vater hatte eine Arztpraxis in unserer Zehnzimmer-Wohnung. Wir waren vier Schwestern. Eine jede hat Klavier geübt, und mein Vater hat gesagt: Ja hört denn das nicht mehr auf? Da habe ich so viel Mitleid mit ihm gehabt, daß ich nicht *ein* Mal geübt habe. Meine Lehrerin, eine Klosterfrau, war nicht begeistert.«[2] Brechts Musikinteresse, das sich in dieser Zeit vor allem auf die musikalische Klassik bezog, dokumentierte sich wesentlich rezeptiv. Als er in den Oberklassen wegen einer Herzkrankheit zeitweise von den Nebenfächern befreit wurde, soll er sich in der freien Zeit zu Hause nicht nur mit Reimtechnik, sondern auch mit Harmonielehre beschäftigt haben. Sein Zugang zur Musik war allerdings weitaus eher poetisch-romantisch als technisch-analytisch. Seine Freunde Georg Pfanzelt, Ludwig Prestel und Georg Geyer mußten ihm häufig klassische Musik vorspielen. »Bei Freund Pfanzelt«, erinnert sich Rudolf Prestel, »begegnete ich Brecht öfters, wo er, ohne ein Wort zu reden, meinem Bruder und Pfanzelt, die gemeinsam Klavier spielten, zuhörte. Pfanzelt spielte ausgezeichnet Klavier, so ergab es sich, daß ab und zu musikbegabte Freunde bei Pfanzelt zusammenkamen und vor allem Beethoven spielten.«[3] Mit Beethoven scheint sich Brecht vor allem in den letzten Schuljahren intensiver befaßt zu haben; eine Fotografie aus dem Jahre 1916 zeigt ihn mit einem Beethoven-Buch, möglicherweise dem von Romain Rolland, unter dem Arm.[4] »Bi« erinnert sich, in seinem Mansardenzimmer ein Beethoven-Bild gesehen zu haben. Schon im September 1914 hatte Brecht in einem Zeitungsbeitrag Beethovens Egmont-Ouvertüre als eine »leidenschaftliche, stürmische Musik, deren Motiv ein Aufrütteln gegen Tyrannenjoch ist« charakterisiert.[5] Georg Pfanzelt war vier Jahre älter als Brecht, kein Schüler des Gymnasiums, als Mitbewohner des Bleichviertels aber ein Nachbar. Neben dem Klavier spielte er Orgel, Violine, Cello, Mandoline und Gitarre.[6] Ein großer Musikliebhaber unter Brechts Freunden war auch Ludwig Prestel, der jüngere Bruder des Mitschülers Rudolf. »Lud«, wie er genannt wurde, hatte Klavierunterricht bei der Frau des Musiklehrers und »Liedertafel«-Dirigenten Goessler bekommen; er spielte Brecht entweder bei sich, bei Pfanzelt oder im Wohnzimmer der Brechts Kompositionen von Bach, Beethoven und Chopin vor. Neben dem Klavier beherrschte er aber auch die Instrumente Gitarre, Laute, Flöte und Orgel. Daß Bach stets sein Lieblingskomponist war, führt Ludwig Prestel, heute pensionierter Nürnberger Stadtwerke-Direktor, auf seine Mitgliedschaft im »Wandervogel« zurück, der seine Musikauffassung entscheidend prägte. Die Zeit von 1500 bis zu Bachs Tod hält er heute noch für die größte Epoche in der europäischen Kunstgeschichte: Damals hätten die Künste in unmittelbarem Zusammenhang gestanden und einen gemeinsamen volkstümlichen Stil geprägt, der sich unter dem Einfluß bürgerlicher Subjektivität dann aber aufgelöst habe.[7] Klaviermusik des 16. und 17. Jahrhunderts, zugleich auch der musikalischen Blütezeit der Fuggerstadt Augsburg, spielte »Lud« besonders gerne.

Brecht, der früh das Lutherdeutsch für sich entdeckte, hatte ebenfalls ein starkes Interesse für die vorklassische, vor- und frühbürgerliche Kultur entwickelt. Besonders von Bach, seiner Matthäuspassion, den Suiten und dem Wohltemperierten Klavier, war er sehr beeindruckt. Diese Vorliebe überstand alle Wandlungen seines Musikverständnisses. Das »Wohltemperierte Klavier« betrachtete er geradezu als den Modellfall von Musik. Noch 1948 verglich er seine Antigone-Bearbeitung in ihrem Modellcharakter mit Bachs berühmter Sammlung von Präludien und Fugen: »Man braucht die Arbeit an Modellen auch nicht mit mehr Ernst zu betreiben, als zu jedem Spiel nötig ist. Ja, sie mögen ruhig als etwas dem ›Wohltemperierten Klavier‹ Verwandtes betrachtet werden.«[8] Wegen ihres vermeintlich bloß spielerischen und im Ausdruck nicht überhitzten Charakters war ihm diese Musik auch noch sympathisch, als er bürgerliche Musik generell eher distanziert betrachtete. Brechts Verhältnis zu den Bachschen »Modellen« war allerdings schon in seiner Jugendzeit so unkonventionell und spielerisch, daß er seine musikbegeisterten Freunde damit provozierte. Er behauptete sogar, man müsse die Bachsche Musik mit verändertem Takt und vereinfachtem Rhythmus spielen, um sie dadurch auch dem breiten Volk nahezubringen.[9]

Für den Schüler Brecht war Bach, den er schon von der Kirchenmusik her kannte, zweifellos der Lieblingskomponist. Aber auch auf dem Gebiet der eigentlichen musikalischen Klassik eignete er sich umfassende Hörerfahrung an. Die Tatsache, daß gerade Mozart besonders enge Beziehungen zu Augsburg besaß, hat seine musikalischen Interessen jedoch nicht erkennbar beeinflußt. Ein Zeugnis für seine eigenartige Mozart-Rezeption gibt Georg Geyer, der seinem Mitschüler systematisch und mit großer, von Brecht bewunderter Fingerfertigkeit Werke von Haydn, Mozart und Bach auf dem Klavier vorspielte. »Brecht war oft bei mir zu Hause. Einmal spielte ich den Mittelsatz von Mozarts ›Tod im Walde‹, eine Sonate in F-Dur, Köchelverzeichnis 280. Brecht saß gedankenversunken da und hörte zu. Als ich geendet hatte, stand er langsam auf, kam zu mir ans Klavier, nahm das Notenblatt und schrieb mit Bleistift die Worte neben den Titel:

Und er hauchte in seine Hand
Und roch an seinem Atem und er
Roch faulig. Da dachte er bei
Sich, ich sterbe bald.«[10]

Die Episode wirft ein Licht auf Brechts emotionales Reagieren auf Musik, auf seine poetische Hörweise. Musik war für ihn mit Inhalten verbunden. Beim Musikhören verstummte der sonst so Beredte; hier spürte er eine andere, das Unbewußte anrührende Sprache. Aufgrund seiner Herzkrankheit waren Brecht Todesgedanken nicht fremd. Tatsächlich besitzt der langsame Adagio-Satz der Mozart-Sonate mit seinem düsteren f-moll und den punktierten Rhythmen Züge eines Trauermarsches. Georg Geyer, später als Arzt tätig, brachte die Episode, die sich um 1915 zutrug, in Zusammenhang mit Brechts sensiblem Reagieren auf den Krieg, der den Gymnasiasten nicht nur seelisch, sondern auch körperlich erschütterte. Die beginnende Krankheit seiner geliebten Mutter habe Brechts Labilität noch verstärkt. Paul Dessau entdeckte in Aufzeichnungen über Mozarts Tod verblüffende Parallelen zu Brechts Zeilen. Demnach bat Mozart seine Schwägerin Sophie Haibl am Vorabend seines Todes: »Heut nacht bleiben Sie bei mir, Sie müssen mich sterben sehen. Ich habe ja schon den Totengeschmack auf der Zunge.«[11] Möglicherweise kannte Brecht diesen Ausspruch Mozarts und hatte ihn im Sinn, als er seine Zeilen in die Klaviernoten eintrug. Der Ausspruch Mozarts könnte dann auch die Wurzel für die Schlußszene im *Baal* sein; die Titelfigur bittet dort darum, ihn nicht alleine sterben zu lassen. Nur mit Blick auf die »Baal«-Szene können Geyer oder später wiederum Brecht die ganze Mozart-Sonate »Tod im Walde« genannt haben, denn selbstverständlich ist ein solcher Titel bei Mozart, der seinen Stükken prinzipiell keine außermusikalischen Titel gab, nicht überliefert. 1925, als Brecht in Berlin wieder einmal die Klaviersonaten von Mozart zur Hand nahm, fand er dort seine stenografierten Zeilen. Er machte sie zur Grundlage seines »Sonetts über schlechtes Leben«.

Dirigentische Ambitionen

Das Musikleben Augsburgs stand in seiner Bedeutung im Schatten der benachbarten Hauptstadt München. Nur wenig erinnerte noch an die kulturelle Ausstrahlung der einstigen Freien Reichsstadt. Seitdem aber 1903 Carl Häusler, dessen Fähigkeit, geschäftliche mit künstlerischen Interessen zu verbinden, gerühmt wird, zum Pächter und Direktor des Stadttheaters berufen worden war, erhielten dort wenigstens die Opernaufführungen größere Attraktivität. Brecht besuchte sie regelmäßig. Bei den Aufführungen unter den Kapellmeistern Joseph Bach und Karl Tutein befanden sich die Schüler meist auf der preiswerten Stehgalerie, wo Textbücher mitgelesen werden konnten. Brecht lernte so frühzeitig die wichtigsten Opernstoffe kennen; auf Stoffe wie *Don Juan* oder *Hoffmanns Erzählungen* hat er auch später noch zurückgegriffen. Bei Opern scheint ihn das Szenische besonders interessiert zu haben. Rudolf Prestel bemerkte einmal verwundert, wie Brecht das Bühnengeschehen mit ausgestrecktem Zeigefinger verfolgte. Manche Stücke wie den *Fliegenden Holländer, Freischütz* oder *Oberon* hat er mit Schulfreunden auf dem Puppentheater nachgespielt. »Beim ›Fliegenden Holländer‹ hatten wir ein kleines Spinnrad, das mit einem Treibriemen von unten bewegt werden konnte. Beim Puppenspiel wirkten außer Brecht sein Bruder Walter, Rudolf Hartmann, dessen Cousine Ernestine Müller und ich[12] mit. Auf dem Spielplan standen Szenen aus Webers ›Freischütz‹ und ›Oberon‹, Büchners ›Leonce und Lena‹, Goethes ›Faust‹, Shakespeares ›Hamlet‹ und Wedekind-Partien.«[13] An den genannten Opern dürften ihn besonders ihre romantischen Inhalte fasziniert haben. Das Holländer-Motiv des vom Sturm getriebenen Schiffes, alsbald im Kriegsgedicht »Der Geist der Emden«[14] sowie im Gedicht »Romantik« beschworen, taucht bei Brecht immer wieder auf, nicht zuletzt 15 Jahre später in der Oper *Mahagonny*[15].

Der junge Brecht stand zu Wagner noch nicht im Gegensatz, sondern bewunderte ihn, vor allem wegen der starken Bühnenwirkung seiner Musikdramen. Seine Bewunderung war allerdings auch mit etwas Neid verbunden. Von Neid konnte er sich später auch anderen Erfolgreichen wie Gerhart Hauptmann oder Thomas Mann gegenüber nicht freimachen. Schon der fünfzehnjährige Brecht zeigte Ansätze einer Wagner-Kritik, als er 1913 für die Schülerzeitung »Die Ernte« eine Glosse über die Wagnerianer schrieb; ihnen warf er vor, sie legten gegenüber den modernen Komponisten Strauss, Pfitzner und Reger mittlerweile die gleiche Intoleranz und Ignoranz an den Tag wie seinerzeit die Zeitgenossen gegenüber Wagner.

Das Augsburger Konzertleben erlebte während Brechts Gymnasialzeit trotz des Krieges einen gewissen Aufschwung, als 1915 das 1865 als Theaterorchester gegründete Städtische Orchester in Carl Ehrenberg seinen ersten städtischen Kapellmeister erhielt. Er führte die städtischen Symphoniekonzerte ein, die mittwochs und sonntags im neueröffneten Ludwigsbau, einem Saal mit 1100 Sitzplätzen, stattfanden. Neben den Symphoniekonzerten gab es im Sommer unter freiem Himmel die Stadtgartenkonzerte, bei denen bis 1914 meist eine Militärkapelle unter Leitung des Dirigenten Hempel gespielt hatte. Diese Stadtgartenkonzerte waren für die Jugend schon deswegen interessant, weil sie kostenlos waren; außerdem konnte man dabei promenieren und Freunde treffen. Auch Brecht besuchte sie, wie Paula Banholzer sich erinnert: »Im Stadtgarten gab es die leichtere Musik, also die Nachmittagskaffees, auch Operetten und Salonstücke. Da war er auch dabei. Das hat ihn interessiert. Zuerst kam der Marsch, dann leichtere Sachen und zum Schluß Operetten.« Hierhin ging Brecht häufig allein. Daß er fast nie zusammen mit der Familie kam, lag daran, daß der Vater, der die Geselligkeit liebte, Konzerte langweilig fand.[16] Nach Kriegsbeginn mußten die Militärmusiker ins Feld. Am 15. 1. 1915 wurde auch dem ganzen Städtischen Orchester der Vertrag gekündigt; mit den Musikern wurden nur noch Jahresverträge geschlossen. Trotz verschlechterter Bedingungen und reduzierten Personalstands mußte es zusätzlich noch die früheren Funktionen der Militärkapellen übernehmen. »Im Winter spielte das Orchester also wie bisher im Theater und in etwaigen Symphonie- und Vereinskonzerten, den

Sommer über wöchentlich zweimal im Stadtgarten. Daneben übernahm das Orchester die Platzmusiken in der Stadt und vor den Lazaretten an Stelle der fehlenden Militärmusik. In den letzten Jahren des (...) Krieges waren durch dauernde Einberufungen nurmehr ein Drittel der Orchestermitglieder tätig, so daß man, um überhaupt noch Musik zu Gehör bringen zu können, dauernd bei der Militärbehörde um Urlaub für etwaige bei ihr befindliche Musiker einkommen mußte.«[17] In den Kriegsjahren, in denen der Gymnasiast Brecht besonders intensiv am Konzertleben teilnahm, spielte also sowohl im Ludwigsbau als auch im Stadtgarten lediglich das reduzierte Städtische Orchester. Trotzdem war Brecht von den Aufführungen mit dem Dirigenten Carl Ehrenberg sehr beeindruckt. Über die Stadtgartenkonzerte berichtet ein Mitschüler: »Brecht promenierte da nur selten gelassen mit. Einmal blieb er plötzlich stehen, zeigte auf den Dirigenten, der auf einem Holzpodest stand, und sagte ganz laut: ›Das garantiere ich euch, auf solch einem Podest stehe ich auch einmal.‹«[18] Während er später Dirigenten verächtlich als »Ballettrattenkönige«, als tanzende Rattenfänger apostrophierte[19], bewunderte er sie in seiner Augsburger Frühzeit sehr.

Im Juli 1913 hatte er in einem Brief aus Bad Steben geschrieben: »Das einzige hier ist die Musik. Vor- und Nachmittags ist Konzert der schönen Kurkapelle. Der Kapellmeister sitzt mir beim Essen gegenüber. Är ißßt ain Ungar und ißt mit die Händ. Die feinen Leut' am Tisch sehen ihm bewundernd zu.«[20] Das beim Konzertpublikum nicht gerade seltene Bedürfnis nach Identifikation mit dem Dirigenten ging bei Brecht so weit, daß er sich für sein Mansardenzimmer Tristan-Partitur, Notenständer und Taktstock kaufte und den staunenden Freunden gegenüber behauptete, er brauche dies, um sich nach dichterischer Inspiration beim Dirigieren wieder beruhigen zu können. Dazu »Bi«, die Freundin: »Ich glaube, es war ›Tristan und Isolde‹, was er mir vordirigiert hat. Er sagte mir, er will sich jetzt mit Musik befassen und dirigieren. Ich habe noch in Erinnerung, daß ich mir damals gedacht habe: So etwas Schweres dirigiert der da! Er hat das Pult gehabt, das sehe ich noch vor mir, und darauf lag die Partitur, und er hat stumm dirigiert nach diesen Noten. Früher war ja noch alles primitiv, man hat ja kein Radio gehabt.«[21] Brechts »Dirigierkunst« dürfte allerdings von pubertärem Geltungsbedürfnis nicht ganz zu trennen sein.

Ehrenberg, Brechts damaliges Vorbild, war übrigens auch als Komponist tätig; er schrieb zahlreiche Orchesterlieder in der Nachfolge seines Lehrers Felix Draeseke. 1916 wurde in Augsburg sein »Symphonischer Prolog und Musik zu einem Heldengedenkspiel« uraufgeführt. 1918 verließ Ehrenberg Augsburg, wurde später Kapellmeister an der Berliner Staatsoper und Leiter von Orchesterklassen an den Musikhochschulen von Köln und schließlich München, wo er 1962 verstarb.

Im Sommer 1917 lernte der Gymnasiast Otto Bezold, später bayrischer Staatsminister, bei einem Konzert im Stadtgarten einen jungen Mann kennen, der, wie er seinem Freund Hans Otto Münsterer berichtete, ein wirklicher Dichter sei und auch Musikkritiken schriebe: Brecht.[22] Noch um 1927 bekannte dieser lachend gegenüber dem Musikkritiker H. H. Stuckenschmidt[23], er sei ja eigentlich ein Kollege. Musikkritiken Brechts sind zwar bisher nicht aufgetaucht, jedoch ist es durchaus denkbar, daß er sich in den letzten Jahren seiner Gymnasialzeit zum Musikkritiker berufen fühlte. Seine romantisch-poetische Musikauffassung, wie sie sich schon an dem von Geyer mitgeteilten Mozart-Beispiel zeigte, drängte ihn zu schriftlichem Ausdruck.

Wie die Musikkritiken des jungen Brecht ausgesehen hätten, läßt sich immerhin erahnen. Im August 1915 erschien in der Wochenbeilage der »München-Augsburger Allgemeinen Zeitung« seine Novelle »Dankgottesdienst«, die ein Paradebeispiel für seine damalige programmusikalische Ästhetik ist. Für den jungen Brecht, dessen Schaffensprozeß durch seinen Ausspruch »Ein Dichter muß in Bildern denken und dann diese Bilder beschreiben«[24] charakterisiert wird, war Musik vielleicht die wichtigste Quelle bildhafter, dichterischer Inspiration. Brechts Erfahrung, daß Musik ihn von der Außenwelt abschloß und zu inneren Visionen anregte, ist der Ausgangspunkt seiner Novelle, deren Held ein Dorforganist ist. »Als er zu präludieren beginnt, ganz versunken, verloren in seine Improvisation, hat der alte Organist alles vergessen ... Die Menschen unten im Kirchenschiff, den auf Schluß des Präludiums wartenden Pfarrer, ja sogar seine ungeheuerliche Sorge: die Nachricht vom Ehrentod seines Sohnes. Alles, alles hat er vergessen. Er sitzt, den kleinen, breiten Körper ganz steil aufgerichtet, den schönen Kopf mit der klaren, großen Stirne, die von weißer Mähne umwogt ist, zurückgeworfen. Sein Gesicht, kalt und wie aus Stein gemeißelt, ist nicht schön. Aber die Augen, die tiefblauen Augen leuchten, wie Alpenseen leuchten in der Sonne.«[25] In den Augen des Musikers spiegelt sich der Blick nach innen, der Blick in die Vergangenheit, der Visionen zutage fördert, die direkt in die Improvisation einfließen, unmittelbar zu Musik werden. »Es ist, als singe die alte Orgel von vergangenen, schönen Tagen, von einer goldenen, stillen Kindheit, von Stunden, die schwebend und leuchtend vorübergezogen sind ...« Die Orgelimprovisation wird zur Programmusik, zur Sinfonischen Dichtung, in der jede musikalische Wendung inhaltliche Bezüge besitzt. So gilt etwa das Eindringen von Dissonanzen in die schlichte Anfangsmelodie als bedeutsam. Brecht, der damit auch sein eigenes Reagieren auf die Orgelimprovisationen Clemens Haindls wiedergibt, beschreibt mit merklicher Bewunderung die starke Wirkung der Musik auf die Zuhörer im Kirchenschiff; sie sind ihr ebenso ausgeliefert wie dem Wechsel des Lichts, das durch die Kirchenfenster eindringt. »Ein wenig reicher wird die kleine Melodie, ein wenig verwirrter. Immer noch ist sie hell und fein. Aber manchmal schwellen seltsame dunkle, süße Töne auf, schwüle Töne. Diese Töne werden zahlreicher. Heißer, erregter wird das Wogen der Musik. Schon fährt es wie ferne, leichte Windstöße einher. Die Kirche ist ganz still. Nichts hat sich seit dem Beginn des Präludiums geändert. Aber die Gesichter der Menschen sind schattiger geworden und ernster. Das Orgelspiel wird lauter und lauter. Harte, grelle Stöße gellen auf. Das Motiv ändert sich. Stürmischer wird es, wogender. Schatten ziehen durch die Dorfkirche.«

Der ganzen Improvisation, wie Brecht sie schildert, liegt das kathartische Prinzip des »Von Nacht zum Licht« zugrunde, ein Grundprinzip romantischer Beethoven-Rezeption. Konflikte werden durch Themendualismus verdeutlicht. »Nun ficht der alte Organist den Streit aus, den Streit mit dem Sohn, dem ungeratenen Sohn. Es ist ein furchtbarer Kampf zweier Welten.« Die Musik versteht Brecht als direkten Selbstausdruck des Musikers, als unmittelbare Übersetzung innerer Visionen in eine andere Sprache. Diese musikalische Sprache, so fremd sie der Alltagssprache ist, wird doch von den Zuhörern im Kirchenschiff sofort verstanden. Unmittelbar überträgt sich ihr düsterer Ausdruckswert: »Es kommt ein Moment, wo alle Leute, die unten still der Musik lauschen, zusammenschrecken. Das laute Brausen, das Streiten hat aufgehört, ist in wilder Disharmonie abgebrochen.« Direkt wirkt auch ihr freundlicher Charakter: »Viele Menschen sitzen verträumt und singen in glücklichen Seelen das Lied des Volkes mit.« Diese Sprache, die Musik, wird nicht nur spontan verstanden, sondern auch miterlebt und -gefühlt. Für das Publikum wie für den Organisten besitzt das ganze Präludium so eine reinigende, klärende Funktion: Die Bitterkeit des Künstlers, seine Trauer über den gefallenen Sohn, die der vieler anderer Eltern gleicht, werden verdrängt durch den Gedanken an den Sieg der Deutschen über die französischen Truppen.[26] Das angebliche Heil des Vaterlandes macht individuelles Leid vergessen. Indem der Organist diesen Kampf der Prinzipe in Musik ausficht und einer »Lösung« entgegenführt, wächst er über sich selbst hinaus, wird zum Übermenschen, zur »Gigantenseele«: »Das jubelnde Siegmotiv ist stärker. Es verschlingt, übertönt den Schmerz. Und es wächst in den Himmel. Sein Singen jauchzt gigantisch erhaben auf. Es ist ein gewaltiges Dankgebet. Es jauchzt und jauchzt, jubelt und singt mit Donnerstimme. Das ist keine Menschenseele, die da schluchzt, das ist eine Gigantenseele, die sich freijauchzt von aller Beklemmung und um letzte, höchste Läuterung ringt ...« Musik bedeutet Rausch, Ekstase, Befreiung von allen irdischen Beklemmungen. Höchste Läuterung ist der Tod. Und so läßt Brecht seine Novelle, wie Richard Strauss seine gleichnamige Symphonische Dichtung, mit Tod und Verklärung des Musikers enden: Er stirbt, »eine wunderbare, durchgeistigte Klarheit im Antlitz«, noch auf der Orgelbank über dem Schlußakkord.

Starke Gefühle lösten damals bei Brecht fast regelmäßig musikalische Assoziationen aus, so 1914 in einer Rezension von Carl Hauptmanns Drama *Krieg:* »Eine Fülle origineller Gestalten, eine Fundgrube von Phantasmen und Symbolen tut sich auf und verkündet in wundervoll reiner, gehobener Sprache das Evangelium vom großen Krieg. Wilde Schemen springen in groteskem Tanz zum Takt einer wunderfeinen Melodie. Kanonen brüllen auf und geben den Baß. Hunger, Not und Verzweiflung fiedeln die Geigen. Ungeheuerlich türmt sich das ganz in einem wilden, blutleuchtenden Chaos ...«[27] Hauptmann hatte sein Drama ein »Tedeum« genannt, und Brecht konnte nicht anders als die imaginäre Musik aufzeichnen. Ähnlich im Oktober 1914 bei einer Rezension von Tagore-Lyrik: »Ein seltsamer Gegensatz! In der Sturmsinfonie unserer Zeit, aus dem dröhnenden, ehernen Schlachtrhythmus, klingen die süßen Melodien des Orientalen auf. Singen und jauchzen von Liebe und Glück, das uns unwesentlich, unwirklich vorkommt in dieser Zeit, klagen und seufzen über ein Leid, das uns zu klein, zu persönlich scheinen mag, um zu trauern. – Und nun ist es das Seltsame, Wunderbare, daß wir doch jauchzen und klagen müssen bei diesen Klängen, daß wir die ernste Zeit, Kampf und Elend vergessen und an der Hand dieses Dichters in ein sonniges Land des Friedens wandeln müssen ... Es scheint alles Prosa zu sein. Aber die Idylle klingen doch. In einem zart schwebenden, leuchtenden Rhythmus wogen sie dahin, zum Takt einer geheimnisvollen Melodie ... Aus ihnen singt die Flötenstimme der ewigen Schönheit.«[28] Als Qualitätsbeweis der Tagoreschen Dichtung wertet Brecht, daß sie die Wirklichkeit vergessen macht. Diese Faszination geht, wie er gesteht, vor allem von der Klanglichkeit der Sprache aus. Unabhängig von den belanglosen Inhalten ist es die »geheimnisvolle Melodie« der Sprache, die ihn fasziniert, verzaubert und von der Wirklichkeit wegführt.

Texte für Musik

Die unmittelbaren Wechselwirkungen, die Brecht zwischen Musik und Empfindung sah, mußten bei ihm den Wunsch entstehen lassen, Texte zur Vertonung zu schreiben. Wenn Musik als Auslöser dichterischer Produktion fungierte, konnten umgekehrt mit Texten bestimmte musikalische Vorstellungen verbunden sein. So schrieb Brecht einen Oratoriumstext, den er im Mai 1919 Armin Kroder, einem Freund Ludwig Prestels, zur Vertonung übergab. Kroder, wie »Lud« jünger als Brecht, besuchte damals noch die Oberklasse des Anna-Gymnasiums. Da sein Vater, der Konrektor

Kroder, eine Zeitlang auch Brechts Lehrer in den Fächern Französisch und Englisch, selbst komponierte und am Realgymnasium die Streichquartettproben leitete, war es nicht verwunderlich, daß der Sohn schon früh Klavier, Violine und Orgel spielte, einen Kirchenchor im Augsburger Vorort Königshofen dirigierte und überhaupt als »junges Genie« galt. Auf der Suche nach einem vertonbaren Text – Kroder dachte an eine kleine Oper oder ein Oratorium – kam er durch Vermittlung seines Freundes Ludwig Prestel zu Brecht. »In der Mansarde, wo Brecht wohnte, stand ein großer Tisch, der vollbeladen war mit Zetteln, Manuskripten und Mappen. Während Brecht eifrig die abgelegten Papierstöße auf dem Tisch durchstöberte und das meiste dabei auf den Boden warf, fragte er, mehr zu sich selbst als zu uns: ›Ja, was können wir denn nur dem Herrn Kroder zum Komponieren geben – was können wir ihm nur geben?‹ Endlich zog er aus einem der letzten Stöße ein zehnseitiges Schreibmaschinenmanuskript hervor: ›Hier wäre etwas, ja, das könnten Sie vertonen.‹ Es war ein richtiges Oratorium, wie ich es mir gewünscht hatte.«[29]

Liest man den Text durch, so erheben sich Zweifel, ob er wirklich schon von Anfang an als Oratorium konzipiert war. Zwar ist der Inhalt religiös, ein Zwiegespräch zwischen Mensch und Gott, die szenischen Anweisungen und die Beleuchtungsvorschläge lassen aber eher als an Oratorien an Mysterienspiele von der Art Richard Dehmels oder auch Kandinskys denken. Die von individuellen Zügen abstrahierende allgemeine Benennung der Protagonisten – »Er«, »Sein Weib«, »Die Mutter«, »Der liebe Gott« – erinnert an Dramenentwürfe der Expressionisten. In ganz ähnlicher Weise wie hier wurde auch in Arnold Schönbergs Drama mit Musik *Die glückliche Hand* Lichtdramaturgie, innere Entwicklung und Musik in Beziehung zueinander gesetzt.

Münsterer datierte den Text auf 1916 bis 1917, jedoch erscheint als Entstehungszeit 1917 bis 1918 wahrscheinlicher. Gerade in seinem ersten Studiensemester in München befaßte sich Brecht neben dem Medizinstudium mit Religionsfragen; er belegte Vorlesungen zur Leben-Jesu-Forschung und zur Religionspsychologie. Denkbar ist, daß das »Oratorium« an Hanns Johsts ekstatisches Szenarium »Der junge Mensch« anschließt, dessen Uraufführung Brecht am 29. Januar 1918 bei der Semesterabschlußfeier des Kutscher-Seminars erlebte.[30] In seiner Gegenüberstellung von sündigem Helden und reinem Jüngling, von Mensch und »Himmel«, ist das »Oratorium« eine Vorstufe zum *Baal*. Während im *Baal* jedoch die sexuelle Ekstase im Mittelpunkt steht, ist es im »Oratorium« die religiöse. In beiden Fällen drängt das gesteigerte Gefühlsleben in einer für den frühen Brecht sehr charakteristischen Weise zur Entladung in Musik. Besonders durch den Gesang des Lieben Gottes mit der Regieanweisung »dunkel, langsam, mild« und den Schluß hatte sich Armin Kroder musikalisch inspiriert gefühlt. Der Schluß ist eine Verklärung. Während »eine ferne, wehende und immer gleiche und ruhige Musikstimme« anhebt, spricht Er »in namenlosem Staunen«: »Herr, ich weiß, wer du bist, denn es ist schon still worden in mir. – Wie ist das, daß die Nacht anhebt zu singen. Und der Baum singt und die Decke und das Gebälk singt auch. Ich bin voll Unruhe, als gebäre ich eine Welt. Und doch bin ich nur ein Staubteil, das du trunken gemacht hast, daß es seine Kleinheit vergißt aus schwachem Hirn und sich vermißt, eine Welt zu machen! Aber ich will still sein, denn es hören nicht, die nur reden.«[31]

Den Glauben stellt Brecht wie das Musikhören als eine stille Versunkenheit dar: Der Mensch verstummt, die Dinge beginnen zu singen wie in Eichendorffs berühmtem Gedicht »Schläft ein Lied in allen Dingen …« Die Sprache ist Vorstufe zu Musik. Musik ist wie Gott eine allgegenwärtige Macht, gegenüber der Worte versagen. Und so endet das Oratorium in wortlosem Gesang, in einer Messe ohne Text, als musikalische Pantomime: »VIELE STIMMEN langsam aufwachsend, sich verzweigend, immer mehr sich einend, singen eine Messe.

ER am Schluß, taumelt mit hoch erhobenen Armen durch das Tor in die Nacht hinaus.

Die Stimmen ohne Worte, von Männern und Frauen gesungen, füllen die leere Bühne, die dunkler und dunkler wird und sich langsam schließt.«

Mit dieser Schlußapotheose reagierte Brecht auf Hans Pfitzners *Palestrina*. Dieses vierstündige Musikdrama war am 12. Juni 1917 innerhalb einer Pfitzner-Woche im Münchner Prinzregententheater unter Bruno Walter uraufgeführt worden; Brecht hatte eine Aufführung im Mai 1918 in München erlebt.[32] Thema des Musikdramas ist die historische Auseinandersetzung um den Komponisten Palestrina, dessen zweites Messenbuch mit der *Missa Papae Marcelli* schließlich vom Papst als Musterbeispiel der Messenkomposition anerkannt wird. In der Schlußszene betet der Komponist, allein in seinem Zimmer, zu Gott:

> Nun schmiede mich, den letzten Stein
> An einen deiner tausend Ringe,
> Du Gott – und ich will guter Dinge
> und friedvoll sein.

Die Messe war ihm zuvor von Engelsstimmen, die aus der Ferne unsichtbar sangen, eingegeben worden.

»So kann man es nicht machen«, betonte Brecht mehrfach gegenüber Kroder, »darum schrieb ich mein Oratorium, das auch eine Verklärung zum Gegenstand hat.« Was allerdings der wesentliche Unterschied zu Pfitzners musikalischer Legende[33] war, wurde Kroder nicht deutlich. »Ich versuchte, Brecht zu verstehen, konnte aber seinen Gedanken nicht so schnell folgen. Ich bat ihn deshalb, ob er mir nicht noch einige seiner Lieder vorsingen wolle. Da langte sich Brecht die über dem Bett hängende

Gitarre, warf sich, wie er dastand – mit Jacke und Schuhen –, aufs Bett und begann zu singen.«[34] Zu den Liedern, die Brecht ihm damals vorsang, gehörte die »Ballade vom Baum Green«. Kroder traf den jungen Dichter noch mehrfach, wie er in einen weiten Mantel »gekleidet wie ein Engländer« bei den Stadtgartenkonzerten in großem Bogen rund um das Orchester promenierte. Brecht diskutierte bei einem solchen Zusammentreffen erneut über das Oratoriumsprojekt und trug dazu sogar eigene melodische Ideen vor. »Alle Augenblicke blieb er stehen: ›So müssen Sie das machen!‹ Die Leute haben alle gelacht, ich auch. Ich habe es damals nicht in dem Stil gemacht, konnte es auch nicht fertigbringen, weil ich ganz anders komponierte.«[35] Daß Brecht damals an die Vertonung eines so langen Prosatextes dachte, widerspricht seiner sonst mehrfach geäußerten Auffassung, nur kurze, gereimte Gedichte seien verton- und singbar. Sich selber traute er eine so umfangreiche und zudem noch in Prosa abgefaßte Komposition nicht zu. Andererseits brachte er aber auch so hohe Erwartungen und anscheinend auch schon so genaue musikalische Vorstellungen vor, daß Kroder schließlich vor der schwierigen Aufgabe zurückschreckte. »So, wie er sich das vorstellte, wagte ich mich nicht an eine Vertonung.«[36] Bald darauf verließ Kroder die Stadt Augsburg, um zu studieren. Brechts Oratorientext blieb unvertont in seinem Besitz.

Wenn Brecht seinen Text auch als Gegenentwurf zu Pfitzner konzipierte, so ist doch die Musikauffassung, die dahintersteht, noch ganz dieselbe, nämlich die spätromantische des 19. Jahrhunderts. Musik erscheint als Organon, Fundament, Ausgangspunkt und Ziel aller Kunst, als eine Kunst, die kraft ihrer Immaterialität und Realitätsferne allen anderen Künsten überlegen ist und selbst an die Stelle der Religion zu treten vermag. Aus dieser Musikauffassung, die bereits aus seinen frühen patriotischen Zeitungspublikationen sowie der Novelle »Dankgottesdienst« sprach, sollte Brecht bald ausbrechen.

Daß es auch andere Musikauffassungen als die des Bürgertums gab, hatte er schon früh erfahren. Schon für den Gymnasiasten war die bürgerliche Existenz kein unumstößliches Faktum.

Opposition gegen die Bürgerwelt

Ich, Bertolt Brecht, bin aus den schwarzen Wäldern.
Meine Mutter trug mich in die Städte hinein
Als ich in ihrem Leibe lag.

Opposition gegen Augsburg –
Die angemaßte Fremdheit

Obwohl laut Geburtsurkunde in Augsburg am Lech geboren, scheint Brecht, wie sein Gedicht *Vom armen B. B.* (1922) bezeugt, Wert darauf gelegt zu haben, nicht eigentlich aus Augsburg zu stammen. Ist dieser rätselhafte Hinweis auf schwarzwäldische Herkunft bloße Legendenbildung, eine der zahlreichen Maskierungen des Bertolt Brecht? In Anbetracht der Tatsache, daß die aus dem Badischen stammenden Eltern am 15. Mai 1897 in Pfullingen in der Schwäbischen Alb heirateten und genau neun Monate später ihren ersten Sohn bekamen, ist es nicht unwahrscheinlich, daß die Mutter bereits schwanger war, als sie ihren Mann nach Augsburg begleitete, ist es denkbar, daß sie damals also ihren Sohn vom Lande »in die Städte hinein« trug. Die behauptete Schwarzwälder Herkunft Brechts hätte damit eine reale Fundierung.

Da üblicherweise nicht der Zeugungs-, sondern der Geburtsort als Heimatort gilt, müssen es schon besondere Gründe gewesen sein, die den 24jährigen Brecht dazu geführt haben, seine Geburtsstadt Augsburg zu verleugnen und statt dessen die Schwarzwälder »Herkunft« hervorzukehren. Die Begründung scheint zu liegen in einer Oppositionshaltung gegen den konservativen und pfäffischen Charakter der Stadt Augsburg, der auch dessen offizielles Kulturleben prägte. Die »schwarzen Wälder« bedeuteten für ihn dagegen wohl noch ein Moment wilder Ursprünglichkeit und bäuerlicher Einfachheit, den eingefahrenen bürgerlich-städtischen Traditionen, von denen auch seine Erziehung bestimmt war, entgegengesetzt.

Während der Vater die immer mehr verpönte Augsburger Bürgerlichkeit repräsentierte, verkörperten die Mutter, die Protestantin, und auch die beiden Großmütter Brezing und Brecht eher das ländlich-ursprüngliche

45

Moment. Im »Lied von meiner Mutter« hob Brecht deshalb hervor: »Sie ist im Wald aufgewachsen«. Im Gedicht »Vom armen B. B.« heißt es in der 1. Strophe:

> Und die Kälte der Wälder
> Wird in mir bis zu meinem Absterben sein.

Die 9. Strophe wiederholt:

> Ich, Bertolt Brecht, in die Asphaltstädte verschlagen
> Aus den schwarzen Wäldern in meiner Mutter in früher Zeit.[1]

Das Gedicht entstand am 26. April 1922 im D-Zug Berlin-München. Brecht hatte bei seinem zweiten Berlin-Aufenthalt, bei dem er nach der Jagd nach Schauspielern, Regisseuren und Verlegern wegen Unterernährung in die Charité eingeliefert worden war, die Kälte der Städte kennengelernt. Am 24. November 1921 notierte er sich: »Eines ist im Dickicht: die Stadt. Die ihre Wildheit zurückhat, ihre Dunkelheit und ihre Mysterien.«[2] Wegen dieser geahnten Identität von Großstadt und Walddickicht legte er in dem zitierten Gedicht »Vom armen B. B.«, das später den Schluß seiner »Hauspostille« bildete, auf der Rückreise nach Bayern ein Bekenntnis ab zur Großstadt Berlin, zur Asphaltstadt, in der er daheim sei, »mißtrauisch und faul und zufrieden am End«.

Der 24jährige Brecht fühlte sich in Augsburg nicht mehr daheim. Er war auf der Suche nach Gegenwelten. Wenn sich Eugen Berthold Brecht ab Juli 1916 Bert Brecht nannte, so bedeutete bereits das eine Zäsur. Die Namensänderung signalisiert eine Abkehr von den kriegsbegeisterten patriotischen Artikeln, die er zuvor unter dem Namen Eugen Berthold veröffentlicht hatte, eine Abkehr auch von den konservativen Anklängen der beiden Vornamen Eugen und Berthold, die »holde« Ritterlichkeit, vor allem aber Prinz Eugen, den »edlen Ritter«, assoziieren ließen.

Mit dem neuen Namen Bert Brecht, der durch seine alliterierende Knappheit für seinen Träger charakteristisch ist[3], war eine völlige Absage an die Vaterwelt allerdings nicht verbunden. Brecht zeigte gegen Autoritäten weniger Feindschaft als vielmehr Skepsis:

> Die großen Männer sollte man ehren
> Aber man sollte ihnen nicht trauen.

Wie zum Vater vollzog er auch zum heimatlichen Augsburg keinen völligen Bruch. Es scheint dabei einen Zwiespalt zwischen vernunftbedingter öffentlicher Distanzierung und stillen, eher gefühlshaften Bindungsresten gegeben zu haben. So behielt Brecht in Berlin noch mehrere Augsburger »Relikte« bei. Nicht nur der Jugendfreund Caspar Neher folgte ihm nach Berlin, sondern auch des Vaters Dienstmädchen Marie Hold, das ihm noch bis ins Jahr 1934, das Jahr ihrer Heirat, den Haushalt besorgte.

Neben der Haushaltsführung und dem Essen entsprach auch die Kleidung Augsburger Gewohnheit:»Den Schneider, bei dem er seine bewußt einfache und abgetragen aussehende Kleidung anfertigen ließ, kannte der Dichter noch von Augsburg her.«[4] Auch musikalische Reminiszenzen an das Elternhaus bewahrte er sich; so rief er an den Heiligabenden von Berlin aus in Augsburg an, um den Klang einer Spieldose, die noch in der elterlichen Wohnung stand, zu hören.[5] Diese Spieldose der Marke »Kalliope«, deren Deckel eine rokokoartige Genreszene zierte, war ein besonderer Stolz des Vaters; sie konnte – eine Vorform des Plattenspielers! – mittels auswechselbarer Metallplatten verschiedene Musikstücke wiedergeben.[6] Vater Brecht besaß etwa 20 solcher Metallplatten mit volkstümlichen Titeln wie »La Paloma«, »O du fröhliche«, »Donauwalzer«, mit Melodien aus der Operette *Der Graf von Luxemburg* oder aus der Oper *Martha* von Flotow. Alle diese Musikstücke ertönten in dem zwar vollen, aber doch einheitlichen Glöckchenklang. Bert Brecht hat diese Spieldose seit seiner Kindheit geliebt. Seinem Bruder Walter zufolge hat er sich nicht nur einmal, sondern jedes Weihnachten solche Melodien vorspielen lassen.[7] Gerade mit der Welt der Dinge aus seiner Heimatstadt Augsburg fühlte er sich in Berlin noch eng verbunden. Die proklamierte radikale Trennung von der bürgerlichen Sphäre des heimatlichen Augsburg fiel ihm nicht leicht. Derselbe Zwiespalt prägte auch Brechts Haltung zur bürgerlichen Musikkultur.

Generell suchte er freilich um 1920 zu Deutschland, dem »Aasloch Europas«, eine Alternative:

> O Aasland, Kümmernisloch!
> Scham würgt die Erinnerung
> Und in den Jungen, die du
> Nicht verdorben hast
> Erwacht Amerika![8]

Wenn er Europa und Amerika einander gegenüberstellte, so kontrastierte er damit auch die ältere und jüngere Generation. Zur vergreisten Bürgerwelt Augsburgs bedeutete ihm Amerika ebenso ein positives Gegenbild wie die »schwarzen Wälder« und die Asphaltstädte. Dafür, daß Brecht den Schwarzwald, Amerika und die Asphaltstädte als eine innere Einheit ansah, gibt es sogar eine familiäre Erklärung. Verwandte aus dem Badischen, die Wurzlers, waren im 19. Jahrhundert nach Amerika ausgewandert. Von ihnen hatte der begeisterte Karl-May-Leser Eugen Brecht einmal ein Indianerzelt erhalten, um das ihn seine Spielgefährten beneideten. Der Schwarzwald und Nordamerika mit seinen Großstädten und Savannen standen für ihn schon früh in einem Zusammenhang, so daß er in Berlin das Leben in den Wäldern mit dem »im Dickicht der Städte« vergleichen konnte – beides erforderte Mut und Abenteuerlust. In Städten wie Augsburg sah Brecht dagegen Routine und Spießertum beheimatet. Schon der Gymnasiast konnte es deshalb als Auszeichnung empfinden, wenn die Augsburger Bürger ihn als einen Fremden betrachteten.

Wenn ich bei den feinen Leuten sitze
Und erzähle, was noch keiner weiß
Schauen sie mich so an, daß ich schwitze
Und man schwitzt nicht in dem feinen Kreis.
Und sie sitzen um mich her und lachen
Und sie sagen alle ganz wie meine Mutter:
Er ist ein andrer Mensch, er ist ein andrer Mensch
Er ist ein völlig andrer Mensch als wir.[9]

Brecht suchte, wenn auch nicht ohne Widersprüche, Gegenbilder zu seiner bürgerlichen Herkunft. Mit der Änderung des Autorennamens Eugen Berthold in Bertolt Brecht wurde dieser Umbruch 1916 manifest. Anstöße zu einer solchen Umorientierung hatte es allerdings schon lange vorher gegeben.

Volkslieder zur Gitarre.
Brecht und der deutsche Wandervogel

Das Volk ist nicht tümlich.

Eine große und breite Bewegung der Jugend gegen die Lebensweise und Kultur ihrer Väter stellte nach 1900 der deutsche Wandervogel dar. Von den zahlreichen zeitgenössischen Reformbewegungen, die, wie die der Vegetarier, Theosophen und Sonnenanbeter, einen »dritten Weg« zwischen Kapitalismus und Sozialismus suchten, war der Wandervogel unter der Jugend wohl am stärksten verbreitet. Den Ausgangspunkt bildete der »Jugendbund Wandervogel«, 1901 offiziell als »Ausschuß für Schülerfahrten« begründet. In seiner ersten Periode, die nach Hilmar Höckner bis 1907 reichte, war der Wandervogel primär eine Protestbewegung gewesen gegen die einengenden Normen der Großstadt, »gegen die Verflachung und Mechanisierung des Lebens, wie sie besonders in den Großstädten zutage treten.«[1] Aus einer Haltung von »Kulturreue« lehnte man sowohl die bürgerliche als auch die proletarische Kultur ab und wich statt dessen in eine vorbürgerliche Epoche aus. Mit Enthusiasmus folgte man dem – verklärten – Vorbild der reisenden Handwerksburschen und der Vaganten des Mittelalters nach. Die Flucht aus der Stadt war zugleich eine Flucht aus der Gegenwart.
In der Gegenkultur des Wandervogel spielte, nicht anders als in den heu-

tigen Bemühungen der Jugend um einen alternativen Lebensstil, die Musik eine wesentliche Rolle. Wie schon der Name »Wander-Vogel« sagt, waren Wandern und Singen seine wesentlichen äußeren Merkmale. Die Gitarre, die im Deutschland des 19. Jahrhunderts kaum eine Rolle gespielt hatte, avancierte zum wichtigsten Musikinstrument, sie wurde auf Wanderfahrten zum »unvermeidlichen Begleiter«.[2] Anders als das für die bürgerliche Hausmusik des 19. Jahrhunderts charakteristische Klavier ließ sich die Gitarre leicht transportieren, außerdem sind die wichtigsten Akkorde auf ihr schnell erlernbar. Die handlichen Liederbücher des Wandervogel, die damals herauskamen, waren deshalb für Gitarrenbegleitung gedacht. Das wichtigste Liederbuch erschien 1908 zum ersten Mal und wird bis heute noch aufgelegt: *Der Zupfgeigenhansl*. In seinem Anhang enthält er eine Grifftabelle und einen Aufsatz des königlich bayrischen Kammervirtuosen Heinrich Scherrer »Einiges über das Zupfen«. Hiernach haben viele Wandervögel autodidaktisch ihre ersten Gitarrengriffe gelernt. Eng verwandt mit der Gitarre, die man auch Klampfe oder Zupfgeige nannte, war die Laute. 1913 gab der damals achtzehnjährige Alfred Kurella, später in Moskau Mitarbeiter Dimitroffs und in der Expressionismus-Debatte einer der Antipoden Brechts, in Magdeburg ein »Wandervogel-Lautenbuch« heraus.[3]

Wie die »Wunderhorn«-Sammler Achim von Arnim und Clemens Brentano erhofften sich die Wandervögel eine Wiederbelebung des Volksliedes, das sie sich freilich als ein zeitloses, unveränderliches Gut vorstellten. Daß Aktualität für den Wandervogel unwesentlich war, geht aus der Liedauswahl im »Zupfgeigenhansl« hervor. Den weitgehenden Verzicht auf neuere Lieder und das Übergewicht von Beiträgen aus dem 16. und 17. Jahrhundert begründete der Herausgeber Hans Breuer im Vorwort zur ersten Auflage. In der Großstadtkultur sah Breuer nur flüchtige Reize, während er bei der in der Entwicklung zurückgebliebenen Landbevölkerung noch ewige Werte vermutete. »Die Güte eines Liedes erprobt sich an seiner Dauerhaftigkeit; was hier gebracht wird, hat seit Wandervogels Anbeginn eine unverwüstliche Lebenskraft bewiesen, nein vielmehr, das hat Jahrhundert um Jahrhundert im Volke fortgelebt. Was der Zeit getrotzt hat, das muß einfach gut sein.« Den flüchtigen Moden wollte er Zeitloses entgegenstellen, dem Schlager das Volkslied. Qualität und Aktualität faßte er dabei als Gegensätze auf. Wie seinem Aufsatz »Wandervogel und Volkslied« zu entnehmen ist, war Breuer der festen Überzeugung, daß sich die städtischen Lieder grundsätzlich nicht für den Wandervogel eigneten. »Alle jene Machwerke, die da kamen und gingen, waren dem Wandervogel herzlich wesensfremd. Es gibt Biergebrülle, die im Kneipennebel durch die Schädelvacua zündend schlagen, es gibt teutschhaarige Bardengesänge von Männerbrust, Trinkhorn und Turnerlust – Coffea maxima – es gibt rührseliges, sentimentales Zeug, den süßlichen Öldruk-

49

ken vergleichbar, es gibt Schusterbuben- und Proletenmärsche, es gibt einen ganzen Augiasstall voll Couplets, es gibt ›Büchsenfrühling‹, Tingel-Tangel-Schund und Berlin-styrische Phonographenjuchzer – – es ist aber kaum ein ›Lied‹, ein wirkliches, noch so kleines Lied aus dem Großstadtvolke hervorgegangen.«[4] Ziemlich umstandslos wird hier das »Großstadtvolk« als kulturlos abgetan.

Anders als sein jüngerer Bruder Walter, als Ludwig Prestel, der Klassenkamerad Walter Groos oder andere aus seiner unmittelbaren Umgebung ist Brecht dem Wandervogel nie beigetreten. Den Einflüssen dieser Bewegung konnte jedoch auch er sich nicht ganz entziehen. Immerhin stand sie in einem Gegensatz zum hierarchisch-patriarchalischen Schulalltag; vor allem wegen seines anti-autoritären Führungsstils und seines Prinzips der Selbstverantwortung besaß der Wandervogel einen gewissen oppositionellen Charakter. Dazu Walter Groos: »Der Wandervogel war in der Schule nicht eigentlich erwünscht. Ich erinnere mich an ein Verbot: Die Schüler dürfen nicht ohne Kopfbedeckung in die Schule kommen, weil man dann nicht anständig grüßen kann. Wenige Jahre nachdem der Wandervogel hier in Augsburg gegründet wurde – das war 1907 –, ist mit Förderung des Staats und des Gymnasiums die ›Wehrkraft‹ gegründet worden, die der vormilitärischen Erziehung diente. Die wurde geleitet von Reserveoffizieren – etwas, das uns vollkommen fremd war. Im Unterschied zur ›Wehrkraft‹ hat man an der Schule dem Wandervogel nicht ganz getraut. Wir haben allerdings auch keine Schwierigkeiten gehabt. Aber eine Förderung kam nicht in Frage, weil unsere Art der älteren Generation doch weithin fremd war. Ich erinnere mich an eine Wanderung, die wir durch Württemberg gemacht haben – vielleicht 1911/12; da waren wir in dem Kloster Lorch, staufische Gegend, und da hat uns ein dortiger Lehrer bei sich übernachten lassen. Wir scheinen ihm sehr wenig gefallen zu haben, denn er hat dann nach Augsburg an meinen Vater, der im Vorstand vom Wandervogel war – es war ja die Dachorganisation eine Elternvereinigung –, einen Brief geschrieben, daß er es als anstößig empfindet, wenn die jungen Leute mit nackten Knien herumlaufen oder statt Laterne ›Funzel‹ sagen und solche Dinge ... Das ist durchaus der Typus der älteren Generation gewesen, die auf Ordnung sieht. Unsere Führer dagegen waren nur wenige Jahre älter als wir selbst, so daß man nicht das Gefühl hatte, man wird von einer anderen Generation geführt und belehrt.«[5] Im ganzen Deutschen Reich zählte man 1913 immerhin 13 000 Wandervögel. Der Augsburger Wandervogel, aus dem auch der Verleger Karl Vötterle hervorging, der mit seinem Bärenreiter-Verlag einen der wichtigsten Musikverlage der Jugendbewegung schuf[6], besaß unter den Schülern des königlich bayrischen Realgymnasiums an der Blauen Kappe nicht wenige Anhänger. Im Schuljahr 1911/12 gehörten von den 32 Schülern aus Brechts Klasse IV B immerhin sieben dem Wandervogel an.

Wie für den Augsburger Wandervogel, der südöstlich der Stadt, unweit des Lech im Siebentischwald ein Landheim besaß, wurden für die Schulklassen die Lechauen zum beliebten Ausflugsziel. Daß bei solchen Gelegenheiten musiziert wurde, zeigen zwei Fotografien von einem Ausflug der Brecht-Klasse im Jahre 1915: Unter den Schülern sehen wir einen Gitarristen und einen Mundharmonikaspieler. Der Gitarrist war nicht Brecht, sondern der aus Kempten stammende protestantische Prokuristensohn Heinz Bischoff, der auch die doppelchörige Laute beherrschte. Er gehörte später zu den Mitarbeitern der von Fritz Jöde herausgegebenen Zeitschrift »Die Laute« und wurde schließlich Professor für Gitarre am Mozarteum in Salzburg. Es ist denkbar, daß dieser begabte Klassenkamerad für Brecht ein Vorbild war. Noch größeren Eindruck machte auf Walter und Berthold Brecht das Lautenspiel des Ingenieurs Theodor Helm. Dieser Freund des Vaters, der Mitglied der »Liedertafel« war, kam gelegentlich zu den Brechts zu Besuch, um mit seiner kleinen, aber doch schönen Stimme eigene und fremde Lieder zur Laute vorzutragen. Seine Liedvorträge bewirkten, daß die beiden Brüder etwa ab 1912 Gitarrenunterricht bekamen. Bei den Gitarren, die der Vater seinen Söhnen kaufte, legte man Wert auf Darmsaiten. Während Walter Brecht mehrere Jahre lang Gitarrenunterricht erhielt, begnügte sich sein Bruder mit einigen wenigen Stunden.[7]

Ein Photo von 1915/16 zeigt Bertolt Brecht in der elterlichen Gartenlaube beim Gitarrenspiel. Er hat sich offenbar recht gern in dieser Pose fotografieren lassen. Bei allen Fotos fällt seine ungewöhnliche Spielhaltung auf. Die Norm war, den Gitarrenhals nach oben zu halten; Brecht aber

Brecht mit Gitarre und Freunden bei einem Ausflug, 1918, mit Paula Banholzer (Bi), Heiner Hagg, Emmi Wild u. Otto Bezold.
(Quelle: Heiner Hagg, Augsburg)

machte es umgekehrt. »Bi« Banholzer: »Das war typisch für ihn!« Ein praktischer Grund dafür ist nicht ersichtlich. Wie die Wandervögel nahm er seine Gitarre auch auf Wanderungen mit. So berichtete er im August 1918 aus dem Bayrischen Wald: »Wir sind die ganze Nacht gewandert... Der Rucksack grub uns in die Erde. Und der Stock ging weiter, als die Füße nicht mehr mochten. Jetzt ists wundervoll. Ein großer Wind geht auf der Kuppe. Drunten graue Waldberge und der Mond sinkt hinunter wie eine orangegelbe Ampel, seidenverschleiert... Gestern spielte ich Gitarre in einer Waldschenke und wir kriegten Milch dafür und Butter, die hier sehr selten sind. Ich sang ganz richtig, viel besser als je daheim ...«[8] Das erinnert an Beiträge über das »Zupfgeigen« in der Wandervogel-Zeitschrift: »Hartherzigen Bauern öffnet der Zupfgeige lieblich Getöne die Ohren, so daß sie williger fahrenden Schülern den Strohstall öffnen, den freundlichen Wirt erfreut ein Lied der tapfer schlemmenden Gäste ...«[9] Brecht war seit 1917 mit der Schülerin Paula Banholzer, die er »Bi« nannte, eng befreundet. Ihr schenkte er Weihnachten 1917 eine Gitarre. Der so Beschenkten bedeutete das Instrument mehr Verpflichtung als Freude: »Ich mußte dann Gitarre lernen und eigens dafür in die Schule. Zwei Jahre bin ich ins Maria-Stern-Kloster in den Gitarrenunterricht gegangen. Klavier habe ich lieber gespielt, aber mit der Gitarre ... Ich habe sie ja gekriegt; infolgedessen haben mir meine Eltern auch gesagt: Du mußt Unterricht nehmen. Aber riesengroßes Interesse habe ich nicht gehabt.«[10] Obwohl »Bi« kaum übte, war der Unterricht nicht ganz sinnlos: »Ich kann mich erinnern: wie ich fort war in der Sommerfrische, da habe ich die Gitarre mitgenommen; das war so üblich damals.« Brecht schenkte ihr damals auch den »Zupfgeigenhansl« und zeigte ihr Gitarrengriffe. Auf einem Photo von 1920 aus seiner Mansarde sitzt »Bi« mit der Gitarre auf dem Sofa, Brecht als »strenger Lehrer« vor ihr auf dem Tisch. An der Wand erkennt man die Reproduktion eines Lautenspielerbildes von Frans Hals.

Daß sich Brecht nicht dem Wandervogel anschloß, hat mehrere Gründe. Im Unterschied zu seiner Freundin, die auf der Maria-Theresien-Schule zu den besten Turnerinnen zählte, war er schon früh kränklich und nicht sportlich. Er wanderte selten und schloß sich nur ungern einer Gruppe an. Außerdem – und dies ist wesentlicher – unterschieden sich seine Vorstellungen von Volk und Volkslied beträchtlich von denen des Wandervogels. Ein Beitritt hätte unweigerlich zu großen Konflikten geführt. Von verniedlichenden, idealisierenden Volksliedern hielt Brecht schon während seiner Schulzeit wenig. Rudolf Prestel berichtete über einen Vorfall: »Erinnern kann ich mich, daß Brecht einige Zeit auch im gemischten Schulchor des Gymnasiums mitgesungen hat. Bei einem sentimentalen Volkslied begehrte Brecht auf: ›Was muten Sie uns da zu!‹ Der Text dieses Liedes lautete etwa:

Soviel der Mai auch Blümlein beut
Zu Trost und Augenweide,
Ich weiß nur eins, das mich erfreut,
Das Blümlein auf der Heide.

Der Musiklehrer holte sogleich den Rektor ins Unterrichtszimmer, es gab einen Krach. Brecht blieb von da ab dem Schulchor fern.«[11] Schon aus einer 1914 verfaßten Rezension eines Gedichtbandes von Karl Lieblich spricht seine Abneigung gegen Klischeehaftes im Volkslied: »Es sind gewiß schöne, durch ihre warmherzige Schlichtheit bezwingende Stücke darunter. ›Vollmondnacht‹ erinnert mit seinem weichen Rhythmus sogar an Verlaine, ›Mai‹ mit dem uralten und hier doch ehrlich anmutenden Refrain ›'s ist wieder Lenz, 's ist wieder Mai, tandaradei!‹ hat den echten Volksliederton. Aber im allgemeinen steht doch zu viel Dagewesenes da, um den Dichter zu den ›Volksliedern‹ zu beglückwünschen.«[12] Die Aversionen wurden später stärker, so daß Brecht gemeinsam mit Hanns Otto Münsterer den Plan faßte, der Sammlung »Des Knaben Wunderhorn« ein parodistisches »Plunderhorn« entgegenzustellen. Einige Titel daraus sind überliefert: »An der Saale hellem Strande«, »Es flogen drei Raben wohl über mein Haus«, »Es steht ein Baum im Odenwald« und die Moritat »Heinrich schlief in seinem Wüstlingsbette«.

Im Antisozialismus und dem romantischen Antikapitalismus, der für den Wandervogel mit dem Volksliedideal verbunden war, sah Brecht ein harmonistisches Ausweichen vor Konflikten. In einer undatierten Notiz problematisierte er die aus dem gleichen Impuls entstammende Vorliebe des Wandervogels für alte Musik. »Wenn man alte Musik als exemplarisch hinstellt, bringt man Musik, die konfliktlos erscheint, weil die Konflikte, die sie gestellt hat, in der Realität gelöst sind. Wie sollen wir mit diesen Exempeln vor den Ohren die Konflikte unserer Zeit, die ungelösten, gestalten?«[13]

Während der Wandervogel das städtische Proletariat schlicht leugnete, um so besser eine Brücke zwischen städtischem Bürgertum und ländlicher Bauernschaft schlagen zu können, bezog Brecht den Gegensatz zwischen Bürgertum und Proletariat bewußt in sein Denken ein. Das »Volk« war für ihn vor allem in den proletarischen Vorstädten beheimatet. Hier interessierten ihn die noch aus bäuerlichen Verhältnissen stammenden Fabrikarbeiter, die Fuhrknechte und Handwerker, aber auch Außenseiter wie Schausteller, Bettler und Huren. Hier meinte Brecht die Menschen so sehen zu können, »wie sie wirklich sind« – als Menschen ohne die bürgerliche Charaktermaske. Dieses Volk sang andere Lieder als der Wandervogel.

Klaucke-Vorstadt und Plärrer.
Einflüsse echter Volkskunst

Als ich erwachsen war und um mich sah
Gefielen mir die Leute meiner Klasse nicht
Nicht das Befehlen und nicht das Bedientwerden
Und ich verließ meine Klasse und gesellte mich
Zu den geringen Leuten.

Wechsel der sozialen Rolle

Mit dem einfachen Leben in der Vorstadt stand Brecht schon seit seiner Kindheit in engem Kontakt. Hier war er aufgewachsen, in einem Wohnviertel, das zu dem bürgerlichen Lebenszuschnitt der Familie in einem Gegensatz stand. Im Jahre 1900 hatten die Brechts eines der vier zweistöckigen Häuser der »Georg und Elise Haindlschen Stiftung« in der Bleichstraße bezogen. Die Papierfabrik Haindl, bei der der Vater arbeitete, hatte sich zu dieser Stiftung von der Fuggerei, der berühmten Augsburger Sozialsiedlung aus dem Jahre 1520, anregen lassen. Bei verbilligter Miete konnten hier ehemalige Mitarbeiter, Invaliden und Pensionäre sowie andere »unbescholtene und ohne Schuld unbemittelte Augsburger« wohnen. Zum Verwalter und Pfleger dieser Stiftung wurde 1900 Berthold Friedrich Brecht ernannt. Die Familie Brecht nahm also innerhalb der für die Ärmeren bestimmten Siedlung eine herausragende Stellung ein: In einer proletarisch-kleinbürgerlichen Umgebung repräsentierte sie die Firmenleitung, die Bürgerwelt. Dieser soziale Gegensatz prägte Brechts Kindheit und Jugend.

Die vier Haindl-Häuser, im Volksmund »Kolonie« genannt, bildeten einen Teil der Klaucke-Vorstadt – der Silberjuwelier Johann Gottlieb Klaucke hatte 1805 auf diesem billigen Grund mehrere evangelische Waisenhäuser gestiftet. Die Klaucke-Vorstadt mit ihren günstigen Mieten, ein Produkt bürgerlicher Wohltätigkeit, lag zwar unweit des alten Stadtgrabens, aber – und das war entscheidend – außerhalb der Grenzen der alten Patrizierstadt. Der Stadtgraben und die mit Türmen bewehrte Stadtbefestigung bildeten nicht nur städtebaulich, sondern auch sozial eine Grenze; in der Innenstadt wohnte das Bürgertum, in den Vorstädten wohnten vor allem die Arbeiter.

Für die Vorstädte war das Nebeneinander von Wohnfunktion, Industrie und Landwirtschaft charakteristisch. So wuchs der junge Brecht zwischen Arbeitersiedlungen, Fabriken und Kuhweiden auf. Deshalb war es kein Wunder, daß er schon in frühester Jugend den Standpunkt industrieller Rationalisierung einnahm. »An die Hinterseite der Kolonie grenzte eine Landwirtschaft, dort gab es immer Kühe zu sehen. Wir sahen oft zu, wie die Kühe gemolken wurden. Da sagte Eugen einmal zu der Melkerin: ›Reiß der Kuh doch einfach die Stöpsel heraus, dann läuft die Milch von allein heraus‹.«[1] Schon in der Klaucke-Vorstadt gingen ländliche »Wildnis« und die Nüchternheit der Asphaltstadt unmittelbar ineinander über – wie später im Gedicht »Vom armen B. B.« oder dem Drama *Im Dickicht der Städte*. Die Vorstadt wurde seit alters her »Die Bleich« genannt, weil die Leineweber hier in den Lechkanälen früher ihre Stoffe gespült und anschließend zum Bleichen auf den Wiesen ausgebreitet hatten. Das Lechwasser war nicht bloß Teil der Landschaft, sondern wurde, so von den Haindlschen Papierfabriken, auch industriell genutzt, war Teil der Industrie. Schon äußerlich stand die Schlichtheit, ja Uniformität der kleinen regelmäßigen Arbeiterhäuser der »Bleich« in einem deutlichen Gegensatz zum Baustil der bürgerlichen Innenstadt; hier schien bürgerlicher Individualismus unmöglich. Als der Brecht-Freund Hanns Otto Münsterer dandyhaft gekleidet zum ersten Mal das Viertel betrat, empfand er diese Nüchternheit sehr deutlich: »Die Klauckevorstadt nahe den Haindlschen Papierfabriken und den Riedingerschen Ballonwerken war für mich bisher kein Begriff gewesen; jetzt fand ich mich in einem Netz von schnurgeraden, parallel verlaufenden Straßen, die von fast ebenso geraden und mindestens ebenso öden Querstraßen durchschnitten wurden. Rechts und links reihten sich in gleichen Abständen völlig gleiche, graue, zweistöckige Häuser für je vier Parteien. Das war also eine jener Siedlungen oder ›Stiftungen‹, wie sie die Unternehmer in den neunziger Jahren für ihre Arbeiter und Angestellten anlegen ließen. Ich hätte Ähnliches noch nie gesehen und fand das Fehlen jeder individuellen Note einfach schauderhaft. Das Haus, in dem die Brechts wohnten, betonte diese Kälte und Lieblosigkeit durch seinen von Mauern eingeengten, betonierten Hof noch besonders . . .«[2] Wenig verband die Klaucke-Vorstadt mit der traditionsreichen Fuggerstadt Augsburg; viel eher erweckte sie den Eindruck einer kunstlosen und durchrationalisierten Asphaltstadt.

In dieser vorstädtisch-proletarischen Umgebung nahmen die Brechts aufgrund der beruflichen Stellung des Familienvaters eine privilegierte Position ein. Die Altersgenossen Eugens sahen es teils mit Verachtung, teils aber auch mit neidvoller Bewunderung, wenn der kränkelnde Prokuristensohn von der Mutter oder vom Dienstmädchen in den Kindergarten oder später in die Schule gebracht wurde. Zu Eugens Zartheit und manchmal auch Feigheit stand sein Verhalten gegenüber den Spielkameraden aus der Bleich in merkwürdigem Gegensatz. Wenn er mit ihnen zusammen spielte, übernahm er als Sohn des »Großen Papyrus« von der Papierfabrik in der Regel die führende Rolle und behandelte sie nicht anders als seine Bleisoldaten, »einmal als Napoleon, ein andermal als Friedrich der Große. Wir waren seine Generale und taten, was er bestimmte. Eugen führte immer das große Wort. Seinen Spielkameraden gegenüber war er herrisch und befehlerisch. Wir glaubten, er wolle uns zeigen, daß er der Prokuristensohn ist.«[3] Der Volksschüler war es gewohnt, zu befehlen und bedient zu werden. Auch ein anderer Spielkamerad aus der Klauckestraße bezeugte: »Seine Art war so, daß er immer den Ton angeben, immer jemanden kommandieren wollte.«[4] Gegenüber seiner kleinbürgerlich-proletarischen Umgebung kehrte der junge Brecht demnach zunächst durchaus die soziale Distanz hervor, präsentierte sich als den »feinen Leuten« zugehöriger Bürgerssohn.

In den letzten Jahren des Realgymnasiums begann Berthold Eugen aber, seine bisherige Rolle in Frage zu stellen und gegen die Bürgerwelt, der er entstammte, zu rebellieren. Aus Berthold Eugen wurde Bertolt Brecht. Die Klaucke-Vorstadt erschien dem reiferen Gymnasiasten gerade wegen ihres ärmlichen Charakters als Zufluchtsstätte. »Die Seele des Volkes ist noch nicht erforscht«, schrieb er 1914 an seinen Freund Caspar Neher.[5] Hatte Brecht ursprünglich die Distanz zu seinem Wohnviertel hervorgehoben, so suchte er später dessen Nähe, da er es als Gegenpol zur bürgerlichen Innenstadt, wo Schule und Kirche beheimatet waren, empfand. Rückblickend betonte er, daß der Einfluß des Gymnasiums auf seine Erziehung nur gering, der der Vorstadt aber groß gewesen sei. 1922 schrieb er in einer biographischen Skizze für den Berliner Kritiker Herbert Jhering: »Die Volksschule langweilte mich 4 Jahre. Während meines 9jährigen Eingewecktseins an einem Augsburger Realgymnasium gelang es mir nicht, meine Lehrer wesentlich zu fördern. Mein Sinn für Muße und Unabhängigkeit wurde von ihnen unermüdlich hervorgehoben.«

In einem Aufsatz »Wo ich gelernt habe« wies Brecht dagegen auf die Lieder der Vorstadt hin. »Volkslieder habe ich in meiner Kindheit gehört, edle und weniger edle, das von den Königskindern, das vom Prinzen Eugen, dem edlen Ritter, und die Lieder von der Wirtin an der Lahn. Ich habe sie glücklicherweise nicht nur gelesen, sondern auch gehört, gesungen von der Bevölkerung mit der besonderen Intonation und bei der richtigen Gelegenheit.«[6] Brecht zeigte Skepsis gegenüber dem traditionellen Volksliedbegriff, dem Volkslied »von oben«, wie es auch in der Schule vermittelt worden war. Die geglätteten romantischen Volksliedfassungen interessierten ihn deshalb wenig, weil durch die »Veredelung« der Volkssprache der aktualisierende Gebrauch im Alltag, »bei der richtigen Gelegenheit«, verhindert wurde. Um so mehr akzentuierte er die Bedeutung des Liedes »von unten« und verwies dabei besonders auf die proletarische Poesie der Bleich. »Was ich in meiner Kindheit singen hörte, waren lange Lieder von edlen Räubern und billige Schlager. Hierbei freilich klang noch, verwischt und depraviert, Altes mit, und es wurde auch noch mitgedichtet. Die Arbeiterinnen der nahen Papierfabrik erinnerten sich nicht immer aller Verse eines Liedes und improvisierten Übergänge, wovon viel zu lernen war.«[7] Brecht nahm später diese Umsingepraxis auf, wenn er etwa zum Schluß seines Dramas *Mutter Courage* in das bekannte Wiegenlied »Eia popeia« neue Zeilen einfügte.[8] Auch ein anderes Lied, das er damals in der Bleich hörte, hat er später immer wieder verwendet: »In meiner Jugend hörte ich oft ›Das Seemannslos‹. Es ist ein unbedeutender Schlager, aber er enthält einen Vierzeiler von großer Schönheit. Nach einer Strophe, die den Untergang des Schiffes im Sturm schildert, heißt es:

> Als nun die stürmische Nacht vorbei
> ruht, ach so tief, das Schiff.
> Nur die Delphine und gierige Hai'
> sind um das einsame Riff.

Das Stillwerden der Naturgewalten kann kaum besser gestaltet werden.«[9] Die Kultur der Bleich bestand nicht in unantastbarem Bildungsgut, sondern entwickelte sich in lebendigem Gebrauch. Sie war direkt mit den Lebensgewohnheiten und den Bedürfnissen der Anwohner verbunden. Brecht lernte hier einen sehr viel breiteren Kulturbegriff kennen: Kultur war für die Arbeiter kein gesonderter Gegenstandsbereich, sondern ein Aspekt ihres Lebens.[10] Bei den Arbeiterinnen der Papierfabrik beobachtete er auch schon Momente von Ironie und Verfremdung. »Ihre Haltung gegenüber den Liedern war ebenfalls lehrreich. Sie gaben sich ihnen keinesfalls naiv hin. Sie sangen ganze Lieder oder einzelne Verse mit einiger Ironie und versahen manches Kitschige, Übertriebene, Unreale sozusagen mit Krähenfüßen.«[11] Hier wurde das Alte und Vergangene auf die Gegenwart bezogen und von einer realistischen, aktuellen Haltung aus beurteilt. Im Gebrauch mußten die Lieder immer wieder neu der Kritik standhalten und konnten dann, wenn es sich als notwendig erwies, verändert werden. In ähnlicher Weise hat Brecht später »Des Knaben Wunderhorn« im »Plunderhorn« oder auch zahlreiche Choräle parodiert und aktualisiert, hat er alten Melodien neue Texte beigegeben oder manchen seiner bekanntesten Lieder wie dem Mackie-Messer-Song oder dem Kanonen-Song aktualisierende Strophen angefügt.

Erste Gedichte für die Bleich

Schon sehr früh begann der junge Brecht, zu bestimmten Anlässen spontan »Gebrauchslyrik« herzustellen. Eine Mitbewohnerin der Kolonie erinnert sich: »Eugen brachte manchmal Zettel mit, auf denen er Sätze oder kleine Verse aufgekritzelt hatte, die wir nachsprechen oder auch spielen mußten, oder er las sie uns vor und fragte dann: ›Wie gefällt's euch?‹ Eine Episode ist mir noch unvergessen. Wir umstanden lachend einen kleinen

Buben, er hieß Anton. Er weinte jämmerlich, weil er in die Hosen gemacht hatte. Da rief Eugen spontan: ›Der Antonius von Padua/scheißt lustig über d'Wada rah.‹«[12] Für Brecht wurde immer mehr die Alltagswelt der Bleich wesentlich. So orientierte er sich nicht nur an den Liedern und der Lektüre, sondern auch an der Sprechweise seiner Umgebung. Friedrich Mayer, ein Jugendfreund Brechts, berichtet: »In das Bleichviertel, wo wir wohnten, kam regelmäßig ein Ausrufer mit einem Handwagen und verkaufte Fegesand. Wenn dieser Mann in die Bleichstraße einbog und Brecht hörte den Ruf ›Feegsand! – Feegsand!‹, dann kam er sogleich auf die Straße heruntergesprungen und sprach mit dem Sandverkäufer. Beide schienen aneinander Gefallen gefunden zu haben. Mit dem Milchmann war es ähnlich. Da kamen die Frauen mit ihren Kannen und Töpfen aus den Häusern und holten Milch oder Sahne. Schon stellte sich der achtzehnjährige Brecht dazu, redete mit ihnen oder hörte dem Milchmann und den Frauen zu, wie da miteinander getratscht wurde. Die Umgangssprache hatte es ihm angetan. Von den Ausdrücken und Redewendungen der Handwerker, Straßenhändler und Viehtreiber (die es ja damals noch gab) war er magisch angezogen.

Unter den frühen Arbeiten Brechts gibt es das Gedicht ›Von der Unschädlichkeit des Alkohols‹. Als ich es las, fiel mir ein Kindervers ein, den wir damals in der Bleich immer aufgesagt haben, weil er den gleichen Rhythmus hat wie das Gedicht:

> Es war einmal ein Mann,
> Der hatte einen Schwamm.
> Der Schwamm war ihm zu naß,
> Da ging er auf die Gaß.

Ich war erstaunt, wie verdichtet bei Brecht die einfache Sprache des Volkes und der Kindheit wiedererscheint.«[13] Seit den Tagen seiner Kindheit war für Brecht nicht die gedruckte, sondern die gesprochene und gesungene Sprache der wesentliche Ausgangspunkt seiner Produktion. Der Sohn eines Papierfabrikanten wollte keine papierene Sprache, Texte auf dem Papier genügten ihm nicht. Sie mußten vielmehr zu Klang werden, mußten sich mit Tätigkeiten, Funktionen und Verhaltensweisen verbinden, mußten sich in der sozialen Wirklichkeit bewähren.

Der Plärrer

Zur Kultur der Vorstadt gehörte der sogenannte »Plärrer«, eine traditionsreiche, »aus den Jahrmärkten hervorgegangene Rummelplatzveranstaltung mit volksfestähnlichem Charakter«[14], die heute noch alljährlich im Frühjahr und Herbst in Augsburg stattfindet. Ihr Standort auf dem kleinen

Exerzierplatz außerhalb der Stadtmauern und unweit der Arbeitersiedlung Hettenbach markiert den sozialen Status: Es war Volksbelustigung für die einfachen Schichten. Manche seiner Freunde, so Ludwig Prestel, sahen es mit Befremden, daß sich Brecht in einem solchen Milieu wohlfühlte und im Plärrer ab 1918 so etwas wie eine zweite Heimat sah.

Im August 1918 schrieb Brecht an seinen Freund Münsterer: »Hier war Plärrer. Ich habe mich halb kaputt geschiffschaukelt. Arbeiten kann man wenig, wenn der Sommer so verflucht schön ist! Was tun Sie? Ich esse Eis, spiele Gitarre, warte auf mein Todesurteil und schaukle auf dem Plärrer. Mache auch gelegentlich ein neues Stück fürs Theater der Zukunft: Der dicke Mann auf der Schiffsschaukel.«[15] Plärrer und Schiffsschaukeln empfand Brecht als Symbole einer individuellen Freiheit, die er um so unbändiger auskostete, als sie durch die Einberufung zum Militär damals beendet zu werden drohte. Brecht war der Auffassung »Wer schiffschaukelt, kann kein Spießer werden«, und so sollte es in dem geplanten Theaterstück um einen Befreiungsprozeß, um das »Aus-der-Haut-Fahren eines bisher unbescholtenen Bürgers« mittels Schiffsschaukeln gehen.[16] In einer Tagebuchnotiz von 1920 bezeichnete er den Plärrer als einen »der schönsten Sporte, damit wendet man einen Abend nutzbringend an.« Der Student Brecht fühlte sich offensichtlich gerade von der Profanität des Ortes angezogen. In der Alltäglichkeit des Plärrers meinte er die unverstellte Realität des Lebens zu finden. Brecht, der die Welt bisher fast nur aus der bürgerlichen Perspektive des Elternhauses und der Schule kannte, wollte sie so kennenlernen, »wie sie wirklich ist«. »In ihrer ganzen Ausgelassenheit wollte er die Menschen erleben«, kommentierte ein Bekannter der Jugendzeit. »Brecht sah dabei auch hinter die Kulissen der Schaubuden. Eine Zeitlang war er fast täglich auf dem Rummelplatz. Auch viele der Schausteller kannte er. Das waren für ihn Menschen ohne Vorurteile und ohne Hemmungen, die ihr Leben ohne konventionelle Bindungen zu leben verstanden. Diese Welt gab Brecht sehr viel.«[17]

Beim Plärrer, bestehend meist aus Schaubuden, einem Aeroplan-Karussell, einem Toboggan, einem Zirkus mit Schlangendamen, Löwen und Seiltänzern, einem Panoptikum und »Schichtls Guillotine«, spielte Musik eine große Rolle. Schon die Bezeichnung Plärrer scheint auf »plärrenden« Lärm hinzudeuten. Im Gedicht »Vom Schiffschaukeln« heißt es: »Nie hört die Musik auf. Engel blasen in einem kleinen Panreigen, daß er fast platzt. Man fliegt in den Himmel, man fliegt über die Erde, Schwester Luft, Schwester! Bruder Wind! Die Zeit vergeht und nie Musik.«[18] Die Engel im kleinen Panreigen deuten auf mechanische Orgeln hin, die als Karussellmusik beliebt waren. Auch im »Plärrerlied«[19] erwähnte Brecht diese Orgeln:

Der Frühling sprang durch den Reifen
Des Himmels auf grünen Plan
Da kam mit Orgeln und Pfeifen
Der Plärrer bunt heran.

Noch 1954 hob Brecht bei Durchsicht seiner frühen Stücke wieder »die Musik vieler Karusselle« hervor. Diese Musik bildete die dominierende Klangkulisse auf dem Plärrer oder der Jakober-Kirchweih, »kaum 500 Meter von der elterlichen Wohnung Brechts entfernt. Die Jakober-Kirchweih hatte nicht den Umfang des Plärrers, aber als ältestes Augsburger Volksfest ist sie noch heute bei den Bewohnern des östlichen Augsburg sehr beliebt. Die Jakobermusik drang in den warmen Augustnächten bis in das Mansardenzimmer Brechts.«[20]

Drehorgel und Orchestrion

Die Plärrerinstrumente Drehorgel und Orchestrion kehren mehrfach in seinem Werk wieder. Möglich ist, daß Brecht auch noch kriegsinvalide Bettler mit Drehorgeln kennengelernt hat. In *Trommeln in der Nacht* fragt Balicke den Kriegsheimkehrer Kragler: »Sie liegen auf der Straße? Das Vaterland drückt Ihnen eine Drehorgel in die Hand?«[21] Und auch die Hauptfigur im frühen Einakter *Der Bettler oder Der tote Hund* hat eine »kleine Drehorgel, die er unter seinen Lumpen versteckt hält«.[22] Bettlerinstrument ist die Drehorgel nicht zuletzt in der *Dreigroschenoper* und im *Dreigroschenroman,* wo sie zur Ausstattung von Peachums merkwürdigem Laden gehört. »An der Wand hingen ein paar Musikinstrumente, alte, zerbeulte Trompeten, Geigen ohne Saiten, einige zerschrammte Drehorgelkästen. Das Geschäft schien nicht gut zu gehen, die Instrumente waren von dickem Staub bedeckt.«[23] Das Orchestrion zielte auf die Nachahmung des Orchesterklangs. Zu seinen frühesten Erbauern gehörte Mälzel, der Erfinder des Metronoms. 1803 konstruierte er einen Apparat namens Panharmonicon, für das sogar Beethoven eine Komposition schrieb: den ersten Teil der Symphonie »Wellingtons Sieg oder Die Schlacht bei Vittoria« op. 91. Das Orchestrion war also zunächst ein vielbewundertes Instrument mit »seriösem« Anstrich. Schon um 1900 änderte sich das. Der junge Karl Valentin, ein gelernter Schreiner, der zu Beginn seiner Laufbahn mit einem komplizierten selbstgebauten Orchestrion durch Deutschland reiste, bekam dies zu spüren. Sein Apparat enthielt 22 verschiedene Instrumente einschließlich Gewehrsalven; zum Repertoire gehörten »Meisterwerke der Musik« wie unter anderem die Kaiserhymne. Als Valentin damit aber nicht den erhofften Erfolg errang, versetzte ihn die geringe Resonanz beim Publikum in tiefe Depression, zumal er sein gesamtes Vermögen in den Bau des Instruments investiert hatte. »In einem Anfall von einem Löwenbräubierriesenrausch zerstörte ich mit einem Holzhackel meinen ganzen komplizierten Musikapparat.« Diese Enttäuschung verwand Valentin nie; sie wirkt in seinen vielen Szenen mit »kaputter Musik« weiter. Bei einigen dieser parodistisch-tragischen Musikauftritte Valentins auf dem Münchner Oktoberfest wirkte später auch der junge Brecht mit. Die »seriöse« Phase des Orchestrions hatte er nicht mehr kennengelernt. Für ihn war das Orchestrion, das sich im Konzertbetrieb nicht durchsetzen konnte, schlicht das Instrument der Jahrmärkte und Gaststätten. Den Charakter des Sensationellen hatte es längst verloren. Als Gaststättenrequisit verwandte er es in seinen Dramen, so in der Schnapsdestille des 4. Aktes von *Trommeln in der Nacht* oder in der Bar gegenüber dem Gefängnis im 9. Bild von *Im Dickicht der Städte:* Hier benutzt »der Wurm« es zunächst als Begleitinstrument zu seiner moritatenhaften Geschichte von Wishu, dem Bulldoggenmann, und wirft im Weggehen noch einmal ein Geldstück ein, um Gounods »Ave Maria« zu hören. Beim Orchestrion spielt der optische Eindruck eine große Rolle. Ihm widmete Brecht ein nostalgisches Gedicht:

Oh, ihr Zeiten meiner Jugend! Immer
Matter wird Erinnerung jetzt schon.
Leichte Schatten! Weiß getünchte Zimmer!
Und darinnen rot Orchestrion.

Für den Gasthof zum Kelch im *Schweyk* fordert er »ein elektrisches Klavier, das einen transparenten Oberteil hat, in dem ein Mond und die fließende Moldau aufglühen können«. Eben ein solches Orchestrion hatte er, wie sich Münsterer erinnert, schon in Augsburg immer bewundert. »Unterhalb des Walls, nahe der Jakobervorstadt, gab es ein unscheinbares altes Wirtshaus mit einem Orchestrion; beim Einwurf eines Zehnpfennigstückkes leuchtete zu den Klängen rührseliger Musik oben das Transparent mit einer Landschaft auf, ein Wasserfall schäumte, und über alles hinweg zogen Wolken langsam hin und her. Es machte auf Brecht großen Eindruck. Nicht nur das Gedicht vom ›Himmel der Enttäuschten‹ wurde, wie Brecht selbst zugab, dadurch angeregt, auch die musikalische Untermalung seiner Stücke, bei der ein eigenartig mechanischer Anschlag und die Weglassung bestimmter Töne wie bei einer Spieldose mit ausgebrochenen Zähnen gefordert werden, geht meiner Überzeugung nach auf diese Jugenderinnerung zurück.«[24] Der Eindruck dieses Orchestrions aus der Vorstadt muß lange fortgewirkt haben. Ist nicht ein Orchestrion zugleich ein Miniatur-Kino mit dazu abspulender Filmmusik oder eine winzige Opernbühne mit versenktem Orchester? Münsterers Vermutung, daß Brecht gerade vom mechanischen Ablauf der Musik fasziniert war, wirkt plausibel.

Rätselhaft ist eine Tagebucheintragung vom 24. August 1920: »Immer streune ich abends übern Plärrer, der einem seine Negermusiken mit Keulenschlägen einschlägt: Man kriegt sie nachts nimmer aus den Hautfalten!« Rätselhaft ist die Eintragung deshalb, weil es damals Jazz, woran man beim Wort Negermusik denken könnte, auf dem Plärrer nicht gegeben hat. Eher läßt sich vermuten, daß Brecht damit den nichtbürgerlichen Charakter der Plärrermusik hervorheben wollte. In einer »Art Negermanie«[25] schrieb er damals für den *Baal* eine »Niggerszene« und sang mit Vorliebe die Liedstrophe:

> Dieser Neger war nicht schön
> auch war er nicht herrisch
> auch war er nicht elegant
> sondern nur der Polizei bekannt.

Brecht, der schon ab 1916/17 bürgerliche Sekurität und Spießigkeit haßte, fühlte sich als Dichter mit den Negern wie allen denen solidarisch, die von der Gesellschaft als »heimatloses Gelichter« abgetan wurden.

> Und über alles Irdische aufschallt
> In den strahlenden Himmel der Jugend aus grellen
> Tierischen Pauken, göttlichen Tschinellen
> Der Plärrer mit seinem betrunkenen Takt.
> O gesegnete Heimat von heimatlosem Gelichter
> Gassenhure, Strolch und Dichter;
> Deine Kinder von jedem Wunder gepackt.

Er liebte den Plärrer, weil hier das bürgerliche Element fehlte. Schon in der Sympathie Goethes, Kellers oder Storms mit den Fahrenden, mit reisenden Schauspielertruppen, Zirkusleuten oder Puppenspielern war ein antibürgerliches Moment enthalten gewesen, das sich mit einer Sehnsucht nach der Kindheit verband. Was die Brücke schlägt zwischen Kindern und Asozialen, ist ihre Freiheit von sozialen Rollenzwängen.

Bürgerlichen Normen konnte Brecht auch in den Vorstadtkneipen entgehen. Besonders schätzte er die Biergastwirtschaft Gabler am mittleren Lech, die er sich mit seinen Freunden für mehr als zwei Jahre als Stammlokal aussuchte. Hier verkehrten nebeneinander Handwerker, Fuhrleute und Oberschüler; während sich das »einfache Volk« in der großen ebenerdigen Schankstube aufhielt, trafen sich die Brecht-Clique und andere Oberrealschüler im kleinen hochgelegenen Nebenzimmer. Brecht kam meist erst abends, wenn die jüngeren Schüler schon wieder zu ihren Eltern zurückkehren mußten. Daß die Realgymnasiasten sich nachts noch in Kneipen herumtrieben, sahen die Lehrer nicht gern. Einmal stellte der

Klassenlehrer Brecht zur Rede, als dieser um Mitternacht eine Taverne verließ:»Na, wo kommen denn Sie her, Brecht, zu dieser so späten Stunde?« –»Ich komme gerade von meinem Onkel, Herr Studienrat.« –»Sooo! Soso! Und – was haben Sie denn da in diesem Sacke, Brecht??« –»Meine Gitarre, Herr Studienrat.« –»Soooo! Soso! Ihre Gitarre! Und zu was brauchen Sie da, wenn Sie von Ihrem Onkel kommen, Ihre Gitarre, Brecht??« –»Ja, ich habe doch meinem Onkel vorspielen müssen, Herr Studienrat!« –»Sooo! Soso! Da haben Sie also Ihrem Onkel auf Ihrer Gitarre vorspielen müssen, Brecht. Aber – ich habe Sie doch gerade hier aus dieser Kneipe herauskommen sehen, Brecht!« –»Da? Da habe ich meine Notdurft verrichten müssen, Herr Studienrat!« –»Soo! Soso! In dieser Kneipe haben Sie mit dieser Gitarre Ihre Notdurft verrichten müssen, Brecht! Soso! Jetzt aber gehen Sie schleunigst heim, Brecht!« –»Ja, Herr Studienrat, aber vorher muß ich noch zu meinem Großvater, dem muß ich auch noch vorspielen.«[26]
Nicht nur durch den Besuch von Plärrer oder Vorstadtkneipen versuchte Brecht den bürgerlichen Normen zu entgehen. Dies tat er auch, indem er sich betont nachlässig kleidete und sich selten wusch. Ein Mitschüler erinnert sich an das letzte gemeinsame Schuljahr:»Gewisse bürgerliche Äußerlichkeiten, die uns unerschütterlich schienen, mißachtete Brecht schon in jenen Jahren. So fiel mir auf, daß er öfters unsaubere Hemdkragen trug und auch sonst recht nachlässig gekleidet war. Bei der Stellung des Vaters und der gewiß vorhandenen Fürsorge der Mutter erschien mir das unverständlich.«[27] Eine Sekretärin des Vaters fühlte sich bei Brechts Aufzug an die»Hettenbacher Kommunisten«, klassenbewußte Proletarier einer Augsburger Vorstadt, die sie verabscheute, erinnert. Seine Solidarität mit der Vorstadt war allerdings eher gefühlsmäßig als konkret politisch begründet. Wenn es in einem Brief an Caspar Neher vom Juli 1918 auch hieß:»Und ich bin ein Materialist und ein Bazi und ein Proletarier und ein konservativer Anarchist«[28], so war davon das anarchische Moment sicher am stärksten: Brecht war ein»unabhängiger Unabhängiger«. So ist es charakteristisch, daß er politische Arbeiterlieder, wie sie etwa der Augsburger Arbeiterchor»Lassallia« sang, kaum zur Kenntnis nahm.
Die Musik der Vorstädte war Musik der Armen für die Armen, war billige Musik. Auch das Instrumentarium durfte nicht teuer sein; so waren Gitarre, Mundharmonika und Drehorgel besonders verbreitet. Da in den Vorstädten, anders als in den gutbürgerlichen Salons, das Notenlesen nicht üblich war, wurde hier die Musik meist mündlich überliefert. Sie mußte deshalb einfach und einprägsam sein. Auf Einfachheit und Einprägsamkeit zielte auch Brecht bei seinen Gedichten und Liedern, wobei er durchaus von der Kompliziertheit des Einfachen wußte.»Es ist schwierig, vom Volkslied zu lernen. Die modernen Lieder ›im Volkston‹ sind oft abschreckende Beispiele, schon ihrer künstlichen Einfachheit wegen. Wo das

Volkslied etwas Kompliziertes einfach sagt, sagen die modernen Nachahmer etwas Einfaches oder Einfältiges einfach.«[29] Gegen die Volkstümelei des Zupfgeigenhansl, gegen die falsche Einfachheit bürgerlicher Dichter setzte Brecht eine Einfachheit, die ihre Wurzeln in der Kultur der Vorstadt hatte. »Er sagte, daß er sich abmühe, eine Sprache zu finden, die auch die einfachsten Menschen verstehen könnten. Die Einfachheit des Ausdrucks hatte es ihm besonders angetan: ›Ihr wißt ja gar nicht, was es heißt, bis etwas so einfach formuliert ist, da sitze ich manchmal tagelang daran.‹ Etwas kindlich Einfaches fand er faszinierend, weil sich solche Texte jeder merken könne. Da nannte er mir einmal als Beispiel die Volkslieder ›Die lustigen Holzhackerbuben‹, ›Die Tiroler sind lustig‹ und das Kinderlied ›Wer will unter die Soldaten‹.«[30]

Durch ihre Einfachheit wurden seine Lieder und Gedichte nicht nur einprägsamer, sondern rückten auch näher an das Alltagsleben heran. Einfachheit und Gebrauchscharakter verbanden den Abzählreim oder das Tanzlied der Kinder mit dem Liebes- und Küchenlied der Erwachsenen oder dem Bänkelsang, der ja ursprünglich die Funktion einer Zeitung besessen hatte. In der Vorstadtkultur sah Brecht Eigenschaften, die die Kultur des Bürgertums längst verloren und aufgegeben hatte: Kultur als Teil der Lebenspraxis, als Tätigkeit, als Aspekt des Lebens, Kultur nicht als feierliche Veranstaltung im geschlossenen Raum, sondern als Volksfest im Freien. Wichtiger als Originalität und Einmaligkeit waren für die Vorstadtkultur Wiederholbarkeit, Veränderbarkeit und Mobilität. Brechts Verse, die direkt angeregt wurden durch die Vorstadt, sollten ebenso direkt auch wieder zu ihr zurückkehren und in ihr volkstümlich werden. »Mir schwebt im Arrangement meiner Verse das Beispiel Rodins vor, der seine ›Bürger von Calais‹ auf den Marktplatz stellen lassen wollte, auf einen so niederen Sockel, daß die lebendigen Bürger nicht kleiner gewesen wären. Mit unter ihnen drinnen wären die mythischen Bürger gestanden, Abschied nehmend aus ihrer Mitte. So sollen die Gedichte dastehen unter den Leuten.«[31]

Auch sein Musikideal blieb zeitlebens vom Freiluftideal der Straße geprägt. Wie er es in der Augsburger Vorstadt gelernt hatte, bevorzugte er Instrumente, die sich zur Straßenmusik eignen: Gitarre, Trompete, Trommel und Drehorgel, auch Maultrommel und Mundharmonika wie in der *Mutter Courage*[32] oder den Dudelsack, den er im *Prozeß der Jeanne d'Arc* einen Invaliden spielen ließ.[33] Dieser Rückgriff auf die Straße war sein Protest gegen die Geschlossenheit der Theaterräume und die Abgeschirmtheit der bürgerlichen Konzertsäle, die gerade die Distanz zum Alltag zum Programm erhoben hatten.[34]

Angewandte Lyrik.
Wedekind und der literarische Bänkelsang

Nie hat mich ein Sänger so begeistert und erschüttert.

Brecht über Wedekind

Die Tradition des Bänkelsangs

»Attraktionen auf den Volksfesten waren damals in Augsburg noch die Moritatensänger«, erinnert sich ein Mitschüler. »Der Einleitungsvers, der jeweils wiederkehrte, ist mir noch deutlich in Erinnerung:

Menschen, höret die Geschichte,
Die erst kürzlich ist geschehn,
Die ich treulich euch berichte,
Laßt uns dran ein Beispiel nehm'.

Zu jedem ihrer schauerlich moralisierenden Berichte, die zu monotoner Drehorgelmusik gesungen wurden, zeigten sie mit einem Stock auf salbungsvoll gemalte Leinwandbilder, die an einem dünnen Holzpfahl aufgehängt waren. Auch an einige Titel ihres Repertoires erinnere ich mich noch: da gab es ›Die Räuberbraut‹, ›Wahnsinn und Mutterliebe‹, ›Die grausame Mordtat des Heinrich Thiele und dessen Hinrichtung‹, natürlich fehlte dabei nicht ›Die schöne Försterstochter‹, die sich mit dem braven Jagdgehilfen das Leben nimmt, da sie einen bösen alten Oberförster heiraten soll. Jeder Augsburger, der damals den Plärrer besuchte, kannte auch den Bänkelsänger mit dem Stelzfuß aus Hamburg. Der sang noch echte Volkslieder wie das folgende:

Mein großes Glück, mein einziges Verlangen
Wär, Afrika auf hoher See zu sehn,
Da kam ein Fürst aus fremden Vaterlanden,
Der kaufte mich und sechs Deutsche drein.

Nach dem Wort ›Vaterlanden‹ spuckte er jedesmal braune Kautabaksbrühe aus. Seine Tochter ging dabei mit Vaters Hut in der Hand durch die Menge und kassierte.«[1]
Obwohl Brecht merkwürdigerweise in seinen Schriften die Augsburger Jahrmarktssänger nicht erwähnt, muß er sie erlebt haben, denn der Bänkelsang ist die wichtigste populäre Kunstform, die sein Gesamtwerk durchzieht.[2] Nicht nur hat er selbst Bänkellieder geschrieben und im *Eduard* und im *Galilei* Balladenverkäufer auftreten lassen, das Vorbild des Bänkelsangs prägte auch seine Theorie des epischen Theaters. Schon in der Malweise der Jahrmarktspanoramen, die das Außerordentliche des Dar-

Bänkelsänger im Elsaß, Zeitschriftenillustration, 1892
(Quelle: Archiv Albrecht Dümling, Berlin)

gestellten hervorhebt, sah er die Wirksamkeit des Verfremdungs-
effekts.[3]

Der Bänkelsang, von alters her obligatorischer Bestandteil der Jahrmärkte,
datiert aus der Zeit, als diese noch echte Märkte waren. Im 16. und
17. Jahrhundert, das Analphabetentum war noch weit verbreitet, waren
gedruckte und gesungene Lieder in Reimform wichtige Nachrichtenme-
dien. Das »Zeitungssingen«, auf dem der Bänkelsang basiert, hatte nicht
nur die Funktion der Nachrichtenübermittlung, sondern war gleichzeitig
und sogar in erster Linie eine Art Kaufruf: Der Zeitungssänger auf dem
Jahrmarkt war eigentlich ein Verkäufer, der durch sein Singen auf seine
Ware, die Liedblätter, aufmerksam machte. Bezahlt wurde nicht der Gesang, sondern das Liedblatt. Autoren der frühen gedruckten Zeitungslieder, der sogenannten »Neuen Zeitungen«, waren meist Geistliche, Lehrer
oder Studenten; hieraus erklärt sich ihr häufig didaktisch-moralisierender
Anstrich. Dagegen waren die Zeitungssänger, die diese Drucke vertrieben,
eher niedriger sozialer Herkunft. Als fahrende Händler waren sie bei den
eingesessenen, zunftmäßig organisierten Buchführern und Buchdruckern
nicht beliebt.

Obwohl alle Stände Interesse für die Neuen Zeitungen zeigten, waren
diese doch vor allem an das einfache Volk gerichtet. Dies geht nicht allein
aus der Art des Vertriebes, sondern auch aus der sprachlichen Form hervor:
Es dominierten ausführliche, bildhafte Schilderungen in derber, häufig

dialogisch angelegter Sprache. Figuren aus dem Volke standen dabei im Vordergrund. Mit dem Ausbau der periodischen Presse reduzierte sich die praktische Bedeutung der gereimten Neuen Zeitungen; sie verloren mehr und mehr die Funktion der aktuellen Nachrichtenübermittlung und konzentrierten sich statt dessen auf »zeitlose« grauenerregende oder sentimentale Stoffe. Während der Informationswert sank, verstärkte sich der Unterhaltungscharakter. Damit verwandelte sich um 1700 das Zeitungslied allmählich zum Bänkelsang. Von den gebildeten Ständen wurde er verachtet; so definierte 1793 Johann Christoph Adelung den Bänkelsänger als einen »Dichter, der sich ein Geschäft daraus macht, gemeine Gegenstände auf gemeine Art zu besingen«. Zu den Berufsrequisiten des Bänkelsängers gehörten das Bänkchen, auf dem er stand, ein großes Schild mit farbigen Bilddarstellungen, ein Rohrstab sowie eine kleine Drehorgel, die »Singorgel«. Im Unterschied zum Zeitungssänger war für den Bänkelsänger der Heftchenverkauf nur noch von sekundärer Bedeutung. Im Zentrum seiner Tätigkeit stand das Erzählen der Geschichten anhand der Bildtafeln. Lieder faßten die Prosaerzählungen dann jeweils zusammen. Themen der Bänkellieder waren meist Natur- oder Schiffskatastrophen, Bergwerksunglücke, Kriegserlebnisse, Raub- und Mordtaten und andere traurige Schicksale. Im Sprachstil veraltet, nämlich an Sprachmustern des 16. und 17. Jahrhunderts orientiert, wollte der Bänkelsang unterhalten und belehren; er richtete sich vor allem an das Gefühl. Wie der eingangs zitierte Einleitungsvers zeigt, wurde der Anspruch der Zeitungslieder auf Wahrhaftigkeit und Aktualität noch beibehalten, jedoch kaum erfüllt.

Die frühen Bänkelsänger benutzten Harfe oder Geige, später auch Drehleier, Fidel oder Gitarre als Begleitinstrumente. Erst im 19. Jahrhundert setzte sich die Drehorgel durch. Schon durch das Instrument war der Vorrat an Melodien eingeschränkt. Man konzentrierte sich aber auch deshalb auf einige wenige bekannte Melodien, um dadurch dem Käufer der Liedhefte das häusliche Nachsingen zu erleichtern. Bevorzugt waren solche Melodien, die dem Sprechgesang entgegenkamen.

In Brechts Jugendzeit existierte noch Bänkelsang auf dem Augsburger Plärrer. Er mußte hier aber bereits mit den ersten Kinematographen konkurrieren, die statt der stehenden bewegliche Bilder boten. In seiner reißerischen Thematik[4] und dem niedrigen Sozialstatus war der frühe Film, der ebenfalls durch einen Deklamator erläutert wurde, mit dem Bänkelsang verwandt. Im August 1920 notierte Brecht in sein Tagebuch: »Mit Film und Bänkelsang werden wir uns noch einen halben Mond über Wasser halten . . .« Der Bürgerssohn lebte von der Kunst der Vorstadt.

Dem Gebrauchscharakter der Kunst der Vorstadt näherte sich um die Jahrhundertwende von der bürgerlichen Seite her eine literarisch-musikalische Mischform an, die sich zum Ziele setzte, die Einsamkeit der »Kunst im stillen Kämmerlein« zu überwinden: der literarische Bänkelsang. »Angewandte Lyrik« wurde zum Motto nicht nur von Otto Julius Bierbaums Sammlung »Deutsche Chansons«, sondern auch von Ernst von Wolzogens Berliner Kleinkunstbühne »Überbrettl«. Die Musik spielte dabei eine große Rolle; zu Wolzogens musikalischen Mitarbeitern gehörte zeitweise der junge Arnold Schönberg. Ebenfalls auf französische Vorbilder berief sich die zweite berühmte deutsche Kleinkunstbühne der Jahrhundertwende, die der Münchner »Elf Scharfrichter«. Ihr Anknüpfungspunkt war der Realismus der sozialkritischen »Chansons quotidiennes«, die Jules Jouy in dem 1881 gegründeten Pariser Kabarett »Chat noir« vortrug, sowie der »Chansons realistes«, die der Volkssänger Aristide Bruant im »Le Mirliton« anstimmte. Das bürgerlich-studentische Milieu Schwabings, in dem die »Scharfrichter« beheimatet waren, hatte allerdings nicht mehr viel mit dem einfachen Vorstadtcharakter des Pariser Montmartre-Viertels gemeinsam, von dem das französische Kabarett ausgegangen war.

Der bedeutendste Künstler unter den »Elf Scharfrichtern« war Frank Wedekind, der hier ab 1901 seine Balladen und Bänkellieder zur Laute und Gitarre vortrug. Sie verdankten ihre Popularität nicht zuletzt der Tatsache, daß sie häufig von der sittenstrengen Zensur verfolgt wurden. Ähnliches gilt für seine Dramen, von denen *Frühlings Erwachen* in der Sexualaufklärung eine große Rolle spielen sollte.

Brecht kam auffallend früh mit dem in jeder Hinsicht als anrüchig geltenden Dichter und Dramatiker in Berührung. Schon um 1914 schenkte ihm ausgerechnet sein Vater eine Wedekind-Ausgabe, die Brecht nach Zeugnissen seiner Freunde eifrig benutzte. Wedekind-Partien spielte er auf dem Puppentheater; mit seinem Bruder Walter sang er Wedekindsche Bänkellieder zur Gitarre. Seine überaus große Bewunderung für Wedekind blieb nicht ohne Einfluß auf sein Musikverständnis. Tatsächlich gibt es zwischen der musikalischen Entwicklung beider Künstler einige Parallelen.

Der aus wohlhabenden Verhältnissen stammende Wedekind war, als er 1884 zum Studium nach München kam, nach eigenem Bekenntnis musikalisch wenig erfahren; Wagners Musik ertrug er nicht, und Beethovens *Fidelio* langweilte ihn. Durch fleißigen Konzert- und Opernbesuch bemühte er sich aber um die Verbesserung seines Musikverständnisses und berichtete am 27. 4. 1885 dem Vater: »Auf diesem Wege ist mir denn auch mit der Zeit das Verständnis von Richard Wagner aufgegangen. Das sind wirklich Kunstprodukte, die genauer untersucht sein wollen und die dem Uneingeweihten nicht viel mehr bieten, als recht viel lautes lärmendes Tschinpum und großartige Szenerien.« Restlos bewundern konnte er Wagner jedoch nicht: »Selbst das wenige Melodische, wirklich Musikalische in seiner Musik ist wenn auch imposant, doch so gesucht, daß es wohl kaum jemals, wie die Musik der Italiener, Eigenthum der Drehorgeln und Gassenjungen werden wird.«[5] Wedekind konnte Wagners Musikdramen nur als »Kunstprodukte« begreifen. Er vermißte das, was er als Essenz des eigentlich Musikalischen empfand: die »natürliche«, volkstümliche Melodik, die auch auf Uneingeweihte wirkt und »gerade das naive Gemüth direkt unmittelbar erfassen sollte.«[6] Ähnlich wie der junge Brecht konnte auch der junge Wedekind Musik sehr intensiv erleben und beim Hören in literarisch orientierte Wachträume verfallen. So empfand er etwa das Andante eines Spohrschen Doppelquartetts als »so elegisch, so märchenhaft, wie ich noch kein Musikstück gehört habe; es erinnert mich an eine Stelle aus Heines Reisebildern, wo der Verfasser in einem etwas verkommenen Park aus der Rococozeit spazieren geht.«[7]

So ernsthaft wie in seiner Münchner Studienzeit hat Wedekind sich später nie mehr um Konzert und Oper bemüht, so intensiv wohl auch nie mehr Musik genießen können. Ähnlich wie bei Brecht entwickelte sich bei ihm eine tiefe Skepsis gegenüber der Überflutung durch die offizielle bürgerliche Musikkultur, eine Skepsis, die er auch künstlerisch verarbeitete: in den Dramen *Der Kammersänger* und *Musik*. Sein Stück *Musik* über das tragische Schicksal einer Gesangsschülerin namens Klara Hühnerwadel kündigte er mit dem folgenden Text an: »Die Tendenz, die dem Sittengemälde zugrundeliegt, ist die Bekämpfung des mit jedem Jahr unheilvoller um sich greifenden Musikstudiums. Wenn man sich vergegenwärtigt, daß es unter 100 Musikschülerinnen höchstens nur einer einzigen vergönnt ist, ihrer Kunst einen nennenswerten Dienst zu leisten, daß aber durch jede dieser 100 Musikschülerinnen mindestens 100 geistige Arbeiter in ihrer Denktätigkeit gestört und durch nutzloses Klaviergeklimper manchmal der Verzweiflung nahegebracht werden, daß also auf jeden Menschen, der in der Musik Erfolg erntet, 10 000 Opfer fallen, denen das Denken eigener Gedanken rücksichtslos vernichtet wurde, dann wird man das Wedekindsche Buch unbedingt als eine ebenso mutige wie verdienstvolle Tat begrüßen müssen.«[8] Wedekinds »Musikfeindschaft«, die sich hier bewußt übertrieben ausdrückte, war ähnlich wie die von E. T. A. Hoffmanns Kapellmeister Kreisler eine Angst vor Überflutung durch Musik.[9] Sie entsprang einer besonderen Musikempfindlichkeit. Der musikalischen Überfülle setzte Wedekind, der seit 1882 eine Gitarre besaß, in seinen eigenen Liedern eine geradezu asketische Sparsamkeit entgegen. Diese »neue Einfachheit« entsprang, wie einem Brief Wedekinds an seinen Bruder vom Mai 1894 aus London zu entnehmen ist, nicht nur ästhetischen, sondern auch pragmatischen Motiven: »Du fragst mich nach Guitarren Accorden. Ich habe nun momentan leider keine Guitarre. Ich habe mir in Paris eine Violine gekauft, mit der ich meine einsamen Stunden erheitere. Ich gehe fortwährend mit dem Gedanken um, mir auch wieder eine Guitarre zuzulegen. Aber bei den schlechten Zeiten kann das noch ein Weilchen dauern. Ich habe mir aus dem Kopf die Accorde zusammenzustellen gesucht. Es ist mir aber nur mit zweien gelungen, auf die sich allerdings schon die meisten Lieder singen lassen. Sobald ich eine Guitarre habe, schicke ich Dir die anderen nach. Es thut mir leid, daß ich keinen Mollaccord zusammengebracht. Eine weitere Erklärung ist zu den Accorden nicht nöthig. Jedes Lied beginnt mit der Tonica, geht dann in die Oberdominante rüber, um wieder zur Tonica zurückzukehren. Ausnahmsweise geht die Untere der Oberen voraus.«[10] Auf der einfachen Kadenz bauen harmonisch die meisten Lieder Wedekinds auf.

Seinem Wunsch, seinen Gedichten »entsprechende Vortragsweisen zu schaffen«[11], kam die Gründung der Kleinkunstbühnen in Berlin und München entgegen. Während er Wolzogens Aufforderung, bei ihm als »Gentleman Chansonnier« aufzutreten, nicht Folge leistete, wurde er ab 1901 Mitglied der Münchner »Scharfrichter«. Was dieses Münchner Kabarett mit seinen Pariser Vorbildern verband, war nicht zuletzt eine parodistische Haltung gegenüber geschlossenen Weltbildern. Mit beißendem Spott und doppelbödiger Ironie trat man in bunten Nummernprogrammen allen »gesicherten« Werten, so auch der Kunstmetaphysik, entgegen. Weltanschauungen wurden karikiert und feste Bewußtseinshaltungen der Zuhörer aufgebrochen und verunsichert. Man saß zu Gericht über das gesamte Spektrum bürgerlicher Kultur; die dreimal wöchentlich stattfindenden Aufführungen hießen deshalb »Exekutionen«. Dabei spielte nicht nur die literarische, sondern auch die musikalische Parodie eine große Rolle. Jeder Abend begann mit einem grotesken »Introduktionsmarsch für Orchester und Chor« des mit Wedekind befreundeten Hauskomponisten Richard Weinhöppel. Dazu wurden die programmatischen Worte gesungen: »Erbauet ragt der schwarze Block,/Wir richten scharf und herzlich,/Blutrotes Herz, blutroter Rock,/All unsre Lust ist schmerzlich ...« Eindeutig parodistisch gemeint war Weinhöppels »Überouvertüre«, die vor allem auf Wagner anspielte; zu ihr erschien ein eigener Musikführer. Neben diesen Musikparodien, die sich gegen den übermächtigen, fast schon religionsartigen Einfluß der Musikkultur im Bürgertum wandten, wurden bei den abendlichen »Exekutionen« Gitarrenlieder vorgetragen. Vortragende waren hier Richard Weinhöppel, der Rechtsanwalt Dr. Friedrich Kothe, die Elsässerin Marya Delvard und vor allem Frank Wedekind. Die Reduktion des musikalischen Apparates auf die Gitarre war ebenso als Protest gegen den Wagnerschen Gigantismus zu werten wie die musikalische Vereinfachung des Komponisten Erik Satie, der in Pariser Cabarets als Pianist auftrat. Die Gitarrenlieder der »Scharfrichter« waren in ihrer lapidaren Schlichtheit auch von Einfluß auf die musikalische Szene Münchens. Impulse von den »Scharfrichtern« nahm der sogenannte Münchner Lautenistenkreis um den königlich bayrischen Kammervirtuosen Heinrich Scherrer auf; Scherrer war der Autor einer weitverbreiteten »Kurzgefaßten volkstümlichen Lauten- und Gitarrenschule«, einer leichtverständlichen Anleitung für den Selbstunterricht, die er 1911 »Herrn Dr. Breuer und allen Wandervögeln« widmete. Die Gitarrenlieder der Münchner »Scharfrichter« wurden so zu einem wichtigen Ausgangspunkt für die Verbreitung des Gitarrenspiels und für die Entwicklung einer »alternativen Musikszene«. Von Bedeutung für den Wandervogel wurde später auch der »Scharfrichter« Robert Kothe, dem Fritz Jöde, einer der Führer des Wandervogels, ein eigenes Büchlein widmete.[12]

Unter den »Elf Scharfrichtern« war Wedekind wohl der politisch bewußteste und kritischste Kopf. Zwar hatte Wedekind selbst seine Kabarettauftritte im Unterschied zu seiner Dramatik zu den lästigen Notwendigkeiten des Broterwerbs zugerechnet, jedoch besaßen einige von seinen Liedern unter den damaligen Verhältnissen einige Sprengkraft. Sein Bänkelsang »Palästinafahrt« über die Reise Kaiser Wilhelms II. 1898 ins Heilige Land brachte ihm wegen Majestätsbeleidigung sogar sechs Monate Festungshaft ein.

Brecht als Erbe der Bänkelsang-Tradition

Brecht war beeinflußt von beiden Formen des Bänkelsangs, sowohl von seiner authentischen Form auf dem Plärrer wie auch von seiner literarischen Verarbeitung. In seiner Augsburger Bibliothek befanden sich neben den gesammelten Wedekind-Werken Bierbaums »Deutsche Chansons«, eine von Klabund zusammengestellte Volksliedsammlung mit dem Titel »Der Leierkastenmann« sowie ein Band »20 Romanzen, Balladen, Serenaden, Mori- und andere Taten nebst einem Prolog für Gesang und Gitarre von Hannes Ruch«. Von den Wedekind-Liedern sang er besonders gern »Franziskas Abendlied«, »Der blinde Knabe«, »Galathea«, »Der Gartenturm«, »Die Wetterfahne«, »Das Lied vom armen Kind«, das Gwendolinlied aus dem »Stein der Weisen« und das Gedicht »Erdgeist«. Ob er Wedekinds Melodien kannte – sie stehen meist in G-Dur und im Dreivierteltakt – oder eigene Melodien verwendete, ist kaum noch feststellbar. Münsterer spricht[13] von einfachen, aber sehr einprägsamen Melodien, die Brecht gefunden habe. Den Band der Wedekindschen »Lautenlieder« schenkte ihm Frank Warschauer jedenfalls erst zu Weihnachten 1921 in Berlin. Unbekannt ist auch, wer am 11. 8. 1918 das Lied »Ich war ein Kind von 15 Jahren« für Gesang und Klavier komponierte, das sich in Brechts

Nachlaß fand. Fest steht aber, daß Brecht im März 1921 für Marianne Zoff die Wedekind-Lieder »Franziskas Abendlied« und »Der Taler« für Gitarre setzte. Seine Wedekind-Begeisterung wollte er weitervermitteln. Daß seiner Freundin »Bi« Banholzer der Autor Wedekind, dessen Drama *Frühlings Erwachen* sie gelesen hatte, ganz mißfiel, hinderte Brecht nicht daran, ihr immer wieder dessen Lied vom »Blinden Knaben« zu erklären und vorzusingen und sogar den gemeinsamen Sohn Frank zu nennen. Im Dezember 1921 bezeichnete er Wedekind als einen Erbauungsschriftsteller wie wenige: »Er und ein Revolver und kein Gewissen, aber Geschmack: Das ist besser als die Konfirmation.«

In München, wo er nach dem Abitur die Vorlesungen des Wedekind-Spezialisten Arthur Kutscher besuchte, erlebte er den Dichter als Vortragskünstler. Der Eindruck war tiefgreifend und nachhaltig: »Niemand vergaß je wieder diese metallene, harte, trockene Stimme, dieses eherne Faunsgesicht mit den ›schwermütigen Eulenaugen‹ in den starren Zügen. Er sang vor einigen Wochen in der Bonbonnière zur Gitarre seine Lieder mit spröder Stimme, etwas monoton und sehr ungeschult. Nie hat mich ein Sänger so begeistert und erschüttert. Es war die enorme Lebendigkeit dieses Menschen, die Energie, die ihn befähigte, von Gelächter und Hohn überschüttet, sein ehernes Hoheslied auf die Menschlichkeit zu schaffen, die ihm auch diesen persönlichen Zauber verlieh.«[14] Wedekind war für Brecht zugleich der Inbegriff größter Vitalität wie von auffallender Härte. Sein Vortrag wirkte auf sein Gefühl, ohne gefühlvoll zu sein, sein Vortragsstil war individuell und doch nicht privat. Noch 1942 bezeichnete Brecht ihn als »äußerst raffiniert und variationsreich ... In der Tat nahm Wedekind Jazzelemente voraus und seiner Rezitation selbst einfachster Gedichte und Lieder (Ich war ein Kind von 15 Jahren) lagen komplizierte Steprhythmen zugrunde.«[15] Technisch hielt er den Wedekindschen Liedvortrag für neu und vorbildlich. Seine Bänkelgesänge konnte Brecht deshalb besonders leicht übernehmen, weil sie wegen ihres »objektiv« erzählenden Charakters nicht notwendig an die Person des Dichters gebunden waren.

In einer Feier des Kutscher-Seminars Ende Januar 1918, bei der Wedekind nach Mitternacht drei seiner Lieder vortrug, erlebte Brecht den großen Dichter und Sänger zum letzten Mal. Als dieser am 9. März 1918 plötzlich starb, schrieb der junge Augsburger, der noch am Todestag nichtsahnend am Lech Wedekind-Lieder gesungen hatte, erschüttert und ungläubig einen Nachruf, in dem er den Dichter zu den »großen Erziehern des neuen Europa« zählte. Wie sein Vorbild wollte er fortan in direkter Ansprache ans Publikum unter Verwendung von volkstümlicher Sprache und Gesang erzieherisch wirken. Gerade die als veraltet geltende Form des Bänkelsangs ließ sich hierbei wieder aktualisieren, bot eine Grundlage zur Schaffung neuer angewandter Lyrik.

Brecht als Baal, Bürgerschreck und Klampfenbenke

> In der roten Sonne auf den Steinen liebe ich die Gitarren: es sind Därme von Vieh, die Klampfe singt viehisch, sie frißt kleine Lieder.

Lieder zur Klampfe

Unmittelbar nach seiner Rückkehr aus München nach Augsburg schrieb Brecht unter dem frischen Eindruck von Wedekinds Gesangsvorträgen eigene Lieder, darunter das »Lied der Galgenvögel«, »Auslassungen eines Märtyrers« und »Vom François Villon«. Diese Schöpfungen charakterisierte er am 24. Februar 1918 als Lieder »von ungemeiner Gemütstiefe und ungesunder Rohheit«.[1] Neben Wedekind war als weiteres Vorbild Villon getreten.[2] Im März berichtete Brecht seinem Freund Caspar Neher: »Ich will ein Stück schreiben über François Villon, der im 15. Jahrhundert in der Bretagne Mörder, Straßenräuber und Balladendichter war.«[3] Aus dieser Idee entwickelte sich ab April 1918 das Drama *Baal* über einen lustbetonten und vitalen Balladensänger. Brecht und sein jüngerer Bruder Walter, dieser allerdings in zurückhaltenderer Weise, wurden selbst solche Sänger. Beide Brüder stellten für den eigenen Gebrauch handgeschriebene, fadengeheftete Büchlein im Kleinformat zusammen, in denen sie eigene und fremde Lieder sammelten. Im Brecht-Archiv hat sich ein kleines Heft mit dem Titel »Lieder zur Klampfe von Bert Brecht und seinen Freunden/ 1918«[5] erhalten. »Klampfe« war die unter der damaligen Jugend gebräuchliche Bezeichnung für Gitarre.

Wie viele Lieder Wedekinds und Villons sind die Brecht-Gesänge, an deren musikalischer Ausformulierung auch die Freunde mitwirkten, Ausdruck eines wilden Hedonismus sowie einer alle bürgerlichen Maß- und Moralvorstellungen über den Haufen werfenden vitalen Lebensanschauung. Brecht opponierte damit unter anderem gegen die bürgerliche Musikkultur, die, wie er meinte, das Triebhafte, statt es auszuleben, sublimiert. Als Beispiel erwähnte er 1917 Beethovens Romanze in F für Violine und Orchester, wobei er das Schaffensmotiv des Komponisten so deutete:

> Was er, vom Schmerz um ein Weib einst gepackt
> stumm in sich hinein verschwieg –
> seine Lieder verrieten's am trunkenen Takt.
> Und ein Weib schwamm auf den Wogen jener Musik:
> Nackt.[6]

Gegen den Künstler, der nur für die Kunst lebt und neben der Kunst sein Leben vernachlässigt[7], setzte Brecht den Künstlertypus, der vor allem

Mensch ist. »Das Wichtigste am Künstler ist der Mensch.«[8] Getreu dieser Maxime bemühte er sich in seinen Gesängen um Offenlegung und nicht um künstlerische Sublimierung des Triebhaften. Gleich der erste Beitrag in den »Liedern zur Klampfe«, *Baals Lied*[9], spricht ohne Umschweife von sexueller Begierde. In der ersten Fassung des Dramas singt es der Titelheld, um die Gäste eines Kabaretts zu provozieren; ihnen schleudert er die Auffassung entgegen: Erlaubt ist, was Spaß macht!

1. Hat ein Weib fet - te Hüf - ten, tu ich sie ins grü - ne Gras.

»Baals Lied« entstand, wie eine schriftliche Anmerkung besagt, »zusammen mit Lud am 7. VII. 18 nachts am Lech«. Ludwig Prestel ist wohl die Melodie zu verdanken, die Brecht dann in der ihm eigenen Schnellnotenschrift notierte. Dieser Notenschrift begegnet man in den zahlreichen Notenskizzen aus seinem Nachlaß, die meist jener frühen Phase entstammen, immer wieder.

Der üblichen Notenschrift entsprechen in »Baals Lied« zwar der Violinschlüssel, die Angabe der Tonart (zwei Kreuze für h-moll) und der Taktart (^{2}/$_4$-Takt); irregulär sind aber die eigentlichen Noten: Brecht notierte nur Tonhöhen und Harmonien und verzichtete auf die Bezeichnung von Tondauern und Taktgrenzen. Dieser Verzicht auf den Rhythmus scheint so erklärbar, daß sich für Brecht Betonungen und Dauerwerte schon aus dem Gedichttext ergaben. Die meisten Notenskizzen wurden eilig, häufig auch unterwegs aufgeschrieben; Brecht bezeichnete also nur das absolut Notwendige. Sein Klassenkamerad und Freund Georg Geyer weiß zu berichten: »Einige Male sah ich zu, wie Brecht zu Texten Melodien komponierte. Es ging letztlich ganz rasch. Aber es war so ungewohnt und regelwidrig wie alles, was Brecht tat. Er zog ganz hauchdünn die fünf Notenlinien, und dann machte er anstelle der Notenköpfe einfach nur kleine Kreuze mit nach unten gezogenen Strichen daran. So notierte er sich sozusagen die Melodien zu seinen Versen in Kurzform. Brecht konnte natürlich Noten lesen und schreiben, nur mit den Kreuzen statt der Noten schien es ihm schneller zu gehen.«[10]
Gedicht und Melodie wurden getrennt aufgezeichnet. Unter den Noten sind meist nur die Textanfänge notiert. Weil aber die Zahl der Silben nicht immer mit der Zahl der Notenköpfe übereinstimmt, wurde es notwendig, in der Notenskizze die Zeilengrenzen durch Striche zu bezeichnen.

Nur so wurde eine eindeutige Zuordnung von Melodiezeile und passender Gedichtzeile möglich. Diese Notation nach Gedichtzeilen und nicht nach Takten ist für Brecht charakteristisch. Aus den Gedichtzeilen leitete er die Abgrenzung der musikalischen Phrasen her, aus der poetischen ergab sich die musikalische Form. Wie für Wedekind war für Brecht die einfache Volksliedstrophe das dichterisch-musikalische Grundmodell. Bei den sangbaren Gedichten bedeutet die Zeilengrenze in der Regel eine Zäsur; die Zeile ist in den Brechtschen Liedern zugleich Sinneinheit wie auch melodische Einheit, Zeilensprünge (Enjambements) sind selten. An der Vertonung von »Baals Lied« läßt sich dies leicht nachvollziehen:

Wie Münsterer berichtet, hat Brecht beim Vortrag durch unterschiedliches Tempo die Zeilenlängen einander angeglichen: »Brecht jedenfalls hat die Langzeilen in der Regel sehr rasch und mit deutlicher Endpause gesprochen, wodurch sie den Kurzzeilen angepaßt und in der Reimsilbe besonders betont wurden.«[11]

Das zweite Lied der »Lieder zur Klampfe«, das *Lied der müden Empörer*,[12] ist ein möglicherweise auf Wedekind zurückgehendes Tanzlied im ³⁄₈-Takt. Bei der Notation dieses einfachen Liedes überrascht die Genauigkeit, mit der sogar der begleitende Gitarrensatz ausgeschrieben ist. Sonst war es bei Brecht üblich, die Begleitharmonien nur durch Buchstaben anzugeben: Großbuchstaben meinen Durdreiklänge, Kleinbuchstaben Moll; dies entsprach der Praxis in den Liederbüchern. Laut Münsterer hat Brecht das »Lied der müden Empörer«, das er später »Philosophisches Tanzlied« nannte, schon 1917 gesungen. Das gleiche soll gelten vom *Kleinen Lied*[13] von der Unschädlichkeit des Alkohols. Tatsächlich basiert auch dieses Lied auf einfachster Akkordik: dem Wechsel des Dominantseptakkordes und des Tonikadreiklangs von D-Dur.

In der einfachen Struktur und dem geringen Tonumfang ist das Vorbild des Kinderliedes unverkennbar. In Text und Melodie setzte sich Brecht Einfachheit und Einprägsamkeit zum Ziel. Wie schon beim vorigen Lied ist die Melodie jeweils nur zweizeilig angelegt. Sie wird also in jeder der vierzeiligen Strophen wiederholt; auch dies ist ein weiteres Moment von Vereinfachung.

Das *Lied der Galgenvögel*[14] mit seiner psalmodierenden Mollmelodie entstand offensichtlich später als die beiden obengenannten Lieder. Dafür spricht nicht nur das »Durchkomponieren« aller vier Zeilen einer Strophe, die Verwendung des schwierigen Barrée-Gitarrengriffs und einer reicheren Harmonik, sondern auch der betont blasphemische Charakter des Liedes. Inhaltlich erinnert es an Villon, zu dessen berühmtesten Dichtungen die »Ballade der Gehängten« (Ballade des pendus) gehört.

Einen ganz andren Liedtypus repräsentiert das *Bittere Liebeslied*[15], dessen Text nur fragmentarisch überliefert ist; es ist eine subjektive Liebesklage, die allerdings ironisiert und relativiert wird durch die Vortragsbezeichnung »klagend und laut schallend«.

Das *Lied der Kavaliere der Station D* wurde am 2.11.1918 niedergeschrieben. Brecht war am 1. Oktober zum Militär eingezogen worden; er diente als Sanitätssoldat in einem Augsburger Reservelazarett, und zwar in der für Geschlechtskrankheiten zuständigen Abteilung D. Wie schon auf dem Plärrer konnte er hier die Menschen kennenlernen, wie sie »wirklich sind«. Einem Freund berichtete er damals über seine desillusionierenden Erfahrungen. »Wir unterhielten uns auch über den Moralkodex der Gesellschaft, über die doppelte Moral der Menschen. Er sagte dazu, wenn er die Männer so im Lazarett liegen sähe, jeder Kranke erwiesenermaßen von einem galanten Abenteuer oder einem Seitensprung gezeichnet, da zeige sich ihm das Gesicht der Gesellschaft offen und ohne Verlogenheit.«[16] Die chromatische Melodie des Liedes dient dem Ausdruck von Desillusionierung; sentimentale Sehnsuchtsseufzer werden musikalisch parodiert. Aus dem gleichen Grunde verwenden wohl auch die beiden folgenden Melodien, das *Lied von Liebe*[17] und *Die Keuschheitsballade*, Chromatik. Die »Keuschheitsballade« übernahm Brecht in seinen Einakter *Kleinbürgerhochzeit* (1919); ihr parodistischer Charakter wird schon aus der ersten Zeile deutlich:

Ach, sie schmol-zen fast zu-sam-men

Seine »Lieder zur Klampfe« von 1918 hat Brecht nie publiziert. Verschollen ist die erste größere Sammlung Brechtscher Gedichte, die im Januar 1919 zusammengestellt wurde und den Titel »Klampfenfibel« tragen sollte. Der Freund Caspar Neher entwarf im Frühjahr 1919 »dafür wochenlang glühbunte Aquarelle«, »den gitarrespielenden Baal, Orge mit dem Strick unterm Baum ...«[18] Und noch im August 1920 sinnierte Brecht: »Vielleicht soll ich doch die Lautenfibel hinausschmeißen, auf Zeitungspapier groß gedruckt, fett gedruckt auf Makulationspapier, das zerfällt in drei, vier Jahren, daß die Bände auf den Mist wandern, nachdem man sie sich einverleibt hatte.«[19] Brecht war der Mittelpunkt eines Bohèmezirkels, der sich entweder im legendären Mansardenzimmer in der Bleichstraße, am Lechufer oder in Gablers Taverne traf. Hier setzte man gegen die festgefügte Ordnung des bürgerlichen Lebens das Abenteuer. Die Bereitschaft zum Abenteuer wurde durch Musik wesentlich gefördert, weshalb das Musizieren zu den wichtigsten Beschäftigungen der Brecht-Clique gehörte. Musik hob, auch wenn sie sich an Vorstadtvorbildern orientierte, über den Alltag hinaus und gab dem jeweiligen Lebensgefühl Ausdruck. Man parodierte Schlager[20], Volkslieder und Opernarien. »Oder es wird eine Kantate, fast schon eine Oper über die schöne Maiennacht improvisiert, zu der Freund Orge als Kapellmeister, großartig mit den Armen fuchtelnd, ein imaginäres Orchester im wildesten Furioso anfeuert.«[21] Häufig gab es Umzüge durch die Stadt. »Wenn wir abends zu unseren kleinen Abenteuern zusammenkamen«, erzählt Heiner Hagg, »da waren bei Brecht Gitarre und Lampion obligatorisch. Harrer spielte Violine, Pfanzelt war ebenfalls mit einer Gitarre ausgerüstet, oder er dirigierte uns, andere spielten Mundharmonika oder summten die Melodie einfach so mit ...«[22] Gerne brachte man bewunderten Mädchen ein Ständchen, so etwa der Friseurstochter Marie Rose Aman, der Adressatin der berühmten »Erinnerung an die Marie A.«, der Brecht auf dem Weg zur Klavierstunde den ersten Liebesbrief übergeben hatte. Die Ständchen, die er ihr mit seiner Clique vor ihrem Elternhaus darbrachte, waren für die so Besungene fatal. »Wenn die angefangen haben, ist mein Vater aufgestanden und hat mir eine Ohrfeige gegeben; das kann ich nie vergessen.«[23] Weitere Adressaten von Ständchen waren Caspar Nehers Schwester Marietta und Paula »Bi« Banholzer. Oft saß man anschließend noch bis zum frühen Morgen am Lech oder zog durch die Stadt.

Jetzt wachen nur noch Mond und Katz,
die Mädchen alle schlafen schon,
da trottet übern Rathausplatz
Bert Brecht mit seinem Lampion.[24]

Ein großer Teil von Brechts Lyrik ist Gebrauchs- oder Gelegenheitslyrik, entstanden zum Vortrag bei den Freunden. Manche Gedichte benennen ihre Adressaten ganz offen, so etwa »Von He«: »Hört, Freunde, ich singe euch das Lied von He ...«[25] Vor Frauen sang Brecht andere, romantischere Lieder als vor Männern. So erinnert sich Bi: »Am allerliebsten hat er gesungen – und da mußte ich mitmachen – das Lied von der Königin Grey, wo zuerst er enthauptet worden ist und dann sie. Da hat er immer gesagt: Das ist so schön, aber man weiß nicht, wer das gedichtet und komponiert hat.« Es handelt sich dabei um eine Ballade von Heinrich Ammann in der

Vertonung von Walter Brecht.[26] Auch Walter Brecht sang öfter Lieder seines älteren Bruders. Besonders eindrucksvoll war es, wenn beide Brüder zusammen sangen.[27] Brecht hielt es für legitim, wenn man seine Gedichte auf ihren Gebrauchswert untersuchte. »Er ist schon früh für das Abwägen eines Gedichts gegen ein Stück Torte oder den Vergleich mit einem Apfel eingetreten, wobei nicht immer das Gedicht den Vorzug erhielt.«[28] Wohl mit einem gewissen Stolz notierte Brecht in sein Tagebuch den Ausspruch von Caspar Neher: »Dein Baal ist so gut wie 10 Liter Schnaps.«[29] Für seine Gedichte bedeutete Sangbarkeit eine Erhöhung ihres Gebrauchswerts. Durch den Gesangsvortrag trat die Lyrik aus ihrer papierenen Isoliertheit heraus, wurde »angewandt« und von einer ganzen Gruppe kollektiv erlebbar. Subjektivität und Kollektivität gingen so unmittelbar ineinander über. Wenn gemeinsam Stoffe diskutiert, Leseerfahrungen ausgetauscht und zum Teil auch die Melodien gemeinsam komponiert wurden – hier wurde Brecht vor allem von seinem Bruder Walter, von Ludwig Prestel und Georg Pfanzelt, seinen frühesten musikalischen Mitarbeitern, unterstützt –, so waren damit schon kollektive Produktionsformen vorweggenommen, wie sie für das gesamte spätere Werk Brechts charakteristisch werden sollten. Im gegenseitigen Vortrag konnte die so entstandene Lyrik unmittelbar ausprobiert werden. Es war allerdings Brecht, der von diesem Kollektiv am meisten profitierte. Carl Zuckmayer sagte ihm dies später einmal sehr ungeschminkt: »Für dich ist das Kollektiv eine Gruppe von intelligenten Leuten, die zu dem beitragen, was einer will, nämlich du.«

»Baal«

Welch große Rolle die Musik damals für Brechts Lebensgefühl spielte, läßt sich deutlich aus seinem Drama *Baal* ablesen, dessen Urfassung von April bis Mai 1918 parallel zu den »Liedern zur Klampfe« entstand. Es ist aufschlußreich, daß von den vielen Bildern, die Caspar Neher im Frühsommer 1918 für Brecht malte, »Baale mit und ohne Klampfe, sitzend, stehend, hockend, mit roter Jacke, fett, stiernackig und sehr zerlumpt«[30], zur Veröffentlichung schließlich eines ausgewählt wurde, das direkt auf Brecht verweist: Baal hält hier nämlich wie dieser regelwidrig den Gitarrenhals nach unten. Sicherlich spielen auch äußere Ereignisse in die Entstehung des Dramas hinein, so die Erschütterung über den unerwarteten Tod Frank Wedekinds am 9. März und der Wunsch, Hanns Johsts idealistischem Drama *Der Einsame* ein eigenes, vitaleres Werk entgegenzustellen; jedoch wurde zum unmittelbaren Vorbild für die Baal-Figur neben den Dichtern Villon und Rimbaud vor allem Brecht selbst. Die Figur des Baal ist sein eigenes Wunschbild.

In einer anderen Weise als die Wagnerschen Musikdramen, die Brecht mit Vorliebe parodierte[31], ist *Baal* ein »Drama mit Musik«; es enthält so viele Liedeinlagen und ist in der Abfolge der kurzen Szenen so balladesk angelegt, daß Herbert Jhering bei der Leipziger Uraufführung im Dezember 1923 von einer »szenischen Ballade« sprechen konnte – ein Urteil, das auch spätere Kritiker übernahmen. Den verschiedenen sozialen Milieus – vor allem Bürgertum und proletarisierte Bohème –, die einander kontrastiert werden, entsprechen sehr verschiedene Musikauffassungen. Grundlegend für Baals Musizieren ist seine Abneigung gegen die verklemmte pseudo-idealistische Musikpraxis des wohlhabenden (Spieß-)Bürgertums. Die Harmoniumklänge im Speisezimmer des Großkaufmanns Mech, die zugleich orchestral und orgelhaft wirken, repräsentieren dabei die entrückte Kunstauffassung des Bürgertums, das die romantische Musik schon in die Nähe der Religion brachte.

Baals eigene Musikpraxis sieht anders aus: In seiner Dachkammer trägt er seinem Freund Johannes »mit einigen harten Akkorden« sowie einigen »gezupften Läufen« auf der Gitarre unkonventionelle Gedanken über die Liebe vor. Wie für Baal, der gerade in dem Moment zur Gitarre greift, in dem er von Liebe spricht, vermittelte auch für Brecht die Musik ähnlich der Sexualität tiefe Gefühle und animalische Wollust. Das Gitarrenspiel besaß für ihn zusätzlich eine sadistische Komponente. So spricht der Dritte Psalm der »Hauspostille« von der Eifersucht des Himmels auf seine Gitarre mit ihren Darmsaiten: »Er wird bleich, wenn ich mein Darmvieh quäle und die rote Unzucht der Äcker imitiere sowie das Seufzen der Kühe beim Beischlaf.«[32] Auch solche Phantasien bedeuteten für ihn Befreiung von bürgerlicher Konvention. Wie ein Kommentar dazu liest sich Baals Ausspruch: »Früher hatte ich nie solche Einfälle, so schnurrige, als es mir gut ging, in den bürgerlichen Verhältnissen. Erst jetzt habe ich Einfälle, wo ich Genie geworden bin.«[33] Die Brecht-Baalsche-Gefühlskultur trat nach außen hin hart und provozierend antiromantisch auf, so etwa, wenn Baal den Fuhrleuten in einer Branntweinschenke das Lied vom liebsten Ort auf Erden vorsang, der nicht das Elterngrab sei, wie es das beliebte Triviallied des 19. Jahrhunderts wollte, sondern der Abort. Wahrscheinlich dachte Brecht dabei sogar an einen bestimmten Abort: den des Konzertsaals im Ludwigsbau, dem Schauplatz der Symphoniekonzerte.[34] Baals Abort-Lied besaß beim bürgerlichen Publikum in der Tat die erwünschte provokative Wirkung und wurde bei Berliner Aufführungen des Dramas zum Anlaß von Tumulten.[35] In der Fuhrmannskneipe ist Baal bürgerlichen Normen ebensosehr enthoben wie in seiner Dachkammer, wo nur noch leise aus der darunterliegenden Wohnung bürgerliche »Hausmusik«, nämlich Tristan-Klänge vom Harmonium, zu hören ist. Auch im Nachtcafé »Zur Wolke in der Nacht« stellt sich Baal bewußt den heruntergekommenen Vertretern der bürgerlichen Musikkultur, einer Soubrette und einem bleichen, apathischen Klavierspieler, entgegen; auch an sie, und nicht nur an das Café-Publikum, richtet er sein schamlos-vitales Lied »Von des Weibes fetten Hüften«.

Über der deutlichen Kontrastierung von erster und zweiter Musikkultur darf jedoch nicht übersehen werden, daß im *Baal* zwar das bürgerliche Musikleben mit seinen geheuchelten, falschen Gefühlen und seiner verkümmerten Vitalität, nicht aber die bürgerliche Musik selber denunziert wird. Wie in Johsts Drama ein Musiker im Mittelpunkt steht, so ist auch bei Brecht Baals Freund Ekart Komponist; an der Entstehung seiner Messe in Es-Dur sowie eines Streichquartetts nimmt Baal durchaus interessiert Anteil. Was er verurteilt, ist lediglich die falsche Funktion der vorherrschenden bürgerlichen Musikkultur.

Die Funktion, die Brecht in seiner Baal-Phase der Musik gerne zubilligte, war die Stimulation von Animalisch-Triebhaftem im Menschen. Hierin berührten sich »Kirsch und Tabak«, »Orgeln und Orgien«.[36]

> O Gekreisch der schnarrenden Gitarren!
> Ach, du himmlisch aufgeblähter Hals!
> Hosen, die von Schmutz und Liebe starren!
> Und in schleimig grünen Nächten: welch Gebalz![37]

»Wir haben Rum eingekauft und auf die Gitarre neue Därme aufgezogen«, heißt es im »Psalm im Frühjahr«[38], und im »10. Psalm«: »Ich betäube mich mit Musik, dem bitteren Absinth kleiner Vorstadtmusiken, Orgeln nach der Elektrizität[39], davon blieb Kaffeesatz in mir, ich weiß es. Aber es ist meine letzte Zerstreuung.«[40] Der Brecht der Baal-Phase wußte genau zu unterscheiden zwischen echtem dionysischen Rausch, den er akzeptierte, auch wenn dieser Rausch nur eine Betäubung war und den Moment nicht überdauerte, und falscher, spießbürgerlicher Sentimentalität, die er persiflierte, wo er nur konnte.

Brecht als Baal

In der Rolle des Baal, des gitarrespielenden, vitalen und asozialen Bürgerschrecks, der am liebsten vor Fuhrleuten und Waldarbeitern auftritt, kamen Einflüsse der gitarrespielenden Wandervögel, des diabolischen Bänkelsängers Wedekind, der Jahrmarktsänger und Berichte über das Leben des François Villon zusammen. Möglicherweise wirkten dabei auch Jugenderinnerungen an einen singenden Förster nach, den Brecht in den Sommerferien der Jahre 1907 bis 1909 erlebt hatte.[41] Damals waren die beiden Brüder Eugen und Walter beim Fürstlich Fuggerschen Förster Knörzinger im Dorf Emmersacker westlich von Augsburg untergebracht gewesen und erlebten dabei voll gruselndem Staunen, wie dieser beim

blutigen Ausweiden frischgeschossenen Wildes mit schallender Stimme Moritaten wie »Heinrich schlief bei seiner Neuvermählten« sang. Seine kaum zehnjährigen Gäste führte dieser Förster damals auch schon ins Pfeifenrauchen ein. Diese Erlebnisse dürften Brechts Vorstellung von der wilden Romantik der schwarzen Wälder wesentlich beeinflußt haben und auch noch im *Baal* fortwirken. Brecht versuchte ab 1918, die Baal-Figur in die Wirklichkeit umzusetzen. Umgekehrt hatte er auch von seinem Drama gefordert: »Es sollte einem ›gleicher‹ sein! Man soll es machen mit Gedärmen, Herz und Blut darin und Lungen und es laufen lassen.«[42] Wie weit Brechts Identifikation mit der Baal-Figur ging, zeigt die Tatsache, daß er Baal-Verse sogar beim Friseur vortrug und hier ähnliche Reaktionen auslöste wie Baal bei den Fuhrleuten. »Er befragte auch direkt die Leute, wie es ihnen gefallen habe. Die meisten Anwesenden waren einfache Arbeiter aus der Bleich, die nicht recht wußten, was sie Brecht antworten sollten. So endete die Episode im Friseurladen mit allgemeiner Heiterkeit.«[43] Ein anderer baalscher Auftritt Brechts im Augsburger Vorstadtmilieu fand in einem Prostituiertendomizil statt. »Es ging hoch her. Unversehens stand eine der Amüsierdamen auf dem Tisch und sang unter großem Beifall anzügliche Lieder ... Da griff Brecht zur Gitarre und sang den Mädchen und den anderen Gästen Goethes ›Der Gott und die Bajadere‹ vor. Je weiter Brecht das Geschick der indischen Tempeltänzerin vortrug, mit seiner aufreizend-krächzenden Stimme und dem ungewöhnlichen Rhythmus, um so stiller wurde es in der Schenke, wie in einer Leichenhalle standen sie alle und hörten Brecht singen.«[44] Nach dem Zeugnis Münsterers war der Baal-Choral in jener Zeit das unter den Brecht-Freunden am häufigsten vorgetragene Lied; es »enthält tatsächlich die Quintessenz von Brechts damaliger Philosophie«.[45]
Der Balladensänger Brecht brauchte sein Publikum. Selbstgenügsames Musizieren – die übliche Ersatzbefriedigung der auf ihren Bräutigam wartenden höheren Tochter in den Salons des 19. Jahrhunderts – war nicht seine Sache. Selten sind bei ihm Tagebucheintragungen wie diese: »Ich lümmele mich herum auf dem Kanapee und zupfe die Gitarre. Ich bin voller Gedanken; aber die Hand ist zu schwach, und keiner ist stark genug, mich aufzureißen.«[46] Die Musik, die ihn »aufreißen« konnte – entweder zu dichterischer Produktion oder zu einem Liebesabenteuer –, war meist verbunden mit Geselligkeit. Hinter dem Drang zur Geselligkeit war wohl auch Angst vor Einsamkeit verborgen: »Nichts ist so traurig und aufwühlend, als in dunklen Stuben zu sitzen, besonders wenn es mehrere sind und sie ganz still sind. Nie aber ist es schrecklicher, als wenn man dann lang sehr laut geschrien hat und in lasterhaften Akkorden auf der Gitarre ausschweifte und dann still ist und Ekel hat und Gedanken wie ein Hund Würmer.«[47]
Dabei liebte er es, sein Publikum, auch die Freunde, zu schockieren. Am

26. August 1920 etwa fing er wieder an, »Balladen für die Jungens zu entwerfen. ›Die Schlacht bei den Baumwurzeln‹ und ›Goger Gog, der Zinnsoldat‹. Auch wieder einiges in der zynischen Art der ersten Klampfenlieder, da das Repertoire abgeleiert ist und Strophe für Strophe so ausgelutscht, daß man am Kiefer lutscht, wenn man sie ins Maul kriegt. Ich hungre wieder nach Strolchenlieder, die kalt, plastisch und unentwegt sein müssen und wie hartschalige Früchte dem Zuhörer erst einige Zähne aushauen, wenn sie ihm ins Gebiß fallen.« Daß Brecht selbst ein schlechtes Gebiß besaß[48], mit harter Stimme und stark gerolltem »r« sang und sich mit hart angeschlagenen Akkorden begleitete – all das verstärkte nur die provozierende Wirkung seiner Lieder und gab ihnen jene eherne Härte, die er schon an Wedekind als Kennzeichen des neuen Zeitalters hervorgehoben hatte. Als er im Dezember 1921 bei einem Berliner Atelierfest sang, charakterisierte er seine Lieder als »die ersten barbarischen ungeschlachten Lieder der Neuen Zeit, die aus Gußeisen ist«. Für die alte Zeit standen dagegen Pathos, Bombast, weichliche Sentimentalität und Romantik. Am 28. Januar 1920 notierte sich Caspar Neher: »Bert singt seine Lieder, die einem immer wieder wohl tun. Kraft, Kraft, ganz ungeheure Kraft. Und ohne jede Romantik und mit einer großen Stimmung.«[49]

Wirkung auf andere

Im März 1919 besuchte Brecht in München den schon damals renommierten Schriftsteller Lion Feuchtwanger und legte ihm sein neues Stück *Spartakus* – so hieß die erste Fassung von *Trommeln in der Nacht* – vor. Feuchtwanger war beeindruckt nicht nur von der Produktion des jungen Dramatikers, sondern auch von dessen Person. »Er ist ein wunderliches Gemisch von Zartheit und Rücksichtslosigkeit. Von Plumpheit und Eleganz, von Verbohrtheit und Logik, von wüstem Geschrei und empfindlicher Musikalität. Er wirkt auf viele abstoßend; aber wer einmal seinen Ton begriffen hat, kommt schwer los von ihm.«[50] Dem Balladensänger Brecht setzte er in seinem bedeutenden Roman *Erfolg*, einem auch heute wieder aktuellen Schlüsselwerk der zwanziger Jahre, ein Denkmal: in der Figur des Kraftfahrzeugingenieurs und Dichters Kaspar Pröckl.[51] In diesem Roman sinniert der Fabrikdirektor von Reindl immer wieder darüber nach, warum sein Ingenieur Pröckl trotz seines verwahrlosten Aussehens so stark auf Frauen wirke. Seine Lösung: »Offenbar machte er es mit seinen hundsordinären Balladen. Wenn er die sang, mit seiner gellenden Stimme, dann wurden die Weiber schwach. Drei oder vier schon hatten ihm davon erzählt mit jenem verdächtigen, gebrochenen Glanz in den Augen.«[52] Nach mehreren vergeblichen Anläufen gelingt es dem neugierigen Direktor schließlich, Pröckl zum Vorsingen zu bewegen. In einem

Kapitel mit der beziehungsreichen Überschrift »David spielt vor König Saul« – Brecht hatte 1920 selbst ein Drama *David und Saul* konzipiert und dabei besondere Sympathie für die Figur des David gezeigt – beschreibt Feuchtwanger diese spannungsvolle Szene, die er in einem eleganten Hotelzimmer in Garmisch spielen läßt. »Als das Saiteninstrument da war, ging Pröckl an die Tür und schaltete alles Licht ein. Dann stellte er sich mitten in den Raum, und hell, frech, mit schriller Stimme, häßlich, unverkennbar mundartlich, überlaut begann er zu dem Geklapper des Banjos seine Balladen aufzusagen. Es enthielten aber diese Balladen Geschehnisse des Alltags und des kleinen Mannes, gesehen mit der Volkstümlichkeit der großen Stadt, nie so gesehen bisher, dünn und böse, frech duftend, unbekümmert stimmungsvoll, nie so gehört bisher. Der Violette[53] lag auf seinem Diwan, jeder Wendung des Vortrags folgend, bald die Oberlippe mit dem strahlend schwarzen Schnurrbart gepreßt vorwölbend, bald das fleischige Gesicht entspannt, ein Gemisch von Empörung, Hohn, Anerkennung, Unmut, Genuß.«[54] Durch seine Schilderung macht Feuchtwanger deutlich, daß sich niemand, auch nicht die Gegner, der Faszination des Gitarresängers Brecht ganz entziehen konnte.

Heute noch betroffen vom Gesang Brechts fühlt sich auch der Schauspieler Erwin Faber, der neben anderen frühen Brecht-Rollen 1922 den Kragler bei der Münchner Uraufführung von *Trommeln in der Nacht* spielte. Dieses Drama des damals noch völlig unbekannten Autors hatte ihn bei der Lektüre so beeindruckt, daß er sich von der Intendanz des Münchner Prinzregententheaters beurlauben ließ, um die Hauptrolle an den Münchner Kammerspielen übernehmen zu können. Während der Probenarbeiten im August/September 1922 lernten die Schauspieler den jungen Autor kennen. Bald lud er sie zu einem Ausflug ein, bei dem er ihnen, gleichsam als seine Visitenkarte, einige seiner Balladen vorsang, die »Legende vom toten Soldaten«, aber auch den »Apfelböck«. Noch Jahrzehnte später war in Faber dieses Erlebnis lebendig. »Im Augenblick hatten wir die Überzeugung: ein großer Dichter ist da. Ich glaube, Erich Engel und Kurt Horwitz waren damals auch mit dabei. Seine Stimme war von einer unwahrscheinlichen, suggestiven Überzeugungskraft, aufrüttelnd, einschneidend – ich habe so etwas noch nie gehört. Diese Stimme war so gefüllt! Da war eben ein schicksalsgetriebener Mensch dahinter, ein Mensch mit einem ungeheuren Willen, in dieser Welt etwas gegen die Welt, die er sieht und erlebt hat, auszurichten. Seine Augen waren so brennend, daß mir im Augenblick der Gedanke kam: so ähnlich muß Savonarola gewirkt haben! Diese Art, wie er die Worte formulierte, mit einer Plastik, die unwahrscheinlich war! Ich bin heute noch begeistert, wenn ich daran denke.«[55]

Eine der Schauspielerinnen bei *Trommeln in der Nacht* war die von Brecht geschätzte Blandine Ebinger, die soeben den später berühmten Film- und

Chansonkomponisten Friedrich Hollaender geheiratet hatte. Auch Hollaender, der damals zusammen mit Mischa Spoliansky und Werner Richard Heymann Musiken für Max Reinhardts Kabarett »Schall und Rauch« schrieb, war von Brechts Gesang stark beeindruckt. »Bis dahin hatte er uns wilde Lieder zur Laute vorgesungen, vagabundische Lieder und auch zarte – ein Stern ging auf, dessen weites Glänzen wir noch gar nicht überblicken konnten. Da erschollen die stürmischen Seeräubergesänge, da wisperte und wiegte sich im Wind die Wolke und der Pflaumenbaum.«[56]

Der Berliner Theaterkritiker Herbert Jhering, der seit der Uraufführung von *Trommeln in der Nacht* von der überragenden Begabung des jungen Stückeschreibers überzeugt war, erlebte den Balladensänger Brecht im Dezember 1923 nach der mißlungenen Leipziger »Baal«-Uraufführung. »Brecht sang uns dafür die ganze Nacht Lieder aus der ›Hauspostille‹ zur Klampfe, und das blieb die wahre Uraufführung.«[57]

Im Herbst 1923 lernte Brecht in München den Dramatiker Carl Zuckmayer kennen, der sich zuvor schon von Kiel aus um die Uraufführung des *Baal* bemüht hatte. Gleich am ersten Abend hörte er Brecht zur Gitarre singen.[58] Beeindruckt war er von Brechts Gitarrenspiel, wobei er vor allem schwer greifbare Akkorde wie cis-moll oder Es-Dur gehört haben will. Diese Aussage verwundert, da Brechts Lieder, soweit sie überliefert sind, sich meist in den einfachen Tonarten d-moll oder G-Dur bewegen. Charakteristisch ist dagegen Zuckmayers Beschreibung von Brechts Stimme: »Sein Gesang war rauh und schneidend, manchmal bänkelsängerisch krud, mit unverkennbar augsburgischem Sprachklang, manchmal fast schön, schwebend ohne Gefühlsvibration, und in jeder Silbe, in jedem halben Ton ganz klar und deutlich. Man kann über seine Stimme, wenn er sang, das gleiche sagen, was Herbert Jhering über die Sprache seiner Frühwerke geschrieben hat: ›Sie ist brutal sinnlich und melancholisch zart. Gemeinheit ist in ihr und abgründige Trauer. Grimmiger Witz und klagende Lyrik.‹«[59]

Zuckmayer beobachtete die fast magische Wirkung von Brechts Gesang – Gespräche verstummten, die Tangotänzer unterbrachen ihre Bewegung, er selbst war »völlig benommen, aufgerührt, verzaubert«. Ähnlich wie Faber und Jhering bekannte auch der welterfahrene Zuckmayer in seinen Erinnerungen: »Nie habe ich eine solch wuchernde, aus allen Wurzeln aufschießende und zugleich kritisch beherrschte Produktivität erlebt. Daß ich dem Genie begegnet war, wußte ich beim ersten Zusammentreffen.«[60] Als den Kern von Brechts Begabung, der seine große Wirkung ausmachte, betrachtete er »seine enorme, hinreißende Musikalität, die durch sein ganzes Lebenswerk weiterwirkt«.[61]

Wie einprägsam Brechts Melodien waren, zeigte sich im August 1956, als Zuckmayer vom Tod des Stückeschreibers und Lyrikers erfuhr. Er fühlte sich inspiriert, seine alte Gitarre nach langer Pause wieder einmal auszupacken. »Plötzlich war mir der Herbst 1923 ganz gegenwärtig. Ich spielte die Akkorde, mit denen Brecht seine ›Ballade vom ertrunkenen Mädchen‹ begleitet und die er mir damals gezeigt hatte. Und fast alle Gedichte, die ich damals von ihm gehört hatte, kannte ich noch auswendig, auch die Melodien, zu denen er manche sang, selbst sein Tonfall, seine Aussprache waren mir geläufig, als hätten wir gestern erst zusammengesessen.«[62]

Bertolt Brechts Hauspostille – zum Gebrauch des Lesers bestimmt

> In der Lyrik habe ich mit Liedern zur Gitarre angefangen und die Verse zugleich mit der Musik entworfen.

Die »Klampfenfibel« von 1918 – im Tagebuch auch als »Lautenfibel« bezeichnet – ist von Brecht nicht publiziert worden; sie war nur für private Zwecke gedacht. Eine ähnliche Idee, allerdings mit öffentlichem Wirkungsanspruch, verfolgte er ab 1920. H. O. Münsterer will in diesem Jahr von Brecht den Titel *Hauspostille* gehört haben. Das Projekt war als Lyriksammlung mit volkstümlich-lehrhaftem Anspruch gedacht – kein selbstgenügsames L'art pour l'art, sondern Gebrauchskunst, bei der sich Brecht an Vorbilder anlehnte. Ihm imponierte, wie in kirchlichen Gebet- und Gesangbüchern den verschiedensten geistlichen und weltlichen Anlässen, von der Taufe über die Hochzeit bis zur Beerdigung, von den Jahreszeiten über das Kirchenjahr und den verschiedenen Berufsgruppen bis hin zu den politischen Fragen von Krieg und Frieden, jeweils Gebete und Gesänge systematisch zugeordnet waren. Kaum ein Zweck war in diesen Büchern ausgelassen. In der kirchlich geprägten Stadt Augsburg hatte Brecht die Wirksamkeit dieser Bräuche und Traditionen kennengelernt. Wenn er der Kirche auch schon als Gymnasiast distanziert gegenüberstand, so bewunderte er doch, wie sie es geschafft hatte, die verschiedenen Stadien des Lebens mit geistlicher Kunst in Verbindung zu bringen. Religiöse Kunst existierte nicht im luftleeren Raum, sie war nicht abgehoben wie große Teile des bürgerlichen Bildungskanons, sondern erhielt ihre Kraft und Wirksamkeit aus der Zweckbestimmung.

Obwohl der junge Brecht oft nach außen hin verlauten ließ, ihm sei bei der künstlerischen Produktion nur Trieb und Intuition wesentlich, interessierte er sich in Wahrheit schon früh für die tatsächliche Wirkung seiner Kunst. Münsterer erinnert sich, daß ihm Brecht schon im November 1918 einen Vortrag hielt über die rationale Konstruktion seiner »Seeräuberballade«, »bei der er wie ein Theaterregisseur die Wolken zusammenzieht,

Sturm erregt und die Szene verdunkelt, um in letzter Helle das Riff auftauchen zu lassen.«[1] Seine Gedichtsammlung *Hauspostille* inszenierte Brecht mit ähnlicher Bewußtheit im Hinblick auf die Wirkung. Als beispielhaft galt in der Brecht-Clique neben Gesang- und Gebetbüchern und den Gedichten Villons zunächst auch Rilkes *Stundenbuch*. Parallel zu Brecht plante damals auch Münsterer ein »christkatholisches Gebetterbuch für alle Anliegen und in noch so heiklen Lebenslagen«.[2] Das künstlerische Ziel war es, unentbehrliche Gebrauchsgegenstände herzustellen.

Eigentlich hätte die *Hauspostille* schon 1923 erscheinen sollen, wie es der Kiepenheuer-Verlag 1922 auf den letzten Seiten seiner »Baal«-Ausgabe ankündigte. Der Verlag hatte damals bereits eine »Urfassung« des Manuskripts in Händen.[3] Brecht aber, der mit anderen Projekten befaßt war, ließ auf sich warten und lieferte erst nach mehrfacher Ermahnung drei Jahre später, im Oktober 1925, das endgültige Manuskript ab. Neuesten Forschungen zufolge waren die bisher immer genannten Einsprüche von Verlagsaktionären gegen die antimilitaristische »Legende vom toten Soldaten«[4] nicht die Ursache für das späte Erscheinen. Für solche Proteste gibt es keinerlei Anhaltspunkte.[5] Vielmehr hat Hermann Kasack, seit 1921 zweiter Direktor des zur Aktiengesellschaft umgewandelten Kiepenheuer-Verlages, sich immer für den Druck des vollständigen Texts der *Hauspostille* eingesetzt. Unmittelbar nachdem Brecht im Oktober 1925 sein Manuskript abgeliefert hatte, ging es in den Satz.

An den Verzögerungen war Brecht selbst schuld. Er hatte mittlerweile mit dem zum kapitalkräftigeren Ullstein-Konzern gehörenden Propyläen-Verlag, einen neuen, für ihn sehr günstigen Vertrag abgeschlossen. Dieser Verlag pochte Ende 1925 auf seine neuerworbenen Rechte und erhob Ansprüche auf die bis dahin noch nicht erschienene *Hauspostille*. Der Kiepenheuer-Verlag mußte nachgeben, ermöglichte es Brecht aber noch Anfang 1926, sich von dem bereits fertigen Drucksatz 25 Privatexemplare unter dem Titel *Taschenpostille* herstellen zu lassen. Als Propyläen daraufhin seine öffentliche Ausgabe vorbereitete, verzögerte Brecht noch einmal die Drucklegung, weil er einige Änderungen anbringen wollte. Entgegen den bisherigen Annahmen ging das verzögerte Erscheinen des bereits 1922 angekündigten »Hauspostillen«-Bandes also nicht auf das Konto des Kiepenheuer-Verlages, sondern auf das Konto Brechts. Da er sich mittlerweile mit mehreren Theaterprojekten beschäftigte, war er anscheinend an der Veröffentlichung seines Balladenbandes nicht mehr so stark interessiert. Die *Hauspostille* dokumentiert einen Balladensänger, den es in dieser Form nicht mehr gab. Brecht konnte allerdings nicht ahnen, daß gerade dieser Band Literatur- und Musikgeschichte machen sollte.

Die *Hauspostille*, wie sie Anfang 1927 im Berliner Propyläen-Verlag erschien, besteht aus Gebrauchsanleitungen, aus Gedichten, gegliedert in »Lektionen«, und einem Notenanhang, in dem zu einzelnen Gedichten

Melodien mitgeliefert werden.[6] Dazu Brecht im Rückblick: »Mein erstes Gedichtbuch enthielt fast nur Lieder und Balladen, und die Versformen sind verhältnismäßig einfach; sie sollten fast alle singbar sein, und zwar auf die einfachste Weise, ich selber komponierte sie.«[7] In Augsburg pflegte Brecht fast alle seine Gedichte den Freunden in gesungener Form vorzustellen. Der Gesang zur Gitarre war für den frühen Brecht die gleichsam »natürliche« Form des Gedichtvortrags; darin glich er Wedekind. Nicht nur zu den Gedichten der *Hauspostille,* sondern auch zu vielen anderen Gedichten existieren Melodien; viele sind im Nachlaß gesammelt. Es darf angenommen werden, daß eine große Zahl jener Gedichte, zu denen heute keine Melodien mehr überliefert sind, ursprünglich einmal gesungen wurden.

Für die frühen Balladen aus der *Hauspostille* ist ein erzählender Gestus nach Art des Bänkelsangs charakteristisch, so etwa bei der Marta Feuchtwanger gewidmeten Moritat *Apfelböck oder Die Lilie auf dem Felde*[8], die auf einen tatsächlichen Kriminalfall zurückgeht.[9] Brechts Melodie, die im Notenanhang abgedruckt ist, erinnert deutlich an die volkstümliche Moritatentradition.

I. Lektion, Kap. 2. Von Jakob Apfelböck

In mil - dem Lich - te Ja - kob Ap - fel - böck, er - schlug den Va - ter und die Mut - ter

sein und schloß sie bei - de in den Wäsche - schrank, und blieb im Hau - se üb - rig, er al - lein.

Der Berliner Theaterwissenschaftler Hans Martin Ritter hat als typische Moritatenmomente der Apfelböck-Melodie die Fermatenbildung am Ende jeder Zeile, die Vermeidung des Grundtones an den Zeilenschlüssen und die simple, zwischen zwei Akkorden (C-Dur, d-moll) pendelnde harmonische Struktur, wie sie bei Drehorgelbegleitung üblich war, hervorgehoben.[10] Die glatte Melodie, die für sich genommen fast dolce-Charakter besitzt, kontrastiert zum Inhalt des Gedichts; im Widerspruch zueinander stehen die schwebende Achtelbewegung und die schaurige Mordgeschichte. Dieser Gegensatz galt schon für viele andere Moritatenlieder, die dem Zuhörer auf eine bekannte »schöne Melodie« eine spannende Geschichte erzählten. Angesichts der Geräuschkulisse des Jahrmarkts mußte der Gesang, sollte er deutlich verstehbar sein, notgedrungen »marktschreierisch« vergröbert und die Harmonik vereinfacht werden. Wenn den zahlreichen Strophen eines Bänkelliedes nur eine einzige, meist starre Melodie zugrunde lag, konnte das Wort-Ton-Verhältnis nie so flexibel sein wie beim durchkomponierten Lied. So gehörte es beim Bänkelsang schon zur – nicht selten auch karikierten – Regel, daß in einzelnen Strophen Silben sinnwidrig betont wurden.[11]

Dies gilt auch für die Apfelböck-Ballade. Sie besteht aus zehn Strophen, denen die Melodie jeweils angepaßt werden muß. Schon bei der im Notenbeispiel wiedergegebenen ersten Strophe fällt die sinnwidrige Betonung jeweils der Endsilbe der Zeilen auf; diese Betonung ergibt sich aus dem Dreiviertel-Takt der Melodie. Viel sinnfälliger wäre die folgende Deklamation:

In mildem | Lichte Jakob | Āpfelböck
erschlug den | Vāter und die | Mūtter sein
und schloß sie | beīde in den | Wāscheschrank
und blieb im | Haūse übrig er al|leīn.

Die hier angegebenen Betonungsschwerpunkte entsprächen auch den Harmoniewechseln, wie sie sich aus der Melodie ergeben. Harmoniewechsel fallen in der mitteleuropäischen Musik üblicherweise mit Taktschwerpunkten zusammen. Konsequent ergäbe sich bei sinngemäßer Betonung für die Melodie entweder ein Taktwechsel – bei beibehaltenem Rhythmus –:

In mil-dem Lich - te Ja - kob Ap - fel- böck er - schlug den Va - ter und die Mut- ter sein

oder aber – bei beibehaltenem Takt – eine rhythmisch modifizierte Form:

In mil-dem Lich - te Ja - kob Ap - fel - böck er - schlug den Va - ter und die Mut- ter sein

Eine solche gewissenhafte Beachtung des Sinnakzents, wie sie in den beiden Notenbeispielen vorgeschlagen wurde, wirkt zweifellos logischer und natürlicher als die in der »Hauspostille« notierte Melodie. Allerdings ginge dann der für die Moritat charakteristische leiernde Tonfall verloren, der wiederum verstanden werden kann als Ausdruck der Gleichgültigkeit, mit der die Tat geschah, als Ausdruck aber auch der Verständnislosigkeit der Umwelt.

Die Apfelböck-Ballade ist Teil der ersten Lektion, der »Bittgänge«. Mit ihnen wendet sich der Autor erklärtermaßen direkt an das Gefühl des Lesers. »Es empfiehlt sich«, heißt es in der »Anleitung zum Gebrauch der einzelnen Lektionen«, »nicht zuviel davon auf einmal zu lesen. Auch sollen nur ganz gesunde Leute von dieser für die Gefühle bestimmten Lektion Gebrauch machen.« Im letzten Satz steckt nicht nur Ironie. Brecht war ernstlich überzeugt, daß übermäßig starke Gefühle gesundheitsschädigend sein können. Das aufwühlende Erlebnis von Bachs »Matthäus-Passion« in der Barfüßerkirche hatte bei ihm angesichts seines Herzschadens wirkliche Besorgnis ausgelöst. Er trug deshalb der proklamierten Gefühlshaftigkeit durch die blutrünstige Handlung und durch die Melodie mit ihren chromatischen Wechselnoten, ihren »seufzenden« Vorhaltsbildungen und der durch die Melodieführung implizierten Verwendung von begleitenden Septakkorden zwar einerseits Rechnung, durchkreuzte aber andererseits diese Gefühlshaftigkeit durch leierndem Tonfall und eine nüchternsachliche Darstellung. Den leiernden Tonfall erzielte Brecht erstens durch die reihende Strophenliedform und zweitens durch die Verwendung eines stereotypen rhythmischen Musters für jede der vier Zeilen einer Strophe:

♫♩ | ♪♩♪ ♫ ♫ | ♩.

Die Sentimentalität, die »Anleitung« und chromatische Melodik versprachen, bleibt aus. Zwischen dem Lied und seiner Ankündigung, zwischen dem kaum erwähnten Mord und der ausführlich beschriebenen belanglosen Nachgeschichte, zwischen Grausamkeit des Verbrechens und aus der biblischen Bergpredigt übernommener Unschuldssymbolik (»Lilie auf dem Felde«), zwischen lieblicher Melodie und klapperndem Rhythmus bestehen tiefgreifende Diskrepanzen. Alle diese Widersprüche setzt Brecht bewußt ein zur Verunsicherung des Hörers oder Lesers. Die Moritat basiert auf der volkstümlichen Moritatentradition und führt sie doch zugleich ad absurdum.

Die Moritat muß kurz nach dem tatsächlichen Mordfall, der am 26. Juli 1919 stattfand, geschrieben worden sein, denn schon am 2. September 1919 zeigte sie Brecht seinem Freund Neher. Sie wurde 1920 in der ersten und einzigen Nummer der von Hardy Worm herausgegebenen Zeitschrift »Das Bordell« publiziert. Ob damals allerdings auch die Noten abgedruckt waren – Münsterer spricht von einer »Musikalie«[12] –, ließ sich nicht mehr feststellen, da das Blatt schon vor der Verlagsauslieferung als unzüchtig beschlagnahmt wurde.[13] Die Ballade wurde sogar von »Bi« gesungen, der Brecht im übrigen seine *Hauspostille* verheimlichte; anscheinend hielt er Mordballaden für weniger anstößig für sie als offen sexuelle Liebeslieder.

Dem sehr einfachen Melodietypus des »Apfelböck« begegnen wir auch in der Ballade *Vom Manne Baal*, in *Baals Lied* und im *Gesang der Soldaten der roten Armee*. In allen diesen Fällen handelt es sich um schlichte Vierzeiler, die nicht nur an Moritaten, sondern auch an Kinderlieder erinnern. Das erste Gedicht der *Hauspostille, Vom Brot und vom Kindlein*, laut Tagebuch am 4. August 1920 entstanden, hieß ursprünglich »Kinderlied vom Brot«. Kinderlieder schrieb Brecht auch später immer wieder. Ein Grund dafür mag ihre leichte Einprägsamkeit und Sangbarkeit gewesen sein; außerdem schätzte er die natürliche, unschuldige Haltung des Kindes gegenüber dem Sentiment.

Wie Münsterer bezeugt, trug Brecht seine Gedichte meist wie ein Moritatensänger zeilenweise mit starker Betonung und Dehnung des Zeilenendes vor. Diese Praxis geht deutlich aus vielen seiner nachgelassenen
Notenskizzen hervor. Fermaten dienen dabei zur Hervorhebung des Zei-
lenschlusses und des Reimes. Während in fast allen Brechtschen Melodie-
skizzen die Zeilengrenzen markiert sind, fehlen Taktstriche und überhaupt Bezeichnungen für die Tonlängen und die Verhältnisse ihrer Dauern zueinander. Es fehlen in den Notenskizzen also sowohl Angaben zu
den Betonungen als auch zum Rhythmus. Der Verzicht auf diese Angaben
läßt den Schluß zu, daß sie für Brecht überflüssig waren und sich für ihn
Betonung und Rhythmus schon aus dem Gedicht ergaben. Entweder verwendete er für alle Zeilen eines Gedichts ein gleiches metrisches Schema,
folgte also dem Versakzent, oder aber er behandelte jede Zeile individuell
rhythmisch frei, damit dem Sinnakzent folgend. Entweder also verzichtete er auf Dauerangaben, weil sich innerhalb eines Liedes ohnehin immer
nur der gleiche Rhythmus wiederholte, oder aber, weil der Rhythmus zu
sehr wechselte, um ihn schriftlich zu fixieren.
Wahrscheinlich sind bei Brecht verschiedene Phasen zu unterscheiden, in
denen er die eine oder die andere der beiden Möglichkeiten wählte. Seine
frühen Lieder gestaltete er vor allem nach dem Modell der vierzeiligen
Volksliedstrophe und bevorzugte dabei feste, wiederkehrende Rhythmen;
später aber verwendete er lieber freie Rhythmen. Das »Kleine Lied« von
der Unschädlichkeit des Alkohols oder »Baals Lied« aus den »Liedern für
Klampfe«, bei denen Sinn- und Versakzent durchaus miteinander harmo-
nieren, sind der regelmäßigen frühen Form zuzurechnen; offenbar war
der durchgehende Rhythmus für Brecht hier eine Hilfe beim Entwerfen
des Gedichts und auch beim Vortrag. Auch im »Gesang der Soldaten der
roten Armee«, zum ersten Mal bei einem Fest in Gablers Taverne vorgestellt, später aus politischen Gründen wieder aus der *Hauspostille* entfernt,
wird jede Zeile auf den gleichen Rhythmus gesungen.

Reimlose Lyrik mit unregelmäßigen Rhythmen bildet den Gegenpol zu
den schlichten, rhythmisch regelmäßigen Volksliedstrophen. Solche frei-
en Formen der Lyrik nahm Brecht nicht in seine *Hauspostille* auf, da er sie
nicht für sangbar hielt. Sangbar aber sollten gemäß der ersten Konzeption
alle Gedichte der *Hauspostille* sein. Da Brecht überzeugt war, daß neben
dem regelmäßigen Rhythmus auch der Schlußreim die Sangbarkeit eines
Gedichtes fördere, sind, bis auf eine einzige Ausnahme, alle Gedichte aus
seiner *Hauspostille* gereimt.[14] Reime gehörten für den frühen Brecht notwendig zu Liedtexten. Deshalb konnte er am 31. August 1920 für seine
»Klampfenfibel« den Werbespruch entwerfen: »Brechts Endreime sind

die besten.« Reimlose Lyrik hielt er ebenso wie die rhythmisch freie Lyrik für ungeeignet für den Gesangsvortrag. Aus einer Tagebuchnotiz vom gleichen Tag geht dies deutlich hervor. »Ich muß noch einmal Psalmen schreiben«, heißt es dort. »Das Reimen hält so sehr auf. Man muß nicht alles zur Gitarre singen können.« Erst später änderte er seine Auffassung und hielt auch rhythmisch freie Gedichte ohne Reime für sangbar. In einem solchen späteren Stadium hat er in die *Hauspostille* einige freirhythmische, allerdings gereimte Gedichte aufgenommen.

Zur Verdeutlichung der beiden möglichen Extreme im Text-Melodie-Verhältnis werden im folgenden zwei Melodien zur dritten Lektion einander gegenübergestellt. Während die rhythmisch freie »Ballade von den Abenteurern« ganz von der Textdeklamation ausgeht, steht in der rhythmisch strengeren »Ballade von den Seeräubern« die Melodie im Zentrum.

Der Gesangsvortrag der *Ballade von den Abenteurern* nähert sich mit seinen unregelmäßigen Rhythmen dem Psalmodieren an. Die melodische Vorlage für jede Gedichtzeile besteht lediglich aus einem Rezitationston und einer angehängten Schlußformel. Der Rezitationston ermöglicht dem Sänger innerhalb des Rahmens des Viervierteltakts große rhythmische Freiheit. Dagegen dient die melodische Schlußformel nur zur Hervorhebung des Zeilenendes sowie des Reims. Die ganze Melodie zur »Ballade von den Abenteurern« läßt sich also auf die folgende Formel reduzieren:

Die im Notenanhang der *Hauspostille* abgedruckte Melodie hat in ihrer genauen Rhythmisierung nur für die erste Strophe Geltung. Der wechselnden Rhythmik und Silbenzahl der übrigen Gedichtstrophen muß sie jeweils angepaßt werden. Das Gedicht prägt die Melodie, nicht umgekehrt. Mit dem wechselnden Versmaß im Gedicht hat der Sänger selbständig für jede Strophe eine passende Rhythmisierung zu finden. Je freier die Rhythmen und je größer die Abweichungen von dem in der ersten Strophe vorgegebenen Grundschema, um so höher sind die Anforderungen an den Interpreten. Um so individueller wird auch die musikalische Vortragsweise; sie unterscheidet sich von Sänger zu Sänger. Die Nachsingbarkeit wird dadurch erschwert. Infolgedessen sind die Gesänge der *Hauspostille,* die ganz auf die Person Brechts zugeschnitten waren, danach nur noch von relativ wenigen anderen Sängern aufgegriffen worden.

Ein ganz anderes Verhältnis von Gedicht und Melodie als bei der »Ballade von den Abenteurern« liegt bei der *Ballade von den Seeräubern*[15] vor. Brecht stützte sich hierbei auf eine altfranzösische Melodie, die er später mehrfach wieder aufgriff. Ihre melodische Individualität und der wiederkehrende Grundrhythmus[16]

♫♪ | ♩ ♪ ♫♪ | ♩ ♪

prägen das Gedicht: Rhythmus und Silbenzahl variieren nur sehr geringfügig. Begrenzte Variationsmöglichkeiten ergeben sich durch Abänderung des Rhythmus ♫♩ | ♩ ♪ in ♫♩ | ♩ ♪ und umgekehrt. Damit besitzt diese Ballade trotz ihres regelmäßigen Grundrhythmus nicht die (intendierte) leiernde Gleichförmigkeit der Apfelböck-Moritat.

Die vierte Lektion, die die *Mahagonny-Gesänge* enthält, ist in der *Hauspostille* eine Ausnahme, auf die später noch eingegangen wird: als einziger Lektion ist hier jedem Gedicht eine Melodie beigegeben. Brecht schreibt dazu in seiner »Anleitung«: »Die vierte Lektion (Mahagonnygesänge) ist das Richtige für die Stunde des Reichtums, das Bewußtsein des Fleisches und die Anmaßung. (Sie kommt daher nur für sehr wenige Leser in Betracht.) Diese können die Gesänge ruhig mit der Höchstleistung an Stimme und Gefühl (jedoch ohne Mimik) anstimmen.«

Bleibt die fünfte Lektion (»Die kleinen Tagzeiten der Abgestorbenen«), die an die »kleinen Horen« des Breviers anknüpft.[17] Der *Choral vom Manne Baal*[18], mit dessen erweiterter Form das gleichnamige Drama beginnt, gehört, wie schon erwähnt, zu den von Brecht in Augsburg meistgesungenen Liedern. Wenngleich er den »Choral« wirklich einmal, von Georg Pfanzelt an der Orgel begleitet, in der Dorfkirche von Kimratshofen anstimmte[19], haftet ihm doch durchaus nichts Kirchliches an. Durch seinen Inhalt ist er allenfalls Choralparodie. Baals Bewunderung gilt nicht dem überirdischen, sondern dem irdischen Himmel und der Färbung seiner Wolken. Ähnlich weltlich heißt es in Brechts »Großem Dankchoral«, einer Kontrafaktur auf Joachim Neanders Choral »Lobet den Herren«: »Lobet den Baum, der aus Aas aufwächst jauchzend zum Himmel.« Auch die Melodik des »Chorals vom Manne Baal« ist wenig choralartig; sie basiert auf den Tönen des e-moll-Akkords, die als Rezitationstöne den drei ersten Gedichtzeilen unterlegt sind. Erst zur vierten Zeile wird kurz abkadenziert. In ihrer Schlichtheit und ihrem Hervorheben jeweils der Zeilenschlüsse durch Haltetöne erinnert die Melodie an die »Ballade von den Abenteurern«. Jedoch gibt es eine nicht unwesentliche Differenz. Während Brecht in der Abenteurer-Ballade bei allen rhythmischen Veränderungen nie den Rahmen des Viervierteltaktes durchbrach, scheint beim Baal-Choral nicht das Taktgerüst, sondern der punktierte Rhythmus ♩. ♩ ♩. ♩ formbildendes Moment zu sein – ein Rhythmus, der allerdings nicht gerade typisch für Choräle ist.

Schon bei der abgedruckten ersten Strophe ist die Einheitlichkeit des Taktes nur scheinbar. In Wahrheit handelt es sich hier nicht um ein (irreguläres) siebentaktiges Modell im durchgehenden Viervierteltakt, sondern um eine achttaktige Melodie mit Taktwechsel im vorletzten Takt. Statt

müßte es heißen:

Brechts alte Gewohnheit, statt Taktgrenzen die Zeilengrenzen zu notieren, wirkt in der Unbeholfenheit bei seiner Taktstrich-Notierung nach. Die dritte und vierte Strophe des Chorals müssen auf Grund ihrer geringeren Silbenzahl ganz im Dreivierteltakt gesungen werden. Das aus dem durchgehenden punktierten Rhythmus resultierende leiernde Moment wird durch den Wechsel der Taktarten wieder aufgebrochen. Leiernde Gleichförmigkeit und Irregularität stehen nebeneinander. Tatsächlich ist der »Choral« im Ausdruck zwiespältig: Er ist einerseits Parodie des kirchlichen Chorals, andererseits aber auch ernstgemeintes Bekenntnis Baals. Mehr noch als der Baal-Choral gleicht das Lied *Von den verführten Mädchen*, »zu singen unter Anschlag harter Mißlaute auf der Gitarre«, in der musikalischen Gestaltung der »Ballade von den Abenteurern«; durch die Verwendung von Rezitationstönen bei fest durchgehaltener Taktart kann der Rhythmus flexibel gestaltet werden. Fixiert sind lediglich die melodischen Schlußformeln der Zeilen.
Als letzte Melodie ist im Notenanhang zur *Hauspostille* die zur *Legende vom toten Soldaten*[20] abgedruckt. In ihren 19 Strophen reiht sie wie ein Bänkelsang parataktisch gespenstische Bilder aneinander. Die rhythmischen Varianten der Strophen stehen im Gegensatz zur Einförmigkeit der einfachen, sich im Quintraum bewegenden Melodie im Sechsachteltakt. Starrheit als Ausdruck falschen Bewußtseins – Brecht konnte deshalb in *Trommeln in der Nacht* von der »Moritat (!) vom toten Soldaten« sprechen – wird karikiert und in ihrer Widersprüchlichkeit gezeigt.
In seiner Abhandlung *Über reimlose Lyrik mit unregelmäßigen Rhythmen*, die er im Jahre 1939 schrieb, wies Brecht darauf hin, daß fast alle Gedichte seiner ersten Sammlung zwar traditionsgemäß noch Reime, aber schon unregelmäßige Rhythmen besessen hätten. Mit einem gewissen Stolz verwies er dabei auf die »Legende vom toten Soldaten«, die in ihren 19 Strophen neun verschiedene Rhythmisierungen der zweiten Textzeile enthält. Eine rhythmische Norm ist nicht mehr zu erkennen.

1 ∪ ∪ – ∪ ∪ – ∪ –   Keinen Ausblick auf Frieden bot
2 ∪ – ∪ ∪ – ∪ –   Drum tat es dem Kaiser leid

3	U U U – – –	Und der Soldat schlief schon
4	U – U – U U –	Zum Gottesacker hinaus
5	U U – U – U – –	Oder was von ihm noch da war
6	U – U – U –	Die Nacht war blau und schön
14	U – U U – U U –	Die Ratzen im Feld pfeifen wüst
15	U U – U – U –	Waren alle Weiber da
18	– U – U –	Daß ihn keiner sah

Den wechselnden Rhythmisierungen mußte jeweils auch die Melodie angepaßt werden. Während sie für die 1. Strophe lautete:

V. Lektion, Kap. 1. Vom Manne Baal

Als im wei - ßen Mut - ter - scho - ße auf-wuchs
Baal, war der Him - mel schon so groß und still und
fahl, jung und nackt und un - ge – heu - er wun-der-
sam, wie ihn Baal dann lieb - te, als Baal kam. usw.

mußte beispielsweise die 3. Strophe so gesungen werden:

Der Som-mer zog ü - ber die Grä - ber her und der Sol - dat schlief schon

Die Rauhheit und Unregelmäßigkeit des Rhythmus erklärte Brecht in diesem Exil-Aufsatz aus dem Inhalt: »Ich hielt es nicht für meine Aufgabe, all die Disharmonien und Interferenzen, die ich stark empfand, formal zu neutralisieren. Ich fing sie mehr oder weniger naiv in die Vorgänge meiner Dramen und in die Verse meiner Gedichte ein ... Es handelte sich, wie man aus den Texten sehen kann, nicht nur um ein ›Gegen-den Strom-Schwimmen‹ in formaler Hinsicht, einen Protest gegen die Glätte und Harmonie des konventionellen Verses, sondern immer doch schon um den Versuch, die Vorgänge zwischen den Menschen als widerspruchsvolle, kampfdurchtobte, gewalttätige zu zeigen.«[21] Konventionelle, geglättete Rhythmen verwendete Brecht deshalb später häufig als Ausdruck von falschem Bewußtsein, von Befangenheit in Denkstereotypen. So spricht etwa der Großkapitalist Mauler in der *Heiligen Johanna der Schlacht-höfe* im Unterschied zu den Arbeitern meist in regelmäßigen fünffüßigen Jamben.[22] Regelmäßige Rhythmen hatten für Brecht auch eine »unangenehme einlullende, einschläfernde Wirkung, wie sehr regelmäßig wiederkehrende Geräusche (Tropfen aufs Dach, Surren von Motoren), man verfiel in eine Art Trance, von der man sich vorstellen konnte, daß sie einmal hatte erregend wirken können; jetzt tat sie das nicht mehr.«[23] Ein weiteres Moment war für ihn von Bedeutung: »Außerdem war die Sprechweise des Alltags in so glatten Rhythmen nicht unterzubringen, es sei denn ironisch.«[24] Gedichte in regelmäßigen Rhythmen besaßen zwar den Vorteil der leichteren Sang- und Merkbarkeit, den Nachteil jedoch der Entfernung von der Alltagssprache. Dagegen ermöglichten freie Rhythmen eine kritisch-realistische Haltung; in Kauf nehmen mußte man allerdings die erschwerte Sangbarkeit.

Zwischen diesen beiden Polen des Text-Melodie-Verhältnisses mußte sich Brecht in der *Hauspostille* entscheiden, selbst wenn ihm die Problematik damals noch nicht so deutlich war wie in seinem Exil-Aufsatz. In den verschiedenen Phasen der Entstehung und Umarbeitung kam er dabei zu unterschiedlichen Ergebnissen. Anders als in seiner Frühzeit hielt er später auch reimlose und rhythmisch freie Lyrik für sangbar; anders als in seiner Frühzeit bestand er später aber nicht mehr bei jedem Gedicht auf Gesang. Die Kriterien für Sangbarkeit von Lyrik hatten sich gelockert und ausgeweitet. Andererseits war aber Sangbarkeit nicht mehr so ausschließlich wie früher ein Kriterium für Lyrik.

Schon 1920 hatte Brecht erklärt: »Man muß nicht alles zur Gitarre singen können.« Auch bloß gesprochene Gedichte hielt er für möglich. Tatsächlich wird in der »Anleitung zum Gebrauch der einzelnen Lektionen«, die Brecht seiner *Hauspostille* beigab, vor allem Gedicht*lektüre* erwähnt. Brecht dachte dabei offensichtlich an lautes Lesen. So schlug er etwa für die Rezitation von »Orges Gesang« Zungenschnalzer nach jedem Zweizeiler vor. Da der Gesang in ihr gegenüber der Rezitation eine auffallend kleine Rolle spielt, muß die »Anleitung« in einem späten Stadium, möglicherweise erst kurz vor der Drucklegung, verfaßt worden sein. Erst anläßlich der dritten Lektion, der »Chroniken«, ist ausdrücklich von musikalischer Begleitung die Rede: »Bei einem Vortrag der Chroniken empfiehlt sich das Rauchen, zur Unterstützung der Stimme kann er mit einem Saiteninstrument akkordiert werden.« Der zitierte Vorschlag ist jedoch kaum wörtlich zu nehmen, denn nicht einmal Brecht dürfte es gelungen sein, während des Singens zu rauchen. »Das sollten Sie uns erst einmal vormachen!« wandte auch Alfred Döblin mit leiser Ironie ein.[25] Brecht empfahl in seiner »Anleitung«, jede Lektüre der *Hauspostille* mit dem Schlußkapitel zu beenden. Offensichtlich verstand er das Gedicht

Gegen Verführung – ursprünglich hieß es »Lucifers Abendlied« und stand 1919 im Zentrum eines unvollendeten Dramas mit dem Titel *Sommersinfonie*[26] – als Motto des gesamten konsequent atheistischen Bandes. Er sollte sich zwar noch an den »alten Menschen«, den Menschen der vergangenen Epoche richten, ihn aber nicht mehr wie die gleichnamigen christlichen Erbauungsbücher auf das Jenseits verweisen. »Die Leute«, so Walter Benjamin in einem Kommentar zur *Hauspostille,* »wurden von der Geistlichkeit vor den Verführungen gewarnt, welche sie in einem zweiten Leben nach dem Tod teuer zu stehen kommen würden. Der Dichter warnt sie vor Verführungen, die sie in diesem Leben teuer zu stehen kommen.«[27] Die Imperative »Laßt Euch nicht verführen! Laßt Euch nicht betrügen! Laß Euch nicht vertrösten!« appellieren, in einem frommen Gefühl nicht schon das Glück selbst zu sehen. In einer frühen Tagebucheintragung hat Brecht die katholische Kirche mit einem Jahrmarktzelt verglichen, auf dessen Außenseite auf Plakaten wunderbare Dinge versprochen werden, die es im Innern des Zelts gar nicht gibt. Diese trügerisch glanzvolle Fassade versuchte Brecht durchschaubar zu machen, um die Gläubigen zu verunsichern. Eben dieselbe Haltung wie gegenüber der Religion vertrat er auch gegenüber der Musik: ein kühler Verstand sei nötig, um nicht in ihren gefährlichen Bann zu geraten. Nur kritisches Bewußtsein könne gegenüber den verführerischen Worten und Klängen der modernen Rattenfänger Religion und Musik widerstandsfähig machen. Warnungen vor Verführung, vor Übertölpelung der Vernunft durch das Gefühl, durchziehen Brechts ganzes weiteres Werk. Das »Lob des Zweifels« hat er immer wieder angestimmt. »Der Zweifler« hieß ein chinesisches Wandbild, das stets in seinem Zimmer hing. Eben der Absicherung gegen die mitreißende, in Trance versetzende oder einlullende und meist affirmativ wirkende Gewalt der Musik diente es, wenn er in seinen Gedichten und Liedern ständig die Rhythmen variierte und ästhetische Normen durchbrach. Daß er darauf großen Wert legte, geht auch daraus hervor, daß er für die *Hauspostille* von 1927 die Melodien der »Taschenpostille« von 1926 noch einmal sehr gründlich überarbeitete, und zwar im Sinne einer Entschematisierung. Brechts Lieder aus der *Hauspostille,* die geläufige gesellschaftliche Haltungen gleichzeitig vorführen und durchbrechen, sind kritische Musik – Warnungen vor Verführung.

Der Wasser-Feuer-Mensch

Alles vorher war Krampf, Fieber, Orchestrion, Romantik. Jetzt kommt der Ernst, die Nüchternheit, der Alltag.

Der Künstler – Genie oder Ingenieur?

Der frühe Brecht schwankte zwischen zarter Sensibilität und schroffem Zynismus, zwischen Begeisterung für die »eherne« Härte des Wedekindschen Vortragsstils und Bewunderung für die »erlesene Kammermusik« der »fein ziselierenden, zartfarbenen Wortkunst«[1] eines Thomas Mann. Hinter einer oft rauhen Außenseite verbarg sich eine empfindsame Natur. Brecht kannte seine eigene Gespaltenheit sehr wohl. Über sein Ebenbild Baal ließ er den Gastwirt Mjurk sagen: »Wann hat je eine so feine Seele in einem solchen Fettkloß gesteckt?«[2] Baals Spitzname ist »Elefant«; bekanntlich war der Dickhäuter Brechts Lieblingstier. Über seine innere Widersprüchlichkeit geben neben der Lyrik – die er deshalb bald als »privat« abtat – vor allem die Selbstanalysen in den frühen Tagebüchern Auskunft. Brecht notierte dort schonungslos auch das krasse Bild, das sein Freund Otto Müllereisert im September 1920 von ihm entwarf: »Der Waisenknabe, auf dessen Gesicht die Mücken herumlaufen, so sanft ist es, zählt plötzlich laut auf fünf und scheißt in den Suppentopf. Dies Kind – kein Engel ist so rein – kratzt plötzlich den Leuten mit dem Fußnagel den Nabel aus. Demoliert eine Wohnung mit dem Kopf einer Dame. Sagt: ›Macht nichts.‹«[3] Offenbar hielt Brecht dieses Bild sogar für zutreffend. Er war höflicher Kavalier gegenüber seiner Freundin »Bi« und zynischer Anführer in seiner Clique, war Ekart, Baal und Jüngling Johannes zugleich. »Als ich heute vor dem Spiegel Kirschen fraß, sah ich mein idiotisches Gesicht. Gegen die geschlossenen schwarzen Kugeln, die im Mund versanken, wirkte es noch ungebundener, lasziver und widerspruchsvoller. Es hat viele Elemente von Brutalität, Stille, Schlaffheit, Kühnheit und Feigheit in sich, aber nur als Elemente, und es ist abwechslungsreicher und charakterloser als eine Landschaft unter wehenden Wolken.«[4] Der Kiepenheuer-Verlagsdirektor Hermann Kasack, selbst ein Schriftsteller von Rang, bestätigt diese Selbsteinschätzung: »Ich habe kaum in meinem Leben wieder ein Gesicht gesehen, das einen so verschiedenen, so wandlungsfähigen Ausdruck zeigt. Es war alles drin, was auch später in seinen Arbeiten in Erscheinung trat: Naivität ebenso wie Zynismus, das Böse wie das Zarte, Wärme und Schroffheit – und all das in einer elementaren Besessenheit und ohne jedes Zugeständnis an falsche Sentimentalität oder überlebte Konventionen.«[5]

Diese inneren Widersprüche, die um 1920 besonders deutlich hervortraten, beherrschten Brechts ganzes Leben und beeinflußten auch seine Stellung zur Musik. Die Konflikte führten zu einer Identitätskrise, die in Feuchtwangers Pröckl-Figur angedeutet ist: War der Künstler wie Baal ein genialischer gesellschaftlicher Außenseiter oder sollte er nicht eher ein nüchterner Arbeiter sein – der Künstlerberuf als ein Beruf wie jeder andere? Waren für ihn demnach primär Gefühl, Phantasie und Inspiration wichtig oder aber Verstand und planende Vernunft? Waren also die Unstetigkeit, das stimmungsabhängige Schwanken, die Vergeßlichkeit, die Brecht an sich beobachtete, negative oder wünschenswerte Eigenschaften? War Kunst »Romantik« oder Alltag? Eine Tagebucheintragung vom Juli 1920 scheint auf eine Entscheidung hinzudeuten. Brecht schien entschlossen, seine gefühlsbetonte, schwankende, romantisch-musikalische Phase zu beenden, »Expressionismus« – der Terminus meint hier nicht die literarische Bewegung! – durch Sachlichkeit zu ersetzen. »Noch müssen ›Galgei‹ und die ›Sommersinfonie‹ aus der Hand, aber dann hat der Expressionismus abgewirtschaftet, und der ›Ausdruck‹ wird auf den Mist geworfen!«[6]

Bei der Münchner Aufführung seiner Komödie *Trommeln in der Nacht,* deutlich ein Gegenentwurf zum romantisch-expressiven *Baal,* ließ Brecht im Zuschauerraum Plakate mit der Aufschrift »Glotzt nicht so romantisch« aufhängen. Er hatte – nicht zuletzt an sich selbst – die Deutschen und ihr gefühlsbetontes Wesen allzugut kennengelernt. »Sie sind bereit, für schwindelhafte Phrasen großen Klanges alles zu opfern, sie sterben wonnevoll in Schweineverschlägen, wenn sie nur in großer Oper ›mitwirken‹ können. Aber für vernünftige Zwecke will niemand sterben.«[7] In *Trommeln in der Nacht* hingegen läßt Brecht den Kriegsheimkehrer Kragler heilsame Lehren aus dem falschen Kriegspathos ziehen. Im September 1920 entwarf er den Ausgang des Dramas: »Am Schluß geht der Mensch heim mit der Frau, stark, ruhig, ernst. Alles vorher war Krampf, Fieber, Orchestrion, Romantik. Jetzt kommt der Ernst, die Nüchternheit, der Alltag.« In Anspielung auf Richard Wagner gab Brecht dem »fliegend und musikalisch« wirkenden dritten Akt die Überschrift »Walkürenritt«. Dem vierten Akt hingegen, der mit der desillusionierenden »Moritat vom toten Soldaten« beginnt, setzte er voran: »Es kommt ein Morgenrot«. Diese Zeile, die er aus der letzten Strophe der Moritat entnahm, verweist auf die

Revolution, meint aber nicht ihren positiven Aspekt, sondern ihren tödlichen Ausgang. Für den frühen Brecht war auch die Revolution, die er in München erlebt, aber nicht verstanden hatte, etwas Romantisches. Er lehnte Revolutionsbegeisterung ebenso ab wie Kriegsbegeisterung – als wären sie miteinander zu vergleichen. Dazu Brecht später: »Ich sehe heute, daß mich mein Widerspruchsgeist ... dicht an die Grenzen des Absurden herangeführt hat.«[8]
Brecht, der Münchner Student der Naturwissenschaften, kritisierte wegen ihres Pathos ebenso Romantiker wie Expressionisten; er bemühte sich um klare, einfache, alltagsnahe Gedanken und Konzeptionen, um planmäßige und ernsthafte Arbeit mit dem Material. »Immer mehr stört mich das Chaos meiner Papiere«, klagte er. »Die ›Sommersinfonie‹ ein grünes Obst, ungenießbar. ›Hans im Glück‹ mißlungen, ein Ei, das halb stinkt. ›Trommeln in der Nacht‹ immer am Rande der Beendung ... Alles vielleicht zuwenig ernst, ich fange Fliegen, ich mache soviel, es sind schöne Einfälle, ich verliere mich ans Interessante, Spielerische, Elegante.«[9] Weniger die Inspiration, die der Komponist Hans Pfitzner soeben als Grundlage der musikalischen Produktion herausgestellt hatte[10], als vielmehr die Ernsthaftigkeit der Arbeit wurde ihm zum Kriterium künstlerischer Produktion. Als Gegenpol zur Romantik versuchte er, »hart und knechtisch, realistisch und grausam«[11] zu sein. Nach der primär musikalischen Baal-Phase suchte Brecht jetzt Läuterung bei der Malerei: »Wäre ich ein Maler! Die sind wie die Frauen: Sie können immer. Und sich in Arbeit kasteien! Der Geruch der Farben, der Widerstand des Materials und die ewige Bereitschaft des Gegenstands stachelt auf und sättigt.«[12] Van Gogh wurde ihm zum Vorbild. »Vielleicht täte es mir recht gut, wenn ich so arbeitete, finster und stiernackig, ohne auf Inspirationen Gewicht zu legen und indem ich auf effektvolle Einfälle spuckte. Aber das bringt man nur zustand in der Beschreibung, man muß viel wissen, einiges erlebt haben und einen bestimmten Stil haben, den man auf alle Dinge ›anwenden‹ kann.«[13] Mit der anvisierten Wende vom Ausdruck zur Beschreibung, von Inspiration zum handhabbaren Stil, ist Brechts Weg vom Lyriker zum epischen Dramatiker und damit von der lyrisch-expressiven zur episch-dramatischen Musik bereits vorgezeichnet.
Im Jahre 1926 notierte er noch einmal einen ähnlichen Gedanken: »Würde ich mich entscheiden, es mit der Literatur zu versuchen, so müßte ich aus dem Spiel Arbeit machen, aus den Exzessen ein Laster. Ich müßte einen Plan aufstellen und ihn ausführen, um Tradition zu bekommen in der Arbeit, die Inspiration durch manuelle Gewohnheit und die Lust des Abarbeitens. Ich müßte Mühe daran setzen, einen Stil zu wählen, der mir ermöglicht, das Abzuwickelnde auf die mir leichteste Weise zu formulieren. Meine Appetite müßten geregelt werden, so daß die wilden Anfälle ausgemerzt und die Interessen auf lange Dauer ziehbar wären, so etwa, daß

ich Stücke sehr rasch schreiben könnte, aber nicht müßte. Dieses letztere ist die Fähigkeit der Klassiker.«[14] Brecht wollte nicht mehr so wechselhaft sein wie eine Landschaft unter wehenden Wolken, er wollte nicht mehr von Einfällen hin- und hergerissen werden. Ihm schwebte die Zuverlässigkeit eines Ingenieurs vor.

Kritik der Gefühlswirkung von Musik

> Meine verdammte Neigung zum Intensiven – ist es ein
> Symptom für irgendeine schwache Stelle im Apparat?

Hanns Otto Münsterer vermutet, daß sich Brecht seiner Gefühle manchmal geschämt habe. Er belegt seine Vermutung mit einem Erlebnis: »Als ich ihm einmal meine blühenden Kugelkakteen vorführte, gefielen sie ihm sehr, und gerade das empfand er als das Imposante, wie diese stacheligen, lederharten Gewächse ihre großen, seidigglänzenden Blüten weit von sich strecken, gleichsam ihre Unschuld beteuernd, als ob sie gar nichts damit zu tun hätten. Er führte es nicht weiter aus, aber vielleicht dachte er auch an die Zartheit mancher seiner Gedichte und die zur Schau getragene Fühllosigkeit.«[1] Vielleicht dachte Brecht auch an die Gefühlswirkung von Musik, gegen deren allzu starken Einfluß er sich durch Schroffheit absichern, unempfindlich machen mußte. So heißt es in seinen »Geschichten vom Herrn Keuner« über Keuners Lieblingstier, den Elefanten: »Seine Ohren sind verstellbar: Er hört nur, was ihm paßt. ... Er hat eine dicke Haut, darin zerbrechen die Messer; aber sein Gemüt ist zart.«[2]
Das Subjektiv-Gefühlshafte, so kraftvoll und antibürgerlich es sich auch im *Baal* Ausdruck verschafft hatte, erschien Brecht 1920 als Relikt der alten Bürgerepoche, ebenso »übersteigert und ungesund«[3] wie die Lyrik der Else Lasker-Schüler. Der Grund dafür, daß er nun Musik mit dem Fieberthermometer beurteilte, daß ihm Beethoven als überhitzt und Wagner als ein transpirierender Musiker erschien, mag darin liegen, daß er seine eigene Neigung zu starken Gefühlswerten als gefährlich ansah. »Manchmal juckt es mich: Meine verdammte Neigung zum Intensiven – ist es ein Symptom für irgendeine schwache Stelle im Apparat?«[4]
Der Medizinstudent Brecht betrachtete sich nun selbst als einen »Fall«. Seine medizinisch-naturwissenschaftliche Vorbildung und die Auffassung, daß übergroße Abhängigkeit von Gefühlen ungesund sei, waren es, die ihn »gegen eine Beeinflussung von der emotionellen Seite her stark immunisierten«.[5] Er suchte nach Lösungen. Wenn es bei ihm wirklich diese schwache Stelle im Apparat gab, »dann müßte man drauf Nachdruck legen, Nährsalze dorthin schmeißen oder die Stelle entlasten oder sie trai-

nieren!« Über die möglichen Folgen einer solchen Therapie schrieb er: »Bei tabes dorsalis (durch frühzeitige Ausschweifung verursacht) sieht man Leute mit eigentümlich stampfendem Schritt, auffällige Leute, groteske Leute, Leute mit einem verderblichen Hang zum Grotesken.« Trotz einiger Vorbehalte kam Brecht insgesamt doch zu einer positiven Einschätzung einer derartigen Behandlung: »Diese Leute haben auch meistens eine bewundernswert gerade Haltung, es sind keine biegsamen Leute, es sind Charaktere, Entweder-Oder-Menschen, sie schlüpfen nicht, kuschen nicht, lavieren nicht. Sie treiben alles zum Äußersten, sie haben Haltung aus Angst vor ihren gläsernen Herzen.«[6] Wenn Brecht nun diese gerade Haltung anstrebte, wenn er sich gefühlskalt und zynisch gab, wenn er sich bemühte, Körpertemperatur und Atemfrequenz vom Kunsterlebnis unbeeinflußt zu lassen, so kämpfte er damit gegen seine eigene baalsche Natur an. »Meine Liebe zur Klarheit«, schrieb er 1938 in einer Tagebuchaufzeichnung, »kommt von meiner so unklaren Denkart. Ich wurde ein wenig doktrinär, weil ich dringend Belehrung brauchte. Meine Gedanken verwirren sich leicht ... Die Verwirrung beunruhigt mich.«[7] Die Bändigung seiner Gefühlshaftigkeit, die Regelung seiner Appetite mußte Brecht, der noch 1952 von sich behauptete, von Natur aus schwer beherrschbar zu sein[8], mühsam gegen die eigene Konstitution durchsetzen.

Barsten die Augsburger Gedichte und das Baal-Drama geradezu von praller Jugendlichkeit, so strahlte der kaum dreißigjährige Brecht in Berlin schon die Weisheit des Alters aus. Der Menschenkenner Elias Canetti, der dem Stückeschreiber 1928 begegnete, war verblüfft: »Unglaublich schien es, daß er erst 30 war, er sah nicht aus, als wäre er früh gealtert, sondern als wäre er immer alt gewesen. ... Zu den Widersprüchen in der Erscheinung Brechts gehörte, daß er in seinem Aussehen auch etwas Asketisches hatte. Der Hunger konnte auch als Fasten erscheinen, als enthalte er sich mit Absicht der Dinge, die Gegenstand seiner Gier waren.«[9] Brecht, entschlossen, ein selbstbeherrschter »Klassiker« zu werden, hatte in einem Gewaltakt gegen sich selbst seine Jugendlichkeit abgeschüttelt. Irritiert war Canetti auch von dem Widerspruch zwischen der Sprachgewalt der *Hauspostille,* die er voller Begeisterung verschlungen hatte, und der abgehackten Sprechweise, die Brecht jetzt ihm gegenüber zeigte. »Von seinem Zwang zur Verkleidung bis zu seiner hölzernen Sprache stieß mich alles an ihm ab, aber ich bewunderte, ich liebte die Gedichte.«[10]
Brechts angestrebte Verwandlung vom romantisch-musikalischen Genie im Sinne Baals zum nüchternen Ingenieurtyp war nicht frei von Widersprüchen und Rückschlägen. So sehr er sich einerseits als Klassiker fühlen wollte, so sehr fürchtete er aber auch die akademische Glätte klassizistischer Werke. So sei der *Baal* durch die Überarbeitung »zu Papier geworden, verakademisiert, glatt, rasiert und mit Badehosen usw. Anstatt erdi-

ger, unbedenklicher, frecher, einfältiger!«[11] Angesichts eines gelungenen Gedichts meinte er im August 1920 trotzig:»Der Teufel hole das Vernünftige!« Und am 7. März 1921 ganz wie seine spätere Bühnenfigur Puntila:»Erst wenn man getrunken hat, ist man zurechnungsfähig.« Denn obwohl er auf Sprache und Rationalität setzte, wußte er auch, daß die gefühlshafte, romantisch-musikalische Wirkung von Kunst oft tiefgreifender war als ihre rational faßbare.»Immerfort beschäftigt mich: die geringe Macht, die der Mensch über den Menschen hat. Es gibt keine Sprache, die jeder versteht. Es gibt kein Geschoß, das ins Ziel trifft. Die Beeinflussung geht anders herum: sie vergewaltigt (Hypnose).«[12] Die einerseits gepriesene Rationalität von Sprache und Literatur erschien ihm andererseits, wohl auch in Abhebung von der Musik, als Ursache ihrer beschränkten Wirkung.»Die Kunst des Schreibens ist die vulgärste und gewöhnlichste aller Künste. Sie ist zu offen, eindeutig und überprüfbar«, notierte er am 18. Mai 1921 in sein Tagebuch.»Es gibt kein Geheimnis, und wo es kein Geheimnis gibt, gibt es keine Wahrheit.«

Trotz dieser Einwände verurteilte Brecht den romantisch-genialischen Künstlerbegriff; in letzter Instanz hielt er das Gefühlshafte für gefährlich. Sein neues Idealbild vom nüchtern-sachlichen Künstler speiste sich aus mehreren Quellen. Gegen die spezifisch deutsche Genie-Ästhetik, die zuletzt Nietzsche wieder erneuert hatte[13], setzte er das Vorbild der Engländer und Amerikaner, gegen die Kunstmetaphysik das Handwerk und die Naturwissenschaft. Die Idee, daß auch die Kunst ein Handwerk sei, übernahm er von den Franzosen.»Es ist für uns Deutsche ein Unglück«, heißt es am 20. Mai 1921 im Tagebuch,»daß bei uns Fleiß oder die Bemühung, ja selbst die Genauigkeit als Attribute der Mittelmäßigen (ihr Schimpfname heißt Talente) gilt. Dieses Spießerurteil grassiert selbst in den Kreisen der Künstler, weshalb es, in Deutschland, durch die Angst der Prominenten, eine gewisse Berechtigung bekam. Wo ist bei uns diese ernsthafte, oft nüchterne Hingabe an die Idee und die ebensooft fanatische an das Handwerk, wie etwa in Frankreich (in dem Werke der van Gogh, Flaubert, Gauguin, Maupassant, Cézanne, Zola, Baudelaire, Stendhal, Delacroix)?« So charakteristisch für den Brecht der Baal-Phase seine romantische Augsburger Dachkammer mit Tristan-Partitur und Totenschädel gewesen war, so typisch wurden für ihn seit seiner Übersiedlung nach Berlin die asketisch-kahlen Atelierarbeitszimmer.

Wenn Brecht, dessen Wandlung zum »puritanisch strengen Sittenapostel« Münsterer im Januar 1921 mit Erstaunen registrierte[14], außerdem Gefühlskälte und Unempfindlichkeit zu Idealen erhob, so prägte ihn hier neben dem Vorbild des Handwerkers und Naturwissenschaftlers auch das des Gentleman. Der Gentleman, das absolute Gegenbild zum exzentrischen Genie, »fällt nur dadurch auf, daß er nicht auffällt. Es gelingt ihm, anonym und inkognito zu bleiben ... Er sagt kluge Worte, vielleicht, wenn es ohne Gefahr ist, an die man sich erinnert, an deren Sager man sich nicht erinnert. Er ist sachlich ...«[15] Das Gentleman-Ideal, das Brecht zum Beispiel aus den Schriften Kiplings kannte, leitete sich her aus der Tradition der Stoa; der Gentleman sollte in allen Situationen stoische Ruhe verbreiten, nicht provozieren, sondern höflich und kühl-sachlich bleiben –»cool«. Er war der Prototyp des Städtebewohners, als der sich Brecht in seiner Berliner Periode fühlte und wie er sich auch in seinem Gedicht »Vom armen B. B.« charakterisierte: freundlich zu den Leuten, nach ihrem Brauch einen steifen Hut tragend, sie mit »Gentlemen« titulierend und selbst noch bei den kommenden Erdbeben die Zigarre im Mund. Entsprechend schrieb Brecht für Zuckmayer in ein Widmungsexemplar seines Stückes Im Dickicht der Städte: »Es ziemt dem Manne/Zu rauchen/Und zu kämpfen mit der Metaphysik.«

Brecht, der ab 1921 immer wieder versuchte, Emotionales zu versachlichen und selbst Liebesbeziehungen durch Verträge zu regeln, der Charlie Chaplin, das Ebenbild des heruntergekommenen Gentleman, gerade wegen seines maskenhaften, unbeweglichen Gesichts liebte, fand ein weiteres Feld, das mit seinen Vorstellungen korrespondierte: den Sport. Der Sport war ihm nach dem Niedergang des Bürgertums und damit des bürgerlichen Trauerspiels[16] nicht nur Modell eines neuen Dramentyps, des epischen Theaters, sondern auch eines gesunden, kühl-sachlichen Lebensstils, den er zum Beispiel an seinem Freund Otto Müllereisert bewunderte: »Er macht alles, ohne was zu wollen. Sein Leben ist ein Sport.«[17] Anregungen für die Verknüpfung von Sport und Kunst fand Brecht vor allem in der illustrierten Zeitschrift »Der Querschnitt«, zu deren regelmäßigen Lesern er etwa seit 1923 zählte. Diese Hauszeitschrift der Galerie Flechtheim, in der Brecht später selbst publizierte und die als eine der wesentlichen Quellen seines Amerikanismus zwischen 1924 und 1926 anzusehen ist[18], besaß den Untertitel »Zeitschrift für Kunst und Boxsport«.

Brecht neigte dazu, alle seine Tätigkeiten, die Dramenproduktion ebenso wie das Teetrinken (»ein seelenvoller Sport«), aber auch Musikhören und -machen, als »Sport« zu betreiben, als Tätigkeiten, die man distanziert, cool, lässig, rauchend absolviert, ohne in romantisches Glotzen oder Gefühlstaumel zu verfallen. Ein gutes Beispiel dafür, wie Brecht sich von seinen eigenen Gefühlen zu distanzieren versuchte, ist sein bekanntes Liebesgedicht Erinnerung an die Marie A. Seiner Erinnerung an die Jugendliebe Marie Rose Aman, die er im Zug von Augsburg nach Berlin aufzeichnete, gab er die ironische Überschrift »Sentimentales Lied Nr. 1004«. Möglicherweise bezieht sich die Zahl auf das »mille e tre« aus der Registerarie des Leporello im Don Giovanni: $1004 = 1003 + 1$. Mozarts Librettist da Ponte wiederum bezieht sich auf den mit ihm befreundeten Giacomo Casanova, der in seiner »Histoire de ma vie« mit 1003 Geliebten geprahlt hatte.

Die klassifizierende Überschrift bedeutet Distanzierung. Sie macht aus dem individuellen, persönlichen Erlebnis einen anonymen »Fall«. Die melancholische, emotional besetzte Vision wird zum Klischeebild.[19] Mit der Überschrift fordert Brecht nicht nur von sich selbst, sondern auch vom Leser die »splendid isolation des Zuschauers«.[20] Das Klischeehafte wird durch die Melodie unterstrichen; Brecht benutzte hier einen sehr populären Schlager, den Leopold Sprowacker unter Verwendung eines französischen Chansons mit dem Titel »Verlorenes Glück« als sein op. 101 veröffentlicht hatte.[21] Auch Karl Valentin hatte diesen Schlager in seiner Szene »Tingeltangel« parodistisch verwendet.[22]

Von der Plärrerromantik, die Brecht in seiner frühen Baal-Phase noch mitgerissen hatte, distanzierte er sich bereits 1921. »Es ist ein Oktoberfest hier, Buden mit Bier, Clowns, Akten, Konzert! Man fährt auf Karussels, die einen in die Luft schleudern. Schaukeln kraft eigener Muskelkraft. Es ist so langweilig. Welche Abortwand-Visagen! Welch haustierische Stimmen! Attraktionsbuden pumpen die Romantik hoch, das Volk, dumm, lasterhaft, geduldig, läßt sich kitzeln.«[23]

Die Warnung vor Verführung, die Quintessenz der *Hauspostille,* richtete Brecht nicht allein an sich selbst, sondern auch an seine Mitwelt. Kunst maß er an ihrer sozialen Funktion. Als besonders gefährliche Verführungskunst hatte er die Musik kennengelernt. Ihr war er selbst einst verfallen. Immer wieder ist deshalb in seinem Werk die Rede von den leeren Illusionen, die durch Musik gefördert werden. So bedeutet in der Farquhar-Bearbeitung »Pauken und Trompeten« der Friedensrichter Balance dem Werbeoffizier Plume: »Ein bißchen Marschmusik auf dem Marktplatz, ein paar erbeutete Fahnen, eine patriotische Rede, nicht zu hoch für unsere brave Landbevölkerung, und Sie haben die flammendste Unterstützung unserer Weiblichkeit.«[24] Und während der Werbekampagne lobt er die Blaskapelle: »Das Blech gießt ein wenig Heroismus in die blutarmen Herzen der Bürger.«[25]

War Brecht als Gymnasiast diesem Wirkungsmechanismus von Musik noch ungeschützt ausgeliefert, so konnte er sich ihm bald mehr und mehr entziehen. Als er 1919 nach dem blutigen Sturz der Münchner Räterepublik eine Militärkapelle erblickte, die in Stahlhelmen und mit Handgranaten aufspielte, mußte er laut auflachen. Die Strafe folgte auf dem Fuß: Brecht wurde auf der Stelle verhaftet und abgeführt.[26] Offenbar hatte er die Herrschenden an einem empfindlichen Punkt getroffen; sie sahen ihre Autorität in Frage gestellt. Nach einer Stunde wurde der Delinquent allerdings wieder entlassen.

Mit größerem Abstand und größerer Bewußtheit registrierte Brecht nun die Wirkung von Musik; er beobachtete, daß Musik trösten und besänftigen, aber auch stimulieren und neue Hoffnungen und Scheinlösungen vorgaukeln konnte. »Jetzt sehen sie wieder alle den Himmel schöner und die Erde furchtbarer, wegen dem bißchen Musik«, heißt es voller Spott in seinem Einakter *Der Bettler oder Der tote Hund;* die Menschen »verzeihen sich und ihren Nachbarn, wegen dem bißchen Klang«.[27] In einer Notiz »Die Kurkapelle, das lebende Stauwerk«, die die Wassermetapher von den mit Musik verbundenen »rauschenden« Gefühlen aufgreift, bezeichnete der junge Dichter es als die Funktion dieser Musik, »die Leute in die wilde und tiefe Stimmung zu versetzen, die sie bei ihrem Nachmittagskaffee zu verspüren gewohnt waren.«[28] Suspekt wurde für Brecht auch ein Ort, der für ihn mit ständiger Gefühlsproduktion verbunden war: der Konzertsaal. Mit Unwillen beobachtete er im Augsburger Ludwigsbau die Wirkung von Musik auf die Konzertbesucher. »Das Orchester knödelt Smetanas ›Moldau‹, eine Blase und die kleine Haase mit den gequetschten Gesichtchen und den üppigen Hüften genießt die Wollust davon.«[29] Durchaus einseitig reduzierte er das Konzerterlebnis auf die Ersatzbefriedigung, auf den Rausch. Er überakzentuierte gewisse hypnotische Seiten des spezifisch romantischen Musikhörens, als gäbe es nur diese eine Form des Konzerterlebnisses.[30] »Ein einziger Blick auf die Zuhörer der Konzerte zeigt, wie unmöglich es ist, eine Musik, die solche Wirkungen hervorbringt, für politische und philosophische Zwecke zu verwenden. Wir sehen ganze Reihen in einen eigentümlichen Rauschzustand versetzbar, völlig passiver, in sich versunkener, allem Anschein nach schwer vergifteter Menschen. Der stiere glotzende Blick zeigt, daß diese Menschen ihren unkontrollierten Gefühlsbewegungen willenlos und hilflos preisgegeben sind. (...) Die Musik tritt auf als ›das Schicksal schlechthin‹. Als das überaus komplizierte, absolut nicht zu übersehende Schicksal dieser Zeit grauenvollster, bewußter Ausbeutung des Menschen durch den Menschen.«[31] Brechts Beschreibung wirkt heute übertrieben. Selbst für die spätromantische Blütezeit der Kunstreligion und Kunstmetaphysik, in der Musik im Sinne Schopenhauers als Ausdruck des »Weltwillens« begriffen wurde, dürfte sie nur teilweise Geltung besessen haben. Unzweifelhaft gilt sie dagegen für einen bestimmten Musikhörer: für den ganz jungen Brecht.

Daß Brecht seit den zwanziger Jahren gegenüber Musikern, vor allem gegenüber Geigern, fast Haßgefühle entwickelte, erklärt sich nicht allein aus seinem veränderten Künstlerbild und seiner veränderten Kunstauffassung. Diese Gefühle beruhen auch auf einem persönlichen Erlebnis. Als Brecht im Mai 1921 erfuhr, daß sich seine Freundin »Bi« mit einem Musiker traf, war er nicht nur gekränkt, sondern angeekelt. »Sie hat mit einem Kaffeehausgeiger, einem schmierigen Burschen, eine Korrespondenz, und sie wurde von ihm geküßt, und sie besuchte ihn und lag in seinem Bett ... Sie bereut, aber sie hält ihn für einen reinen Idealisten.«[32] 1979 schilderte »Bi« Banholzer-Gross diese Episode so: »Mein Vetter war mit diesem

Geiger auf der Insel Man in englischer Kriegsgefangenschaft. Als er zurückkam, hat er ihn mir vorgestellt. Sie waren zusammen in München;
mein Vetter war ein sehr guter Cellist und der andere war ein Geiger.
Mein Vetter hatte diesen Mann in England ausgebildet. Als der dann später in München Kapellmeister wurde, mein Vetter aber nicht, ärgerte er
sich darüber; sie haben sich getrennt. Dieser Geiger, Schubert hieß er, kam
darauf nach Augsburg in den ›Orchideengarten‹.«[33] Ostern 1920 war dieses Café in der zentralen Kaiserstraße eröffnet worden; in Zeitungsan-
noncen wurde es als »der Klou Augsburgs« und als »sehenswertestes vor-
nehmstes Konzert-Café Deutschlands« bezeichnet. »Er hat mich eingeladen in den ›Orchideengarten‹, und ich war dort und habe Musik gehört.
Damals war man ja noch begeistert, wenn einer dagestanden ist und hat
dirigiert und Violine gespielt – und das war ein ganz gut aussehender
Mann. Aber Brecht war ja wahnsinnig eifersüchtig.«
Brechts Abneigung gegen die Geiger soll seit dieser Zeit mindestens
ebenso groß gewesen sein wie seine Allergie gegen ihre Instrumente. Paul
Dessau bestätigt dies: »Manche sagen, meine Instrumentation wäre mit
Rücksicht auf Brecht erfolgt, der die Geigen nicht gemocht haben soll.
Brecht mochte Geigen, er mochte keine Geiger. Das ist ein ganz gewalti-
ger Unterschied.«[34]
Brecht war entsetzt, daß sich selbst seine Freundin »Bi« von Musik so
stark beeindrucken ließ; er war wohl überzeugt, daß die einschmeichelnden Geigenklänge sie blind und willenlos gemacht hatten. Dabei vergaß
er, daß auch er selber vor allem wegen der rätselhaften Faszination seiner
Balladen so stark auf »Bi« gewirkt hatte, daß er seinen beträchtlichen Einfluß auf Frauen zum großen Teil der Macht der Musik verdankte. Nun allerdings wollte er auf solche Macht- und Wirkungsmöglichkeiten verzichten. Statt starker, aber unkontrollierbarer Gefühle bevorzugte er rational überprüfbare Wirkungen, selbst wenn diese schwächer waren. Musik,
dieses so gefährliche Rauschmittel, wollte er nur noch mit größter Vorsicht einsetzen.

Brechts Ehe mit der Opernsängerin Marianne Zoff

> Auf dem Wege von Augsburg nach Timbuktu habe ich
> die Marianne Zoff gesehen; welche in der Oper sang
> und aussah wie eine Maorifrau ...

Als Theaterkritiker des Augsburger »Volkswillen«, der USPD[1]-Tageszei-
tung für Schwaben und Neuburg, registrierte Brecht, daß am Augsburger
Stadttheater der weitaus größere Teil des Etats der Oper zur Verfügung

stand. Am 14. Mai 1920 veröffentlichte er im »Volkswillen« eine »Abrechnung«: »Wäre das Schauspiel hier besser, arbeitete es mit ebenso großer Reklame wie die Oper (...) dann gingen auch mehr Leute rein, und man bekäme mehr Geld herein. So aber wird für die Oper vergleichsweise eine Masse Geld ausgeworfen, man bezahlt teure Gäste und lockt dadurch die Snobs ins Theater, man inszeniert Modenovitäten und verweigert dem Schauspiel die kleinste Neuanschaffung.«[2] In der Konkurrenzsituation zwischen Oper und Schauspiel wurde – so Brecht – von der Intendanz das Schauspiel vernachlässigt. »Ich verkenne die Verdienste der jetzigen Direktion um die Oper nicht«, schrieb er in einem »Offenen Brief an die Augsburger Zeitungen«, »aber kein Mensch mit künstlerischem Gewissen wird behaupten, daß sie je Verständnis für das Schauspiel bewies.«[3] Wenn auch Brecht in seinen Theaterkritiken nicht offen als Operngegner auftrat, so wird doch aus anderen Schriften sein grundsätzliches Mißtrauen gegen diese kostspielige Kunstform deutlich: sie ist ihm ein Musterbeispiel der Verführungs-Kunst. Sie ist luxuriös – oder versucht zumindest, so zu erscheinen. »In feinen Lumpen, wie eine von der Oper«, sagt Garga im *Dickicht der Städte*.[4] Sie ist Inbegriff des Illusionstheaters. »Reden Sie keine Oper! Das ist ja ekelhaft!« heißt es in *Trommeln in der Nacht*[5]. Ganz ähnlich wird diese umgangssprachliche Wendung in *Furcht und Elend des dritten Reiches* wiederverwendet: »Quatschen Sie keine Opern ...«[6]

Daß Brecht, der Antibürger, der bis dahin nicht einmal im Traum an eine Ehe gedacht hatte, 1922 heiratete, und dazu ausgerechnet eine Opernsängerin, gehört zu den Widersprüchen seines Lebens. Marianne Zoff, 1893 in St. Pölten bei Wien als Tochter eines österreichischen Offiziers geboren, wurde im September 1919 als »Spezialsängerin« an das Stadttheater Augsburg verpflichtet. Kapellmeister Karl Tutein, mit dem sie dann häufig zusammenarbeitete, hatte die junge Sängerin unter mehreren Bewerberinnen am Salzburger Mozarteum ausgewählt. Am 23. September 1919 debütierte sie in Augsburg als Zigeunermädchen in *Carmen* und sang am 30. September die Lola in *Cavalleria rusticana*. Das Presse-Echo war gut. Die »München-Augsburger Abendzeitung« vom 3. Oktober lobte den »Auftritt der koketten Lola, die von Fräulein Zoff ganz ausgezeichnet charakterisiert und gesungen wurde ... Die Aufführung unter Leitung Herrn Kapellmeister Tuteins stand auf bemerkenswerter Höhe.« Anläßlich einer Augsburger Aufführung von Kienzls *Evangelimann* bemerkte der Kritiker der gleichen Zeitung am 12. November 1919: »Die Martha sang diesmal Frl. Zoff, und man muß sich wundern, daß die Dame so wenig beschäftigt wird; was ich von ihr hören konnte, zeigte warmen Impuls und musikalische Selbständigkeit; ihre Stimme ist zwar nicht groß und entbehrt auch in gewisser Hinsicht des Schmelzes, doch dürfte auch hier die Übung und häufigere Verwendung der Künstlerin in größeren Aufgaben manches zu erhöhter Geschmeidigkeit des Tones beitragen.« Hatte Marianne Zoff im September noch ein Zigeunermädchen in *Carmen* gesungen, so erhielt sie schon zwei Monate später die Titelrolle. Am 30. November lobte die »München-Augsburger Abendzeitung« sie als »eine Carmen von außerordentlichen darstellerischen Qualitäten ... Es kann schon heute gesagt werden, wenn erst der letzte Akt der ganzen Darstellung logischer angepaßt und in noch einheitlicherer Steigerung durchgeführt wird ..., wird sie den besten und anerkanntesten Vertreterinnen dieser Rolle ebenbürtig zur Seite gestellt werden können. Meisterhaft ist schon jetzt die Durchführung der Schicksalsahnung vom ersten Erklingen des Schicksalsmotivs im 1. Akt an.«

Marieluise Fleisser zufolge soll Brecht in einer Zeitungsbesprechung vor allem die Beine der Sängerin hervorgehoben haben; als sie sich deswegen beschwerte, habe er sie zu sich eingeladen. Wahrscheinlicher ist die Version Marta Feuchtwangers; danach vermittelte Marianne Zoffs Bruder die Bekanntschaft. Otto Zoff (1890–1963) war nach Lektortätigkeit beim S. Fischer-Verlag in Berlin ab 1917 Dramaturg und ab 1919 Mitdirektor der Münchner Kammerspiele.[7] Als der junge Kritiker und Dichter Brecht die Sängerin zum ersten Mal in ihrer Künstlergarderobe besuchte, hinterließ er dort trotz seines fremdartigen Wesens einen bleibenden Eindruck.[8]

Auch Brecht war von Augsburgs neuer Opernsängerin beeindruckt. Möglicherweise wurde er durch ihre Darstellung des Zigeunermädchens in *Carmen* und der Lola in *Cavalleria rusticana* zu einer eigenen Opernfigur ähnlichen Charakters angeregt. Ein vom 3. Oktober 1919 datiertes Notizheft[9] enthält den Entwurf eines Librettos *Prärie. Oper nach Hamsun.* In die reine Männergeschichte, wie sie in Knut Hamsuns Novelle »Zachäus« geschildert ist, fügte Brecht die Gestalt der Magd Lizzie ein, um die zwei Männer kämpfen. Lizzie, die den schwächeren der beiden liebt, ist die positive Hauptfigur.

In einer Passage aus diesem Libretto stehen schon die Bausteine des Songs der Seeräuber-Jenny nebeneinander: die durch Brand zerstörte Stadt, die rührende Geschichte mit dem Küchenmädchen und die geblähten Schiffssegel.

> Das ist die Zeitung!
> Drinnen stand das große Brandunglück in Chicago
>   Es war eine Brandstiftung
> Drinnen stand die Geschichte von den Fenstern der
>   Firma Cuppi und Co.
> Drinnen stand die rührende Anekdote von dem
>   armen Dienstmädchen in Frisko
> Geschichten von Schiffen, deren Segel man gebläht sah.[10]

Es ist möglich, daß Brecht den Song von der Seeräuber-Jenny nicht erst für die *Dreigroschenoper,* sondern schon sehr viel früher für Marianne Zoff schrieb. Immerhin entwarf er 1924 auch seine Mahagonny-Oper für sie. Für Brecht war Marianne Zoff die schönste Frau Augsburgs. Immer wieder verwies er, wie zuvor schon bei Bi, auf ihr Aussehen und zeigte anderen gern ihr Bild. Über einen Münchner Faschingsball im Februar 1921 schrieb er:»Auf dem Ball trug sie ein Pagenkostüm und war die schönste Frau dort und behandelte die Männer wundervoll, ganz rein und königlich und still und lustig und unnahbar und doch nicht stolz.«[11] Er selbst trug dagegen besonders in der Baal-Phase betonte Häßlichkeit zur Schau – eine Absage nicht nur an das Bürgertum, sondern auch den klassischen Schönheitsbegriff.»Ich werde den Spiegel bald kaputt machen können. Das ist was für feine Leute. So bin ich, freut euch! Häßlich, frech . . .«[12] Die Faszination des Traumbildes namens Marianne beruhte nicht zuletzt auf der Gegensätzlichkeit zu seiner eigenen Existenz. Marianne erschien ihm unerreichbar.»Oft denke ich an die Marianne, die im Auto fährt, wenn sie will. Sich Pelzmäntel schenken läßt, Ringe, Kostüme. Für sich selbst. Soll man sie herausholen? Ich kann sie nicht bezahlen und nichts für sie. Und was bin ich? Ein kleines, freches Knäuel, man sieht mein Gesicht noch nicht, ein kreditiertes Versprechen, und was kann man wegbeißen?«[13] Wenn man auch bei ihm »hell wohnt, Theater hat, lieber ißt, Musik fühlt, stark fühlt . . .«, so war er doch unsicher, ob er ihr alles bieten könne, was sie brauche, nämlich »Kleider, Seife, helle Wohnung, Theater, gutes Essen, Musik, feinere Gefühle«. Erstaunlicherweise distanzierte sich Brecht hier keineswegs von seinen Gefühlen, sondern bekannte sich offen zu ihnen. Zu seiner noch eben proklamierten Abkehr von der »Romantik« stand dies im auffallenden Gegensatz; es paßte auch keineswegs zu dem neuen Ideal des coolen Gentleman, der sein Leben als einen »Sport« begreift. Offensichtlich hatte ihn die Schönheit Marianne Zoffs verführt; offensichtlich jedoch empfand er diese Verführung nicht als gefährlich, sondern als angenehm. Er ließ sich auf sie ein. Um gegenüber der bewunderten Frau bestehen zu können, bot er alles auf, was ihm an Wirkungsmöglichkeiten zur Verfügung stand – auch sein starkes Musikfühlen, das er sonst eigentlich zurückdrängte und als Anachronismus seiner Vergangenheit zurechnete.

Die rätselhafte Tatsache, daß Brecht gegenüber Marianne Zoff »Musikfühlen« und sogar »starkes Fühlen« für unbedenklich hielt, muß aus ihrer Person herzuleiten sein: Er sah sie nicht als eine romantische, sondern als eine klassische Gestalt, der er nicht passionierte Leidenschaft, sondern fast schon andächtige Verehrung entgegenbrachte. Im März 1921 schrieb er in sein Tagebuch:»Abends singt sie in ›Cosi fan tutte‹ die Dorabella. Ihr Spiel ist sehr schön, ruhig und graziös, und sie singt leicht trällernd, lerchenhaft. Ich gehe still heim.«[14] Auch in der Presse wurde diese Augsburger Aufführung sehr gelobt.»Die Dorabella Frl. Zoffs war ganz Stil, von der spielerischen Leichtigkeit der Tonführung, wie der Behandlung der buffonesken Schnellsprechmanier der Rezitative, die Leichtigkeit des Spiels bis zur kleinsten Geste ... Als besonders ergötzlich darf ihr stummes Spiel im Finale des zweiten Aktes genannt werden ... Begeisterter, nicht endenwollender Beifall.«[15] Marianne Zoff besaß offensichtlich darstellerische Fähigkeiten, wie sie für Opernsängerinnen nicht selbstverständlich sind. Jedoch beeindruckte Brecht nicht nur, was bei einem Dramatiker und Theaterkritiker nahelag, ihr Spiel, sondern auch ihr Gesang. Als sie ihm im März 1921 im Gras der Lechauen liegend das Brahms-Lied »Feldeinsamkeit« vorsang, das mit den Zeilen beginnt »Ich ruhe still im hohen grünen Gras und sende lange meinen Blick nach oben«, notierte er: »Ich hörte nie schöner singen.«[16] Aufmerksam hörte er auch zu, wenn sie in der Dämmerung aus Gustav Mahlers »Liedern eines fahrenden Gesellen« den Gesang anstimmte »Wenn mein Schatz Hochzeit macht, hab ich meinen traurigen Tag«. Größere stilistische Gegensätze zu seinen eigenen »gußeisernen Gesängen« waren kaum vorstellbar. In den Texten gab es jedoch inhaltliche Beziehungen. So ist das Gedicht »Feldeinsamkeit« von Hermann Allmers in seiner Bildlichkeit, in der Einheit von Wiesennatur und blauem Himmel, auch im Bild der Wolken, die Träume verkörpern, auf überraschende Weise verwandt mit Gedichten aus dem *Baal,* auch mit der »Erinnerung an die Marie A.«, die Brecht ein Jahr zuvor geschrieben hatte.

Im Juli 1921 verbrachten sie eine gemeinsame Woche am Starnberger See. »Es ist wundervoll. Sie ist wie das Meer, wechselnd unter jedem Licht, gleichmäßig und stark. Wir nehmen ›Carmen‹ durch, den ›Rosenkavalier‹.«[17] Es ist möglich, daß beide damals systematisch diese beiden Opern von Georges Bizet und Richard Strauss durchgegangen sind; gerade der *Rosenkavalier* stand allerdings zu Brechts eigenem Schaffen in großem Gegensatz.

Immer wieder bewunderte er an der Freundin ihre Schönheit, »ihre Lieblichkeit und das Gebenedeite, das jeder Atemzug bei ihr hat«. Mit dem Adjektiv »gebenedeit«, das sonst für die Muttergottes reserviert ist, kommen eindeutig religiöse Assoziationen ins Spiel, wird Marianne Zoff fast zu einer Marienfigur. Es ist denkbar, daß Brecht in der fünf Jahre älteren Marianne zeitweise auch einen Ersatz für seine geliebte Mutter suchte, die am 1. Mai 1920 nach schwerer Krankheit verstorben war.

Marianne Zoff erhielt für die Spielzeit 1921/22 ein Engagement nach Wiesbaden. Als Brecht sie besuchte, war er von den dortigen Opernverhältnissen nicht angetan: »Sehe die ›Butterfly‹ in kitschigen Kartons mit abscheulicher Regie ... Die Marianne spielt die Dame recht schlecht, im Niveau des ganzen Plempels. Alle ihre herrliche Natur von jeder Minute daheim ist hier beim Teufel. Eine Negerbühne!«[18] Einige Tage später folgte Wagners *Rheingold*, von Brecht noch abfälliger kommentiert: »Die Aufführung wird scheußlich abgesetzt. Das Orchester leidet an Knochenerweichung, hier hat alles Plattfüße. Die Göttchen deklamieren zwischen sorgfältig ausgeführten Kopien von Versteinerungen der Juraformation, und die Dämpfe aus der Waschküche, in der Wotans schmutzige Herrenwäsche gewaschen wird, machen einem übel. Erstaunlich einzig Mariannes schöne, zarte Stimme.«[19] Diese Stimme wollte Brecht immer wieder hören, so auch, als Marianne ihn zu Weihnachten 1921 in Berlin besuchte. Brecht hatte gerade Wedekinds »Lautenlieder« als Geschenk erhalten; sie aber sang ihm wieder Mahlerlieder vor.

Im November 1922 heirateten Bertolt Brecht und Marianne Zoff. Die Sängerin – sie hatte mittlerweile ihr Wiesbadener Engagement aufgegeben – erwartete von Brecht ein Kind und zog mit ihm nach München. Der Sehnsucht Brechts nach bürgerlicher Geborgenheit und klassischer Schönheit, der Freude daran, »die kleinen Brechts« wachsen zu sehen, stand aber auch immer sein Drang nach Unabhängigkeit, nach der Welt der Vorstadt, gegenüber. Die Liebe zu seiner Frau Marianne war nur einer seiner Lebenspole. Ein anderer war die Zusammenarbeit mit dem Dramatiker Arnolt Bronnen, den er im Winter 1921/22 im Hause des Berliner Schriftstellers und Kritikers Otto Zarek, ehemals Dramaturg an den Münchner Kammerspielen, kennengelernt hatte. In der Beziehung Brecht-Bronnen wurde die Männerfreundschaft der Augsburger Clique, die sich nach Brechts Weggang aufgelöst hatte, fortgesetzt. Wenn auch Brecht versuchte, beide Lebenspole, die Männerfreundschaft und die Ehe, zusammenzubringen, indem er Bronnen oft in seine unbürgerlich eingerichtete Wohnung in der Münchner Akademiestraße 15 einlud und Marianne zur Wilden stilisierte, zur »Maorifrau im braunen Steppengras«, die er auf dem Weg nach Timbuktu entdeckt habe[20], so gab es doch Probleme. Zwischen Ehefrau und Freund entstand bald »eine Art eifersüchtiger Rivalität«[21] um Brecht.

Im März 1923 kam die Tochter Hanne zur Welt. Doch weder geregelte Arbeit noch das Familienglück, das sich vor allem Marianne erhoffte, wollten in der kleinen Wohnung, in der Brecht für seine Frau sogar ein Klavier aufgestellt hatte, recht gelingen. In der oft qualvollen Enge blieb wenig Raum für Mariannes Bedürfnisse und Brechts Schriftstellertätigkeit. Bronnen, der von sich selbst stets in der dritten Person sprach, berichtet: »Es mangelte in der kleinen Wohnung sehr an Platz, und keineswegs an Lärm, wofür auch das winzige Töchterchen sorgte. Brecht hatte zwar Bronnen feierlich eine Bettstatt in dem kleinen Nebenraum übergeben. Bald stellte sich jedoch heraus, daß sich nach den abendlichen Diskussionen im Palazzo Brecht mehr Nachtlagerreflektanten als Nachtlager befanden. So durfte Bronnen seine Kemenate meist mit drei oder vier

Der Wasser-Feuer-Mensch. Zeichnung von Caspar Neher für die »Hauspostille«.
(Quelle: Bertolt Brechts Hauspostille. Ausgabe von 1927 Anhang)

Mitschnarchern teilen, zu welchem Zweck Brecht erfinderisch Mariannes sorgsam gehütetes Mobiliar zer- und verteilte.«[22]
Die Ehe zerbrach bald. Im Frühjahr 1924 fuhr das ungleiche Paar noch einmal nach Capri. Unter den Plänen, die Brecht sich anschließend notierte, war eine Mahagonny-Oper für Marianne. In der Spielzeit 1924/25 trat sie ein Engagement als freie Sängerin in Münster/Westfalen an, wo sie ihren späteren Ehemann, den Schauspieler Theo Lingen, kennenlernte. Im September 1924 übersiedelte Brecht nach Berlin; er wohnte dort im Atelier der Schauspielerin Helene Weigel. Die Entscheidung fiel für die Schauspielerin und gegen die Opernsängerin.

Brecht versuchte in Berlin von seiner inneren Gespaltenheit zwischen weicher Gefühlshaftigkeit und disziplinierter Härte loszukommen; er versuchte sich Unempfindlichkeit anzuerziehen. Dieses Ideal der Unempfindlichkeit hatte Caspar Neher im Sinn, als er 1925 ein allegorisches Brecht-Porträt mit dem Titel »Der Wasser-Feuer-Mensch« zeichnete. Im Zentrum des großformatigen Tafelbildes thront eine riesige Gestalt vor einer Gebirgskulisse; es ist ein Gentleman in Jackett, Kragen und Bowler-Hut. Das Gesicht erinnert unverkennbar an Brecht, während allerdings die Größe und Breitschultrigkeit der Gestalt unrealistisch wirkt und so die allegorischen Züge unterstreicht. Der lateinische Text unter dem Bild macht den Dargestellten zu einem Repräsentanten des 20. Jahrhunderts:

> Iste erat Hydatopyranthropos
> vivens Augustis vindelicorum
> per unum saeculum/1898–1998
> saeculum canticorum machinarumque
> major nisi Himalaya/tamencerte monte blanco
> caput benevolentiae integritatis
> semper aequam servans mentem
> pueris puellisque amicus
> inimicis terror.
> A dextra orbis terrarum
> a sinistra pauperum potatorumque refugium
> in prospectu Himalaya
> luna ridens sub atlantico mare acido
> dedectus est ista a caspar neher a. d. 1925

In der Übersetzung lautet die Bildunterschrift: »Dieses war der Wasser-Feuer-Mensch/lebend in Augsburg/während eines Jahrhunderts/ 1898–1998/dem Jahrhundert der Gesänge und Maschinen/größer als der Himalaya/oder zumindest der Montblanc/ein Mensch von einer Reinheit des guten Willens/der immer gleich dem Geiste diente/Freund der Knaben und Mädchen/Schrecken der Feinde./Zur Rechten die Erdkugel/zur Linken das Refugium der Armen und Mächtigen/in der Ferne der Himalaya/während der Mond über dem tobenden (?) atlantischen Meer scheint/Dargestellt von Caspar Neher im Jahre des Herrn 1925.«
Brecht muß dieses Idealporträt als für sich gültig empfunden haben. 1927 übernahm er es in die *Hauspostille,* wo er es vor den Anhang »Vom armen B. B.« stellte. Im Titel »Der Wasser-Feuer-Mensch« fand er seinen eigenen Anspruch wieder, unempfindlich zu sein gegen Hitze und Kälte.[23]
Anspruch und Wirklichkeit klafften jedoch auseinander. Auch nach der Übersiedlung nach Berlin und nach der Trennung von Marianne hatte Brecht seine innere Gespaltenheit noch nicht überwunden. Für den Regisseur Bernhard Reich gab es »verschiedene Brechts – je nach dem Gegen-

über«.[24] Im Rückblick erhält der Bildtitel »Der Wasser-Feuer-Mensch« einen anderen Sinn als den von Caspar Neher gemeinten: Er bezeichnet nicht die von Brecht angestrebte Abgeklärtheit und großstädtische Gefühlskälte, sondern vielmehr die ihn noch immer bedrängende Polarität von Distanz und Nähe, Sachlichkeit und Schwärmerei.

Brecht war sich dieser seiner Gespaltenheit bewußt. Im Jahre 1925 schrieb er in einem Brief: »Wenn ich 2 Selbste hätte, würde ich eines ermorden.«[25]

Von der lyrisch-expressiven zur episch-dramatischen Musik

Es gibt keine Kunst ohne Abstand. Bei den Schwarmgei-
stern geht zuviel in die Luft. Auch ist es wichtig, sich nie
nach außen zu stülpen, immer dunkel und massig zu
bleiben. Nur keine Exhibition!

Demontage Baals

Die verschiedenen Fassungen des Baal-Dramas dokumentieren Brechts
Weg »von der Expressivität ›baalschen Weltgefühls‹ zur Sachlichkeit des
technischen Zeitalters«[1], sie zeigen seine Distanzierung von der eigenen
Vergangenheit. Die erste Fassung entstand zwischen März und Sommer
1918 als eine Antwort auf Hanns Johsts idealistisches Grabbe-Drama *Der
Einsame;* es war ein eigenen Lebenserfahrungen entsprechender Ausdruck
von Vitalität. Als Brecht für die zweite Fassung von 1919 aus dramatischen Gründen die Handlungsführung änderte, war er unzufrieden; durch
das Herausarbeiten des dramatischen Spannungsbogens sei das Stück aka-
demischer und ihm selbst unähnlicher geworden. Die unpersönliche Glät-
tung, die er 1920 noch als schmerzlich empfand, führte er später bewußt
durch. In der Fassung »Lebenslauf des Mannes Baal« von 1925/26 tilgte er
gerade die Anspielungen auf seine eigene Augsburger Jugend, auf den Lebenslauf des Mannes Brecht. Wenige Tage vor der Premiere der Neufassung veröffentlichte er einen fingierten historischen Bericht über »Das
Urbild Baals«; demnach behandelte die dramatische Biographie »Baal«
das Leben eines Augsburger Monteurs namens Josef K. Bei seinen Bemühungen, sich selbst als Vorbild der Baal-Figur auszuschalten – tatsächlich
trat er damals auch kaum mehr öffentlich als Balladensänger auf –, scheute
Brecht vor Widersprüchen nicht zurück; so ist in der Vorrede zur *Hauspostille* die Rede von einem zweiten Vorbild, einem Lyriker Joseph Baal
aus Pfersee, einer »durchaus asozialen Erscheinung«. Wie diese distanzierenden Umdeutungen, die Verschleierungen des realen Vorbilds durch
Mystifikationen zeigen, haben Künstlerbild und Kunstauffassung Brechts
sich zwischen 1918 und 1925 erheblich verändert. Mit Kunst wollte er
nicht mehr sich selbst darstellen, sondern vielmehr bestimmte gesellschaftliche Haltungen sachlich dokumentieren und zur Diskussion stellen.

Schon früher waren ihm in Einzelfällen Bezüge zwischen sich und seiner Titelfigur Baal peinlich gewesen. Wenn ihn zum Beispiel seine Freundin »Bi« empört fragte: »Wie kann man so ein unmoralisches Stück schreiben? Wie kommst Du denn dazu?«, hatte er entschuldigend geantwortet: »Ich kann doch nichts dafür, daß es solche Menschen gibt. Ich beschreibe nur einen schlechten Menschen, einen Wüterich.« Daß er selbst baalsche Züge besaß, durfte gerade »Bi« nicht erfahren. Auch den Sekretärinnen aus des Vaters Firma, die das Stück ins reine tippten, erklärte er ähnliches. Es war also zunächst – zumindest in bezug auf die Baal-Figur – eine bloße Ausrede, wenn Brecht sagte, er wolle in seinen Texten soziale Verhaltensweisen aufzeichnen. Erst später wurde aus dem vorgeschobenen Schaffensmotiv eine zentrale künstlerische Zielsetzung.

Indem sich Brecht von der Baal-Gestalt distanzierte, reduzierte er sie auf eine bloße Bühnenfigur, machte er sie zur Theaterrolle. Auf diese Rolle konnte er, der Gentleman, dann gelegentlich noch, sich selbst zitierend, zurückgreifen. Dies geschah in Kabaretts wie der »Wilden Bühne« Trude Hesterbergs, wo er manchmal auftrat, oder auch auf Atelier- und Maskenfesten. Der Balladensänger Baal war hier Brechts Glanzrolle. In einem literarisch-musikalisch-pantomimischen Kabarettprogramm »Die rote Zibebe«, das er 1922 zusammen mit Karl Valentin in den Münchner Kammerspielen inszenierte, präsentierte er diese Rolle ironisch als Abnormität: In einer Szene mit der Überschrift »Der Abnormitätenwirt« ließ er neben Joachim Ringelnatz als »Kuddel Daddeldu«, Valeska Gert als »Kanaille«, Ludwig Hardt als »Lindekuh«, Kurt Horwitz als »Virginierraucher« und Liesl Karlstadt als »Loreley« sich selbst als »Klampfenbenke« auftreten.

Brecht distanzierte sich nicht nur deshalb immer mehr von der Baal-Figur, weil ihm deren grenzenlose Vitalität übertrieben und Ähnlichkeiten mit seiner Privatperson mittlerweile peinlich erschienen, sondern auch weil er solche antibürgerlichen Provokationen für relativ wirkungslos hielt. Feuchtwanger hatte in der gespenstischen Hotelszene seines Romans *Erfolg,* in der der Fabrikdirektor Reindl die Roheit des Sängers Pröckl geradezu genießt, die Faszination, aber auch Folgenlosigkeit der Brechtschen Provokationen deutlich gemacht: »Seine Balladen, solange er sie sang, rissen den Hörer hin; aber hatte er ausgesungen, dann war auch die Wirkung vorbei. Man konnte nicht mit Gründen darüber diskutieren, keiner verwandelte sich durch sie.«[2] Pröckl-Brecht erkannte, daß seine aggressiven Gesänge vom Bürgertum bequem goutiert werden konnten, weil sie nur spontan-gefühlshafte Selbstdarstellung waren, Ausdruck eines zwar faszinierenden, aber doch unverbindlichen und deshalb nicht eigentlich ernstzunehmenden Eigensinns. Pröckl erkannte: »Es ist nicht die Zeit, sich ein kompliziertes Privatleben zu leisten. Charakterköpfe sind außer Mode.« Außerdem hatte ihm das Beispiel des Malers Brendel-Landholzer die Gefahren eines konsequenten Individualismus warnend vor Augen geführt. »Seine Wirklichkeit bewies ja, wohin eine individualistische Kunstauffassung heute führte: zur Persönlichkeitsspaltung, zur Schizophrenie, ins Irrenhaus.«[3] Feuchtwanger erfaßt damit recht genau Brechts Angst vor seiner eigenen, für krankhaft gehaltenen Gefühlsintensität, die ihn dazu führte, ständig gegen sein Alter ego anzukämpfen und »Sentiments durch helle, harte Vernunft zu unterdrücken«.[4]

Wie Brecht in *Mann ist Mann* entschied sich Pröckl deshalb für ein Aufgehen des Individuums in der Masse. Verbunden damit war die Entscheidung für politische Kunst; er wollte seine Emotionen nicht mehr einfach verschleudern wie bisher. Ganz im Sinne des mittleren Brecht ließ Feuchtwanger Pröckl räsonieren: »Kunst ist eine verdammt billige Methode, sich seiner Leidenschaften zu entledigen. Der Alte Plato, freilich ein Großkopfiger, ein Oberaristokrat, aber ein schlauer Hund, wußte schon, warum er die Dichter aus seinem Staat verbannte. Billiger als durch Ästhetik kann man seine Verpflichtungen wirklich nicht loswerden. Es ist eine zu billige Art, mein Lieber. Die guten Triebe, Kampflust, Empörung, Mordlust, Ekel, Gewissen, sind unbequem. Aber gerade dazu sind sie da, daß sie einen nicht in Ruhe lassen. Sie durch Kunst abzureagieren, das könnte manchem passen. So einfach geht es nicht. Diese Triebe wollen praktisch verwendet werden: für den Klassenkampf.«[5]

1926 erklärte Brecht einem Mitarbeiter der Zeitschrift »Literarische Welt«: »Meine Lyrik hat mehr privaten Charakter. Sie ist mit Banjo- und Klavierbegleitung[6] gedacht und bedarf des mimischen Vortrags. Im Drama hingegen gebe ich nicht meine private Stimmung, sondern gleichsam die Stimmung der Welt. Mit anderen Worten: eine objektiv angeschaute Sache, das Gegenteil von Stimmung im gewöhnlichen und poetischen Sinne.«[7] Brecht unterschied zwischen den Funktionen von Lyrik und Drama, wobei er der öffentlichen Funktion des Dramas den Vorzug gab. Verstand er sich in Augsburg wesentlich als Balladensänger, so in Berlin als Stückeschreiber. Entsprechend befreite er das Baal-Drama von lyrischen Elementen und stellte auch seine übrigen Gedichte und Lieder mehr und mehr in dramatische Zusammenhänge, funktionierte sie zu Songs, zu Bühnenmusik um. Dem Privaten verlieh er damit objektive, überpersönliche Züge. Lyrik dagegen, die sich in seinen Stücken nicht verwenden ließ, drängte er an den Rand; so sonderte er für die Druckfassung der *Hauspostille* gerade die persönlichsten Gedichte – »Vom schlechten Gebiß«, »Von den Sündern in der Hölle« und »Vom armen B.B.« – aus und stellte sie in den Anhang.

Von der deutschen zur anglo-amerikanischen Musiktradition

Das einzige, was diese Städte bisher als Kunst produzierten, war Spaß: die Filme Charlie Chaplins und den Jazz.
Davon ist der Jazz das einzige Theater, das ich erblicke.

Entdeckung des Jazz

Nachdem Brecht die spätromantische Auffassung von Musik als metaphy-
sischem Ereignis, aber auch die expressionistische Sicht von Musik als
persönlichstem Ausdruck hinter sich gelassen hatte, wollte er Musik kaum
noch anders denn als Spaß verstehen. Der Ernst symphonischer Konzerte
erschien ihm als unerträglich, als lächerlich. Es verwundert nicht, daß er
gerade Karl Valentins musikalische Parodien, vor allem seine Szene »Die
Musikprobe« sehr schätzte, in der Kapellmeister und Orchestermusiker
der Lächerlichkeit preisgegeben werden; entweder versagen in dieser Szene die Instrumente, oder Alltagserlebnisse verdrängen die Musik. »Der
›Theaterfeind‹ Brecht kam zu jeder Valentinpremiere«, registrierte Bernhard Reich, ab 1923 Oberspielleiter an den Münchner Kammerspielen,
verwundert. »Es war irrsinnig komisch, und Brecht lachte aus vollem
Halse.«[1] Brecht wirkte auch bei Valentin-Auftritten auf dem Münchner
Oktoberfest mit, wobei er mit vertauschten Händen das Spielen auf einer
Klarinette simulierte. Sich so über die »hohe Kunst« lustig zu machen, wi-
dersprach deutscher Tradition, war dagegen verwandt mit der unkompli-
ziert pragmatischen Musikauffassung in England, bis heute der wichtigsten Heimat des musikalischen Humors.

Als eine Musik, die Spaß machte, kam nach dem Ersten Weltkrieg der Jazz
aus Nordamerika in das verstörte Europa. Zwar hatten auch schon vor
1914 amerikanische Ragtime-Kapellen in der Alten Welt gastiert, aber
erst etwa ab 1917 setzte von Paris aus eine größere Jazzwelle ein. Sie
wirkte selbst auf Intellektuelle wie eine Urerfahrung und löste vielfach
die bis dahin vorherrschende Wagner-Manie ab. Schon Debussy hatte in
seinem Klavierstück »Golliwog's Cake-Walk« Jazzrhythmen mit dem
Leidensmotiv aus dem *Tristan* kontrastiert.

In vielem war der Jazz – oder was man damals für Jazz hielt – ein direkter
Gegensatz zu Wagner; er war kurzgliedrig, beweglich und oft witzig. Vor
allem war er unromantisch und unpathetisch. Für den Komponisten Darius Milhaud bedeutete sein erstes Jazzerlebnis geradezu einen Schock, ein
»plötzliches Erwachen«[2]. Wie mehrere Kompositionen Milhauds wurden
auch solche Igor Strawinskys vom Jazz beeinflußt; sein »Ragtime für elf
Instrumente« (1918), seine »Geschichte vom Soldaten« (1918) und die
»Piano Rag Music« (1919) für Arthur Rubinstein entsprachen einer Ästhetik, die später Jean Cocteau in seinem Aufsatz »Coq et Harlequin« formulierte: Die Kunst sollte sich von der Romantik abwenden und wieder klar

Brecht simuliert mit falscher Handhaltung das Klarinettenspiel in Karl Valentins Orchester bei der Szene »Die Oktoberfest-Schaubude«, München um 1920 (Karl Valentin an der Tuba, Liesl Karlstadt an der Glocke).
(Quelle: Bertolt Brecht-Erben, Berlin)

und volkstümlich werden; dazu sollte sie auch Elemente der Unterhaltungsmusik aufgreifen. Anstelle von Konzert und Oper rückten Zirkus und Varieté ins Interesse der musikalischen Avantgarde.

Die Zuwendung zum Jazz besaß Protestcharakter, war gleichbedeutend mit Abkehr von den Traditionen des 19. Jahrhunderts, seinem Künstlerbild und seiner Ausdrucksästhetik, seiner Metaphysik, seinem Patriotismus und Obrigkeitsdenken. Konservativen Kreisen war der Jazz bald als »undeutsch« verdächtig. Diese Musik repräsentierte eine neue Welt: die Hoffnungen auf Amerika, den großen Gewinner des Krieges. Zwischen 1918 und 1920 stieg der Anteil der USA an der Weltindustrieproduktion von 36 auf 47 Prozent; die amerikanischen Kapitalanlagen im Ausland wuchsen zwischen 1913 und 1919 von 13 auf 68 Milliarden Mark an. Für die Europäer wurde der Jazz zum Symbol dieser aufblühenden Neuen Welt. In einem Jazz-Sonderheft der Wiener »Musikblätter des Anbruch«, einer Zeitschrift, an der auch der mit Brecht befreundete Musikpublizist Frank Warschauer mitarbeitete, schrieb Paul Stefan 1925: »Jazz kann der Anfang einer Revolution sein, Jazz ist Abbild der Zeit . . . Chaos, Maschine, Lärm, höchste Steigerung der Extensität . . .«[3] Der Musikwissenschaftler und Komponist Egon Wellesz empfand eine Jazzkomposition als »ein Werk, das in seinem inneren Tempo, in der vitalen Ursprünglichkeit und Kraft vollendeter Ausdruck einer Kunst ist, die nur aus der ›Neuen Welt‹ kommen konnte.«[4] Und für den Musikwissenschaftler Manfred Bukofzer war der Jazz »ein Spiegel, in dem Sport, Technik und Film reflektiert wird.«[5] Der Jazz wurde zu einem wesentlichen Moment einer Neuen Sachlichkeit in der Musik, einer Sachlichkeit, die sich, auch in Malerei und Literatur, an der Sach- und Warenwelt Amerikas orientierte.

Auch im jungen Brecht erwachte nach der militärischen Niederlage Deutschlands (»O Aasland, Kümmernisloch!«) die Vision von Amerika. Am 18. Juni 1920 notierte er in sein Tagebuch: »Wie mich dieses Deutschland langweilt! Es ist ein gutes, mittleres Land, schön darin die blassen Farben und die Flächen, aber welche Einwohner! Ein verkommener Bauernstand, dessen Roheit aber keine fabelhaften Unwesen gebiert, sondern eine stille Vertierung, ein verfetteter Mittelstand und einige matte Intellektuelle! Bleibt: Amerika!« Die Musik Amerikas, den Jazz, den die Amerikaner selbst zunächst allerdings als sozial und ästhetisch minderwertige Negermusik verachteten, entdeckte Brecht als Alternative zur deutschen Musik. Diese Entdeckung proklamierte er als einen Akt der Befreiung: »Meine ganze Jugend war mir jede Musik eine Qual, und jetzt, wo die Jazzbands endlich da sind, fühle ich mich wohl dabei.«[6] Er kaufte sich in München ein billiges Blechgrammophon – ein riesiges Grammophon war 1922 Hauptrequisit der Berliner Aufführung von *Trommeln in der Nacht* – und spielte auf ihm häufig und mit großem Vergnügen amerikanische Jazz- und Schlagermusik. Wie er 1924 Helene Weigel nach Berlin berichtete, pflegte er dazu genüßlich zu rauchen: »Jetzt sitzt der große Manitu wiederum in seiner Wolke von holländischem Tabakrauch . . . und lauscht dem Gramotier, das ›O by Jingo‹ seufzt.«[7] Im Jazz hatte er endlich die spielerisch-leichte unterhaltende Musik der amerikanischen Großstädte gefunden. Erwin Faber zufolge, der fast täglich in Brechts Münchner Wohnung in der Akademiestraße kam, schöpfte der Stückeschreiber aus diesen neuen Rhythmen viele Anregungen für sein Drama *Im Dickicht der Städte*. »Das einzige, was diese Städte als Kunst bisher produzierten, war Spaß: die Filme Charlie Chaplins und den Jazz. Davon ist der Jazz das einzige Theater, das ich erblicke.«[8] Brechts Forderung, daß Musik vor allem Spaß bereiten sollte, berührte sich mit musikästhetischen Diskussionen vieler jüngerer Komponisten, vor allem in Paris der Gruppe Les Six, über »Serenitas«; seine Forderung, die Musik nicht als »höhere Sphäre« von der städtischen Alltagswelt zu trennen, korrespondierte mit den Bemühungen neusachlicher Komponisten um Arbeits- und Maschinenmusik. »Die akustische Umwelt hat sich außerordentlich verändert. Man bedenke allein die Straßengeräusche der modernen Stadt! Ein amerikanischer Unterhaltungsfilm zeigte in einer Szene, wo der Tänzer Astaire zu den Geräuschen einer Maschinenhalle steppte, die verblüffende Verwandtschaft zwischen den neuen Geräuschen und dem Jazz mit seinem Steprhythmus. Der Jazz bedeutete ein breites Einfließen volkstümlicher musikalischer Elemente in die neuere Musik, was immer aus ihm in unserer Warenwelt dann gemacht wurde.«[9] Der Jazz war die Musik des Zeitalters, das Caspar Neher als »saeculum canticorum machinarumque« charakterisiert hatte – er ähnelte dem »Sang der Maschinen«[10]:

Das ist kein Wind im Ahorn, mein Junge
Das ist kein Lied an den einsamen Stern
Das ist das wilde Geheul unserer täglichen Arbeit
Wir verfluchen es und wir haben es gern
Denn es ist die Stimme unserer Städte
Es ist das Lied, das uns gefällt
Es ist die Sprache, die wir alle verstehen
Und bald ist es die Muttersprache der Welt.

Nicht allein als neuer Musizier- und sogar Theaterstil wurde der Jazz etwa ab 1920 für Brecht wichtig – er beeinflußte mit seiner synkopischen Motorik auch die rhythmische Gestaltung seiner Lyrik, er bahnte den Weg zur reimlosen Lyrik mit unregelmäßigen Rhythmen. Im amerikanischen Exil sah Brecht zurückschauend sogar eine Verwandtschaft zwischen dem Jazz und der Vortragsweise Wedekinds. Der Jazz war in der Tat für die Nachkriegslyrik, vor allem für die der Dada-Bewegung, von großer Bedeutung; er trug bei zur Emanzipation der Synkope, er förderte die Verwendung freier Rhythmen. Vor allem Walter Mehring, der 1922 den Balladensänger Brecht in Trude Hesterbergs »Wilder Bühne« in der Charlottenburger Kantstraße erstmals dem Berliner Publikum vorstellte, schrieb und rezitierte regelrechte Jazzgedichte. Das Tempo und die Gegensätzlichkeit der Großstadt fing er in Gedichten wie »Berlin simultan«, »Aufmarsch der Großstadt«, »Tempo-Synkopen« oder »6-Tage-Rennen«, alle aus dem Jahre 1919, ein. Das Gedicht »Tempo-Synkopen«[11] spricht direkt vom Einfluß des Jazz:

So kommen
    von weither übers Meer
    The Jazzband – the Jazzband
und blasen wie das Wilde Heer
und rasen wie ein Wildenheer
    von New Orleans bis Westend.
    Es hüpfen wie das kangoroo
der Frackmensch und der Nackte –
– Der Buffalo – das Steppengnu
stampeden nach dem Takte:

I want to be
I want to be
I want to be down home in Dixie
and cowboy rings
bei scharfen drinks!
Gieß ein, sweetheart, und mix sie!

Und zwei Jahre später hieß es in »Mehrings Ketzerbrevier«, das im Kurt-Wolff-Verlag erschien: »La chanson – the song haben nicht nur eine ehrwürdige Tradition, sondern auch eine gloriose Zukunft. Führen sie uns doch zur kommenden Dichtung: dem internationalen Sprachenragtime ...« Wenn Brecht mit seinem Songstil Mehring auch nicht einfach nachahmte, wie dieser glaubte[12], so griff er doch dessen Anregungen auf. Man stelle Mehring-Zeilen Zeilen von Brecht gegenüber:

I want to be	I tell you
I want to be	I tell you
I want to be home in Dixie.	I tell you we must die.

Die Mahagonny-Gesänge

Für die meisten Gedichte der *Hauspostille* spielten die Jazzsynkopen noch keine Rolle. Die Gedichte der Augsburger Zeit waren von ihnen noch unbeeinflußt, sie fingen noch nicht das Tempo der Großstadt ein. Anders in den *Mahagonny-Gesängen*, die in dem Bändchen eine eigene »Lektion« bilden. Zu Entstehungszeit und -anlaß gibt es unterschiedliche Überlieferungen. Jacob Geis berichtet, er habe zusammen mit Brecht die *Mahagonny-Gesänge* schon um 1919 in einem Kuhstall am Ammersee entworfen.[13] Laut Arnolt Bronnen hat Brecht das Wort Mahagonny dagegen erst 1923 gefunden – als Bezeichnung für das präfaschistische München. Auch Marianne Zoff bestätigt, daß mit »den Mahagonnys« die Nazis gemeint waren. Nicht ganz dazu passen will das Thema der Gesänge: das egoistische, vergnügungssüchtige Leben.[14] Laut Gebrauchsanleitung sind sie »das Richtige für die Stunden des Reichtums, des Bewußtseins des Fleisches und der Anmaßung«.

In den *Mahagonny-Gesängen* wird der Rahmen der *Hauspostille* als Parodie christlicher Erbauungsbücher am deutlichsten verlassen; eine Umfunktionierung christlich-liturgischer Vorbilder stellt einzig noch das Spiel »Gott in Mahagonny« im Gesang Nr. 3 dar.[15] In Verbindung mit den beiden folgenden Songs sind die drei Mahagonny-Gesänge auch insofern Sonderfälle in der Sammlung, als sich aus ihrer Abfolge eine durchgehende Handlung ablesen läßt. Der Aufbruch in eine Vergnügungsstadt, das Gottesurteil, der finanzielle Zusammenbruch, schließlich das Erdbeben in der

Stadt Benares, der Alternative zu Mahagonny, wurde später zur Grundlage des Songspiels und der Oper.[16] Als einzige »Hauspostillen«-Lektion ist die der *Mahagonny-Gesänge* auch musikalisch als zusammenhängende Einheit konzipiert. Zu dieser Einheit trägt die Tonartenfolge – auf dreimaliges e-moll folgen die verwandten Tonarten a-moll und schließlich E-Dur – der von Brecht komponierten Melodien bei. Alle Lieder der vierten Lektion gehören zum Songtypus, wobei die Melodien länger und komplizierter sind als die übrigen der *Hauspostille*. Charakteristisch ist die Einteilung in Strophe und Refrain sowie die Verwendung von Amerikanismen; »Alabama Song« und »Benares Song« sind durchgängig in englischer Sprache geschrieben. Als Vorbilder kommen »Mehrings Ketzerbrevier« und die Kolonialromane Rudyard Kiplings in Frage, aber auch amerikanische Schlager, wie Brecht sie damals auf seinem Grammophon abspielte. Dies gilt nicht allein für die Wiederholung von Phrasen, sondern auch für die rhythmische Gestaltung:

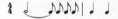

Es ist dies der Rhythmus des Foxtrott. Bewußt werden Pausen als Mittel zur Erzeugung von rhythmischer Spannung eingesetzt.
Ein Rhythmus, der auffallend oft wiederkehrt, ist

Meist bewegt sich dazu die Melodik sequenzierend in Terzräumen.

Häufig basieren Brechts Melodien auf der Wiederkehr einzelner Intervalle oder grundlegender Rhythmen.
Einfacher und konsequenter noch wird ein simpler melodischer Kern im

3. Mahagonny-Gesang verwendet; die dreiteilige melodische Grund-
struktur lautet hier: e-dis-e/h-ais-h/e-dis-e.

Von den bisherigen Melodien Brechts unterscheiden sich die der *Mahagonny-Gesänge* nicht nur durch ihre größere Länge, die konsequenter se-
quenzierende melodische Gestaltung, sondern auch durch deutliche musikalische Kontrastbildung zwischen Strophe und Refrain; dies geschieht
durch Wechsel von Takt- und Tonart. Ungewöhnlich für Brecht ist ferner
die rhythmische Differenziertheit und die Genauigkeit der Notenschrift.
Die in der *Hauspostille* veröffentlichten Melodien unterscheiden sich gerade darin von den früheren »Taschenpostille«-Fassungen. Durch Dauern-
wechsel und Pausensetzung werden bewußt Synkopen erzeugt:

Wenn manche Taktwechsel, besonders im 2. und 3. Mahagonny-Gesang,
auch unkonventionell sind und in ihrer Funktion nicht ganz einsichtig, so
muß doch im ganzen die Differenziertheit der Melodien und ihrer Notation als Indiz dafür gewertet werden, daß Brecht hierbei durch einen
musikalischen Berater unterstützt wurde.

Vorbild des Elisabethanischen Theaters

Die *Mahagonny-Gesänge*, die sich an Vorbildern der sogenannten »billigen Musik«, an amerikanischen Schlagern orientierten – der Anfang des
Benares-Songs etwa erinnert an den Schlager »There is a Tavern in the
Town« –, bereiteten Brechts Songstil vor. Auch die Entwicklung des epischen Theaters war verbunden mit einer Orientierung an englischsprachigen Vorbildern. Bei seinem Bemühen, die subjektive Gefühlskultur auszuschalten, griff Brecht nicht nur auf das Leben in der modernen amerikanischen Großstadt zurück, sondern auch auf das Theater der frühen Elisabethanischen Zeit in England. Wie er dabei zu Marlowe fand, schildert
der Schauspieler Erwin Faber. Er beriet Brecht, als dieser nach den
Münchner Aufführungen von *Trommeln in der Nacht* und *Im Dickicht der
Städte* (Regie Otto Falckenberg und Erich Engel) selbst ein Stück inszenie-

ren wollte. Verschiedene Shakespeare-Dramen waren im Gespräch. Da bekam Faber zufällig zur gleichen Zeit von einem Freund, dem Lyriker Albert Ehrenstein, Marlowes Drama *Eduard II.* mit der Bitte, es für eine eventuelle Aufführung mit Elisabeth Bergner in Berlin zu prüfen. Von Brecht war dabei nicht die Rede. Faber jedoch kam bei der Lektüre des ihm zuvor unbekannten Stücks sofort der Gedanke: »Das ist der Stil von Brecht! – Wir trafen uns im ›Malkasten‹, und ich sagte ihm: ›Brecht, wir brauchen nicht mehr zu suchen, wir brauchen keinen Shakespeare zu spielen. Gerade habe ich ein Stück von Marlowe bekommen: Eduard II. Lesen Sie das!‹ Den nächsten Tag kam er und hatte bereits auf jeder Seite geändert. Da sage ich: ›Das ist jetzt Wenzeslaus der XIV. von Brecht, aber nicht mehr Eduard II. von Marlowe. Dichten Sie das Stück um!‹ Und so entstand das Drama.«[17] Auf das Marlowe-Drama war Brecht schon 1922 von Münsterer hingewiesen worden, damals anscheinend noch ohne Konsequenzen.

Brecht griff diesmal zu. Er wollte aber, wie wir wissen, nicht nur ein Stück bearbeiten, sondern es auch inszenieren. Als er von dem Berliner Eduard-Projekt hörte, reagierte er prompt mit einem Brief an den Schauspieler Alexander Granach. Unter Hinweis auf die Problematik der Übersetzung und den Schweiß, den ihn seine eigene Bearbeitung gekostet habe, riet er Granach und seinen Berliner Kollegen: »also seid nette leute und laßt den armen edward mir über denn ich will ihn selber gern inszenieren hier und in berlin es ist ein ganz neues stück und ich schlage euch damit an die wand mit eurer alten übersetzung so sicher als ich lebendiger bin als Dein urgroßvater alexander gegen den ich sonst nichts sagen will.«[18]

Seine Marlowe-Bearbeitung *Leben Eduards des Zweiten von England* bedeutete für Brecht einen großen Schritt zum epischen Theater. Von Einfluß waren dabei seine Jahrmarktserfahrungen mit Moritat und Bänkelsang. Gegenüber Bernhard Reich, dem Oberspielleiter der Kammerspiele, entwickelte Brecht seine Vorstellungen von der Inszenierung. »Weder üppige Königsgemächer, die zu einem verwöhnten Eduard stimmen könnten (Samt, Damast, Armbänder, Ringe, Königsdiadem), noch eine durchstilisierte Vorhang- oder Treppendekoration. Er sehe da vielmehr die allereinfachste Ausstattung, wie sie die armen Schaubudentheater bieten, wenn sie eine Moritat zur Aufführung bringen.«[19] Moritatenhaftes bemerkte Reich auch im ganzen Stil, in der »Naivität der Darstellung«.[20] Zum ersten Mal verwendete Brecht Zwischentitel, in denen er, nach Art der Bänkelsängerlitaneien, den Inhalt der Szenen ankündigte. Aus einer Andeutung bei Marlowe – der jüngere Mortimer sagt zum König: »Hohnlieder singt die Straße gegen dich, Balladen reimt das Volk auf deinen Fall« – entwickelte er die Szene mit dem *Lied des Balladenverkäufers*. Es verweist auf den Vorläufer des Bänkelsängers, den Zeitungssänger. Zugleich läßt es aber auch, nach Carl Zuckmayer, schon die »Moritat vom

Mackie Messer« erahnen: »Wer Brechts Tonfall, wer seine eigene melodische Diktion kannte (wie sie in dem von ihm selbst vertonten Lied des Flugblattverkäufers im ›Leben Eduard des Zweiten‹ genau zutage tritt), der weiß, daß die berühmten Drehorgeltakte vom Mackie Messer seinem Einfall und seiner Anregung entsprungen sind.«[21] Die Brechtsche Melodie existiert im Brecht-Archiv in zwei Fassungen: einer anonymen Handschrift in D-Dur und einer nur leicht abweichenden As-Dur-Fassung, die Otto Peickert, ein Schauspieler der Uraufführung, im Jahre 1958 aus der Erinnerung aufzeichnete.

Das Lied stellt dramaturgisch eine Vorstufe zum epischen Theater dar; es ist noch naturalistisch motiviert, ist »noch formal unselbständig, enthält aber doch schon tendenziell ein zeigendes Element.«[22] Auch die Melodie zum Lied *Die Mädchen von England im Wittfrauen-Kleid*, das Mortimer dem König vor dem drohenden Bürgerkrieg vorsingt, hat sich erhalten:

Am 18. März 1924 fand an den Münchner Kammerspielen die Uraufführung von Brechts Marlowe-Bearbeitung statt. Erstmals hatte Brecht dabei freie Hand als Regisseur und beim Einsatz der Bühnenmusik. Zwar gab es in der mehr als vierstündigen Aufführung nur wenige Lieder, jedoch hoben die Theaterkritiker den Moritatenstil des Ganzen hervor. Seit dieser

»Eduard«-Premiere befand sich Brecht auf dem Weg zum epischen Theater[23], wobei bekanntlich der Einfluß Shakespeares und überhaupt des elisabethanischen Theaters eine Rolle spielte.[24] Der große Stellenwert der Musik in Shakespeares Dramen dürfte Brecht nicht entgangen sein.[25] Der große Engländer hat in immerhin 36 seiner 37 Schauspiele ausdrücklich Musik verlangt, wobei er die Symbolik der Instrumente sehr bewußt einsetzte und die zahlreichen nahtlos in die Handlung eingefügten Songs meist nicht von Hochgestellten, sondern – wie bei Brecht – von Personen niederen Standes singen ließ.

Berlin, Brecht, Bruinier

> Wenn ich mich singen höre, sage ich:
> Heute bin ich lustig; das ist gut für
> Den Teint.

Im September 1924, ein halbes Jahr nach seiner Münchner »Eduard«-Inszenierung, übersiedelte Brecht endgültig nach Berlin, wo er sich zuvor immer nur zeitweise aufgehalten hatte. Er konnte in Helene Weigels Atelier in der Spichernstraße 16 einziehen. Berlin – das war damals nicht nur die Hauptstadt des Deutschen Reiches, sondern auch die kulturelle Metropole Westeuropas, eine Millionenstadt, in der trotz Inflation die Künste blühten, eine Stadt der sozialen Gegensätze, eine Stadt der Ideen und Experimente, des Widerspruchsgeists, der Verlage, Zeitungen und Zeitschriften, der Vielfalt in allen Bereichen, kurz: eine lebendige Stadt. In Berlin lebten und wirkten die Theaterregisseure Erich Engel, Leopold Jessner, Erwin Piscator und Max Reinhardt, die Filmregisseure Josef von Sternberg, Fritz Lang, F. W. Murnau und G. W. Pabst, die Schriftsteller Johannes R. Becher, Gottfried Benn, Alfred Döblin, Iwan Goll, Georg Kaiser, Erich Kästner, Egon E. Kisch, Else Lasker-Schüler, Walter Mehring, Ernst Toller, Kurt Tucholsky und Carl Zuckmayer, die Komponisten Ferruccio Busoni, Arnold Schönberg, Hanns Eisler, Paul Hindemith und Kurt Weill, die Dirigenten Wilhelm Furtwängler, Erich Kleiber, Otto Klemperer und Bruno Walter – um nur einen Teil der wichtigsten Künstler zu nennen.

Obwohl in Berlin, dem Zentrum auch der deutschen Arbeiterbewegung, die Künstler meist nicht politisch organisiert waren, bekannte sich doch die überwiegende Mehrheit zur Linken. Kurt Tucholsky prägte damals den Satz von der merkwürdigen Physiognomie der Deutschen: Sie schreiben mit der Linken, aber handeln mit der Rechten. Einen wichtigen Auslöser dieser Wende nach links hatte der 1. Weltkrieg bedeutet. Nur unter den Musikern war die Politisierung weniger stark verbreitet als unter den Schriftstellern, Malern, Schauspielern und Architekten; sie hielten mehr als die Künstler anderer Sparten an der weltfremden l'art pour l'art-Ästhetik fest, wenn es auch Ausnahmen gab, so die Mitglieder der nach der Novemberrevolution benannten linksbürgerlichen »Novembergruppe«.

Brecht nahm nur bestimmte Teile des Berliner Kulturbetriebs wahr. Die Konzerte der Berliner Philharmoniker oder die Aufführungen an der Staatsoper interessierten ihn wegen ihrer Weltfremdheit und ihrer Zugehörigkeit zu einer sich ideologisch aushöhlenden bürgerlichen Traditionslinie kaum. Trotz seiner Dramaturgentätigkeit an Max Reinhardts Deutschem Theater – eine Stelle, für die sich Erich Engel eingesetzt hatte – besuchte er auch die Theatervorstellungen nur, um sein kritisches Denkvermögen zu schulen.

Lebhaften Anteil nahm Brecht dagegen an der populären Massenkultur, an Presse, Rundfunk, Schallplatte, Tonfilm, Reklame, Kriminalroman, Revue, Boxsport und Sechstagerennen. Diese Formen blühten in der Phase relativer wirtschaftlicher Stabilisierung nach 1923 auf und trugen wesentlich zu dem Prädikat »goldene zwanziger Jahre« bei. Gerade in Berlin häuften sich Revuen, Film- und Operettenaufführungen. Nach der Niederschlagung der Arbeiteraufstände von 1923 und damit der Rettung des Kapitalismus strömten entsprechend dem Dawes-Plan Dollars ins Land; im Deutschen Reich wuchs der Einfluß des »american way of life«. Aus Nordamerika kamen Modetänze wie Cake-Walk, Onestep, Foxtrott, Shimmy und Charleston, so daß schließlich die Begriffe »Jazz« und »Tanzmusik« Synonyme waren. Allen diesen Formen amerikanischer Großstadtkultur stand der zunächst naiv fortschrittsgläubige Brecht im ersten Jahr seines Berlin-Aufenthalts voll ungebrochener Bewunderung gegenüber. Hier sah er Modelle für seine eigene Produktion.

Gegenüber dieser modernen Großstadtkultur erschienen ihm seine Augsburger Balladen wie Relikte einer vergangenen Zeit. Immer seltener trat Brecht noch öffentlich als Balladensänger auf. So war es schon eine Ausnahme, daß er bei der Premiere seines Stücks *Lebenslauf des Mannes Baal,* die am 14. Februar 1926 in Berlin stattfand, den »Choral vom großen Baal«[1] »unter Begleitung durch sein von ihm selbst erfundenes Original-Blechsaiten-Banjo«[2] selber sang; infolge der Bühnenverdunkelung blieb er dabei freilich fast unsichtbar. Von solchen Ausnahmen abgesehen brach in Berlin die baalsche Personalunion von Dichter, Komponist und Interpret auseinander.

Lediglich in privatem Rahmen, bei geselligen Abenden in seiner Mansardenwohnung, sang Brecht noch seine Balladen, wobei er meist mit der »Legende vom toten Soldaten«, diesem immer wieder provozierenden Antikriegsgedicht, begann, dem dann die »Ballade von den Abenteurern«, die »Ballade vom ertrunkenen Mädchen«, der »Choral vom großen Baal«, die »Erinnerung an die Marie A.« und die »Legende von der Dirne Evlyn Roe« folgten. Bernhard Reich, der 1924/25 häufig an solchen privaten Abenden teilnahm, hat die Wirkung von Brechts Balladenvorträgen, die sich die Freunde fast schon süchtig immer wieder erbaten, aus ihrem Kontrast von weichem lyrischen Empfinden und prosaischer Sprödigkeit und Härte erklärt. »Die innere zarte, poetische Melodie zieht aus der Gegensätzlichkeit verstärkte Eindruckskraft. Man muß klobige Wortwendungen, schrille Passagen überstehen, um einen Tropfen schöner Poesie genießen zu dürfen. Wie gut schmeckt er da! Brechts Vortrag verhinderte eine gute und ruhige Aufnahme des Gedichts durch unerwartete Verhärtungen, Verschärfungen beiläufiger Stellen, oder durch betont ruhige Wiedergabe an und für sich hochdramatischer Passagen. Die Balladen liefen bei ihm eben nicht glatt ab; sie bekamen einen unregelmäßigen und einen holprigen Gang. Brecht rang den Zuhörern die Haltung einer permanenten Bereitschaft zur Veränderung ihrer Reaktionen ab. Das Entscheidende aber war wohl die unmittelbare Begegnung mit einer enormen schöpferischen Kraft, die beim Vortrag des Dichters selbst ganz frei wurde. Sie erzeigte sich vielleicht deshalb so stark, weil Brecht weder seine Seele entblößte, noch das Herz aufriß, sondern ›kunstvoll‹ vortrug, das heißt die Besonderheiten und Schönheiten der Balladen sehen ließ.«[3]

Brechts Balladenvortrag hatte in Berlin eindeutig nostalgischen Charakter. Reich zufolge blieb er jedoch nicht ganz so wirkungslos, wie Brecht und Feuchtwanger geargwöhnt hatten: »An diesen Abenden brachen langsam und schwer reifende Gedanken auf, unbewußt vorbereitete Gefühle meldeten sich plötzlich zu Wort. Als ein anderer ging man nach Hause.«[4]

Die Balladen aus der *Hauspostille,* die eine so große, aber auch unbestimmbare Wirkung erzielten, waren zu diesem Zeitpunkt noch nicht im Druck erschienen, da Brecht erst im Oktober 1925 sein vollständiges Manuskript beim Kiepenheuer-Verlag ablieferte. Schwierigkeiten muß ihm insbesondere der Notenanhang bereitet haben. Für eine Buchpublikation genügte seine bisherige, bloß andeutende Kürzel-Notenschrift nicht mehr; vielmehr mußten die Melodien überprüft und in reguläre Notenschrift übertragen werden. Brecht nahm zu dieser Arbeit sein neuerworbenes Tafelklavier zu Hilfe, auf dem er die Melodien mit nur einem Finger spielte.[5] Ihn unterstützte bei den Notenrevisionen seine Mitarbeiterin Elisabeth Hauptmann, wahrscheinlich aber auch sein erster fachlich kompetenter musikalischer Mitarbeiter, der junge Pianist und Komponist Franz Servatius Bruinier.

Bruinier, am 13. Mai 1905 in Biebrich am Rhein geboren, entstammte einer ursprünglich holländischen Musikerfamilie. Sein Bruder August Heinrich war Gründer und Primarius des in Berlin beheimateten Bruinier-Streichquartetts, während ein anderer Bruder, der Trompeter Ansco Bruinier, in der populären Jazzband »Weintraub Syncopators« mitspielte.

Auch Franz S. Bruinier hatte an der Berliner Hochschule für Musik eine klassische Pianisten- (u. a. in der Meisterklasse Egon Petri) und Kapellmeisterausbildung genossen, trat aber vor allem mit Unterhaltungsmusik hervor. Auf diesem von Brecht geschätzten Gebiet besaß er reiche Erfahrungen. Von 1923 bis 1925 begleitete er den Chansonnier Jean Moreau auf Tourneen, komponierte eine Revue für die Nacktänzerin Anita Berber, Theatermusik für Tilla Durieux und war ferner als Kapellmeister und Komponist für mehrere Operettentheater tätig. Daneben besaß er Beziehungen zu außermusikalischen Künstlerkreisen, zu den Dichtern Klabund und Walter Mehring, zum Verleger Samuel Fischer und dem Architekten Hans Poelzig, und veranstaltete gemeinsam mit Freunden sogenannte M. A. (Montag-Abend)-Darbietungen mit moderner Poesie, satirischem Theater und neuer Musik, so 1927 die ekstatische Szene mit Jazz »Paris brennt« nach einem Gedicht von Iwan Goll. Seine Aufgeschlossenheit gegenüber den anderen Künsten mochte ihn auch für Brecht interessant gemacht haben.

Die Bekanntschaft mit Brecht wie auch mit Walter Mehring bahnte sich beim Berliner Rundfunk an, wo F. S. Bruinier die Morgengymnastik begleitete. Im November 1925, als Brecht gerade die Druckfassung seiner *Hauspostille* redigierte, sein Lustspiel *Mann ist Mann* fertigstellte und mit Feuchtwanger dessen Schauspiel *Warren Hastings* zu *Kalkutta, 4. Mai* umarbeitete, schrieb Bruinier seine ersten Brecht-Vertonungen.

Drei Kompositionen Bruiniers tragen das Datum des 20. November 1925: das Leierkastenlied *Der Branntweinhändler*, das melodramatische Chanson *Weib und Soldat*[6] und der English Song *The Moon of Alabama*. Bruinier setzte diese Lieder unterschiedlicher Genres, die alle auf Gedichten der *Hauspostille* basieren, für Gesang und Klavier. Das Gedicht, das Brecht am 1. September 1920 in seinem Tagebuch »Traum eines Branntweinverkäufers« nannte und später unter dem Titel »Vorbildliche Bekehrung eines Branntweinhändlers« in die *Hauspostille* aufnahm, steht deutlich in der Bänkelsang-Tradition. An dieser Tradition ist auch die Vertonung orientiert. Aus »Weib und Soldat« wurde später die *Ballade vom Weib und dem Soldaten*, die mit der Musik Hanns Eislers Verbreitung fand. Der genaue Titel auf dem Autograph lautet: »Weib und Soldat. Melodramatisches Chanson./Text von Bert Brecht./Für Gesang und Klavier./Brecht/Bruinier.«[7] Offensichtlich war Brecht in diesem Falle nicht nur Textautor[8], sondern auch musikalischer Mitautor; zumindest der melodische Kern, den Eisler wiederverwendete, dürfte auf ihn zurückgehen. Wie der Titel weiter besagt, handelt es sich um ein Chanson, in dem sowohl gesungen wie gesprochen wird. Dies verdeutlicht den dialogischen Charakter, das Gegenüber zweier Positionen zum Krieg. Während die Warnungen der Frau in den Strophen zu sprechen sind, werden die leichtfertigen Antworten des Soldaten in den Refrains gesungen.

Das dritte von Bruinier komponierte Lied, *The Moon of Alabama*, steht möglicherweise in einem Zusammenhang mit *Mann ist Mann;* in der achten Szene singt dort Galy Gay, der gerade dabei ist, sich vom irdischen Packer zum Soldaten der »Mamma Armee« zu verwandeln:

> O Mond von Alabama
> So mußt du untergehn!
> Die gute alte Mamma
> Will neue Monde sehn.[9]

Interessanterweise entspricht die Melodie derjenigen im »Hauspostillen«-Anhang, wo Bruinier allerdings nicht erwähnt wird. In Kurt Weills berühmter Fassung ging der Alabama-Song um die Welt, ohne daß man sich dabei noch an Bruinier erinnerte. Dabei enthielt dessen Vorlage, wie die folgenden Notenbeispiele zeigen, schon die charakteristischen Merkmale des Weill-Songs.

Das Brecht-Gedicht *Erinnerung an die Marie A.* hat Bruinier gleich zweimal komponiert. Die eine Fassung, ein a-moll-Andantino mit kurzem Vor- und Nachspiel, ein sentimentales Lied im Salonstil[10], entstand am 10. Januar 1927. Bei der anderen, undatierten Version mit dem Vermerk »Brecht/Bruinier, nach einer alten Melodie«[11], handelt es sich um die bekannte Schlagermelodie, die auch Carl Zuckmayer schon in München gehört hatte:

Wenig später hat Brecht Bruinier zwei selbstkomponierte Songs vorgesungen, die dieser dann in Notenschrift übertrug. Es sind »Die Seeräuber-

Jenny«[12] und der »Barbara-Song«[13]. In Bruiniers Niederschrift ist diesmal ausdrücklich Brecht als Komponist verzeichnet.

Im *Barbara-Song*[14] verhält sich eine junge Frau gegenüber den andrängenden Liebhabern »kalt und herzlos«. Sie behält den »Kopf oben«, um nicht über dem Ansturm der Gefühle die Selbstkontrolle zu verlieren. Während sie gegenüber so romantischen Verführungen wie einer Bootsfahrt im Mondschein standhaft bleibt, verfällt sie ausgerechnet einem groben, zudringlichen Burschen. Gegen »romantische« Gefühle war sie gefeit, nicht jedoch gegen eine so direkte Werbung. Brecht hat diesen Gegensatz von Gefühl und Härte in seiner Melodie bewußt eingesetzt. Im Refrain, der von der Zügelung des Gefühls spricht, zitiert er den Belcanto-Stil Puccinis. Bekannt ist seine Vorliebe für die Oper *Madame Butterfly*, die von der aufopfernden Liebe einer japanischen Geisha zu einem leichtsinnigen amerikanischen Marineoffizier handelt.[15] Fasziniert hat Brecht offensichtlich nicht allein die Exotik und Seefahrerromantik der Oper, sondern auch ihre blühende Melodik. Sie deutete er im Refrain zum »Barbara-Song« als Inbegriff musikalischer Verführung. Aufgegriffen wird der melodische Gestus jenes berühmten Gesanges, den Madame Butterfly im 2. Akt der Puccini-Oper anstimmt:

Brecht übernahm nicht nur die betonten emphatischen Akzente in hoher Lage, sondern auch das Pendeln der Melodik um Rahmenintervalle, vor allem die Quart.[16]

Gegen das von der Musik stimulierte Gefühl leistet der Text Widerstand. Der deutlichste Einspruch gegen das bedrohliche Gefühl der Liebe ist aber die textlich ebenso wie musikalisch äußerst nüchterne Schlußzeile, die mit ihrem gleichförmig wiederholten Ton dis, dem unaufgelösten Leitton zur Tonart E-Dur, in die harte Realität zurückführt.

Erst in der letzten Strophe verwandelt sich das Nein zum Ja, wird der Widerspruch zwischen Text und Melodie aufgelöst.[17]

Wie der »Barbara-Song« besteht auch Brechts Melodie zur *Seeräuber-Jenny*[18] aus drei in Rhythmus, Gestus und Tonalität deutlich voneinander abgesetzten Teilen. Bei der Zeile »Aber eines Tages wird ein Geschrei sein am Hafen« beschleunigt sich das Tempo und wendet sich die Tonart von e-moll nach E-Dur. Am verblüffendsten ist aber der mit »Maestoso« überschriebene cis-moll-Refrain, der mit seinen langen Notenwerten hymnischen Charakter besitzt:

Bruinier bearbeitete die von Brecht komponierte »Seeräuber-Jenny« am 8. März 1927 für eine aus Violine, Altsaxophon, Trompete, Banjo und Schlagzeug bestehende Besetzung.[19] Den verblüffenden Refrain, eine der berühmtesten melodischen Wendungen, die Brecht eingefallen sind, hat Kurt Weill 1928 fast unverändert in die *Dreigroschenoper* übernommen. Es ist nicht auszuschließen, daß auch andere Melodien der *Dreigroschenoper* auf Brecht zurückgehen.

Überliefert ist eine von Bruinier komponierte Vertonung jener »Hanna Cash«-Ballade[20] aus der *Hauspostille,* die inhaltlich dem »Barbara-Song« und der »Seeräuber-Jenny« ähnelt: Ein einfaches Küchenmädchen, das zuvor die Gentlemen »eingeseift« hat, verliebt sich in den finsteren »Messerjack« J. Kent. Am 26. 4. 1927 schrieb Bruinier eine Fassung für Klavier, am 5. 5. 1927 eine zweite Version für Violine, Saxophon, Trompete und Schlagzeug. Aus der Zusammenarbeit von Brecht und Bruinier entstanden ferner ein *Song vom Auto* im modischen Schlagerstil der zwanziger Jahre sowie der Song *Surabaya Johnny*[21], der ebenfalls Brechts frühes Lieblingsthema »Gefühl und Härte« umkreist. Die Schlußzeile lautet: »Du hast kein Herz, Johnny, und ich liebe dich so.« »Surabaya Johnny« wurde später – nachdem es Kurt Weill neu für *Happy End* komponiert hatte – weltberühmt. Wann diese Songs zum ersten Mal in Berlin erklangen, konnte bisher nicht belegt werden. Brecht-Bruiniers »Surabaya Johnny« fand sich im Nachlaß von Kate Kühl.[22]

Im Frühjahr 1928 wurden einige von Bruiniers Brecht-Vertonungen im Ausland aufgeführt. Das »Mitropa«, Kabarett-Theater der Berliner M. A.-Künstler[23], gastierte am 17. März 1928 im Amsterdamer Centraal-Theater mit folgendem Programm:

1. Song vom Auto: Text von Bert Brecht
                    Musik: Bert Brecht u. Franz S. Bruinier
2. China klagt!   Albert Ehrenstein
3. Deutsches Volkslied   Text von Klabund
4. Ballade an die Hanna Cash   Text von Bert Brecht
                    Musik: Franz S. Bruinier
5. Surabaya Jonny   Text: Bert Brecht
                    Musik: Franz S. Bruinier
6. Tanz aus Franziska (Wedekind)   Musik: Franz S. Bruinier
7. Kleines merkwürdiges Panoptikum   Alfred Lichtenstein

Pause

8. Hoppla, wir leben!   Text: Walter Mehring
                    Musik: Edmund Meisel
9. Shimmy   Franz S. Bruinier
10. Wannsee Blues   Text: August Bruinier
                    Musik: Franz S. Bruinier
11. Ein Chanson von Klabund   Musik: Franz S. Bruinier
12. Wurstlprater   Musik: F. Petyrek
13. Paris brennt!   Verse von Iwan Goll

Wie die Angaben bei »Seeräuber-Jenny«, »Barbara-Song« und beim heute verschollenen »Song vom Auto« zeigen, hat Bruinier es jeweils vermerkt, wenn eine musikalische Mitautorschaft Brechts vorlag. Weill, dem Brecht später ebenfalls noch eigene Melodien vorpfiff, war darin weniger genau.
Je mehr Brecht die Kunst als eine professionelle Tätigkeit betrachtete, um so mehr führte er das in der gesamten Warenproduktion übliche Prinzip der Arbeitsteilung ein. Das Singen wie auch das Komponieren übergab er den Fachleuten. Franz S. Bruinier war der erste Musikfachmann, mit dem Brecht zusammengearbeitet hat. Zu dem Zeitpunkt, als das oben abgedruckte Programm in Amsterdam gegeben wurde, hielt sich Bruinier allerdings kaum noch in Berlin, sondern meist in den Niederlanden auf. Hauptsächlich arbeitete er für das Ensemble von Cor van der Lugt Melsert in Den Haag, für das er auch die Musik zu einer Neujahrsrevue »Nul uur Nul« schrieb. Dennoch ist es unbegreiflich, daß Brecht den Namen dieses Komponisten, auf dessen Vorarbeiten der Anhang der *Hauspostille* und zentrale Songs der *Dreigroschenoper* beruhen, nie erwähnt hat. Als die *Dreigroschenoper* im Herbst 1928 ihren Siegeszug begann, lebte Bruinier nicht mehr. Er starb am 31. Juli 1928 an Tuberkulose. Sein Grab auf dem Bergfriedhof in Berlin-Steglitz wurde mittlerweile eingeebnet.[24]

Teil II

Musikalische Experimente in der Weimarer Republik

Brecht und Weill –
Auseinandersetzung mit dem Kulinarismus
in bürgerlicher Oper, in Operette und Tonfilm

> Der Gebrauch, den wir von dem Theater zu machen ge-
> denken, gefällt wahrscheinlich den Alten nicht, aber was
> gedenken sie zu antworten, wenn wir sie fragen, ob das,
> was sie uns als Theater überlassen haben, diese herunter-
> gewirtschaftete, ihrer Magie beraubte alte Schindmäh-
> renmanege mit ihren weiblichen Tenören und männli-
> chen Primadonnen, mit ihren durchwaschenen Dessous
> und ausgeorgelten Röhren, alles ist???

»Mahagonny«: vom Songspiel zur Oper (1927/28)

Begegnung mit Kurt Weill

Trotz seiner prinzipiellen Skepsis gegen die Oper, diese sogar noch mehr
feudale als bürgerliche Kunstform, in der die Musik sich meist in den
Vordergrund drängt und das Szenisch-Theatralische überflutet, hatte sich
Brecht schon frühzeitig mit Opernplänen beschäftigt. Zu einer Verwirklichung dieser Projekte war es aber nicht gekommen, da es damals an einem geeigneten musikalischen Mitarbeiter fehlte. Zum Opern- und nicht
bloß Theaterreformer konnte Brecht erst werden, nachdem er im März
1927 mit dem Komponisten Kurt Weill zusammengetroffen war.
Weills große musikdramatische Begabung hatte sich schon vorher gezeigt,
war aber erst 1926 mit dem Operneinakter *Der Protagonist,* zu dem der
expressionistische Dramatiker Georg Kaiser das Libretto geschrieben hatte, zum Durchbruch gekommen. Weills Entwicklung bis zu diesem großen Bühnenerfolg war nicht geradlinig, sondern in Kurven und Gegensätzen verlaufen.
Kurt Weill, am 2. März 1900 als Sohn des jüdischen Kantors Albert Weill
in Dessau geboren, wurde streng religiös erzogen, jedoch bevorzugte er
schon als Zehnjähriger gegenüber der Synagoge das Herzogliche Hoftheater, das als Zentrum der Wagner-Pflege galt. Die kunstliebenden
Herzöge von Anhalt hatten um 1800 das Dessauer Hoftheater als eines
der größten und schönsten seiner Zeit erbauen lassen. Nach Wagners Besuch im Jahre 1872 entwickelte sich dieses Theater zu einem »norddeut-
schen Bayreuth«. In einer Chronik von 1914 hieß es, der Herzog von Anhalt habe sich »hinsichtlich Wagners Kunst langen und mühseligen Anstrengungen unterworfen und sich als erster Diener der Kunst bemüht,
Wagners Anordnungen bis zur letzten Note nachzukommen«.[1] In diesem

Theater war der junge Weill, der auch gelegentlich als Wunderkind im herzoglichen Palast auftrat, oft zu Besuch; der Herzog gewährte ihm freien Eintritt.

Die Bindungen an das Hoftheater verstärkten sich, als ihm ab 1915 der dortige Hofkapellmeister Albert Bing, ein Pfitzner-Schüler, ersten Kompositionsunterricht gab und auch dafür sorgte, daß Weill als »außerplanmäßiger« Korrepetitor am Hause tätig sein konnte. Nach einem einzigen Studiensemester an der Berliner Hochschule für Musik, wo der Wagnerianer Engelbert Humperdinck, der Schöpfer der Märchenoper *Hänsel und Gretel,* sein Kompositionslehrer war, kehrte er im April 1919 als Korrepetitor an das Dessauer Theater, das nun Friedrichtheater hieß, zurück. Größere Verantwortung übernahm er in der Spielzeit 1919/20 als Kapellmeister am kleinen Stadttheater von Lüdenscheid, wo er Operetten und große Opern dirigierte. In diesem aufreibenden Kapellmeisterjahr, in dem er das Handwerk eines Opterndirigenten in seiner ganzen Breite kennenlernte, wuchs in ihm die Erkenntnis: »Das Musiktheater ist meine eigentliche Domäne.«[2]

Trotz dieser Erkenntnis wandte sich Weill ab Herbst 1920 vorübergehend vom Musiktheater ab. In Leipzig, wohin seine Eltern gezogen waren, übernahm er die Leitung eines Männerchors und setzte sich mit der religiösen Welt des Vaters, die er zuvor skeptisch beurteilt hatte, auseinander. Außerdem komponierte er unter dem Einfluß des spätromantischen Kontrapunktikers Max Reger absolute Musik, Kammermusik; an die Stelle der Bayreuther Tradition trat für ihn die Leipziger Tradition Bach-Reger. Wenn auch die tieferen Gründe für diese Wende nicht belegt sind, so läßt sich doch vermuten, daß Weills zeitweilige Abwendung vom Musiktheater für ihn einen ähnlichen Selbstreinigungsprozeß bedeutete wie auch für andere Komponisten nach dem Ende des Weltkriegs. Die so eng mit dem zusammengebrochenen Kaiserreich verbundene musikalische Spätromantik sowie die wagnersche Musikdramatik wurde wie Ballast abgeworfen. Dagegen erhielt die frühbürgerliche Klassik neue Aktualität.

Auch der Komponist und Pianist Ferruccio Busoni, zu dem Weill im Herbst 1920 als Meisterschüler nach Berlin übersiedelte, war bekannt als Wagner-Gegner und Anhänger Bachs und Mozarts. In seinem wegweisenden »Entwurf einer neuen Ästhetik der Tonkunst« hatte er sich gegen die Wagnersche Gesamtkunstwerk-Idee gewandt und der Verschmelzung der Künste ihr kommentierendes Nebeneinander gegenübergestellt; auch das Musiktheater solle geprägt sein vom Geist der absoluten Musik. In seinen 1917 uraufgeführten Einaktern *Turandot* und *Arlecchino* hatte Busoni diese Forderungen erstmals verwirklicht.

Erstaunlicherweise nahm Weill die musiktheatralische Theorie und Praxis seines Lehrers zunächst kaum zur Kenntnis. Er hielt weiterhin Distanz zur Opernbühne und komponierte statt dessen für den Konzertsaal. Der atheistischen Einstellung Busonis zum Trotz schuf er vor allem religiöse Werke. So folgten auf die erste Symphonie mit ihrem Johannes-R.-Becher-Motto »Arbeiter, Bauern, Soldaten – der Aufbruch eines Volkes zu Gott« das »Divertimento für kleines Orchester und Männerchor« und die »Sinfonia sacra: Fantasia, Passacaglia und Hymnus für Orchester, op. 6«, dann ein dem Vater gewidmetes Streichquartett op. 8, an dessen Schluß eine Choralfantasie steht. Die biblischen Klagegesänge des Propheten Jeremia legte er 1923 der geistlichen Chorkomposition »Recordare« zugrunde. Der religiöse Charakter dieser Werke mag zu erklären sein aus der idealistischen Komponente des zugleich archaisch-allgemeinen wie auch aktuell-konkreten Expressionismus, aus der Auseinandersetzung mit der Notsituation der Zeit und – nicht zuletzt – mit dem Vater.[3]

Nach Abschluß des dreijährigen Studiums bei dem hochverehrten Lehrer Busoni begann 1924 für Weill eine neue Schaffensphase. In der durch den Dresdner Opernchef Fritz Busch vermittelten Zusammenarbeit mit Georg Kaiser sprudelte sein so lange zurückgehaltenes musiktheatralisches Talent, das dann auch bei Bertolt Brecht fruchtbar wurde, wieder hervor.

David Drew, der derzeit wohl beste Weill-Kenner, hat die teilweise rätselhaft und in Gegensätzen verlaufende Entwicklung des Komponisten mit dem Funktionieren eines Verdrängungsmechanismus erklärt: »Jede Phase seiner Entwicklung verdankt ihren deutlichen Charakter und viel von ihrer Dynamik der rücksichtslosen Unterdrückung oder Verdrängung hervorstechender Merkmale der vorigen Phase.«[4] So hätte Weill die erotisch-musikdramatischen Impulse seiner noch im Banne von Wagners *Tristan* stehenden ersten Schaffensphase in seiner zweiten Phase mit Hilfe der Religion überwunden; die Religion wurde zur Zensurinstanz. Im nächsten, die Zusammenarbeit mit Brecht umfassenden Abschnitt, verließ Weill dagegen abrupt die religiöse Orientierung und setzte an deren Stelle erotische und gesellschaftliche Interessen. Neue Bedeutung erhielt die Religion in einer Phase, die 1931 mit der oratorisch angelegten Oper *Die Bürgschaft* sowie dem ebenfalls ganz von Männern beherrschten Bühnenwerk *Der Silbersee* (1932) begann und 1934/35 in dem biblischen Drama *Der Weg der Verheißung* nach Franz Werfel kulminierte.

Weills vorübergehende Abkehr von der Religion und damit seine Annäherung an die Positionen Brechts bekam durch die Schauspielerin und Tänzerin Lotte Lenya, der er im Sommer 1924 bei Georg Kaiser begegnet war, starken Auftrieb. Lotte Lenya bedeutete für den jungen, schüchtern wirkenden Komponisten eine neue Welt: die Begegnung mit den Unterhaltungskünsten der Großstadt, mit Atheismus und proletarischer Herkunft. Lotte Lenya war für Weill die Verkörperung des »neuen Menschen«, der ihm seit der Novemberrevolution vorschwebte. In seinem einzigen Studiensemester an der Berliner Musikhochschule war Weill im Dezember 1918, also unmittelbar nach Ausrufung der Republik, zum Vorsitzenden des revolutionären Studentenrats ernannt worden.[5] Aus dieser Zeit war ihm die Forderung nach einem »Neuen Menschen« geblieben, wie sie ähnlich vage auch von den Expressionisten vertreten wurde. Das Bechersche Motto seiner ersten Symphonie belegt, wo Weill das Potential für den »neuen Menschen« sah: bei Arbeitern, Soldaten und Bauern.

Zu seiner reichen Cousine Nelly Franck, in die Weill zuvor unglücklich verliebt gewesen war – ihr widmete er seinen »Frauentanz«[6] –, war die Arbeitertochter Lotte Lenya ein großer Gegensatz. 1898 war sie als Karoline Blamauer in einfachsten Wiener Verhältnissen geboren worden; schon im Alter von sechs Jahren mußte sie als Akrobatin und Seiltänzerin in einem Zirkus arbeiten. Aber auch in ihrer nichtjüdischen Herkunft und in ihrem ganzen Wesen unterschied sie sich von Weill. Sie war eine unkompliziert-agile Tänzerin, er dagegen ein junger Mann, der nicht wie ein Künstler, sondern wie ein Beamter oder Theologe wirkte: etwas steif, unbeholfen und streng, keineswegs lebhaft, sondern still. Später erinnerte sich Lotte Lenya an die erste Begegnung mit dem äußerlich eher unscheinbaren Mann: »Da stand er, einsneunundfünfzig groß – also zweieinhalb Zentimeter größer als ich – mit bereits schütterem Haar und dikken, dicken Brillengläsern. Das war mein erster Eindruck von Kurt Weill.«[7] Hans W. Heinsheimer, der Leiter der Opernabteilung der Universal Edition Wien, Weills Musikverlag, hat den Komponisten so beschrieben: »Ein kleiner junger Mann, der mit wachen, feurigen Augen hinter einer dicken Gelehrtenbrille in die Welt sah, ruhig, bedachtsam und immer mit leiser Stimme sprechend, dessen Kleidung im quirligen Berlin des Jahres 1923 eher für einen Doktoranden der Theologie passend gewesen wäre als für einen Komponisten, und der mit der geistesabwesenden Konzentration eines Mathematikprofessors an einer herkömmlichen Tabakspfeife saugte.«[8]

Gegen den ausdrücklichen Willen von Weills frommen Eltern, die die Verbindung mit einer Nichtjüdin nicht billigen wollten, fand im Januar 1926 die Hochzeit statt. Lotte Lenya konnte zwar keine Noten lesen und sich so nicht um Weills Werke kümmern – der Komponist kommentierte dies ironisch: »Das ist einer ihrer größten Vorzüge« –, jedoch war ihr tatsächlicher Einfluß auf ihren Mann bedeutend. Immerhin bildeten von nun an nicht mehr religiöse Werke das Zentrum seines Schaffens, sondern Bühnenwerke, in denen er sich oft an Tanz- und Unterhaltungsmusik anlehnte.

Nach dieser Vorgeschichte ist es nur konsequent, daß sich die Zusammenarbeit von Brecht und Weill gerade an der *Hauspostille* entzündete, daß gerade dieses Büchlein mit seiner erotischen Deutlichkeit und der respektlosen Parodierung geistlicher Vorbilder für Weill zum Urerlebnis wurde. Hier fand er außerdem endlich jene einfache, massenwirksame und bildkräftige Sprache, die er schon lange gesucht hatte, zuerst im expressionistischen Pathos Johannes R. Bechers, dann bei Georg Kaiser und dem expressionistischen Lyriker Iwan Goll und zuletzt ab 1926 bei Felix Joachimson, einem damals bekannten Textautor von Kabarettchansons. Die literarische Qualität, die Joachimson fehlte, besaß Brecht.

Nicht nur in seinen Texten, sondern auch in der musikalischen Sprache hatte Weill mehr und mehr die Verbindung mit populären Idiomen gesucht. Der Einakter *Der Protagonist,* den er 1925 zusammen mit Georg Kaiser schuf, war noch atonal und musikalisch kompliziert gewesen. Aber schon im gleichen Jahr fand er in zwei Werken nach Texten von Iwan Goll, in der Kantate *Der neue Orpheus* und dem Operneinakter *Royal Palace,* zu größerer Einfachheit und Eingängigkeit. *Royal Palace* war eine Ballett-Oper, in der Weill erstmalig Jazzelemente und Modetänze, vor allem den Tango, verwendete. Die Tänze waren hier zwar noch ein »Spezialeffekt«, jedoch gingen ihre Stilelemente allmählich auch in Weills allgemeine Musiksprache über. Im März 1926, zwei Monate nach der Hochzeit mit der Tänzerin Lotte Lenya, legte er in der Zeitschrift »Der deutsche Rundfunk« ein Bekenntnis zur Tanzmusik ab.[9] Sie gehöre zu den wenigen Dingen, die den Großstadtmenschen über den Alltag hinwegzuheben vermögen. Vor allem der Jazz biete die Chance, sich vom musikalischen Personalstil zu einem allgemeinverständlichen musikalischen Zeitstil zu entwickeln. »Der Rhythmus unserer Zeit ist der Jazz. Die Amerikanisierung unseres ganzen äußeren Lebens, die sich langsam aber sicher vollzieht, findet hier ihren merkwürdigsten Niederschlag. Die Tanzmusik gibt ja nicht – wie die Kunstmusik – die Empfindung überragender Persönlichkeiten wieder, die über der Zeit stehen, sondern sie spiegelt den Instinkt der Masse. Und ein Blick in die Tanzsäle aller Kontinente beweist, daß der Jazz genauso der äußerliche Ausdruck unserer Zeit ist wie der Walzer der des ausgehenden 19. Jahrhunderts.« Mit echter Bewunderung schrieb Weill über diese Musik: »Die Negermusik, die den Ursprung der Jazzband bildet, ist voll einer Kompliziertheit des Rhythmus, von einer harmonischen Sorgfalt, von einem klanglichen und modulatorischen Reichtum, wie ihn die meisten unserer Tanzkapellen einfach nicht aufbringen können.« Der Jazz beeinflußte Weills Kompositionsweise. An die Stelle des vorher atonalen, linear-polyphonen Stils trat ein tonaler, akkordisch-homophoner Musikstil. Rückblickend mußte er 1929 anerkennen, »daß an der rhythmischen, harmonischen und formalen Auflockerung, die wir heute erreicht haben, und vor allem an der ständig wachsenden Einfachheit und Verständlichkeit unserer Musik der Jazz einen wesentlichen Anteil hatte.«[10]

Mit der Hinwendung zu musikalischer Einfachheit machte sich nachträglich der Einfluß Busonis bemerkbar. In den ersten beiden Jahren seiner Lehrzeit wäre Weill eine Annäherung an die Bereiche Kabarett, Revue und Jazz noch undenkbar gewesen. Auch die Musik Igor Strawinskys, die er später als verwandt empfand, erschien ihm zunächst als fremd; als ihm 1922 sein neuer Harmonielehreschüler Maurice Abravanel Taschenpartituren der Ballette *Feuervogel, Petruschka* und *Sacre du Printemps* zeigte, warf Weill nur einen kurzen Blick darauf und meinte dann, mit solchem »Dreck« wolle er seine Zeit nicht vergeuden.[11] Einen Einschnitt bedeutete es, als ihn sein Lehrer Busoni im August 1923 nach Weimar mitnahm, wo der Dirigent Hermann Scherchen aus Anlaß der Bauhaus-Woche Strawinskys *Geschichte vom Soldaten* aufführte; Weill war davon beeindruckt. Dieses kammermusikalisch besetzte Werk, das Strawinsky 1918 zusammen mit dem Dichter Alfred Ramuz für eine Wandertheatertruppe geschaffen hatte, war in der Einfachheit seiner Mittel, in der Einbeziehung von Tango, Walzer, Ragtime und Chorälen, in der undramatischen Einteilung der Handlung in kurze Nummern, in der sichtbaren Aufstellung der vor allem aus Blasinstrumenten bestehenden kleinen Kapelle auf der Bühne sowie im Nebeneinander von Musik, Vorlesen, Pantomime und Tanz ein Vorläufer des epischen Stils im »Mahagonny«-Songspiel.

Weills Mitschüler Wladimir Vogel vermutet, daß Louis T. Gruenberg, der ebenfalls bei Busoni studierte, von Einfluß war für Weills Annäherung an Jazz und Song.[12] Gruenberg hatte in seinen Kompositionen mit Busonis Billigung amerikanische Songs verwendet; besonders bekannt wurde in den zwanziger Jahren sein Stück »The Daniel Jazz« für Singstimme und acht Instrumente. Im Dezember 1923 endlich erlebte Weill als weitere »Vorform« eines epischen Musiktheaters in Dresden Busonis *Arlecchino,* eine in der Tradition der Commedia dell'arte stehende witzige Satire auf den Krieg, aber auch auf selbstgenügsame Kunst und speziell die Oper. So stellte Busoni in seinem Libretto der Titelfigur einen aus altem Adel stammenden Tenor namens Leandro gegenüber; jedoch nicht Leandro mit seinen aufgeplusterten Arien, sondern die Sprechrolle des Arlecchino geht zum Schluß als Sieger hervor: er erringt die Gunst einer von beiden begehrten Frau.

Welche schöpferischen Anregungen die *Geschichte vom Soldaten* sowie des *Arlecchino* ab 1923 für Weill bedeuteten, ist aus seinen folgenden Werken abzulesen. Schon im *Protagonist,* der inhaltlich mit Busonis Werk verwandt ist, wird ein Orchester sichtbar auf der Bühne plaziert. Alle diese Tendenzen zielten auf die Zusammenarbeit mit Brecht hin.

Es ist denkbar, daß Weill den Dichter schon vor 1927 kennengelernt hat, so etwa am 11. Mai 1925 bei einem Abend der »Novembergruppe«, bei dem Brecht neben den Autoren Carl Zuckmayer und Martin Kessel, den Komponisten Heinz Tiessen und Philipp Jarnach sowie dem Havemann-Quartett mitwirkte. Weill hatte sich schon 1920 der »Novembergruppe«

angeschlossen, zu deren Musikabteilung die Busoni-Schüler Jarnach und Vogel gehörten.[13] Viele der Abende der »Novembergruppe«, so auch das Programm vom Mai 1925, bei dem Brecht seine Ballade »Mazeppa« und die Geschichte »Die höflichen Chinesen« las, wurden vom Berliner Rundfunk übertragen. Diesem Sender war Weill seit 1925, seit er zum Chefkritiker und Berliner Korrespondenten der Wochenzeitschrift »Der deutsche Rundfunk« ernannt worden war, eng verbunden.

So entging ihm auch nicht die Hörspielfassung von Brechts Lustspiel *Mann ist Mann,* die am 27. März 1927 ausgestrahlt wurde; beteiligt war an dieser Produktion neben den Schauspielern Ernst Legal, Helene Weigel und Erwin Faber auch Brecht selbst, der den »Mann ist Mann«-Song[14] in der Fassung Edmund Meisels, des Hauskomponisten von Erwin Piscator, sang. Weills enthusiastische Rezension, aus der sein literarisches Interesse und sein Einsatz für eine Opernreform deutlich hervorgeht, nennt *Mann ist Mann* das »vielleicht neuartigste und stärkste Theaterstück unserer Zeit« und zählt die Rundfunkinszenierung zu den wichtigsten Leistungen des Berliner Senders. »Ein Dichter, ein wirklicher Dichter, hat mit kühnem Griff und mit wundervoller Einfühlungskraft einen wesentlichen Teil aller Sendespielfragen seiner Lösung entgegengeführt. Alle Teile dieses Rundfunkkunstwerks: die Einzeldarstellungen, die akustischen Abstufungen, die musikalischen und geräuschmäßigen Illustrationen, die Einordnung erklärender Zwischenrufe, die Steigerungen in Tempo und Dynamik – alles war Ergebnis einer dichterischen Vision, Teil einer Gesamtform, die, aus den Erfordernissen des Senderaums geschaffen, anschaulichstes Rundfunktheater schuf.«[15]

Nicht der Inhalt des Stücks war für Weill interessant, sondern seine neue epische Form, deren Verwandtschaft zu Jahrmarkt und Kino er richtig erkannte. Es kündige sich damit »ein neuer Typ dramatischer Produktion an, der als Niederschlag eines neuen Menschentyps Bedeutung gewinnt«. In der Hörfunkproduktion von Brechts *Mann ist Mann* hatte Weill endlich ein Modell für eine neue Kunst für den »neuen Menschen« gefunden.

Das Erlebnis dieser Radioproduktion traf auch deshalb auf so fruchtbaren Boden, weil sich Weill zur selben Zeit unter Schwierigkeiten mit Projekten für das Deutsche Kammermusikfest 1927 in Baden-Baden beschäftigte. Die Festspielleitung hatte ihm den Auftrag erteilt, einen Einakter zu schreiben. Wie Weill aber am 23. März seinem Verlag mitteilte, hatte er nach der Ablehnung seines Musiktheaterwerks »Na und?« die Lust an diesem Genre verloren und wollte statt dessen eine kurze Gesangsszene nach einer klassischen Tragödie wie King Lear oder Antigone komponieren. Ganz wohl war ihm anscheinend auch bei seiner neuen Idee nicht. Außerdem versuchte ihn Heinrich Burkard, einer der künstlerischen Leiter der Baden-Badener Musiktage, zur Rückkehr zum ursprünglichen Einakterplan zu bewegen. In dieser Konfliktsituation tauchte mit der Radioauffüh-

Mit Lotte Lenya und Kurt Weill, 1928.
(Quelle: Brecht-Erben, Berlin)

rung von *Mann ist Mann* der Dichter Bertolt Brecht wie ein rettender
Deus ex machina auf. Könnte nicht Brecht den Text zu einem Einakter
schreiben?
Rasch nahm Weill Kontakt zu dem Dichter auf, mit dem er wenig später
im Künstlerlokal Schlichter in der Martin-Luther-Straße zusammentraf
und über Opernmöglichkeiten diskutierte. Dabei wurde auch das Wort
»Mahagonny« und die Vorstellung von einer Paradiesstadt in die Debatte
geworfen. Weill war sofort begeistert, als Brecht seinen Opernplan entwickelte. Wie der Komponist später berichtete, fand »im März 1927 eine
Unterredung zwischen Brecht und Weill statt, in deren Verlauf Brecht einen ausführlichen Plan einer Oper entwarf, der bereits die wesentlichsten
Elemente der (Mahagonny-)Oper enthielt. Zu dieser Zeit lagen bereits
Skizzen und Szenenentwürfe zu einem Stück ›Auf nach Mahagonny‹
vor.«[16] Erst einen Monat später jedoch entstand die Idee, das Opernprojekt zu einem Songspiel zu komprimieren, »als eine Vorstudie zu dem
Opernwerk«.[17] Am 1. Mai berichtete Weill an seinen Verlag, er habe seine
Absichten bezüglich Baden-Baden erneut geändert: »Ich habe plötzlichst
einen sehr schönen Einfall gehabt, an dessen Ausführung ich jetzt arbeite.
Titel: ›Mahagonny‹, ein Songspiel nach Texten von Brecht.«[18] Ein Ersatz
für den ursprünglich geplanten Einakter war gefunden, die Zusammenarbeit Brecht-Weill hatte begonnen.

Das Wort »Mahagonny« bedeutete für Brecht zunächst Spießers Utopia, eine Mischung von Anarchie, Alkohol und Faschismus; diffus trat sein ursprünglich positives Amerika-Bild hinzu. Mehr und mehr füllte sich das Wort mit negativen Anklängen und wurde die Kleinbürger- und Faschismuskritik ergänzt durch Reflexionen über die Vergänglichkeit der kapitalistischen Gesellschaft. Bekannt ist, daß Brecht 1926 bei der Vorbereitung seines Stückes *Joe Fleischhacker* über die Weizenbörse von Chicago auf die Schriften von Karl Marx, vor allem auf *Das Kapital* stieß. Damit verblaßte für ihn allmählich der Glanz Amerikas und tauchte als Gegenbild mehr und mehr die Sowjetunion auf. Zweifel am unaufhaltsamen Fortschritt in den USA hatten schon vorher eingesetzt. Ein Tornado, der im März 1925 südlich von Chicago wütete, trug zu solchen Reflexionen bei. In Brechts Nachlaß befinden sich zahlreiche Ausschnitte aus Berliner Zeitungen mit Schlagzeilen wie »Furchtbare Sturmkatastrophe in Amerika: 1500 Tote, 2500 Verletzte.«[19] Weitere Tagesereignisse gingen in den Mahagonny-Komplex ein. Als im Sommer 1926 der amerikanische Bundesstaat Florida von einem Hurrikan heimgesucht wurde, legte sich Brecht eine Mappe an mit dem Titel »Der Untergang der Paradiesstadt Miami«. Einzelne Zeitungsausschnitte zeigen Skizzen über den Weg des Hurrikans in Richtung auf Miami; der Zusammenhang zum Opern-Mahagonny ist unübersehbar. In einer tagebuchartigen Dokumentation ist detailliert der Ablauf der Miami-Stürme dargestellt.[20] In einem Leitartikel »Florida«[21], in dem das Land als ein durch Grundstücksspekulation gekennzeichnetes Vergnügungsparadies charakterisiert wird und wo auch, wie später in der Oper, der Städtename Pensacola fällt, strich sich Brecht folgende Passage an: »Es ist ein tragisch-ironisches Schicksal, das dieses paradiesische Land mit dem poetischen Namen getroffen hat. Das blühende, das blumenreiche Land – ›Florida‹.«[22] Aus Brechts Nachlaß geht seine Absicht hervor, die aktuellen Ereignisse in Amerika zu verallgemeinern, sie nicht nur in antike[23], sondern auch in biblische Zusammenhänge zu bringen. In der gleichen Mappe finden sich Entwürfe zu zwei größeren Projekten, die unmittelbar miteinander zusammenhängen: zu einem Hörspiel »Die Sintflut« und zu einer Oper in vier Akten »Mann aus Manhattan«, die ursprünglich den Titel trug »Sodom und Gomorrha«. Für die Oper liegen mehrere Arien und Ensembleszenen vor.[24] Alle diese verschiedenen Ideen flossen später ein in die Oper *Aufstieg und Fall der Stadt Mahagonny;* verkürzt existieren sie bereits im »Mahagonny«-Songspiel.

Nach dem Zeugnis Kurt Weills legte Brecht ihm im März 1927 eine Opernskizze mit dem Titel »Auf nach Mahagonny« vor. Tatsächlich existiert im Brecht-Archiv ein gleichnamiger, zwei Textseiten umfassender Entwurf.[25] Die erste Szene darin spielt in einem »erstklassigen Etablissement« mit Jazzband und roter Beleuchtung, wo eine Schönheit namens Irma sich pudert und im Stil einer Kabarettdiva einen Schlager parodiert. Die Elemente von Kabarett und Schlagerparodie waren damit schon vorgegeben. Eine weitere »1. Skizze zu Mahagonny«, die dem Handlungsablauf der Oper schon näherkommt, wurde 1957 im Darmstädter »Neuen Forum« veröffentlicht:

»1. In unserer Zeit gibt es in den großen Städten viele, denen es nicht mehr gefällt.

2. Macht euch also auf nach Mahagonny, der Goldstadt, die fern vom Verkehr der Welt an der Küste des Trostes liegt!

3. Hier in Mahagonny ist das Leben schön.

4. Aber sogar in Mahagonny gibt es Stunden des Ekels, der Hilflosigkeit und der Verzweiflung.

5. Hier hört man die Männer von Mahagonny antworten auf die Fragen Gottes, warum sie so sündhaft leben.

6. Vor euren Augen fällt das schöne Mahagonny in nichts zusammen.«[26]

Brecht verknüpfte sein Traumbild von Amerika, das er mit vielen Intellektuellen der zwanziger Jahre teilte, mit einer aus aktuellen und biblischen Quellen gespeisten Untergangsvision, der Vorstellung von der Zerstörung einer Stadt oder einer Kultur durch eine Naturkatastrophe. Optimismus und Pessimismus verschränken sich widersprüchlich. Sowohl gegenüber dem kapitalistischen System wie auch gegenüber Amerika zeigte er 1927 noch eine ambivalente Haltung. Am rauhbeinigen Egoismus der Mahagonny-Männer sollte das Publikum »naiv seinen Spaß« haben; auch Brecht selbst, in dem immer noch ein Rest Baalschen Glücksverlangens steckte, war davon fasziniert. Systematische soziologische Studien hatte er damals noch nicht getrieben; die Lektüre des Marxschen *Kapitals,* die er im Sommer 1926 begonnen hatte, wirkte sich 1927 auf sein Schaffen noch nicht erkennbar aus. Vermutlich beruhte gerade auch auf dieser Ambivalenz, die ein Kurt Tucholsky in der »Weltbühne« als »flau«, als »stilisiertes Bayern« kritisierte, die Wirksamkeit des Songspiels. Mehr als stilisiertes Bayern ist Mahagonny allerdings doch wohl stilisiertes Berlin – Berlin, wie es sich in seinen Vergnügungsvierteln zwischen Friedrichstraße und Kurfürstendamm in den zwanziger Jahren darbot, gesehen durch die Brille eines aus der Provinz Zugereisten, der in dieser Metropole, in diesem Asphaltdschungel, Züge von Chicago, New York und Miami entdeckte.

Nachdem Brecht auf der Grundlage der fünf Mahagonny-Gesänge aus der *Hauspostille* für das Songspiel ein geschlossenes Szenarium angefertigt hatte, ging auch Weills Arbeit rasch voran.[27] Die Zeit drängte, da im Juli 1927 die Uraufführung stattfinden sollte. Schon am 18. Mai schickte Weill den ersten Teil der Partitur nach Wien und bat den Verlag um die sofortige Anfertigung eines Klavierauszuges und um den Separatdruck des

Textbuches, da ja »das Stück als Einlage in Revuen usw. sehr gute Auswertungsmöglichkeiten« biete; tatsächlich legte die Universal Edition beides zur Uraufführung vor. Ebenfalls noch im Mai kündigte Weill ein als Hoheslied der Arbeit geplantes »Ruhrepos« an. Für dieses Auftragswerk der Stadt Essen hatte er zunächst Felix Joachimson als Mitarbeiter genannt; nun wechselte er zu Brecht über.[28]

Der Handlungsverlauf des Songspiels ergibt sich aus den fünf Mahagonny-Gesängen der *Hauspostille*. Die solistischen Strophenlieder wurden zu durchkomponierten, von dissonanten Orchesterzwischenspielen eingerahmten Ensembleszenen. Musik, Bildprojektionen und Regie beleuchten das in der *Hauspostille* noch durchweg positiv gemeinte Genußstreben der Männer nun kritisch. Die drei Hauptteile des Songspiels handeln von Aufstieg, Fall und Revolution:

I. Teil: PROLOG
    1. Chor: »Auf nach Mahagonny« (Allegro non troppo)
       Orchester: Kleiner Marsch (Poco meno)
    2. Duett »Alabama Song« (Moderato)

II. Teil: DAS LEBEN IN MAHAGONNY
    3. Orchester: Vivace
       Chor: »Wer in Mahagonny blieb« (Allegro un poco moderato)
       Orchester: Vivace assai
    4. Chor: »Benares Song« (Moderato assai)
       Orchester: Choral (Sostenuto)
    5. Chor: »Gott in Mahagonny« (Lento)
       Orchester: Furioso

III. Teil: FINALE
    6. Chor: »Dieses ganze Mahagonny« (Largo – Allegro moderato)

Zu Beginn überquert ein Mann die Bühne und schießt wie in Wildwestfilmen oder Sportveranstaltungen mit einem Revolver in die Luft. Dies ist das Signal für den Einsatz der Musik. Außerdem kommen vier Männer, Charlie, Billy, Bobby und Jimmy, uniform mit smokingartigen Anzügen, breiten Schultern, weiten Hosen und kleinen steifen Hüten gekleidet – ähnlich wie Neher Brechts Gentleman-Ideal in seiner Zeichnung vom »Feuer-Wasser-Mensch« dargestellt hat –, und singen von der Traumstadt Mahagonny, in die sie reisen wollen. Sie intonieren einzeln jeweils Fragmente der Strophen, bevor sie gemeinsam in den Refrain »Schöner grüner Mond von Alabama« einfallen. Weill persifliert damit den bekannten deutschromantischen Opernchor »Wir winden dir den Jungfernkranz« aus Carl Maria von Webers *Freischütz*. Die Persiflage geschieht durch grelle Blechbläser-Instrumentation und den Kontrast der Szenerie: Bei

Brecht-Weill wird der Chor nicht von Brautjungfern gesungen, sondern von vier vergnügungssüchtigen Männern.

Bei Weber lautete der Refrain:

Schö - ner   grü - ner,   schö - ner grü-ner Jung - fern - kranz

Bei Weill:

Schö - ner,   grü - ner   Mond von A - la - ba - ma,   leuch - te   uns

Rhythmus und melodischer Umriß des Jungfernkranzrefrains wurden von Weill beibehalten, die Akkorde aber durch Dissonanzen drastisch geschärft. Die bei Weber noch besungene Jungfräulichkeit wird damit als überholt abgetan.

Auch das Requisit des Mondes von Alabama repräsentiert romantische Illusionen, Illusionen allerdings, die die Männer noch für sich gelten lassen. Caspar Neher, der schon von Anfang an in die Arbeit am Songspiel einbezogen wurde und die Projektionen besorgte, ließ hier, wie schon in *Trommeln in der Nacht,* auf der Hintergrund-Leinwand langsam einen grünen Mond aufgehen, der beim Song »Oh Moon of Alabama« hell aufleuchtete und erst mit dem abschließenden Satz »Mahagonny ist nur ein erfundenes Wort« versank. Der grüne Mond verkörpert die Illusion von einer Paradiesstadt, ähnlich den Zigarettenreklamen, durch die er in neueren Inszenierungen ergänzt wurde.[29]

Während sich der Eröffnungschor nur textlich auf die *Hauspostille* bezieht, lehnte sich Weill bei dem folgenden *Alabama-Song* (Nr. 2) auch musikalisch eng an die dort abgedruckte Melodievorlage an. Wie er später erklärte, habe er den Brechtschen Gestus übernehmen wollen. Schon Brechts beziehungsweise Bruiniers »Hauspostillen«-Melodievorlage war primär am rhythmischen Sprechen orientiert; ihre unscheinbare Kleinterzstruktur und die rhythmische Kurzgliedrigkeit hob den Text gegenüber der Melodik in den Vordergrund:

Oh   show us   the way to - the   next whis-ky-bar.   Oh,   don't ask why.

Weill unterstrich dies durch die Trennung von Melodie und Text. Die Melodie legte er in die Klarinette und notierte den Vokalpart als Sprechgesang: (Notenbeispiel siehe nächste Seite oben.)

Die Kleinterzmelodik behielt er bei, verfremdete die Melodie aber durch Gleichzeitigkeit von C-Dur und a-moll.[30] Diese Art der Verfremdung ei-

Oh, show us   the way   to the   next   whis-ky - bar.

ner harmonisch und rhythmisch-metrisch simplen Struktur ist für das ganze Songspiel charakteristisch. Schon in den ersten Takten des Prologs (»Auf nach Mahagonny«) waren Bitonalität und Kleinsekundrückungen, die für Weill so typisch sind[31], zu beobachten. Für die von Weill geschätzte gefühlsmäßige Ambivalenz ist nicht nur das Übereinander, sondern auch das Nacheinander von Moll und Dur verantwortlich. Grundsätzlich ist das Dur eher den illusionär »romantischen« Texten (meist in den Refrains) vorbehalten, das Moll dagegen den realistischeren Strophen. Beim Alabama-Song wird der Kontrast zwischen Strophe und Refrain musikalisch besonders auffällig; im Gegensatz zur hektischen, kurzatmigen Mollstrophe schwingt sich der berühmte Refrain in einer weiten Dur-Melodie aus. Schon im Notenanhang zur *Hauspostille* war dieser Kontrast zwischen Strophe und Refrain angelegt; Brecht hatte hier dem Refrain melodische Dur-Expressivität und dem Wort »Moon« einen besonderen Akzent gegeben:

Oh   moon___ of A - la - ba - ma   we   must ___ now say good - bye

In seinem berühmten »Alabama-Song«, dem chronologisch wohl frühesten Brecht-Weill-Song, knüpfte Weill eng an diese Vorlage an. Er griff die Brechtschen Intentionen auf und verstärkte sie, indem er die enge Terzenstruktur zu einem großen Melodiebogen in langen Notenwerten ausweitete:

Oh   moon___ of A - la - ba - ma,   we   now___ must say good - bye

Der weitschwingenden Melodik ist ein konstant durchgehaltener Begleitrhythmus über einem G-Orgelpunkt unterlegt, der dem Refrain eine rauschhafte Wirkung verleiht. Kulinarisch war ja schon die Grundhaltung der Mahagonny-Gesänge in der *Hauspostille* (»das Richtige für die Stunden des Reichtums, das Bewußtsein des Fleisches und die Anmaßung«).[32]

Der zweite Teil des Songspiels zeigt, wie der Aufstieg der Paradiesstadt sich in ihren Fall verwandelt. Während eines schnellen, atonalen Orchestervorspiels, das kapitalistische Anarchie charakterisieren soll, schlendern die vier Männer auf die Bühne und verhalten sich wie der »Arme B.B.« in Brechts gleichnamigem Gedicht: Sie rauchen, kauen Tabak, trinken

Schnaps, legen die Beine auf den Tisch, fühlen sich als Subjekte. Daß sie eigentlich nur die Objekte, die Opfer, sind, geht aus dem Bühnenbild hervor. Schon während des Alabama-Songs wurde eine Bildprojektion mit dem Titel »Die Haifische« gezeigt; auf ihr sah man zwei Frauen, die Männer fressen. Der Inhalt des »Baal«-Stücks, wo ein Mann hemmungslos Frauen konsumiert, wird unter gesellschaftskritischen Vorzeichen umgekehrt. Die folgende Klage der Männer über die zu hohen Lebenshaltungskosten in Mahagonny[33], die textlich, aber nicht musikalisch der Hauspostillen-Vorlage entspricht, endet mit einem mit geschlossenem Mund gesummten A-cappella-Chor im typisch amerikanischen close-harmony-Stil, einer Art »drohender Lyrik«, wie es im Regie-Buch heißt. Das Glücksverlangen der Männer hat sich in Aggressivität verwandelt, die allerdings noch nicht offen zum Ausbruch kommt.

In einem Orchesterzwischenspiel verlangsamt sich die schnelle und energische Bewegung allmählich zu resignativem Stillstand. Die Posaune wiederholt dabei ein Viertonmotiv, das im folgenden Song die Worte trägt: »Where shall we go?«. In diesem *Benares-Song*[34] singen Männer und Frauen zunächst gemeinsam von einer Alternative zu Mahagonny; für diese Traumstadt steht als Symbol nicht mehr der Mond, sondern die Sonne. Wieder wird der Kontrast zwischen Wirklichkeit und Traum musikalisch durch den Gegensatz zwischen kurzatmigem Sprechgesangsstil der Strophen und weitgeschwungenen Melodiebögen des Refrains umgesetzt. Daß der Traum von Benares noch illusionärer ist als die vorigen Träume, geht aus der sentimentalen Terzenseligkeit und dem bewußt kitschigen Septsprung hinauf zur Sonne hervor:

Let's go, let's go to Be - na - res, to Be - na - res where the sun is shi - ning

Wie ein Schock trifft die Leute von Mahagonny die Meldung von der Zerstörung der Stadt Benares durch ein Erdbeben. Düstere Resignation und Ratlosigkeit breiten sich aus:

Where shall we go?

Das folgende Spiel im Spiel, in dem sich Jimmy als »Gott in Mahagonny«, als gottähnlich gewordener Kapitalist, verkleidet, trägt durch szenisch-musikalische Archaik Züge eines mittelalterlichen Totentanzes. Weill erreichte die archaische Wirkung durch harmonisch sehr einfache homophone Chorsätze und eine psalmodierende Melodik, die der Brecht-Bruinierschen Vorlage in der *Hauspostille*[35] ähnelt. In diesem Spiel ist an die Stelle der Zweiteilung von Strophe und Refrain eine den beteiligten Gruppen entsprechende Dreiteilung – »Gott«-Jimmy, die angeklagten Männer, die kommentierenden Frauen – getreten. Zu allem, was »Gott« ihnen vorwirft, sagen die Männer Ja und Amen – bis er sie zur Hölle schickt; da erkennen sie plötzlich, daß sie längst schon in der Hölle waren. Aus dieser Erkenntnis heraus beginnen sie einen Streik, eine Rebellion gegen die Einheit von Gott und Kapitalist. In einer instrumentalen Aktionsmusik ist in den Posaunen die »Internationale«, das Kampflied des internationalen Proletariats, zu hören. Sie ist durch zeilenweise Transposition verfremdet:

Während dieser Musik, dem absoluten Gegenpol zur Ratlosigkeit des »Where shall we go?«, wird die Projektion »Revolution in Mahagonny« gezeigt. Es ist freilich nur eine Scheinrevolution. Denn im Finale, einem trauermarschähnlichen Aufzug im Largozeitmaß, demonstrieren die Bürger von Mahagonny »Für das schrankenlose Leben«, »Für das Geld«, »Für die gerechte Verteilung der überirdischen Güter« – und lassen damit erkennen, daß sie keinen brauchbaren Weg aus dem Chaos gefunden haben. Brecht und Weill geben im Songspiel trotz des Internationale-Zitats nur eine nihilistische Antwort auf die Anarchie der Gesellschaft. Auch für sie gab es zu diesem Zeitpunkt noch »nichts, woran man sich halten kann«. Höhepunkt der Desillusionierung sind die Schlußworte, die Bessie direkt ins Publikum hineinspricht: »Denn Mahagonny, das gibt es nicht, denn Mahagonny, das ist kein Ort, denn Mahagonny ist nur ein erfundenes Wort.«[36] Da die Kunstrealität sonst immer fiktiven Charakter besitzt, bewirkt diese explizite Erklärung das Gegenteil: Es wird deutlich, wie realistisch doch die Mahagonny-Welt ist.

Uraufführung in Baden-Baden

Im September 1920 war Brecht schon einmal in Baden-Baden gewesen, als Gast eines Münchner Studienfreundes, des späteren Film- und Musikkritikers Frank Warschauer (1892–1940). Warschauer »schenkte mir sein Baden, befreundete mich mit dieser mondänen Landschaft und verleibte mir Baumdüfte, Robenknistern, jede Art leiser Musik ein.«[37] Jetzt kam Brecht mit einer weniger lyrischen Haltung.
Die Deutsche Kammermusik Baden-Baden 1927 löste die Kammermu-

Schlußbild bei der Aufführung des Mahagonny-Songspiels in Baden-Baden 1927. Rechts Brecht mit einem Schild »Für Weill!«
(Quelle: Bertolt Brecht-Erben, Berlin)

siktage ab, die von 1921 bis 1926 jährlich in der kleinen Residenzstadt Donaueschingen stattgefunden hatten. Der junge Fürstlich-Fürstenbergische Musikdirektor Heinrich Burkard und der Stuttgarter Musikdozent Joseph Haas hatten dieses Musikfest zur Förderung der zeitgenössischen Musik gegründet. 1923 war der Komponist Paul Hindemith dem künstlerischen Leitungsgremium beigetreten; er gab seitdem die entscheidenden Impulse bei der Programmplanung. Ihm ist es wesentlich zu verdanken, wenn die Neue Musik mehr und mehr ihre Esoterik durchbrach und sich angewandten Gattungen zuwandte. Es entstand damals nicht nur der Begriff der »Gebrauchsmusik«, sondern es zeigten sich auch, vor allem in den Spalten der Zeitschriften »Melos« und später »Musik und Gesellschaft«, die ersten Ansätze zur Musiksoziologie.

Paul Hindemith, ein glänzender Bratschist, galt in den zwanziger Jahren in Deutschland als führender Kopf der musikalischen Avantgarde, auch als Bürgerschreck. Mit Jazzanklängen, Parodien und Spielanweisungen wie »Wild. Tonschönheit ist Nebensache« (Bratschensonate op. 25 Nr. 1) oder »Nimm keine Rücksicht auf das, was Du in der Klavierstunde gelernt hast« (Klaviersuite 1922) schlug er der traditionellen Auffassung von der fast religiösen Bedeutung »hoher« Musik ins Gesicht. Auch seine Kritik am bürgerlichen Konzertleben ähnelte der Brechts. Schon in dem Vereinsprospekt einer »Gemeinschaft für Musik«, die er 1922 in Frankfurt gegründet hatte, hieß es: »Wir sind überzeugt, daß das Konzert in seiner heutigen Form eine Einrichtung ist, die bekämpft werden muß, und wollen versuchen, die fast schon verlorengegangene Gemeinschaft zwischen Ausführenden und Hörern wieder herzustellen.«[38] Die Verlegung der international beachteten Kammermusiktage von Donaueschingen[39] ausgerechnet nach Baden-Baden scheint auf den ersten Blick schlecht zu Hindemiths Bürgerschreckhaltung zu passen. Auf den zweiten Blick allerdings erweist sie sich, wie im folgenden dargestellt wird, als kulturpolitischer Schachzug.

Für 1927 war in Baden-Baden ein besonderes Ereignis geplant: Anläßlich des 100. Todestages von Ludwig van Beethoven sollte hier der Grundstein für einen schon seit 1910 projektierten »Tempel der Symphonie« gelegt werden.[40] Nach dem Wunsch der Initiatoren Gerhart Hauptmann und Richard Benz sollte Baden-Baden eine Art Bayreuth der Symphonie werden. Zur Verwirklichung eines Plans, den der Münchner Architekt Ernst Haiger entworfen hatte, war schon vor 1914 ein »Verein Symphoniehaus e. V.« gegründet worden. Das Baden-Badener Tempelprojekt gehört in eine ganze Reihe von lebensreformerischen Gesamtkunstwerk-Utopien, die nach der Jahrhundertwende in die Tempelpläne etwa von Alexander Skrjabin oder Fidus[41] einmündeten. Zu den wenigen ausgeführten Projekten gehört das Goetheanum, das Rudolf Steiner 1911 für die Aufführung von anthroposophischen Mysterien-Dramen forderte, sowie als späte Nachwirkung dieser meist zum Zentralbau neigenden Musiktempelprojekte die 1961 bis 1963 von Hans Scharoun erbaute Berliner Philharmonie. Anders als heute in der Berliner Philharmonie sollte im Baden-Badener »Tempel der Symphonie« nicht ein breites, sondern ein enges traditionelles Musikspektrum präsentiert werden. Da der Mitinitiator Richard Benz streng am Begriff eines Heiligtums festhielt, schloß er alle nach Schubert geschriebenen Symphonien aus; andernfalls »würde der Begriff eines Heiligtums, das doch nur einer heiligen Überlieferung geweiht sein kann, sofort in sich zusammenfallen; ganz abgesehen davon, daß unsere neueste Musik mit vollem Bewußtsein alle Geist- und Seelenwerte als antiquiert von der Gestaltung ausschließt und ihren rein profanen Willen mit wünschenswerter Offenheit verkündet.«[42]

Die Aktivitäten um die Gründung eines Tempels der Symphonie hatten im Beethoven-Jahr 1927 auch prominente auswärtige Besucher, darunter Gerhart Hauptmann, nach Baden-Baden gelockt. Es darf vermutet werden, daß Hindemith seine Kammermusiktage mit dem experimentellen Programm ganz bewußt gegen das musikalische »Priestertum« des Tempelplans stellen, daß er zwei Auffassungen von Musik miteinander in

Konkurrenz treten lassen wollte. Während im »Tempel der Symphonie« der Symphoniebegriff eingeengt wurde, weitete Hindemith bei den Kammermusiktagen den Begriff der Kammermusik aus. So gab es im Sommer 1927 neben der Uraufführung von Alban Bergs »Lyrischer Suite« in Baden-Baden auch Sonderprogramme, die der mechanischen Musik, der Filmmusik sowie Einaktern gewidmet waren. Aus diesem Anlaß hatte man Kompositionsaufträge vergeben, darunter auch den an Kurt Weill. Von bürgerlicher »Tempelkunst« war gerade das zusammen mit Brecht erarbeitete Werk so weit wie nur möglich entfernt.

Jede der vier am 17. Juli 1927 in Baden-Baden uraufgeführten Kurzopern trug eine andere Gattungsbezeichnung. Ernst Toch nannte seinen Beitrag ein Musikmärchen, Darius Milhaud seinen eine Opéra-minute, Paul Hindemith lieferte einen Sketch und Brecht/Weill das Songspiel. Der Begriff der Oper wurde von allen Komponisten bewußt vermieden. »Soviel Titel, soviel Artbenennungen!« schrieb der Kritiker des »Badeblattes der Stadt Baden-Baden«. »Allen gemeinsam ist der Wille, irgendwie von der alten Oper, die, wie allgemein zugegeben wird, sich leergelaufen hat, loszukommen. Allen gemeinsam ist die Kürze, deren Minimum Milhaud mit 8 Minuten, deren Maximum Toch mit etwa 40 Minuten erreicht.«[43] Das »Mahagonny«-Songspiel, das die lokalen Kritiker fälschlich als Singspiel bezeichneten, war mit etwa 35 Minuten eines der längeren Stücke.

Zwischen der frühbürgerlichen, spezifisch deutschen Gattung des Singspiels und dem Songspiel, das es bis dahin als Gattung nicht gegeben hatte, besteht nicht nur Namensähnlichkeit; auch das Singspiel ist ein Theaterstück mit volkstümlichen musikalischen Einlagen. Als ein weiterer mittelbarer Vorläufer des Songspiels kann das Liederspiel gelten, in dem gesprochene Dialoge mit schlichten Liedern abwechseln. Johann Friedrich Reichardt, sein Schöpfer, wollte damit um 1800 den virtuosen Auswüchsen der Oper entgegentreten. Nicht zuletzt sollte damit das Publikum aus seiner bloß rezeptiven Haltung gelöst und zum eigenen Gesang ermutigt werden.[44] Reichardt betrachtete das Liederspiel mit seinen volkstümlich-schlichten Melodien als deutsches Gegenstück zum französischen Vaudeville, das ihm nicht auf Deutschland übertragbar schien, da dort beim breiten Publikum der Sinn für Witz und Satire fehle. Er nannte auch einen musikalischen Grund: »Solche Melodien, wie die meisten französischen Vaudeville-Melodien, die oft sehr wenig von eigentlicher Musik an sich haben und die auch dergestalt vorgetragen werden, daß die Verse weit mehr gesprochen als gesungen und die Einschnitte und Ruhepunkte vom Sänger jeder noch so abweichenden Strophe gemäß, der Melodie oft ganz entgegen genommen werden, dies würde deutschen Ohren, die an eine gute melodische, rhythmische und harmonische Folge und an faßliche musikalische Perioden in der Melodie gewöhnt sind, wenig genügen.«[45] Reichardt sollte zunächst recht behalten; im ganzen 19. Jahrhundert hatten es in Deutschland nicht nur die Satiren und ironisch-witzigen Opern, auch die Offenbachs und Lortzings schwer. Im Jahre 1927 hatte sich das aber geändert.

Das »Mahagonny«-Songspiel ist in seiner aggressiv-satirischen Haltung, seinem urbanen Charakter und seiner Verwendung von Sprechgesang durchaus mit dem von Reichardt beschriebenen Vaudeville (»Voix de la ville«) zu vergleichen. Deutschland hinkte auch damit, seiner sozialen und wirtschaftlichen Spätentwicklung entsprechend, den »klassischen« bürgerlichen Staaten Frankreich und England nach. In England hatte es schon in der ballad opera, die ebenfalls volkstümliche Weisen in satirischer Absicht verwendete und wie Sing- und Liederspiel Kritik an der dominierenden italienischen Oper und den herrschenden Kreisen übte, die diesen Opernstil bevorzugten, einen vergleichbaren Vorläufer der neuen Gattung Songspiel gegeben; die berühmteste ballad opera war John Gays *Beggar's Opera* von 1728.

Mit den genannten frühbürgerlichen Formen des Musiktheaters ist das Baden-Badener Songspiel zwar verwandt; es ist jedoch unwahrscheinlich, daß Brecht und Weill sich dieser historischen Zusammenhänge bewußt waren. Sie betrachteten das Songspiel nicht so sehr als eigenständige Gattung, sondern vielmehr als eine Vorstudie für ihre geplante große Oper. Ihr primäres Ziel war nicht die Verkürzung der Opernform, sondern eine grundsätzliche Funktionsänderung. Dabei beriefen sie sich auf einen anderen gattungsmäßigen Zusammenhang: »Wenn das Werk in anderen Räumlichkeiten als einem Theater oder einem Konzertsaal aufgeführt wird, hat das den Vorteil, eine gewisse Verwandtschaft mit den mittelalterlichen Wanderbühnen augenscheinlich zu machen. MAHAGONNY IST EIN TOTENTANZ.«[46] Die Bezeichnung Totentanz, die aus dem Zusammenhang mit der *Hauspostille* zu verstehen ist, kann jedoch eigentlich nur für die Nummer »Gott in Mahagonny« gelten. Viel deutlicher als zum mittelalterlichen Totentanz, der Brecht auch später noch beschäftigen sollte[47], sind Bezüge des Songspiels zur *Geschichte vom Soldaten*.

Noch enger ist aber ein anderer gattungsmäßiger Zusammenhang, nämlich der zur zeitgenössischen Berliner Kabarettrevue, wie sie unter anderem von Friedrich Hollaender, Marcellus Schiffer und Mischa Spoliansky gepflegt wurde. Die Sphäre des Kabaretts, von literarischer Seite längst akzeptiert, wurde durch Brecht und Weill in Baden-Baden wohl erstmalig in die Operndiskussion eingebracht. Wie das Kabarett besteht auch das Songspiel nicht mehr aus einer kontinuierlichen Handlung, sondern aus einzelnen Nummern.[48] Dadurch wird die Kombinationsfähigkeit der Zuschauer herausgefordert. Für Weill war das Songspiel, in dem sprachlich und rhythmisch-musikalisch der Einfluß amerikanischer Tanzschlager nachwirkt, auch als Einlage für Revuen geeignet. Brecht ließ sich sogar so weit von Revuen inspirieren, daß er die weiblichen Darsteller zunächst nackt auftreten lassen wollte – eine Vorstellung, gegen die sich aber nicht nur Weill, sondern auch die Baden-Badener Stadtverwaltung wehrte.[49]

Brecht brachte in das Songspiel einen zusätzlichen »gattungsmäßigen« Zusammenhang hinein, der von der traditionellen Oper noch sehr viel weiter entfernt war als Kabarett und Revue: den Boxsport. Dieser interessierte ihn vor allem während seiner ersten Berliner Jahre als Manifestation des Leistungsprinzips, als Unterhaltung eines alle Gesellschaftsschichten umfassenden breiten und trotzdem sachkundigen Massenpublikums, als Ausdruck auch der bewunderten amerikanischen Alltagskultur. Die Vorliebe für den Boxsport war in Berlin unter vielen Intellektuellen während der Phase der Neuen Sachlichkeit verbreitet. Brecht aber tat sich besonders hervor. Er war mit dem Halbschwergewichtsboxer Samson-Körner und dessen Assistenten, dem Schriftsteller Emil Burri, befreundet, er besuchte Boxkämpfe, las Sportzeitschriften und schrieb Gedichte und Erzählungen über Boxer.[50] Die Verquickung von Kunst und Boxsport war eine Sache nach Brechts Geschmack; die kritische Haltung des Boxpublikums erschien ihm als vorbildlich für ein Theaterpublikum der Zukunft. Um diese Haltung zu unterstützen, wurde das Songspiel auf einem Podium nach Art eines Boxringes gespielt, wie es Brecht übrigens schon im Dezember 1926 für die Frankfurter Uraufführung seines Einakters *Die Hochzeit* verwendet hatte.

Von der herkömmlichen Opernpraxis wich nicht nur der Boxring ab, sondern auch der Verzicht auf Bühnenbild und Vorhänge, ferner die Sichtbarmachung des kleinen Orchesters (bestehend aus 2 Violinen, 2 Klarinetten, 2 Trompeten, 1 Altsaxophon, 1 Posaune, 1 Klavier und Schlagzeug), die einheitliche Kleidung der Sänger sowie die Verwendung von beschrifteten Plakaten. Alle diese Mittel verweisen auf die Grundintention des Stückes: die Zerstörung von Illusionen.

Die Uraufführung des Songspiels am 17. Juli 1927 im ausverkauften Stadttheater von Baden-Baden unter der musikalischen Leitung von Generalmusikdirektor Ernst Mehlich, in der Regie von Brecht und mit Bildprojektionen von Neher war von durchschlagender Wirkung. Man erkannte, daß hier Normen der traditionellen Kultur durchbrochen wurden. Eine Hälfte des Publikums klatschte begeistert Beifall, die andere protestierte pfeifend. In »Morgenzeitung und Handelsblatt Baden-Baden« meinte Elsa Bauer, eine seriöse Kritik müsse ein Stück wie *Mahagonny* »ablehnen, und zwar hauptsächlich des Textes und der Gesinnung wegen«. Es gehöre nicht in den Konzertsaal, sondern ins Großstadtkabarett. Das »Badeblatt der Stadt Baden-Baden« (Hans Wilfert) zeigte sich dagegen etwas experimentierfreudiger: »So unbedingt man die Jazzkultur und Whiskystimmung, die in dem Stück herrscht, verneint, so unbedingt muß man den Versuch begrüßen, sie auf die Bühne zu bannen, denn nur durch

Hanns Eisler, Paul Hindemith, Brecht und Rundfunkintendant Ernst Hardt auf dem Deutschen Kammermusikfest in Baden-Baden 1927.
(Quelle: Kurt Desch-Verlag bzw. Hanns Eisler-Archiv bei der Akademie der Künste der DDR, Berlin)

Herausstellung, nicht durch Verschweigen kann sie überwunden werden. Das Stück ist zeitentschlossen und nur häßlich und gemein, weil die Zeit häßlich und gemein ist.«[51] In diesem Sinn, aber mit anderen Intentionen, hatten die Autoren auf den Theaterzettel setzen lassen: »In seinen neueren Werken bewegt sich Weill in der Richtung jener Künstler aller Kunstgebiete, die die Liquidation der gesellschaftlichen Künste voraussagen. Das kleine epische Stück ›Mahagonny‹ zieht lediglich die Konsequenzen aus dem unaufhaltsamen Verfall der bestehenden Gesellschaftsschichten. Es wendet sich an ein Publikum, das im Theater naiv seinen Spaß verlangt.« Dem Kritiker Heinrich Strobel zufolge richtet sich das Songspiel »nicht mehr an den einen kleinen Kreis musikalisch Interessierter, sondern an jenes Publikum, das zu der uns geläufigen ›ernsten‹ Kunst längst keine Beziehung mehr hat.«[52] Implizit ist damit auch schon ein Arbeiterpublikum gemeint. Bezogen auf das idyllische Baden-Baden, wo die Großstadtthematik geradezu exotisch wirken mußte, bedeutete das allerdings keine Ausweitung, sondern eine Verengung des Publikums; von den Festivalbesuchern, ein laut Elsa Bauer »internationales elegantes Publikum, die Spitzen der Behörden des Landes und der Stadt, Fürstlichkeiten, viel Presse und Fachleute«, fühlte sich vornehmlich die linke Intelligenz angesprochen. Im Zuschauerraum saßen wahrscheinlich zwei junge Komponisten, die später intensiver mit Brecht zusammenarbeiten sollten: Hanns Eisler und Paul Dessau; beide waren jedenfalls in diesem Sommer 1927 Teilnehmer bei den Kammermusiktagen und bei anderen Konzerten mit eigenen Werken vertreten.

Besondere Begeisterung rief die Interpretation des Alabama-Songs durch Lotte Lenya hervor. In dieser Stimme, das bemerkten alle, hatten sich die Spuren ihrer einfachen Herkunft, hatte sich der Ton der Vorstadt erhalten.

Lotte Lenya prägte den typischen Klang der Brecht-Weillschen Songs.[53] Selbst die skeptische Kritikerin Elsa Bauer mußte gestehen: »Lotte Lenya sang und sprach das ordinäre, Niggersongs näselnde Frauenzimmer, dem die ganze Welt Wurscht ist, wenn sie ihren Whisky hat, mit verblüffender Echtheit.«[54] Die Lenya war keine Berufssängerin wie die übrigen Mitwirkenden, sondern Schauspielerin, und so gelang ihr das gestische Singen wie von selbst. Freilich war ihr Part auch musikalisch leichter als die manchmal recht komplizierten Ensemblesätze der Männer.[55]

An der anschließenden Premierenfeier in einem Bergrestaurant nahmen neben Brecht, Weill und Lotte Lenya auch Hans Flesch, der spätere Intendant der Berliner Funkstunde, sowie – und dies blieb nicht ohne Folgen – Otto Klemperer, der Dirigent, und Hans Curjel, der designierte Dramaturg der experimentierfreudigen Berliner Krolloper, teil. Curjel berichtet über diesen Abend: »Man war besoffen von dem, was man gesehen, gehört und erlebt hatte, und selbst Otto Klemperer konnte nicht davon lassen, immer wieder zu singen ›Oh moon of Alabama‹.«[56]

Weills Verleger Dr. Hertzka von der Wiener Universal-Edition ermöglichte es dem Ehepaar Weill-Lenya, sich noch einige Tage in Baden-Baden zu erholen. Außerdem versprach er, die monatlichen Vorschußzahlungen zu erhöhen und das Songspiel »im großen Stil« zu propagieren. Weill erhoffte sich davon eine zusätzliche Verbesserung seiner finanziellen Situation, die einstweilen noch bescheidener war als die Brechts; er dachte dabei nicht nur an Gesamtaufführungen, sondern auch an Verbreitungsmöglichkeiten für die Einzelsongs. Schon Anfang August 1927 sang Lotte Lenya den Alabama-Song im Rahmen einer Wortsendung über die Musikfeste im Berliner Rundfunk, und am 4. August empfahl Weill seinem Verleger, den Song von einem Schlagerspezialisten für Gesang, Klavier und Geige bearbeiten zu lassen. Mitte des Monats drängte er noch einmal auf separate Publikation des Alabama-Songs; er habe die Möglichkeit, den Song als Schlager nach Amerika zu lancieren. Gleichzeitig verhandelte er über Serienaufführungen des Songspiels im Rahmen einer großen Berliner Ausstattungsrevue, die – darauf legte er Wert – keine dezidierte politische Richtung haben sollte. »Keine einseitige Festlegung wie bei Piscator!«[57]

Weill war der Auffassung, durch diese Serienaufführungen könne nicht nur wirkungsvoll an die Baden-Badener Erfolge angeknüpft, sondern auch schon auf die geplante große Mahagonny-Oper hingewiesen werden. Die vorgesehene Serienaufführung kam dann aber doch nicht zustande, das Songspiel wurde über Jahrzehnte hinweg nicht mehr gezeigt. War es doch nicht mehr als nur eine Vorstudie? Jedenfalls gab Weill die intensiven Aktivitäten für die Verwertung des Songspiels auf und konzentrierte sich statt dessen ganz auf die Oper *Aufstieg und Fall der Stadt Mahagonny.*

Würde eine große Mahagonny-Oper ganze Opernhäuser füllen können?, fragte Dr. Hertzka skeptisch. Er fürchtete die Preisgabe des traditionellen Publikums und gab auch zu bedenken, »daß Herr Brecht bisher kein Opernbuch geschrieben hat und daß von ihm bisher noch kein Stück vertont wurde«.[58] Weill antwortete mit einem ausführlichen Bekenntnis zu Brecht. Der Dichter sei der entscheidende Faktor bei der Entwicklung zu einem völlig neuen Bühnenkunstwerk, das sich an ein anderes und zugleich auch größeres Publikum richte. Mit Mahagonny biete sich erstmals die Möglichkeit, dessen Theaterideen auch für die Oper fruchtbar zu machen. Die neue Zeit werde in dem geplanten Werk in einer endgültigen, nicht bloß scheinaktuellen Form dargestellt.[59]

Da Weill so tiefgreifende Gemeinsamkeiten mit Brecht demonstrierte, gab Hertzka seinen Widerstand gegen das Opernprojekt auf. Im Herbst 1927 wiederholte Hans Curjel, mittlerweile zum Dramaturgen an der Berliner Krolloper ernannt, seinen schon in Baden-Baden geäußerten Wunsch, das Songspiel zu einer abendfüllenden »Oper« auszubauen; ein Vertrag wurde zwar noch nicht unterzeichnet, aber die Uraufführung an der renommierten Krolloper in Aussicht gestellt. Und so arbeiteten Komponist und Dichter im Herbst und Winter 1927/28 intensiv an dem großen Projekt. Die Besprechungen fanden fast täglich in Brechts Berliner Atelierwohnung in der Spichernstraße Nr. 16 statt. »Brecht kam nur selten zu uns in die Pension«, erinnert sich Lotte Lenya, »es war ihm lieber, wenn man zu ihm ging. Kurt paßte das ausgezeichnet. Nur wenn es ums Komponieren ging, zog er seine eigenen vier Wände vor.«[60]

Brechts Atelierzimmer, wo er immer von Mitarbeitern, Freunden und Schülern umgeben war, war einfach eingerichtet. Es machte jenen Eindruck des Vorläufigen, wie er ihn in seinem »Lesebuch für Städtebewohner« als Kennzeichen der neuen Behausungen beschrieben hat. Um so mehr mußte das äußerlich sehr schöne, innerlich aber beschädigte Tafelklavier auffallen, das er sich unmittelbar nach dem Einzug bei einem Gebrauchtwarenhändler gekauft hatte. Erstaunlich ist diese Anschaffung auch deswegen, weil Brecht ja kaum Klavier spielen konnte. Offensichtlich wollte er aber in Berlin die Augsburger Praxis fortsetzen, sich klassische Musik vorspielen zu lassen. Jedenfalls übergab er zwei Tage nach Anlieferung des Instruments zu eben diesem Zweck seiner Mitarbeiterin Elisabeth Hauptmann Notenbände mit Mozarts Klaviersonaten und Bachs Englischen Suiten. Sie aber gestand, gar nicht mehr in Übung zu sein. »Er war sichtlich enttäuscht, aber er akzeptierte meine Weigerung und kam nie mehr auf die Sache zurück.«[61]

Fotos zeigen neben dem Dichter auch einmal den Boxer Samson-Körner vor diesem Klavier. Der Komponist Werner Egk hat das Klavierspiel die-

Brecht vor dem Hammerklavier in seiner Wohnung Spichernstraße 16, um 1927.
(Quelle: Bertolt Brecht-Erben, Berlin Zander & Labisch, Berlin)

Box-Weltmeister Paul Samson-Körner an Brechts Hammerklavier, rechts an der Schreibmaschine Elisa-
beth Hauptmann. Ein Foto für das Magazin »Uhu«, August 1927.
(Quelle: »Uhu« (Berlin). Heft 11, 3. Jgg., August 1927 bzw. Brecht-Erben, Berlin)

ses stiernackigen Athleten beschrieben: »Man rückte ihm einen Sessel zurecht und setzte ihn an das alte Tafelklavier mit den vergilbten Tasten. Er drehte sich nochmals um und bemerkte bescheiden: ›Ich kann aber nur ein Stück.‹ – ›Bitte spielen Sie es.‹ Er spielte ›Stille Nacht, heilige Nacht‹, mitten im August. Es war ergreifend. Er, der jeden niederschlagen konnte, war imstande, auch das Klavier zu schlagen, aber so schüchtern, behutsam und zart, daß man weinen konnte. Er war der Gipfel der Poesie.«[62] Von einem Boxer ließ sich Brecht ein sentimentales Lied vorspielen, das er sonst allenfalls vom Augsburger Glockenspiel des Vaters hören wollte.

Brechts Tafelklavier diente noch anderen, nützlicheren Zwecken: Komponisten, die in jenen Jahren anfingen, mit Brecht zusammenzuarbeiten, führten darauf Ausschnitte aus ihren Werken vor. »So war das Klavier wirklich nicht mehr nur ein schön aussehendes, vielbewundertes antikes Möbelstück aus edlem Holz, mit edler Form – was die Anschaffung vielleicht auch gerechtfertigt hätte –, sondern in erster Linie ein höchst nützlicher Gebrauchsgegenstand. Den drahtig klingenden, nachhallenden Ton, der dem seiner Gitarre ähnlich war, liebte Brecht sehr, und er war auch in späteren Jahren immer wieder entzückt, wenn er für bestimmte musikalische Zwecke einen solchen Klang zur Verfügung hatte.«[63] Paul Dessau, der 1944 im Hollywood-Exil Elisabeth Hauptmann heiraten sollte, schuf nach diesem Klangideal später sein »Wanzenklavier«: durch kleine Reißzwecken auf den Klavierhämmern erzielte er die Wirkung einer übergroßen Gitarre. Neben dem Klavier besaß Brecht in Berlin auch noch seine Gitarre, aber er begleitete sich nur noch selten darauf.

Häufiger verwendete er das Grammophon, das ebenfalls in seiner Atelierwohnung stand. Alfred Braun, Chefreporter und Regisseur bei der Berliner Funkstunde und als solcher eine der populärsten Figuren der Weimarer Republik, erinnert sich, daß sich der Stückeschreiber durch Grammophonmusik anregen ließ. Offenbar inspirierte ihn Musik nicht nur zu gesungenen Texten. Über die hörspielmäßige Einrichtung von Shakespeares *Macbeth*, die am 14. Oktober 1927 mit einer Vorrede Brechts in der Berliner Funkstunde gesendet wurde, schreibt Braun: »In Erinnerung bleibt mir die Methode unserer gemeinsamen dramaturgischen Arbeit, die im Charlottenburger Heim von Brecht geschah. Ein Hauptanteil dabei fiel der Sekretärin an der Schreibmaschine zu. Wir hatten uns geeinigt, das grandiose Drama in einzelne Bilder aufzuteilen, die wie Moritaten unter primitiven Überschriften stehen sollten.

Die gemeinsame Arbeit begann damit, daß das Grammophon eingeschaltet wurde, und die Rhythmen moderner Schallplattenmusik untermalten pausenlos unseren Arbeitstag. Dazu ging Brecht im Zimmer auf und ab und probierte laut die Überschriften der Moritaten, scharf skandierend: ›Macbeth – reitet – in der Nacht – über – die Heide.‹ «[64]

»Wenn Weill zu ihm kam«, berichtet Lotte Lenya, »wenn es ernsthaft ans

Arbeiten ging, machten sich die Schüler bald davon. Nur Elisabeth Hauptmann und ich, wir blieben öfters da. Dann begann die Diskussion der beiden. Nie im Leben ist mir jemand begegnet, der so gut zuhören konnte wie Kurt. Er ging geradezu im Lauschen auf. Hinter seinen dicken Brillengläsern wirkte er dann wie ein junger Seminarist. Mit ruhiger, leiser, tiefer Stimme gab er seine exakten Antworten. Eine Spur von Spott schien darin zu liegen. Manche Leute hielten für Arroganz, was in Wirklichkeit nur Schüchternheit war. Brecht und Weill begegneten einander mit der größten Hochachtung, auch wo sie verschiedener Meinung waren, obgleich sich ihre Beziehung nie zu einer festen Freundschaft vertiefte, wie sie später Weill mit Georg Kaiser und Maxwell Anderson verband. Manchmal nahm Brecht seine Gitarre zur Hand und schlug ein paar Saiten an, um Kurt eine Vorstellung von seiner Auffassung zu geben. Weill notierte sich diese Einfälle mit seinem kleinen, ernsthaften Lächeln. Er sagte nie nein dazu; immer versprach er, er wolle versuchen, die Anregungen Brechts zu verarbeiten, wenn er zu Hause ans Komponieren ginge.«[65] Angesichts dieses Berichts erscheint es als zumindest übertrieben, wenn Weill im November 1927 an seinen Verlag schrieb, das Mahagonny-Textbuch würde vollständig nach seinen Angaben geformt, und zwar »nach rein musikalischen Gesichtspunkten«. Allerdings besteht kein Zweifel, daß Weill schon bei der Entstehung des Textbuchs eng mit Brecht zusammengearbeitet hat und dabei sein musikdramatisches Gespür und seine besonderen musikalischen Wünsche einbrachte.

Weill empfand die epische Theaterform als günstig für musikalische Zwecke. »Die epische Theaterform ist eine stufenartige Aneinanderreihung von Zuständen. Sie ist daher die ideale Form des musikalischen Theaters, denn nur Zustände können in geschlossener Form musiziert werden, und eine Aneinanderreihung von Zuständen ergibt die gesteigerte Form des musikalischen Theaters: die Oper.«[66]

Brecht war auf das epische Prinzip der Reihung beschrifteter Nummern nicht allein auf Grund der Songspielvorlage gestoßen. Vielmehr wollte er mit der Oper auch Sittenbilder aus unserer Zeit entwerfen, eine Chronik nach Shakespearschem Vorbild, und dabei den Akzent auf die soziologische Problematik legen. Er hatte damals den Soziologen Fritz Sternberg kennengelernt, der ihn in der Auffassung bestärkte, daß die Zukunft des Theaters nicht dem Individuum, sondern dem Kollektiv gehöre. Gegenstand der Mahagonny-Oper ist denn auch wirklich ein Kollektiv, in dem die Einzelpersonen, Jim Mahoney oder Jenny, als Repräsentanten ihrer jeweiligen Gruppe agieren. Für Brecht gehörte *Aufstieg und Fall der Stadt Mahagonny* zum Plan eines Dramenzyklus über den »Einzug der Menschheit in die großen Städte«. Mit der Stadt Mahagonny, der »Hauptfigur« der Oper, ist eigentlich die kapitalistische Gesellschaftsform gemeint. Aus der Lektüre von Erich Mendelsohns »Amerika. Das Bilderbuch eines Architekten«[67] hatte Brecht die Lehre gezogen, daß die großen amerikanischen Städte keine Zukunftsbilder, sondern unbewohnbare Monstren sind.[68] In der Kritik an der amerikanischen Großstadt festigte sich seine Kritik am amerikanischen Kapitalismus. »An der Entstehungsgeschichte der Oper läßt sich«, wie Helfried Seliger schreibt, »die allmähliche Umwertung von Brechts Amerikabild am deutlichsten verfolgen.«[69]

In *Aufstieg und Fall der Stadt Mahagonny*, der Parabel einer politisch-ökonomischen Entwicklung – für eine Oper ein ungewohnter Stoff! –, ist die Ambivalenz des Songspiels einer eindeutigeren und konsequenteren Gesellschaftskritik gewichen – eine Folge auch von Brechts Marxismus-Studien. So wird die Gründung der Stadt Mahagonny in der Oper schon von Anfang an kritisch dargestellt. Ihre Gründer sind nämlich, wie das 1. Bild zeigt, drei steckbrieflich gesuchte Betrüger: Leokadja Begbick, Dreieinigkeitsmoses und Fatty, der »Prokurist«. In diesem Gaunertrio ist die Witwe Begbick die treibende Kraft; sie ist am Gold interessiert, das an der Küste gefunden wird. Die Stadt Mahagonny wird nur zu dem Zweck gegründet, den Goldgräbern ihre mühsam erarbeiteten Schätze wieder abzunehmen; Mahagonny ist eine »Netzestadt«, die Männer sind die Opfer. Hier soll es, wie heute in Las Vegas, Disneyland oder den Vergnügungsvierteln unserer Großstädte, nur Unterhaltung und keine Arbeit geben, nur Konsum und keine Produktion. Mahagonny lebt von der radikalen Trennung von Arbeit und Freizeit. »Überall gibt es Mühe und Arbeit«, singt die Witwe Begbick bei der Stadtgründung, »aber hier gibt es überall Spaß.« Der Spaß ist die Negation der Arbeit. Die ganze Vergnügungsindustrie kann nur existieren, weil der Arbeitssphäre das Vergnügen fehlt. Oder, mit den Worten der Stadtgründer: »Dieses ganze Mahagonny ist nur, weil alles so schlecht ist.«

Nach Mahagonny ziehen diejenigen, die, wie die leichten Mädchen aus Alabama, in der Vergnügungsindustrie schnell Geld verdienen wollen, und andererseits Arbeiter und unzufriedene Städter, die meinen, ihr fehlendes Glück mit Dollars kaufen zu können. Zu diesen Unzufriedenen gehören auch die vier Männer Jim, Jack, Bill und Joe, die, ganz wie im Songspiel, ihr »Auf nach Mahagonny« singen. Es bleibt aber nicht bei diesem Männerensemble. Während im Songspiel trotz der individuellen Namen nicht zwischen den Individuen differenziert wurde, wird in der Oper eine Einzelfigur herausgestellt: das exemplarische Schicksal des Jim Mahoney, dessen Namen Brecht ebenso wie den der L. Begbick aus *Mann ist Mann* übernahm.[70] Mit der Verwendung der zentralen Figur des Jim Mahoney hat er seine Vorstellung vom kollektivistischen Drama nicht durchbrochen, denn Jim ist Repräsentant und »Vorsänger« seiner Gruppe. Die individuelle Behandlung der Männer in Mahagonny hat nur zum Ziel, die Männer zufriedenzustellen, sie hebt die Anonymität nur zum Schein auf.[71] Wenn die gerissene Witwe Begbick ihre Kundschaft wie persönliche Gäste begrüßt, ist ihr Interesse nicht wirklich auf das Glück der Männer, sondern allein auf deren Geld gerichtet.

Die Männer von Mahagonny aber wollen nicht bloß konsumieren, sie sind sparsam und rücksichtsvoll, weil sie sich auf einen langen Lebensabend in Ruhe und Eintracht einstellen. Nur Jim Mahoney mißfällt diese träge, passive Altersheimmentalität, die die anderen in einem gefühlvollen Chor »Wunderbar ist das Heraufkommen des Abends / Und schön sind die Gespräche der Männer unter sich...« besingen. Er sehnt sich nach Aktivität, und sei sie auch noch so absurd. Durch seine Rebellion bringt er die ohnehin nur noch wenig florierende Freizeitstadt in eine riesige Krise, »opernhaft« dargestellt durch einen Taifun. Unter dem Einfluß Jims und im Angesicht des Taifuns geben die Männer ihre bisherige Selbsteinschränkung auf und finden als neue Devise: Alles ist erlaubt, jeder ist sich selbst der Nächste! Und so singen zum Abschluß des 1. Aktes alle gegen den tobenden Sturm das Hohelied des Egoismus, den Lobgesang der kapitalistischen Anarchie:

> Denn wie man sich bettet, so liegt man
> Es deckt einen keiner da zu
> Und wenn einer tritt, dann bin ich es
> Und wird einer getreten, dann bist's du!

Der 2. Akt beginnt mit dem klassischen Operneffekt einer unerwarteten Rettung. Wie durch ein Wunder bleibt Mahagonny vom Taifun verschont – er macht wider alle Wahrscheinlichkeit einen Bogen um die Stadt. Dennoch gilt das von Jim entdeckte anarchische Lebensprinzip für alle Bewohner fort; es reißt sie zu einem hemmungslosen Konsumrausch hin. Diese »Konsumfreiheit«, die in Fressen, Boxen, Saufen und Lieben zum Ausdruck kommt, steht unter dem Gesetz des Geldes. Die Macht dieses Gesetzes ist sogar noch brutaler als zuvor. Denn als Jim sein ganzes Geld ausgegeben hat und seine Schulden nicht mehr bezahlen kann, erweist sich das von ihm verkündete Gesetz der Freiheit als ein Wolfsgesetz des Egoismus, das sich gegen ihn selbst richtet; niemand, nicht einmal seine Freundin Jenny, will ihm jetzt helfen. Das Geldprinzip zerstört Freundschaften und Tugenden; in der Konsumgesellschaft ist für menschliche Gefühle kein Platz mehr. Wer kein Geld hat, ist nichts mehr wert. Schulden sind ein Verbrechen. Jim wird gefangengenommen.

Im dritten Akt wird er von einem korrupten Gericht zum Tode verurteilt »wegen Mangel an Geld, was das größte Verbrechen ist, das auf dem Erdenrund vorkommt«. Das Todesurteil ist nicht nur ein extremes Beispiel für Klassenjustiz - die Richter sind nämlich nicht nur parteiisch im Sinne der Herrschenden, sie sind sogar mit diesen identisch –, es markiert auch ein neues Stadium in der Entwicklung der Stadt. Mahagonny fällt in seine zweite, nun aber entscheidende Krise. Der Tod Jims ist gleichbedeutend mit dem Tod des Konsumenten. Die Männer merken, wie später Brecht realiter im Hollywood-Exil, daß »für die Mittellosen das Paradies die Hölle« ist. Zur Vermittlung dieser Erkenntnis ist hier das Spiel »Gott in Mahagonny« in die Oper eingefügt. Dennoch bleiben die Männer unbelehrt und demonstrieren in der Schlußszene auch dann noch für ihre anarchischen Ideale, als die Stadt schon brennt. »Für das Geld«, »Für den Kampf aller gegen alle« steht auf ihren Transparenten. Sie laufen in ihren eigenen Untergang. Die Stadt Mahagonny zerstört sich selbst.

Die Musik

Die gemeinsame Arbeit von Brecht und Weill am Mahagonny-Textbuch ging rasch voran, schon im November 1927 war der 2. Akt beendet. Im Dezember konnte Weill seinem Verleger eine Inhaltsangabe des ganzen Werkes schicken; er hatte auch bereits mit der Komposition begonnen. Andere Projekte drängten die Oper jedoch in den Hintergrund. Schon seit Herbst 1927 war Brecht Mitglied im dramaturgischen Kollektiv der Piscator-Bühne; zusammen mit Erwin Piscator, Felix Gasbarra und Leo Lania bearbeitete er das sowjetische Stück *Rasputin, die Romanows, der Krieg und das Volk, das gegen sie aufstand,* und im Anschluß daran Brod-Reimanns Dramatisierung des Hašek-Romans *Die Abenteuer des braven Soldaten Schwejk,* die im Januar 1928 mit großem Erfolg Premiere hatte. Außerdem richtete er für die Piscator-Bühne *Konjunktur* von Leo Lania, ein Theaterstück über die Ölindustrie, ein.

Normalerweise war Edmund Meisel für Piscators Bühnenmusik zuständig. Daß für *Konjunktur* Weill engagiert wurde, ist wohl dem Einfluß Brechts zu verdanken. Es blieb Weills einzige Arbeit für die Piscator-Bühne. Trotz einer »Ölmusik« und des bissigen Songs »Muschel von Margate« auf einen Text von Felix Gasbarra, und obwohl Tilla Durieux, die große Schauspielerin und auch Förderin des Piscatorschen Theaters, mitwirkte, wurde die Uraufführung am 10. April 1928 nur ein mäßiger Erfolg.

Die Mahagonny-Partitur wurde erst im April 1929 vollendet. Das lag daran, daß Brecht und Weill zwei weitere Projekte einschieben mußten: die *Dreigroschenoper* und das *Berliner Requiem.* Und es sollte noch fast ein Jahr dauern, bis die Oper am 9. März 1930 endlich uraufgeführt wurde, zu einem Zeitpunkt also, als die *Dreigroschenoper* Brecht und Weill bereits populär gemacht hatte. Der Schaffensprozeß an *Aufstieg und Fall der Stadt Mahagonny* umspannte die entscheidenden Jahre der Zusammenarbeit von Brecht und Weill. Es ist zweifellos das Hauptwerk ihrer gemeinsamen Arbeit geworden.

Alles, was im Songspiel nur vage und sprunghaft angedeutet war, wurde in der Mahagonny-Oper bewußt und planmäßig gestaltet. Das Songspiel gab nicht nur den Rahmen der Opernhandlung vor, sondern auch den musikalischen Kern.[72] Die Ausarbeitung und Neuzusammenstellung der Songspielnummern in der Oper zielte auf einen deutlichen epischen Charakter und eine klare Ausprägung der Opernform. Denn trotz aller Skepsis von Curjel – »eine ›Oper‹ konnte und sollte es unter keinen Umständen werden«[73] – wollten die beiden Autoren aus dem Songspiel eine richtige Oper entwickeln. Inhaltlich wurde die Aussage konkretisiert und radikalisiert. Dabei erhielten die Nummern des Songspiels eine neue Position und ein anderes Gewicht. Während die Nummer 1 des Songspiels (»Auf nach Mahagonny«) in der Oper zur Nr. 4 wurde, blieb die Nummer 2 des Songspiels, der Alabama-Song, auch in der Oper die Nr. 2. Die Reihenfolge wurde also vertauscht, die Mädchen treffen in der Oper bereits vor den Männern in Mahagonny ein. Dies ist nicht nur chronologisch richtig, sondern verweist auch deutlicher auf die eigentliche Funktion der Stadt, eine Geldquelle zu sein. Dem geht aber noch die kommentierende Nummer 6 des Songspiels (»Aber dieses ganze Mahagonny«) voraus, die dadurch nicht erst Schlußkommentar ist. Im Verlauf der Oper klingt sie häufig an und kehrt so ihre zentrale Aussage hervor. Außerdem entspricht es dem epischen Prinzip, wenn die Handlung durchgängig vom Kommentar begleitet ist. Insgesamt dreimal kehrt auch der Alabama-Song wieder; er ist das Erkennungslied der Mädchen, deren Zahl vergrößert wurde und unter denen Jenny (statt Jessie) als Solistin besonders herausragt. »Wer in Mahagonny blieb«, die Nummer 3 des Songspiels, wird in Nr. 16 (Über das Saufen) verwendet, die Anspielung auf die See dabei zu einer eigenen phantastischen Spielszene ausgeweitet.[74] Während in der Opernfassung von 1929 noch alle Strophen enthalten gewesen waren, wurde diese Nummer später gekürzt. Überhaupt ist die Tendenz zu beobachten, in den Opernfassungen nach 1929 den Anteil der Songspiel-Nummern zu reduzieren. Dies gilt auch für den »Benares-Song«, der in der Erstfassung der Oper noch eine eigene Nummer war, später aber mit den Strophen 2 und 3 der Nr. 18 (Über das Verbrechen, kein Geld zu haben) nur als Coda angehängt wurde.[75]

Wie die Songs, die meist vorn an der Rampe gesungen werden, bekam auch die »Gott in Mahagonny«-Nummer in der Oper eine eigenständige Funktion; sie wird vor geschlossener Gardine[76] gespielt, ist also nicht Teil der Handlung, sondern direkt an das Publikum gerichtet. Dieses Heraustreten aus der Handlung ist ebenso spezifisch episch wie die zusammenfassende Ankündigung der Handlung durch das einleitende Arioso (Nr. 1) oder der einzelnen Szenen jeweils durch eine eigene Überschrift und Bildprojektionen. Dadurch erhält jede Szene nicht nur thematisch-inhaltliche Geschlossenheit, sondern auch den statischen Charakter eines Tableaus. Der Gang der Handlung ist bereits vorher bekannt; es werden Zustände gezeigt und keine dramatischen Prozesse.

Weill hatte diese epische Aneinanderreihung von Zuständen hervorgehoben, da sie ihm die Reihung von in sich geschlossenen musikalischen Nummern ermöglichte. Den Übergang vom durchgehenden Musikdrama zur Reihung in sich geschlossener musikalischer Formen hatten in den zwanziger Jahren zwar auch schon Alban Berg in seinem *Wozzeck* und Paul Hindemith in seinem *Cardillac* vollzogen, aber erst in der Mahagonny-Oper leitete sich die Trennung der in sich geschlossenen Musikstücke aus der dramaturgischen Anlage des Buches ab.

Zu den längeren Nummern der Oper gehört die neunte, in der es um die Rebellion des Jim gegen die Vorschriften geht, die ihm zur Erlangung seines angeblichen Glücks gemacht werden. Für die musikalische Geschlossenheit etwa dieser Nummer, um nur ein Beispiel anzuführen, sorgt die ständige Wiederkehr der achttaktigen Melodie aus dem berühmt-berüchtigten Salonstück »Gebet einer Jungfrau« von Thekla Badarzewska, das sich die Männer anhören, während sie träumerisch, wie einst Brecht und Baal, eine weiße Wolke betrachten. Sie lauschen der Klaviermusik, weil sie nichts Besseres zu tun haben und Plakate ihnen »anstößige Gesänge« und »Krach« verbieten.

Dieses achttaktige Thema wird, variiert und mit reichem Passagenwerk verziert, vom Hauspianisten des »Hotels zum reichen Manne« gespielt. Die leere Virtuosität repräsentiert den bloß äußerlichen Glanz von Mahagonny, der darüber hinwegtäuscht, daß die Männer, ebenso wie die betende Jungfrau, ihr Glück eben doch noch nicht gefunden haben. Zu dieser sentimentalen Musik stehen die schmucklosen und nüchternen Liedstrophen, in denen Jim seinen entbehrungsreichen, hoffnungsvollen Weg von Alaska nach Mahagonny schildert, inhaltlich und musikalisch in hartem Kontrast. Dennoch, auch trotz des Wechsels von gerader und ungerader Taktart, bleiben aber »Gebet einer Jungfrau« und Jims Lied noch im gemeinsamen Andante-Zeitmaß. Erst der offene Protest Jims in einem Quasi Recitativo bringt den Umschlag in den zweiten, den Allegro-Teil. Jims zorniger Gesang verändert sich und gleicht sich wohl nicht zufällig dem Beginn des alten »Dies irae«, dem Gesang vom Tag des Zorns aus der katholischen Totenmesse, an. (Notenbeispiel siehe nächste Seite oben.)

In der Tat rechnet ja Jim mit den Einwohnern der Stadt Mahagonny ab. Diese wiederum wehren sich, indem sie, nunmehr mit drohender Gebärde, das »Gebet einer Jungfrau« anstimmen. Vorbild für diese Art »drohen-

Tief in A - las - kas schnee - wei - ßen Wäl - dern ha - be ich ...

Allegro

Sie - ben Jah - re, sie - ben Jah - re ha - be ich ...

Dies Irae

der Lyrik« war wohl der gesummte Männerchor zum Schluß der 3. Song-spielnummer.

Das sentimentale »Gebet« hat sich in den Ruf nach Ruhe und Ordnung verwandelt, in den tatsächlich der Chor anschließend auch explizit (»Ru-he«) einfällt. Jims Rebellion hat der »ewigen Kunst« die Maske herunter-gerissen: Ihr Schönklang dient nur dazu, »anstößige«, das heißt Protest-gesänge zu verhindern und zu übertönen.

Die einzelnen Nummern der Oper sind jeweils inhaltlich und musika-lisch in sich geschlossen, stehen jedoch nicht beziehungslos nebeneinan-der. Zum großformalen Zusammenhang der Oper[77] tragen neben dem Gang der Handlung die immer wiederkehrenden Zitate aus dem Song-spiel sowie weitere musikalische Beziehungen zwischen den einzelnen Nummern bei. Die sechs Nummern des zweiten Aktes, um nur ein exemplarisches Beispiel herauszugreifen, bilden zusammen eine riesige Rondoform. Einheitsstiftend wirkt das wiederkehrende Chorritornell »Erstens, vergeßt nicht, kommt das Fressen ...«, das die Männer von der Rampe ins Publikum hineinsingen. Dieses Chorstück, das nicht nur den musikalisch-formalen, sondern auch den inhaltlichen Zusammenhalt des Aktes garantiert, hat die Funktion einer gesungenen Schrifttafel; in ihm werden die folgenden Einzelszenen, die wichtigsten Manifestationen der schrankenlosen Vergnügungssucht, die gleichzeitig die Hauptgeschäfts-zweige der Freizeitstadt sind, nämlich Fressen, Liebesakt, Boxen und Sau-fen, der Reihe nach angekündigt. Übergreifendes Thema des Akts ist also der Konsum. Auch die Musik parodiert süchtige Konsumorientierung. Nachdem schon zuvor die absolute, die »ewige« Kunst in Gestalt des »Gebets einer Jungfrau« in ihrer wahren Funktion entlarvt worden war, nämlich als Faktor von Ruhe und Ordnung, werden hier verschiedene

167

Formen von Unterhaltungsmusik parallel zu den Konsumnummern des 2. Aktes kritisiert. Die Falschheit des Konsumierens um des Konsums willen wird auch in der Musik auf beklemmende Weise deutlich. So ist der Freß-Szene ein von Zither und Bandonion nach Art der Wiener Heurigenlieder gespielter, sentimentaler Walzer unterlegt, der durch seinen Kontrast zum schnellen Chorritornell noch langsamer, noch unwirklicher wirkt. Daß die Musik selber Bestandteil der kritisierten Konsumsphäre ist, wird deutlich auch daran, daß die Ausführenden der Unterhaltungsmusik: Zither- und Bandonionspieler und in der Box-Szene eine lärmende Blaskapelle neben dem Boxring (ein Überbleibsel des Songspiels) jeweils sichtbar auf der Bühne postiert sind. Der Falschheit des blinden Kulinarismus entspricht musikalisch die Übertreibung des Sentiments oder der Formelhaftigkeit. Die Formelhaftigkeit kann aber auch, wie in der Sterbeszene des Boxers, in ernsten Ausdruck umschlagen; die aufgesetzte Fröhlichkeit des »flotten Marschs« verwandelt sich zuerst in Aggressivität und schließlich in einen echten Schock. Ebenso besitzen die Übertreibung des Männergesangsvereinsstils und das Grölen des bekannten Seemannsliedes »Stürmisch die Nacht« (Musik u. Text: Adolf Martell) nicht bloß die Funktion einer Parodie.

Die gefühlsbetonte Illusion hat hier auch utopischen Charakter. Adorno sah in dieser Rauschszene, in der Jim auf dem Kneipentisch ins offene Meer hinaussegelt, das »positive Zentrum« der Oper. Denn Auslöser des kommerzialisierten Konsumrausches sind auf der Seite der Konsumenten echte Bedürfnisse, ein echtes Glücksverlangen, das freilich nicht befriedigt wird. Die traumhafte Vision wird mit der signalhaften Wiederkehr der Einleitungsmusik (»Erstens, vergeßt nicht ...«) und der Geldforderung des Dreieinigkeitsmoses jäh abgebrochen – die Rückkehr aus den Träumen in die Wirklichkeit von Mahagonny, die vom Geld beherrscht wird, ist bitter.

Während in der endgültigen Opernfassung der Chor »Laßt euch nicht verführen« (nach der *Hauspostille*) den Abschluß des 2. Aktes bildet, war es ursprünglich das Chorritornell »Erstens, vergeßt nicht ...«, wodurch sich die übergreifende Rondoform noch deutlicher präsentierte. Daß Weill zur Verklammerung der in sich selbständigen Nummern des 2. Aktes gerade eine Rondoform wählte, ist inhaltlich zu erklären: Sie sind Variation eines gemeinsamen Themas, des Konsums.

Weills Fähigkeit, bekannte Melodien sowohl aus der Populär- wie der Kunstmusiksphäre aufzugreifen und für seine Zwecke umzufunktionieren, ist mit ähnlichen Praktiken Brechts verwandt. Der Stückeschreiber legitimierte sein Vorgehen nicht allein mit seiner Bemühung um Allgemeinverständlichkeit. Wenig Hemmung, von den verschiedensten Seiten Anregungen aufzugreifen und zu übernehmen, zeigte er auch deshalb, weil für ihn ein Denken in Kategorien wie »Originalität« und »Personalstil« einer bürgerlichen Vergangenheit angehörte. Für ihn waren die verschiedenen Bestandteile der Kultur kollektiver Allgemeinbesitz. Dieser Materialbestand sollte von jedem verwendet werden dürfen. Brecht tat so, als wäre die Kunst ein anonymes Volksgut. Aus dieser Vorstellung erklärt sich auch seine vielzitierte »Laxheit in Fragen des geistigen Eigentums«, die ihn mehrfach Plagiatsvorwürfen aussetzte. Seine Zielsetzung, allgemeinverständliche und allen zugängliche Kunstwerke zu entwickeln, war nicht nur eine persönliche Marotte, sondern entsprach verbreiteten ästhetischen Forderungen seiner Zeit. Der Subjektivismus der Romantik, der Geniekult der Jahrhundertwende sollte endgültig überwunden und an seine Stelle Sachlichkeit, Objektivismus und Kollektivismus gesetzt werden.

Diesem Antisubjektivismus sind auch Weills Zitat- und Parodieverfahren, von Adorno als »surrealistisch« bezeichnet[78], zuzurechnen. Anklänge und Zitate deutete er um, indem er sie in einen anderen Zusammenhang stellte oder anders montierte. Weills Umgang mit dem »verbrauchten Material« geschah aber ganz bewußt und kritisch und nicht etwa unbewußt im Sinne einer »écriture automatique«. Umfunktioniert wurde sowohl billige Unterhaltungsmusik als auch große Operntradition, so etwa der Gesang der Geharnischten aus Mozarts *Zauberflöte* im Chor »Haltet euch aufrecht, fürchtet euch nicht«, für den Brecht auf die ihm seit Augsburg wohlvertraute protestantische Kirchenliedtradition zurückgriff. Im Schlußbild klingt Wagners *Parsifal* an; zwischen dem merkwürdigen Trauermarsch »Können einem toten Mann nicht helfen« und dem Marsch der Gralsritter vor Titurels Leichenfeier gibt es musikalische und inhaltliche Querverbindungen.

Überhaupt ist das Finale, der Demonstrationszug vor dem Hintergrund der brennenden Stadt Mahagonny, ein einziges großes musikalisches Quodlibet aus bereits bekannten Elementen der Oper, zusammengehalten durch den gemeinsamen Marschrhythmus. Nacheinander kehren wieder: »Aber dieses ganze Mahagonny«, »Wir brauchen keinen Hurrikan«, »Denn wie man sich bettet, so liegt man« und – in diesem düsteren Kontext als einziger Ausdruck von Sehnsucht, »als Klage der Kreatur über ihre Verlassenheit« (Adorno) – »Oh moon of Alabama«. Die Oper schließt mit dem fatalistisch-nihilistischen Chor »Können einem toten Mann nicht helfen«, der im Zug hinter dem Sarg Jims gesungen wird, hinter dem Sarg jenes Mannes also, der wegen lächerlicher Schulden zum Tode verurteilt worden war. Der Gesang, der nicht nur auf den *Parsifal,* sondern auch auf den Tod Jesu anspielt – das Textbuch ist voll von biblischen Wendungen –, richtet sich resümierend und resignierend an das Publikum: »Können uns und euch und niemand helfen!«

Aufstieg und Fall der Stadt Mahagonny
Oper in drei Akten

Erster Akt

Nr. 1 Arioso der Begbick »Sie soll sein wie ein Netz ...« (Allegro giusto). Gardinenprojektion »Gründung der Stadt Mahagonny«; Hintergrundprojektion: Öde Gegend (Bild)

Nr. 2 Jenny u. 6 Mädchen: Alabama-Song (vor geschlossenem Vorhang) (Moderato assai). Projektion: »Rasch wuchs in den nächsten Tagen eine Stadt auf, und die ersten ›Haifische‹ siedelten sich in ihr an.«

Nr. 3 Männerchor: »Wir wohnen in den Städten«.
G-Proj.: »Die Nachricht von der Gründung einer Paradiesstadt erreicht die großen Städte«; H-Proj.: Ansicht einer Millionenstadt, Photographien vieler Männer

Nr. 4 Jim, Jack, Bill, Joe: »Auf nach Mahagonny« (vor geschlossenem Vorhang)
G-Proj.: »In den nächsten Jahren zogen die Unzufriedenen aller Kontinente der Goldstadt Mahagonny entgegen«

Nr. 5 Jim, Jack, Bill, Joe: »Wenn man an einen fremden Strand kommt« (Allegro vivace)
G-Proj.: »Damals kam unter anderen auch Jim Mahoney in die Stadt Mahagonny, und seine Geschichte ist es, die wir Ihnen erzählen wollen«
H-Proj.: Landungsplatz von Mahagonny

Nr. 6 Jenny u. Jim: »Ich habe gelernt, wenn ich einen Mann kennenlernte« (Lento, vor geschlossenem Vorhang)
G-Proj.: Stadtplan von Mahagonny

Nr. 7 Begbick, Fatty, Moses: »Fatty und Moses!« (Allegro furioso)
G-Proj.: »Alle großen Unternehmungen haben ihre Krisen«
H-Proj.: Statistik der Verbrechen und Geldumläufe in Mahagonny. Sieben verschiedene Preistafeln

Nr. 8 Jack, Jim, Bill, Joe: »Jimmy, warum läufst du denn fort?« (Allegro vivace)
G-Proj.: »Alle wahrhaft Suchenden werden enttäuscht.«
H-Proj.: Landungsplatz von Mahagonny (wie Nr. 5)

Nr. 9 Jim: »Tief in Alaskas schneeweißen Wäldern« (Andante)

Nr. 10 Alle: »Oh furchtbares Ereignis« (Molto vivace)
H-Proj.: Ein Taifun. – Ein Hurrikan in Bewegung auf M.

Nr. 11 Männer: »Haltet euch aufrecht« (Larghetto)
G-Proj.: »In dieser Nacht des Entsetzens fand ein einfacher Holzfäller namens Jim Mahoney die Gesetze der menschlichen Glückseligkeit.«

Aktschluß: »Denn wie man sich bettet, so liegt man/ Haltet euch aufrecht ...«
H.-Proj.: Pfeil mit Weg des Hurrikans

Zweiter Akt

Nr. 12 Alle: »Oh wunderbare Lösung« (Largo)
H-Proj.: Der Hurrikan macht einen Halbkreis um M.
Nr. 13 Introduktion:
Männerchor: »Erstens, vergeßt nicht, kommt das Fressen« (vor geschlossenem Vorhang)
G-Proj.: 1. »Von nun an war der Leitspruch der Mahagonny-Leute das Wort ›Du darfst‹, wie sie es in der Nacht des Grauens gelernt hatten.«
2. »Hochbetrieb in Mahagonny nach dem großen Hurrikan.«
Jack: »Jetzt hab ich gegessen zwei Kälber« (Valse lento)
H-Proj.: Essen
Nr. 14 Introduktion: Männerchor: »Zweitens kommt der Liebesakt«
H-Proj.: Lieben
Begbick: »Spucke den Kaugummi aus« (Moderato assai)
Nr. 15 Joe u. Fatty: »Wir, meine Herren, veranstalten hier ein großes Preisboxen« (Flotter Marsch)
H-Proj.: Kämpfen
Nr. 16 Jim: »Freunde, kommt, ich lade euch ein«
H-Proj.: Saufen
Jenny: »Meine Herren, meine Mutter prägte« (Blues-Tempo)
Aktschluß: »Laßt euch nicht verführen« (Moderato)

Dritter Akt

Nr. 17 Jim: »Wenn der Himmel hell wird« (Moderato assai)
Nr. 18 Dreieinigkeitsmoses: »Haben alle Zuschauer Billette?« (Allegro molto)
G-Proj.: »Die Gerichte in M. waren nicht schlechter als andere Gerichte.«
Jenny: »Benares-Song«
Nr. 19 Jim u. Jenny: Kraniche-Duett (Tranquillo)
G-Proj.: »Hinrichtung und Tod des Jim Mahoney. Viele mögen die nun folgende Hinrichtung des J. M. ungern sehen. Aber auch Sie, mein Herr, würden unserer Ansicht nach nicht für ihn zahlen wollen. So groß ist die Achtung vor Geld in unserer Zeit.«
H-Proj.: Gesamtansicht von M.
Nr. 20 Fatty, Tobby, Bill: »Gott in Mahagonny« (Andante sostenuto)
H-Proj.: »Und in zunehmender Verwirrung, Teuerung und Feindschaft aller gegen alle demonstrierten in den letzten Wochen

der Stadt die noch nicht Vernichteten für ihre Ideale – unbelehrt.«
Aktschluß: »Aber dieses ganze Mahagonny war nur, weil alles so
schlecht ist« (Largo)

Unterschiedliche Wirkung in Leipzig, Kassel und Berlin

Der zweite Akt war der entscheidende Grund dafür, daß die geplante Berliner Uraufführung an der Krolloper nicht zustande kam. Otto Klemperer,
der vor allem die Darstellung des Liebesaktes in Nr. 14 als zu drastisch
empfand, lehnte die Aufführung ab, obwohl Krolloper-Intendant Ernst
Legal sich bis zuletzt noch dafür eingesetzt hatte.[79] Es half auch nichts, als
Weill im Mai 1929 anbot, die Darstellung der Liebe durch einen »wissenschaftlichen« Anstrich abzumildern. Daraufhin plädierte der Verlag dafür,
die Uraufführung nach Leipzig zu verlegen, wo Brecht und Weill zuvor
mit der *Dreigroschenoper* ihre größten Erfolge nach Berlin und Wien erzielt hatten.

Nachdem sich bei der von Gustav Brecher geleiteten Uraufführung am
9. März 1930 der Vorhang im Leipziger Opernhaus gesenkt hatte, begann
einer der großen Skandale in der Theatergeschichte. Schon vor dem Gebäude hatten Braunhemden mit Transparenten gegen das neue Werk protestiert. »Bei der Aufführung selbst dauerte es nicht lange, dann begannen
im Zuschauerraum Demonstrationen. Zunächst eine gewisse Unruhe,
dann auf ein vermeintliches Signal hin Lärmen und Zwischenrufe,
schließlich lautes Brüllen und schreiender Protest. Einige Schauspieler
unterbrachen ihre Rollen, traten an die Rampe und brüllten in den Zuschauerraum zurück. Die Vorstellung endete in allgemeinem Tumult. Es
war eine rein politische Demonstration, als Machtprobe genau geplant
und – als solche – ein unleugbarer Erfolg.«[80] Den völkischen Demonstranten sekundierte die konservative Musikkritik, so Alfred Heuß, der in
der »Zeitschrift für Musik« die »Mahagonny-Theaterschlacht« als »eine
Art Volksgericht« bezeichnete[81], oder Adolf Aber, der in »Die Musik«
schrieb, Brecht habe mit dieser Oper seine Demaskierung vollzogen: »Er
will, nachdem im Schauspiel kein Hahn mehr nach ihm kräht, seine anarchistischen Weisheiten auf dem Umweg über das musikalische Kunstwerk der Mitwelt verzapfen.«[82] Aber selbst wenn der Skandal vorbereitet
war, hätte er, wie der Kritiker Heinrich Strobel schreibt, »niemals solche
Intensität annehmen können, wenn nicht das Werk selbst zur Stellungnahme zwingen würde. ›Mahagonny‹ rüttelt auf, es greift auch die be-
quemsten Hörer an.«[83] »Mahagonny ist keine Oper mehr für das Abon-
nentenpublikum, es ist unmöglich, daß sie ihm gefällt«, bemerkt auch der
Kritiker Eberhard Preussner. »Die Oper wird selbst zur ›Netzestadt‹; sie
fängt das Publikum in ihren Netzen.«[84] Als provozierend wurde nicht nur

172

die Freß- und Bordellszene empfunden oder der Tod Jim Mahoneys auf dem elektrischen Stuhl, der den Kritiker an die damals noch aktuelle Hinrichtung von Sacco und Vanzetti in den USA am 23. 8. 1927[85] erinnerte; als provozierend verstand man vor allem die Schlußdemonstration, bei der vor dem Hintergrund des brennenden Mahagonny Tafeln mit unter anderem den folgenden Aufschriften getragen wurden: »Für die Freiheit der reichen Leute« – »Für die ungerechte Verteilung der irdischen Güter« – »Für die gerechte Verteilung der überirdischen Güter«. Die Betroffenheit war verständlich, zumal die Leipziger Inszenierung von Walther Brügmann – er hatte auch schon in Baden-Baden beim Songspiel die Regie geführt – das spezifisch amerikanische Ambiente, das später auf Wunsch der Autoren verwischt wurde, noch bewahrte. Gerade zur Zeit der Uraufführung kamen aus Amerika, dem einstigen Traumland, düstere Meldungen. In New York hatte am 25. Oktober 1929, dem »Schwarzen Freitag«, der Zusammenbruch der Börsenkurse die Weltwirtschaftskrise ausgelöst. Sie breitete sich rasch auch in Europa aus. In Deutschland gab es im Januar 1930 3 217 608 Arbeitslose, das waren 22 Prozent aller Berufstätigen. Der Untergang Mahagonnys konnte unschwer auf die eigene wirtschaftliche Krisensituation übertragen werden. So konnte es geschehen, daß große Teile des Publikums die anarchistischen Demonstrationszüge des Finales als kommunistische Demonstrationen mißverstanden.[86] Die »Weltbühne« erklärte dies mit dem ewig schlechten Gewissen des Premierenpublikums, das die Demonstranten »wie die phantastische Krönung eines gewaltigen Revolutionsdramas ... geradewegs auf sich losmarschieren« sah, »als wären es die vereinten Proletarier aller Länder.«[87] Infolge des starken Widerstandes konservativer Kreise wurde die Oper schon nach zwei Abenden nur noch als geschlossene Veranstaltung gegeben.

Um solche Mißverständnisse in Zukunft zu vermeiden, arbeiteten Brecht und Weill für die nur wenige Tage später stattfindende Kasseler Aufführung die Schlußszene um. Tatsächlich verlief diese Aufführung, bei der Jakob Geis die Regie und Maurice Abravanel die musikalische Leitung übernommen hatten, ohne größere Zwischenfälle. War die Schlußdemonstration ursprünglich mit dem Satz überschrieben »In diesen Tagen fanden in Mahagonny riesige Umzüge gegen die ungeheure Teuerung statt, die das Ende der Netzestadt ankündigten«, so lautete die endgültige Überschrift nun »Und in zunehmender Verwirrung, Teuerung und Feindschaft aller gegen alle demonstrierten in den letzten Wochen der Stadt die noch nicht Vernichteten für ihre Ideale – unbelehrt.« Die pessimistische, perspektivelose Grundhaltung der Oper wird damit in aller Deutlichkeit hervorgehoben. Von kommunistischen oder sozialistischen Auswegen ist in *Aufstieg und Fall der Stadt Mahagonny* nichts zu spüren. Die Oper endet provokativ mit dem Untergang.

Erst im Dezember 1931, nachdem sich schon mehrere andere deutsche Städte an das Werk herangewagt hatten, kam die Mahagonny-Oper auch nach Berlin. Gegeben wurde sie aber nicht an einem Opernhaus, sondern im Theater am Kurfürstendamm in einer Produktion Ernst Josef Aufrichts. Aufricht hatte 1928 sein Theater am Schiffbauerdamm mit legendärem Erfolg mit der *Dreigroschenoper* von Weill und Brecht eröffnet, ein Jahr später mit dem Nachfolgestück *Happy End* aber eine Enttäuschung erlebt. Aufgrund des *Happy-End*-Mißerfolgs und der Skandale in Leipzig war es nicht leicht, ihn dazu zu bewegen, die Mahagonny-Oper in Berlin herauszubringen. Als Trude Hesterberg, in deren Kabarett »Die wilde Bühne« Brecht im Jahre 1922 seinen ersten Berliner Auftritt gehabt hatte, 1930 wegen des neuen Brecht-Weill-Werks bei Aufricht anfragte, reagierte dieser zunächst ablehnend. Angesichts der Wirtschaftskrise, die auch in Berlin zu einem Theatersterben führte, war ihm eine Opernproduktion zu teuer und zu riskant.[88] Selbst Max Reinhardt, dem in Berlin fünf Theater unterstanden, gab zwischen 1931 und 1932 auf. Auch Aufricht konnte sich kein festes Haus mehr leisten. Daß er dennoch 1931 den Mut aufbrachte, in seinem nichtsubventionierten Privatunternehmen ausgerechnet die umstrittene Brecht-Weill-Oper herauszubringen, ist dem energischen Vorstoß von Trude Hesterberg zu verdanken, die ihm nicht nur das Stück empfahl, sondern auch in Gestalt ihres Freundes und späteren Ehemanns, des Bankiers Dr. Fritz Schönherr, einen Finanzier besorgte. Damit spielte sie in dieser Situation für Aufricht eine ähnlich entscheidende Rolle wie für Erwin Piscator Tilla Durieux.[89]

Da Aufricht vor allem ein Theaterpublikum erreichen wollte, wurden für die Berliner Aufführung zahlreiche Änderungen und vor allem Kürzungen notwendig. Ähnlich wie bei der *Dreigroschenoper,* an die Aufricht wiederum anknüpfen wollte, sollten in Berlin keine Opernsänger, sondern Schauspieler auftreten: Harald Paulsen als Jim, Lotte Lenya als Jenny und Trude Hesterberg als Witwe Begbick. Die Montagetechnik des Werks und seine Gliederung nach Nummern erleichterte Kürzungen, Umstellungen und Änderungen, jedoch waren diese auch nicht so tiefgreifend, wie Presseberichte spekulierten: Man hatte von Revueszenen mit dem Boxer Max Schmeling gesprochen. Zu den Änderungen gehörte eine Neufassung des Havanna-Lieds im 1. Akt, das den stimmlichen Möglichkeiten Lotte Lenyas angepaßt wurde. Neu komponierte Weill auch ein Orchesterzwischenspiel nach der Hinrichtungsszene. Gestrichen wurden, zum verständlichen Ärger der Autoren, nicht nur der »Benares-Song« und »Gott in Mahagonny«, sondern auch der Choral »Laßt euch nicht verführen« und das Duett von den Kranichen.

Die Berliner Premiere fand am 21. Dezember 1931 im Theater am Kurfürstendamm statt. Als Dirigenten hatte Aufricht allen Reduzierungen zum Trotz einen erfahrenen Opernfachmann, den seit 1927 an der Krolloper tätigen Alexander Zemlinsky, gewinnen können. Zemlinsky, der Lehrer und Schwager Arnold Schönbergs, hatte sich auch als Komponist einen Namen gemacht. Zu Weills Musik besaß er, wie Adorno feststellte, eine »gleichsam apokryphe Verwandtschaft auf dem Umweg über Mahler und die Fluoreszenz des Banalen«.[90] Unter Zemlinskys Leitung wirkte Weills Musik klangvoller, symphonischer. Während Eberhard Preussner nach der Leipziger Premiere geschrieben hatte, »Mahagonny« habe den Fall des Opernpublikums und den möglichen Aufstieg der Oper demonstriert, gab es in Berlin wenig Kontroversen. Heinrich Strobel kommentierte: »Im Kurfürstendammtheater gab es keinen Kampf der Meinungen und keinen Skandal. Mahagonny fand freundlichen Applaus. Die Oper wirkt heute längst nicht mehr so aggressiv wie damals.«[91] Die Berliner Aufführung unterschied sich von der in Leipzig szenisch durch die Annäherung an die Kabarettsphäre, durch das abgebrühtere Berliner Publikum und nicht zuletzt durch die Verschärfung der politischen und wirtschaftlichen Situation. »Brechts berlinisch kesse Anrempelung des Kapitalismus rührt uns jetzt nicht mehr sehr stark«, schrieb der Musikkritiker Hugo Leichtentritt und fügte nicht ganz unrichtig hinzu: »Die Zeit selbst hat unser aller kapitalistischen Gelüste so stark angerempelt, daß Brechts noch so freche Ausfälle schon überflüssig und überholt erscheinen.«[92] Wie in der Oper Gottes Drohung mit der Hölle von den Mahagonny-Leuten kaum noch als Provokation empfunden wurde, so nahm das Berliner Publikum 1931/32 Brechts Drohung mit dem Chaos fast gleichmütig hin. Die Oper wurde sogar zu einem für das moderne Musiktheater ungewöhnlichen Erfolg. »Wir spielten ›Mahagonny‹ über fünfzig Mal«, erinnerte sich Auf-

Weill und Brecht beraten den am Klavier sitzenden Dirigenten Alexander Zemlinsky bei den Berliner »Mahagonny«-Vorbereitungen.
(Quelle: Archiv Schebera, Leipzig)

richt. »Niemals zuvor ist eine moderne Oper en suite und so oft gegeben worden.«[93]

Es gab Stimmen, die den Erfolg der Oper unter den Berliner Theaterbedingungen als Beweis dafür ansahen, daß sie in Wirklichkeit gar keine richtige Oper sei. Weill jedoch war schon von vorneherein nicht auf eine Opernbühne fixiert gewesen; er wollte, wie schon beim Songspiel, auch mit der Oper ein neues, breiteres Publikum erreichen. Noch im Januar 1930 schrieb er im Vorwort zum Regiebuch der Oper: »Der Bühnenaufbau soll so einfach sein, daß er ebensogut aus dem Theater heraus auf irgendein Podium verpflanzt werden kann.«[94] Merkwürdigerweise war es nicht der opernerfahrene Weill, sondern der Theaterpraktiker Brecht, der ganz bewußt auf ein Opernhaus und ein traditionelles Opernpublikum abzielte. So war gerade die skandalumwitterte Leipziger Aufführung mit Opernsängern viel mehr in seinem opernkritischen Sinne gewesen als die erfolgreichere Berliner Produktion mit Schauspielern. Anders als für Weill war für ihn die Mahagonny-Oper mit ihrer nihilistischen Grundhaltung auf der Theaterbühne veraltet, war in ihrem Pessimismus noch Ausdruck von »fin de l'époque«, eine Fortführung bürgerlicher Kunsttendenzen. Auch Adornos Kritik über die Berliner Aufführung endete trotz ihres hohen Lobes für die straffe Inszenierung, für die präzise musikalische Leitung Alexander Zemlinskys und die bewegende Darstellung Lotte Lenyas (»eine bemalte Allegorie der Verdinglichung und totenhaft rührend«) mit dem Satz: »Aber es bleibt dabei, das wahre Mahagonny, das so echt sich bezeugt, gehört ins Opernhaus und wird erst vollkommen sein, wenn die Männer dort ihren Einzug halten und der leibhaftige Mond aus dem zweiten Meistersinger-Akt praktikabel über dem Traumalabama unserer photographischen Vorzeit hängt.«[95]

Die Dreigroschenoper (1928)

> Die Straßenräuber zeigten, auch in der Musik, daß ihre Empfindungen, Gefühle und Vorurteile dieselben waren wie die des durchschnittlichen Bürgers und Theaterbesuchers.

Der Journalist Stefan Grossmann, Herausgeber und verantwortlicher Redakteur der literarisch-politischen Zeitschrift »Das Tage-Buch«, forderte am 4. Dezember 1926: »Das volkstümliche Theater braucht das Großstadt-Singspiel, uns fehlt die Legende und Musik der Armenleutequartiere, das bißchen Mondscheinvergoldung der Mietskasernenhöfe, die musikalische Erhöhung des Leierkastens.« Zwei Jahre später sah er all dies in der Dreigroschenoper verwirklicht. »Nun sitzen, Abend für Abend,

Smokingleute neben Volksbühnenblusen in dem Theaterchen am Schiffbauerdamm, wie es sich gehört seit Shakespeares Stalltheater.«[1]

Die *Dreigroschenoper,* das bekannteste gemeinsame Werk von Brecht und Weill, wird gespielt auf den Bühnen aller Kontinente, und einzelne ihrer Songs, vor allem der Mackie-Messer-Song, gehören mittlerweile zu den Standardtiteln der Unterhaltungsmusiker von Louis Armstrong bis James Last. Dennoch kann nicht behauptet werden, daß die Mehrheit des Publikums das Werk wirklich verstanden hat. Die Paarung von weltweiter Popularität einzelner Songs mit ebenso weitverbreitetem Unverständnis für das Ganze ist nicht die einzige Merkwürdigkeit an der Rezeption der *Dreigroschenoper.* Merkwürdig ist auch, daß ausgerechnet die Adaption einer fremden Vorlage, nämlich von Gay/Pepuschs *The Beggar's Opera* aus dem Jahre 1728, als das typischste Beispiel des »Brecht-Weill-Stils« gilt. Und gerade dasjenige Werk wurde für die beiden Autoren zum größten Aufführungserfolg, von dem man es sich zunächst am wenigsten erwartet hatte, das vielmehr das Resultat einer einzigen Folge von Zufällen und Zwischenfällen war. Die Uraufführung, die am 31. August 1928, 200 Jahre nach der Premiere der englischen Vorlage, im Theater am Schiffbauerdamm, dem heutigen Sitz des Berliner Ensembles, stattfand, verlief ganz anders, als sie eigentlich geplant gewesen war.

Brecht hat John Gays satirisches Hauptwerk, ein Repertoirestück der englischen Bühnen, das seine Mitarbeiterin Elisabeth Hauptmann für ihn übersetzt hatte, eigentlich nicht für das Schiffbauerdamm-Theater, sondern für Max Reinhardts Deutsches Theater bearbeitet. Dieses Haus war ihm wohlvertraut; hier war er wenige Jahre zuvor auf Einladung Erich Engels zusammen mit Carl Zuckmayer als Dramaturg tätig gewesen. Brecht konnte sich außerdem auf den Schauspieler Erwin Faber stützen, den er schon von München her kannte und der ein Vertrauter des Direktors der Reinhardt-Bühnen war. Es gelang ihm, den Schauspieler für das Projekt zu begeistern; Faber versprach, sich für die Aufführung am Deutschen Theater einzusetzen. Fünfzig Jahre später erzählte er von diesen vergessenen Aktivitäten: »Der Direktor Dr. Robert Klein, der alle Reinhardt-Bühnen in Berlin leitete, hatte gerade eine wichtige Besprechung. Ich wollte und konnte nicht warten und habe das Buch der Sekretärin gegeben: Geben Sie das dem Dr. Klein! Das ist ein absoluter Kassenerfolg! – Diese Sekretärin hat es nicht weitergegeben … Jedes Theater in Berlin war darauf aus, ein Stück in die Hand zu bekommen, das jahrelang ein Kassenerfolg wird. Von Brecht haben sie sich das nicht versprochen, weil die ersten Stücke, ›Trommeln in der Nacht‹ und ›Im Dickicht der Städte‹, eben keine Kassenerfolge waren. Ich vermute, darum hat die Sekretärin das Buch nicht weitergegeben. – Nach einem Monat vergeblichen Wartens wurde es dem Brecht zu dumm. Er sagte zu mir: Holen Sie das Manuskript. Die kriegen nie wieder ein Stück von mir!«[2]

Ein anderer griff zu: der junge Theaterdirektor Ernst Josef Aufricht. Er suchte im Frühjahr 1928 schon fast verzweifelt nach einer Novität für die Eröffnung seines soeben gepachteten Theaters am Schiffbauerdamm. Nach vergeblichen Bemühungen bei mehreren Autoren und Bühnenvertriebsstellen stieß er im Künstlerlokal Schlichter auf Brecht und fragte auch ihn, ohne große Erwartungen, nach neuen dramatischen Werken. Brecht erzählte ausführlich von seinem Stück *Joe Fleischhacker,* an dem er gerade arbeitete. Aufricht war an diesem Drama über die Weizenbörse von Chicago nicht interessiert und wollte schon resigniert gehen, als Brecht eher beiläufig eine Gay-Bearbeitung erwähnte, die er »Gesindel« nannte. Von Musik oder gar einer Oper war noch nicht die Rede. Da Aufricht meinte, dieser Stoff aus der Londoner Unterwelt könne beim Publikum ankommen, ließ er schon am nächsten Morgen das vom Deutschen Theater verschmähte Manuskript abholen. Es blieb die folgenreichste Entdeckung seines Lebens.

Direktor Dr. Klein von Reinhardts Deutschem Theater war entsetzt, als er später hörte, daß Erwin Faber, sein Vertrauter, das Manuskript in Händen gehabt hatte und an der Vermittlung beteiligt gewesen war. Vorwurfsvoll fragte er ihn: »Warum haben Sie das Stück nicht *mir* gegeben?«

Das alte englische Stück, auf das Brecht sich stützte, war keine Oper über Bettler. Der große englische Moralist und Satiriker John Gay hatte 1728 mit *The Beggar's Opera* nicht die Londoner Unterwelt[3] darstellen wollen. Das Gangstermilieu war für den mit der konservativen Partei sympathisierenden Gay, dessen Hoffnungen auf eine glanzvolle Hofstellung durch die neue Whig-Regierung unter dem Premierminister Sir Robert Walpole zunichte gemacht wurden, vielmehr ein Mittel der aktuellen politischen Satire. Seine *Beggar's Opera* verstand er als ein kritisches Porträt der neuen Regierung und der mit ihr verbündeten Finanzbourgeoisie. Zahlreiche Anspielungen, etwa ein Spottliedzitat in der Ouvertüre, verwiesen die zeitgenössischen Hörer unmißverständlich auf Walpole.[4] Kurz vor Ende des Stücks verkündete der Autor in der Maske eines Bettlers die Moral: »Eines werden Sie immerhin im Laufe des Stückes bemerkt haben: Die Bräuche der Gangster unterscheiden sich kaum von denen der großen Welt. Ich frage mich manchmal, wer es da wem gleichtut: die feinen Leute den Straßenräubern oder die Straßenräuber den feinen Leuten. Ihre Lumpereien gleichen einander aufs Haar. – Wäre das Stück so ausgegangen, wie ich mir's gedacht habe, so hätte es eine vortreffliche Moral gehabt. Man hätte daran sehen können, daß die kleinen Leute nicht viel besser sind als die großen Herren. Der Unterschied ist nur: die kleinen müssen's büßen –.«[5] Die Gangsterwelt dient bei Gay als Spiegel für die korrupten, nur den Gesetzen des Geldes folgenden Praktiken von Regierung und aufstrebendem Bürgertum.

Brecht konnte an diese Konzeption unmittelbar anknüpfen. Auch er begriff die *Beggar's Opera* als eine Darstellung der bürgerlichen Gesellschaft und nicht bloß lumpenproletarischer Elemente.[6] Er war ferner der Ansicht, daß die Thematik auch 1928 noch aktuell sei: »Wie vor zweihundert Jahren haben wir eine Gesellschaftsordnung, in der so ziemlich alle Schichten der Bevölkerung, allerdings auf die allerverschiedenste Weise, moralische Grundsätze berücksichtigen, indem sie nicht in Moral, sondern natürlich von Moral leben.«[7] Brecht orientierte sich einerseits eng an der Fabel seiner Vorlage und übernahm die Figur des geldgierigen Bettlerkönigs Peachum, der aus dem Mitleid mit dem Elend systematisch Profit zieht, ebenso wie die seines »edleren« Gegenspielers Macheath. Andererseits griff er, entsprechend der veränderten historischen Situation des Bürgertums und des Kapitalismus im Jahre 1928, wesentlich in die Vorlage ein. Er verlegte die Handlung ins Viktorianische Zeitalter, um durch die größere zeitliche Nähe die Übertragbarkeit der Parabel auf die Gegenwart zu erleichtern, ohne damit aber auch die historische Distanz, die kritische Reflexion ermöglicht, ganz preiszugeben.

Gleich der berühmte Mackie-Messer-Song zu Beginn des Stücks gibt die Richtung seiner Umarbeitung an. Diese Moritat kontrastiert zunächst das Erscheinungsbild eines Haifischs mit dem des Räubers Macheath – mit Zähnen im Gesicht der eine, wohlanständig und gutbürgerlich der andere. Während der Haifisch schon äußerlich blutrünstig und furchterregend aussieht, wirkt Macheath vertrauenerweckend. Aber auch er ist ein Räuber und Mörder. »Doch das Messer sieht man nicht.« Während die Gangster von 1728 offen als solche erkennbar waren, ihre »Zähne im Gesicht« trugen, wird der Macheath Brechts durch seine bürgerliche Charaktermaske geschützt. Gegenüber den offen korrupten frühkapitalistischen Verhältnissen von 1728, die John Gay brandmarkte, haben sich die Gangstermethoden unter den Bedingungen des Spätkapitalismus verfeinert; sie sind oft sogar durch Gesetze abgesichert, legalisiert und so äußerlich kaum noch als Verbrechen erkenntlich.

Am Ende der *Dreigroschenoper* bemerkt auch Mackie Messer, daß der »Fortschritt« weitergeht und seine Methoden hoffnungslos veraltet sind. »Meine Damen und Herren«, verkündet er in einer Schlußpassage, die erst für die Buchausgabe aus *Happy End* übernommen wurde, »Sie sehen den untergehenden Vertreter eines untergehenden Standes. Wir kleinen bürgerlichen Handwerker, die wir mit dem biederen Brecheisen an den Nickelkassen der kleinen Ladenbesitzer arbeiten, werden von den Großunternehmen verschlungen, hinter denen die Banken stehen. Was ist ein Dietrich gegen eine Aktie? Was ist ein Einbruch in eine Bank gegen die Gründung einer Bank? Was ist die Ermordung eines Mannes gegen die Anstellung eines Mannes?«[8] Der Kapitalismus hat sein räuberisches, ausbeuterisches Wesen nicht verändert, wohl aber seine Erscheinungsweise. Die Haifische haben sich in Gentlemen mit einer Doppelmoral verwandelt. Mackie Messers Gangstertum ist eine Vorstufe zur modernen Perfektion der Banken und Großkonzerne.

Schon die alte *Beggar's Opera* war reich an Musiknummern gewesen; zu ihr gehörten 69 Lieder in der musikalischen Bearbeitung John Pepuschs. Die Melodien stammten aus populären englischen, schottischen und irischen Balladen, teilweise aber auch aus Opernarien von Purcell, Barret, Clarke und Bonocini. Die Lieder waren nicht unmittelbar Teil der Handlung; aus ihnen sprach vielmehr der kommentierende Autor, der als Bettler auftrat. Für Gay bedeutete die Gegenüberstellung von »niederer« Volks- und »hoher« Opernmusik zugleich Gesellschafts- wie Kunstkritik. Der Tory John Gay sah England durch kapitalistische Geschäftemacherei und künstlerische Überfremdung bedroht: von der Geschäftemacherei des Premiers Walpole und seiner bürgerlichen Whig-Regierung sowie von der künstlerischen Überfremdung durch den wachsenden Einfluß des deutschen Komponisten Georg Friedrich Händel und der italienischen Oper. Beiden Zielsetzungen, der politischen wie der kunstpolitischen Kritik, dienten die Lieder der *Beggar's Opera*. Der politischen Kritik dienten die aktualisierenden Neutextierungen bekannter Volksweisen, wie es im 18. Jahrhundert auch die Londoner Bettler oft praktizierten; eine Verpflanzung dieses satirischen Verfahrens der Straßensänger auf die Bühne hatte es bis dahin neben den Pariser Vaudeville-Komödien auch in den englischen »Jigs« und den Burlesken gegeben. Die musikalische Kritik geschah dagegen durch offene Anspielungen auf Londoner Opernskandale und Primadonnenrivalitäten, auch durch das parodistische Zitat eines Marsches aus Händels *Rinaldo*.

Viel mehr als die Parodien auf »hohe« Musik muß Brecht der zweite musikalische Aspekt der *Beggar's Opera* interessiert haben: die »niedere« Musik der Straßensänger und die Umtextierungspraxis, wie er sie bei den Moritatensängern der Jahrmärkte kennengelernt und dann selbst praktiziert hatte. Das Moritatenelement der *Beggar's Opera* gab ihm die Möglichkeit, seine bisherigen Versuche auf dem Gebiet des epischen Musiktheaters, wie er sie gerade erst mit dem Mahagonny-Songspiel unternommen hatte, weiterzuführen und bereits vorliegende Gesänge, so den »Barbara-Song«, »Die Seeräuber-Jenny« und den »Kanonen-Song«, wiederzuverwenden. Eine Verwandtschaft entdeckte er auch zu den rauhen, realistischen Balladen François Villons, an denen er sich schon früher gern orientiert hatte. Mit Macheath teilte Villon das Schicksal, als Haupt einer Räuberbande zum Galgentod verurteilt und schließlich doch noch begnadigt worden zu sein. Deshalb fügte Brecht in seine Gay-Bearbeitung mehrere Varianten von Villon-Balladen ein. Schon bei Villon hatte es eine »Ballade vom angenehmen Leben« gegeben. Aus der »Ballade vom Villon und der dicken Margot« wurde bei Brecht die »Zuhälterballade«, Villons »Ballade von den Torheiten der Liebe« erweiterte er zum »Salomo-Song«, die »Ballade, in der Villon jedermann Abbitte leistet«, machte er zum Ausgangspunkt der »Ballade, in der Macheath jedermann Abbitte leistet«. Als Brecht daraufhin des Plagiats bezichtigt wurde, wies er in seinen »Anmerkungen zur Dreigroschenoper« darauf hin, daß sich seine Villon-Umarbeitungen von der Ammerschen Übersetzung nicht zuletzt dadurch unterschieden, daß sie Balladen zum Singen und nicht zum Lesen seien. Mehr noch als Ammer bezog Brecht die proletarische Sprechhaltung mit ein; seine Neufassungen machen vielfältigen Gebrauch von umgangssprachlichen Wendungen, vom plebejischen Jargon der Vorstadt.

Bei John Gay hatte es nur in der Rahmenhandlung die Figur eines Bettlers gegeben – als Verkörperung des Autors. In diesem Sinn handelt es sich bei dem Stück um »Die Oper des Bettlers«. Brecht dagegen brachte mehrere Bettler als Träger der Handlung auf die Bühne; er stellte sie dar als kleine Angestellte, als Opfer der kapitalistischen Gesellschaft. Ihre Gegenspieler sind die Räuber und Hehler Macheath und Peachum, denen Brecht alle bürgerlichen Eigenschaften eines Arbeitgebers und Unternehmers gab; bewegt werden sie nicht von Gefühlen, sondern allein von den Markt- und Machtverhältnissen. Die Bettler sind Menschen, die auf besonders elende Weise ihre Arbeitskraft verkaufen müssen. Thema von Brechts Stück ist die Durchkapitalisierung aller menschlichen Beziehungen, die sämtliche Moralvorstellungen außer Kraft setzt.[9]

Nachdem der Titel »Gesindel« verworfen worden war, gab Brecht der ersten Fassung seines Bühnenmanuskripts die Überschrift »Luden-Oper«. Er legte damit den Akzent auf die Abhängigkeitsverhältnisse, denn »Luden« bedeutet im Berliner Jargon soviel wie Zuhälter. Tatsächlich sind sowohl Macheath als auch Peachum im wörtlichen oder übertragenen Sinne Zuhälter. Während der eine sein Geld wirklich mit Huren verdient, tut es der andere mit Bettlern. Brechts Gesellschaftskritik liegt darin, daß er kapitalistische Arbeitgeber mit Zuhältern vergleicht. Wie die freundschaftliche Beziehung zwischen dem Polizeichef Brown und dem Gangster Macheath beweist, ist dieses ökonomische Abhängigkeitsverhältnis entscheidender als der Gegensatz von Legalität und Illegalität.

Erst nach der Annahme des Stücks durch Aufricht kam Brecht auf die Beteiligung des Musikers Kurt Weill zu sprechen. Aufricht kannte diesen als einen atonalen Komponisten und war deshalb skeptisch. Vorsorglich beauftragte er Theo Mackeben, der die musikalische Einstudierung übernehmen sollte, mit der Bearbeitung der Originalmusik von Pepusch. Weill erfuhr davon nichts. Für ihn war das neue Projekt nur eine Nebenarbeit, eine Unterbrechung seiner Komposition der großen Oper *Aufstieg und Fall der Stadt Mahagonny*. Da Aufricht drängte – er wollte schon am 31. August, an seinem Geburtstag, mit dem neuen Brecht-Weill-Stück sein Schiffbauerdamm-Theater eröffnen –, nahmen Brecht und Weill eilig die Arbeit auf. Mitte Mai 1928 reisten sie mit ihren Frauen nach Le

Lavandou an der französischen Riviera. Hier arbeiteten sie Lotte Lenya zufolge »Tag und Nacht wie die Verrückten«.[10] Anfang Juli kehrte Weill zum Komponieren nach Berlin zurück.

Daß er das ganze Projekt nur als Nebenarbeit empfand, die ihm ein wenig aus den beengten Finanzverhältnissen helfen sollte, wird von mehreren seiner Freunde und Bekannten bestätigt, so auch von Wladimir Vogel, einem ehemaligen Mitstudenten bei Busoni: »Ich entsinne mich, an einem heißen Sommertag in Berlin Weill in seiner Wohnung aufgesucht zu haben. Ich fand ihn gerade beim Komponieren. Verschiedene Blätter lagen verstreut auf Tischen, Stühlen und Klavier. Ich fragte Weill, woran er gerade arbeite. ›Ach . . .‹ antwortete er wie so von ungefähr, ›ein Sommertheater will ein Stück von Brecht aufführen und bat mich, einige Musiknummern und Zwischenspiele zu schreiben . . . eine Art Bühnenmusik.‹ Ich hatte den Eindruck, daß Weill dieser Arbeit keine große Bedeutung beizumessen schien und ungern darüber sprach.«[11] Noch bei den Proben war Weill überaus skeptisch. Seinem Komponistenkollegen Rudolf Wagner-Régeny riet er: »Es ist nichts. Gehen Sie nicht hin.« Als Wagner-Régeny einige Tage nach der Uraufführung wieder anrief, hatte Weill seine Meinung geändert: »In 100 Jahren wird man dieses Stück noch spielen.«[12] Als Bühnenmusik wollte er später seine Dreigroschenmusik nicht mehr abqualifiziert sehen.

Aufricht, auf dem Gebiet der Musik konservativer als auf dem Theater, war zuerst skeptisch, als ihm Weill seine Songs auf dem Klavier vorspielte. Zwar waren sie nicht atonal, wie er befürchtet hatte, aber doch fremdartig. Der Dramaturg Robert Vambery erkannte jedoch die Erfolgschancen, so daß Aufricht seine Meinung änderte: »Trotz der Fremdheit hatte diese Musik etwas Naives, zugleich Raffiniertes und Aufregendes, das mich anrührte.«[13] Erst jetzt verzichtete er endgültig auf die Pepusch-Musik, die Theo Mackeben, der für die musikalische Leitung Verantwortliche, immer noch in Reserve gehalten hatte. Da Aufricht das Projekt als »lustige literarische Operette mit einigen sozial-kritischen Blinklichtern« ansah[14], gab er seine volle Zustimmung, als Erich Engel, der Regisseur, die Rollen mit Schauspielern besetzte, die der Operette oder dem Kabarett nahestanden: Harald Paulsen (Mackie Messer), Carola Neher (Polly), Erich Ponto (Peachum), Rosa Valetti (Frau Peachum), Kurt Gerron (»Tiger« Brown), Kate Kühl (Lucy) und Ernst Busch (Polizist Smith). Mit dieser prominenten Besetzung waren Brecht und Weill einverstanden. Zusätzlich wünschten sie sich jedoch die Mitwirkung von Lotte Lenya und Helene Weigel, die ja den Entstehungsprozeß des Werks aus nächster Nähe miterlebt hatten. Die Lenya erhielt die eher untergeordnete Rolle der Spelunken-Jenny, während die Weigel im Verlauf der hektischen Proben wegen einer Erkrankung ausfiel. Ihre Rolle wurde daraufhin gestrichen.

Natürlich gab es im turbulenten Probenmonat August auch Auseinandersetzungen um die Musik. Brecht bestand auf der optischen Trennung von Handlung und Musikeinlagen; diese sollten schon äußerlich als Reflexionen und Kommentare zu erkennen sein. Zu diesem Zweck holte er die Musiker aus dem Orchestergraben, in den sie bei Opernaufführungen sonst verbannt sind, und setzte sie sichtbar auf die Bühne. Sie erhielten ihren Platz auf der großen Attrappe einer Jahrmarktsorgel im Bühnenhintergrund, auf der sie wie lebende Register saßen. Indem so Menschen in den Apparat integriert waren – eine Lieblingsidee Brechts in diesen Jahren –, wurde die ursprüngliche Funktion der Jahrmarktsorgeln, nämlich die teuren Musikkapellen durch den auf die Dauer billigeren Apparat zu ersetzen, umgekehrt.[15]

Brechts Vorschläge zur Musik waren für die Musiker und für die Regie ungewöhnlich. Die Sänger beschwerten sich, daß sie den Dirigenten, der mit der Kapelle hinter ihnen stand, nicht sehen konnten. Der tüchtige Theo Mackeben jedoch, der sich später als Film- und Schlagerkomponist einen Namen machte[16], sorgte durch seine gründliche Einstudierung dafür, daß die Einsätze auch »blind« klappten. Größer waren dagegen die Schwierigkeiten mit der Regie. Um die Musikeinlagen von der Handlung zu trennen, wollte Brecht bei jedem Song die Bühne verdunkelt haben, das Licht sollte nur auf Sänger und Instrumente fallen. Dieser Vorschlag ging über die bisherigen Bühnenmusikexperimente Weills, der in seinem Einakter *Der Protagonist* nach Georg Kaiser immerhin zwei verschiedene Realitätsebenen durch getrennte Orchestergruppen verdeutlicht hatte, weit hinaus. Der Regisseur Erich Engel, sosehr er sonst mit Brecht übereinstimmte, wollte die damit verbundenen Unterbrechungen der Handlung nicht akzeptieren; er forderte, als der Stückeschreiber nicht nachgab, schließlich sogar die Streichung der gesamten Musik. Glücklicherweise konnte er sich damit nicht durchsetzen. Die Trennung von Gesang und Handlung war für Brecht grundlegend, stellte sie doch einen wichtigen Teil seines Konzepts vom epischen Theater dar. Ohnehin bedeuten schon in den traditionellen Opern die Arien meist einen Stillstand der Handlung. Indem Brecht diese Unterbrechung der Handlung nicht negierte, sondern zum Prinzip erhob, zerstörte er auch die Fiktion eines durchlaufenden Geschehens; er erwies sich damit als größerer Realist als die bisherigen Operntheoretiker.

Eine große Enttäuschung bedeutete es für ihn, als die von ihm sehr geschätzte Carola Neher als Polly ausfiel.[17] Ihr Mann, der Dichter Klabund, starb am 14. August in einem Sanatorium in Davos. Carola Neher kehrte zwar zu den Proben zurück, übergab ihre Rolle aber kurzfristig an Roma Bahn. Bald nach der Premiere spielte die Neher wieder die Polly. Diese Rolle bestätigte ihren Ruf, die beste Interpretin von Brecht-Songs neben Lotte Lenya zu sein.

Der endgültige Werktitel *Dreigroschenoper* ging auf einen Vorschlag Lion

Feuchtwangers zurück. Auch zur Entstehung der berühmten *Moritat von Mackie Messer*[18] bedurfte es eines Anstoßes von außen: der Eitelkeit des Operettenstars Harald Paulsen. Als dieser auf seinen schwarzen Maßanzug und eine hellblaue Schleife, die er sich besorgt hatte, nicht verzichten wollte, obwohl diese Kostümierung wenig zum Stil der Aufführung und zur Rolle des Macheath paßte, kam Brecht auf den rettenden Einfall, gerade diesen Kontrast zwischen süßlich-charmantem Äußeren und düsterer Räuberexistenz durch eine Moritat besingen zu lassen – durch die Moritat von Mackie Messer. In der folgenden Nacht schon schrieb er den Text und konzipierte wohl gleichzeitig damit, wie es seiner frühen Balladenpraxis entsprach, eine musikalische Idee.

Jede Zeile des Gedichts besitzt den gleichen auftaktigen Rhythmus ♪♪ | ♩ ♩ oder ♪♪ | ♩ ♩ :

> Und der Haifisch
> Der hat Zähne ...

Die Einfachheit und Gleichförmigkeit des Rhythmus entspricht dem leiernden Charakter einer Moritat. Trennt man die einzelnen Zeilen durch Pausen, wird diese Gleichförmigkeit noch deutlicher:

Der Rhythmus von Weills Mackie-Messer-Moritat leitet sich also schon fast von selbst aus dem Text her. Wieweit Brechts textlich-rhythmische Idee auch schon musikalisch-melodisch konkret war, läßt sich heute kaum mehr feststellen. Auch die bekannte Melodie ist jedenfalls von formelhafter Einfachheit. Sie basiert auf dem Dur-Dreiklang mit hinzugefügter Sexte (sixte ajouté)

und wird abwechselnd von Tonika- und Dominantakkorden begleitet.

Es ist denkbar, daß Brecht dem Komponisten einen Melodieentwurf vorgesungen oder vorgepfiffen hat. Nach der Version Weills kam ihm dagegen die Inspiration zu dem Anfangsmotiv während einer Fahrt mit der Straßenbahn – als klingendes Substrat Berliner Straßenlebens.[19] Einen gewissen Anteil an der Fertigstellung der Melodie beanspruchte auch der Berliner Drehorgelbauer, Komponist und Walzennotierer Giovanni Bacigalupo, der sie zur Uraufführung auf die Drehorgel übertrug. 1928, in der Frühzeit von Rundfunk und Schallplatte, war dies gerade in Berlin ein alltägliches und sehr populäres Straßeninstrument; es besaß noch nicht wie heute den so ausschließlich nostalgischen Charakter, der sich dann auch auf die Ballade vom Mackie Messer übertrug und deren Aussage über-

Ernst Busch als Straßensänger im Dreigroschenoper-Film (1931). Auf der Tafel das große Feuer von Soho aus der Moritat von Mackie Messer.
(Quelle: Märkisches Museum, Berlin, DDR)

deckte. Nach dem Zeugnis des erst 1978 im hohen Alter von 89 Jahren verstorbenen Bacigalupo haben Brecht und Weill ihm eine für die Drehorgel zu komplizierte Melodie gebracht; die habe er dann zu der heute bekannten Form reduziert.[20] Wahrscheinlich enthält jede Version der Entstehungsgeschichte ein Körnchen Wahrheit. Von Brecht, der schon von Jugend auf von Moritaten fasziniert war, ging aber doch wohl die entscheidende Idee zu diesem Lied aus.

Brecht »hatte einen unverwechselbaren Tonfall. Im Grunde war er der Urheber der Musiken, die andere für ihn komponierten oder arrangierten.« So das Urteil des Komponisten Werner Egk.[21] Durch seinen Augsburger Schulfreund Müllereisert war Egk in Berlin mit Brecht in Verbindung gekommen und hatte ihn Songs zur Klampfe singen hören. Obwohl Egk die musikalische Originalität Brechts voll erkannt hatte, fuhr er fort: »Trotzdem sollte man die Leistung von Weill und Mackeben nicht schmälern. Sie haben durch ihre geniale Apperzeptionsfähigkeit das

Brechtsche Rohmaterial in die unvergeßliche, musikalisch präzise Form des Welterfolgs *Dreigroschenoper* umgegossen.«

Obwohl die Moritat von Mackie Messer einem Ausrufer zugedacht war, wollte Paulsen sie selbst singen, so gut gefiel sie ihm. Wegen seiner zu süßen Stimme wurde sie aber Kurt Gerron übertragen, der damit neben seiner Rolle als Polizeichef »Tiger« Brown auch noch die eines Straßensängers bekam. Am Tag der legendären Uraufführung der *Dreigroschenoper* am 31. August 1928 hob Gerron also nach einer barockisierenden Opernouvertüre, und als Kontrast dazu, die Moritat aus der Taufe. Der Erfolg war allerdings alles andere als überwältigend. Gerron drehte an seinem Leierkasten, ohne daß ein einziger Ton erklang – man hatte vergessen, den Apparat anzustellen. Brechts Grundgedanke für die Inszenierung, Bettler eine »richtige Oper« in Szene setzen zu lassen, was ihnen bei ihren unzulänglichen Mitteln aber immer wieder mißlingt – diese Idee eines »armen« Theaters wurde so wider Willen auf die Spitze getrieben. Das Premierenpublikum war verwirrt. Nach den Worten der Spelunken-Jenny »Das war Mackie Messer« gab es keinen Beifall.[22]

Die Dreigroschenoper

Ein Stück mit Musik in einem Vorspiel und 8 Bildern nach dem Englischen des John Gay
Übersetzung: Elisabeth Hauptmann; Bearbeitung: Bertolt Brecht;
Musik: Kurt Weill

Ouvertüre und Vorspiel
Nr. 1 Ouvertüre (Maestoso)
Nr. 2 (= Vorspiel) Moritat von Mackie Messer (Blues-Tempo)

Erster Akt
Nr. 3 Morgenchoral des Peachum (Feierlich)
Nr. 4 Anstatt-daß-Song (Peachum, Frau Peachum) Moderato
Nr. 5 Hochzeitslied (zuerst a cappella gesungen, verlegen und langweilig, später moderato assai)
Nr. 6 Seeräuber-Jenny (Polly) Allegretto
Nr. 7 Kanonen-Song (Macheath, Brown) Foxtrott-Tempo
Nr. 8 Liebeslied (Polly, Macheath) Molto tranquillo
Nr. 9 Barbara-Song (Polly) Moderato assai
Nr. 10 Erstes Dreigroschen-Finale (Polly, Peachum, Frau Peachum) Allegro animato

Zweiter Akt
Nr. 11 Melodram Andante con moto
Nr. 11a Pollys Lied

Nr. 12 Ballade von der sexuellen Hörigkeit (Frau Peachum) Andante quasi largo
Nr. 13 Zuhälterballade (Jenny, Macheath) Tango-Tempo
Nr. 14 Ballade vom angenehmen Leben (Macheath) Shimmy-Tempo
Nr. 15 Eifersuchtsduett (Lucy, Polly) Molto agitato
Nr. 16 Zweites Dreigroschen-Finale

Dritter Akt
Nr. 17 Lied von der Unzulänglichkeit menschlichen Strebens
Nr. 18 Salomon-Song
Nr. 19 Ruf aus der Gruft (Macheath)
Nr. 20 Grabschrift (Macheath) Sostenuto
Nr. 20a Gang zum Galgen
Nr. 21 Drittes Dreigroschen-Finale (Brown, Frau Peachum, Herr Peachum, Macheath, Polly, Chor) Allegro vivace

Der erste Akt beginnt in den Bettlergarderoben des Unternehmers mit dem biblischen Namen Jonathan Jeremiah Peachum. Die »Arbeiter« in seiner Firma sind Bettler; aus dem Betteln hat der geschäftstüchtige Peachum eine Lohnarbeit gemacht. In seinem *Morgenchoral* im feierlichen ⁶/₄-Takt, textlich an deutsche Kirchenlieder und musikalisch an eine Melodievorlage aus der alten *Beggar's Opera* angelehnt, wendet sich Peachum, nur vom Harmonium begleitet, mit drohender, einschüchternder Gebärde ans christliche Gewissen seiner »Kunden«, denn er weiß: es reagiert nur noch auf starke moralische Appelle. Die zunehmende Schwierigkeit seines Geschäfts, so ist Peachums Klage zu entnehmen, erwachse aus der zunehmenden Abstumpfung der Menschen gegenüber dem Elend. Es wird damit das 1. Dreigroschen-Finale über den Zusammenhang von Moral und Wirtschaftslage schon angedeutet. Nachdem Peachum einen Menschen namens Filch in seine monopolartige Organisation aufgenommen und »standesgemäß« als mitleiderregenden Bettler eingekleidet hat, muß er von seiner Frau erfahren, daß seine Tochter Polly ausgerechnet Macheath, den konkurrierenden Räuberunternehmer, heiraten will. In einem *Anstatt-daß-Song* beklagen die Eltern die Nachlässigkeit ihrer Tochter, die »bloß« ihren Gefühlen und ihrem Herzen folgt, anstatt ihre Rolle als lebendes Aushängeschild im elterlichen Geschäft zu beachten und aus sich selbst Kapital zu schlagen.

In der nächsten Szene feiert der Bandit Macheath, genannt Mackie Messer, in betont bürgerlichem Rahmen seine Hochzeit mit Polly Peachum. Dabei erklingt zuerst ein kärgliches, in Text und Musik wahrhaft desillusionierendes *Hochzeitslied für ärmere Leute*, nach Weills Vorschrift »zuerst a cappella gesungen, verlegen und langweilig«; textlich spielt es an auf Kants Definition der Ehe als dem »wechselseitigen Gebrauch ... der Geschlechtsorgane«.[23] Danach will auch Polly zur Verschönerung der Feier beitragen. Sie singt ein Lied, das sie in einer Kneipe von Soho einmal von einem Abwaschmädchen hörte: *Das Lied von der Seeräuber-Jenny*.[24] Die szenische Inszenierung dieses Liedes ist kunstvoller als die der anderen Gesänge. Nicht nur verwandelt sich die Schauspielerin bei veränderter Beleuchtung zur Sängerin, sie gestaltet ihren Gesangsvortrag auch als eigene Szene, als Spiel im Spiel. Polly läßt die Männer die Situation in jener Kneipe von Soho, wo sie das Lied zum ersten Male hörte, nachspielen. Man hat in diesem Zusammenhang von einer »epischen Musterszene« gesprochen. Die Gangster werden »zu Mitspielern des Spiels im Spiel wie auch deren Zuschauer, und die Zuschauer im Parkett werden zu Zuschauern der Zuschauer. (...) Der Zuschauer ist angehalten, statt dem Geschehen illusioniert zu folgen, es zu beobachten, zu reflektieren.«[25] In das Bild vom Schiff, das die Befreiung der Unfreien bringt, ist Brechts frühe Faszination vom *Fliegenden Holländer* sowie die von der Welt der Seeräuber eingegangen, wie sie sich zum Beispiel in der »Ballade von den Seeräubern« dokumentierte – eine Räuberromantik, die in der »Dreigroschenoper« von Brecht sonst eher vermieden und durch nüchternes Geschäftsdenken ersetzt wurde.

Obwohl die Männer den Gesang als »sehr nett, ulkig« abtun (»Wie die das so hinlegt, die gnädige Frau!«), während Macheath die bedrohliche Wirkung des Liedes durch die Bezeichnung »große Kunst« zu neutralisieren versucht, ist die Ballade mehr als ein bloßes Stimmungslied, mehr als bloße »Kunst als Garnierung«.[26] Es ist kaum zweifelhaft, daß Brecht ebenso wie den Seeräubern, jenen heroischen Vorgängern der modernen Gangster, auch dem auf die Seeräuber wartenden Abwaschmädchen – für Ernst Bloch eine Mischung aus Senta, Hexe, Paradiesschlange, Feministin und Revolutionärin[27] – seine Bewunderung entgegenbrachte. Ihre Anrede »Meine Herren« meint nicht nur die Vertreter des anderen Geschlechts, sondern auch die herrschende Klasse. Jede Strophe, deren erzählender Tonfall durch die Häufung der Konjunktion »und« unterstrichen wird, ist in sich in drei Abschnitte (5 + 4 + 3 Zeilen) geteilt. Die Sprechhaltung verändert sich, die Aussage spitzt sich in jeder Strophe zum Schluß hin zu. Beschreibt der erste Teil (A) das einfache Leben des Abwaschmädchens, so enthält der zweite (B) jeweils beunruhigte Fragen ihrer Mitbewohner. Die drei Schlußzeilen (C) verheißen die Ankunft der Seeräuber mit einem Schiff, dessen acht Segel die Weite der Meere und dessen fünfzig Kanonen Macht verkörpern. Mit Hilfe dieser Macht kann die gegenwärtige Herrschaft überwunden werden.

Wie schon erwähnt gibt es zur »Seeräuber-Jenny« – nach Ernst Bloch ein modernes »Gebet einer Jungfrau« – eine von Brecht komponierte melodische Fassung, die den unterschiedlichen rhythmischen Gestus der drei Teile sowie vor allem die berühmte Melodie des Refrains, die dann Weill übernahm, bereits enthält. Weill hat Brechts Anregungen aufgegriffen und musikalisch verfeinert. Seine Fassung der »Seeräuber-Jenny« besticht durch ihre Verknüpfung von Einfachheit und Raffinement. Das gilt schon für die zunächst ganz auf dem Rahmenintervall der kleinen Terz aufgebaute Melodik:

A

Die Terz g–b schraubt sich in den nächsten Liedzeilen stufenweise höher (jeweils für zwei Takte a–c und b–des). Selbst die Zeile »Und sie wissen nicht, mit wem sie reden« basiert noch auf diesem Intervall (f–as).
Der zweite Abschnitt (»Aber eines Tages wird ein Geschrei sein am Hafen«) reduziert sich melodisch zu Halbtonschritten (b–h, d–cis, fis–g) und Tonrepetitionen, hat also eher den Charakter von Sprechgesang:

B

Die engen Intervalle der ersten Abschnitte weiten sich im Refrain, der gleich mit einem emphatischen Sextsprung beginnt, aus:

C

Die Dreiteiligkeit der Gedichtvorlage, die den verschiedenen Sprechhaltungen korrespondiert, wirkt damit bis in die Intervallik hinein. Interessant ist dabei die Vorbereitung des Refrains schon im zweiten Abschnitt:

Der irregulär fünftaktige Refrain erscheint so als eine freie Variante der ihm vorausgehenden vier Liedtakte. Er ist Kontrast, aber auch gleichzeitig Resultat.
Im Bereich des Rhythmus kombiniert Weill im Song von der Seeräuber-Jenny ebenfalls Einfaches mit Raffiniertem, so gleich im Anfang durch das reizvolle Gegeneinander von Volltaktigkeit (im ostinaten Begleitrhythmus der Instrumente) und Auftaktigkeit (in der Gesangsstimme). Bei genauerem Hinsehen entpuppt sich der auftaktige Rhythmus als der im Takt um eine Viertelnote nach vorn verschobene Begleitrhythmus. Der ostinate Begleitrhythmus

wird in der Singstimme zu

Die zweite (sechstaktige) Phrase der Gesangstimme erweitert diesen Rhythmus zu ♫ | ♪ ♫ ♫ ♫ | ♫ ♪

und schließlich zu ♫ | ♫♫ ♫ | ♫

Die Ausfüllung des Rhythmus und die Verlängerung der melodischen Phrasen von vier zu sechs Takten bedeutet eine Steigerung, die der Textaussage entspricht. Ein rhythmisches Phänomen von raffinierter Einfachheit ist auch in der zweiten Strophe die Verwandlung des ostinaten Begleitrhythmus vom Foxtrott zum Trauermarsch. Dies geschieht durch gleichmäßige Akzentuierung der Viertel: ♫ ♪ | ♫ ♫

Die eigentliche Raffinesse des Songs von der Seeräuber-Jenny wie auch der meisten anderen Musikstücke der *Dreigroschenoper* liegt jedoch nicht bei der Rhythmik, sondern bei der Harmonik, bei den Akkorden, zwischen denen »die funktionellen Drähte durchgeschnitten« (Kurt Westphal) wurden. Durchgängig ist das Moll beibehalten, nicht nur in den Strophen, sondern auch, wie bei Weill seltener, im Refrain. Der Song verwendet ungewöhnliche Tonarten in ungewöhnlicher Abfolge. Nach einem dorischen Moll auf c (Skala c-d-es-f-g-a-b-c) (vgl. Beispiel A) folgt nach acht Takten die terzverwandte es-moll-Tonart (Beispiel B) und schließlich, noch einmal eine kleine Terz höher, phrygisches fis-moll (Beispiel C). Der Schluß wirkt mit seiner phrygischen Kadenz offen, rätselhaft und archaisch. Der Tritonusabstand zwischen Ausgangs- und Zieltonart verweist auf die Distanz zwischen Realität und utopischem Ziel.
Dieser später so berühmt gewordene, auch von Intellektuellen wie Adorno und Bloch geschätzte Song erregte bei der Uraufführung, wo ihn Roma Bahn anstelle der ursprünglich vorgesehenen Carola Neher vortrug, kaum Aufsehen. Lotte Lenya hatte bis dahin den Eindruck, als hielte das Publikum die Produktion von vornherein für einen Reinfall.
Den Umschwung brachte dann aber der *Kanonensong*.[28] Er mußte, wie fast alle Musiktitel, die noch folgten, wiederholt werden. Wenn dieser Gesang, in dem der Gangster Mackie Messer und sein alter Jugendfreund, der Londoner Polizeichef Brown, sentimentale Erinnerungen an ihre gemeinsame Zeit bei der englischen Kolonialarmee in Indien austauschen, in Text und Musik auch an Klischees anknüpft[29], ist er doch kein einfaches Stimmungslied. So wird der Marschcharakter in Foxtrott aufgelöst. Weitere Erwartungshaltungen werden durchbrochen, indem Weill die eher konventionelle Melodik durch eine unerwartete Harmonik durchkreuzt und verfremdet. Der Melodieanfang

John war da - run - ter und Jim war da-bei

wird nicht von den erwarteten h-moll-Akkorden begleitet, sondern von einer Mischung aus e- und fis-moll. Und der Schluß des Refrains endet nicht folgerichtig in fis-moll

... dann mach-te sie viel-leicht da-raus ihr Beef-steak Tar-tar.

sondern biegt nach a-moll ab:

... leicht da-raus ihr Beef-steak Tar - tar.

Es ist allerdings denkbar, daß das Publikum diese raffinierten Brechungen nicht erfaßte, daß vielmehr der flotte Foxtrott-Rhythmus Brechts zynische Anklage des Militarismus ins Gegenteil verkehrte. Beruhte der große Erfolg des Kanonensongs auf einem Mißverständnis?

Der Kanonensong wird wie das Lied von der Seeräuber-Jenny vorher angekündigt, er wird episch inszeniert. Nie geht in der *Dreigroschenoper* das Sprechen wie in traditionellen Operetten umstandslos ins Singen über. Brecht haßte es, »wenn der Schauspieler sich den Anschein gibt, als merke er nicht, daß er eben den Boden der nüchternen Rede verlassen hat und bereits singe.«[30] Auch mit seinem folgenden *Liebeslied* beginnt der frischgebackene Bräutigam Mac nach dem Abzug der Hochzeitsgesellschaft nicht etwa spontan. Vielmehr gibt er vorher noch eine »vernünftige« Erklärung ab: »Und jetzt muß das Gefühl auf seine Rechnung kommen. Der Mensch wird ja sonst zum Berufstier. Setz dich Polly!« Diese nüchterne, rationale Erklärung geht über Pollys wirklich vorhandene Liebesgefühle kühl hinweg. Zwiespältig ist auch Macs Absage an bürgerliche Rituale, hatte er sich doch gerade vorher um die möglichst perfekte Imitation einer bürgerlichen Hochzeitsfeier bemüht. Der Hörer wird verunsichert; er fragt sich, wie das Lied denn eigentlich gemeint ist. Richtiges und falsches Sentiment werden einander gegenübergestellt. Auf eine offensichtlich parodistische, melodramatisch langsame Einleitung, in der über Tremoloakkorden das Zwiegespräch der Liebenden durch den Dialog von Altsaxophon und Trompete kommentiert wird, folgt ein wohl ernstgemeintes Lied im Dreivierteltakt. Nach Adorno ist diese Valse lente mit den schnaufenden Zäsuren »so innig abgestanden und weinerlich tröstend, wie es nur noch auf der Drehorgel vorkommt«.[31] Die Gefühle werden gebrochen.

Ein eindeutiges Liebeslied ist dagegen der sogenannte *Barbara-Song* (»Einst glaubte ich, als ich noch unschuldig war«)[32], mit dem Polly ihren entsetzten Eltern ihre eheliche Verbindung mit Macheath zu erklären versucht. Sie schockiert damit ihre Eltern ebenso, wie sie vorher mit dem

Song von der Seeräuber-Jenny ihren Bräutigam erschreckt hatte. Beide Songs, die Brecht schon lange vor der Entstehung der *Dreigroschenoper* geschrieben und komponiert hatte, sind nicht nur in der antibürgerlichen Haltung, sondern auch in ihrer Form miteinander verwandt. Auch beim Barbara-Song, dessen Refrain sich an die russische Melodie »Dunkle Augen« anlehnt, sind die Strophen jeweils dreigeteilt (9 + 5 + 4 Zeilen) und steigern sich vom rezitativischen Sprechen zum Gesang. Was bei der Seeräuber-Jenny das gesprochene »Hoppla!« war, ist hier das »Nein«. Schwerer als die Liebesbeteuerungen ihrer Tochter wiegen für die Eltern wirtschaftliche Argumente. Sie planen deshalb, Mackie Messer festnehmen und hängen zu lassen. Im Ersten Dreigroschen-Finale erklären sie ihrer Tochter und auch dem Publikum, warum es ihnen nicht möglich ist, zu den Menschen gut zu sein: »Die Verhältnisse, sie sind nicht so.« Damit wird ein für Brecht zentraler Gedanke herausgestellt: die Zerstörung von Tugend und Moral durch die Not.

Von Polly gewarnt, flieht Macheath im 2. Akt und übergibt seiner jungen Frau für die Zeit seiner Abwesenheit die Geschäfte. Sie singt ihm ein Abschiedslied. Unterdessen warten die von Peachum bestochenen Huren von Turnbridge auf Mac; einst war er als Zuhälter ihr Herr, heute ist er wegen seiner sexuellen Hörigkeit ihr Opfer.[33] Als Mac trotz der drohenden Gefahr zu seinen Huren kommt, ist es die Spelunken-Jenny, die ihn verrät. Ihr verräterischer Judaskuß ist die melodiöse *Zuhälterballade* (Nr. 13)[34] in dem für Weill so typischen Tangorhythmus. Für Brecht war es »das zarteste und innigste Liebeslied des Stückes«. Auch hier sollte der Kontrast von normalbürgerlicher Gefühligkeit und Zuhältermilieu verdeutlichen: »Die Straßenräuber zeigen auch in der Musik, daß ihre Empfindungen, Gefühle und Vorurteile dieselben waren wie die des durchschnittlichen Bürgers und Theaterbesuchers (…) Die Musik arbeitete so, indem sie sich rein gefühlsmäßig gebärdete und auf keinen der üblichen narkotischen Reize verzichtete, an der Enthüllung der bürgerlichen Ideologien mit.«[35] Entlarvend wirkt die »Zuhälterballade« nicht durch das Nebeneinander von bürgerlich und asozial, von Klage und Verklärung, sondern durch den Gegensatz von Inhalt und Funktion: Das gleiche Lied, mit dem Mac eine reine Zweckgemeinschaft emotional verklärt, ist für Jenny ein Polizeisignal. Über alle Gefühle triumphiert das Geld.

In der folgenden Szene, in der sich Mac in Erwartung des Todesurteils in seiner Zelle möglichst bequem einrichtet, fällt der Satz »Ja, wie man sich bettet, so schläft man«. Er verweist nicht nur auf die Mahagonny-Oper, sondern auch auf Macs *Ballade vom angenehmen Leben* (Nr. 14)[36] mit der im modischen Shimmyrhythmus vorgetragenen Moral: »Nur wer im Wohlstand lebt, lebt angenehm!« Die Gangstermoral, so zeigt Brecht, unterscheidet sich in nichts von der des Durchschnittsbürgers; auch ihm bedeuten Ruhm und Weisheit nur wenig im Vergleich zum Wohlstand.

Macheath wendet sich deshalb mit dieser Ballade direkt ans Publikum. In seiner Zelle wird er peinlicherweise gleichzeitig von Polly und von Lucy, der Tochter des Polizeichefs Brown, besucht. Beide erinnern den Inhaftierten an gegebene Eheversprechen[37] und entladen ihren Zorn in einem *Eifersuchtsduett* (Nr. 15). Die zweite Textstrophe dazu schrieb Karl Kraus, der sich damals sehr für die *Dreigroschenoper* interessierte; vielleicht gehen die starken Momente von Opernparodie gerade in diesem Duett auch auf ihn, den Offenbach-Verehrer, zurück. Während das Eifersuchtsduett in die Handlung integriert ist, richtet sich das Finale des zweiten Akts wieder direkt ans Publikum. Ihm erklären die Gangster die Hintergründe für ihr unmoralisches Handeln: »Erst kommt das Fressen, dann kommt die Moral.« Mit der Anrede »Ihr Herren« wird die soziale Distanz zwischen den Gangstern auf der Bühne und den Bürgern im Zuschauerraum zwar unterstrichen, dann aber sogleich eine wichtige Gemeinsamkeit hervorgekehrt: »Ihr Herren, bildet euch nur da nichts ein: Der Mensch lebt nur von Missetat allein!« Die Bürger haben keinen Grund, auf die »Asozialen« herabzusehen – sie sind, da die moralischen Maßstäbe zerstört sind, selber asozial.

Das Lied von der Unzulänglichkeit menschlichen Strebens[38], mit dem Peachum den Polizeichef über die Undurchführbarkeit seiner Verhaftungspläne belehrt, hat Brecht nach der erfolgreichen Premiere zusammen mit der Moritat von Mackie Messer für eine Schallplattenaufnahme gesungen – das erste und leider auch letzte Mal, daß er seinen Gesang auf Platte aufnehmen ließ. Peachum führt das Lied als längst bekannt ein: »Kennen Sie nicht? Da können Sie was lernen!« Ähnlich werden die meisten Gesänge der *Dreigroschenoper* eingeführt: nicht als spontane Ergüsse, sondern als bereits vorliegendes Material, das aus einer bestimmten Situation heraus aufgegriffen wird. Brecht und Weill wollten nicht den Eindruck des Neuen, sondern gerade den Anschein des Alten und Vertrauten erwecken. Auch der folgende *Salomon-Song* (Nr. 18), den Jenny vor dem geschlossenen Vorhang mit Leierkastenbegleitung direkt ins Publikum hineinsingt – dies ein besonders deutliches Beispiel epischer Handlungsunterbrechung! –, weist demonstrativ darauf hin, wie wenig neu, wie alltäglich die Aussage der *Dreigroschenoper* ist. Der Song zieht einen großen Bogen vom Schicksal des weisen Königs Salomo, der schönen Kleopatra und des kühnen Cäsar bis hin zum »wissensdurstigen Brecht« und zum sinnlichen Macheath; ihre Tugenden gereichten ihnen bloß zum Nachteil.

Nachdem sich der zum Tode verurteilte Macheath in einem *Ruf aus der Gruft* (Nr. 19) und einer *Ballade, in der Macheath jedermann Abbitte leistet* (Nr. 20) von seinen Bekannten und Freunden und auch dem Publikum verabschiedet hat, tritt plötzlich die opernhafte Wende ein, die ebenso unwahrscheinlich ist wie das Abbiegen des Hurrikans vor der Stadt Mahagonny: Ein reitender Bote erscheint als Deus ex machina und erklärt, die

Königin habe den Verurteilten nicht nur begnadigt, sondern auch in den erblichen Adelsstand erhoben. Gewaltsam wird das Stück, das schon zum realistischen Schauspiel umzukippen drohte, am Schluß wieder den idealen Normen der Oper angepaßt, mit Chordramatik (»Horch, wer kommt?«), Rezitativ des Polizeipräsidenten und Jubel der Betroffenen (»Gerettet!«). Es ist, trotz der Einwände von Weill und Adorno[39], eine Opernparodie, freilich eine ernsthafte Parodie durch Verfremdung. In der zweiten Hälfte des Finales bricht die Oper ab, die Sänger treten aus ihrer Rolle und kommentieren ihr Spiel. Sie erklären das Happy-End für opernhaft unrealistisch und fordern im Schlußchoral, der sprachlich an die *Hauspostille* anknüpft, Verständnis für die Verbrechen der Armen. Denn ihre Verbrechen entspringen nicht bösem Willen, sondern der schlechten sozialen Lage.

Gerade der angedeuteten dramaturgischen und zum Teil auch musikalischen Mehrdeutigkeit vieler ihrer Songs verdankte die *Dreigroschenoper* ihren enormen Publikumserfolg. Innerhalb eines Jahres gab es insgesamt 4000 Aufführungen in etwa 120 Theatern. Innerhalb von fünf Jahren wurde allein in Mitteleuropa das Werk in 18 Sprachen übersetzt.[40] Es war ein Erfolg sowohl bei der Intelligenz wie beim breiten Publikum. Das Werk erreichte ein Ziel, das sich Karl Kraus mit seinen musikalischen Offenbach-Vorträgen immer wieder gesteckt hatte: die Kluft zwischen Opern-, Theater- und Operettenpublikum zu überbrücken.

Die Intelligenz war fasziniert von der Hintergründigkeit alltäglicher Elemente. Der Dirigent Otto Klemperer besuchte die Aufführung zehn Mal. Auf seine Anregung entstand als Orchestermusik die »Kleine Dreigroschenmusik«, die am 7. Februar 1929 uraufgeführt wurde. Auf den Dramaturgen Hans Curjel wirkte die Gruppe Brecht-Weill-Neher seit der *Dreigroschenoper* wie ein unzertrennlicher »Geheimbund, der mit den alleralltäglichsten Worten Dinge aussprach, die dem Außenstehenden (und auch der Presse) nicht gleich und nicht ganz verständlich waren. Die drei sprachen manchmal in Redewendungen der Zukunft.«[41] Eine solche Esoterik des Banalen erschien manchen als reizvoll.

Das breite Publikum begeisterten allerdings eher die auf einer Opernbühne ungewöhnlichen Gangsterfiguren und die einprägsamen Melodien. Erfolge ernteten gerade solche Songs, die dem Tanzschlager am nächsten standen, der Mackie-Messer-Song oder der Kanonensong, nicht aber die für die Aussage zentralen Dreigroschen-Finale oder der Schlußchoral, der bis zuletzt umstritten war. Die Songs wurden aus ihrer dramaturgischen Funktion gelöst und mit Wissen und Billigung von Weill wie Schlager einzeln gedruckt und vertrieben. Dadurch konnte vieles von dem, was Brecht hatte kritisieren wollen, nämlich die exotische Räuberromantik, die Schlagermentalität und die Kriegseuphorie, vom Publikum im Gegenteil als positive Aussage mißverstanden werden.

Dieses Mißverständnis, das durch die Herauslösung der Songs aus ihrem dramatischen Zusammenhang gefördert wurde, war schon bei den Gesamtaufführungen zu beobachten. So schrieb Harry Kahn in der »Weltbühne« über die Wirkung des Kanonensongs: »Da verbreitete sich Stimmung im Parkett, Friedericus-Stimmung nämlich, Stimmung für frisch-fröhliche Wehrpflicht und Kolonien und Panzerkreuzer.«[42] Wenn diese Darstellung auch ein wenig überzogen sein mag, so suchten sich doch anscheinend die verschiedenen Schichten im Publikum jeweils »ihre« Lieblingssongs heraus. Anscheinend wurde die Gebrochenheit und Doppelbödigkeit der Songs, die Dialektiker entzückte, überhaupt der Gleichnischarakter der Gangsterstory von Teilen des Publikums nicht verstanden. Haften blieb das Vordergründige, Falsche, nicht aber das eigentlich gemeinte Hintergründige und Wahre. Elias Canetti, der sich 1928 als junger Schriftsteller in Berlin aufhielt, dabei auch Brecht kennenlernte und die Dreigroschenoper-Premiere besuchte, meinte hingegen, das Publikum habe alles verstanden – und akzeptiert. »Es war der genaueste Ausdruck dieses Berlin. Die Leute jubelten *sich* zu, das waren sie selbst und sie gefielen sich. Erst kam *ihr* Fressen, dann kam ihre Moral, besser hätte es keiner von ihnen sagen können, das nahmen sie wörtlich. Jetzt war es gesagt, keine Sau hätte sich wohler fühlen können. Für Abschaffung von Strafe war gesorgt: der reitende Bote mit echtem Pferd. Die schrille und nackte Selbstzufriedenheit, die sich von dieser Aufführung ausbreitete, mag nur glauben, wer sie erlebt hat. Wenn es die Aufgabe der Satire ist, die Menschen zu peitschen, für das Unrecht, das sie vorstellen und begehen, für ihre Schlechtigkeiten, die zu Raubtieren heranwachsen und sich fortpflanzen, so fand sich hier im Gegenteil alles verherrlicht, was man sonst schamvoll versteckt.«[43] Brecht-Weills Werk empfand Canetti als spezifisch Berliner Operette: »Gegen die süßliche Form der Wiener Operette, in der die Leute ungestört alles fanden, was sie sich wünschten, war hier eine andere, Berliner Form gesetzt, mit Härten, Schuftigkeiten und banalen Rechtfertigungen dafür, die sie sich nicht weniger, die sie sich wahrscheinlich noch mehr als jene Süßigkeiten wünschten.« Politischer Protest gegen die *Dreigroschenoper* war deshalb selten. Wenn trotzdem ab 1930 vermehrt Angriffe von rechts gegen die *Dreigroschenoper* einsetzten, so galten sie dem Stoff und der jüdischen Herkunft Weills, die man auch Brecht unterstellte; sie galten, wie Kurt Tucholsky richtig erkannte, nicht eigentlich der Aussage des Stücks, sondern seiner »Roheit« und der vermuteten Grobschlächtigkeit ihrer Autoren. »Brecht plakatiert keine Überzeugung«, meinte Tucholsky. »Es würde ihm wohl schwer fallen, denn die seine ist schwer zu eruieren.«[44]

Kritik an der Undeutlichkeit der Aussage der *Dreigroschenoper* kam nicht zuletzt von marxistischer Seite. So schrieb der Kritiker der KPD-Zeitung »Rote Fahne«: »Von moderner sozialer oder politischer Satire keine

Spur.«[45] Diese pointiert überzogene Kritik stammt möglicherweise von dem Komponisten, mit dem Brecht bald darauf bevorzugt zusammenarbeiten sollte: von Hanns Eisler. Jedenfalls entsprach sie Eislers Meinung. Brecht nahm solche Kritik sehr ernst. Er war über die zahlreichen Mißverständnisse besorgt. Deshalb nahm er sein Werk gegen den fatalen Erfolg, »den die Harmlosen tragen und die fortgeschrittensten Intellektuellen legitimieren« (Adorno), in Schutz.[46] Einen deutlichen Trennungsstrich zog er zur Operette; die *Dreigroschenoper* sei keine Auseinandersetzung mit der Tradition der Operette, wie es etwa auch Herbert Jhering annahm, sondern Auseinandersetzung mit der bürgerlichen Oper. »Ich verstehe nichts vom Operettengewerbe; und man sollte keine Kunst in dasselbe investieren. Was ›Die Dreigroschenoper‹ betrifft, so ist sie – wenn nichts anderes – eher ein Versuch, der völligen Verblödung der Oper entgegenzuwirken. Die Oper scheint mir bei weitem dümmer, wirklichkeitsfremder und in der Gesinnung niedriger als die Operette.«[47] Auch Kurt Weill verstand die *Dreigroschenoper* als ein Theaterereignis, dessen Thema der Begriff »Oper« sei.[48]

Wohl auch zur Vermeidung des Mißverständnisses vom »romantischen Räuber« Macheath wurde diese Rolle dem stimmlich stärkeren und weniger süßlichen Ernst Busch, der zuvor in der Oper nur eine Nebenrolle gespielt hatte, angeboten; Busch lehnte jedoch ab.[49] Ebenfalls zur Verdeutlichung der Aussage diente die Umarbeitung, die Brecht anläßlich der Verfilmung seines Werks vornahm; die Neufassung wurde jedoch von der Filmfirma nicht akzeptiert.[50] Der Klärung der kritischen Aussage diente ferner der *Dreigroschenroman,* den Brecht 1933/34 schrieb, als er sich bereits im dänischen Exil befand; der Roman erreichte aber bei weitem nicht die Bekanntheit der Oper. In einem Interview kurz nach seiner Ankunft in Dänemark wurde Brecht gefragt, was seiner Meinung nach den Erfolg der *Dreigroschenoper* ausgemacht habe. »Ich fürchte«, antwortete er, »all das, worauf es mir nicht ankam: die romantische Handlung, die Liebesgeschichte, das Musikalische. Als die Dreigroschenoper Erfolg gehabt hatte, machte man einen Film daraus. Man nahm für den Film all das, was ich in der Oper verspottet hatte, die Romantik, die Sentimentalität usw. und ließ den Spott weg. Da war der Erfolg noch größer.«[51]

»Happy End« (1929) ohne Happy-End?

> Lilian Holiday: Unser Programm umfaßt Lieder von der
> harmlosesten bis zu der – ich möchte beinahe sagen –
> gefährlichsten Art.

Noch mehr als bei der *Dreigroschenoper* steht bei *Happy End* die Popularität der Einzelsongs einem weitverbreiteten Unverständnis für das Ganze gegenüber. Obwohl das Stück wenig bekannt ist und bis vor kurzem nicht einmal im Druck vorlag, sind abfällige Urteile verbreitet; Brecht habe es nur aus kommerziellen Motiven geschrieben. Selbst ein Kenner wie Ernst Schumacher sprach von einem typischen »Abfall- und Zwischenprodukt« im Schaffen Brechts.[1] Aufricht zufolge hat Brecht die verspielte Geschichte künstlerisch nicht mit seinem Namen verantworten wollen und deshalb das Autorenpseudonym Dorothy Lane erfunden. Zunächst sei es nur eine leichte Komödie gewesen, der Brecht in letzter Minute unter dem Einfluß »finsterer Gestalten aus Moskau« einen fragwürdigen 3. Akt angehängt habe. Der Mißerfolg des Stückes rühre her aus dieser Diskrepanz zwischen leichtem Unterhaltungscharakter und »vulgärmarxistischen Provokationen«.[2]

Aufricht und Weill hatten tatsächlich an den Serienerfolg der *Dreigroschenoper* anknüpfen wollen. Programmatisch war die Uraufführung für den 31. August 1929, auf den Tag genau ein Jahr nach der Dreigroschenoper-Premiere, angesetzt worden. Nicht ohne Aberglauben erhoffte man sich vom gleichen Premierentermin den gleichen Erfolg. Die von Theo Mackeben geleitete Ruth-Lewis-Band und auch die aufeinander eingespielte Schauspielerbesetzung wurden aus der *Dreigroschenoper* für *Happy End* übernommen. Für die Hauptrollen engagierten Erich Engel und Bert Brecht Heinrich George, Carola Neher und Helene Weigel, für die weiteren Rollen Peter Lorre, Theo Lingen, Kurt Gerron und Sigismund von Radecki. Weitere Gemeinsamkeiten zwischen den beiden Inszenierungen waren das Gangstermilieu, die Verbindung von Religion und Geschäft, die epische Einlagerung von Songs und ein überraschendes Happy-End. Dennoch kann von einer bloßen Dreigroschenoper-Kopie, von einer bloßen Orientierung an kommerziellen Interessen nicht die Rede sein. Die gesellschaftskritische Aussage der *Dreigroschenoper* wurde in *Happy End* – und dies nicht erst im letzten Moment – vielmehr zugespitzt und verschärft: Die Gangster verhalten sich nicht mehr nur wie Bürger, sondern sie werden selbst zu Bürgern; Gangster- und Bürgerwelt werden einander nicht nur ähnlich, sondern miteinander identisch.

Den Ausgangspunkt zu dieser Produktion bildete allerdings tatsächlich finanzielles Interesse; Brecht wollte seiner fleißigen und unentbehrlichen Mitarbeiterin Elisabeth Hauptmann die Gelegenheit zu einem beträchtlichen Nebenverdienst verschaffen. In einem Brief vom Frühjahr 1929 regte er sie an, ein Erfolgsstück für den Operettenstar Fritzi Massary zu schreiben: »Liebe Bess, heute fiel mir ein, ob Sie nicht Lust haben, sich an dem Massary-Geschäft zu beteiligen? Ich würde Ihnen eine Fabel geben usw., und Sie würden ein kleines Stück daraus zimmern, ganz locker und schlampig, meinetwegen auch fetzchenweise. Eine teils rührende, teils lustige Sache für etwa 10 000 Mark! Sie müßten es zeichnen, aber das würde Ihnen natürlich kolossal nützen.«[3] In dem fragmentarisch erhaltenen Brief gab Brecht eine zwischen Heilsarmee und Verbrecherwelt angesiedelte Fabel vor, die Elisabeth Hauptmann dann tatsächlich ausführte. Es handelt sich bei *Happy End* also um ein Stück Kollektivarbeit; Idee und Grundrahmen stammen von Brecht, die detaillierte Ausführung jedoch von Elisabeth Hauptmann.

Von 1925 bis 1933 war Elisabeth Hauptmann, 1897 als westfälische Landarzttochter geboren, Brechts wichtigste Mitarbeiterin; alle seine Texte gingen durch ihre Hände. Nachdem der Stückeschreiber sie 1924 auf einem Fest kennengelernt hatte, konnte er den Gustav-Kiepenheuer-Verlag dazu überreden, sie ab Januar 1925 als seine »Sekretärin« anzustellen. Elisabeth Hauptmann sollte für die pünktliche Ablieferung der Buchmanuskripte zu *Mann ist Mann*, *Im Dickicht der Städte* und zur *Hauspostille* bis Ende 1925 sorgen. Da sie literarisch interessiert war und zuvor als Lehrerin und Übersetzerin gearbeitet hatte, blieb es nicht bei bloßer Sekretärinnentätigkeit. Da sie zudem musikalisch ausgebildet war, Klavier spielte und nach eigenem Zeugnis »ganz gut« Noten schrieb[4], konnte sie Brecht außerdem beim Ausprobieren und Aufschreiben seiner Melodien helfen und war so in einem gewissen Grade auch seine musikalische Mitarbeiterin.

Ohne Elisabeth Hauptmann, die sich das Textbuch zur *Beggar's Opera* aus London kommen ließ und eine Rohübersetzung anfertigte, hätte es nie eine *Dreigroschenoper* gegeben. Auf dem Programmzettel der Uraufführung wurde ihr Name gleichberechtigt neben Brecht genannt. *Happy End* sollte sie nun sogar ganz allein zeichnen, obwohl Brecht versprach, einige Songs beizusteuern. Daß sie später aber nur noch als Bearbeiterin, Brecht dagegen als Songautor genannt wurde, geht wohl auf die Intervention Kurt Weills zurück. Die Namenverbindung Brecht-Weill hielt er – zu Recht – für werbewirksamer als Hauptmann-Weill. Bis zum Jahre 1977, als das Buch erstmals unter ihrem Namen erschien, war die schriftstellerische Leistung von Brechts bescheidener Mitarbeiterin hinter dem Pseudonym Dorothy Lane versteckt.

Brecht wußte, daß Elisabeth Hauptmann für ein Drama über die Heilsarmee prädestiniert war; sie beschäftigte sich damals so intensiv mit dieser Organisation, daß man sie teilweise sogar für ein ehemaliges Mitglied hielt.[5] Bereits im April 1928 hatte das Magazin »Uhu« ihre Heilsarmee-Erzählung »Bessie Soundso« veröffentlicht; mitabgedruckt war eine Photographie der Autorin in Heilsarmee-Uniform. Dieses Photo und der Name der Titelfigur (»Leutnant Bessie Soundso«) schien auf autobiographische Wurzeln hinzuweisen, waren doch Hauptmann wie Leutnant militärische Ränge, Bessie aber die Kurzform für Elisabeth. Da Brechts Mitarbeiterin außerdem über ihre Mutter, die in New York aufgewachsen war, mit US-amerikanischen Verhältnissen vertraut war und fließend Englisch sprach, konnte sie auch amerikanische Berichte sehr viel besser verstehen als Brecht.

Das Thema Heilsarmee, das schon George Bernard Shaw in seinem Bühnenstück *Major Barbara* (1905), Georg Kaiser in *Von Morgens bis Mitternachts* (1916) und Bertolt Brecht in *Im Dickicht der Städte* (1922) verwendet hatten, war in der zweiten Hälfte der zwanziger Jahre durchaus kein abseitiges, sondern ein politisch aktuelles Thema. Wie ein Aufsatz in der »Weltbühne« vom 6. Juli 1926 und eine mehrseitige Sonderbeilage zur »Roten Fahne« vom 5. Dezember 1926 (Titel: »Soldaten des Himmels«) zeigten, empfand die Linke die Heilsarmee als ernstzunehmende »Konkurrenz im Kampf um das Proletariat«.[6] In den Monaten Mai und Juni 1929, als Elisabeth Hauptmann mit Unterstützung Brechts und Emil Burris das Stück ausarbeitete, feierte diese Religionsgemeinschaft gerade ihr 100jähriges Bestehen.

In einem Interview hat Hauptmann die verschiedenen Motivationen, die in *Happy End* zusammenkamen, aufgeführt: »Brecht studierte in dieser Zeit den Marxismus und beschäftigte sich im Zusammenhang mit der Geschichte der großen amerikanischen Vermögen mit den großen Profiten und Geschäften. Ich selber befaßte mich mit einem Teil des Staates, mit der Kirche und kirchlichen Organisationen und insbesondere mit der Heilsarmee. Weill wollte gern wieder eine Musik schreiben in der Art der ›Dreigroschenoper‹, und alle zusammen hatten wir Lust, die Serie der überdimensionalen Hollywood-Happy-Ends durch ein eigenes Supergigant-Happy-End zu mißkreditieren, und obendrein wollten wir alle und auch einige Schauspieler, mit denen Brecht früher zusammengearbeitet hatte, daß ein Teil des ›Dreigroschenoper‹-Ensembles zusammenbliebe.«[7]

Neben der Mahagonny-Oper bedeutete *Happy End* eine weitere, zugleich heiterer wie kritischer angelegte Auseinandersetzung mit dem Thema »Einzug der Menschheit in die großen Städte«, das für Brecht immer mehr überging in die Auseinandersetzung mit dem amerikanischen Kapitalismus. Er hatte damals gerade Gustavus Myers zweibändige *Geschichte der großen amerikanischen Vermögen*[8] gelesen und konnte diesem Buch entnehmen, daß die amerikanischen Finanzmagnaten Rockefeller, Vanderbilt und Morgan problemlos Frömmigkeit mit menschenverachtenden Geschäftspraktiken verbanden – die Religiosität wurde zur tarnenden Maske. Gangstertum und großes Geschäft gingen bruchlos ineinander über. Paradigmatisch für diese Einheit von Geschäft und Verbrechen war die Stadt Chicago, der Sitz von riesigen Schlachthöfen und einer Weizenbörse, deren »Rätsel« Brecht zum Studium des Marxismus geführt hatten.[9]

In ihrer politischen Position stand Elisabeth Hauptmann, die 1929 Mitglied der KPD wurde und noch bis Ende 1933 mutig Flugblattaktionen in Hitler-Deutschland durchführte, Brecht nahe, vermutlich näher als Weill. Allen gemeinsam war jedoch die Kritik an Hollywood-Klischees. Der »wunderbare« Schluß des neuen Stücks, der Eintritt einer ganzen Gangsterbande in die Heilsarmee, sollte die Hollywood-Happy-Ends in Frage stellen. Während bei der *Dreigroschenoper* die Rettung nur angehängt ist, zielt bei *Happy End* die ganze Entwicklung, wie schon der Titel deutlich verkündet, auf dieses »glückliche« Ende, die »Bekehrung« der hartgesottenen Gangster. Wie in Hollywoodfilmen, im Gegensatz allerdings zu Brechts epischer Theatertheorie, richtet sich alles Interesse auf die Schlußlösung. Schon der Prolog weist darauf hin:

> Ach, Sie fragen nach dem Weltbild? Das ist hollywoodlich
> Wie vermutlich
> Und das Ganze endet happyendlich
> Selbstverständlich.[10]

Die oft kritisierte Trivialität der Schlußwendung – die freilich nur äußerlich trivial ist! – ist bewußtes Stilzitat und dient der Karikatur einer Gattung, die ebenso kulinarisch sein möchte wie die Oper. Brecht setzte also seine Kulinarismus-Kritik fort. In der neuen Kunstform des Tonfilms, die dramaturgisch und musikalisch Anleihen bei der alten Oper macht, diente der technische Fortschritt nur als Fassade für alte Inhalte. Konventionell blieb vor allem die klischeehafte Gegenüberstellung von Gut und Böse. Die Pointe von *Happy End* besteht darin, daß der Kampf der »Guten« (hier: der Polizei und der Heilsarmee) gegen die »Bösen« (hier: der Gangster) zunächst übernommen, dann aber ad absurdum geführt wird. Denn die Bekehrung der Gangster ist keine wirkliche moralische Besserung; vielmehr passen sie sich dadurch nur den fortgeschritteneren Gangstermethoden des modernen Kapitalismus an, ihr Übertritt zur Heilsarmee ist keine Wende vom Bösen zum Guten, sondern Weiterführen des Gangstertums mit anderen, moderneren Mitteln. In seiner ersten Fassung hieß das Stück deshalb »Nicht gut oder böse, sondern Gut *und* böse«. In Wahrheit bedeutet das Happy-End die Enttarnung der Heilsarmee als kapitalistische Hilfsorganisation, als Apparat zur Stabilisierung der herrschenden Klassenverhältnisse. Die eigentlichen Heiligen dieser Heilsarmee sind durchaus irdische Figuren: Rockefeller, Morgan und Ford.

Angekündigt wurde *Happy End* als Komödie mit Musik in 3 Akten von Dorothy Lane, bearbeitet von Elisabeth Hauptmann. Durch den fiktiven Autorennamen mußte beim Publikum die Illusion entstehen, es handle sich um ein ursprünglich amerikanisches Stück; mit ähnlicher Absicht hatte Lion Feuchtwanger 1927 sein Liederbuch »Pep« mit Parodien amerikanischer Schlager unter dem Namen Wetcheek (= feucht/Wange) veröffentlicht.[11] Als Verfasser der Songs wurden dagegen Brecht und Weill genannt. Implizit geht daraus hervor, daß die Texte zu den nicht als Song bezeichneten Musikstücken ebenfalls von Elisabeth Hauptmann stammen. Daß dies etwa die Hälfte aller Musiktitel sind, zeigt die folgende Übersicht.

1. Akt
Nr. 1 Bilbao-Song (Bill) Allegro moderato
Nr. 2 Der kleine Leutnant des lieben Gottes (Lilian und Chor) Mäßiges Marschtempo
Nr. 3 Geht hinein in die Schlacht (Lilian und Chor)
Nr. 4 Was die Herren Matrosen sagen/Matrosen-Song (Lilian) Tango-Tempo

2. Akt
Nr. 5 Bruder, gib dir einen Stoß (Heilsarmee-Chor) Allegro non troppo
Nr. 6 Fürchte dich nicht (Heilsarmee-Chor) Walzertempo
Nr. 7 In der Jugend goldnem Schimmer (Heilsarmee-Chor) Tranquillo
Nr. 8 Das Lied vom Branntweinhändler (Hanibal, Jane und Chor) Allegretto

3. Akt
Nr. 9 Der Song von Mandelay (Sam) Vivace
Nr. 10 Surabaya-Johnny (Lilian) Sehr ruhig (Blues)
Nr. 11 Das Lied von der harten Nuß (Bill) Foxtrott-Tempo
Nr. 12 Die Ballade von der Höllen-Lili (»Fliege« und Sam) Vivace
Nr. 13 Wiederholung von Nr. 2 óder Finale »Hosianna Rockefeller«[12]

Von diesen Musiktiteln sind nur die Texte zum »Bilbao-Song«, zum »Matrosen-Song«, zum »Lied vom Branntweinhändler«, zum »Song von Mandelay«, zu »Surabaya-Johnny« und zur »Ballade von der Höllen-Lili« in der Brecht-Gesamtausgabe enthalten. Die Texte aller übrigen Titel wurden erst 1977 unter dem Copyright von Elisabeth Hauptmann abgedruckt. Es fehlt allerdings zum Schluß der Chor »Hosianna Rockefeller«; an seiner Stelle stand ursprünglich die Wiederholung des Marschlieds »Der kleine Leutnant des lieben Gottes«. Wahrscheinlich wurde »Hosianna Rockefeller« tatsächlich, wie Aufricht berichtet, erst im letzten Moment angehängt.
Ansonsten basieren einige Songs von *Happy End,* ähnlich wie bei der *Dreigroschenoper,* auf älteren Vorlagen. Der Text zum Lied vom Branntweinhändler geht sogar auf das Jahr 1920 zurück. Brecht war damals in Paul Wieglers Buch »Figuren« auf die Heilsarmee gestoßen und hatte da-

durch zu einer neuen Einschätzung der katholischen Kirche gefunden. »Der Katholizismus«, notierte er in sein Tagebuch, »ist ein Ausbeutersystem, ein amerikanisches Unternehmen, mit Gleichheit für alle, mit Stufenleitern, mit Lohntarifen.«[13] Möglicherweise entwickelte sich seine Kapitalismuskritik unmittelbar aus der Religionskritik. Angeregt durch Wieglers Buch, schrieb er im September 1920 sein parodistisches Gedicht »Vorbildliche Bekehrung eines Branntweinhändlers«[14], das er 1929 Elisabeth Hauptmann für ihr Heilsarmeestück vorschlug; das Happy-End, die Bekehrung, die keine wirkliche Bekehrung ist, war damit vorgegeben.

Weitere Brecht-Lieder, die schon vor dem Stück *Happy End* existierten, sind die auf das Jahr 1924 zurückgehende Kipling-Parodie »Song von Mandelay«, von der es Melodieentwürfe Brechts, auch in der Handschrift E. Hauptmanns, gibt, sowie das ebenfalls auf Kipling zurückgehende »Lied von Surabaya Johnny«, das Franz S. Bruinier schon 1927 vertont hatte.[15] Auch der »Bilbao-Song« und der »Matrosen-Song«, deren exotische Schauplätze ebenfalls nicht in Chicago liegen, könnten bereits auf frühere Entwürfe zurückgehen.

Musik im Dienst der Werbung

Ein Thema des Stücks ist der Fortschritt, der zwar eine äußerliche Veränderung, jedoch keine Wendung vom Guten zum Bösen bedeutet – selbst wenn die Gangster von Chicago eine Bank gründen, statt in eine Bank einzubrechen. Die Auseinandersetzung mit dem »Fortschritt« ist ein durchgehendes Thema auch der Songs. Ganz offen ist dies erkennbar im *Bilbao-Song.* Gangsterboß Bill Cracker blickt darin wehmütig auf die einfachen, aber romantisch-abenteuerlichen Anfänge seines Ballhauses zurück, das sich mittlerweile zum »ganz gewöhnlichen« dezent-gepflegten modernen Etablissement entwickelt hat. Er trauert dem »echten«, rauhen Gangsterleben nach, das von bürgerlicher Sterilität abgelöst wurde. Die Trennung zwischen Gegenwart und nostalgisch herbeigesehnter Vergangenheit ist wiederzufinden im Gegenüber von Strophe und Refrain. Letzterer ist ein vom elektrischen Klavier gespieltes Lied im Lied, ein Zitat des Vergangenen und fast schon Vergessenen.[16]

Neben dem »Mandelay-Song« und der »Ballade von der Höllen-Lili« ist der »Bilbao-Song« einer der wenigen Songs der Gangsterwelt. Sangesfreudiger ist in *Happy End* die Heils-Armee. Ihren Zwecken dienen alle übrigen Gesänge des Stücks, selbst wenn dies ihnen zunächst nicht anzumerken ist. Sie unterbrechen nicht mehr, wie die Songs der *Dreigroschenoper,* die Handlung und reflektieren sie, sondern sind Aktions- und Kampflieder, Bekehrungslieder, die die Handlung voranzutreiben helfen. Auch in der Entwicklung dieser Heilsarmeelieder gibt es einen »Fortschritt«. Wie schon Elisabeth Hauptmanns Erzählung »Bessie Soundso« vom Wettpredigen, vom Kampf um die wirkungsvollste und modernste Predigt gehandelt hatte, so führt auch in *Happy End* die Heilsarmee alte und neue Bekehrungsmethoden vor. Die traditionellen Heilsarmeelieder, Gesänge wie »Geht hinein in die Schlacht« (laut Textbuch von Trommel und Saxophon begleitet), »Bruder gib dir einen Stoß«, »Fürchte dich nicht« und »In der Jugend goldnem Schimmer«, werden vom Heilsarmeemajor und seinem Chor angestimmt; Weill verwendet dafür das typische Heilsarmee-Instrumentarium Banjo und Bandoneon. Diese Gesänge sind textlich wie musikalisch veraltet und erweisen sich als wenig wirksam. Die Gangster reagieren auf sie nur mit ironischem Grinsen, oder – schlimmer noch – sie tun bloß zum Schein zerknirscht. Es sind Parodien auf jene »Salvation-Army-Songs«, die amerikanophile deutsche Leser im Original in der Zeitschrift »Der Querschnitt« finden konnten und die auf deutsch auch in Berlin häufig zu hören waren. Brecht und Weill hielten diese Lieder wie das ganze Heilsarmeeritual für ungefährlich. Elisabeth Hauptmann berichtet, daß sie und Brecht einmal aus einem Heilsarmeelokal geworfen wurden, weil sie bei einer Bekehrung entsetzlich lachen mußten.[17]

Weniger eindeutig ist die Funktion des Liedes *Der kleine Leutnant des lieben Gottes*, den der Heilsarmeeleutnant Lilian Holiday anstimmt. Einerseits kämpft Lilian Holiday mit ehrlichem Engagement gegen soziales Elend und passiven Fatalismus; andererseits ist sie aber als Mitglied der Heilsarmee zur Erfolglosigkeit verdammt. Die pseudomilitärischen Redewendungen dieser »Armee« übertreibt Brecht bis zur Absurdität:

> Und auffahren Tanks und Kanonen
> Und Flugzeuge müssen her
> Und Kriegsschiffe über das Meer
> Um dem Armen einen Teller Suppe zu erobern.

Ähnlich hatte es schon im »Lied des Branntweinhändlers« geheißen: »An die Gewehre, Seele in Not!«. Diese Fragwürdigkeit, die offenbar wird, wenn das Lied vom kleinen Leutnant am Ende des Stücks wiederkehrt, ist musikalisch in Weills Vertonung allerdings nicht realisiert. Eher wirkt sie (wie auch Paul Dessaus »Kampflied der schwarzen Strohhüte«, einer Vertonung des gleichen Textes) wie ein positives Kampflied im Stile Eislers. Die ungewöhnliche Harmonik des Anfangs, in dem sich chromatische und diatonische Akkordstufen überlagern, hat mehr eine mitreißende, aufrüttelnde als eine denunzierende, parodistische Wirkung.

Die Arme-Leute-Zeile könnte sogar als eine Anspielung auf die »Internationale« verstanden werden.

Denn die ar - men Leu - te, das ...

wäre dann eine Variante von

Die In - ter - na - tio - na - le

Das Lied vom kleinen Leutnant des lieben Gottes richtet sich nicht an das religiöse Gefühl, sondern appelliert an das soziale Gewissen. Es zeigt jedoch keinen gangbaren Weg auf. Lilian Holiday ist eine tragische Figur. Sie will wirklich dem Elend abhelfen, meint dies allerdings allein dadurch erreichen zu können, indem sie die traditionellen Bekehrungsmethoden, die gängigen Lieder der Heilsarmee, erneuert. Dem Traditionalismus stellt sie ihre moderne Auffassung entgegen: Der Zweck heiligt die Mittel.[18]

Zu ihren neuen Bekehrungsmitteln gehört der *Matrosen-Song*.[19] Mit ihm antwortet Lilian Holiday auf den Vorwurf des Gangsters Sam, die Heilsarmee sei ein altmodisches Unternehmen: »Wenn nur die Arbeit der Heilsarmee nicht so fad wäre. Ein paar hübsche Mädchenbeine hineingearbeitet, und das ganze Unternehmen ginge hoch wie irgendwelche Aktien der Standard Oil.«[20] Lilian Holiday möchte mit ihrem Vortrag des Matrosen-Songs den Gangstern beweisen, daß auch die Heilsarmee ein »fortschrittliches« Unternehmen ist. Auch dort kennt man die modernen Methoden der Verkaufspsychologie und der psychologischen Kriegsführung! Sie führt deshalb den Song mit den folgenden Worten ein: »Unser Programm umfaßt Lieder von der harmlosesten bis zu der – ich möchte beinahe sagen – gefährlichsten Art. Dies zielt darauf ab, nicht nur einer bestimmten Sorte von Menschen etwas zu bieten, sondern jeder Sorte. Da ist zum Beispiel das Lied für junge Kaufleute, wir haben ein hübsches Lied für Handwerker, da haben wir den Matrosen-Song. Das dürfte vielleicht etwas für Sie passendes sein. Ich singe es jetzt. Urteilen Sie selbst.« Die Musik fungiert hier nicht, wie in der romantischen Ästhetik, als universelle, sondern als zielgruppen- und funktionsspezifische Sprache. Damit ist ein Lieblingsthema Brechts angesprochen: die Musik für bestimmte Gelegenheiten und für bestimmte Zwecke. Brecht war überzeugt, daß sich durch Musik Verhalten und Emotionalität der Menschen steuern lassen. Als Beispiel erwähnte er später gern die Berichte eines Kellners, wonach bestimmte Barmusik zur Bestellung ganz bestimmter Getränke führe. Mit nicht nur komödiantischer, sondern auch didaktisch-therapeu-

tischer Absicht wird in *Happy End* die Wirkungsweise von Musik bei jeder Art von Werbung: der unterschwellige Appell ans Gefühl, das Wachrufen geheimer Wunschbilder, die scheinbar individuelle Ansprache, vorgeführt. Brecht kannte diese Art psychischer Beeinflussung, die verführerische Wirkung von Musik, aus eigener Erfahrung. Er machte sich diese Wirkung bewußt, um sich dagegen zu immunisieren. So wie E. Hauptmann der Figur der Lilian Holiday, ähnlich wie zuvor schon der Gestalt der Bessie Soundso, autobiographische Züge gegeben hat, spielt die Figur des Bill Cracker in gewissen Momenten auf Brecht an. Der Name Cracker könnte als subtile Amerikanisierung seines Familiennamens verstanden werden – subtil wegen seiner Mehrdeutigkeit: Cracker heißt »Kracher«, aber auch Knallbonbon, Lüge, Zwieback, Keks oder Zusammenbruch. Bildlich wird damit etwas äußerlich Hartes bezeichnet, das dennoch zerbrechlich ist. Die Art, wie der harte Bill Cracker bei Musik oder beim Gedanken an Weihnachten plötzlich weich wird, erinnert an Brechts eigenes Verhalten als Wasser-Feuer-Mensch und nimmt die Persönlichkeitsspaltungen im »Puntila«-Stück und im *Guten Menschen von Sezuan* schon vorweg. Auch Bill fürchtet sich vor nichts – mit Ausnahme von Musik: »Solange ihr keine Heilsarmeelieder singt, könnt ihr mich am ...«[21]
Bei seinem ersten Besuch bei der Heilsarmee versucht er sich durch Ironie gegen diese Gefahr abzusichern: »Ich dachte mir das eigentlich *noch* stimmungsvoller. Wissen Sie, mit so richtigen kniffligen Stimmungstricks, wo einem von selber die Knochen aufweichen bei Musik und roten Ampeln.«[22] Er wird gewarnt (»Das ist keine gesunde Luft für dich, du mit deinem weichen Gemüt«)[23], gibt sich überlegen (»Versuchen Sie es nur nicht mit der Macht der Tränen, bei mir nicht!«)[24], erliegt schließlich aber doch der Macht der Musik. Wie für den frühen Brecht sind auch für Bill Cracker Musik, weibliche Erotik und religiöse Gefühle eng miteinander verwandt. Beim »Matrosen-Song«, der ihn gänzlich aus der Fassung bringt, springt er auf und brüllt: »Jetzt Schluß. Ich lasse mir das nicht gefallen! Mir solche Schmachtfetzen vorzusingen! Ist ja ekelhaft, diese Gemütskisten!«[25]
Die Raffinesse des Matrosen-Songs liegt darin, daß ihm die Funktion eines Bekehrungsliedes nicht anzumerken ist. Die Inhalte der ersten Strophen, Träume der Matrosen von Whisky- und Zigarrengenuß, von fernöstlicher Schiffsromantik und sinnlicher Lebensfreude, lassen religiöse Gedanken nicht aufkommen. Dem vergnügungssüchtigen Text korrespondiert der schwungvolle Tangorhythmus. Die Harmonik ist zwar ungewohnt: der Grundton D wird durchgängig verschleiert, an seine Stelle treten zu Beginn die Dominante A-Dur beziehungsweise die neapolitanische 2. Stufe Es-Dur (»Und Zigarren rauchen wir ...«), oder es werden, typisch für Weill, terzverwandte Tonarten eingesetzt (statt A-Dur fis-moll, statt a-moll C-Dur); diese neue Harmonik wird jedoch nicht als et-

was Beunruhigendes, sondern als raffinierter Farbwechsel empfunden. Text, Rhythmus und Harmonik machen den Matrosen-Song zu einem Stimmungslied. Mit der dritten Strophe setzt ein Umschwung ein: In das Idyll bricht ein Unwetter ein, das die Matrosen wieder zum Glauben an Gott führt. Weill deutet diesen Umbruch auch musikalisch an, indem er den Tangorhythmus für einige Takte aussetzt und dem Trauermarsch annähert. Jedoch auch die dritte Strophe mündet zum Schluß ein in den beruhigenden weitgeschwungenen Refrain »Ja, das Meer ist so blau, so blau ...«, der die Bekehrungsabsicht verschleiert.

Lilian Holiday hat die Schwäche Bill Crackers erkannt. Sie weiß nun, daß sie den harten Gangsterchef mit sentimentalen Liedern gewinnen kann. So besucht sie ihn am Heiligen Abend gerade vor dem geplanten großen Banküberfall. Bill Cracker ist nicht nur über den Termin entsetzt, sondern auch über ihre Ankündigung, ein Lied zu singen. Trotz seiner Abwehr bleibt Lilian hartnäckig.

Bill: Nein, nicht singen!
Lilian: Nein – nichts von der Heilsarmee, etwas anderes. – ›Das süße Herz‹ oder ›Was der Mondschein kann‹ oder nein, ich singe den ›Surabaya-Johnny‹, der wird dich interessieren.
Bill: Singe nicht.
Lilian: Komm, setz dich! (Bill setzt sich). Warum nicht den Surabaya-Johnny?
Bill: Nein, singe nicht!
Lilian: Also, dann singe ich den Surabaya-Johnny.[26]

Das Lied, das Brecht ursprünglich in der Vertonung Bruiniers als Einlage für Lion Feuchtwangers Stück *Kalkutta, 4. Mai*[27], dann für die *Dreigroschenoper* vorgesehen hatte, basiert auf einem Kipling-Gedicht und handelt von einem rohen, gefühlskalten Seemann, den seine Freundin trotz seiner Roheit liebt. Lilian Holiday setzt damit ihr stärkstes »Bekehrungsmittel« ein: die Liebe. Die Melodie basiert auf drei deutlich unterscheidbaren Motiven, die zeilenweise verändert werden:
(Notenbeispiel siehe nächste Seite oben.)
Der Song vom Surabaya-Johnny, der die Tonalitäten Es-Dur und f-moll

A Ich war jung; Gott erst sech - zehn Jah - re

B Du sag-test viel Johnny. Kein Wort war wahr, John-ny

C Su - ra - ba - ya John-ny wa - rum bist du so roh?

nebeneinander- und übereinanderstellt, wird langsam wie ein Blues vor-getragen. Immerhin soll er doch die rührend-melancholische und ablen-kende Wirkung haben, die Bill Cracker seinen Einbruchstermin vergessen läßt – das Stimmungslied als Mittel der psychologischen Kriegsführung. Als Lilian Holiday auch noch das kontrastierende zynische »Lied von der harten Nuß« (»Nur jetzt nicht weich werd'n ...«) anhängt, ist der verein-barte Termin schon überschritten. Bill hat Tränen in den Augen. Die auf Rührung zielende Musik hat ihn die Gangsterrealität vergessen lassen.

Im Finale ist kein Bekehrungs- oder Stimmungslied mehr notwendig. Die »Bekehrung« hat bereits stattgefunden, der »Fortschritt« hat sich durchgesetzt: Heilsarmee und Gangster bekennen sich gemeinsam zum modernen Kapitalismus. Gemeinsam stimmen die neuen Geschäftspartner zum Schluß ein »Hosianna Rockefeller« an.[28] In diesem Schluß sind nun nicht nur Gut und Böse, sondern auch die früher ebenso einander ent-gegengesetzten Welten von (altem) kirchlichem Choral und (moderner) weltlicher Tanzmusik miteinander versöhnt. Die von Harmonium- und Glockenklängen begleitete Anbetung der großen Kapitalisten, unterbro-chen von Hosianna-Rufen des Chores, schlägt in einen ordinären Fox-trott-Rhythmus um. Weill griff dazu auf seinen Song »Berlin im Licht« zurück, den er für eine Woche der Berliner Glühlampenindustrie im Oktober 1928 komponiert hatte:

Happy End: Ho - sian - nah Rok - ke - fel - ler, Ho - sian - nah Hen - ry Ford,
Berlin in : Und zum Spa - zie - ren - gehn___ ge - nügt das Son - nen - licht ...
Licht

Ho - sian - nah Koh - le, Stahl und Öl. Ho - sian - nah Got - tes Wort.

Damit stellt sich eine Verbindung von Chicago zu Berlin her. Außerdem wird der Heiligenschein der Rockefeller + Co. auf das zurückgeführt, was er ist – Lichtreklame.

Die unheilige Allianz zwischen kapitalistischem Gangstertum und Reli-giosität, die sich seit 1929 sogar noch verstärkt hat[29], wurde durch das Bühnenbild von Caspar Neher wirkungsvoll unterstrichen: Für die Schlußszene im Versammlungsraum der Heilsarmee hatte er leuchtende

Glasfenster mit Heiligenbildern von »St. Ford«, »St. Rockefeller« und »St. Morgan« nach dem Vorbild der Chorfenster im Augsburger Dom entworfen. Musikalisch entspricht dieser Allianz die Kombination von Choral und Foxtrott sowie eine neue Heilsarmee-Orgel. Es handelt sich um »Samuel Smith's Originalmammutdüsenorgan«, die der Gangster Sam Worlitzer[30] aus einer Kirche gestohlen und dann der Heilsarmee verkauft hatte. Er beteuerte, daß »nur *ein* Instrument auf der ganzen Welt imstande ist, auch das Granitherz eines hartgesottenen Sünders zu erreichen. Und das, Herr General, ist meine Orgel mit ihrem süßen, weichen, sinnlichen Ton.« Ein Reklamespruchband wies darauf hin, daß das Instrument nur mit »Standard Oil«, so der Name von Rockefellers Ölkonzern, geölt werde. Diese Orgel symbolisiert in *Happy End* die gezielte Manipulation der Gefühle im Dienste des Kapitalismus. Gerade die Wurlitzer-Orgel, die weltliche Variante des traditionellen Kircheninstruments, ist die typische Kino-Orgel, die in der Stummfilm-Ära den Zwecken der Traumfabriken von Hollywood diente.

Gestörter Genuß

Die Uraufführung im Schiffbauerdamm-Theater mußte auf den 2. September 1929 verschoben werden.[31] Trotz dieses schlechten Omens gab es nach den ersten beiden Akten Ovationen. Der Erfolg der *Dreigroschenoper* schien sich tatsächlich, wie von Aufricht erhofft, zu wiederholen. Allen Berichten zufolge muß die schauspielerische Leistung der prominenten Besetzung unter der gemeinsamen Regie von Brecht und Erich Engel und der Mitarbeit von Bernhard Reich sehr überzeugt haben. Selbst der Brecht-Gegner Alfred Kerr nannte die »schauspielende Durchbildung meisterhaft«.[32] Als »kostbar, wuchtverkommen, saftvoll« hob er besonders Oskar Homolka hervor, der anstelle des ursprünglich vorgesehenen Heinrich George die Rolle des Bill Cracker spielte. Eigentlich hätte Homolka bei Walther Mehrings *Kaufmann von Berlin* mitwirken sollen, dessen skandalumwitterte Premiere am 9. September 1929 unter der Regie Erwin Piscators stattfand. Da sich Homolka aber mit Piscator zerstritten hatte, wurde er für die Aufricht-Produktion frei. Elisabeth Hauptmann erinnerte sich, daß er den Bilbao-Song »himmlisch versoffen« sang.[33] Der Regisseur Bernhard Reich, einst Oberspielleiter an den Münchner Kammerspielen, den Brecht noch eine Woche vor der Premiere um seine Mitarbeit gebeten hatte, war überzeugt: »Eigentlich hätte es ein Serienerfolg werden müssen. Es war kulinarisch, mit amüsanten wienerisch gemütlichen (!?, der Verf.) Songs. Im Stück gab es eine herzliche, rührende und leise komische Figur des Heilsarmeemädchens Lilian Holiday mit dem fabelhaften Auftrittslied ›Obacht, gebt Obacht‹ oder die Ballade ›Johnny, nimm die

Zigarre aus dem Maul‹. Carola Neher war außerordentlich, herb, gescheit – eine stolze praktische Klugheit, die auffällt. Es gab einen erfrischenden lustigen Chef einer Gaunerplatte, der Homolka auf den Leib geschrieben war, es gab ein paar wirksame, witzige Gaunerfiguren, und es gab einige durchschlagende Songs . . .«[34]

Der dritte Akt allerdings endete in Tumulten. Man empfand ihn nach dem unterhaltsamen Anfang als unpassende Provokation. Aufricht, der übersah, daß die Konzeption des ganzen Stückes auf dieses glücklich-unglückliche Happy-End hinzielte, argwöhnte, dubiose Berater Brechts seien dafür verantwortlich. Dabei ist nicht ganz eindeutig, ob der Schluß wirklich erst in letzter Minute fertig wurde oder ob nicht Brecht, etwa aus Angst vor Eingriffen, die Abgabe des Manuskripts bewußt hinausgezögert hat. Er mochte geahnt haben, daß Aufricht, der schon die *Dreigroschenoper* als bloß lustiges Amüsement mißverstanden hatte, den Titel *Happy End* allzu sehr beim Wort nehmen und sich von dem neuen Stück eine kulinarische Fortsetzung des ersten Erfolges erhoffen würde. Schon einmal hatte Aufricht eingegriffen, als er bei der Uraufführung von Ernst Tollers *Feuer aus allen Kesseln*, einem Drama über den Kieler Matrosenaufstand, Unterhaltung durch Politik bedroht sah. Dazu bekannte er später: »Das letzte Bild – die Schlußapotheose: rote Fahnen mit kommunistischen Propagandatiraden – hatten Fischer und ich in schweren Verhandlungen Toller abgelistet und gestrichen.«[35]

Man darf annehmen, daß Weill den Intentionen Aufrichts näherstand als denen Brechts. Immerhin gehörte später eben jene Broadway- und Hollywood-Welt, die in *Happy End* angeprangert wird, zu seinem wichtigsten Tätigkeitsbereich. Schon 1929 schien für ihn der kommerzielle Erfolg, der ihm soeben zu einer neuen eleganten Wohnung und zu einem Auto verholfen hatte, wichtiger zu sein als die kritische Tendenz von Kunst. So schrieb er am 22. Juli 1929 an seinen Verlag, *Happy End* enthalte »im ganzen etwa 7 Songs, darunter 3–4 als Schlager zu verwertende«. Im August wies er noch einmal besonders auf die großen »Ausnützungsmöglichkeiten« des »Matrosen-Songs« hin. Auch die Tatsache, daß er Brecht dazu überredete, wenigstens für die Songtexte mit seinem Namen zu zeichnen, ist ein Indiz dafür, daß es ihm weniger auf das ganze Stück als auf den kommerziellen Erfolg seiner Songs ankam. Weill war es denn auch, der Aufricht riet, Brecht das Manuskript des 3. Aktes durch einen Trick zu entlocken. Von einer echten Gemeinschaftsarbeit Weills und Brechts kann demnach bei *Happy End* nicht mehr die Rede sein. Schon die Vorarbeiten hatten unter schlechten Vorzeichen begonnen: Bei der gemeinsamen Fahrt mit zwei Autos nach Südfrankreich, wo sie zusammenarbeiten wollten, verunglückte Brecht mit seinem Steyr-Wagen und mußte mit einem Kniescheibenbruch nach Berlin zurücktransportiert werden. Weill war allein weitergefahren. Brecht, mit den Gesetzen des kapitalistischen Marktes mittlerweile wohlvertraut, hatte auch diesen Unfall noch kommerziell ausgewertet, indem er der Autofirma gestattete, zu Reklamezwecken eine bebilderte Reportage dazu zu veröffentlichen.

Der dritte Akt war allerdings nicht nur bei Aufricht, sondern auch beim breiten Publikum ein Mißerfolg. Bernhard Reich erklärte dies damit, daß 1. zu viele Momente der *Dreigroschenoper* wiederholt worden seien, 2. das Thema der Heilsarmee 1929 noch nicht genügend Relevanz besessen habe und 3. mit der Verschärfung der Wirtschaftskrise und der sozialen Konflikte – am 1. Mai 1929 hatte die Polizei in Berlin unter Arbeitern ein Blutbad ausgelöst – die Toleranz des Bürgertums gegen linke Provokationen geringer geworden sei. Der letzte Punkt scheint der gravierendste zu sein. »Die Mittelklasse lachte nicht über die witzigen Ausfälle gegen die Regeln ihres Lebens.«[36] Weil das Stück sich weniger leicht konsumieren ließ als die *Dreigroschenoper,* weil es schließlich aus dem Bereich der bloßen Unterhaltung ausbrach, indem die Erwartung des Publikums nach einem glücklichen Ausgang ad absurdum geführt wurde, galt es als schlecht.

Daß Brecht selbst keine schlechte Meinung von *Happy End* hatte, beweist das Filmskript, das er 1930 dazu schrieb.[37] Noch 1938/39 verhandelte er in Paris über eine Verfilmung.[38] Aber erst 1977, 21 Jahre nach Brechts Tod, entstand ein *Happy End*-Film, der den hollywoodkritischen Intentionen Brechts gerecht wurde (Regie: Manfred Wekwerth, DDR).

Im gleichen Jahr wurde das Stück am Broadway herausgebracht. Über diese Aufführung schrieb Hans Heinsheimer, als früherer Leiter der Opernabteilung der Wiener Universal-Edition einst zuständig für die Betreuung des Werks, es sei »bei weitem nicht so dürftig, als es nach dem historischen Berliner Unglücksfall zu erwarten war«.[39] Sein Bericht trug die Überschrift »Happy-End für ›Happy End‹«.

Die heilige Johanna der Schlachthöfe

Auch für das Drama *Die heilige Johanna der Schlachthöfe,* das Brecht 1930 als eine Weiterentwicklung von *Happy End* geschrieben hatte, gab es ein sehr verspätetes Happy-End. Die Uraufführung, inszeniert von Gustaf Gründgens, fand erst 1959, drei Jahre nach dem Tod des Stückeschreibers, statt.

In der *Heiligen Johanna* wird mehrfach das (leicht veränderte) Heilsarmeelied »Der kleine Leutnant des lieben Gottes« verwendet, nun unter der Überschrift »Kampflied der Schwarzen Strohhüte«. Neu schrieb Brecht ein Heilsarmeelied zum Geldeinsammeln »Sammelt mit Singen die Pfennige der Witwen und Waisen!« Wie in *Happy End* ist es aber auch hier die Hauptaufgabe der Musik, die »Seelen« der Menschen (oder: ihr Sentiment) für die Heilsarmee zu gewinnen. Gerade Arbeitslose sind willkommene und bequeme Opfer. »Jetzt warme Suppen und etwas Musik, und so haben wir sie.«[40] Wie für den Rattenfänger von Hameln das Flötenspiel, wie für die Betreiber der »Netzestadt« Mahagonny die Unterhaltungsmusik, so ist für die Heilsarmee die religiöse Musik ein Mittel zur Menschenjagd. »Spannt die Netze aus: sie müssen kommen!« heißt eines der Lieder.

Merkwürdigerweise ist zu Brechts Lebzeiten zur *Heiligen Johanna,* einem seiner besten Stücke, keine Bühnenmusik geschrieben worden. Die Musik zur Hamburger Uraufführung komponierte Siegfried Franz, der sich vor allem mit Film- und Fernsehmusik einen Namen machte.

Das Finale zur *Heiligen Johanna der Schlachthöfe* ist eine beklemmende Synthese aus »Happy End«-Finale und dem Untergang der Opernstadt Mahagonny. Zu den Schreckensmeldungen über Börsenkräche und Massenarbeitslosigkeit werden einzelne Strophen aus dem Choral »Hosianna Rockefeller« gesungen. Als 1970 Giorgio Strehler in Italien das Stück inszenierte, schrieb Sinah Kessler in der »Frankfurter Allgemeinen Zeitung«: »Wer jetzt Giorgio Strehlers Inszenierung der ›Heiligen Johanna der Schlachthöfe‹ sieht, stellt mit Erstaunen fest, daß das Stück ... von einer horrenden Aktualität ist und nicht nur der Prosperity und den Kapitalisten-Machenschaften ›mitten ins Herz‹ trifft, sondern der heutigen Gesamtsituation.«[41]

Wirkliche Erneuerung oder Neuerungen?
Zu den Operntheorien Weills und Brechts

> Ich glaube, die Wellen verschlingen
> Am Ende Schiffer und Kahn;
> Und das hat mit ihrem Singen
> Die Lorelei getan.　　　　*Heinrich Heine*

> Sozusagen sitzt ‹Mahagonny› noch prächtig auf dem alten Ast, aber es sägt ihn wenigstens schon ein wenig an ... Und das haben mit ihrem Singen die Neuerungen getan.　　　　*Bertolt Brecht*

Die Position Weills: Hoffnung auf Erneuerung

Immer wieder wird die Frage gestellt, ob der Erfolg der *Dreigroschenoper* und von *Aufstieg und Fall der Stadt Mahagonny* mehr den Brechtschen Texten oder den Weillschen Melodien zu verdanken sei. Diese Frage, meist von Brecht-Gegnern gestellt, ist deshalb unsinnig, weil es sich in beiden

Fällen um Ergebnisse intensiver Zusammenarbeit handelt; die Anteile lassen sich nicht voneinander trennen. Brecht trug ebenso zur Musik bei wie Weill zur Anlage und Ausformung des Texts. Mehr als jeder andere Schriftsteller hat Brecht die Musik in die Konzeption seiner Stücke einbezogen, während andererseits Weill als ein Komponist mit ungewöhnlichem dramatischen Gespür zu bezeichnen ist. Brecht war für Weill ebenso wichtig wie umgekehrt der Komponist für den Dichter.

Eine wirkliche Übereinstimmung zwischen beiden Künstlern gab es nur in den Jahren 1927 bis 1929 – gemessen an der Zahl der gemeinsamen Werke eine kurze Zeit, gemessen an den unterschiedlichen Einstellungen beider zur Musik und speziell zur Oper jedoch eine erstaunlich lange Phase. Funktionieren konnte diese Zusammenarbeit nur auf einer intuitiven Basis; hätte Weill, wie von Lotte Lenya dargestellt, gegenüber Brecht nicht so beharrlich geschwiegen und statt dessen theoretische Auseinandersetzungen begonnen, wären die unterschiedlichen Auffassungen allzu schnell zutage getreten. Da beide jedoch merkten, daß sie voneinander profitieren konnten, verzichteten sie auf grundlegende Diskussionen, die ihre Arbeitsgemeinschaft zerstört hätten. Es war, wie David Drew bemerkte, »eine Zusammenarbeit, die schwerlich lange genug gedauert hätte, um ein einziges Werk zu produzieren, geschweige denn sechs innerhalb von drei Jahren, wenn nicht ein so hoher Grad von Selbsttäuschung und Unverständnis füreinander hinzugekommen wäre.«[1] Erstaunlich ist nicht, daß sich Brecht und Weill Ende 1929 bei den Berliner »Mahagonny«-Proben überwarfen; erstaunlich ist vielmehr, daß ihre Zusammenarbeit nicht schon viel früher beendet war.

Durch den Unterricht bei Busoni war Weill auf das epische Musiktheater vorbereitet. Schon Busoni hatte bekannt: »Kunst ist Übertragung des Lebens, und das Theater ist dieses in umfassenderem Maße als andere Künste; darum ist es natürlich, daß lebendige Musik mit der Theatermusik verwandt sei.«[2] Im 4. Kapitel seines »Entwurfs einer neuen Ästhetik der Tonkunst« hatte der Lehrer ferner gefordert: »Der Darsteller ›spiele‹ – er erlebe nicht. Der Zuschauer bleibe ungläubig und dadurch ungehindert im geistigen Empfangen und Feinschmecken.«[3] Daran anknüpfend konnte Weill 1929 in seinem Aufsatz »Über den gestischen Charakter der Musik« eine alte und eine neue Form des Theaters einander gegenüberstellen: »Das Theater der vergangenen Epoche war für Genießende geschrieben. Es wollte seinen Zuschauer kitzeln, erregen, aufpeitschen, umwerfen. (...) Die andere Form des Theaters, die sich heute durchzusetzen beginnt, rechnet mit einem Zuschauer, der in der ruhigen Haltung des denkenden Menschen den Vorgängen folgt und der, da er ja denken will, eine Beanspruchung seiner Genußnerven als Störung empfinden muß.«[4] Damit hatte Weill 1929 Brechts berühmte Gegenüberstellung von dramatischem und epischem Theater teilweise schon vorweggenommen.

Anders als für Brecht gab es für Weill keinen prinzipiellen Unterschied zwischen Oper und Theater; die Oper hielt er vielmehr für die gehobenste Form des Theaters.[5] Auch hier stand wieder Busoni Pate; dessen Auffassung von der »Einheit der Musik« bewirkte, daß die Einteilung der Musik in Gattungen, die für die funktionale Betrachtungsweise Brechts zentral war, für Weill unwesentlich wurde. Andererseits schrieb er der Musik aber auch spezifisch theatralische, nämlich gestische Eigenschaften zu. Möglicherweise wurde der Begriff der gestischen Musik von Weill und nicht von Brecht geprägt. Weill jedenfalls hat schon früher als der Stückeschreiber theoretische Texte zu Opernfragen veröffentlicht, so 1925 den Aufsatz »Bekenntnis zur Oper«, 1926 »Busonis ›Faust‹ und die Erneuerung der Opernform«, 1927 »Über die zeitgemäße Weiterentwicklung der Oper« und 1928 den Beitrag »Zeitoper«. Vermutlich erhielt Brecht von Weill Anregungen zur Operntheorie, während umgekehrt der Komponist dem Stückeschreiber die Einführung in soziologische Fragestellungen verdankte.

Unterschiedliche Meinungen gab es nicht über die Einschätzung Wagners oder das grundsätzliche Ziel der Desillusionierung[6], wohl aber über die Zukunft der Oper und den Stellenwert der Musik in dieser Gattung. Weill ließ nie einen Zweifel daran, daß er die Oper für reformbedürftig, aber auch für erneuerungsfähig hielt. Schon Busoni hatte in sie größte Hoffnungen gesetzt: »Ich erwarte von der Oper, daß sie in Zukunft die oberste, nämlich die universelle, einzige Form musikalischen Ausdrucks und Gehalts werde.«[7] Eine wirkliche Erneuerung konnte es für Busoni wie für Weill nur durch Wiederentdeckung der rein musikalischen Formen geben. »Der Weg zu einer Wiederherstellung der Oper konnte nur von einer Erneuerung der formalen Grundlagen dieser Gattung ausgehen, von der sich das musikalische Bühnenwerk des ausgehenden 19. Jahrhunderts so weit entfernt hatte, daß der Begriff der Oper eine vollkommene Verrückung und Verkennung erfahren mußte.« Dem Wagnerschen Musikdrama mit seiner starken Orientierung am literarischen Bühnenwerk setzte Weill das primär musikalisch geprägte Ideal entgegen: »Es ist vor allem der Verzicht auf eine rein musikalische Formgebung, der die Entwicklung der Oper so weit von ihren eigentlichen Zielen abgetrieben hat.«[8] Vor allem aus diesem Ziel einer absolut musikalischen, konzertanten Gestaltung erklärte sich Weills starkes Interesse für das epische Theater.

Im Zweifelsfall war ihm die musikalische Form wichtiger als der Text. Deswegen konnte er Strawinskys *Oedipus Rex* trotz seines unverständlichen lateinischen Texts als »Markstein in der Entwicklung der neuen Oper« bezeichnen. Als Begründung nannte er »die Aufnahme eines rein gesanglichen Opernstils, in dem Handlung, Dramatik und optische Bewegung völlig zurückgedrängt sind zugunsten einer rein musikalischen Formgebung.«[9] Von der Oper verlangte er, daß in ihr der Musik »in Gesamtaufbau und in der Ausführung bis ins einzelste eine vorherrschende Stellung« eingeräumt werden müsse.[10] Obwohl Weill die traditionelle Geringschätzung des Librettisten nicht teilte, hielt er eine Gleichberechtigung von Komponist und Dichter in keinem Fall für wünschenswert, auch hierin wiederum treu seinem Lehrer Busoni folgend, der in seinem Aufsatz »Über die Möglichkeiten der Oper« geschrieben hatte: »Ich bestehe noch einmal darauf, daß eine gute Opernpartitur, unabhängig vom Text, sich sollte musikalisch dokumentieren können, zu welchem Ziele die Dichtung ihr in jeder Form entgegenzukommen hat. (...) Der Komponist darf deshalb vieles dem Dichter vorschreiben, der Dichter fast nichts dem Komponisten.« Als Idealfall sah Busoni es an, wenn der Komponist sich seine Libretti selbst schrieb: »So wird ihm widerspruchslos die Befugnis zugestanden, im Verlaufe des Komponierens die Worte, die Szenen zu kürzen, zu ergänzen, sie umzustellen, je wie der musikalische Vorgang es erheischt.«[11] Aus dieser Tradition der spezifisch musikalischen Oper heraus ist es zu verstehen, wenn Weill 1928 in seinem Aufsatz »Zeitoper« zwar die Zusammenarbeit des Komponisten »mit einem zumindest im Niveau gleichwertigen Vertreter der Literatur« forderte, jedoch hinzufügte: »Die mehrfach geäußerten Befürchtungen, daß eine solche Verbindung mit wertvollen literarischen Erscheinungen die Musik in ein abhängiges, dienendes oder auch nur gleichberechtigtes Verhältnis zum Text bringen könnte, sind gänzlich unbegründet.«[12] Als Beweis dafür, daß auch bei der Zusammenarbeit mit einem bedeutenden Dichter der Vorrang der Musik nicht aufgegeben zu werden braucht, führte er seine eigene Praxis an: »Ich darf Ihnen vielleicht berichten, daß ich in meiner gegenwärtigen engen Zusammenarbeit mit Brecht die Möglichkeit gefunden habe, ein Libretto, dessen Gesamtplan und Szenarium gemeinsam ausgearbeitet worden ist, in allen Einzelheiten, Wort für Wort, nach musikalischen Gesichtspunkten zu formen.«

Zweifellos hat sich Brecht über solche Sätze geärgert, zumal da es kaum denkbar ist, daß er sich bei der Arbeit an der »Mahagonny«-Oper Weill einfach untergeordnet hat. Ebensogut hätte er behaupten können, der Komponist habe sich Note für Note an seinen epischen Vorstellungen orientiert. Ärgern mußte es Brecht auch, als Weill im November 1929 in einem zusammen mit Caspar Neher erarbeiteten Regiebuch die Orientierung sogar der Opernregie an musikalischen Prinzipien verlangte; der Verdacht lag nahe, daß der Komponist den Dichter aus der Oper hinausdrängen wollte. Im Vorwort zu diesem Regiebuch, das im Januar 1930 in der Hauszeitschrift von Weills Verlag veröffentlicht wurde, berief sich der Komponist auf die »Gestaltung nach rein musikalischen Gesetzen«, die »größte Sparsamkeit in den szenischen Mitteln und in dem Ausdruck des einzelnen Darstellers« erfordere. »Die schauspielerische Führung der Sänger, die Bewegung des Chors, wie überhaupt der ganze Darstellungsstil dieser Oper, werden bestimmt durch den Stil der Musik. (...) Bei der Inszenierung der Oper muß stets berücksichtigt werden, daß hier abgeschlossene musikalische Formen vorliegen. Es besteht also eine wesentliche Aufgabe darin, den rein musikalischen Ablauf zu sichern und die Darsteller so zu gruppieren, daß ein beinahe konzertantes Musizieren möglich ist.«[13] Auch die weiteren Regiehinweise, so etwa die Reduzierung des Bühnenaufbaus und die Postierung des Orchesters in Parketthöhe, deuten eher auf ein Oratorium als eine Opernaufführung hin. Tatsächlich war es für Weill relativ gleichgültig, ob die »Mahagonny«-Oper in einem Opernhaus, einem Konzertsaal oder einem Theater gespielt würde; »wenn der Rahmen der Oper eine Annäherung an das Zeittheater nicht erträgt, dann muß eben dieser Rahmen gesprengt werden.«[14]

Anläßlich der Leipziger Uraufführung erschien in den »Leipziger Bühnenblättern« ein Aufsatz »Weill-Brechts Mahagonny« von Ernst Latzko, der – wohl nicht ohne Billigung des Komponisten[15] – die Musik noch mehr in den Mittelpunkt stellte. Die inhaltliche Aussage des Textes geriet dabei völlig in den Hintergrund. Aus der Tatsache, daß es einen Ort namens Mahagonny in der Wirklichkeit nicht gibt, zog der Autor den erstaunlichen Schluß: »Die sprachliche Fassung ist also weniger Vermittler von Ideen als klangliches Phänomen.«[16] Um die formalistische Sinnentleerung auf die Spitze zu treiben, charakterisierte Ernst Latzko Weills Musik ähnlich wie den Text: »Sie will nichts ausdrücken, will nichts als Musik sein.«[17] Der Aufsatz, der bald darauf auch in Frankfurt am Main und in Köln nachgedruckt wurde, nannte zusammenfassend »Entindividualisierung und Musizierfreudigkeit als die hervorstechendsten Merkmale des neuen Werks«.

Zu Brechts Auffassung stand dieser Aufsatz, der die Weillsche Position auf die Spitze trieb, in diametralem Gegensatz. Er antwortete darauf mit den »Anmerkungen zur Oper ›Aufstieg und Fall der Stadt Mahagonny‹«, die er zusammen mit Peter Suhrkamp, seinem späteren Verleger, verfaßte. Im August 1930 erschien der Aufsatz in der Zeitschrift »Musik und Gesellschaft« unter der Überschrift »Zur Soziologie der Oper«.[18] Wie diese ursprüngliche Überschrift beweist, ging es Brecht nicht allein um eine Antwort auf Weill, sondern auch um grundlegende Aussagen über die Oper und über die soziale Funktion von Kunst überhaupt.

Die Position Brechts: Für Neuerungen, gegen Erneuerung

Anders als Weill bezweifelte Brecht, daß die Oper erneuerbar und erneuerungswürdig sei. Die Musik beurteilte er wie alle Kunst nicht nach ihrer Form, sondern nach ihrer Wirkung. Wesentlich war für ihn nicht das Werk, sondern der Rezeptionsprozeß. Hatte der einstige Medizinstudent zunächst vor allem die Wirkung von Musik auf sich selbst beobachtet, wobei er die Beeinflussung der Körpertemperatur, der Herztätigkeit, aber auch des Denkvermögens registrierte, so erweiterte sich sein Interesse bald auf die Funktion von Musik für die Gesellschaft. Seit die Musikdramen Richard Wagners in breitesten Kreisen des Bürgertums sogar die Funktion einer Ersatzreligion oder einer Droge angenommen hatten, registrierten gerade die Schriftsteller die gesellschaftliche Wirkung von Musik mit aufmerksamer Besorgnis; Konkurrenzmotive spielten dabei eine Rolle. Schon während der Blütezeit des Wagnerismus[19] hatte bei den Dichtern aus Angst, die Musik könne mit ihrem starken Einfluß die Literatur verdrängen, eine funktionale Kulturkritik an Raum gewonnen, während sich umgekehrt bei den Musikern parallel zum Siegeszug des Bayreuther Meisters die l'art-pour-l'art-Theorie verbreitete; je mehr die tatsächliche Wirkung von Musik wuchs, um so mehr bekannten sich Komponisten und Musiker paradoxerweise zur Funktionslosigkeit ihrer Kunst – die Ästhetik entfernte sich von der Wirklichkeit. In einem geringeren Maße bestätigt sich diese Beobachtung auch im Falle Brechts und Weills: Der Dichter konzentrierte sich, teilweise aus echter Besorgnis, teilweise aus Neid, auf die Funktion von Musik, während der Komponist diese zugunsten der formalen Gestaltung eher vernachlässigte.

Das Interesse an der gesellschaftlichen Wirkung von Musik hatte Brecht mit seinen sonst so unterschiedlichen Schriftstellerkollegen Stefan George und Thomas Mann gemeinsam. Bei George entwickelte sich aus der Abwehr von Musik ein ganzes kulturpolitisches Konzept, eine »geistige Bewegung«, in der die Dichtung zum obersten Maßstab werden sollte.[20] Thomas Mann war in der Musikfrage weniger dogmatisch, jedoch legte er – in Anlehnung auch an Platon – einer Figur seines »Zauberberg«-Romans vielzitierte Sätze in den Mund, wonach die Musik »das halb Artikulierte, das Zweifelhafte, das Unverantwortliche, das Indifferente« sei, »gefährlich deshalb, weil sie dazu verführt, sich bei ihr zu beruhigen ... Musik allein bringt die Welt nicht vorwärts. Musik allein ist gefährlich. ... Die Kunst ist sittlich, sofern sie weckt. Aber wie, wenn sie das Gegenteil tut? Wenn sie betäubt, einschläfert, der Aktivität und dem Fortschritt entgegenarbeitet? Auch das kann die Musik ... Eine teuflische Wirkung, meine Herren! Das Opiat ist vom Teufel, denn es schafft Dumpfsinn, Beharrung, Untätigkeit, knechtischen Stillstand ...«[21] So abschätzig sich Brecht auch sonst über Thomas Mann im allgemeinen und den *Zauberberg* im besonderen äußerte – diesen Sätzen über die gefährliche Wirkung von Musik hätte er zweifellos zugestimmt. Am Beispiel der Opernbesucher hat er in seinem »Mahagonny«-Aufsatz ähnliche Wirkungen beschrieben: »Herausstürzend aus dem Untergrundbahnhof, begierig, Wachs zu werden in den Händen der Magier, hasten erwachsene, im Daseinskampf erprobte und unerbittliche Männer an die Theaterkassen. Mit dem Hut geben sie in der Garderobe ihr gewohntes Benehmen, ihre Haltung ›im Leben‹ ab; die Garderobe verlassend, nehmen sie ihre Plätze mit der Haltung von Königen ein. Soll man ihnen dies übelnehmen? Man brauchte, um dies lächerlich zu finden, nicht die königliche Haltung der käsehändlerischen vorzuziehen. Die Haltung dieser Leute in der Oper ist ihrer unwürdig.«[22]

Die weltabgewandt-passive Haltung des Opernpublikums, die auch Weill bekämpfte, erklärte Brecht nicht allein aus der Musik, sondern vor allem aus dem Wesen der Oper. »Dieses Unvernünftige der Oper liegt darin, daß hier rationale Elemente benutzt werden, Plastik und Rationalität angestrebt, aber zugleich alles durch die Musik wieder aufgehoben wird. Ein sterbender Mann ist real. Wenn er zugleich singt, ist die Sphäre der Unvernunft erreicht ... Je undeutlicher, irrealer die Realität durch die Musik wird ..., desto genußvoller wird der Gesamtvorgang: der Grad des Genusses hängt direkt vom Grad der Irrealität ab.«[23]

Da für Brecht das Singen gegenüber dem Sprechen ein unrealistisches Element war, hatte er in der *Dreigroschenoper* und in *Happy End* die Gesänge realistisch motiviert und von der sonstigen Bühnenhandlung getrennt; den Singenden sollte immer bewußt sein, daß sie singen und warum, so etwa zum Zweck der Bekehrung oder der Belehrung. In der traditionellen Oper dagegen tritt das Singen an die Stelle des Sprechens. Brecht paßte sich dem in *Aufstieg und Fall der Stadt Mahagonny* an, indem er etwa die Bewohner der Stadt ausgerechnet bei einem Taifun einen Chor anstimmen läßt.

Brechts These von der Unvernunft der Oper ist anfechtbar, wenn man die Musik nicht als Gegensatz zur Sprache, sondern als eine eigene Sprache auffaßt, die deshalb das Wort teilweise ersetzen kann. Jedoch wird seine These unter anderem durch Arnold Schönberg gestützt. Dieser hatte, vermittelt durch einen Zeitungsbeitrag von H. H. Stuckenschmidt, von Brechts Opernaufsatz erfahren und wurde dadurch zu eigenen Überlegungen angeregt, so zu Gedanken über die Textverständlichkeit und über die Rolle der Musik gegenüber der Bühne. Schönberg war überzeugt: »Das ist ja das eigentliche Problem der Oper: die Musik rührt auf eine vom Willen kaum beeinflußbare Weise (...) und wenn sie stark ist, so ist sie stärker als jeder reale Vorgang.« Als Beispiel für die Übermacht der Musik über die Szene nannte er den 3. Akt aus Beethovens *Fidelio*. Die begeisternde Wirkung des marschartigen Chorsatzes »Heil sei dem Tag, heil sei der Stunde!« sei relativ unabhängig von der Handlung, nämlich der Befreiung Florestans durch Leonore. Schönberg stellte sich sogar vor, daß bei der Verkehrung der Handlung ins Gegenteil der Chor ebenso wirken würde: »Ich könnte mir denken, daß dieser Chor auf mich den selben Eindruck machen würde, wenn Pizarro dabei seine Rache vollzöge, Rocco ihm dabei freudig hülfe und Leonore den verzweifelten Florestan ver-

217

höhnte, um ein Verhältnis mit Pizarro anzufangen.«[24] Schönberg sprach damit einerseits der Musik eine große Wirkung zu, bezeichnete diese aber andererseits als richtungslos und inhaltlich unbestimmt.

Einen Beweis dafür, wie sehr sich für das Opernpublikum die Musik in den Vordergrund drängte, fand Brecht nicht zuletzt in dem erwähnten Aufsatz von Ernst Latzko. Dessen von Weill übernommene These, daß nicht die Handlung, sondern die Musik den übergeordneten Zusammenhang der Oper bilde, deutete er in seinen »Anmerkungen« als einen typischen Neuerungsvorschlag zur Opernreform, als verzweifelten Versuch, der in die Krise geratenen Operngattung wieder einen Sinn zu verleihen, »einen ›neuen‹ Sinn, wobei dann am Ende das Musikalische selber dieser Sinn wird; wo also etwa der Ablauf der musikalischen Formen als Ablauf einen Sinn bekommt und gewisse Proportionen, Verschiebungen und so weiter aus einem Mittel glücklich ein Zweck geworden sind.«[25] Auf Latzkos Hinweis auf die »Spielfreudigkeit« in Weills Musik dürfte sich die bittere Ironie der folgenden Passage beziehen: »Neuerung über Neuerung: der hörmüde Hörer wurde spielfreudig. Der Kampf gegen die Hörfaulheit schlug direkt um in den Kampf für den Hörfleiß und dann in den Spielfleiß. Der Cellist des Orchesters, ein mehrfacher Familienvater, spielte nicht mehr aus Weltanschauung, sondern aus Freude. Der Kulinarismus war gerettet!«[26] Auch auf Weills Bewunderung für Strawinskys *Oedipus Rex* ging Brecht ein: »Die Besseren verneinen den Inhalt überhaupt und tragen ihn in lateinischer Sprache vor oder vielmehr weg. Das sind Fortschritte, welche nur anzeigen, daß etwas zurückgeblieben ist. Sie werden gemacht, ohne daß sich die Gesamtfunktion ändert, oder vielmehr: nur damit die sich nicht ändert.«[27]

Trotz ihrer pointierten Überspitzung ist Brechts These von der Sinnentleerung der bürgerlichen Oper im Kern richtig. Wie Latzkos Beitrag gezeigt hatte, reduzierten »Avantgardisten« szenische Inhalte auf bloße Klanglichkeit und sprachen – in Anlehnung an Strawinsky – der Musik grundsätzlich jede inhaltliche Ausdrucksfähigkeit ab. In seinen Anmerkungen zur »Mahagonny«-Oper erklärte Brecht diese Entwicklung der Operngattung sozialgeschichtlich: Die ehemals aristokratische Oper habe sich, ebenso wie das Theater, zu einer bürgerlichen Kunstform entwickelt und sei nun von der Identitätskrise dieser Gesellschaftsschicht betroffen.

Schon früher hatte Brecht den Untergang des alten Theaters prophezeit. Dessen Krise enthüllte sich ihm nicht zuletzt am Umgang mit den Klassikern, mit Dramen wie Goethes *Faust* oder Schillers *Don Carlos,* die in der Weimarer Republik nicht mehr verstanden würden, da das Bürgertum mittlerweile kleinbürgerlich geworden sei. »Die großen Bürger, die das große bürgerliche Drama gemacht haben«, spottete er, »haben es nicht für die kleinen Bürger geschrieben, die sie erzeugt haben.«[28] Weimar hatte sich von Weimar entfernt. Auch die Klassiker gehörten zu den Opfern des Weltkriegs. »Wenn es wahr ist, daß Soldaten, die in den Krieg zogen, den ›Faust‹ im Tornister hatten – die aus dem Krieg zurückkehrten, hatten ihn nicht mehr.«[29] In der Sinnkrise des Bürgertums höhlte sich der Sinn der klassischen Meisterwerke aus; vergessen wurde, daß sie eine bestimmte Epoche und nicht die ewige Kunst verkörperten, daß sie bürgerliche Ideologie und nicht reine Menschheitslehren vermittelten. Die einstmals fortschrittliche Weltanschauung des aufsteigenden Bürgertums wurde vom absteigenden Bürgertum geleugnet, weil diese Weltanschauung nunmehr unzeitgemäß geworden war.[30] In der Oper sah Brecht einen sogar noch größeren Sinnverlust als im Schauspiel, da die Musik das Abstrahieren vom Inhalt und somit die Tendenz zu reiner Kulinarik fördere. »Die alte Oper enthielt natürlich auch Elemente, die nicht rein kulinarisch waren – man muß die Epoche ihres Aufstiegs von der ihres Abstiegs unterscheiden –, ›Zauberflöte‹, ›Figaro‹, ›Fidelio‹ enthielten weltanschauliche, aktivistische Elemente. Jedoch war das Weltanschauliche, etwa das Wagners, stets so kulinarisch bedingt, daß der Sinn dieser Opern sozusagen ein absterbender war und dann in den Genuß einging.«[31]

Als Beispiele dafür, daß in der Oper auch Weltanschauung als Genuß verschleudert wurde, nannte Brecht neben Wagners Musikdramen, in denen sich in raunenden Stabreimen der Sinn mehr und mehr in Sinnlichkeit verwandelte, *Elektra* von Richard Strauss und *Jonny spielt auf* von Ernst Krenek. Die in der Aussage sehr viel ernster zu nehmende »Wozzek«-Oper von Alban Berg, die 1925 unter Erich Kleiber an der Berliner Staatsoper uraufgeführt worden war, erwähnte er allerdings mit gutem Grunde nicht; sie hätte seine These von der Sinnentleerung der Oper nicht gestützt.

Von einer Opernkrise sprach in den zwanziger Jahren – trotz *Wozzek* – nicht nur Brecht. Der Musikkritiker H. H. Stuckenschmidt hatte 1929 über die Situation der Oper geschrieben: »Beharrlich an die Konvention eines wirklichkeitsfremden Gestaltungs- und Amüsierwillens geklammert, zeigt sie eine Starrheit der Regie, der theatralischen Gesinnung, der ganzen ästhetischen Mise-en-scène, hinter der man schlechthin den latenten Boykott der Gegenwart vermuten darf. ... Ein Blick in das Parkett einer durchschnittlichen Opernaufführung beweist, daß die Menschen, auf die es einzig und allein ankommt, den heutigen Opernbetrieb meiden. Wir sehen ein Publikum von anspruchslosen, im üblichen Sinn gebildeten Bürgern, die, beseligt durch tausendmal gehörte Melodien, tausendmal betrachtete Gebärden, sich an Demonstrationen ergötzen, in denen fatal die gute alte Zeit ihr Recht verteidigt.«[32] Als eine typisch bürgerlich-konservative, in ihrem Wesen kulinarische Gattung betrachtete auch der Komponist Hanns Eisler die Oper; 1928 bezeichnete er in einer Kritik die für 14 Millionen Reichsmark umgebaute Staatsoper Unter den Linden als

»Mausoleum einer sterbenden Musikkultur«. »Hier gibt es Opernaus-
schank für Frackbesitzer.«[33]

Brecht glaubte nicht an eine Erneuerungsfähigkeit der Oper. Sie blieb für
ihn gekoppelt an den Niedergang des Bürgertums. Mit Weill teilte er zwar
das Mißtrauen gegenüber der bloß äußerlichen Aktualisierung in der Zeitoper[34], jedoch bezweifelte er andererseits auch, daß sich die Krise lösen
lasse, indem man die Opern aus dem Opernhaus auf andere Podien, etwa
auf Konzert- oder Theaterpodien, auslagerte. »Eine Oper kann man nur
für die Oper machen. Nicht etwa kann man eine Oper ausdenken wie ein
Böcklinsches Seetier und dieses Phänomen dann, nach Ergreifung der
Macht, in den Aquarien ausstellen; noch lächerlicher wäre es: es in unseren guten alten Zoo einschmuggeln zu wollen! Selbst wenn man die Oper
als solche (ihre Funktion!) zur Diskussion stellen wollte, müßte man eine
Oper machen.«[35] Während Weill das alte Opernpublikum einfach umgehen und statt dessen das Theater- und Konzertpublikum für die Oper gewinnen wollte, zielte Brecht mit »Mahagonny« gerade auf die traditionellen Hörer. Während Weill aus musikalischen Gründen, aber auch aus
Gründen der Übertragbarkeit auf andere Räume eine Reduzierung des
szenischen Aufwandes forderte, hob Brecht umgekehrt gerade die enge
Bindung von *Aufstieg und Fall der Stadt Mahagonny* an den Opernapparat
hervor. Weill hatte sich der Illusion hingegeben, er könne die Oper refor-
mieren, ohne gleichzeitig den Apparat erneuern zu müssen, er hatte gehofft, die »Mahagonny«-Oper könne sich auch unabhängig von Opernbühnen durchsetzen. Demgegenüber stellte Brecht in seinen »Anmerkungen« die Abhängigkeit der Opernkomponisten und -librettisten vom
Opernapparat dar, der allein schon durch seine Existenz die Produkte prä-
ge. Mit seinem Aufsatz weckte der Stückeschreiber die Künstler aus der Illusion, sie könnten kraft ihrer Phantasie frei über den Apparat verfügen;
in Wahrheit verfüge dieser über sie und mache sie zu bloßen Zulieferern.
Als teuerste musikalische Gattung war die Oper in der Tat schon immer
ganz besonders von Subventionen und damit von den Subventions-
gebern, Adel oder Staat, abhängig; auch deshalb – nicht nur wegen der
Schwerfälligkeit des Apparats – war diese Institution für Experimente wenig prädestiniert. Die Schließung der Krolloper lieferte 1931 dafür den
traurigen Beweis.

Seit Brecht im Herbst 1928 dem marxistischen Theoretiker Karl Korsch
(1886–1961) begegnet war, war für ihn die Unterscheidung von Künstler
und Apparat, von Produzent und Produktionsmittel, wesentlich geworden; angeregt von der marxistischen Theorie, entwickelte er seine Kritik
am Warencharakter der bürgerlichen Kunstproduktion und an der Degra-
dierung des Publikums zu Konsumenten. Seine »Anmerkungen« basierten auf eigenen Erfahrungen, so auf der Enttäuschung darüber, daß sich
mit der *Dreigroschenoper* und mit *Happy End* der gängige Unterhaltungs-

charakter des Operettengewerbes nicht durchbrechen ließ. In seinem Prozeß anläßlich der »Dreigroschenoper«-Verfilmung[36], den er bewußt als soziologisches Experiment anlegte, sollte sich die These von der Übermacht des Apparats, in diesem Fall der Filmindustrie, erneut bestätigen.

Da Brecht aus allen diesen Gründen nicht an eine Erneuerbarkeit der Oper glaubte, interpretierte er die »Mahagonny«-Oper nicht als Beispiel für Opernerneuerung, sondern als ein Werk, das aufgrund seiner Neuerungen als Indikator für die Probleme der Oper, besonders für das Problem des Kulinarismus dienen könnte – als soziologisches Experiment. Während Weill in seinen Wortbeiträgen zur »Mahagonny«-Uraufführung den Begriff der Oper teilweise durch »musikalisches Theater« oder »musikalischer Bilderbogen«[37] ersetzte, bestand Brecht auf der hergebrachten Bezeichnung. Er wollte die Gattung nicht erneuern, sondern ihren funktionalen Kern zur Diskussion stellen. Wenn in der Oper die Musik die Handlung ins Kulinarische zog und verfälschte, dann mußte eben – das war Brechts Konsequenz – die Kulinarik selbst zum Thema der Handlung werden.

Um dem Hörer das kulinarische Wesen der Oper bewußt zu machen, setzte Brecht Mittel des epischen Theaters ein. Die so berühmt gewordene und vielzitierte Gegenüberstellung von dramatischem und epischem Theater[38], die sich auf bereits früher publizierte Aufsätze von Weill stützen konnte, diente hier weniger der Erneuerung als vielmehr der Bewußtmachung des Alten. Es sind formale Mittel, die Brecht wohl als erster systematisiert hat, die zum großen Teil aber auch schon früher eingeführt worden waren, so 1915 in Strawinskys Kammeroper *Renard*, 1917 in Busonis Capriccio *Arlecchino,* 1918 in Strawinskys *Geschichte vom Soldaten* (Text: Ramuz), 1919 in Milhauds Ballett *Der Ochs auf dem Dach* und 1923 in William Waltons *Facade.*[39] Eine epische Oper war *Cristophe Colomb* von Darius Milhaud nach einem Text von Paul Claudel, die 1930 mit großem Erfolg an der Berliner Staatsoper uraufgeführt wurde; ein Erzähler verband dabei die 27 Szenen, die – ähnlich wie bei Piscator – durch Filmvorführungen noch verdoppelt wurden.[40]

Während Weill glaubte, episches Theater machen zu können, indem er der Musik den absoluten Vorrang einräumte, forderte Brecht für das epische Theater die Gleichberechtigung von Musik, Text und Szene. »Der große Primatkampf zwischen Wort, Musik und Darstellung (wobei immer die Frage gestellt wird, wer wessen Anlaß sein soll – die Musik der Anlaß des Bühnenvorgangs, oder der Bühnenvorgang der Anlaß der Musik und so weiter) kann einfach beigelegt werden durch die radikale Trennung der Elemente.«[41] Brecht rückte damit von der Weillschen Position, vor allem aber von Wagners Idee des Gesamtkunstwerks ab.

Sein Plädoyer für die Selbständigkeit der Einzelkünste in der Oper war kein Plädoyer für leeren Formalismus oder für Beziehungslosigkeit der

Teile; vielmehr machte er durch die Trennung der Elemente den Inhalt »zu einem selbständigen Bestandteil ..., zu dem Text, Musik und Bild ›sich verhalten‹«.[42] Eine Diskussion des Inhalts sollte damit ermöglicht werden. Brecht erhoffte sich von der Bewußtmachung des kulinarischen Wesens der Oper eine provokatorische Wirkung, dies um so mehr, als die »Mahagonny«-Uraufführung mitten in der Weltwirtschaftskrise stattfand. Anders als Weill sah er in »Mahagonny« weniger ein Mittel zur Rettung aus der Opernkrise als vielmehr einen Katalysator zu ihrer Verschärfung. Von innen heraus, durch die Erkenntnis ihrer Unhaltbarkeit, sollte sich die alte Oper auflösen. Das epische Theater repräsentierte ihm deshalb nicht das Theater der Zukunft, sondern das Theater einer Übergangszeit. Wie die KPD und große Teile der Linken hielt Brecht die Jahre um 1930 für eine Krisen- und Übergangsperiode; er erwartete in naher Zukunft eine sozialistische Revolution und glaubte, das Anwachsen der Wirtschaftskrise, der Arbeitslosigkeit bei gleichzeitigem Anwachsen der Wählerstimmen für die linken Parteien deute auf eine vorrevolutionäre Situation hin. Die Kunst hatte dabei eine vorbereitende Funktion, sie war »Nebenprodukt in einem sehr verzweigten Prozeß zur Änderung der Welt«.[43]

Um dem Opernpublikum die Notwendigkeit von Veränderungen vor Augen zu führen, mußte es seine Einengung auf den Kulinarismus, dem etwa die Stimme eines Opernstars mehr bedeutet als die Melodik oder gar die durch den Gesang vermittelte Aussage, selbst erkennen. Daß an die Stelle der ideologischen Funktion der klassischen Oper eine kulinarische Funktion getreten sei, erklärte Brecht nicht allein historisch (mit dem Zerfall des Bürgertums) und politisch (mit dem Versuch der Bürger, ideologische Frontenbildung zu vermeiden), sondern auch sozialpsychologisch. Als Beleg dafür, daß in der modernen Gesellschaft der Kulinarismus der Kunst eine wichtige Funktion erfülle, daß der Rausch sogar unentbehrlich geworden sei, zitierte er Sigmund Freuds Abhandlung »Das Unbehagen in der Kultur«: »Das Leben, wie es uns auferlegt ist, ist zu schwer für uns, es bringt uns zuviel Schmerzen, Enttäuschungen, unlösbare Aufgaben. Um es zu ertragen, können wir Linderungsmittel nicht entbehren. Solcher Mittel gibt es vielleicht dreierlei: mächtige Ablenkungen, die uns unser Elend geringschätzen lassen, Ersatzbefriedigungen, die es verringern, Rauschstoffe, die uns für dasselbe unempfindlich machen. Irgend etwas dieser Art ist unerläßlich. Die Ersatzbefriedigungen, wie die Kunst sie bietet, sind gegen die Realität Illusionen, darum nicht minder psychisch wirksam, dank der Rolle, die die Phantasie im Seelenleben behauptet hat.«[44]

Indem Brecht mit »Mahagonny« dem Unvernünftigen der Gattung Oper bewußt gerecht wurde und zugleich das kulinarische Soll übererfüllte, machte er das Werk zu einem Ärgernis, zu einer Provokation für das bürgerliche Publikum. Wenn die eigentliche Funktion des Theaters seine gesellschaftliche Funktion ist, wenn die alte Oper vor allem zur Stützung der bestehenden Gesellschaft dient, so kann schon eine Funktionsänderung der Oper eine gesellschaftsändernde Wirkung haben. Brecht, der diesen Wirkungszusammenhang zeitweise wohl auch überschätzt hat, nutzte die Musik und ihre Macht, um den Zerfall der bürgerlichen Gesellschaft zu beschleunigen. So ließ er seinen Aufsatz mit den Worten schließen: »›Mahagonny‹ greift die Gesellschaft an, die solche Opern benötigt; sozusagen sitzt es noch prächtig auf dem alten Ast, aber es sägt ihn wenigstens schon (zerstreut oder aus schlechtem Gewissen) ein wenig an … Und das haben mit ihrem Singen die Neuerungen getan. *Wirkliche* Neuerungen greifen die Basis an.«[45]

Offener Streit und späte Annäherung

Indem Brecht und Weill ihre Opernaufsätze ohne Mitwirkung des jeweiligen Partners veröffentlichten, ließen sie die theoretischen Divergenzen offensichtlich werden. Die auf bloßer Intuition beruhende Phase ihrer Zusammenarbeit war damit, zumindest auf dem Gebiet der Oper, beendet. Die optimistische Position Weills in bezug auf die Zukunft der Oper teilte Brecht nicht. Für ihn war deren Krise kein vorübergehendes, sondern ein grundsätzliches Problem, das sich in letzter Instanz nur durch eine grundlegende revolutionäre Gesellschaftsänderung lösen ließe. Für den Reformisten Weill hingegen schienen sich die Klassengegensätze durch die Aufeinanderfolge von Alt und Neu aufzulösen. Er vertraute auf den »neuen Typus Mensch, der heute von allen Seiten im Anmarsch ist«[46] und hoffte auf die Selbstauflösung der tradierten bürgerlichen Kultur. Der Oper wies er dabei nicht, wie Brecht, eine besonders konservative, sondern eine besonders progressive Rolle zu. »Die Oper wird einer der wesentlichsten Faktoren jener auf allen Gebieten zu beobachtenden Entwicklung sein, in der sich die kommende Liquidation der gesellschaftlichen Künste ankündigt.«[47] Weills Optimismus gründete auf der Überschätzung des Einflusses der Autoren und der Unterschätzung der hemmenden Wirkung des Opernapparates und anderer gesellschaftlicher Institutionen.

Da Weill allerdings vom Vorrang der Musik in der Oper nicht abrücken wollte, kam es über die Benennung der Werke zum Streit. Schon bei der *Dreigroschenoper* hatte er seine Kompositionen nicht als Bühnenmusik bezeichnen wollen; so bat er seinen Verlag am 21. 8. 1928, kurz vor der Premiere, dafür zu sorgen, »daß in der ganzen äußeren Aufmachung der Premiere der Musik der ihr gebührende Platz eingeräumt wird. Man scheint im Theater (wie immer bei der Literatur) ein bißchen Angst vor der Durchschlagskraft der Musik zu haben, und ich befürchte, daß man die

Musik in Ankündigungen, Pressenotizen usw. mehr als Bühnenmusik ausgeben wird, obwohl sie mit ihren 20 Nummern weit über den Rahmen einer Schauspielmusik hinausgeht.«[48] Bei *Aufstieg und Fall der Stadt Mahagonny* vertrat der Komponist die Auffassung, es handle sich um eine Weill-Oper nach Worten von Brecht, während der Dichter die Benennung »Oper von Brecht, Musik von Weill«[49] wünschte; entscheidend war für ihn nicht, wer den Text oder die Musik, sondern wer die dramatische Konzeption geschaffen hatte. Über solchen Streitigkeiten kam es während der Berliner »Mahagonny«-Proben zum Bruch.

Während danach Brecht auf Opern zunächst verzichtete, da er dieser kulinarischen Gattung keine Zukunftschancen gab, verwirklichte Weill 1931 zusammen mit Caspar Neher in der *Bürgschaft* seine Vorstellungen von einer vorrangig musikalischen epischen Oper. Neher war mit Brechtschen Ideen eng vertraut und dem epischen Theater mit Leib und Seele verbunden; als Bühnenautor jedoch war er unerfahren, so daß Weill in dieser Arbeitsbeziehung dominierte. Musikalisch und stofflich ist *Die Bürgschaft*, die von der Abhängigkeit des menschlichen Lebens von den wirtschaftlichen Verhältnissen handelt, mit »Mahagonny« eng verwandt. Das Thema des Kulinarismus aber fehlt, denn Weill war nicht der Auffassung, daß der Genuß die gesellschaftliche Grundfunktion der bürgerlichen Oper sei. Diese Auffassung hielt er, wie seinem Aufsatz »Das Formproblem der modernen Oper«, einer versteckten Antwort auf Brechts »Anmerkungen«, zu entnehmen ist[50], für eine Unterschätzung des Opernpublikums.[51]

Während Brecht seine skeptische Position gegenüber der bürgerlichen Oper beibehielt – obwohl er immer wieder an Opernprojekten arbeitete! – und noch 1950 feststellte, daß eine neue Funktion für die alte Oper nicht gefunden sei[52], gab Weill in den USA seinen Optimismus in bezug auf die Gattung auf; er näherte sich damit der Brechtschen Position an. Nun verzichtete er sowohl auf den Begriff Oper – die einzige Ausnahme war die Broadway-Oper *Street Scene* – als auch auf seinen früheren Anspruch vom Vorrang der Musik. »Ich bin überzeugt«, schrieb Weill 1942, »daß die Oper im traditionellen Sinne mit Wagner, Strauss und anderen Nachfahren ihr Ende gefunden hat. ... Die mir vorschwebende *neue* Form ist richtiges, lebendiges, modernes ›Musikalisches Theater‹, in dem die Musik nach Ausdehnung und innerer Bedeutung gleichberechtigter Partner ist.«[53] Damit war Weill schließlich doch noch auf die Linie Brechts eingeschwenkt; er hatte die Überzeugung gewonnen, daß die Form der Oper zwar durch Neuerungen bereichert, aber nicht wirklich erneuert werden konnte. Wie bei Brecht verschob sich auch bei ihm das Interesse auf das musikalische Theater. Zu diesem Übergang von der traditionellen Oper zum musikalischen Theater haben neben *Dreigroschenoper* und *Aufstieg und Fall der Stadt Mahagonny* auch Brechts theoretische »Anmerkungen« entscheidend beigetragen.

Weill, Hindemith, Eisler
Das Lehrstück
als neue musikalisch-theatralische Gattung

Erst der neue Zweck macht die neue Kunst. Der neue
Zweck heißt: Pädagogik.

Vorformen der Lehrstücke

Ruhrepos

Der Dirigent Rudolf Schulz-Dornburg, der gegen Ende der Spielzeit
1926/27 als Operndirektor an die Städtischen Bühnen Essen berufen
wurde, hatte große künstlerische Pläne für das Ruhrgebiet. In diesem industriellen Ballungsraum sah er besondere Chancen für die Entwicklung
einer modernen Massenkultur. Herbert Jhering schätzte dies ähnlich ein,
als er im November 1926 schrieb: »An der Ruhr liegen die größten kulturpolitischen Aufgaben, die Deutschland zu lösen hat. (...) Im Industrie-
bezirk dem Arbeiter das Zeittheater zu geben, das ihn angeht, für diese lebendige Bevölkerung die moderne gegenwärtige Bühne zu schaffen, das
ist ein prinzipielles Problem, wichtiger als das meiste, was heute als ›Thea-
terfrage‹ beredet wird.«[1] Schulz-Dornburg wollte sich dieser kulturpolitischen Aufgabe stellen, er wollte das Theater vor allem der arbeitenden
Bevölkerung nahebringen. Im Frühjahr 1927 trat er als Vertreter der Stadt
Essen an Kurt Weill heran, »um ihn zu bitten, im direkten Auftrag der
Stadt eine große revue-artige Arbeit zu schaffen, die aus dem Ruhrgebiet
entstehen sollte.«[2] Ähnlich wie beim »Mahagonny«-Songspiel schlug
Weill zuerst Joachimson als Textautor vor, dann aber Brecht, mit dem er
soeben die ersten Kontakte aufgenommen hatte. Die Entwürfe für Essen
entstanden zeitlich parallel zur Arbeit am Songspiel, mit dem sie durch das
Thema »Stadt« verwandt sind. Am 17. Mai 1927 berichtete Schulz-Dornburg dem Essener Oberbürgermeister Bracht von »unserer Industrieoper«
und äußerte dabei die Hoffnung, »daß die Arbeit von Bert Brecht und
Kurt Weill etwas außerordentlich wichtiges und schönes werden kann,
das die Absichten der Stadt in künstlerischer Beziehung besonders deutlich schon im ersten Jahr erkennen läßt.«[3] Der Auftrag an Brecht und

Weill sollte das Startsignal für eine breitenwirksame neue Kulturarbeit im Ruhrgebiet sein. Die Voraussetzungen dafür schienen günstig; nicht nur Schulz-Dornburg und Bracht standen dem Projekt aufgeschlossen gegenüber, sondern auch die Brecht-Freunde Caspar Neher und Hannes Küpper, die mit Beginn der Spielzeit 1927/28 an die Städtischen Bühnen Essen engagiert wurden – Neher als Bühnenbildner und Leiter des Ausstattungswesens, Küpper als Dramaturg.

Brecht, der sich zu diesem Zeitpunkt unter dem Einfluß von Fritz Sternberg intensiv mit soziologischen Fragestellungen befaßte, entwarf ein großangelegtes Epos der Arbeit; war das Hauptthema von »Mahagonny« der Konsum, die Freizeit, so hier die Produktion, die Arbeitswelt. In einem Exposé schrieb er: »Das Ruhrepos soll ein zeitgeschichtliches Dokument sein etwa von der Bedeutung des im 17. Jahrhundert entstandenen Orbis Pictus, der das Weltbild dieses Jahrhunderts in einfachen Bildern wiedergibt. Zu großen Tafeln, auf denen Bergwerke, Menschentypen, Maschinen usw. gezeigt werden, werden Gesänge gedichtet und komponiert, die sie erläutern.«[4] Als Modelle scheinen Brecht auch die Panoramen des 19. Jahrhunderts, die Moritatensänger und Jahrmarktsausrufer, die ihre Bildtafeln singend erläutern, vorgeschwebt zu haben; schon in der aussterbenden Form des Moritatenvortrags hatte es Folgen »erhebender, unterhaltender und belehrender szenischer Bilder«[5] gegeben. »Lichtbilder- und Filmprojektionen stellen die tatsächlichen Dokumente dar, die von der Dichtung und der Musik behandelt werden«, heißt es weiter im Exposé. Für die Herstellung der Filme hatte Brecht Carl Koch vorgeschlagen, der mit seiner Frau Lotte Reiniger zu den wichtigsten Filmexperimentatoren seiner Zeit gehörte.[6] Kochs Trickfilme und Caspar Nehers Lichtbilder sollten den Ausgangspunkt des *Ruhrepos* bilden.

Ziel der neuen Arbeit war es, »in künstlerischer Form zu belehren«.[7] Die Verbindung von Didaktik und Kunst schien für das Autorenteam Brecht-Koch-Weill, das Anfang Juni 1927 zu Lokalstudien und Verhandlungen nach Essen reiste, von besonderer Wichtigkeit. Koch versicherte in seinem Abschnitt des Exposés zum Trickfilm: »Es ist mit diesem bisher nur für Reklame und trocken belehrende Zwecke angewandten Mittel möglich, die stärksten künstlerischen Wirkungen auszulösen. Entworfen ist z.B. eine künstlerische Darstellung der Erdzeiten und Naturgeschehnisse, die zur Bildung des Ruhrkohlengebietes geführt haben. Außerdem eine Darstellung des Zusammenflusses der Menschen in diesem Gebiet und der historischen Bildung der Siedelungen.«[8] Der Anspruch, auf der Basis von Film- und Bildmaterial eine zugleich geologische, natur- und sozialgeschichtliche, technische und ökonomische Darstellung des Ruhrgebietes zu geben, war gewaltig. Das *Ruhrepos*, in seiner breiten panoramenartigen Konzeption dem Piscatorschen Theater verwandt, sollte ein dokumentarisch-didaktisches Kunstwerk werden.

Auch Brecht versprach, daß selbst die statistischen Darstellungen keine trockene Sache werden würden. Spannend mußte es schon deshalb werden, weil das *Ruhrepos* für ein Publikum aus allen Schichten der Bevölkerung bestimmt war. Daß die Arbeiter dabei im Vordergrund stehen sollten, war auch Kurt Weill nicht unsympathisch. Seit April 1925 war er Chefkritiker und Berliner Korrespondent der Wochenzeitschrift »Der deutsche Rundfunk«; im Juni 1925 hatte er dort geschrieben: »Der Arbeiter bildet einen wesentlichen, nicht zu unterschätzenden Bestandteil des Rundfunkpublikums. Seine Sonderansprüche zu befriedigen, gehört zu den schwierigsten Aufgaben der Programmbildung. Er ist naiver, vorurteilsloser, weniger festgelegt und weniger blasiert als die Hörer des Mittelstandes. (...) Auch den belehrenden Vorträgen ist er mit der ganzen Aufnahmefähigkeit seiner geweckten Intelligenz zugänglich.«[9]

Über seine musikalischen Ideen für das neue Gemeinschaftswerk führte Weill aus: »Die Musik des Ruhrepos schließt alle Ausdrucksmittel der absoluten und der dramatischen Musik zu einer neuen Einheit zusammen. Sie entwirft keine Stimmungsbilder oder naturalistischen Geräuschuntermalungen, sondern sie präzisiert die Spannungen der Dichtung und der Szene in ihrem Ausdruck, ihrer Dynamik und ihrem Tempo.«[10] Neben rein symphonischen Abschnitten sollten oratorische Chorpartien, Arien und Ensemblesätze stehen. Ein oratorienartiger Gesamtrahmen von durchaus strengem, erhabenen Charakter sollte durch dramatische, auch komische Zwischenspiele unterbrochen werden. Die von Brecht vorgegebene Gliederung in einzelne Nummern und Bilder hielt er für musikalisch besonders fruchtbar: »Es ergibt die seit langem in der Oper angestrebte Möglichkeit, die klassischen Formen der konzertanten Musik neben freieren, aus der jeweiligen Situation erwachsenen Formen zu verwenden.«[11] Auf diese Weise hielt es Weill für möglich, eine »streng absolute Musik« mit dokumentarischem Klangmaterial wie Bergmannsliedern, Flötenspiel des Lumpensammlers oder Maschinenrhythmen zu verbinden.

Nachdem der zunächst eingereichte Kostenvoranschlag von 40 000 Mark in Verhandlungen auf fast die Hälfte reduziert worden war, schien einem endgültigen Vertrag nichts mehr im Wege zu stehen. Als aber im Sommer 1927 das Projekt durch Berliner Pressemeldungen öffentlich bekannt wurde, setzte in Essen eine heftige kommunalpolitische Diskussion ein. Schulz-Dornburg, dem man den Vorwurf machte, eine »Berliner Clique« zu lancieren, zog daraufhin das Projekt zunächst zurück. Sein erstes Festspiel für breitere Bevölkerungskreise, das er dann schließlich in die Praxis umsetzte, bot nicht Brecht-Koch-Weill, sondern – Richard Wagner.

Im Februar 1928 aber kam Schulz-Dornburg nach Berlin und stellte einen baldigen Vertragsabschluß in Aussicht. Als auch dieser wieder auf sich warten ließ, drängten die drei Autoren im März wenigstens auf Erstattung ihrer Unkosten. Das *Ruhrepos*-Projekt betrachteten sie damit als gescheitert.

Erhalten blieben davon neben dem ausführlichen Exposé der drei Autoren, einem der frühesten Textentwürfe zum epischen Musiktheater überhaupt, vier Gedichte von Brecht: »Sang der Maschinen« sowie die Kranlieder »Kinderlied«, »Rutsch mal drei Meter vor . . .« und »Song des Krans Milchsack IV«.[12] Im ersten Kranlied tritt an die Stelle des fliegenden Maikäfers aus dem Kinderlied »Maikäfer flieg« der »beißende« Kran:

> Beiß, Greifer, Beiß
> Die Kohle hat 'nen Preis . . .[13]

Alles deutet darauf hin, daß das *Ruhrepos*, hätte die Stadt Essen es finanziert, ein Meisterwerk geworden wäre. Eine vergleichbare künstlerische Monographie einer Landschaft wurde nie wieder geschaffen. Deutliche Spuren führen hin zur »Mahagonny«-Oper – dies betrifft nicht zuletzt die epische Abfolge von Bildern und die aus vielen Stilebenen zusammengesetzte Musiksprache –, jedoch wären hier die Streitigkeiten, die Ansprüche Weills auf Vorrang der Musik, vermutlich weggefallen; anders als der Titel »Oper« löst der Titel »Epos« eher literarische und bildliche als musikalische Assoziationen aus. Brechts Forderung aus den »Mahagonny«-Anmerkungen, daß sich Text und Musik gleichberechtigt zu einem Dritten »verhalten« sollen, sowie vor allem das Ziel, Genießen durch Lernen zu ersetzen, hätte in einem fertiggestellten *Ruhrepos* ihre erste Verwirklichung gefunden.

Auseinandersetzung mit dem Tod

Die nächste Brecht-Vertonung, die Weill 1927 schuf, die Ballade *Vom Tod im Wald*, war inhaltlich vom *Ruhrepos* denkbar weit entfernt. Weill übernahm das Gedicht aus der *Hauspostille*, die neben dem Stück *Mann ist Mann* der erste Auslöser seiner Brecht-Begeisterung war und blieb. Trotz moderner Fortschrittsgläubigkeit in *Ruhrepos* und später *Lindbergh-Flug* blieben in seinen Brecht-Vertonungen auch weiterhin die typischen »Hauspostillen«-Themen Genuß, Vergänglichkeit und Tod zentral; anscheinend war für Weill das Todesproblem, mit dem sich Brecht seit dem Ersten Weltkrieg intensiv befaßte, wesentlich. Aus der fünften Lektion der *Hauspostille*, den »Kleinen Tagzeiten der Abgestorbenen«, vertonte er ab 1927 drei Gedichte: »Vom Tod im Wald«, »Vom ertrunkenen Mädchen« und »Legende vom toten Soldaten«.

Brecht hat sein Gedicht »Tod im Wald« im Jahre 1917 geschrieben.[14] Ein Mann stirbt im Wald, beobachtet von seinen Freunden, die ihn schließlich unter einem Baum verscharren. Als der Baum zu leuchten beginnt, erkennt man ein Wunder: Der Leichnam ist in den ewigen Kreislauf der Natur eingegangen. Ähnlich wie beim ertrunkenen Mädchen, das im Fluß wieder »Aas vom Aas« wird, war dies für den anarchischen Atheisten Brecht eine Form von Auferstehung, von Apotheose. Weill nahm die für die *Hauspostille* überarbeitete Fassung des Gedichts, in der die Handlung in den Hathouriwald am Mississippi verlegt ist, zur Grundlage einer Ballade für Baß-Solo und zehn Blasinstrumente. In ihren relativ dissonanten polyphonen Sätzen erinnert die Komposition stilistisch an die Zwischenspiele des »Mahagonny«-Songspiels. Jede der acht Strophen besitzt musikalisch einen eigenen Charakter. Während der Tod fast choralartig begleitet wird, ist der Hohn der Lebenden auf den Sterbenden grell instrumentiert. Die Komposition schließt bei den Worten »Und der Baum war oben voll Licht« im hymnischen Bläsersatz. Wohl vor allem wegen des Sujets wirkte »Vom Tod im Wald« bei der Uraufführung am 23. November 1927 (Ausführende: Heinrich Hermanns, Baß, und Bläser des Berliner Philharmonischen Orchesters) auf Publikum und Kritik schockierend.

Ein Jahr später – die *Dreigroschenoper* hatte sich mittlerweile zu einem Serienerfolg entwickelt – wurde ein neues Werk von Brecht und Weill angekündigt: »Gedenktafeln. Kantate für berühmte Sportler«.[15] Diese Kantate, der wohl Brechts neusachliches Boxer-Gedicht »Gedenktafel für 12 Weltmeister«[16] zugrunde liegen sollte, ist nie komponiert worden. Brecht wandte sich damals von der Ästhetik der Neuen Sachlichkeit, die noch das *Ruhrepos*-Projekt beherrscht hatte, ab. Die Kantate »Gedenktafeln« verwandelte sich in der Zusammenarbeit mit Weill zum *Berliner Requiem*. Das Problem des Todes kehrt darin wieder, doch nun nicht unter einem individualistischen, sondern unter einem politischen Aspekt.

Wie Brecht schon in der *Hauspostille* einen christlichen Gebrauchsgegenstand, das Gebetbüchlein, umfunktioniert hatte, so ist auch das *Berliner Requiem* Negation und weltliche Umfunktionierung christlicher Bräuche, des traditionellen Requiems, vor allem aber des »Heldenrequiems«. Der *Große Dankchoral* (aus den »Exerzitien« der *Hauspostille*), der den Rahmen des *Berliner Requiems* bildet, setzt sich nicht nur mit dem bekannten protestantischen Choral »Lobet den Herren« (Joachim Neander 1680), sondern auch mit dem traditionellen Requiem, etwa den Abschnitten Agnus Dei und Lux aeterna, auseinander.[17]

Die Hintergründe, die zur Entstehung dieses Werks führten, sind noch nicht restlos geklärt. Da Brecht lokale Bezüge nicht verschmähte – Belege dafür sind das für Essen vorgesehene *Ruhrepos* oder die *Kölner Sintflut*, die er dem Kölner Sender anbot[18] –, läßt sich vermuten, daß für das *Berliner Requiem* ein Berliner Bestimmungszweck vorgesehen war, bevor das Werk dann dem Frankfurter Sender zur Uraufführung übergeben wurde. Als Anlaß kommt zunächst der zehnte Jahrestag des Waffenstillstands von Compiègne am 11. November 1918 in Frage, das Ende des Ersten Weltkriegs. In den deutschen Rundfunkprogrammen wurde dieser Gedenktag jedoch, im Gegensatz zu ausländischen Sendern, vernachlässigt.[19] Da außerdem Weill die Komposition erst im Dezember 1928 vollendet hatte, ist es denkbar, daß das *Berliner Requiem* für einen anderen, spezifisch Berlinischen Anlaß vorgesehen war. Am 15. Januar 1929 jährte sich der Tag, an dem die führenden deutschen Sozialisten Rosa Luxemburg und Karl Liebknecht durch rechtsradikale Offiziere in Berlin ermordet worden waren, zum zehnten Male. Brecht befaßte sich gerade in diesen Jahren mit der deutschen Revolutionsgeschichte[20], die er nun erst wirklich zu verstehen begann. Zehn Jahre zuvor, am 6. Februar 1919, hatte er noch etwas ahnungslos die Trauerfeier der USPD zu Ehren von Rosa Luxemburg, Karl Liebknecht und Franz Mehring im großen Odeonssaal in München besucht und danach seine »Ballade von der roten Rosa« geschrieben.[21] Diese Ballade fehlt zwar im *Berliner Requiem,* jedoch steht an ihrer Stelle die thematisch verwandte »Ballade vom ertrunkenen Mädchen«, die im Gesamtzusammenhang als versteckte Huldigung an die von Brecht stets bewunderte Sozialistin gelesen werden kann[22], als Erinnerung daran, daß die Leiche Rosa Luxemburgs im Januar 1919 von ihren Mördern in den Berliner Landwehrkanal geworfen wurde. Brechts Gedicht deutet die Auflösung des Leichnams, wie schon im »Tod im Wald«, nicht als schmachvolle Zerstörung, sondern als befreiende Erlösung.

Der Titel *Berliner Requiem* weist darauf hin, daß sich das Werk nicht nur auf die Kriegstoten, sondern auch auf die Toten der Novemberrevolution bezieht. Berlin war der Hauptschauplatz der revolutionären Kämpfe gewesen; hier befanden sich außerdem auf dem Friedhof Friedrichsfelde im Osten der Stadt die Grabstätten der gefallenen Revolutionäre. An sie erinnerte seit dem 13. Juni 1926 – am 13. Juni 1919 war dort die aus dem Wasser gefischte Leiche Rosa Luxemburgs bestattet worden – ein vieldiskutiertes avantgardistisches Revolutionsdenkmal, das der Architekt Mies van der Rohe entworfen hatte.[23] Zehntausende von Berliner Arbeitern hatten sich am 11. Juli 1926 an einem anderthalbstündigen Vorbeimarsch zur Ehrung der Toten beteiligt. Seitdem fanden in der Januarmitte jeden Jahres am Friedrichsfelder Revolutionsdenkmal Lenin-Liebknecht-Luxemburg-Feiern statt.[24] Am 15. Januar 1929 wollte man an diesem Ort, der 1934/35 von den Nazis zerstört wurde[25], den 10. Jahrestag der Ermordung von Karl Liebknecht und Rosa Luxemburg begehen. Auf Grund seiner Besetzung mit Blechbläsern, Banjo und Männerchor hätte sich das *Berliner Requiem,* das sich allerdings kritisch mit Denkmälern auseinandersetzte, durchaus für eine Freiluftaufführung am Denkmal der Novemberrevolution geeignet. Ob Brecht und Weill an diesen Bestimmungszweck gedacht hatten, ist unbekannt. Der sozialdemokratische Polizeipräsident Zörgiebel verbot allerdings gerade in diesem Jahre die Gedächtnisfeiern in Friedrichsfelde. Selbst noch im fernen Frankfurt am Main, wo im Mai 1929 endlich die Uraufführung stattfinden konnte, erregte der Titel *Berliner Requiem* bei der politischen Überwachungsstelle Anstoß.[26]

Das »Berliner Requiem« und der Rundfunk

Das *Berliner Requiem* wurde dem Frankfurter Sender gewidmet; dieser Rundfunksender war unter seinem Intendanten Hans Flesch, einem engen Freund Paul Hindemiths, und seinem musikalischen Leiter Ernst Schoen für neue Musik besonders aufgeschlossen. Weill wiederum, der sich schon seit Jahren mit diesem Medium auseinandersetzte, schätzte es, daß sich das Rundfunkpublikum aus allen Schichten der Bevölkerung zusammensetzte. Im Rundfunk sah er eine Möglichkeit, die Schranken der bürgerlichen Musikkultur zu durchbrechen, um damit eine echte Demokratisierung der Kunst einzuleiten. »Die Konzertmusik war jeweils zur Zeit ihrer Entstehung für einen bestimmten und begrenzten Kreis von Hörern der gebildeten und zahlungsfähigen Schichten bestimmt.«[27] Anders beim Rundfunk: Er »stellt den ernsten Musiker unserer Zeit zum ersten Mal vor die Aufgabe, Werke zu schaffen, die ein möglichst großer Kreis von Hörern aufnehmen kann«. Die Eroberung eines Massenpublikums war und blieb eines von Weills Hauptzielen. Sollte im *Ruhrepos* dem städtischen Auftrag entsprechend vor allem ein Arbeiterpublikum angesprochen werden, so in den Rundfunkkompositionen wie auch den Songs die ganze Gesellschaft.

Anders als Brecht betrachtete Weill die Gesellschaft der Weimarer Republik nicht als eine antagonistische Klassengesellschaft, sondern als ein relativ homogenes Ganzes. Er war überzeugt, daß diese Gesellschaft ihren in sich widersprüchlichen bürgerlichen Charakter allmählich und evolutionär verlieren würde. Zu dieser Evolution würde, so hoffte er, der Rundfunk beitragen. Wege zur Integration sah er deshalb in diesem neuen Medium, weil er es optimistisch als politisch neutral begriff; unabhängig von Sälen, gleichsam »freischwebend«, erreiche man mit dem Rundfunk »den großstädtischen Menschen unserer Tage«.

Dazu bedürfe es allerdings auch neuer Kompositionen: »Inhalt und Form dieser Rundfunkkompositionen müssen ... imstande sein, eine große Menge von Menschen aller Kreise zu interessieren, und auch die musikalischen Ausdrucksmittel dürfen dem primitiven Hörer keine Schwierigkeiten bereiten.«[28] Im *Berliner Requiem* meinte Weill diese Forderungen verwirklicht zu haben.

Am 20. Dezember 1928 meldete er seinem Verlag, er habe soeben das *Berliner Requiem* vollendet und glaube, daß es zu seinen besten und neuartigsten Werken gehöre. Er sprach hier noch von »7 Stücken teils feierlich tragischen, teils ironischen Charakters«. Die Zusammenstellung der Teile wurde dann aber geändert; die Ballade »Vom Tod im Wald«, die ursprünglich sogar den Anfang des Requiems bilden sollte, fiel heraus.

Nachdem Weill am 1. März 1929 in Berlin sein Werk maßgeblichen Rundfunkleuten vorgespielt hatte, teilte er im April seinem Verlag mit, daß er nun die bisher letzte Nummer, den »Großen Dankchoral«, an den Anfang gerückt habe. Die Reihenfolge der Stücke laute:

1. Großer Dankchoral
2. Ballade vom ertrunkenen Mädchen
3. Marterl
4. Erster Bericht vom unbekannten Soldaten unter dem Triumphbogen
5. Zweiter Bericht vom unbekannten Soldaten unter dem Triumphbogen
6. Können einem toten Mann nicht helfen (aus: Mahagonny)
7. Zu Potsdam unter den Eichen.

Das Schlußstück über eine von der Polizei zusammengeknüppelte Antikriegsdemonstration bezog sich auf einen tatsächlichen Vorfall.[29] In die spätere Druckfassung des *Berliner Requiems* wurde dieses Stück nicht aufgenommen. Weill verarbeitete es zu einem A-cappella-Chor und zu einem Song, der schon 1929 im »Weill-Song-Album« erschien. Die Pointe seiner Komposition *Zu Potsdam unter den Eichen* ist am Schluß das Zitat des preußischen Liedes »Üb' immer Treu und Redlichkeit«, die berühmte Glockenspielmelodie der Potsdamer Garnisonskirche. Mit bitterer Ironie kommentiert diese Melodie in munterem C-Dur den brutalen Polizeieinsatz gegen die Demonstranten.

Aus dem *Berliner Requiem* herausgenommen wurde auch die Komposition »Können einem toten Mann nicht helfen«, das der »Mahagonny«-Oper vorbehalten blieb. Es schälte sich so allmählich die heute gültige Satzfolge heraus:

1. Großer Dankchoral (Sostenuto)
2. Ballade. Vom ertrunkenen Mädchen (Lento)
3. Marterl. Hier ruht die Jungfrau (Andante moderato)
4. Erster Bericht über den unbekannten Soldaten unter dem Triumphbogen. Wir kamen von den Gebirgen (Moderato assai)
5. Zweiter Bericht über den unbekannten Soldaten unter dem Triumphbogen. Alles was ich euch sagte (Rezitativ)
6. Großer Dankchoral (Wiederholung)

Musikalisch greift das *Berliner Requiem,* das in dieser Form keinen einzigen Song enthält, in seiner linearen Polyphonie wieder auf den neoklassischen Stil von Weills frühen religiösen Werken zurück, die er während des Studiums bei Busoni komponierte. Während in den solistischen Stükken, der Ballade und dem Marterl, die Volksmusikinstrumente Gitarre, Saxophon und Banjo verwendet werden, überwiegt insgesamt mit Blechbläsern, Orgel und Männerchor der ernste Passionscharakter. Der Stil des *Jasagers* kündigt sich damit schon an.

Lehrstückelemente im »Berliner Requiem«

Selbst wenn Brecht das *Berliner Requiem* nie im Zusammenhang mit der Lehrstückdiskussion erwähnt hat, so enthält es doch bereits Lehrstückelemente. Lehrstückhaft war schon der Testcharakter der ganzen Aufführung, mit denen Weill den Ernst und die Allgemeingültigkeit des Werks beweisen wollte: »Der Gesamteindruck der Aufführungen muß ergeben, ob wir recht gehabt haben mit unserer Behauptung, daß es sich hier um ein ernstes, unironisches Werk handelt, um eine Art von weltlichem Requiem ...«[30] Lehrstückelemente sind vor allem zu finden in den beiden »Berichten vom unbekannten Soldaten«, die textlich und musikalisch das Zentrum des Werkes bilden. Im ersten Gedicht, das den Blick zum ersten Mal im Requiem von den Opfern auf die Täter lenkt, durchbrechen die überlebenden Soldaten das heuchlerische Schweigen traditioneller Heldenrequiems und bekennen, daß sie den unbekannten Soldaten getötet haben. Ein Tatmotiv wird allerdings nicht genannt. Die Mörder gestehen auch, den Triumphbogen aus Angst vor dem Jüngsten Gericht errichtet zu haben.

Ein wiederkehrendes Motiv der Blechbläser, eine sequenzierte Terzfigur in scharf punktiertem Rhythmus

unterstreicht gestisch die Brutalität der Mordtat. Ein querständiger Terzfall im Trauermarschrhythmus beherrscht den Chorpart.

Durch den Wechsel von Solo und Chor erhält die Vertonung szenischen Charakter. In der dritten Strophe (»Dabei waren ...«) klingen inhaltlich und musikalisch Bachsche Passionen an. Aber erst die Tatsache, daß auf den ersten Bericht ein zweiter folgt, der den ersten korrigiert, macht den Lehrstückcharakter des Ganzen aus. Eine ähnlich dialektische Gegenüberstellung von These und Antithese verwirklichte Brecht später auch im größeren bei seinen Lehrstücken, wenn er den *Lindberghflug* (später *Ozeanflug*) durch das *Badener Lehrstück vom Einverständnis*, den *Jasager* durch den *Neinsager* ergänzte.

Im zweiten »Bericht« des *Berliner Requiems* singt nicht mehr der ganze Chor, sondern ein einzelner Sänger (Bariton-Solo), der sich aus dem Kollektiv gelöst hat. Nun distanziert er sich von den Mördern, die mit dem Soldaten ihren eigenen Bruder getötet haben. In einem nur von der Orgel begleiteten Rezitativ wendet er sich ans Publikum: Der erste Bericht sei im Prinzip richtig; falsch sei nur der Hinweis auf das Jüngste Gericht, denn das werde nie kommen. Den Mördern (auf der Bühne repräsentiert durch den Chor) rät der Sänger, sie sollten den Triumphbogen über dem Grab des Unbekannten Soldaten entfernen. Denn wenn es kein Jüngstes Gericht gebe, sei es unsinnig, den Toten mittels dieses schweren Steins am Wiederkommen und damit an der Anklage zu hindern. Der Triumphbogen sei deshalb nicht nur überflüssig, sondern auch gefährlich, denn unversehens verwandle sich seine Funktion: Mehr noch als an den Toten erinnere er an dessen überlebende Mörder, er werde damit zum Denk-Mal, das die Kriegsveteranen, die in Heldendenkmälern eine Bestätigung ihrer Taten suchen, zu Kriegsverbrechern macht. Brecht, stets auf der Suche nach der gesellschaftlichen Funktion von Kunst, entlarvte mit diesem nicht unkomplizierten Manöver Heldendenkmäler und Triumphbögen als Dokumente bürgerlicher Heuchelei: Sie sollen in Wahrheit nicht Heldentum verklären, sondern die Kriegsschuld vergessen machen. Diesen Denkprozeß ermöglichte er durch die lehrstückartige Abfolge seiner beiden »Berichte«.

1929 mit Weill und Hindemith in Baden-Baden »Lindberghflug« und »Badener Lehrstück vom Einverständnis«

Tun ist besser als fühlen.

Der Rundfunk und seine Hörer

Brecht gehörte zu den Künstlern, die in der Weimarer Republik zunächst große Hoffnungen auf den Rundfunk setzten. Spätestens seit dem 18. März 1927, als der Berliner Sender sein Drama *Mann ist Mann* in einer Hörspielfassung (Regie: Alfred Braun) gebracht hatte, gehörte sein Interesse dem neuen Medium. Im Oktober 1927 wandte er sich wegen »wirklicher Sendespiele« an Ernst Hardt, den Dichter und engagierten Kölner Rundfunkintendanten, mit dem er schon seit Jahren zusammenarbeitete, und schlug dabei ein Projekt »Die Geschichte der Sintflut« vor.[1] Am 25. Dezember 1927 veröffentlichte der »Berliner Börsen-Courier« Brechts »Vorschläge für den Intendanten des Rundfunks«[2], in denen eine Demokratisierung des Rundfunks gefordert wurde. Notwendig seien Direktübertragungen von wichtigen Reichstagssitzungen oder großen Prozessen, Interviews und Diskussionen vor dem Mikrophon. Der Rundfunkhörer sollte nicht bloß konsumieren, sondern an Entscheidungsprozessen teilnehmen. Weiter forderte Brecht, bedeutende Komponisten zu speziellen Rundfunkkompositionen heranzuziehen.
Kurt Weill hatte schon 1925 in einem Aufsatz »Möglichkeiten absoluter Radiokunst«[3] Zukunftsvisionen über eine eigene Radiomusik ausgebreitet. 1926 schrieb er im Auftrag der Funkstunde Berlin als seine erste Rundfunkkomposition Musik zu Grabbes Schauspiel *Herzog Theodor von Gothland*; 1928 folgte das *Berliner Requiem*. Jedoch gab sich Weill damit nicht zufrieden. Die Sender sollten mehr Kompositionsaufträge vergeben, sie sollten ihre Stellung zur neuen Musik »aus der einer freundlichen Passivität in die einer aktiven Förderung« ändern.[4]
Zum erstenmal in größerem Umfang geschah diese Förderung 1929 anläßlich der »Deutschen Kammermusik Baden-Baden«, jenem experimentellen Musikfestival, das seit 1927 neue musikalische Gattungen und damit neue Funktionen von Musik zur Diskussion stellte. Im Januar 1929 kündigte Kurt Weill in »Der deutsche Rundfunk« dieses Ereignis an: »In enger Zusammenarbeit mit den leitenden Stellen des deutschen Rundfunks will die ›Deutsche Kammermusik‹ die Schaffung musikalischer Werke befürworten, die in ihrem Stil und in ihrer Technik auf die besonderen akustischen Bedingungen und auf die ungewohnte Beschaffenheit des Publikums im Rundfunk zugeschnitten sind.«[5] Kompositionsaufträge

ergingen unter anderem an Jerzy Fitelberg, Hans Humpert, Hugo Hermann, Paul Gross, den Schönberg-Schüler Hanns Eisler, der auf einen Text von David Weber eine »Kantate des kleinen Mannes« mit dem Titel »Tempo der Zeit« lieferte, sowie an Walter Goehr, der Gesänge aus Lion Feuchtwangers amerikanischem Liederbuch »Pep« komponierte. Alle diese Stücke wurden in Baden-Baden über Lautsprecher vorgeführt, um so Rundfunkbedingungen zu simulieren.

Die stärkste Beachtung fanden im Rahmen der Rundfunkkompositionen das musikalische Hörspiel *Lindberghflug* von Brecht, Weill und Hindemith sowie im Rahmen der Laienmusiken Brechts *Lehrstück* mit Musik von Hindemith. Daß Brecht später beide Werke seinen Lehrstücken zurechnen würde, war in Baden-Baden noch nicht abzusehen. Ebensowenig konnte man zunächst ahnen, daß nicht die Rundfunkaufführung des *Lindberghflugs,* sondern eine als öffentliche Generalprobe angesetzte szenische Aufführung zur musikgeschichtlich bedeutenderen Aufführung avancierte. Die Rundfunkkomposition rückte damit in die Nähe des *Lehrstücks,* dessen Titel sich erst 1930 aus einem Eigennamen in einen Gattungsnamen verwandelte. Um Verwechslungen mit dem Gattungsbegriff zu vermeiden, änderte Brecht bei der Drucklegung des Textbuchs den Titel *Lehrstück* um in *Badener Lehrstück vom Einverständnis.* Hindemith jedoch, der das Werk entsprechend seinem Entstehungsanlaß weiterhin als Gemeinschaftsspiel verstand (und nicht als Lehrstück im Brechtschen Sinne), behielt in seiner Notenausgabe den ursprünglichen Titel *Lehrstück* bei.

Die Umfunktionierung der Rundfunkkomposition *Lindberghflug* zu einer Art Lehrstück ist in einem Brief Brechts an Ernst Hardt angedeutet. »Ich habe über die Radiosendung des Lindberghfluges etwas nachgedacht und zwar besonders über die geplante öffentliche Generalprobe. Diese könnte man zu einem Experiment verwenden. Es könnte wenigstens optisch gezeigt werden, wie eine Beteiligung des Hörers an der Radiokunst möglich wäre. (Diese Beteiligung halte ich für notwendig zum Zustandekommen des ›Kunstaktes‹). Ich schlage also folgenden kleinen Bühnenaufbau für diese Demonstration vor: vor einer großen Leinwand, auf die die beiliegenden Grundsätze über die Radioverwendung projiziert werden – diese Projektion bleibt während des ganzen Spieles stehen –, sitzt auf der einen Seite der Bühne der Radioapparat, Sänger, Musiker, Sprecher usw., auf der anderen Seite der Bühne ist durch einen Paravent ein Zimmer angedeutet, und auf einem Stuhl vor einem Tisch sitzt ein Mann in Hemdsärmeln mit der Partitur und summt, spricht und singt den Lindberghpart. Dies ist der Hörer.«[6] Was als Generalprobe geplant war, entwickelte sich schließlich zur Hauptaufführung. Dagegen erhielt die Premiere des Stücks, bei der durch Telephonübertragung Rundfunkbedingungen simuliert wurden, den Charakter einer Voraufführung. Die Lautsprecheraufführung fand am 26. Juli, die szenisch-konzertante Aufführung am 27. Juli und die Rund-

Szenisch-konzertante Aufführung des »Lindberghflugs« am 27. Juli in Baden-Baden. Rechts vom Dirigenten Hermann Scherchen steht im Vordergrund Brecht, der die Produktion überwacht.
(Quelle: Bertolt Brecht-Erben, Berlin)

funkausstrahlung über den Frankfurter Sender am 29. Juli statt. Durch das Nebeneinander von Rundfunk- und Konzertaufführung konnte Brecht auch die mehrfache Verwendbarkeit seiner Werke demonstrieren.[7]
Wie aus dem zitierten Brief an Ernst Hardt sowie einer Notiz von Brecht[8] zu entnehmen ist, zielte die öffentlich-szenische Vorführung nicht primär auf die Vermittlung des Inhalts, der »Verherrlichung des Fliegers Lindbergh«, sondern auf die neue Zusammenarbeit von Hörer und Rundfunk, auf eine neue Form der Rezeption. Die öffentlich-szenische Aufführung des *Lindberghfluges* am 27. Juli 1929 wurde so zu einer Einführung in die Kunst des richtigen Radiogebrauchs, oder genauer: in die Kunst des Musikhörens am Rundfunk.

Brechts Musikpädagogik

Wie wichtig für Brecht das Problem des richtigen Musikhörens war, geht aus der »Theorie« hervor, die er während der öffentlichen Aufführung auf eine Leinwand projizieren ließ. »Zum Genuß der Musik ist nötig, daß keine Ablenkung möglich ist. Freischweifende Gefühle anläßlich von

Musik, besondere Gedanken ohne Folgen wie sie beim Anhören von Musik gedacht werden, Erschöpfung des Körpers wie beim bloßen Anhören von Musik leicht eintritt, sind Ablenkungen von der Musik und verringern den Genuß an der Musik.«[9] Brecht hat damit wahrscheinlich die ihm selbst spontan am nächsten liegende Hörweise beschrieben. Diese assoziative »romantische« Hörweise lehnte er ab und forderte statt dessen ein sich ganz auf die Musik selbst konzentrierendes, eher strukturelles Hören. Als musikpädagogische Hilfestellung schlug er vor: »Um diese Ablenkungen zu vermeiden, beteiligt sich der Denkende an der Musik, hierin auch dem Grundsatz folgend: Tun ist besser als fühlen, indem er die Musik mitliest und in ihr fehlende Stimmen mitsummt oder im Buch mit den Augen mitverfolgt oder im Verein mit anderen laut singt.«[10] Deutlich wird, daß Brechts primärer Impuls für seine Musikpädagogik ein negativer, die Vermeidung von Ablenkung, war. Alle Aktionen, die er vorschlug, dienen in erster Linie diesem Zweck, sie sollen Schaden verhindern; sie sind Mittel der Disziplinierung, der freilich nur leicht ablenkbare Musikhörer bedürfen.

Von dem, was ein Gebildeter positiv unter Musikhören versteht, dem Erkennen von Themen, Motiven, Entwicklungen und Formprozessen oder dem Nachvollziehen emotionaler Felder, ist bei Brecht nicht die Rede. Der Grund dafür ist wohl, daß ihm der direkte emotionale Zugang zur Musik bedenklich erschien, während ihm andererseits für strukturelles Hören die musiktheoretischen Kenntnisse fehlten. In Brechts gesamten Schriften wird das Problem des Musikverstehens, die Frage der Schwer- und Leichtverständlichkeit wie überhaupt des Sprachcharakters von Instrumentalmusik, kaum je erwähnt. Musik war für ihn weniger ein geschichtlich gewachsenes System von Bedeutungen als vielmehr ein spontan über Bewegung und Gestik sich mitteilendes Ausdrucksmittel – fast schon mehr Natur als Kunst.

Wenn der Projektionstext dennoch vom »Genuß an der Musik« spricht, so ist damit eine andere Art von Musikgenuß als die übliche der Kenner und Liebhaber gemeint. Brecht ermöglichte Musikgenuß, indem er das Problem des Musikhörens eigentlich umging und statt dessen Musikhören in Musikmachen überführte. Da ihm das Musikhören als ein passiver Akt erschien und das autonome Kunstwerk ihm ohnehin suspekt war, sah er in Noten und Musikpartituren weniger Niederschriften musikalischer Gedanken als vielmehr Handlungsanweisungen – für Dirigenten und Musiker ebenso wie für die Hörer. Schon in Augsburg hatte es ihn fasziniert, wenn Dirigenten Musik in Bewegung überführten und damit sichtbar machten. Auch jetzt zog er, der Passivität haßte, den Genuß vor allem aus der Tätigkeit, die er mit Musik verband. Obwohl er in seinem Text von »dem Denkenden« spricht, meinte er nicht eigentlich eine denkerische Aktivität, sondern eher so etwas wie Hindemiths Idee der Spielfreude; das Spiel ist dabei eine Tätigkeit, die keinem unmittelbar praktischen Zweck dient. In einer Notiz, die wohl als Vorstudie zur »Musiktheorie« des *Lindberghflugs* gelten kann, bestimmte er das Zustandekommen des Genusses wie folgt: »Es gibt eine bestimmte Freude am Mechanischen, am rechtzeitigen Einsatz, am Klappen, am Teilnehmen an einer mathematischen Übung, eine Art Stichwortgenuß. Jeder von 4 Spielern unterwirft sich demselben Zahlensystem und jeder bereitet seinen Einsatz vor wie der Kartenspieler seinen Stich, wie jeder Teil einer Maschine seinen bestimmten Schlag ausübt usw. Dies ist der Genuß an der Mechanik und so kann die Mechanik zum Genuß gemacht werden.«[11] Richtig spricht Brecht vom Ergänzungssinn und von der Lust an der Vervollständigung, die beim gemeinsamen Musizieren eine Rolle spielen. Die Musik wollte er wesentlich als eine kollektive Tätigkeit begreifen, »wobei es mehr auf Genauigkeit als auf Ausdruck ankommt«.[12] Deshalb führte er mit dem *Lindberghflug* in Baden-Baden vor, wie selbst der einzelne Rundfunkhörer sein Radiohören als eine Art von Gruppenaktivität gestalten kann. Indem der Hörer zu den Radioklängen mitsummt und den Text mitliest, bildet sich ein »Kollektiv« aus Mensch und Radio-Apparat. Eben dieses Zusammengehen von Mensch und Apparat war inhaltlich das Thema des Stückes; in Anlehnung an Charles Lindberghs Bericht *Wir zwei. Im Flugzeug über den Atlantik* (Leipzig 1927) begriff Brecht das Miteinander von Mensch und (Flug-)Maschine als Partnerschaft. Wenn Brecht das Flugzeug singen läßt[13], dann erhält es Züge eines Lebewesens. Umgekehrt neigte Brecht damals dazu, auch den Menschen als eine Art Maschine zu betrachten, die nach dem behavioristischen Reiz-Reaktions-Modell Watsons funktioniert.[14] Mensch und Maschine konnten also fast gleichberechtigt miteinander kommunizieren, standen auf du und du. Als eine ähnliche Partnerschaft verstand Brecht die von Mensch und Musikinstrument. Schon in Augsburg war für ihn die Gitarre ein Gegenüber, ein »Darmvieh«, das er quälte.

Wenn Brecht schon das Musikhören als produktives Tun und nicht als konsumierende Rezeption verstanden wissen wollte, so mußte er erst recht das Musikmachen als eine Arbeitstätigkeit deuten. Diese aber ist, wie jede andere auch, in den Lebensalltag eingebettet. Die Musiker »sind nicht nur Musiker, sondern auch Mitbürger – Esser, Verdiener, Politiker, Familienväter, Vereinsmitglieder, Arbeitgeber und so weiter.«[15] Sie musizieren nicht als Ausnahmemenschen, sondern »produzieren wie immer (. . .) als ganze Personen (mit verschiedenen Funktionen)«.[16] Da die Musiker ein Teil der Gesellschaft sind, war für Brecht die Musik – sowohl das Musikmachen als auch das Musikhören – eine gesellschaftliche Tätigkeit.

Wie jede andere gesellschaftliche Tätigkeit ziele auch Musik auf ein bestimmtes Ergebnis, auf eine bestimmte Wirkung. Nicht jedoch sei sie

Selbstausdruck des Individuums. Da der vormarxistische Brecht mit den Behavioristen daran glaubte, daß der Mensch von Kindheit an durch seine Umwelt konditioniert sei, maß er den Begriffen Individuum und Persönlichkeit ohnehin kaum noch Bedeutung zu. Seine Abwendung vom Sprachcharakter der Musik, die Hervorkehrung der Mechanik anstelle des Ausdrucks, entsprach jedoch nicht nur dem Behaviorismus, sondern auch der Gebrauchsmusikästhetik der zwanziger Jahre sowie der gleichzeitigen energetischen (Ernst Kurth) und phänomenologischen (Hans Mersmann) Betrachtungsweise von Musik.[17] Brecht führte diese Tendenzen weiter, indem er auch der Musikkritik die Abwendung von der Ausdrucksästhetik und die Hinwendung zu einer wirkungsästhetischen Betrachtungsweise, einer Art behavioristischer Musikpsychologie empfahl. »Ihre Musik als Ausdruck zu betrachten, mag für Geschichtsschreiber ausreichen, aber für Kritiker, die Musik beeinflussen wollen, für Funktionäre der Hörer oder der Reproduzenten ist es unpraktisch. Diese müssen vielmehr das Musikmachen als Tätigkeit betrachten und die Musiker als ganze Personen mit den vielfachen Verpflichtungen solcher ganzen Personen. Sie tun gut daran, Musik als ein Funktionieren von Menschen zu bezeichnen und zu behandeln. Sie müssen die tatsächlichen Wirkungen einer Musik beschreiben, und zwar jene Wirkungen, die innerhalb der Gesellschaft folgenhaft feststellbar sind.«[18]

Dieser Auffassung von Musik als wirkungsbezogener Tätigkeit wollte Brecht anscheinend ein ganzes Erziehungsprogramm, ein »Musikpädagogium« widmen, das über die Rundfunksender ausgestrahlt werden sollte. In der zitierten Notiz heißt es weiter: »Ermöglichung von Bach durch Radio, durch Mechanisierung, technisch eine Idealkongruenz, Partiturenlesen mit Beteiligung ist wichtig. (Nicht Lohengrin, sondern eben Musikbuch Nr. 1) (...) Musikpädagogium muß an x Sender angeschlossen werden.«[19]

So überraschend diese musikpädagogische Zielsetzung bei Brecht ist, so charakteristisch ist für ihn doch auch der Nachweis von Gefahren des individuellen Musikhörens in seiner »Musiktheorie« für die Lindberghflug-Präsentation. Brecht, der sich offenbar allzuleicht durch Musik zu unkontrollierten Abschweifungen verführen ließ, überschätzte die Gefahren des Musikhörens, wenn er ihnen in seiner Theorie mehr Raum widmete als den positiven Wirkungen. Zentral blieb jedoch seine Forderung, daß auch das Musikhören ein produktiver Akt sein müsse und der Hörer nicht nur ein Konsument, sondern auch ein Produzent sei. Sie leitete unmittelbar über in die Idee der Lehrstücke.

Der Satz »Tun ist besser als fühlen«, der in Brechts »Musiktheorie« etwas unvermittelt auftaucht, hat mit Kurt Weill nur wenig, um so mehr aber mit dem Laienmusikgedanken Paul Hindemiths zu tun. Der 1895 in Hanau geborene Komponist war in den zwanziger Jahren trotz seiner Jugend eine der einflußreichsten Gestalten des deutschen Musiklebens. Seine Autorität verdankte er der Tatsache, daß er neben seiner großen kompositorischen Begabung auch ein überragender Musiker war. Schon früh trat er als Geiger hervor, seit 1915 war er Konzertmeister im Opernorchester Frankfurt am Main, seit 1922 Bratscher des berühmten Amar-Quartetts. Als komponierender Musiker, der zugleich mit wilder Aggressivität die romantische Kunstmetaphysik ablehnte und damit die Bürger verschreckte, war er prädestiniert, gerade den jungen Musikern und Komponisten neue praktikable Wege zu zeigen. Hindemith war kein Mann hochtönender Theorien, überhaupt kein Mann des Worts und der Literatur, jedoch ein glänzender Praktiker, dazu ein Mensch von übermütig-burschikosem Witz, der es verstand, Kollegen zu neuen Dingen anzuregen und zu begeistern. So wurde er auch zur treibenden Kraft hinter den Gebrauchsmusikexperimenten von Baden-Baden.

In literarischen Fragen hatte Hindemith keine glückliche Hand. Bunt standen in seinen frühen Werken Texte von Kokoschka, Franz Blei, August Stramm, Eduard Reinacher, Georg Trakl, Ludwig Tieck und Rainer Maria Rilke nebeneinander; der genüßlichen Sexualität und dem Voyeurismus in Werken wie »Nusch-Nuschi«, »Mörder, Hoffnung der Frauen« und »Sancta Susanna« – Werke, die in ihrer prallen Sinnlichkeit mit Brechts *Baal* zu vergleichen sind – steht ein geistliches Werk wie das »Marienleben« gegenüber. Im April 1924 klagte er seinem Verleger: »Wenn ich einen Operntext hätte, würde ich in einigen Wochen die größte Oper herstellen.«[20] Zuvor hatte sich Hindemith schon brieflich an Brecht gewandt, jedoch hatte dieser nicht reagiert.[21] Dennoch behielt der Name Brecht für ihn magische Anziehungskraft. So wandte er sich im Juni 1925 erneut wegen eines Opernlibrettos an ihn, wieder erfolglos. Im gleichen Jahr hätte Hindemith fast eine Brechtsche Idee vorweggenommen, als sein Verleger Willy Strecker ihm vorschlug, Gays *Beggar's Opera* neu zu vertonen – in Form einer veredelten Gassenhauermusik. Schon früh hatte Hindemith in provokatorischer Absicht auf Gassenhauer und Modetänze zurückgegriffen. Diesen Vorschlag seines Verlegers berücksichtigte er jedoch nicht, sondern schrieb statt dessen nach E.T.A. Hoffmanns Novelle *Das Fräulein von Scudéry*, die Ferdinand Lion zum Libretto bearbeitet hatte, seine Oper *Cardillac*; 1926 fand unter der Leitung Otto Klemperers die Premiere an der Berliner Staatsoper statt.

Ein Jahr später übersiedelte Hindemith von Frankfurt nach Berlin, wo er an der Hochschule für Musik eine Kompositionsklasse übernahm. Zu den Besonderheiten dieser Berliner Hochschule gehörte eine Rundfunkversuchsstelle, die der Musikwissenschaftler Georg Schünemann 1927 eingerichtet hatte. Neben den Rundfunkpraktikern Alfred Braun und Carl Hagemann wirkten hier der Elektroakustiker Dr. Erwin Meyer und der Dirigent Bruno Seidler-Winkler; dazu traten die Komponisten Max Butting und Paul Hindemith. Mit Hindemiths Tätigkeit in der Rundfunkversuchsstelle hing es wohl zusammen, daß nach den Schwerpunkten Chorgesang (Donaueschingen 1925), Blasmusik und Mechanische Musik (Donaueschingen 1926), Gemeinschaftsmusik und Kammeroper (Baden-Baden 1927) 1929 neben »Liebhaber-Musik« (Musik für Laien) Rundfunkkompositionen den Programmschwerpunkt der Baden-Badener Kammermusiktage bildeten. Schon 1927, anläßlich der Aufführung des »Mahagonny«-Songspiels, waren sich Brecht und Hindemith in Baden-Baden begegnet. 1928, im Jahr des »Dreigroschenoper«-Erfolgs, war Brecht nicht beim Deutschen Kammermusikfest erschienen. Ein Jahr später aber ergab sich endlich anläßlich der Themenschwerpunkte Laienmusik und Rundfunkmusik die von Hindemith schon so lange gewünschte Zusammenarbeit. Er komponierte in diesem Jahr 1929 neben dem Männerchor »Über das Frühjahr« die Musik zum *Lehrstück* sowie zu einigen Nummern des *Lindberghflugs*.[22]

»Der Flug der Lindberghs« mit Hindemith und Weill

Als Komponist des *Lindberghflugs* war zunächst nur Kurt Weill vorgesehen. Beim Erstdruck des Textes im April 1929 in der Berliner Zeitschrift »Uhu« lautete der Untertitel »Ein Radio-Hörspiel für die Festwoche von Baden-Baden mit einer Musik von Kurt Weill«.[23] Daß Brecht schließlich mit zwei Komponisten zusammenarbeitete – ein in seinem Schaffen einmaliger Vorgang –, mag begründet gewesen sein in seinem Wunsch nach einem Kollektivwerk, in dem die Kategorie des Personalstils aufgehoben ist. Zumindest Hindemith stand solchen Ideen aufgeschlossen gegenüber; er hatte schon in den frühen zwanziger Jahren einen allgemeinverbindlichen musikalischen Stil gefordert und sich auch an Experimenten mit mechanischer Musik beteiligt. Weill hingegen dürfte die Mitwirkung Hindemiths eher als eine Herausforderung begriffen haben.
Die musikalischen Aufgaben wurden zwischen Weill und Hindemith aufgeteilt. Während Weill vor allem die amerikanischen Nummern aus dem ersten Teil des Werks komponierte, war Hindemith mehr für die zweite, die »europäische« Hälfte zuständig. Er schrieb die Musik zu den drei Naturstücken »Nebel«, »Schneesturm« und »Schlaf« (Nr. V, VI a und VIII) sowie zu den Nummern X, XI, XIV und XVI. Aus praktischen

Gründen verwendete er dazu die gleiche Instrumentalbesetzung wie Weill: kleine Flöte, 2 Klarinetten, Saxophon, Fagott, 2 Trompeten, Posaunen, Tuba und Schlagzeug, dazu Solostimmen und Chor. Die Bevorzugung von Blasinstrumenten entsprach dabei nicht nur der Vorliebe Brechts, sondern kam auch den akustischen Bedingungen des frühen Radios entgegen; den Klang der Streichinstrumente mied man damals, da er durch die unvollkommene Technik verzerrt wurde.

Bei beiden Baden-Badener Aufführungen des *Lindberghflugs*, sowohl bei der Lautsprecheraufführung am 26. Juli 1929 wie auch bei der szenisch-konzertanten Aufführung am 27. Juli, wurde der Lindbergh-Part vom Operntenor Josef Witt gesungen, die Partien »Der Nebel« und »Die Stadt New York« von Johannes Willy (Bariton), »Der Schneesturm« von Oskar Kálmán (Baß), »Der Schlaf« von Betty Mergler (Alt). Ferner wirkten Hugo Holles Madrigalvereinigung und das Frankfurter Rundfunkorchester mit. Die Gesamtleitung lag bei dem mit neuer Musik sehr erfahrenen Hermann Scherchen.

Scherchen war zunächst Bratscher bei den Berliner Philharmonikern gewesen, leitete aber schon 1911 die Uraufführungstournee von Schönbergs »Pierrot lunaire«-Melodramen. Daneben war er auch in der Arbeitersängerbewegung engagiert; durch ihn wurden in Deutschland einige der wichtigsten russischen Revolutionslieder bekannt, so »Brüder, zur Sonne zur Freiheit«, der Trauermarsch »Unsterbliche Opfer« sowie die russisch-polnische »Warschawjanka«. Scherchen hatte diese Gesänge in Rußland gehört und sie ins Deutsche übertragen. Ab 1918 war er Leiter des Berliner Schubert-Chores, ab 1920 Bundesdirigent des Deutschen Arbeiter-Sängerbundes, der schon damals 230 000 Mitglieder zählte. Zu seinen vielfältigen Aktivitäten gehörten ferner die Gründung und Leitung der »Neuen Musikgesellschaft« in Berlin sowie der Zeitschrift »Melos«, deren Herausgeber er 1920/21 war. 1922 wurde Scherchen als Nachfolger Wilhelm Furtwänglers zum Leiter der Frankfurter Museumskonzerte ernannt. Seiner Initiative war 1923 auch die von Weill so bewunderte deutsche Erstaufführung von Strawinskys *Geschichte vom Soldaten* am Bauhaus in Weimar zu verdanken. Intensiv und experimentell hat sich Scherchen ferner mit Rundfunkfragen, sogar mit Frühformen der Stereophonie, beschäftigt. 1929, als er die Uraufführung des *Lindberghflugs* dirigierte, war er Chefdirigent des Königsberger Senders. Die Baden-Badener Fassung des *Lindberghflugs* hat er mehrfach auch an anderen Orten dirigiert[24], bevor er 1933 beim Machtantritt der Nazis Deutschland verlassen mußte. Aber auch danach setzte sich Scherchen für Brecht ein, am eindrucksvollsten 1951 bei der Uraufführung von Brecht-Dessaus Oper *Die Verurteilung des Lukullus*.[25]

In einem »Melos«-Heft, das noch vor der Uraufführung des *Lindberghflugs* erschien, hatte Ernst Schoen – auch er ein Pionier der musikalischen

Rundfunkarbeit[26] – über die musikalischen Anteile der beiden Komponisten geschrieben: »Weills Arbeit fußt kontrapunktisch wie motivisch auf den Erfahrungen der ›Dreigroschenoper‹, des ›Berliner Requiems‹. Er benutzt eine Art von sparsamem ›Blues‹-Stil, untermischt mit beinahe klassischen Rezitativen, der lyrische Chor in Nr. 5 erinnert an russische Folkloristik. Schon im Bau des Rezitativs wird Hindemiths völlig anderer Stilwille deutlich, der auf einen im Sparsamsten doch sinfonischen Satzbau hinauswill, zu dem die reichen Kunstmittel, vor allem seines üblichen kanonischen Kontrapunkts beitragen.«[27] Dieser Vergleich »unterschiedlichen Stilwillens« wurde von den Uraufführungs-Kritikern aufgegriffen. So schrieb Karl Holl in der »Frankfurter Zeitung«: »Gegenüber dem äußeren Übergewicht Weills bei der Komposition liegt der innere Schwerpunkt der Musik sicher im Anteil Hindemiths. Rein handwerklich stehen wohl beide auf annähernd gleicher Stufe, aber an schöpferischer Kraft bleibt die vorwiegend formale Begabung Weills hinter dem auch im Wesentlichen der Erfindung hundertprozentigen Musikertum Hindemiths auffällig zurück. Hervorragend sind vor allem Form und Ausdruck der Hindemithschen Chöre, in denen die große Erfahrung gerade dieses Künstlers auf dem Gebiet der madrigalischen Komposition fruchtbar wird. Zum stimmungshaft Stärksten der Komposition zählt das Gespräch Lindberghs mit seinem Motor, so anfechtbar es auch unter einem höheren ästhetischen Gesichtspunkt sein mag.«[28] Heinrich Strobel hob dagegen in seinem Beitrag für »Der deutsche Rundfunk« mehr die Leistung Weills hervor: »Weills songartige, klar deklamierende Vertonung ist im Lautsprecher viel besser verständlich als die mehr malerische, schwere Musik von Hindemith. Weill begnügt sich häufig mit rhythmischer Unterstreichung einer höchst plastisch gesetzten Singstimme.«[29] Indem die Kritiker die unterschiedlichen Leistungen und Personalstile der beiden Komponisten gegeneinander absetzten, taten sie eben das, was Brecht hatte vermeiden wollen. Ihm hatte Hindemiths Musik gerade deswegen gefallen, weil sie ihm sachlich und unoriginell erschien.[30]

Weill erklärte nach der Uraufführung in einem Interview nicht ganz zutreffend, die stilistische Divergenz zwischen ihm und Hindemith sei Absicht gewesen: »Wir haben beide diese Baden-Badener Fassung nur als interessantes, einmaliges, für einen bestimmten Zweck geschaffenes Experiment betrachtet. Wir sind uns wohl bewußt gewesen, daß bei unseren verschiedenen Naturen keine künstlerische Einheit zustande kommen konnte. Das Werk hat in der Tat eine große Divergenz aufgewiesen, die gerade – und das war der Zweck – interessant zu beobachten gewesen ist.«[31] Schon vor der Premiere war bei Weill der Wunsch entstanden, das ganze Stück alleine zu vertonen. Am 4. Juni 1929 berichtete er aus St. Cyr seinem Verlag: »Ich schreibe für Baden-Baden mit Hindemith zusammen den Lindberghflug. Die Teile, die ich gemacht habe (mehr als die Hälfte

des ganzen) sind so gut gelungen, daß ich das ganze Stück durchkomponieren werde, also auch die Teile, die Hindemith jetzt macht.«[32] An einer
Kollektivkomposition war ihm also nicht wirklich gelegen. Am 25. Juni
bat er seinen Verlag um die Veröffentlichung einer Pressenotiz: »Die
neueste Komposition Kurt Weills ist eine Kantate ›Lindberghflug‹ zu einem Text von Bert Brecht. Das Stück wird im Herbst zur Uraufführung
gelangen. Einige Sätze aus dieser Komposition werden auf dem diesjährigen Baden-Badener Musikfest aufgeführt.«[33] Weill gab damit der im Juli
stattfindenden Uraufführung des *Lindberghflugs* von Brecht-Hindemith-
Weill den Charakter einer Voraufführung. Die Uraufführung des ausschließlich von ihm komponierten Werks fand unter der Leitung von Otto Klemperer am 5. Dezember 1929 sehr erfolgreich in Berlin statt. Weill
veröffentlichte seine Partitur zwar mit einer Montage aus aktuellen Lindbergh-Fotos auf dem Deckblatt, verzichtete jedoch auf Untertitel; ob es
sich um ein Lehrstück, ein Hörspiel oder eine Kantate handeln sollte, ließ
er, der ohnehin von der »Einheit der Musik« ausging, offen. Ein »Radiolehrstück für Knaben und Mädchen« war das Stück nur für Brecht. War
die lehrstückartige Aufführung in Baden-Baden ein theatralisches Experiment gewesen, so wurde die Berliner Aufführung in klassischer Kantatenform als musikalisches Ereignis registriert. Ob Brecht, für den die Baden-
Badener Aufführung maßgeblich war, das Berliner Konzert überhaupt zur
Kenntnis genommen hat, ist nicht bekannt.

Weill hat mit seiner »Lindberghflug«-Komposition, die nachfolgend analysiert wird, den Rivalen Hindemith ausgeschaltet. Musikalische Einfachheit sind in seiner Kantate mit kompositorischer Raffinesse verknüpft.
Durch die Verbindung von zeitgenössischen musiksprachlichen Elementen mit solchen aus dem Mittelalter und dem Barock erhält das aktuelle
Thema eine überzeitliche Dimension. An das Vorbild des mittelalterlichen Responsoriums lehnt sich im Wechsel von »Vorsänger« und Chor
die Nr. 1 an. Was die schlichte Abfolge von Baßgesang und Oberstimmen,
von der Vorstellung des Flugapparats und der jeweils von den übrigen
Stimmen repetierten Schlußformel »Steig ein!« reizvoll macht, ist die
Metrik und Periodik, das Abweichen von der regulären Achttaktigkeit der
Phrasen sowie die Verschiebung der Betonungsakzente. Das Prinzip ist
schon aus dem instrumentalen Vorspiel ablesbar; es besteht aus
2 + 2 + 3 Takten, wobei die Diskantakkorde, die den Ruf »Steig ein!«
vorwegnehmen, innerhalb des Taktes verschoben werden.

245

Während in Nr. 1 eine harmonisch und melodisch denkbar einfache Formel rhythmisch interessant variiert wird, lenkt in der Nr. 2 »Vorstellung des Fliegers Charles Lindbergh« eine konventionelle Rhythmik und Metrik (Wiederholung von Zweitakt-Modellen) die Aufmerksamkeit des Hörers ganz auf die farbige Melodik und Harmonik. Durch diese Verlagerung der musikalischen Interessenschwerpunkte von Nummer zu Nummer, durch die wechselnde Kombination von Vertrautem und Neuem, gibt Weill Hörhilfen. Einprägsam an der Nr. 2, die er auch in seinem Songalbum (UE 9787) veröffentlicht hat, ist nicht etwa die Gesangsmelodie, sondern die Instrumentalbegleitung, die nach der rezitativischen Schlußformel »Ich wage es« heroische Züge annimmt. Als Heldenlied war der *Lindberghflug* ursprünglich angelegt. Den Namen Lindbergh tilgte Brecht nach 1945 wegen profaschistischer Äußerungen des Fliegers; er nannte sein Stück nun *Ozeanflug.*[34]

Wie die Nr. 2 verwenden auch die Nummern 3 und 4 rhythmisch-ostinate Begleitungen, die von der Gesangsstimme unabhängig sind. Dagegen imitieren sich in der Nr. 5, einer nach barockem Vorbild angelegten Invention, Instrumente und Singstimmen; die Dichte der Polyphonie ist hier musikalisches Symbol für die Dichte des Nebels.[35] In Nr. 6 (Schneesturm) symbolisiert die imitatorische Verschränkung von Instrumenten und Chor das Ineinander von Flieger und Naturelementen:

Die Achtelbewegung sowie der Orgelpunkt verweisen dabei auf die Gleichzeitigkeit von Dynamik und scheinbarer Statik des Fliegens. Dagegen wird später die bedrohliche Schwerkraft durch Akkordblöcke, die Furcht des Fliegers vor dem Tod durch schnelle Tonwiederholungen sinnfällig gemacht. (Notenbeispiel siehe nächste Seite oben.)

Schlimmer als alle Gefahren der Natur ist für den Flieger die Bedrohung durch den Schlaf. Weill schrieb hier (Nr. 7) einen zart einschmeichelnden Blues, den ersten wirklich langsamen Satz des Werks. Ähnlich wie schon in der »Vorstellung des Fliegers« (Nr. 2) unterlegte er auch hier Brechts freier Prosa eine strenge symmetrische musikalische Form (Formschema a + b, c + b, a + b'). Im folgenden Satz (Nr. 8) sind Elemente des langsamen Blues in die aus der barocken Oper oder Kantate übernommene Fol-

ge von Rezitativ (Baritonsolo) und Arie (Chor) integriert. In Nr. 9 fällt die Anlehnung an den Barock noch stärker auf; ein energischer zweistimmiger Kontrapunkt ist Ausdruck des Denkens und des Willens »Ich muß ankommen!« Die Peripetie des Werks ist damit überschritten, die Atlantiküberquerung nicht mehr ernstlich gefährdet. In Nr. 10 erklingt (a cappella gesungen, ähnlich responsorisch wie Nr. 1) bereits der Chor der erwartungsvollen französischen Zeitungen.

Als Steigerungsanlage schreitet die Folge der Nummern 11 bis 15 vom Individuum zur Menschheit, von solistisch gesungener Intimität über das Duett, chorische Rufe, orchestrales Pathos bis zum großen Tutti mit Orchester, Chor und Solisten vorwärts. Die Nr. 11, das Zwiegespräch des Fliegers mit seinem im Trommelwirbel antwortenden Motor, ist besonders schlicht angelegt. Das folgende Gespräch der beiden schottischen Fischer, über die Lindbergh hinwegfliegt (Nr. 12), war für den Kritiker Heinrich Strobel schon bei der Baden-Badener Aufführung »in der außerordentlichen Knappheit und Schärfe der Zeichnung die stärkste Nummer des Spiels«.[36] In dem großen Abstand zwischen hohem Diskant und tiefem Baß (die Mittellage ist ausgespart) kehrt der Höhenunterschied zwischen dem Flieger in der Luft und den Fischern bildhaft wieder. Nr. 13 verwendet zu Beginn wieder das in Nr. 1 vorgegebene responsorische Prinzip von Vorsänger und Chor; »Vorsänger« ist in diesem Fall das Orchester, worauf der Chor mit dem Ausruf antwortet »Jetzt kommt er«. Am Schluß des Satzes läßt Weill simultan den Chor und den Solisten singen. Während der Chor das Loblied anstimmt »Der Sturm hat ihn nicht verschlungen«, greift der Solist wörtlich auf den Text der amerikanischen Zeitungen (Nr. 8: »Wenn der Glückliche über das Meer fliegt . . .«) zurück – die guten Wünsche haben sich nun erfüllt. Nach einem festlich-heroischen Orchesterzwischenspiel bei der Ankunft des Fliegers (Nr. 14) greift die Schlußnummer musikalisch wieder auf Nr. 1 zurück und gibt so dem Gesamtwerk die formale Abrundung.

Weill ist es in seiner Kantate *Der Lindberghflug,* die nach der erfolgreichen Uraufführung mehrfach nachgespielt wurde, so etwa im April 1931 durch Leopold Stokowski und das Philadelphia Symphony Orchestra[37], überzeugend gelungen, charakteristische und bildhaft wirkende Einzelsätze in eine übergreifende Großform zu integrieren. Dabei schiebt sich die zugleich einfache und kunstvolle Musik in keinem Moment vor die Textaussage.

Skandal um das Baden-Badener »Lehrstück«

Einen Tag nach dem *Lindberghflug* mit Musik von Weill und Hindemith wurde am 28. Juli 1929 in Baden-Baden Brechts *Lehrstück* mit Musik ausschließlich von Hindemith aufgeführt. Es stellt inhaltlich nicht nur eine Fortsetzung – der Text der Anfangsnummer des *Lehrstücks* entspricht der Schlußnummer des *Lindberghflugs* –, sondern auch eine Gegenposition dar. Die individuelle Leistung des Fliegers wird im *Lehrstück* durch die Frage nach dem gesellschaftlichen Nutzen relativiert, das Heldenbild Stufe um Stufe demontiert. Damit ähnelt die Aufeinanderfolge der beiden Baden-Badener Stücke dem Nacheinander der beiden »Berichte über den unbekannten Soldaten« im *Berliner Requiem.*[38]

Am Anfang des Projekts standen jedoch musikpädagogische Überlegungen. In den ersten Märztagen 1929 schrieb Paul Hindemith an seinen Verlag: »Mit Brecht plane ich eine Art Volks-Oratorium für Baden. Bald fange ich damit an.«[39] Die Gattungsbezeichnung »Oratorium« deutet auf einen starken Choranteil, der Zusatz »Volks-Oratorium« auf die Mitwirkung von Laien hin. Wohl auch als Ergänzung und Gegengewicht zu den hohen professionellen Ansprüchen, die der international angesehene Komponist und Bratschist an sich selbst stellte, vor allem aber als Antwort auf die Krise des bürgerlichen Konzertlebens suchte Hindemith etwa ab 1926 verstärkt die Verbindung zu Laienmusikern. Im Oktober 1926 nahm er Kontakt zur Musikantengilde auf, die mit über einer Million Mitgliedern die stärkste deutsche Laienmusikorganisation darstellte; zu ihr gehörten vor allem Lehrer, Beamte, Angestellte, also Angehörige des Kleinbürgertums. Es gelang ihm, Fritz Jöde und Fritz Reusch, die Leiter der Musikantengilde, zu bewegen, ihre »Reichsführerwoche« 1927 und 1928 parallel zu den Kammermusiktagen in Lichtental bei Baden-Baden durchzuführen. Dadurch sollten Laien an die Neue Musik herangeführt werden; zugleich erhoffte man sich für die Kammermusiktage ein breiteres Publikum. Der in größeren kulturpolitischen Dimensionen denkende Hindemith, der sich auf zwei Konzerttourneen durch die Sowjetunion 1927/28 und 1928/29 auch einen umfassenden Einblick in die gesamte sowjetische Musikkultur und das dortige musikalische Erziehungssystem verschafft hatte[40], war überzeugt: »Der musizierende Laie, der sich ernsthaft mit musikalischen Dingen befaßt, ist ein ebenso wichtiges Glied unseres Musiklebens wie der ernsthaft arbeitende Musiker. Er ist entschieden wichtiger als der sich bloßem Genuß hingebende Zuhörer, der in seiner bekanntesten Form als Konzertbesucher heute fast nur noch ein wirtschaftlicher Faktor im Musikbetrieb ist.«[41] Die innere Verwandtschaft der musikpädagogischen Zielsetzungen Hindemiths und Brechts ist unübersehbar. Unterschiede gab es allerdings in der Zielgruppe; anders als Hindemith wollte Brecht nicht primär das Kleinbürgertum, sondern die Arbeiter erreichen.

Das zunächst als »Volks-Oratorium« konzipierte *Lehrstück* gehört in den Zusammenhang von Hindemiths und Brechts Bemühungen um den musikalischen Laien. In dem von Hindemith mitverantworteten Programmheft zur »Deutschen Kammermusik Baden-Baden 1929« wird dies unter der Überschrift »Musik für Liebhaber« hervorgehoben: »Das Bestreben, die schaffenden Künstler wieder auf die Forderungen des Tages und auf die Bedürfnisse aller musikpflegenden Bevölkerungsschichten hinzuweisen, hat uns veranlaßt, der Komposition für Liebhaber (vom klein besetzten Kammermusikwerk bis zur Gemeinschaftsmusik mit Einbeziehung der Singstimmen für eine größere Spiel- und Singvereinigung) einen Abend einzuräumen. Diese Musik wird nicht auf äußere Podiumswirksamkeit hin angelegt sein dürfen, sondern in erster Linie auf die Bedürfnisse der Mitspielenden bzw. Mitsingenden Rücksicht nehmen müssen. Auf derselben Ebene wie diese Gemeinschaftsmusik steht auch das als Gemeinschaftsspiel gedachte ›Lehrstück‹.«[42]

Was das Baden-Badener *Lehrstück* von anderen Gemeinschaftsmusiken unterschied, war die nicht nur musikalische, sondern auch dramaturgische Einbeziehung des Publikums. Die verbreitete Passivität sollte durchbrochen, das Publikum selbst an der Aufführung beteiligt werden. »Tun ist besser als fühlen« war die neue aktivierende Zauberformel, die Brecht mit den Vertretern der Gemeinschafts- und Laienmusik gemeinsam hatte. Brecht, der die Parole »Kunst für die Kunst« als ausgehöhlt und falsch empfand – in Wahrheit sei die Funktion der bürgerlichen Kunst mittlerweile der Genuß –, zielte auf eine Umfunktionierung der Kunstinstitutionen: an die Stelle des Genusses sollte das Lernen treten. Damit erhielt neben der Empfindung auch wieder der Verstand, neben der Emotion auch wieder die Ratio einen hohen Stellenwert. Das Lehrstück verzichtet auf den Werkcharakter des bürgerlichen Kunstwerks, es versteht sich als Versuch, als Experiment. Die Veränderbarkeit der Kunst, ihrer Produzenten wie des Publikums ist Teil der Konzeption. Nicht das Werk steht im Mittelpunkt, sondern der Lernprozeß, den es auslöst. Da ein breites Publikum angesprochen werden sollte, waren, wie beim Rundfunk, künstlerische Vereinfachungen notwendig. Alle Brechtschen Lehrstückaufführungen geschahen auf einer nichtkommerziellen Basis. Ein weiteres Merkmal der Lehrstücke, das sie als Gegenentwürfe zum bürgerlichen Kulturbetrieb ausweist, ist ihr kollektiver Charakter; er erstreckt sich auf die Produktion wie auf die Rezeption.

Als »allgemeiner Chor« repräsentierte das Publikum die »Menge«, die wie die anderen Mitwirkenden über das Schicksal der abgestürzten Flieger zu beraten hatte. Pädagogisches Ziel war es, darüber ein »Einverständnis« herzustellen. Ein einstudierter kleinerer Chor – in Baden war dies Hugo Holles Madrigalvereinigung – stellte Fragen, die zuerst »einige aus der Menge«, einstudierte Sänger, die im Saal verteilt waren, schließlich die ganze »Menge« beantwortete. Durch Projektion dieser Antworten in Text und Noten auf eine Leinwand und durch mehrfache Wiederholung der meist kurzen Phrasen sollte das ganze Publikum zur Mitwirkung gebracht werden. Die Konzeption ähnelte damit derjenigen, die Brecht für die szenische Aufführung des *Lindberghflugs* vorgesehen hatte. Ging es ihm beim *Lindberghflug* aber nur um den intensiven Mitvollzug von Text und Musik, so wollte Brecht beim *Lehrstück* sein Publikum noch weiter aktivieren; er wollte es zur Stellungnahme, zum Einverständnis oder zum Widerspruch zwingen. »Einverstanden sein heißt auch: *nicht* einverstanden sein.«[43] Damit ging Brecht über seine eigenen musikpädagogischen Intentionen beim *Lindberghflug,* auch über die Intentionen Hindemiths, hinaus.

Schon kurz nach dem Anfang wendet sich der Chor an die Menge und fragt, ob man dem abgestürzten Flieger helfen sollte. Daraufhin antwortet die Menge dem Chor: (Notenbeispiel siehe nächste Seite oben.)

Durch die viermalige Wiederholung einer melodischen Formel, die wie die Schlußklausel eines gregorianischen Gesangs wirkt, erhält das Ganze den Charakter eines Rituals. Man assoziiert kirchliche Responsorien, auch wenn Hindemith durch die stufenmäßige Entwicklung innerhalb der Orchestereinwürfe, auch durch den Wechsel zweier räumlich getrennter Orchester, der Musik Farbe verliehen.

Da Hindemith Laien einbeziehen wollte, hat er die Stärke und Besetzung

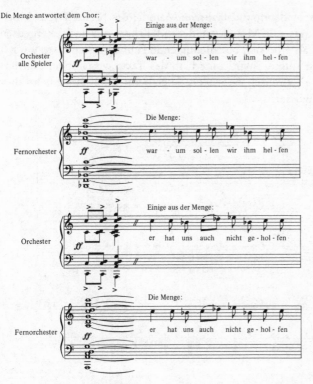

der Orchester weitgehend offengelassen. Seine Partitur, die wie ein Klavierauszug notiert ist, unterscheidet nur zwischen hohen, mittleren und tiefen Stimmen, um so dem jeweiligen Dirigenten größtmögliche Freiheit bei der Einteilung zu lassen. Stärker festgelegt ist lediglich das Fernorchester, bei dem Hindemith an eine Blechbläsergruppe mindestens aus 2 Trompeten, 2 Flügelhörnern, 2 Tenorhörnern, 2 Posaunen und Baß dachte.

Wie Hindemith trotz dieser Beschränkung auf die Fähigkeiten musikalischer Laien komplexe Wirkungen erzielte, zeigt gleich der einleitende *Bericht vom Fliegen*. Entsprechend dem Text, der mit großem Gestus auf die Entwicklung der Menschheit von ihren Anfängen bis zu den ersten Flugzeugen zurückblickt, schlägt auch die Musik einen feierlichen Ton an. Mit ihrem breiten Tempo, dem Orgelpunkt zu Beginn, in den imitatorischen Einsätzen und der insgesamt dreiteiligen ABA-Form erinnert sie an die Einleitung zu Bachs *Matthäuspassion*.[44] Gleich der erste Takt

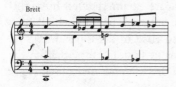

enthält das entscheidende musikalische Material des Satzes. Dieser einen Zentralton umkreisende Motivkern, der möglicherweise auch energetisch zu deuten ist – als eine sich beschleunigende Fallbewegung, dem ein ruhiges Schweben folgt –, wird innerhalb des Takts verschoben, transponiert oder auch rhythmisch vergrößert. Auch beim Choreinsatz kehrt dieser Motivkern wieder:

Während bis dahin Bläser und Streicher zusammenspielten, ist der Mittelteil über die alte, noch der Schwerkraft verhaftete Welt den Streichern vorbehalten. Wenn sich dieser Mittelteil dann bis zur Wiederkehr des Anfangs stufenweise steigert, entspricht dies im Text dem Fortschritt der Menschheitsgeschichte. Zu den auskomponierten Stufen gehört das Hinzutreten der Bläser, die den punktierten Rhythmus des Hauptteils, noch nicht aber dessen C-Tonalität vorwegnehmen. Eine weitere Steigerungsstufe ist das bildlich auskomponierte »Erheben der stählernen Einfalt« mit seinen immer größer werdenden Auftaktsprüngen im staccato.

Das zunächst nur sparsam eingesetzte Fernorchester tritt am Schluß des »Berichts vom Fliegen« wie eine mächtige Stimme aus dem Jenseits auf. Wenn der Chor mit »sehr breiten« Akkorden »das Unerreichbare«, das dem menschlichen Forschergeist nicht zugänglich ist, besingt, verstummt das Hauptorchester. Nicht allein der A-cappella-Klang des Chores, sondern mehr noch die darauf folgende Antwort des Fernorchesters weckt überirdische Assoziationen. Das Unerreichbare, so interpretiert hier Hindemiths Musik, ist das Metaphysische. Die Stelle nimmt ähnliche Partien in Hindemiths späteren Kompositionen, so etwa in der Oper *Mathis der Maler*, schon vorweg. Während sich später in Hindemiths Schaffen die religiösen Anspielungen verstärkten, nahm Brecht von ihnen Abstand. Für den Erstdruck des Textes änderte er »das Unerreichbare« um in »das noch nicht Erreichte«.

Hindemith hat auch in anderen Teilen des *Lehrstücks* das Fernorchester in einer überirdischen Bedeutung eingesetzt. Die Ferne wurde, nicht anders als in der spätromantischen Symphonik, etwa bei Gustav Mahler, zum Symbol des Unendlichen. So umrahmt das Fernorchester mit einem langsamen Marsch auch das Sterben des Fliegers und den Totentanz, der in Baden-Baden durch einen Film ersetzt wurde. Um so größer ist der Kontrast, wenn in der Clownsszene das Fernorchester einen grotesken Marsch spielt.

Anders als beim *Lindberghflug* lag beim *Lehrstück* die musikalische Leitung in Baden-Baden nicht mehr bei Hermann Scherchen; geleitet wurden die beiden Orchester, die aus professionellen Musikern und Musikliebhabern bestanden, von den beiden Dirigenten Alfons Dressel und Ernst Wolff. Indirekt war Scherchen aber auch an dieser Aufführung beteiligt. Die Rolle der Sprecherin hatte nämlich seine Frau übernommen: die Schauspielerin Gerda Müller, die schon in München eng mit Brecht und Bronnen befreundet gewesen war. Brecht schätzte Gerda Müller, die immer wieder Rollen in seinen Stücken übernahm, so noch 1949 bei der Berliner Aufführung der *Mutter Courage,* auch als Sängerin.[45] Über Gerda Müller hatte er Helene Weigel kennengelernt.

Zu den weiteren Mitwirkenden bei der Uraufführung des *Lehrstücks* gehörten die Sänger Josef Witt und Oskar Kálmán sowie als Clowns Theo Lingen, Karl Paulsen und Benno Carlé. Nachdem die beabsichtigte Mitwirkung des Publikums bei den gesungenen Partien nur teilweise gelang, löste gerade die Clownsszene, die zweite Untersuchung, ob der Mensch dem Menschen hilft, einen echten Skandal aus. In dieser Szene wurde ein Herr Schmitt, für Brecht Inbegriff des Kleinbürgers, ganz handgreiflich demontiert. Theo Lingen, der den Clown spielte, erinnerte sich daran, daß man ihm Stück für Stück die hölzernen Gliedmaßen absägte. »Als man mir dann noch den Kopf absägte, da ich über Kopfschmerzen klagte, brach ein Skandal aus, wie ich ihn nie wieder im Theater erlebt habe. Alles, was nicht niet- und nagelfest war, flog auf die Bühne. Fluchtartig verließen meine Mitspieler den Schauplatz, und als ich einen Augenblick durch mein Gaze-Chemisette auf die tobenden und schreienden Zuschauer blickte, sah ich vor mir in der ersten Reihe einen würdigen, weißhaarigen, vollkommen ruhig dasitzenden Herrn, der an dem Skandal überhaupt keinen Anteil zu nehmen schien. Der Herr war Gerhart Hauptmann. Und mir schien, als dächte er weit zurück – an einen Tag, an welchem ihm Ähnliches passiert war: an den Tag, als sein erstes Stück ›Vor Sonnenaufgang‹, in dem eine Geburt auf der Bühne vollzogen wird, auch mit einem Skandal endete.«[46] Hanns Eisler, der bei der Aufführung anwesend war, mußte einem neben ihm sitzenden bekannten Musikkritiker heraushelfen, weil dieser bei der Clownsszene ohnmächtig geworden war. Als Eisler das Brecht erzählte, antwortete dieser: »Das ist zu dumm, der Mann wird doch nicht ohnmächtig in einem Sinfoniekonzert, wo doch immer gesägt wird, nämlich die Geigen. (Brecht haßte Geigen.) Ich bin enttäuscht.«[47] Die Anwesenheit Gerhart Hauptmanns, der einer Einladung Brechts gefolgt war[48], wurde von der Presse registriert. Konservative Kritiker waren jedoch überrascht, als Hauptmann, der sich ja auch als einer der Schirmherren des Projekts »Tempel der Symphonie« in Baden-Baden aufhielt, nicht gegen die Aufführung protestiert hatte, sondern sich sogar zustimmend über das Stück und die Musik äußerte.

Durch die geringe sängerische Beteiligung des Publikums wurde die musikpädagogische Zielsetzung Hindemiths nur zu einem Teil erreicht. Die Zusammenarbeit mit der Musikantengilde war schon vorher gescheitert. Sie hatte für 1929 ihre Teilnahme in Baden-Baden abgesagt, als Hindemith, der ihr ohnehin nie ein Mitspracherecht bei der Programmplanung eingeräumt hatte, für 1929 Laienmusik, die Domäne der Musikantengilde, zu einem Schwerpunkt der Kammermusiktage machte. Der Skandal beim *Lehrstück* mußte nun als völlige Niederlage Hindemiths erscheinen. Sein Verleger Willy Strecker vom Schott-Verlag schrieb ihm am 21. August 1929: »Über das *Lehrstück* sind die Gemüter noch immer erhitzt. (...) Es liegt in unser Aller Interesse, den Eindruck von Baden-Baden zu korrigieren.«[49] Ähnlich schloß Streckers Brief vom 13.9. 1929 an Brecht: »Wir (...) rechnen bestimmt damit, nach den Baden-Badener Ereignissen dem Werk die verdiente künstlerische Ehrenrettung in vollem Maße zu verschaffen.«[50] Der Verleger dachte offenbar noch immer an das einmal geplante »Volks-Oratorium«. Brecht aber, der mittlerweile seine musikpädagogischen Ziele zurückgestellt hatte, bewertete in seiner Antwort vom 16.9. den Skandal positiv: »Ich hoffe, daß der große Erfolg, den das Werk in Baden-Baden gehabt hat, es dem Verlag erleichtert, das Werk zu propagieren.«[51] Mit dem *Lehrstück* hatte er beim Publikum zwar kein Einverständnis, aber doch heftigen Widerspruch und damit in jedem Fall eine Aktivierung und Auseinandersetzung, einen »Aufstand des Hörers«[52] erzielen können.[53] Das genügte ihm, da er ohnehin den kleinbürgerlichen Schichten, die Hindemith zur Mitwirkung bewegen wollte, mit wachsender Skepsis gegenüberstand.

Das Mitsingen spielte bei der Aktivierung des Publikums nur eine geringe Rolle. Auch das Kritikerteam Hans Mersmann, Hans Schulze-Ritter und Heinrich Strobel erkannte in einer kollektiv verfaßten Rezension[54], der »Sinn der Aktivierung des Hörers nicht darin« liege, »daß dieser an einzelnen Stellen mitsingt, sondern darin, daß er das Lehrstück nicht wie Konzertmusik an sich vorübergehen lassen kann, sondern in jedem Fall zu einer Stellungnahme gezwungen wird«. Dieser Zwang zur Stellungnahme wurde aber nicht, wie beabsichtigt, durch musikalische, sondern durch theatralische Momente bewirkt. Die stärksten Wirkungen gingen nicht von Hindemiths Musik aus, deren konzentrierte Einfachheit und reibungslose Anpassung an den Duktus von Brechts Sprache überall lobend erwähnt wurden, sondern von der provozierenden Clownsszene und einem Film über den Tod. Brechts Kleinbürgerkritik verdrängte und sabotierte dabei die musikpädagogische Absicht; wer sich provoziert fühlte, mochte dann kaum noch mitsingen.

Was allerdings kein Kritiker leugnen mochte, war die glänzende Eignung von Brechts Texten für musikalische Zwecke. Übereinstimmend wurde ihre große Bedeutung für die Weiterentwicklung der modernen Musik hervorgehoben; erst in Bert Brecht, so äußerten sich etwa Hans Mersmann und Heinrich Strobel, habe die neue Musik ihren Dichter gefunden. Eberhard Preussner schrieb in einem Rückblick auf die »Gemeinschaftsmusik 1929 in Baden-Baden: »Der Dichter nicht nur dieser Musik, sondern der Dichter der modernen Musik ist Bert Brecht. ... Wir reden hier als Musiker vom Dichter Brecht und da bekennen wir, daß wir keinen anderen lebenden Dichter kennen, der so stark in seinen Worten der modernen Musik entgegenkommt.« Brechts Texte seien keine Ausschmückung, sondern »mitbestimmende Werkanlage«.[55]

Trotz der Erfahrung der Uraufführung und trotz der Einwendung der »Melos«-Kritiker hielt Hindemith daran fest, daß der eigentliche Zweck des *Lehrstücks* ein musikpädagogischer sei. Auf die provozierenden kritischen Elemente legte er deshalb keinen Wert. Im Vorwort zur gedruckten Partitur schrieb er, einzelne Teile des Stücks und der Musik, so auch das Clownsspiel und der Film, dürften weggelassen werden, »da das Lehrstück nur den Zweck hat, alle Anwesenden an der Ausführung eines Werkes zu beteiligen und nicht als musikalische und dichterische Äußerung in erster Linie bestimmte Eindrücke hervorrufen will«. Zu einer Aufführung des *Lehrstücks* im März 1933 notierte sich der Komponist: »Wo die Clownsszene nicht gespielt wird und der Film nicht drin ist, ist keinerlei Reizmittel vorhanden und ich finde, das Stück ist schön und wirkt wie ein alter Klassiker.«[56] Um 1930 verwandelte sich Hindemith selbst vom Bürgerschreck zum »Klassiker«.

Brecht, der den Klassikern gerade ihre Wirkungslosigkeit vorwarf, hat sich von Hindemiths Vorwort distanziert. Er mußte allerdings auch zugeben, daß das von ihm in Baden-Baden gebotene Textfragment mißverständlich war und das Sterben darin überbewertet wurde, »so daß tatsächlich der einzige Schulungszweck, der in Betracht kommen konnte, ein rein musikalisch normaler war«.[57] Während Hindemith die Musik zum *Lehrstück* stets geschätzt hat, betrachtete Brecht seinen Text später mit Skepsis und legitimierte den Abdruck in den »Versuchen« lediglich mit einer formalen Begründung: »Der Abdruck erfolgt, weil es aufgeführt immerhin einen kollektiven Apparat organisiert.«[58] Die Baden-Badener

Erfahrung mit dem *Lehrstück vom Einverständnis* bewirkte, daß Brecht den Stellenwert der musikpädagogischen Zielsetzung in seiner Arbeit reduzierte und der Vermittlung der Inhalte wieder stärkeres Gewicht gab. In der neu entstehenden Gattung Lehrstück verschob er die Akzente vom Musikpädagogischen, dem er in der Zusammenarbeit mit Hindemith besonders großen Raum gegeben hatte, zum Allgemeinpädagogischen, zur Politik.

Ein neuer Typus der Schuloper: »Der Jasager«

Abwendung vom Rundfunk

Das zumindest hatten die Baden-Badener Experimente von 1929 gezeigt: Es ist zwar möglich, durch Provokationen ein Publikum zu aktivieren, schwieriger aber, es zur Mitwirkung zu bewegen, es zu schulen. Die erwünschte musikalische und inhaltliche Schulung war in Baden-Baden weder beim *Flug der Lindberghs* – so der kollektivistische Titel der »Versuche«-Druckfassung – noch beim *Lehrstück vom Einverständnis* gelungen. Das Publikum hatte die Anregungen zur Mitwirkung nicht aufgegriffen. In ihren 1930 veröffentlichten »Erläuterungen zum ›Flug der Lindberghs‹« – das Verfassen von Erläuterungen zu seinen Stücken wurde mehr und mehr typisch für Brecht – stellten Bert Brecht und Peter Suhrkamp mit aller Deutlichkeit fest: »Der ›Flug der Lindberghs‹ hat keinen Wert, wenn man sich nicht daran schult. Er besitzt keinen Kunstwert, der eine Aufführung rechtfertigt, die diese Schulung nicht bezweckt.«[1] Explizit bezeichneten sie, im Unterschied zu Weill, konzertante Aufführungen des Werks als falsch. Lieber verzichtete Brecht auf eine Aufführung als auf die erwünschte Schulung. Diese sei allerdings unter den gegenwärtigen gesellschaftlichen Bedingungen weder im Konzertsaal noch im Rundfunk durchzuführen. Denn Schulung bedeutet Disziplinierung, der sich wohl kaum ein Konzertbesucher oder Rundfunkhörer freiwillig unterworfen hätte. Eine echte Chance gab Brecht den Lehrstücken nur in einem sozialistischen Staat, in dem das Interesse des einzelnen mit dem der Gesellschaft zusammenfällt. »Solche Übungen nutzen dem Einzelnen nur, indem sie dem Staat nützen, und sie nützen nur einem Staat, der allen gleichmäßig nützen will.«[2] Gab es demnach für Lehrstücke im Kapitalismus keine Chance?

Die Enttäuschung über die geringen Wirkungsmöglichkeiten im Rundfunk war Brecht und Weill gemeinsam. Beide erkannten, daß der Rundfunk, in den sie, wie auch die Arbeiterradiobewegung,[3] zuvor so große Hoffnungen gesetzt hatten, in der kapitalistischen Gesellschaft nur einseitig ein Distributionsmittel, nicht aber ein beidseitig funktionierender echter Kommunikationsapparat sein könne.[4] Der mit dem *Lindberghflug* gemachte Vorschlag zur Aktivierung des Radiohörers und damit auch zur Veränderung des Rundfunks blieb Utopie.

Im Mai 1929 hatte Weill mit der »Notiz zum Berliner Requiem« seine mehrjährige Mitarbeit an der Wochenzeitschrift »Der deutsche Rundfunk« beendet. Daß er ab 1929 nur noch wenig Hoffnungen auf den Rundfunk setzte, hing auch mit den Zensurmaßnahmen zum *Berliner Requiem* zusammen, die er in seiner Notiz angedeutet hatte: »Es ist der Versuch gemacht worden, das auszudrücken, was der großstädtische Mensch unserer Tage zu der Erscheinung des Todes zu sagen hat. Einige besonders strenge Zensoren des Rundfunks haben geglaubt, das bezweifeln zu müssen. Diese Einstellung zeugt von einer erschreckenden Unkenntnis der künstlerischen Bedürfnisse jener Schichten, die im Rahmen des Rundfunkpublikums den breitesten Raum einnehmen. Über die sonderbaren Vorgänge hinter den Kulissen dieser Aufführung wird vielleicht später noch einiges zu sagen sein.«[5] Wie einem späteren, allerdings nicht mehr von Weill verfaßten Beitrag in »Der deutsche Rundfunk« zu entnehmen war[6], waren im Falle des *Berliner Requiems* die Kulturbeiräte der Rundfunkanstalten übergangen und direkt politische Kontrollgremien eingeschaltet worden. Der Initiative des SPD-Fraktionsvorsitzenden Ernst Heilmann war es zu »verdanken«, daß das Werk von allen Sendern der Reichsrundfunkgesellschaft, mit Ausnahme nur des SWR in Frankfurt und der Werag in Köln, abgelehnt wurde. Nach der von Ludwig Rottenberg, Hindemiths Schwiegervater, geleiteten Uraufführung am 22. Mai 1929 mit Hans Grahl (Tenor), Johannes Willy (Bariton), Jean Stern (Baß) und dem Orchester des Frankfurter Senders kam es nicht mehr, wie zunächst vorgesehen, zu weiteren Übernahmen und Wiederholungen.

Weill beschloß deshalb schon im Juni 1929, das Werk aus dem Rundfunkzusammenhang zu lösen. Seinem Verlag schlug er vor, das *Berliner Requiem,* das »Mahagonny«-Songspiel und den *Lindberghflug* in einem Band unter dem Titel »Drei Songspiele von Weill und Brecht« herauszugeben. Schon in seiner »Notiz zum Berliner Requiem« hatte er diese drei Werke einem »bestimmten Typ von Vokalkomposition mit kleinem Orchester« zugeordnet: »Es handelt sich hier um eine Gattung, die im Konzertsaal in der Form einer Kantate aufgeführt werden kann, die aber ebensogut auch durch die gestische Fixierung des Inhalts und durch die angestrebte Anschaulichkeit der musikalischen Sprache auf dem Theater darzustellen ist.«[7] Bei der Zusammenfassung unter den Oberbegriff »Songspiel« wollte Weill es nicht bewenden lassen. Vielmehr äußerte er in dem gleichen Brief auch die Absicht, die drei Stücke in einer neuen Form zwischen Konzert und Theater zusammen aufzuführen. Dafür wollte er in Berlin eine Truppe bilden, die auf einer Tournee die Konzertinstitute oder

Cabarets bespielen solle. Dieses Projekt, das nie realisiert wurde, ist ein weiterer Beweis für Weills Interesse an einer »Einheit der Musik«, wie sie schon sein Lehrer Busoni angestrebt hatte; mit einem neuen musikalischen Einheitsstil wollte er nicht nur die Grenzen der Gattungen, sondern auch die gesellschaftlichen Gegensätze überwinden.

Warum es zu diesem Projekt nicht gekommen ist, ist unbekannt. Man kann jedoch vermuten, daß Brecht, der mit zunehmenden Marxismus-Studien von der Vorstellung *Mann ist Mann* abrückte und Gattungen, Sprachebenen, Funktionen, Zielgruppen und Institutionen deutlicher voneinander absetzte, sich gegen eine solche nivellierende Vermischung der drei Stücke gewehrt hat.

In einem Anfang 1930 publizierten Interview erklärte Weill, daß es für ihn wichtigere musikalische Verbreitungsformen gebe als den Rundfunk: »Es gibt für mich verschiedene Richtungen, mit einfacher Musik in die Breite – die nicht die ›Tiefe‹ auszuschalten braucht – zu wirken. Die eine Richtung ist die Bewegung der Arbeiterchöre. In ihnen finde ich wirkliche Laien, für die es sich lohnt, einfache Musik zu schreiben.[8] (...) Eine weitere Möglichkeit bedeutet das Theater, obwohl es immer schwerer wird, hier in einer klaren Richtung vorwärts zu schreiten. Vielleicht wird auch einmal der Tonfilm, jetzt noch eine künstlerische Unmöglichkeit, in diese Richtung gehören. Das läßt sich aber im Augenblick noch nicht übersehen. Aber wohl läßt es sich übersehen, daß die Schule dem Komponisten ermöglichen wird, in die Breite zu wirken.«[9] In der Aufzählung zukunftsträchtiger Verbreitungsmittel fehlt der Rundfunk. Weill erläuterte dies so: »Im Rundfunk ist eine anonyme Gemeinschaft von Erwachsenen aus verschiedenen Kreisen vorhanden, mit der wenig anzufangen ist. Diesen Erwachsenen kann man nichts bieten, weil ihre Meinungen viel zu weit auseinandergehen.«[10] Größere Hoffnungen setzte er jetzt auf den Arbeitsbereich Schule.

Musiktheater für Schulen: »Der Jasager«

Wie für Brecht die Serie seiner Lehrstücke, so war auch für Hindemith die Folge der Donaueschinger und Baden-Badener Musiktage ein einziger zusammenhängender Lernprozeß; die Erfahrungen mit dem Publikum wurden bei der Planung verarbeitet. Als Konsequenz der umstrittenen Musiktage von 1929 verlegte Hindemith sie 1930 nach Berlin. Den Ortswechsel von Baden-Baden nach Berlin begründete sein Mitstreiter Heinrich Burkard in einer Vorschau auf die »Neue Musik Berlin 1930« so: »Mit der Abwendung von jeder Art Konzert-Musik, der ausschließlichen Aufnahme von Gebrauchs-Musik in das Programm, mußte für die Folgezeit eine neue Form der Veranstaltung und Darstellung, mußte ein neuer

Ort mit einem neuen Publikum gesucht werden. Die Verlegung aus dem mondänen Weltbad, wo ein buntes, zufällig zusammengekommenes, auf passiven ›Genuß‹ eingestelltes Publikum ein Musik-Fest mit feierlichen und unterhaltenden gesellschaftlichen Begleiterscheinungen erwartete und verlangte, wurde Lebensfrage.«[11] Der Schwerpunkt verschob sich dadurch noch eindeutiger vom Genuß auf das Lernen, vom Fest- zum Studiocharakter. Als eine neue Zielgruppe wurde die Schuljugend anvisiert. Hindemith berücksichtigte damit wohl auch den Ratschlag des »Melos«-Kritikerteams, das ihm in seiner Rezension des Badener Lehrstücks Aufführungen in der Schule empfohlen hatte. Von verschiedenen Richtungen kommend, entwickelten 1930 also sowohl Weill als auch Hindemith und Brecht ein Interesse für musikalisches Lernen in der Schule.

Als Programmschwerpunkte der »Neuen Musik Berlin 1930« nannte Burkard neben spezifischer Schallplattenmusik und elektrisch erzeugter Musik vor allem Veranstaltungen für die Jugend; er erwähnte dabei Kinderstücke von Paul Dessau, Paul Hindemith und Paul Höffer. Daneben gebe es aber auch größere szenische »Gemeinschaftsstücke«, in denen der Ansatz von Brecht-Hindemiths Lehrstück weitergeführt werde: »Alfred Döblin hat ein solches Gemeinschaftsstück in Kantatenform mit lehrhafter Tendenz mit Ernst Toch geschrieben. Kurt Weill hat eine ›Schuloper‹ komponiert, ›Der Ja-Sager‹, Text nach dem Japanischen von Bert Brecht. Der dieser Schuloper zugrundeliegenden stofflichen Idee hat Brecht noch eine zweite Fassung gegeben, deren Komposition von Hanns Eisler stammt.«[12] Damit schien Kontinuität gewährleistet. Schon 1929 hatte Brecht ein Paar von zwei aufeinander bezogenen Stücken, komponiert von zwei Komponisten, vorgelegt. Hieß das Komponistenduo 1929 Hindemith-Weill, so 1930 Weill-Eisler. Wie 1929 versprachen auch 1930 Brecht-Vertonungen im Zentrum des Musikfests zu stehen.

Bei der Schuloper Der Jasager erwies sich wieder einmal Brechts Mitarbeiterin Elisabeth Hauptmann als Anregerin. Sie hatte im Winter 1928/29 die Sammlung »The No-Plays of Japan« des englischen Japanologen und Sinologen Arthur Waley bekommen und war dabei auf Seami Motekiyo (1363–1444), einen der größten Schauspieler, Autoren und Theoretiker des No-Spiels, gestoßen. »Was mich an Seami faszinierte«, gestand sie später, »war eine Ähnlichkeit mit Brecht.«[13] Wie Brecht war Seami Theaterreformer, Autor, Bearbeiter und Theoretiker in einer Person. Elisabeth Hauptmann schrieb ein Hörspiel über Seamis Leben und Werk[14] und übersetzte mehrere seiner No-Spiele ins Deutsche. Als Weill nach einem Text für eine Schuloper suchte, gab sie ihm ihre Übersetzung des No-Stücks Taniko von Seamis Schwiegersohn Zenchiku. Weill hielt den Text für geeignet und schlug ihn Brecht zur Bearbeitung vor. Dessen Arbeit bestand vor allem darin, das pädagogische Motiv des Einverständnisses aus dem Badener Lehrstück einzusetzen: Ein Knabe, der durch seine körperli-

»Jasager«-Urauffüh-
rung am 23. 6. 1930
in Berlin. In der Mitte
der einfachen Bühne der
Lehrer (Otto Hopf), der
Knabe und die Mutter,
links der kommentie-
rende Schulchor, im
Hintergrund rechts die
Instrumentalisten.
(Quelle: Brecht-Er-
ben, Berlin)

che Schwäche eine Hochgebirgsexpedition gefährdet, erklärt sich einverstanden, der Gemeinschaft zuliebe, einem alten Brauch folgend, geopfert
und ins Tal geworfen zu werden.

In einem Interview vom April 1930 nannte Weill seine Schuloper das
Lehrstück vom Jasager. Auf die Bezeichnung Lehrstück hat er später verzichtet. Dennoch ist *Der Jasager* beides zugleich, Schuloper und Lehrstück;
Adressaten sind die Zuschauer und die Mitwirkenden. Gemeinsam mit
dem Badener *Lehrstück* ist dem *Jasager* nicht nur die Lehre vom Einverständnis, sondern auch die Hinwendung zum musikalischen Laien. Der
Lernprozeß soll freilich nicht erst bei der Aufführung, sondern schon bei
der Einstudierung einsetzen. »Denn gerade im Studium besteht der praktische Wert einer Schuloper, und die Aufführung eines solchen Werkes ist
weit weniger wichtig als die Schulung, die für die Aufführenden damit
verbunden ist.«[15] Anders als beim *Lindberghflug* übernahm Weill beim *Jasager* Brechts Auffassung, daß bei einem Lehrstück nicht die Aufführung,
sondern die Einstudierung entscheidend sei. Im Unterschied zu Hindemith, der beim *Badener Lehrstück* allein das musikalische Lernziel im Auge
gehabt hatte, hob Weill hier ebenso auch die geistige Schulung der Mitwirkenden und des Publikums hervor; gelernt werden sollte die Unterordnung der individuellen Interessen unter die Interessen der Gruppe, der
Gesellschaft. Was mit den Rundfunkkompositionen nicht erreicht worden
war, sollte mit der Schuloper durchgesetzt werden.

Musikalisch griff Weill im *Jasager* Elemente aus seinem *Lindberghflug* und
Hindemiths *Badener Lehrstück* auf und führte sie weiter. Im Unterschied
zum *Lindberghflug,* den allein Brecht später als »Radiolehrstück für Knaben und Mädchen« bezeichnete, war *Der Jasager* von Anfang an für Schul-
aufführungen angelegt. Wie Hindemith im *Badener Lehrstück* die Orchesterbesetzung ad libitum den jeweiligen Möglichkeiten anpassen ließ, so
trug auch Weill den wechselnden Besetzungen von Schulorchestern
Rechnung, indem er als Stammorchester nur Geigen (ohne Bratschen)

und zwei Klaviere vorschrieb; dazu konnten, je nach Möglichkeit, drei Bläser (Flöte, Klarinette, Saxophon), Schlagzeug und Zupfinstrumente treten. Hatte Weill im *Lindberghflug* allein auf leichte Hörbarkeit und Verständlichkeit Wert gelegt, so achtete er im *Jasager* auch auf leichte Ausführbarkeit. Von Hindemiths *Badener Lehrstück* übernahm er das Prinzip der Wiederholung kurzer gesungener Phrasen. Auffallend ist dies besonders im Solo des Lehrers in Nr. 2:

Der Knabe und seine Mutter greifen dieses viertönige »Lehrer-Motiv« auf.

Auch in anderen Nummern gibt es leicht einprägsame Kernmotive, die bei der Wiederholung abgewandelt werden:

Nr. 4

Der große Chor, der auf beiden Seiten des einfachen Bühnenraums[16] aufgestellt ist, übernimmt die Rolle des Berichterstatters und Kommentators. Zu Beginn verkündet er in einem imitatorisch gearbeiteten Chorsatz das Lernziel: »Wichtig zu lernen vor allem ist Einverständnis.« Diese pädagogisch zentrale Aussage wird am Anfang des 2. Akts und zum Schluß noch einmal wiederholt. In der 6. Nummer verkündet der Chor das Einverständnis von Mutter und Lehrer; sie sind einverstanden, den Sohn in die Berge ziehen zu lassen, damit er der kranken Mutter Medizin holen kann. In Nr. 7 berichtet der Chor über die Schwierigkeiten des Knaben beim Bergsteigen und schließlich in Nr. 10 über seinen Hinabwurf ins Tal. Wegen des ernsten Grundcharakters des ganzen Stücks verzichtete Weill wie schon im *Berliner Requiem* auf das für ihn sonst so charakteristische Mittel des Songs. Allerdings ähneln die Ensemblesätze der drei Studenten den Männerchören im Mahagonny-Songspiel und stammen einige der ostinaten Begleitrhythmen, die jeder Nummer ihre unverwechselbare Eigenart geben, aus dem Bereich der Unterhaltungsmusik.

Die Uraufführung der Schuloper fand nicht wie vorgesehen während der »Neuen Musik Berlin 1930«, sondern wenige Tage danach, am 23. Juni 1930, in einer separaten Veranstaltung im Berliner Zentralinstitut für Erziehung und Unterricht statt. Hindemith entging damit, wie in einer Melos-Kritik bedauert wurde, der Höhepunkt seines Musikfests, die gelungenste Erfüllung aller seiner Forderungen.[17] Brecht, Weill und Eisler hatten ihre für die »Neue Musik Berlin 1930« vorgesehenen Arbeiten zurückgezogen, was wesentlich mit der stärkeren Politisierung Brechts zusammenhing. Sie hatte sich bereits gefestigt, als Brecht am 1. Mai 1929 miterlebte, wie Polizei auf Arbeiter schoß. Dieser von dem sozialdemokratischen Polizeipräsidenten Zörgiebel verantwortete »Blut-Mai«, der die verhängnisvolle KPD-These vom »Sozialfaschismus« der SPD auslöste, verhärtete die politischen Fronten und brachte Brecht in größere Nähe zur KPD, in größere Ferne aber auch zu Hindemith, dessen kleinbürgerliches Wesen ihn mehr und mehr irritierte. Hindemith, der am 2. September 1929 auch die »Happy End«-Premiere besucht hatte, hatte sich noch im Januar 1930 einen Operntext von Brecht erhofft. Einem gutgelaunten Brief vom 1. Januar an seinen Verlag zufolge hatte »ein gewisser Herr Brecht einen ppa ff oo ★★★ high life Operntext angekündigt. Eine erhebende Sache. Komponist ist begeistert.«[18] Der Schott-Verlag beglückwünschte am 6.1. seinen Komponisten zu diesem Projekt: »Großartig! Brechtig!« Am 12. Januar 1930 trafen Komponist und Dichter zusammen.[19] Dann hörte man nichts mehr von gemeinsamen Plänen.

Im Frühjahr 1930 begann mit der *Maßnahme*, dem politisch konkreten Gegenstück zum *Jasager*, Brechts intensive Zusammenarbeit mit dem Komponisten Hanns Eisler. Das Werk war der Auslöser für den völligen Bruch mit Hindemith. Als ein Textfragment der *Maßnahme* der künstlerischen Leitung der »Neuen Musik Berlin 1930« vorgelegt wurde, äußerte diese politische Einwände. Am 12. Mai 1930 protestierten daraufhin Brecht und Eisler in einem offenen Brief: »Sie haben es abgelehnt, die Verantwortung für die Aufführung unseres neuen, zwischen uns verabredeten Lehrstückes vor Ihrem uns namentlich nicht bekannten ›Programmausschuß‹ zu übernehmen und fordern uns auf, den Text diesem Ausschuß zur Zerstreuung politischer Bedenken vorzulegen. (Diese Kontrolle, fügen Sie hinzu, komme für alle Werke in Betracht.) Wir haben dies abgelehnt. Hier der Grund: Wenn Sie Ihre so wichtigen Veranstaltungen, in denen Sie neue Verwendungsarten der Musik zur Diskussion stellen, weiterführen wollen, dann dürfen Sie sich auf keinen Fall in finanzielle Abhängigkeit von Leuten oder Institutionen begeben, die Ihnen von vornherein soundsoviele und vielleicht nicht die schlechtesten Verwendungsarten aus ganz anderen als künstlerischen Gründen verbieten

(...) Es gibt nämlich Aufgaben der neuen Musik, welche der Staat zwar nicht verbieten, aber auch nicht gerade finanzieren kann. Seien wir doch zufrieden, wenn der Polizeipräsident unsere Arbeiten nicht verbietet, fordern wir doch nicht auch noch das Schupoorchester an!

Im übrigen sind wir jetzt endlich auf dem Stand, den wir immer ersehnt haben: haben wir nicht immer nach Laienkunst gerufen? Hatten wir nicht schon lange Bedenken gegen diese großen, von hundert Bedenken gehemmten Apparate?

Wir nehmen diese wichtigen Veranstaltungen aus allen Abhängigkeiten heraus und lassen sie von denen machen, für die sie bestimmt sind und die allein eine Verwendung dafür haben: von Arbeiterchören, Laienspielgruppen, Schülerchören und Schülerorchestern, also von solchen, die weder für Kunst bezahlen noch für Kunst bezahlt werden, sondern Kunst machen wollen.

Sie müssen einsehen, daß in der jetzigen Situation Ihr Rücktritt von der künstlerischen Leitung der Neuen Musik Berlin 1930 als Protest gegen alle Zensurversuche der neuen Musik mehr nützen würde, als wenn Sie im Sommer 1930 noch einmal ein Musikfest feiern.

Gez. Bertolt Brecht. Hanns Eisler.«[20]

Im »Berliner Börsenkurier«, wo dieser Brief am 13. Mai veröffentlicht wurde, erschien am 15.5. eine wenig befriedigende Antwort: »Die musikalischen Veranstaltungen waren und sind seit zehn Jahren eine Pflegestätte neuer Musik, deren Hauptziel in der Erprobung neuer musikalischer Möglichkeiten liegt. Szenische Stücke kommen für eine Aufführung nur in Betracht, wenn die Musik von entscheidender Bedeutung für die Haltung des Werkes ist. Dabei spielt die politische Tendenz keine Rolle, solange das Stück als ein wertvolles musikalisches Kunstwerk anzusehen ist. Sie haben es bis heute abgelehnt, uns die musikalische Fassung Ihres Lehrstückes vorzulegen. Nach Kenntnisnahme des Textes müssen wir aber annehmen, daß die Musik dem Text gegenüber eine untergeordnete Stelle einnimmt. Wir haben weder Recht noch Pflicht, unsere Veranstaltungen zu einer Versuchsbühne für literarische Richtungen oder Bestrebungen zu machen. Die Aufführung von Stücken dieser Art müssen wir den Stellen überlassen, die hierfür geeignet und berufen sind. Wir halten es nicht für richtig, den Aufgabenkreis unserer Veranstaltung, der an und für sich beschränkt ist, in anderer als musikalischer Hinsicht zu erweitern.«[21]

Merkwürdig erscheint, daß das gesamte Werk dem Programmausschuß vorgelegt werden sollte, und dies zu einem so frühen Zeitpunkt. Auch andere Werke, die in den Vorjahren für Baden-Baden entstanden waren, waren erst im letzten Moment vollendet worden. Daß Eislers Musik im Mai noch nicht vorlag, wäre nichts Ungewöhnliches. Merkwürdig ist auch die Vermutung, daß die Musik in dem neuen Stück, das zunächst ebenfalls »Der Jasager« hieß, nur eine untergeordnete Rolle spielen würde. Es drückt sich darin nicht nur eine Unterschätzung Eislers aus, sondern auch eine Unterschätzung der Rolle, die Brechts Texte überhaupt schon bei den bisherigen Baden-Badener Produktionen gespielt hatten.[22] Waren für die Baden-Badener Musikfeste gerade die künstlerischen Mischformen kennzeichnend gewesen, so sollte 1930 dieser Antwort zufolge eindeutig die Musik, das »musikalische Kunstwerk«, im Vordergrund stehen. Daß diese Rückkehr zu früheren ästhetischen Positionen gerade gegenüber Brecht und Eisler erklärt wurde, legt die Vermutung nahe, daß es den Veranstaltern doch nicht allein um künstlerische Fragen, sondern auch um politische Zensur ging.

Brecht und Eisler blieben in dieser Auseinandersetzung nicht allein. Weill schloß sich ihrem Protest an und deutete ihn in seinem »Melos«-Beitrag »Musikfest oder Musikstudio?« als eine Sezessionsbewegung von prinzipieller Bedeutung.[23] Sein Aufsatz, eine deutliche Kritik an Hindemiths konservativer Musikauffassung, fordert statt der »reinen« Musik das Ideenkunstwerk. »Die große Kunst aller Zeiten gewann dadurch an Qualität, daß sie sich auf die großen umfassenden Ideen ihrer Zeit stützte. Das was hinter einem Kunstwerk steht, bestimmt seine Qualitäten.« Weill wehrte sich damit gegen die Auffassung der Künstlerischen Leitung, daß selbst bei szenischen Musikwerken vor allem die Musik von Belang sei. »Ein Kunstwerk, das bewußt auf jeden gedanklichen Hintergrund verzichtet, oder dessen Hintergründe reaktionär sind, bleibt reaktionär, auch wenn seine Ausdrucksmittel aufgelockert oder technisch erweitert sind.« Gerade weil Kunst nur dann fortschrittlich sein könne, wenn sie an fortschrittliche Ideen geknüpft sei, brauche sie die völlige Unabhängigkeit von staatlicher Zensur. »Vorbedingung jeder experimentellen Kunstinstitution ist: vollkommene Unabhängigkeit. Der Staat kann nicht Geldgeber eines experimentellen Musikfestes sein; denn unter den Inhalten, die wir gestalten können, befindet sich auch die Politik, die ja täglich in unser Leben eingreift – und der Staat kann kein Interesse daran haben, die Entstehung einer Kunstrichtung zu finanzieren, in der auch politische oder wirtschaftliche Zusammenhänge diskutiert werden.«[24] Mit diesem Aufsatz schloß sich Weill ganz der Argumentation von Brecht und Eisler an. Der Bruch mit Hindemith war vollzogen.

Eine verschlüsselte Kritik an Hindemith und seinen Baden-Badener Musiktagen arbeiteten Brecht und Weill ein Jahr später anscheinend auch in ihre Oper *Aufstieg und Fall der Stadt Mahagonny* ein. Bei der Leipziger Premiere vom März 1930, die also noch vor der Auseinandersetzung stattfand, basierte die Oper ausschließlich auf einem amerikanischen Milieu. Dagegen wurde für die Berliner Erstaufführung am 21.12.1931 der Rahmen verändert und wurden statt der amerikanischen Namen deutsche verwendet. In den Regieanmerkungen von Neher und Weill heißt es dazu: »Da die menschlichen Vergnügungen, die für Geld zu haben sind, einander immer und überall aufs Haar gleichen, da die Vergnügungsstadt Mahagonny also im weitesten Sinne international ist, können die Namen der Helden in jeweils landesübliche umgeändert werden. Es empfiehlt sich dabei, etwa für deutsche Aufführungen, folgende Namen zu wählen:

statt Fatty...	Willy
statt Jim Mahoney...	Johann Ackermann (auch Hans)
statt Jack O'Brien...	Jakob Schmidt
statt Joe...	Sparbüchsenheinrich (auch Heinz)
statt Bill...	Josef Lettner, genannt Alaskawolfjoe

Jede Annäherung an Wildwest- und Cowboy-Romantik und jede Betonung eines typisch amerikanischen Milieus ist zu vermeiden.«[25] Nach der Berliner Premiere gab Brecht der Hauptfigur Johann Ackermann den neuen Vornamen Paul. Der erneute Namenswechsel bliebe rätselhaft und unmotiviert, wenn nicht die Auseinandersetzung mit Paul Hindemith berücksichtigt wird. Der Schlüssel für die Wahl der neuen deutschen Namen ist in der Tat die künstlerische Leitung des Baden-Badener und später Berliner Musikfests. Im Trio Paul Ackermann, Sparbüchsenheinrich und Josef Lettner ist unschwer das aus Paul Hindemith, Heinrich Burkard und Joseph Haas[26] bestehende Leitungsgremium wiederzuerkennen. Mit Willy, dem Prokuristen, scheint dagegen Willy Strekker, Hindemiths Mainzer Verleger, gemeint zu sein.[27] Die Oper *Aufstieg und Fall der Stadt Mahagonny* erhielt so eine zusätzliche interne Bedeutung: Sie symbolisierte auch Aufstieg und Fall der Baden-Badener Musikfeste. Für Weills Verlagslektor Hans W. Heinsheimer waren die Badener Musikfeste im Rückblick nicht zuletzt Handelsmessen der Verleger gewesen: »Die wahrhaft klassischen Schlachten zwischen den großen Musikverlagen, insbesondere zwischen den Schotts aus Mainz, die immer von wenigstens einem der Strecker-Brüder befehligt waren, und den Universalen aus Wien, die Hertzka selber anführte, wurden auf den internationalen Musikfesten, den Handelsmessen der zeitgenössischen Musik, ausgetragen.«[28] Brecht hatte in Baden-Baden zwischen den Fronten gestanden, weil er mit beiden Verlagen zusammenarbeitete: Hindemith war Schott-Autor, Weill wurde, wie Eisler, bei der Universal Edition verlegt.

Erprobung des »Jasagers« in der Schulpraxis

Die Aufführung von Brecht-Weills Schuloper im Zentralinstitut für Erziehung und Unterricht wurde ein Riesenerfolg. Die kurzfristige Einstudierung durch den Jugendchor und die Jugendinstrumentalgruppe der Staatlichen Akademie für Kirchen- und Schulmusik Berlin unter der Leitung von Professor Günther Martens[29] war für die Mitwirkenden ein unvergeßliches Ereignis. »Wir waren bei der Sache und erlebten den Text und die Musik immer wieder von neuem.«[30] Der Musikpädagoge Eberhard Preussner war überzeugt: »Die Wirkung der Schuloper wird die sein, daß weite Kreise der Jugend durch dieses Werk für die neue Musik gewonnen werden.«[31] Der renommierte Musikkritiker Alfred Einstein schrieb in Unkenntnis der Streitigkeiten: »Dieser Abend der ›Neuen Musik Berlin 1930‹ darf als Höhepunkt gelten.« Er fuhr in seiner Kritik anerkennend fort: »Man muß zu diesem ›Jasager‹ als Ganzes jasagen. Es ist, nach der Dreigroschenoper, Weills zweiter großer Wurf. In dieser Musik vereinigt sich der Anklang an das Altklassische mit dem modernen Step; der Eingangschor hat die Händelsche Schwere und Wucht, ohne Händel zu imitieren; der Auftritt, die Selbstvorstellung des Lehrers, hat Saxophonklang und saxophonischen Rhythmus, ein Dialog wird beschlossen mit einem Terzett, das man ebenso archaistisch wie neu finden kann; die Szenen auf dem Berg sind stilisiert nicht ohne naturalistische Züge, sind naturalistisch nicht ohne oratorische Stilbildung im Wechsel von Soli, Terzett, Chor. Man kann sich weder dem Ausdruck, dem Ernst, noch dem Stil dieser Musik entziehen oder widersetzen. Und das beste Zeugnis für sie ist ihre Aufführung.«[32]

Brecht, der sich zum Zeitpunkt der Uraufführung mit Elisabeth Hauptmann und Ernst Burri in Le Lavandou in Südfrankreich aufhielt, um dort an seinem Drama *Die heilige Johanna der Schlachthöfe* und am Lehrstück *Die Ausnahme und die Regel* zu arbeiten, fand bei seiner Rückkehr nach Berlin allerdings nicht nur die Erfolgsmeldungen, sondern auch eine negative Rezension vor, die sein früherer Förderer Frank Warschauer für die »Weltbühne« geschrieben hatte. Es hieß dort: »In dieser Tendenzfabel wird als zentrale Lebensweisheit gelehrt: handle nicht vernünftig und menschlich; sondern tu vor allem eins, mein Kind, gehorche! Gehorche der Konvention, ohne sie überhaupt zu prüfen, mag sie auch noch so irrsinnig sein!«[33] Ähnlich kritisch wurde der Text in der konservativen »Zeitschrift für Musik« in einem mehrseitigen Aufsatz von Alfred Heuß beurteilt.[34] Brecht war über diese von ihm anscheinend nicht erkannte Deutungsmöglichkeit beunruhigt, zumal da die Schuloper nach ihrem sensationellen Uraufführungserfolg von Gymnasien in Berlin, Dortmund, Frankfurt, Kassel, Essen und kleineren Städten sowie von mehreren Rundfunksendern übernommen wurde.[35] Um die Wirkung auf Schüler noch einmal zu überprüfen, ließ er die Schuloper im Sommer 1930 an der Karl-Marx-Schule in Berlin-Neukölln erproben und die Reaktionen protokollieren. Die Grundidee zur Schaffung einer Schuloper war zwar von Weill ausgegangen; der Skeptiker Brecht aber war es, der sich mit dem Werk allein nicht begnügte, sondern sich Klarheit über die tatsächliche pädagogische Wirkung verschaffen wollte.

Mit der Karl-Marx-Schule im Berliner Arbeiterbezirk Neukölln hatte

Brecht eine für solche Versuche besonders geeignete Institution gefunden. 1929 hatte der Pädagoge Fritz Karsen die von ihm begründete und gemeinsam von SPD- und KPD-Schulpolitikern entwickelte Einheitsschule in der »Weltbühne« vorgestellt; er hatte dabei besonders auf das funktionierende Kollektiv von Schülern und Lehrern hingewiesen.[36] Initiator war der Reichstagsabgeordnete und Neuköllner Stadtrat für Schulwesen Kurt Löwenstein, dessen wesentliches Ziel eben die Einheitsschule war, die durch ein durchgehendes Bildungssystem vom Kindergarten bis zur Universität auch Arbeiterkindern den Zugang zum Hochschulstudium ermöglichen sollte. In dem von dem Architekten Bruno Taut entworfenen Neubau gab es statt Klassenzimmern Räume für arbeitsorientierten Projektunterricht – es war ein Vorläufer der modernen Gesamtschule.[37] Diese pädagogisch und politisch fortschrittliche Schule war eng verbunden mit der Volksmusikschule Neukölln, deren stellvertretender Leiter Hans Boettcher zugleich Redakteur jener Zeitschrift »Musik und Gesellschaft« war, in der im August 1930 Brechts »Anmerkungen zu Mahagonny« veröffentlicht wurden. In der Person des Pianisten und Musikwissenschaftlers Hans Boettcher gab es nicht nur die von Hindemith angestrebte Verbindung von Jugendmusikbewegung und neuer Musik – immerhin hatte Fritz Jöde 1930 die Zeitschrift »Musik und Gesellschaft« als Nachfolgerin des Jugendmusikbewegungs-Organs »Die Musikantengilde« gegründet[38] –, sondern darüber hinaus eine Verbindung von Jugendmusikbewegung, neuer Musik und Arbeiterbewegung. Boettcher hatte an der Volksmusikschule Neukölln einen Arbeitskreis »Musiksoziologie« gegründet, dessen Fragestellungen er in »Musik und Gesellschaft« aufgriff. Dieser Arbeitskreis und Hanns Eislers Arbeitsgemeinschaft »Dialektischer Materialismus und Musik« im Rahmen der Marxistischen Arbeiterschule (MASCH) in Neukölln, zu denen Boettcher lose Kontakte hatte, stellten überhaupt die ersten Ansätze zur Entwicklung einer Musiksoziologie dar.

Auch Paul Hindemith gab ab 1930 an der Volksmusikschule Neukölln einen wöchentlichen kostenlosen Einführungskurs Musik. Trotz seiner Freundschaft mit Boettcher ist es unwahrscheinlich, daß gerade er den Kontakt Brechts zur Marx-Schule und der mit ihr verbundenen Volksmusikschule hergestellt hat. Als Vermittler kommt neben Eisler viel eher Brechts langjähriger Freund und späterer Verleger, der der Jugendmusikbewegung nahestehende Peter Suhrkamp, in Betracht.

Suhrkamp und Brecht sind sich im Winter 1919 oder Sommer 1920 zum ersten Mal begegnet. Gemeinsam war ihnen die Abscheu vor dem Krieg und die Liebe zu Musik, Literatur und ländlicher Natur. Wie Brecht hatte auch Suhrkamp als Schüler das Geigenspiel erlernt, wie Brecht war er besonders beeindruckt vom Klang der Orgel. Seinem 1944 im Gestapogefängnis Berlin geschriebenen Romanfragment *Munderloh* ist das prägende Erlebnis von Orgelmusik zu entnehmen.[39] Anders als in Brechts früher Orgelnovelle bedeutete Musik für Suhrkamp nicht Überwältigung, sondern Klärung der Gefühle. *Munderloh* handelt von einem Organisten, der seine bäuerlichen Zuhörer Schritt für Schritt in ein Bachsches Präludium einführt; Musik wird für sie zum disziplinierenden Ordnungsprinzip, zum magischen »Akt der Berufung« wie in Hermann Hesses *Glasperlenspiel* für den jungen Josef Knecht das Erlernen des Violinspiels. Peter Suhrkamp wurde Lehrer, ging zusätzlich auch ans Theater. 1919 bis 1921 unterrichtete er an der Odenwaldschule, 1921 bis 1925 war er Dramaturg und Regisseur am Landestheater Darmstadt, wo er mehrfach mit Brecht zusammentraf, 1925 bis 1929 Lehrer und schließlich pädagogischer Leiter der Freien Schulgemeinde Wickersdorf.[40] Sowohl die Odenwaldschule Paul Geheebs als auch die von Gustav Wyneken gegründete Freie Schulgemeinde Wickersdorf waren reformpädagogisch orientierte Landerziehungsheime mit Modellcharakter. Hier herrschte das Leitbild einer jugendeigenen Kultur, in der die Musik eine wesentliche Rolle spielte. Musiklehrer in Wickersdorf waren der bedeutende Ästhetiker August Halm, für den Musikerziehung vor allem in der Analyse anspruchsvoller Werke von Bach, Beethoven und Bruckner bestand, sowie Ernst Kurth. Als 1928 in Wickersdorf ein Konflikt zwischen Leitung und Lehrerschaft ausbrach, merkte die »Weltbühne« dazu an: »Von den traditionellen Werten hat einzig die Musik noch Kraft.«[41] Jedoch selbst die Herrschaft von Bach und Beethoven sei in Wickersdorf nicht mehr ganz unangefochten: »Etwas sonderbar, kraus steht daneben die neue Welt, mit Banjo, Jazz und Grammophon.«

Wenn Peter Suhrkamp auch 1929 die Freie Schulgemeinde Wickersdorf verließ, so blieb er doch von der dortigen Musikauffassung geprägt. Dies geht aus seinem Aufsatz »Musik in der Schule« hervor, der im Frühjahr 1930 im ersten Heft von »Musik und Gesellschaft« erschien. Von der Schule spricht Suhrkamp hier als von einer gemeinschaftlichen Lebensform, in der die Musik eine ähnlich disziplinierende Funktion besitze wie für die Kirchengemeinde die Kirchenmusik. »Der Morgenchoral bedeutete: sich ordnen. Die Kirchenmusik soll die Gemeinde einstimmen, weniger in ein Gefühl, als in die Ordnung und Helligkeit des Geistes. Kirchenmusik ist deshalb von mathematischer Nüchternheit, und sie folgt einem Zeremoniell.« Auch in Wickersdorf gab es ein solches musikalisches Zeremoniell: »Das gemeinsame Singen eines Chorals und eine stille Versammlung zum Vorspiel einer Bachschen Fuge beispielsweise, wie die Freie Schulgemeinde Wickersdorf sie jeden Morgen abhält, als selbstverständliche regelmäßige Übungen, sind in einer Gemeinschaft ausgezeichnete und, nach meiner Erfahrung, unentbehrliche Gewohnheiten.«

In der Fortsetzung seines Aufsatzes ging Suhrkamp wohl über Wickersdorfer Erfahrungen hinaus, wenn er dafür plädierte, Musik als Einheit von Disziplin und Unvernunft zu betrachten. Dazu zitierte er Brecht: »In der

Musik muß, soll sie Musik bleiben, das Unvernünftige *und* die Disziplin voll enthalten bleiben.«[42] Mit Brecht-Zitaten begründete er seine musikpädagogische Forderung, auch das Unvernünftige von Musik zu berücksichtigen. »Vernünftig ist es . . . vom Erzieher, die Unvernunft anzuerkennen.« Sein Aufsatz schließt mit einem weiteren Brecht-Zitat: »Musik machen, um der Unvernunft gerecht zu werden, bedeutet: anerkennen, daß es vernünftig sei, Unvernünftiges zu tun.« Damit wurde Brecht, wie schon 1929 in Baden-Baden, erneut zur musikpädagogischen Berufungsinstanz.

Peter Suhrkamps Aufsatz »Musik in der Schule«, in dem Brechts bis dahin sonst nicht publizierte Überlegungen »Aus der Musiklehre« zitiert wurden, ist ein Beleg dafür, daß zwischen dem Autor und Brecht musikpädagogische Diskussionen stattgefunden haben. Suhrkamp, der 1929 nach Berlin kam und auf Vermittlung Elisabeth Hauptmanns eine Redakteursstelle bei der Zeitschrift »Uhu« erhielt, dürfte Brecht auch von seinen Wickersdorfer Schulerfahrungen berichtet haben. Parallelen zu Brechts Lehrstückideen lagen in der Gemeinschaft von Lehrenden und Lernenden, in der großen Bedeutung von Musik für diese Gemeinschaft sowie im gleichsam zeremoniellen Charakter der Musikaufführungen.[43] In solchen Schulen wie Wickersdorf, die freilich Ausnahmen darstellten, war schon im Kapitalismus jene Disziplinierung möglich, die sich Brecht von Aufführungen seiner Lehrstücke erhoffte, die er aber beim Konzert- und Rundfunkpublikum vermißt hatte.

Brechts nicht unproblematisches Interesse an Disziplin, Unterordnung und Einverständnis, auch nach Bändigung der Gefühle, rührt her aus seinem eigenen Bedürfnis nach Selbstdisziplin, aus seiner Angst, die musikalisch-erotische Rauschhaftigkeit der Baal-Phase könne aus ihm, dem Wasser-Feuer-Menschen, wieder hervorbrechen. Die Strenge, die er in der Schule den Schülern gegenüber angewandt wissen wollte, war die Strenge, mit der er auch seine eigene Triebhaftigkeit bekämpfte. Fraglich ist allerdings, ob Brechts eigene Probleme als Maßstab für die allgemeine Pädagogik sowie die Musikpädagogik tauglich sind. Musikalisch bedeutet diese Disziplinierung, die sich in der musikpädagogischen Musik in der Nachfolge Hindemiths und Orffs noch bis in die sechziger Jahre hielt, eine Verarmung. Bedenkenswert ist jedoch seine Forderung, in der Musik auch dem Unvernünftigen Raum zu geben – ein Plädoyer für Spielerisches, Mehrdeutiges, Triebhaftes, das er, der Rationalist, später nie wieder so ausgesprochen hat.

Ein weiterer Auslöser für Brechts neuerwachtes und von nun an andauerndes Interesse für Schule und Pädagogik, das ihn Weills Vorschlag einer Schuloper so bereitwillig aufgreifen ließ und sich auch in seinem Kinderbuch *Drei Soldaten* dokumentierte, war neben dem Heranwachsen seiner Kinder Frank und Hanne die Bekanntschaft mit der Regisseurin, Schauspielerin und Pädagogin Asja Lacis, der Freundin Walter Benjamins. Asja Lacis hatte schon in Brechts Münchner Inszenierung von *Das Leben Eduards des Zweiten von England* als Eduard mitgewirkt.[44] 1928/29 entwarf sie in Berlin zusammen mit Benjamin das »Programm eines proletarischen Kindertheaters«.[45]

Die Karl-Marx-Schule Neukölln, an der auf Brechts Wunsch *Der Jasager* erneut geprobt wurde, war zwar wie Wickersdorf eine Einheit von Lehrenden und Lernenden, zugleich aber auch das städtisch-proletarische Gegenbild zum ländlichen Idyll eines Landschulheims. Brechts Bearbeitung des japanischen No-Spiels stieß hier auf harte Kritik.[46] Den Schülern entging nicht, daß es sich um die Säkularisierung eines ursprünglich religiösen Stücks handelte; sie hatten für die Märtyrerhaltung des Knaben wenig Verständnis. Eine Gruppe der Klasse OI (18 Jahre) resümierte: »Die Mystik, die die Oper durchzieht, wird nicht angenehm empfunden.«[47] Wohl auch wegen des problematischen Texts wurde positiv registriert, daß die Musik sich nicht einfühle, sondern Distanz schaffe. In einem Protokoll der Klasse IV a (12 Jahre) heißt es: »Völlig neu ist uns, daß in diesem Stück die Musik nicht mit dem Text gleichläuft. Zum Schluß, als der Knabe tot ist, würde ein anderer Komponist wahrscheinlich einige feierliche, langanhaltende Akkorde als Begleitung des Chors laufen lassen. Dadurch ist man von dieser Szene so erschüttert, daß man nur diesen Teil im Kopf behält und sich über andere Teile gar nicht im klaren ist.« Dieser Gefahr entgehe Weills Musik, indem sie sich bei den Worten »Und er war tot« an einen modernen Tanz anlehne.[48] Überhaupt ermögliche es die Musik, den Überblick über das Ganze zu behalten, »denn sie ist an keiner Stelle so ergreifend, daß einem direkt Tränen ausgepreßt werden«. Das Fehlen von musikalischer Sentimentalität betrachteten sie angesichts des mystischen Textes als einen Vorteil.[49]

Aus der Kritik der Schüler, die die Skepsis Frank Warschauers bestätigte, zog Brecht die Konsequenz, den Text zum *Jasager* umzuarbeiten. Er schrieb eine Neufassung, in der die Expedition ins Gebirge realistischer, durch eine Seuche, begründet wurde. Dem stellt er zusätzlich ein weiteres Stück mit dem Titel *Der Neinsager* gegenüber. Beide Lehrstücke sollten, so sein Wunsch, möglichst zusammen aufgeführt werden, um damit eine echte Diskussion und einen Entscheidungsprozeß herbeizuführen. Weill allerdings ließ sich zu keiner Änderung bewegen. Für ihn war *Der Jasager* kein »Versuch« wie für Brecht, sondern ein definitives, endgültiges Werk. Zu einer Änderung sah er keinen Anlaß, zumal sich die erste Fassung des *Jasagers* mittlerweile zu einem großen Aufführungserfolg entwickelt hatte. In immer neuen Annoncen in Musikzeitschriften verbreitete die Wiener Universal-Edition die Erfolgsmeldungen: 22 Aufführungen schon bis Oktober 1930, über 100 bis März 1931 und Aufführungen an über 200 Schulen bis Oktober 1932.[50] Nach der *Dreigroschenoper* wurde die

Schuloper *Der Jasager* bis 1933 zum zweiten Dauerbrenner von Brecht und Weill, zu einem größeren Erfolg als die Oper *Aufstieg und Fall der Stadt Mahagonny*.

Brecht hatte freilich andere Kriterien für »Erfolg« als Weill. Wichtiger als hohe Aufführungszahlen war ihm die durch seine Kunst ausgelösten konkreten Wirkungen. Da er erkannt hatte, daß das Werk auch sehr konservative, seinen Ansichten entgegenlaufende Interpretationen gefunden hatte, distanzierte er sich mittlerweile von ihm. Anders Weill. Als ihn 1935 nach seiner Ankunft in New York ein amerikanischer Journalist nach seinem besten Werk fragte, nannte er an erster Stelle die Schuloper.[51]

Revolutionierung der Arbeitersänger: »Die Maßnahme«

> Es handelte sich bei diesen Arbeiten um Kunst für den Produzenten, weniger um Kunst für den Konsumenten.

Hanns Eisler – ein politischer Komponist

Nach Weill und Hindemith, die die Kunst von der Politik trennten, fand Brecht in Hanns Eisler anläßlich der *Maßnahme* endlich einen Musiker, für den beiden Bereiche in engstem Zusammenhang standen. Eisler hatte bei Arnold Schönberg studiert und wurde von diesem wegen seiner Begabung besonders geschätzt; er war, so Erwin Ratz 1924 in den »Musikblättern des Anbruch«, »nach Webern und Berg, die seit vielen Jahren als reife Künstler von überragender Bedeutung in der Öffentlichkeit stehen, der dritte, für dessen Kompositionen sich Schönberg voll und ganz eingesetzt hat«[1]. Daneben war Eisler aber auch ein Kenner der Literatur, der ästhetischen und politischen Theorie, vor allem aber ein Mann der künstlerisch-politischen Praxis, ein Intellektueller mit direkten Kontakten zur Arbeiterbewegung.

Die Eislers gehörten in Wien zur linken Intelligenz. Der Vater, der Philosophieprivatdozent Rudolf Eisler, hatte ein Wörterbuch der philosophischen Begriffe und Ausdrücke verfaßt, über das sich auch Lenin lobend äußerte. Als politische Köpfe traten schon früh Hanns Eislers Geschwister Gerhart und Elfriede hervor; die rhetorische Brillanz der Schwester fiel bereits im Sprechsaal der linksbürgerlichen Jugendbewegung auf, wenn dort über die Schriften von Ernst Haeckel, Karl Kautsky sowie über kleinere Marx-Texte debattiert wurde.[2] Beide Geschwister wurden später Berufspolitiker. Elfriede Eisler gründete 1918 als erste kommunistische Partei Mittel- und Westeuropas die Kommunistische Partei Deutschösterreichs und stand 1924/25 unter dem Namen Ruth Fischer zusammen mit Arkadij Maslow an der Spitze der KPD, bis sie im November 1925 aus dem Politbüro ausgeschlossen wurde, wo Ernst Thälmann an ihre Stelle trat. Auch Gerhart Eisler ging 1920 nach Berlin, um dort für die KPD zu arbeiten.

Hanns Eisler, als jüngster der drei Geschwister am 6. Juli 1898 geboren und damit gleichaltrig mit Brecht, blieb zunächst noch in Wien. Nach autodidaktischer Beschäftigung mit Musik hatte er schon 1917 als aufmüpfiger Soldat der k.u.k. Monarchie ein Oratorium gegen den Krieg nach Texten von Li Tai-Pe komponiert. 1919, aus dem Feld zurückgekehrt, kam er in die Klasse des strengsten und besten Kompositionslehrers in Wien, zu Arnold Schönberg, der, nach anfänglicher Tätigkeit als Bankangestellter, seine Musikerlaufbahn als Dirigent von Arbeiterchören begonnen hatte.[3] Mittlerweile aber war er politisch ein Konservativer, ein Monarchist geworden. Künstlerisch dagegen galt er seit seinem Übergang zur Atonalität, den er 1908/09 mit dem Liedzyklus »Buch der hängenden Gärten« nach Stefan George[4] vollzogen hatte, als ein Umstürzler; mit seinen komplizierten und esoterischen Werken, Ausdruck einer tiefen Einsamkeit, erreichte er nur noch ein Publikum von Spezialisten, von Eingeweihten und Freunden. Eisler dagegen begeisterte sich für die russische Oktoberrevolution und leitete ab 1919 die beiden Wiener Arbeiterchöre »Karl Liebknecht« und »Stahlklang«.[5] Früh bekam er auf diese Weise direkte Kontakte zur Arbeiterbewegung und lernte, sich auf die Hörgewohnheiten von Laien einzustellen. Ebenfalls noch während des Studiums bei Schönberg begann er, im Wiener »Verein für volkstümliche Musikpflege« Arbeiter in die theoretischen Grundlagen der Musik einzuführen. Seitdem war Eisler ständig als Lehrer und Vermittler tätig. Seinen eigenen Kompositionen war allerdings dieses politische Interesse damals noch nicht anzumerken.

Obwohl Eisler sich nicht als einziger unter den Schönberg-Schülern für sozialistische Ideen engagierte, war er doch der einzige, der es wagte, diese Ideen auch gegenüber dem gefürchteten strengen Lehrer vorzubringen. Kaum jemand sonst hätte sich diese »Frechheit« erlauben dürfen. Schönberg behandelte seinen hochbegabten, mittellosen und etwas kränklichen Schüler wie einen Sohn, unterrichtete ihn kostenlos und nahm ihn zeitweise sogar in seinem Haus auf.[6] Eislers Rebellieren deutete er als jugendliche Unreife: »Wenn Sie zum ersten Mal in Ihrem Leben zwei anständige Mahlzeiten im Tag haben werden und drei gute Anzüge und etwas Geld, dann werden Sie auch den Sozialismus sich abgewöhnen.«[7] Aber auch nach ersten größeren Erfolgen, als er nämlich 1923, noch vor Alban Berg, einen Vertrag mit der Universal Edition und 1925 den Kunstpreis der Stadt Wien erhielt, kehrte sich Eisler zu Schönbergs Enttäuschung nicht von seinen sozialistischen Ideen ab, sondern versuchte nun vielmehr, sie auch in Musik umzusetzen.

Dies geschah in Berlin, wohin Eisler übersiedelt war. Der Gegensatz zwischen seiner subjektiven, lyrischen, allenfalls ironischen Musik und seinen andersgearteten politischen Überzeugungen wurde ihm nun ganz bewußt. Er fiel ihm auch bei mehreren avantgardistischen Musikfestivals auf. Von Berlin, wo ihm sein Bruder Gerhart, seit 1921 Mitglied der Bezirksleitung der KPD, eine erste Wohnung verschafft hatte[8], reiste Eisler zum Donaueschinger Kammermusikfest 1925, wo seine atonalen Lieder op. 2 uraufgeführt wurden, dann nach Venedig, wo beim Internationalen Kammermusikfest Rudolf Kolisch und Joachim Stutschewsky das zwölftönige Duo für Violine und Violoncello op. 7 zur Uraufführung brachten; der junge Musikkritiker Theodor Wiesengrund-Adorno lobte an diesem Werk die Einheit von kompositorischer Strenge und freundlicher Grazie.[9] Eisler aber war unzufrieden. Er fühlte sich auf diesen Avantgardefestivals unwohl. Die Esoterik der Wiener Schule war für ihn unvereinbar mit dem Berliner Großstadtalltag. Die Verunsicherung ist seinem Gesangszyklus »Zeitungsausschnitte« op. 11 sowie der kleinen Kantate »Tagebuch des Hanns Eisler« op. 9 anzumerken. Das bewußt persönliche »Tagebuch«, eine ironische Auseinandersetzung mit dem Lehrer, wurde im Juli 1927 auf eben jenem Baden-Badener Kammermusikfest uraufgeführt, bei dem auch die Premiere von Brecht-Weills »Mahagonny«-Songspiel stattfand. Es ist anzunehmen, daß es damals gegenseitige Begegnungen gegeben hat. Eisler datierte sein erstes Brecht-Erlebnis sogar schon auf das Jahr 1922. »Ich war Assistent von Arnold Schönberg in Holland. . . . Auf der Rückreise fuhr ich über Berlin und traf meinen Bruder. Und damals gab es noch die sogenannte Ukrainische Botschaft . . . Und mein Bruder, der auch sehr bekannt mit den Genossen dorten war, nahm mich mit. Es war ein Empfang für Künstler anläßlich der Novembertage oder einer der Empfänge. Und da saß ich also herum, ich war damals noch sehr jung und hatte überhaupt noch keinen Namen, ich habe ja noch studiert und noch gar nichts publiziert . . . und zog also dort herum, und dann hörte ich in einer Ecke in einem anderen Zimmer einen Mann Klavier spielen und dazu singen mit sehr frischer, energischer Stimme. Und ich ging da hinein, es standen Leute, hörten dort gespannt zu, und da saß ein sehr interessant aussehender, zarter Mann mit einer Mischung von Mönch- oder Cäsarenkopf am Klavier, in das er ebenfalls mit Fäusten hineinschlug, und sang eine ›Ballade vom toten Soldaten‹. Ich hörte zu, und da ich nicht recht verstand, um was es eigentlich ging . . . frug ich meinen Bruder: ›Gefällt Dir das?‹ Sagt er, er find't das großartig. Sag ich: ›Wer ist das überhaupt?‹ Sagt er: ›Das ist der Dichter Brecht aus München.‹ Und so hörte ich ihn das erste Mal, ohne einen weiteren Eindruck zu haben, denn ich hörte nur e-moll, die I. und die V. Stufe, mehr konnte der Brecht nicht, weil er von der Gitarre kam.«[10]

Diese Datierung gibt einige Rätsel auf. Zwar führte die Reiseroute von Wien nach Amsterdam wirklich über Berlin, jedoch kehrten Schönberg und Eisler nicht 1922, sondern im Frühjahr 1921 aus Holland zurück. Im Frühjahr 1921 aber befand sich Brecht nicht in Berlin.[11] Eisler kann demnach nur unabhängig von Schönberg nach Berlin gekommen sein. Trotz der Unsicherheit über den Termin kannte Eisler Brecht – das darf immerhin angenommen werden – bereits vor 1925, so daß nach seiner Übersiedlung nach Berlin die Begegnungen »öfters in einem Kreis von linken Freunden in dem Restaurant Schlichter in der Martin-Luther-Straße 1«[12] fortgesetzt wurden. So ist durchaus denkbar, daß die »Ballade vom toten Soldaten«, die Eisler um 1926 in eine Opernrevue »Der Tod« hatte einfügen wollen[13], identisch ist mit der »Legende vom toten Soldaten«.

Eisler wohnte 1926/27 in unmittelbarer Nähe jenes Restaurants, in dem 1928 Ernst Josef Aufricht Brecht das Manuskript zur *Dreigroschenoper* entlockte. Eislers Mitbewohner in der Pension Delar Augsburger/Ecke Nürnberger Straße war »für 6 oder 7 Monate«[14] der Musikkritiker Hans Heinz Stuckenschmidt, der sich erinnert, im Frühjahr 1927 durch Eisler nicht nur den »rasenden Reporter« Egon Erwin Kisch, sondern auch Brecht kennengelernt zu haben; dieser lud ihn zu Diskussionsnachmittagen in seine Wohnung ein.[15] Zunächst gingen Stuckenschmidt und Eisler gemeinsam zu diesen Diskussionsnachmittagen, dann nur noch Eisler. Die Gespräche drehten sich nicht zuletzt um musikalische Themen, um Musikkritik, auch um *Madame Butterfly*.

Stuckenschmidt, der aus seiner Nähe zum Schönberg-Kreis nie ein ästhetisches Dogma machte, erlebte auch Eislers politische Aktivitäten aus nächster Nähe. »Das Haus lag Ecke Nürnberger und Augsburger Straße und hatte zwei Eingänge. Besitzerin war eine ältliche, dem Trunk ergebene Jungfer. Eisler war damals schon ganz in politische Beziehungen verstrickt, und Fräulein Delar hatte Sympathien dafür. Wenn polizeiliche Kontrollen von der Nürnberger Straße ins Haus kamen, warnte sie ihn telefonisch, und er verschwand zum Ausgang Augsburger Straße. Einmal saß ich mit ihm über einer satztechnischen Aufgabe, da öffnete sie halb die Tür und flüsterte: ›Achtung, Herr Eisler!‹ Hanns griff blitzschnell in eine Schublade und schob mir einen Stoß Papiere zu, die ich sofort in meine Rocktasche steckte. Die beiden Beamten erschienen Sekunden später und durchsuchten das Zimmer, fragten mich, wer ich sei, ließen mich aber ungeschoren. Die Suche verlief ergebnislos. Als die Polizisten weg waren, sah sich Eisler noch längere Zeit vorsichtig nach ihnen um. Dann kam Fräulein Delar und sagte, die Luft sei rein. Eisler bekam seine verdächtigen Papiere von mir zurück und sagte mir: ›Das werde ich dir nie vergessen.‹ Ich weiß heute noch nicht, was ich versteckt gehalten habe.«[16] Eisler schrieb damals, obwohl selbst nie Mitglied der KPD, Beiträge für die kommunistische »Rote Fahne«. Sein erster Beitrag war am 22. März 1927 eine Würdigung zum 100. Todestag Beethovens.

Eislers Wirtin verhinderte freilich nicht nur unwillkommenen, sondern auch willkommenen Besuch. Am 2. Juni 1927 schrieb Heinrich Burkard an Eisler: »Lieber Herr Eisler, wenn Hindemith und ich Sie Anfang dieser Woche trotz aller Bemühungen nicht getroffen haben, so ist nur der verdammte Telefondienst in Ihrer Pension schuld, von dem absolut keine Auskunft zu erlangen war. Hatte ich gefragt ›Ist Herr E. da‹, hieß es ›Nein‹, und schwupp war eingehängt. Eine weitere Auskunft, wann Sie nach Hause kämen, wo Sie sein könnten, war nicht zu erlangen. Machen Sie den Leuten einmal tüchtigen Dampf unter den Schwanz!! – Die Angelegenheit war sehr wichtig, in der wir Sie sprechen wollten. Sie sollen nämlich Musik für einen Film schreiben (Schönberg hat das bei der Ufa angeregt.).«[17]

Obwohl Eisler seinen Durchbruch als Komponist einem Instrumentalwerk, der Klaviersonate op. 1 verdankte, zeigte er doch schon von Beginn an eine besondere Begabung für Vokalmusik. In seinem Frühwerk dominieren Lieder, wobei der große Stellenwert japanischer und chinesischer Lyrik auffällt; im Felde schrieb er 1917 zwei Lieder auf Texte aus dem Schi-king und nach Li-Tai-Pe, nach fünf Liedern auf altjapanische Texte für Altsolo und Kammerorchester (1918) im Jahr 1919 wiederum zwei Li-Tai-Pe-Gedichte und 1920 eine aus dem Japanischen übernommene »Bitte an den Hund«. Weitere Textdichter der frühen Eisler-Lieder waren Klabund, Matthias Claudius, Hans Bethge, Georg Büchner, Rainer Maria Rilke und Christian Morgenstern. Daneben stand schon vor 1923 ein expressionistischer Opernentwurf auf einen eigenen Text. Eisler, der in seinen frühen Berliner Jahren als Schriftsteller besonders Heinrich Heine und dessen Verächter Karl Kraus schätzte, legte 1926/27 seinem »Tagebuch« und den »Zeitungsausschnitten« meist eigene Texte zugrunde. Die »Zeitungsausschnitte«, darunter ein »Kinderlied aus dem Wedding«, ein »Liebeslied eines Kleinbürgermädchens« und ein »Kriegslied eines Kindes«, führen in alltäglichen Redewendungen mit sprachlichem Witz verschiedene soziale Haltungen vor und entlarven dabei den Gegensatz von Schein und Sein, zwischen bürgerlicher Verhaltensnorm und ihr entgegengesetzten Motivationen. »Mit ihm setzt eine neue Epoche der Liedkomposition ein (den analogen Weg für die Oper fand Kurt Weill), eine Epoche der Antilyrik, der bewußten Tendenz zum Allgemeinen«, schrieb Stuckenschmidt über den Liedzyklus.[18] Die atonalen Lieder zeigen nicht nur textlich, sondern auch schon musikalisch Eislers kritisch kommentierende Haltung, den »plebejischen Blick von unten«. Ähnliches gilt für die Vier Stücke für gemischten Chor op. 13, die in eine an George Grosz erinnernde sozialkritische Montage aus Gesprächsfetzen von Kurfürstendamm-Passanten einmünden. Als Autor von literarischen Texten ist Eisler nach Beginn seiner Zusammenarbeit mit Brecht nur noch sporadisch hervorgetreten, am bedeutsamsten in den frühen fünfziger Jahren mit dem Libretto zum Opernprojekt *Johann Faustus*. Wie intensiv und weitläufig sein literarisches Interesse jedoch war[19], das sollte bald auch Brecht zu spüren bekommen.

Eislers Textautoren vor Brecht

Brecht war nicht der erste Textautor, mit dem Eisler zusammenarbeitete. Durch Egon Erwin Kisch, mit dem er entfernt verwandt war[20], hatte er den Lyriker Robert Gilbert kennengelernt. Dessen Vater, der Operetten-komponist Jean Gilbert (1879–1942), war durch Schlager wie »Puppchen, du bist mein Augenstern« berühmt geworden; die Texte, die sein Sohn Robert für etwa 60 Operetten, darunter *Im weißen Rößl* und *Zwei Herzen im Dreivierteltakt,* und für über 100 Tonfilme, darunter *Der Kongreß tanzt* und *Die drei von der Tankstelle,* schrieb, waren nicht minder populär. Robert Gilbert betrachtete diese Operetten- und Tonfilmarbeiten jedoch nicht als sein »eigentliches« Schaffen. Er hatte Literatur und Philosophie studiert, und sein Herz schlug links. Wie sein literarisches Vorbild Heinrich Heine kannte Gilbert die Schizophrenie von Kommerz und Politik und versuchte das eine mit dem anderen zu verbinden. Die Geldsummen, die er durch die Operette *Im weißen Rößl* (1930) verdiente, gab er teilweise an die KPD weiter. In seiner Berliner Villa konnte man viel linke Prominenz antreffen, so Lenins Mitarbeiter Karl Radek, Eislers Schwester Ruth Fischer, Egon Erwin Kisch oder Hanns Eisler.[21] Robert Gilberts Liedtexte waren in der Weimarer Republik so bekannt wie Volkslieder; wie bei echten Volksliedern blieb auch ihr Verfasser der Öffentlichkeit verborgen. »In den zwanziger und frühen dreißiger Jahren hat ganz Deutschland seine Lieder gesungen, die man damals Schlager nannte«, schrieb Hannah Arendt, »doch der Autor dieser Lieder war nur den Experten der Vergnügungsindustrie bekannt.«[22]

Robert Gilbert war nicht nur Schlagertexter, sondern auch Zeitlyriker, politischer Dichter und Satiriker. Zu Unrecht fehlt sein Name in den Literaturgeschichten, wo er neben Kästner, Tucholsky und Walter Mehring stehen müßte. Daß seine Zusammenarbeit mit Hanns Eisler, anders als die mit den Komponisten Werner Richard Heymann (»Das gibt's nur einmal – das kommt nie wieder«), Oscar Straus, Ralph Benatzky, Friedrich Hollaender und Robert Stolz, fast unbekannt ist, liegt daran, daß er seine Texte für Eisler unter dem Pseudonym David Weber veröffentlicht hat. Das erste gemeinsame Projekt, die im April 1927 begonnene Oper *150 Mark* (Titelvariante: *Moritz Meyer*), die karikierend proletarisches und bürgerliches Milieu gegenüberstellen sollte, blieb Fragment. Mehr und mehr entwickelte Eisler Skepsis gegenüber satirischen Mitteln.[23] Ein wichtiger Auslöser für seinen Übergang zu einem stärker kämpferischen Ton war das Massaker der Wiener Polizei am 15. Juli 1927 vor dem Justizpalast.

86 Arbeiter hatten dabei den Tod gefunden. Ihnen widmete Eisler sein Chorstück »Gesang der Besiegten« aus op. 13.[24] Die Kompositionen, die danach auf Texte David Webers beziehungsweise Robert Gilberts veröffentlicht wurden, der gemischte Chor »Auf den Straßen zu singen« op. 15, die Radio-Kantate »Tempo der Zeit« op. 16, der Männerchor »An Stelle einer Grabrede« op. 17, die »Ballade von der Krüppelgarde« op. 18,1, die »Ballade vom Nigger Jim« op. 18,2 sowie das populär gewordene »Lied der Arbeitslosen« (Stempellied), schlugen einen aggressiven Ton an. Gerade im Stempellied (»Keenen Sechser in der Tasche, bloß den Stempelschein . . .«) zeigte sich Gilberts erstaunliche Fähigkeit, Berliner proletarischen Alltagsjargon zu verarbeiten.

Ein weiterer bekannter Autor, mit dem Eisler schon vor Brecht kooperierte, war Franz Jung. Der Regisseur Erwin Piscator, der Begründer des politischen Theaters, sah in Jung, der nach einem Ökonomiestudium bei den expressionistischen Zeitschriften »Die Aktion« und »Der Sturm« mitarbeitete, der 1918 einem Arbeiter- und Soldatenrat beitrat, 1921 am mitteldeutschen Aufstand teilnahm und 1921–23 in Sowjetrußland für den Wiederaufbau der Wirtschaft wirkte, der Funktionär der »Internationalen Arbeiterhilfe« wurde und daneben auch immer publizistisch hervortrat, den wirklichen politischen Überwinder des Expressionismus. Schon 1920/21 wurden an Piscators »Proletarischem Theater« Jungs Dramen *Wie lange noch?* und *Die Kanaker* aufgeführt. In der Wohnung dieses ungestümen Tatmenschen, der später allerdings die Arbeiterbewegung verließ, wohnte Hanns Eisler im Jahre 1927 für einige Monate. Im Januar 1928 führte das Piscator-Studio Jungs Drama *Heimweh* (Regie: Leonard Stekkel, Bühnenbild: John Heartfield) mit Musik von Eisler auf.[25] Es war dies seine erste Bühnenmusik.

Musiker an der Piscator-Bühne

Hauskomponist am Piscator-Theater war allerdings nicht Eisler, sondern der Wiener Edmund Meisel (1894–1930). Schon früh war er mit seinen Eltern in die preußische Hauptstadt gekommen. Nach einem Studium an der privaten Musikschule John Petersen debütierte er 1920 als Dirigent beim Blüthner-Orchester. Dirigierte er dort Werke von Wagner und Strauss, so war sein erster Beitrag für Piscator von sehr entgegengesetzter Natur: Für die »Revue Roter Rummel«, die im Auftrag der KPD für den Wahlkampf 1924 entstand und eine ganze proletarische Revuebewegung auslöste[26], ließ er das Orchester vor allem bekannte Arbeiterlieder spielen. Ein Jahr später karikierte er in der historischen Revue »Trotz alledem« (Regie: E. Piscator, Bühnenbild: John Heartfield) vaterländische Gesänge. 1926 schrieb er zu Schillers *Die Räuber,* die Piscator an den Münchner

Kammerspielen inszenierte, eine – so der Kritiker Herbert Jhering – »aufpeitschend großartige Musik (...), die die Revolution nicht als dankbare Pièce, sondern als Erlebnis bringt.«[27] Noch aufpeitschender wirkte im gleichen Jahr Meisels berühmte Musik zum Eisenstein-Film *Panzerkreuzer Potemkin*, die die stärksten Wirkungen hervorrief, wenn sie mit reichem Schlagwerk rhythmisch synchron das Stampfen der Soldaten oder das Rattern der Schiffsmaschinen verstärkte, wenn sie laut wurde. Die Prometheus-Filmgesellschaft, Meisels Auftraggeber, meldete an Eisenstein, daß die Musik »in Verbindung mit den Bildern auf der Leinwand auf die Zuschauer derart wirkte, daß dieselben sich vor innerer Erregung an den Stühlen festhalten mußten.«[28] Die Idee, daß die Musik die Hörer fesseln, sie erschüttern solle, war spätromantischen Ursprungs. Trotz des Einsatzes neuer, auch geräuschhafter Klangmittel war Meisel in seinen musikdramaturgischen Vorstellungen eher ein Konservativer. Die Lautstärke, die er meist einsetzte, wirkte auf die Dauer ermüdend. Auch der zunächst enthusiastische Jhering nannte 1928 Meisels Musik zur Piscator-Inszenierung *Singende Galgenvögel* (Upton Sinclair) nur noch »stumpfe Bumsmusik«.[29] Anläßlich von Eisensteins Film *Zehn Tage, die die Welt erschütterten* schrieb er: »Meisels monotone Musik stumpfte die Nerven ab.«[30]

Meisels Musik zur Schweyk-Premiere am 23. Januar 1928 im Theater am Nollendorfplatz war zurückhaltender. Emil Faktor lobte in der »BZ«: »Meisels Begleitmusik hielt erfreulich Distanz in sinngemäßer Mitarbeit.« Monty Jacobs schrieb in der »Morgenpost«, Edmund Meisels Musik sei leiser und eindringlicher geworden, »seitdem sie vor dem Lärm der Instrumente bei den Schallplatten Zuflucht gefunden hat«. Die größere Zartheit und Distanz der Musik war vielleicht nicht bloß eine Sparmaßnahme, sondern eine Auswirkung der dramaturgischen Mitarbeit Brechts. Schon Meisels Musik für die Berliner Funkversion von *Mann ist Mann* war im März 1927 auch von Weill gelobt worden.[31]

Deutlicher war Brechts musikalischer Einfluß bei der nächsten Piscator-Produktion, Leo Lanias[32] Stück *Konjunktur,* das am 10. April 1928 Premiere hatte. In diesem Fall schrieb Kurt Weill die Musik. Es war seine erste Musik für Piscator. Dabei dürften auch Elemente aus dem »Ruhrepos« weiterverwendet worden sein.[33] Brecht hatte Piscator schon im August 1927 Weill als einen möglichen Mitarbeiter eines künstlerisch-politischen Kollektivs vorgeschlagen.[34] Anscheinend setzte er damals noch auf Weill nicht nur künstlerische, sondern auch politische Hoffnungen.

Weill, der sich im August 1927 in einem Brief an seinen Verleger von der einseitigen politischen Festlegung des Piscator-Theaters distanziert hatte, schrieb nach *Konjunktur* keine weitere Bühnenmusik für die Piscator-Bühne. Es gab dazu auch wenig Gelegenheit. Denn schon im Juni 1928, zwei Monate nach dem Erfolg der *Dreigroschenoper,* machte die Piscator-

Bühne bankrott, weil von ihr plötzlich große Summen Vergnügungssteuer verlangt wurden. Günther Weisenborns Stück *U-Boot S 4,* das ursprünglich für das Piscator-Studio vorgesehen war, mußte daraufhin an der Volksbühne aufgeführt werden. Im März 1929 brachte Piscator wieder ein Stück heraus, jedoch im Theater an der Königgrätzer Straße. Es war *What Price Glory?* von Maxwell Anderson und L. Stallings; die Bühnenmusik hierzu schrieb der Schönberg-Schüler Walter Goehr (1903–1960), der schon zuvor für Baden-Baden Carl Zuckmayers amerikanisches Liederbuch »Pep« vertont hatte.

Schon bald darauf war es Erwin Piscator möglich, sein Theater am Nollendorfplatz wieder zu eröffnen. Die erste Produktion dieser sogenannten Zweiten Piscator-Bühne war Walter Mehrings *Der Kaufmann von Berlin.* Die Musik stammte von Hanns Eisler, für den die Produktion durch die Begegnung mit dem Schauspieler und Sänger Ernst Busch eine besondere Bedeutung bekam. Am Schluß des Stücks stand der »Abgesang der Straßenkehrer«, bei dem zum Entsetzen konservativer Kreise Weltkriegssoldaten auf den Kehricht geschoben wurden.[35] Da die von rechts bekämpfte Produktion mit ihrem Riesenaufwand an Schauspielern und Statisten mehr Geld verschlang, als sie einbrachte, mußte sie nach etwa 30 Aufführungen abgesetzt werden. Schon im Oktober 1929 wurde die Piscator-Bühne erneut geschlossen, diesmal endgültig.

Agitprop-Erfahrungen

Um einen möglichst direkten Kontakt zu einem Arbeiterpublikum zu finden, war Eisler im November 1928 als Komponist, Klavierspieler und Dirigent der Berliner Agitproptruppe *Das Rote Sprachrohr* beigetreten. Die Gruppe hatte sich nach dem Vorbild der Moskauer »Blauen Blusen« gebildet, die 1927 bei einer Deutschlandtournee große Erfolge vor Arbeitern erzielt hatten; ein weiteres Vorbild war Piscators politisch-satirische »Revue Roter Rummel« von 1924. Seit 1927 wuchs die von der KPD geförderte Agitproptruppenbewegung, an der unter anderem auch Béla Bálasz, Louis Fürnberg, Andor Gabor, Wolfgang Langhoff, Berta Lask, Hans Marchwitza, Ludwig Renn, Gustav von Wangenheim und Friedrich Wolf mitwirkten, sprunghaft an. Eisler gehörte bis Anfang 1929 zum »Roten Sprachrohr«, der ersten und wichtigsten Agitproptruppe des Kommunistischen Jugendverbands (KVJD), und lernte dabei unter der Leitung Maxim Vallentins die Notwendigkeit kollektiver Arbeit kennen sowie den Zwang, auch mit einfachsten Mitteln auszukommen. 1928 entstand das Stück *Hallo, Kollege Jungarbeiter!,* in dem auf neue Weise ein Sprechchor die szenische Darstellung kommentierte und sich mit Appellen direkt an die Zuschauer wandte.[36] Die Musik, die Eisler für ein Sieben-Mann-

Orchester dazu schrieb, gefiel dem Rezensenten der »Roten Fahne« besser, »als was man je von Meisels und so weiter gehört«.[37] Während diese Komposition verlorenging, verbreitete sich eine andere Komposition Eislers für das »Rote Sprachrohr«, sein »Kominternlied« (Text: Franz Jahnke/ Maxim Vallentin), in der ganzen Welt.

Die Erfahrungen mit der Agitproparbeit verhalfen Eislers Musiksprache spürbar zu noch größerer Durchschlagskraft und Massenwirksamkeit. Dies gilt auch für seine erste Brecht-Vertonung, die *Ballade vom Weib und dem Soldaten*, die im Frühjahr 1928 parallel zur szenischen Musik zu *Hallo, Kollege Jungarbeiter!* entstand. Die Ballade gehörte zu Lion Feuchtwangers Stück *Kalkutta, 4. Mai,* an dem Feuchtwanger und Brecht schon 1925 zusammengearbeitet hatten. Damals, im November 1925, hatten Brecht und Bruinier gemeinsam die Ballade, die zunächst noch »Weib und Soldat« hieß, komponiert.[38] An diese Vorarbeiten knüpfte Eisler, den Brecht an Feuchtwanger empfohlen hatte, an.[39] Die Melodie lautet bei Bruinier:

Bei Eisler:

Die dreiteilige Kolonialgeschichte, die am 12. Juni 1928 in der Regie von Erich Engel am Staatstheater herauskam, war kein Erfolg. Lion Feuchtwanger hielt aber Eislers Bühnenmusik auch im Rückblick noch für »eine aufregend gute Musik«.[40] Die »Ballade vom Weib und dem Soldaten«, seine erste Brecht-Vertonung, gehört bis heute zu den meistaufgeführten Brecht-Liedern. Schon um 1930 entstand eine erste Schallplattenaufnahme mit Ernst Busch als Sänger und Eisler als Dirigenten.[41]

Anzumerken ist Eislers Agitproperfahrung auch dem »Vorspruch« aus den Vier Stücken für gemischten Chor, dem Demonstrationschor »Auf den Straßen zu singen« und der Kantate *Tempo der Zeit*, die sich im Juli 1929 bei den Baden-Badener Kammermusiktagen schärfer als Brecht-Weills *Lindberghflug* mit der Problematik des technischen Fortschritts im Kapitalismus auseinandersetzte. Thematisch knüpfte Eisler dabei an sein fragmentarisches Agitpropspiel *Hallo! Sie fliegen!* vom April 1928 an. Wie der Kritiker Eberhard Preussner damals anerkennend hervorhob, hatte Eisler sein Zielpublikum gefunden: »Am leichtesten kann man sich bereits vorstellen, an welchen Hörerkreis Hanns Eislers Kantate für den Rundfunk ›Tempo der Zeit‹ denkt, nämlich an die Schichten, die ›das schöne Tempo schaffen, aber kaum haben können‹. Wie alles aus Eislers jüngster Zeit wird die Musik in den Dienst scharfer sozialer Anklagen gegen diese Zeit gestellt. In einer lebendigen, eindringlichen Form wendet sich diese Kantate an den Hörer, vermeidet alle billigen Effekte und musiziert gegen Tempo und gesellschaftlichen Schlager. Hanns Eisler, eine der größten Hoffungen der jungen Volksmusik, kann es sich leisten, das Lied vom Tempo *nicht* im Tempo der Zeit zu schreiben. Absichtlich nannte ich Eislers Kantate vor der Verherrlichung des Lindberghfluges. Denn dort herrschte noch kein ›Einverständnis‹.«[42] Kaum bekannt ist, daß im Mai 1932 der Südwestfunk Frankfurt in Zusammenarbeit mit dem Landestheater Darmstadt unter der musikalischen Leitung von Hans Schmidt-Isserstedt Eislers Rundfunkkantate zur szenischen Uraufführung brachte. Regie führte Ernst Schoen, der auch die eigene Rundfunkkantate »Der Tag des Herrn Karl« beisteuerte. Sein Regiekonzept war offensichtlich durch Brechts Vorführung des *Lindberghflugs* beeinflußt, denn wie in Baden-Baden wurde auch in Darmstadt die Bühne zweigeteilt und das Musizieren sichtbar vorgeführt. Schoens Zielsetzung war dabei, wie Karl Holl in der »Frankfurter Zeitung«[43] schrieb, die Vermittlung von Funk und Bühne: »Hier wurde nicht nur die Szene, sondern auch die Aufgabe selbst aktuell, die Frage nach der Möglichkeit einer Zwischengattung zwischen Funk- und Bühnenspiel brennend. Die Bühne war jeweils geteilt in eine funkische Hälfte, in der die akustische Wiedergabe mit betonter Realistik vor sich ging – man sah Orchester, Chor, Solisten und andere Betriebsfunktionäre bei der Arbeit –, und in eine theatralische Hälfte, in der das, was dort gesungen wurde und gemeint war, als Tanz, Pantomime und Lichtbild versinnbildlicht wurde. Als Manager, als Vermittler zum Publikum hin, zugleich als ein Element kritischer Auseinandersetzung wirkte der Ansager. Beide Stücke laufen auf bewußtes Lehrspiel, auf bewußt aufklärerische Wirkung hinaus; das von Schoen auf die amüsante Entlarvung eines Spießbürgers modern-mechanisierter Prägung, das von Eisler auf die tragisch-ironische Darstellung des Mißverhältnisses zwischen den technischen Errungenschaften des Verkehrs und deren Verwertbarkeit für die Masse Mensch.«

Brecht, Eisler, Weill und die Arbeitersängerbewegung

Noch 1928 galten Eisler und Weill – sie waren eine Zeitlang auch gemeinsam Mitglieder der linksbürgerlichen »Novembergruppe« – als in ihren Kunstanschauungen verwandte Geister. Stuckenschmidt charakterisierte damals die beiden Komponisten so: »Dieser Weill, der arrivierteste seiner Generation, hat sich als Erster zu einem musikalischen Aktivismus entschlossen, dem das, was in der Musik ausgedrückt wird, ebenso wichtig ist wie diese selbst. Der Oper hat er neue, die Gegenwart bejahende Ziele gesetzt, die durch den schlagenden Erfolg besiegelt wurden. Ihm steht ideologisch am nächsten Hanns Eisler, in der Gruppe Vertreter der Schönberg-Schule. Sein politischer Elan, seine Abneigung gegen bürgerliche Musikbetrachtung, seine handwerkliche Meisterschaft ergeben eine Musik von so neuartiger Qualität, daß wir von ihm die Bewältigung des großen Problems ›Proletarische Kunst‹ erwarten können.«[44] Die Gemeinsamkeit war jedoch nur von kurzer Dauer. Eisler trat bald aus der Gruppe aus, weil sie ihm politisch zu unverbindlich erschien. Den Anschluß an die Arbeiterbewegung fanden auch weitere Mitglieder der Novembergruppe, so neben Hermann Scherchen, Heinz Tiessen und Jascha Horenstein die Komponisten Wladimir Vogel, ein Busoni-Schüler wie Weill, und Stefan Wolpe. Weill hingegen, wenngleich er theoretisch die Bedeutung der Arbeiterchöre anerkannte, vollzog diesen Schritt nicht. Er blieb weiterhin der Schöpfer linksbürgerlicher Experimente; zwar suchte er ein Massenpublikum, jedoch außerhalb der organisierten Arbeiterbewegung.

Parallel zur Arbeiterbewegung hatte sich im 19. Jahrhundert die Arbeitersängerbewegung entwickelt, deren politische Bedeutung vor allem während der Sozialistenverfolgungen wuchs. Für die Arbeitergesangsvereine, die häufig sogar den wichtigsten organisatorischen Rückhalt der Arbeiter bildeten, entstanden zahlreiche politische Lieder, wobei sich auch so bekannte Komponisten wie Franz Liszt, Hans von Bülow oder der junge Arnold Schönberg beteiligten.[45] In ihrem Wechsel von revolutionären und reformistischen Impulsen, von Erneuerung und Anpassung an bürgerliche Bildungsideale ist die Geschichte der Arbeitersängerbewegung ein Abbild der unterschiedlichen Strömungen innerhalb der Arbeiterbewegung. Nach einem Rückgang während des Ersten Weltkriegs hatte der Deutsche Arbeitersängerbund (DAS) im November 1919 wieder den Vorkriegsstand von 108 000 Mitgliedern erreicht[46]; bis 1929 konnte er seine Mitgliederzahl auf 280 000 steigern. Damit war der DAS »die mächtigste Arbeiterkulturorganisation der kapitalistischen Welt«.[47] Unter Dirigenten wie Hermann Scherchen, Jascha Horenstein, Anton Webern, Heinz Tiessen und Ottmar Gerster hatten viele Arbeiterchöre ein technisch hohes Niveau erreicht, was allerdings auch den Ehrgeiz förderte, den großen bürgerlichen Oratorienvereinen nachzueifern. Besonders deutlich dokumentierte sich die Verbürgerlichung des DAS beim Ersten Deutschen Arbeiter-Sängerbundesfest, das vom 16. bis 18. Juni 1928 in Hannover stattfand; auf dem Programm standen neben zwei »sozialistischen Kantaten«[48] vor allem die klassischen Oratorienwerke: Händels *Judas Maccabäus,* Haydns *Jahreszeiten,* Beethovens *Missa solemnis* und Verdis *Requiem.* Der sozialdemokratische Reichstagspräsident Paul Löbe dankte den in Hannover versammelten Arbeitersängern: »Ihr Lied gemahnt an das große, ideale, hohe Ziel, dem wir letzten Endes doch alle dienen wollen, das Ziel der Religion der Menschenliebe.« Gegenüber den politischen Inhalten hatte bei den Arbeitersängern die Musik die Vorherrschaft gewonnen, auch der Stolz, nun endlich das bürgerliche Erbe antreten zu dürfen und damit zu »Höherem« aufzusteigen; die seit 1848 veränderten politischen Bedingungen wurden dabei ausgeblendet. Bewundernd meinte sogar Siegfried Ochs, im bürgerlichen deutschen Chorwesen über Jahrzehnte der führende Dirigent[49], daß die Arbeiterchöre des DAS »heute an der Spitze der ganzen Chorsingerei stehen. Das liegt vor allem daran, daß die Mehrzahl unserer großen bestehenden bürgerlichen Gesangsvereine verschlampt sind bis dorthinaus. Ich kenne in ganz Deutschland keine zehn Vereine, von denen ich das nicht sagen könnte. Aus Ihren Chören aber spricht Kraft, Begeisterung, Idealismus.«[50] Abschließend kam Ochs zu dem bemerkenswerten Urteil: »Die Zukunft des gemischten Chorsingens in Deutschland hängt heute ganz und gar von Arbeiterchören ab.« Dies ist um so bemerkenswerter, als der bürgerliche »Deutsche Sängerbund« damals etwa eine Million Mitglieder umfaßte.[51]

Der Entpolitisierung des DAS stellten sich politisch bewußte Sänger, die oft der KPD nahestanden, entgegen. Sie kritisierten die vorherrschende Anlehnung an die sozialdemokratische »schwarz-rot-goldene Volksgemeinschaft«[52] sowie die einseitige Orientierung an traditionellen bürgerlichen Konzertidealen. Der Klassenstandpunkt würde dadurch preisgegeben. Zu den Wortführern dieser Opposition gehörte Hanns Eisler, der mit seinen neuartigen Chorwerken für Diskussionen innerhalb des DAS sorgte. In einem Beitrag »Geschichte der deutschen Arbeitermusikbewegung«, den Eisler 1933/34 im Exil schrieb, heißt es: »Diese Gegensätze zwischen den reformistischen und revolutionären Arbeitersängern begannen in den Debatten über die Chorwerke Hanns Eislers. Die Eigenart dieser Chöre bestand darin, daß sie, ohne die Konzertform zu zerbrechen, durch die Radikalisierung ihrer politischen und musikalischen Inhalte den Widerspruch zwischen der revolutionären Aussage und der Konzertform deutlich machten.«[53] So beginnt etwa der »Vorspruch« aus den Vier Stükken für gemischten Chor op. 13 mit den Worten: »Werte Anwesende! Wir singen heute nicht, was Sie zu hören gewohnt sind. Sie brauchen nicht zu erschrecken! Wir singen heute etwas ganz anderes!« Der Komposition liegt die »falsch« harmonisierte »Internationale« zugrunde – eine Erinnerung an die von vielen Arbeitersängern bereits verdrängte Klassenfrage.

Eisler war mit seinen Chorkompositionen sehr erfolgreich. Als am 27. Januar 1929 der aus Arbeitern bestehende Berliner Schubert-Chor unter seinem neuen hochqualifizierten Leiter Karl Rankl[54] – er war Schönberg-Schüler gewesen und jetzt Dirigent bei Klemperer an der Krolloper – Eislers »Vorspruch« und »Naturbetrachtung« aus op. 13 sowie »Bauernrevolution« und »Kurze Anfrage« (Lied der Arbeitslosen) aus op. 14 uraufführte, schrieb Rudolf Kastner in der »Morgenpost« über die »Bauernrevolution«: »Dieser Chor verdient einen musikalischen Kleist-Preis, gäbe es einen.«[55] Im »Börsen-Courier« war zu lesen: »Die Musik hat eine außerordentliche Kraft, sie ist in der melodischen Führung plastisch, im Harmonischen neuartig und interessant. Eisler sagt sich mit diesen Stücken völlig von der Esoterik des Schönbergkreises los und gelangt zu einer greifbaren, formal klar disponierten Haltung.«[56] Die Resonanz war so positiv, daß der Schubert-Chor die Eislerschen Kompositionen am 14. Juni 1929 im Rahmen der Berliner Festspiele bei einem außerordentlichen Festkonzert der Internationalen Gesellschaft für Neue Musik in der Berliner Singakademie wiederholen mußte. Die »Musik für Arbeiter« bildete hier die zweite Programmhälfte nach einem anspruchsvollen Kammermusikprogramm, bei dem unter anderem Paul Hindemith (Bratsche), Friedrich Wilhelm Müller (Heckelphon) und Artur Schnabel (Klavier) Hindemiths Heckelphon-Trio op. 47 zur Erstaufführung brachten. Klaus Pringsheim[57] berichtete im »Vorwärts«: »Diese ›Bauernrevolution‹ hat nun auch vor einer Hörerschaft der Musikfachwelt als Elementarereignis eingeschlagen; sie mußte zweimal gesungen werden, es war der große Erfolg des Abends.« Nicht die von renommierten Künstlern gespielten Kammermusikwerke Jarnachs, Hindemiths und Pfitzners, sondern die von Arbeitersängern gesungenen Chorwerke Eislers errangen den stärksten Beifall, und dies vor einem Fachpublikum, in dem sich Igor Strawinsky, Darius Milhaud, Arnold Schönberg, Ernest Ansermet, Otto Klemperer, Erich Kleiber, Fritz Stiedry und fast alle wichtigen jüngeren Komponisten befanden.[58] »Mit aufrichtiger Bewunderung, in die sich fast ungläubiges Staunen mischte« (Klaus Pringsheim), nahm man die Leistung der Arbeitersänger zur Kenntnis. Schönberg antwortete auf Eislers Kompositionen musikalisch: mit seinen Männerchören op. 35.[59]

Keine dieser Chorkompositionen Eislers basierte auf Texten von Brecht. Dieser war bis 1930 einem breiten Publikum vor allem als Autor der *Dreigroschenoper* bekannt; bei Arbeitern galt er als leicht versnobter, anarchistisch angehauchter bürgerlicher Intellektueller. Er hatte sich zwar theoretisch mit dem Marxismus befaßt, besaß aber noch keine Kontakte zu Organisationen der Arbeiterklasse. Anders als Eisler, der es gewohnt war, vor einem Massenpublikum zu sprechen oder Klavier zu spielen, anders auch als der durch Vorträge seiner Sprechdichtung sehr populäre Erich Weinert, der die Texte zu Eislers Kampfliedern »Roter Wedding« und »Heimlicher Aufmarsch« schrieb, wirkte Brecht vor größeren Menschenmengen scheu und unbeholfen. Er war kein Volksredner. Am liebsten waren ihm kleine Gruppen – Gruppen von der Größe seiner früheren Augsburger Clique. Daß er aber schließlich doch ein Arbeiterpublikum fand, daß ihn auch politisch engagierte Arbeiter schließlich als einen der Ihren akzeptierten, das verdankte er sehr wesentlich Eisler. »Ich war ... der Bote, der dem Brecht etwas mehr Praktisches von der Arbeiterbewegung mit-

teilte, was auf ihn, ein sehr empfindsamer Mann – ich sage ›empfindsamer Mann‹: nämlich für Haltungen empfindsam –, einen gewissen
Eindruck machte.«[60]
Brecht wird wohl auch beobachtet haben, wie unterschiedlich das Publikum auf Chorkompositionen Eislers und Weills reagierte. Eine Ver-
gleichsmöglichkeit ergab sich bei einem Konzert des Berliner Schubert-
Chores am 30. November 1929 im Konzertsaal der Berliner Musikhochschule. Von Weill wurden die Brecht-Chöre »Legende vom toten Solda-
ten« und »Zu Potsdam unter den Eichen«, beide ursprünglich aus dem
Berliner Requiem, uraufgeführt, von Eisler die beiden Männerchöre »Der
Streikbrecher« (Joe Hill) und »An Stelle einer Grabrede« (David Weber)
sowie der gemischte Chor »Auf den Straßen zu singen« (David Weber).
Dazwischen sang Lotte Lenya, begleitet von der Lewis-Ruth-Band, Songs
aus der *Dreigroschenoper* und aus *Happy End.* Sogar in der bürgerlichen
Presse erhielt Eisler die besseren Kritiken. Der Kritiker der »Vossischen
Zeitung« hob die Originalität Eislers hervor: »So geschickt gemacht, so
breit in der Massenwirkung auch die Weillschen Chöre nach Brechts
Worten sind, sie stehen an Originalität und Kraft des Erlebens den Eislerschen nach.«[61] Die Auffassung, daß Eislers Chöre stärker aktivierend wirken, weil sie eine proletarisch-revolutionäre Haltung zum Ausdruck bringen, vertrat auch die Zeitung »Berlin am Morgen«: »Während man bei
Hanns Eisler den wirklichen Kämpfer spürt, der durch seine Gesänge die
Massen aufpeitscht, hat man bei Kurt Weill doch nur das Gefühl der Auflehnung gegen etwas Unabänderliches, welcher Tendenz sich der songartige Rhythmus seiner Lieder durchaus anpaßt.«
Chöre Eislers und Weills wurden auch bei späteren Arbeiterkonzerten
noch gemeinsam aufgeführt, so 1930 beim ersten Musikabend der Interessengemeinschaft für Arbeiterkultur im Saalbau Friedrichshain[62] oder bei
einem Konzert mit »Proletarischer Kampfkunst« in der Großen Tonhalle
Düsseldorf.[63] Bei diesen Konzerten basierten die Weill-Kompositionen
vor allem auf Brecht-Gedichten, während den Chören Eislers andere
Autoren zugrunde lagen.
Eisler fand erst ab 1929 auch in Brecht-Texten die kämpferische Haltung,
die er mit seinen Chorkompositionen den Arbeitersängern und dem Arbeiterpublikum vermitteln wollte. Dann allerdings entstanden auch bald
schon gemeinsam entworfene aktuelle Gedichte. »Wir haben in den politischen Todeskampf eingegriffen! Gab es ein neues Ereignis, war der erste
Mann, der mich anrief, Brecht. ›Da müßten wir doch etwas ganz rasch
machen ...‹ Zum Beispiel über den berüchtigten § 218 hat Brecht eine
Ballade geschrieben und über den ›Osthilfe-Skandal‹.«[64] Bei der großen
Arbeitslosigkeit schrieben wir das ›Arbeitslosenlied‹.«[65] Daß Eisler dabei
auch in der Formulierung des Textes seine Agitproperfahrungen einbrachte, ist gerade dem »Arbeitslosenlied«, womit wohl Brechts Gedicht »Die-

se Arbeitslosigkeit«[66] gemeint ist, deutlich anzumerken. Wie eine Agitpropszene wirkt die ebenfalls dialogisch angelegte Ballade zum Paragraph 218 (»Herr Doktor ...«).[67] Eislers erste Brecht-Chöre, der 1929
komponierte Männerchor *Kohlen für Mike* op. 35 Nr. 1[68] und die Anfang
1930 geschriebene *Litanei vom Hauch* für gemischten Chor op. 21[69], basieren dagegen mehr auf Elementen der Kirchenmusik, die wie bei Brecht
weltlich umfunktioniert wurden.

Brechts »Liturgie vom Hauch« setzt sich, an Goethes Gedicht »Wanderers
Nachtlied« anknüpfend, mit dem deutschen Kleinbürgertum auseinander;
die Kleinbürger, die Brecht als »Vöglein im Walde« tituliert[70], meinen
sich von jeder Politik fernhalten zu können. Dieser Glaube erweist sich als
verhängnisvoller Irrtum. Eislers Vertonung ist ein Beitrag zu seiner Auseinandersetzung mit dem reformistischen Teil des Deutschen Arbeiter-
sängerbundes. Die »Vöglein im Walde« sind diejenigen Arbeitersänger,
die sich aus der sozialen Wirklichkeit in Liebes- und Waldesromantik zu-
rückzogen. Dem kleinbürgerlichen Isolationismus und Gruppenegoismus
stellt der Chor »Kohlen für Mike« das Beispiel proletarischer Solidarität
entgegen.

»Die Maßnahme«. Eisler als »Bote der Arbeiterbewegung«

Eislers erste Brecht-Chöre erreichten bei den Arbeitersängern keineswegs
die Popularität seiner Chöre »Bauernrevolution« oder »Auf den Straßen
zu singen«. Erst das Lehrstück *Die Maßnahme* bedeutete für Brecht einen
Durchbruch; erst mit ihm fanden Brecht-Texte in größerem Umfang und
mit breiter Wirkung Eingang in die Arbeitersängerbewegung.
Die Maßnahme gehört bis heute zu Brechts umstrittensten Stücken.[71]
Meist bezog sich die Ablehnung auf den Schluß, der allerdings nur dann
eine so große Bedeutung bekam, wenn das Stück als Schauspiel mißverstanden wurde. Brecht und Eisler konzipierten es jedoch ausdrücklich als
Lehrstück, das sich nicht an ein Publikum, sondern an die Mitwirkenden
richten sollte. Brecht sprach im Programmheft nicht von einer Konzert-
oder Theateraufführung, sondern von einer Veranstaltung.[72] Später formulierte er seine Absichten so: »Das Lehrstück lehrt dadurch, daß es gespielt, nicht dadurch, daß es gesehen wird. Prinzipiell ist für das Lehrstück
kein Zuschauer nötig, jedoch kann er natürlich verwertet werden.«[73] Wie
beim *Badener Lehrstück vom Einverständnis* handelt es sich bei der *Maßnahme* um einen Beitrag zur Überwindung der bürgerlichen Konzertform.[74]
Durch die Mitwirkung aller sollte die Trennung von Künstlern und Publikum aufgehoben und die Passivität der Hörer in Aktivität verwandelt
werden. Die zahlenmäßige Stärke der Arbeiterchöre machte es möglich,
daß bei der *Maßnahme* die Zahl der Mitwirkenden größer war als in Ba-

den-Baden beim *Lehrstück vom Einverständnis*. Außerdem konnte nun musikalische Schulung mit politischer Schulung verknüpft werden. Brechts Bemühungen um den musikalischen Laien, um die Aktivierung des Hörers, um die Umfunktionierung von Theater- und Konzertsaal, von Vergnügungs- in Lehrstätten[75] sowie um künstlerische Beiträge zu revolutionärer gesellschaftlicher Veränderung hatten ihm – vermittelt durch Eisler – mit zwingender Logik zu den Arbeitersängern geführt. Erst mit der Existenz solcher Gruppen wie der Arbeiterchöre, die zugleich politische wie künstlerische Kollektive sind, erhielt seine Lehrstück-Theorie[76] wirklichen Sinn.

Wie *Die Maßnahme* ohne Berücksichtigung der Lehrstück-Theorie nicht zu verstehen ist, so auch nicht ohne die Kenntnis der Entwicklung der deutschen Arbeitersängerbewegung; deshalb waren werkimmanente Interpretationen, die ohnehin der Brechtschen Wirkungsästhetik nur selten gerecht werden, bisher immer zum Scheitern verurteilt. Die Entwicklung der Opposition innerhalb des DAS und die Herausbildung der revolutionären Fraktion »Kampfgemeinschaft der Arbeitersänger« gehören zu den Voraussetzungen des Brecht-Eislerschen-Werks. Die Opposition im DAS verstärkte sich, als die Kommunistische Partei Deutschlands im Herbst 1929 beschloß, neben der Konzentration auf politische und wirtschaftliche Fragen »den Kampf auch an der dritten, an der Kulturfront aufzunehmen«.[77] Die Begründung mutet heute prophetisch an: »Die immer brutaleren Vorstöße der Kulturreaktion[78] sind nur ein Teil der Vorbereitungen für den imperialistischen Krieg gegen die Sowjetunion und für die Entwicklung der faschistischen Diktatur.«[79] Am 13. Oktober 1929 fand in Berlin die öffentliche Gründungsfeier der »Interessengemeinschaft für Arbeiterkultur (Ifa)« statt, die als Dachorganisation für alle revolutionäre Kulturarbeit dienen sollte; Otto Nagel sprach bei dieser Gelegenheit für die bildenden Künstler, Hanns Eisler für die Musiker, Kurt Kläber für die Schriftsteller und Erwin Piscator für das Theater. Brecht trat nicht als Redner auf. Er begann sich aber immer mehr für kommunistische Kulturpolitik zu interessieren, seit seine Mitarbeiterin Elisabeth Hauptmann 1929 der KPD beigetreten war.

Nach dem Zeugnis von Elisabeth Hauptmann entstand bereits in Augsburg, also im Oktober oder November 1929, die erste Szene des neuen Stücks.[80] Im Zentrum dieser Szene »Der Stein« steht ein junger Genosse, der Mitleid mit hungernden Arbeitern empfindet; wie Lilian Holiday aus *Happy End* lindert er spontan die Not, steht damit einer grundlegenden Hilfe jedoch im Wege.

Mit der *Maßnahme,* die als Konsequenz von *Happy End,* vor allem aber als Antwort auf den *Jasager* entstand, begann die enge Zusammenarbeit von Brecht und Eisler. Sie besaß eine neue Qualität: Hatte die Zusammenarbeit mit Weill fast ausschließlich Fragen der Dramaturgie und der Musik betroffen, so kamen bei der *Maßnahme* kulturpolitische und allgemeinpolitische Fragestellungen hinzu. Dabei zeigte Brecht große Bereitschaft, von Eisler, dem »Boten der Arbeiterbewegung«, zu lernen. Diese Lernbereitschaft des Stückeschreibers machte auf den Komponisten großen Eindruck: »Brecht war nicht nur ein großer Lehrer, sondern auch ein großer Lerner. Die Genialität Brechts ist, daß er von allen lernen konnte. Er konnte zum Beispiel mitten in den hitzigen Debatten über seine Sache produzieren. Ich bin doch jeden Tag ein halbes Jahr von neun Uhr vormittags bis ein Uhr mittags in seiner Wohnung gewesen, um die ›Maßnahme‹ zu produzieren, wobei der Brecht gedichtet und ich jede Zeile kritisiert habe.«[81]

Eislers Textkritik, die ebensosehr inhaltlich-politische wie sprachliche oder musikalisch-rhythmische Fragen betroffen haben wird, wurde von Brecht, dem ständig Lernenden und stets produktiv Zweifelnden, nicht als Irritation, sondern als Anregung empfunden. »Ein anderer hätte mich entweder herausgeworfen oder hätte gesagt: ›Hören Sie zu, ich kann so nicht arbeiten!‹ Brecht hat das zum Arbeiten angeregt. Das Erstaunliche war, daß diese Debatten, dieser lebendige Widerspruch, den er in seinem Zimmer sitzen hatte, ihn anregte.«[82] Brecht brauchte diesen lebendigen Widerspruch. Nicht zuletzt durch die Vermittlung Eislers, der bei den Agitproptruppen Erfahrungen mit politisch funktionaler Musik und in eigenen Kursen an der Marxistischen Arbeiterschule mit materialistischer Musikgeschichtsbetrachtung gesammelt hatte, kam es zu dem bekannten »Entwicklungssprung im weltanschaulichen Denken Brechts«.[83]

Im ersten Entwurf der *Maßnahme* ist der Bezug auf das japanische No-Stück noch deutlich zu erkennen; Brecht gab diesem Entwurf die Überschrift »Der Jasager (Konkretisierung)«. Die drei Studenten sind durch drei Agitatoren ersetzt, die im Auftrag Moskaus die chinesische Revolution unterstützen. Im Zentrum des Stücks steht die Agitation, die Vermittlung marxistischer Theorie an die Massen; Ziel dieser Agitation ist es, zur Befreiung der Arbeiter beizutragen. Den drei Agitatoren schließt sich ein Knabe an, der »für die Weltrevolution« nicht nur die Schriften von Karl Marx studiert und Chinesisch gelernt, sondern auch – ein erneuter Beleg für Brechts Rundfunkhoffnung – einen Radioapparat gebaut hat.[84] Im Verlauf der Arbeit entfernte sich das Stück immer mehr vom *Jasager* und gewann eigene Konturen. Aus dem Knaben wurde ein junger Mann, ein junger Genosse, der allerdings durch sein idealistisches, gefühlsbetontes Handeln die schwierigen illegalen Aktionen in China gefährdet. Die übergeordnete Vernunft der politischen Planung und das spontane Gefühl des noch unerfahrenen jungen Genossen stehen im Widerspruch zueinander. Gezeigt wird – ein typisch Brechtsches Thema! – die Schädlichkeit allzu emotionalen Verhaltens.

Daß die Handlung vom Alt-Japan des *Jasagers* ins moderne China verlegt wurde, erklärt sich daraus, daß China um 1930 im Zentrum des Interesses der Linken stand. Gerade Hanns Eisler besaß ein persönliches Interesse am Reich der Mitte: Sein Bruder Gerhart arbeitete dort von 1929 bis 1931 als Beauftragter der Kommunistischen Internationale.[85] Die Lage für die Kommunisten in China war sehr kompliziert geworden, da die Einheitsfront zwischen nationalchinesischer Kuomintang und Kommunisten, die 1923 in einem Abkommen zwischen Sun Yatsen und Adolf Joffe besiegelt worden war, seit 1927 vom rechten Flügel der Kuomintang unter Tschiang Kai-schek massiv bekämpft wurde. Daß sich schließlich auch der linke Kuomintang-Flügel von den Kommunisten trennte, erklärte Mao Tse-tung mit dem schwankenden Opportunismus der KP-Führung sowie der Wankelmütigkeit des obersten politischen Beraters aus Rußland.[86] Nach dem Bruch der Einheitsfront wurden die Kommunisten gewaltsam verfolgt und in großer Zahl umgebracht; die Mitgliedschaft der Kommunistischen Partei schmolz um vier Fünftel auf etwa 10 000 zusammen. Führende sowjetische Berater, die zuvor beim Aufbau der Kuomintang und der chinesischen Armee eine wichtige Rolle gespielt hatten, kehrten in die UdSSR zurück. Unter den nunmehr illegal im Untergrund operierenden Kommunisten herrschte Uneinigkeit über die weitere Taktik. Während Mao Tse-tungs bäuerliche Rätebewegung die größte Hoffnung auf die Bauern setzte, forderte die Li-Li-san-Linie des Politbüros nach klassisch marxistischem Muster Aufstände in den Städten.

Der Situation im zeitgenössischen China widmeten sich in Deutschland neben Zeitungsberichten auch Theaterstücke. Noch größere Wirkung als die Revue »Hände weg von China«, die Maxim Vallentins Erste Agitproptruppe des KVJD Berlin, die Vorläuferin des »Roten Sprachrohrs«, ab 1927 aufführte[87], übte das Stück *Brülle China* von Sergei Tretjakow aus. Tretjakow, der sich von Februar 1924 bis Spätsommer 1925 als Dozent für russische Literatur in Peking aufhielt[88], verarbeitete dabei ein Beispiel englischer Lynchjustiz in China, den Wanxian-Zwischenfall vom Juni 1924. 1929 erschien das Stück in Berlin in einer deutschen Übersetzung von Leo Lania. Die sehr erfolgreiche deutsche Erstaufführung im Schauspielhaus Frankfurt am 9. November 1929 nannte Benno Reifenberg in der »Frankfurter Zeitung« »eine brillante Unterrichtsstunde für die Kenntnis entstehender Revolutionen ... Etwas von jenem festen unbezweifelbaren Glanz, der aus dem Film ›Potemkin‹ jäh über Europa niedergefahren ist, durchzuckt auch dieses Stück.«[89] Brecht erlebte *Brülle China* in einer Gastinszenierung des sowjetischen Meyerhold-Theaters im Staatlichen Theater Berlin am 1. April 1930, also während seiner »Maßnahme«-Arbeiten. Er wertete die Inszenierung als »Versuch zu einem großen rationelleren Theater«.[90] Tretjakow, den Verfechter der Dokumentarliteratur und der Materialästhetik, der 1931 nach Berlin kommen sollte, dort von der *Maßnahme* beeindruckt war und bald darauf mehrere Brecht-

Stücke, darunter auch *Die Maßnahme* und *Die Mutter* ins Russische über-setzte, bezeichnete er später sogar als einen seiner Lehrer.[91]

Die Aufführungen von *Brülle China* besaßen den Charakter politischer Versammlungen. In der Kölner Rheinland-Halle versammelten sich am 1. Mai 1930 über 6000 Arbeiter, um das Stück zu sehen; zusätzlich gab es Ansprachen kommunistischer Reichstagsabgeordneter. Dem Hamburger Senat war das Gastspiel wegen eines gleichzeitigen Streiks so brisant, daß er die Aufführung verbot.[92] Auch Brecht und Eisler legten die *Maßnahme* als politische Veranstaltung an. Im Unterschied zu Tretjakow ging es ih-nen jedoch nicht um die Darstellung bestimmter chinesischer Ereignisse, sondern um die Diskussion von Grundsatzproblemen der politischen Ar-beit. Wenn auch die Podiumsdiskussion über die *Maßnahme* am 20. De-zember 1930 in der Aula der Weinmeisterschule von dem Chinaexperten Karl-August Wittfogel[93] geleitet wurde, so stand doch für die Autoren vor allem das Verhalten der kommunistischen Arbeiterbewegung in Deutschland im Mittelpunkt. So realistisch der politische Hintergrund in China auch war, so handelte es sich bei der *Maßnahme* doch um eine para-belhafte Darstellung.

Die für ein Lehrstück notwendige kritische Distanz wurde durch das Mit-tel der Rückblende erreicht. Das Stück ist eine Gerichtsszene, wobei der ganze Chor, die Mehrheit also der Mitwirkenden, als »Kontrollchor« das Gericht bildet. Jeder ist verantwortlich, jeder muß sich sein Urteil bilden. Zum Zweck der Beweisaufnahme und Entscheidungsfindung, nicht je-doch als illusionär erzeugte Wirklichkeit, werden die einzelnen Szenen vorgeführt. Die vier von den Schauspielern vorgeführten Figuren reprä-sentieren dabei nicht Individuen wie in einem Drama, sondern Verhal-tensweisen. Mitspielend sollte jeder der Beteiligten überprüfen können, welche Verhaltensweise die richtige sei. Brecht forderte deshalb für Ein-studierung und Aufführung ständige Rollenwechsel. »Jeder der vier Spie-ler soll die Gelegenheit haben, einmal das Verhalten des jungen Genossen zu zeigen, daher soll jeder Spieler eine der vier Hauptszenen des jungen Genossen spielen.«[94]

Übernommen wurde aus dem *Jasager* das Motiv des Einverständnisses, womit Brecht eine bewußt, aus rationaler Einsicht und nicht bloß aus Ge-wohnheit oder spontanem Gefühl heraus gefällte Entscheidung meinte. Die vier russischen Agitatoren erfüllen ihren politischen Auftrag nicht aus blinder Treue zur Partei, sondern aus dem Wissen um die historische Notwendigkeit. Aus politischer Überzeugung »ja sagend zur Revolutio-nierung der Welt« löschen sie ihre bisherige Identität aus und werden »unbekannte Arbeiter, Kämpfer, Chinesen, geboren von chinesischen Müttern«. Die Verwandlung des Individuums in einen Teil des Kollektivs – eine Brechtsche Lieblingsidee seit *Mann ist Mann* und dem *Badener Lehrstück vom Einverständnis* – erhält in der *Maßnahme* politische Bedeutung. Die illegale Arbeit erfordert es, daß der Intellektuelle zum Proletarier, der Russe zum Chinesen wird. Das bei Brecht bis dahin recht vage Motiv des Kollektivs hat sich in der *Maßnahme* konkretisiert einerseits als Proletariat, andererseits als kommunistische Partei. Um die höhere Bedeutung des Gemeinwohls gegenüber dem Wohl des einzelnen zu demonstrieren, übernahm er aus dem *Jasager* auch den »alten Brauch«, den Wurf in den Abgrund – nun allerdings politisch motiviert: Die drei Agitatoren erschießen den jungen Genossen, weil er die revolutionäre Bewegung durch sein Verhalten in größte Gefahr gebracht hat, und werfen ihn dann in eine Kalkgrube. Sie tun dies, nachdem es anscheinend keine andere Lösung mehr gab, mit dem Einverständnis des jungen Genossen. Zweck der *Maßnahme* ist es keineswegs, prinzipiell Kollektivismus zu fordern. Am Beispiel einer extremen politischen Entscheidungssituation will das Lehrstück vielmehr aufzeigen, daß das Allgemeinwohl eine höhere Bedeutung erhalten kann als das Wohl des Individuums. Ebensowenig wie für Brecht Individuum und Kollektiv sich ausschließende Gegensätze waren, ebensowenig sah er einen solchen Gegensatz zwischen Gefühl und Verstand. Es wäre falsch, in seinem Lehrstück ein Plädoyer gegen Individualismus und gegen Gefühlshaftigkeit zu sehen. Brechts Worte, »daß der junge Genosse gefühlsmäßig ein Revolutionär war, aber nicht genügend Disziplin hielt und zuwenig seinen Verstand sprechen ließ«[95], bedeuten nicht, daß Disziplin und Verstand das Gefühl ersetzen sollen. Gefordert wird allerdings, das Gefühl mit dem Verstand zu verbinden.[96]

Erneuerung durch Rückgriffe: Bach, die Kirchenväter und Me-ti

Brecht-Eislers *Maßnahme* ist eine Warnung vor Verführung durch das isolierte, »reine« Gefühl. Damit ist es auch eine Warnung vor dem Ideologischen von Politik, vor Stimmung, Rhetorik und »mitreißendem« Pathos, vor Ausschaltung der Vernunft gerade bei den wichtigsten Entscheidungen. Es ist damit nicht zuletzt eine Warnung vor Nazimethoden. Wie schon in der *Hauspostille* geschieht diese Ideologiekritik auch in der *Maßnahme* durch die Säkularisierung von geistlichen Vorbildern. Brecht übernahm die Form des Oratoriums als Form der Vermittlung, der Didaktik, ersetzte jedoch Suggestion durch Diskussion. So weckt die »Grablegung« der Schlußszene in ihrem rituellen Charakter, ihrer Verquickung von Trauer und Zuversicht zwar Assoziationen an den Tod Jesu, ist aber nicht wie dieser Gegenstand des Glaubens, sondern Gegenstand der prüfenden Diskussion.

Für den evangelisch erzogenen, im katholischen Augsburg aufgewachsenen Brecht waren, ebenso wie für den jüdischen Kantorensohn Weill, biblische Assoziationen selbstverständlich; vertraut waren sie auch einem großen Teil der Arbeitersänger, auf deren Konzertprogramm oft die großen Oratorien standen. Eisler, der aus einem atheistischen Elternhaus kam und seine Erziehung auf einem Wiener Jesuitengymnasium eher als kuriose Denkschulung begriff, lagen christliche Assoziationen dagegen ferner. Anders als für Brecht hatte es für ihn eine gefühlsmäßige Bindung an die Kirche nie gegeben. Die Religion war für ihn kein persönliches Problem, sondern ein gesellschaftliches Phänomen. Wenn sich Eisler in seinem Werk vor 1930 überhaupt mit Kirche und Religion auseinandersetzte, dann nicht aus Betroffenheit, sondern aus ironischer Distanz.[97] Ebenso wie ihm Brechts Augsburger Vergangenheit innerlich fremd war – obwohl dieser ihm »1929 oder 1930« in Augsburg seine Jugendfreunde vorgestellt hatte[98] –, so auch die *Hauspostille* und die Parole »Laßt euch nicht verführen«. Religion war für ihn eine Sache der Vergangenheit und die »neue Religiosität in der Musik«[99], womit er geistliche Werke von Strawinsky und Honegger meinte, ein Anachronismus. Mit Kirchenmusik befaßte er sich allein in historischem Zusammenhang, so, wenn er in der Marxistischen Arbeiterschule im Kurs »Musik und Proletariat« über den Feudalismus sprach.

Wenn Eisler dennoch ab 1930 ein wachsendes Interesse für Kirchenmusik, vor allem aber für die Musik Johann Sebastian Bachs zeigte und sich in der Musik zur *Maßnahme* sogar an Bachs *Matthäuspassion* anlehnte, so ist das zu einem großen Teil dem Einfluß Brechts zuzuschreiben. Hatte Eisler zuvor eindeutig Beethoven für den bedeutendsten Komponisten gehalten, so verschob sich ab 1930 die Skala mehr und mehr zugunsten von Bach. Allerdings folgte er nie der negativen Bewertung Brechts, der Beethoven ablehnte, weil ihm dessen Sinfonien Gefühlsverwirrung brächten[100]; Eisler klagte später: »Dreißig Jahre habe ich versucht, ihm zu beweisen, daß Beethoven ein großer Musiker war.«[101] Seine Zusammenarbeit mit Brecht bedeutete keinesfalls eine Preisgabe seiner eigenen Ansichten, jedoch lernte Eisler unter dem Einfluß Brechts die religiösen Inhalte der Bach-Oratorien ins Weltliche umzudeuten. »Die Grundstimmung der Bachschen Vokalwerke (Matthäus-Passion, Johannes-Passion, h-moll-Messe, Weihnachtsoratorium usw.) kann man nur begreifen, wenn man sich klarmacht, welche furchtbaren Folgen der Dreißigjährige Krieg in Deutschland verursacht hatte, und diese Werke als Ausdruck des Leidens in dem halbvernichteten Volke erkennt«, erklärte er 1935.[102] Noch kurz vor seinem Tod meinte er: »Das sind eben großartige Dinge, wo mir das Religiöse ganz gleich ist – und in der ›Johannes-Passion‹ ist ja wirklich das Schicksal eines leidenden und gemarterten Menschen drinnen. Das könnte man genausogut für die Opfer des Faschismus im zweiten Weltkrieg aufführen.«[103] Derselbe Eisler, der von sich bekannte, einer der unreligiösesten Menschen der Musikgeschichte zu sein[104], hielt doch zugleich Bachs h-moll-Messe für das genialste Stück der Musikgeschichte.[105] Zwar bewunderte er Beethoven weiterhin wegen seiner ästhetischen und musikgeschichtlichen Bedeutung, die größten Möglichkeiten zur kompositorischen Anknüpfung sah er jedoch bei Bach.

Wie Brecht fesselte ihn Bachs Fähigkeit, Berichte zu komponieren. Eisler mußte dem Stückeschreiber immer wieder auf dessen Wunsch das Rezitativ des Evangelisten aus der *Johannespassion* »Jesus ging mit seinen Jüngern über den Bach Kidron« vorspielen. Diese Musik, in der die gleichbleibende hohe Tenorlage Gefühlsüberschwang verhindert, empfand Brecht als ein Musterbeispiel referierender, gestischer Musik.

2. Recitativo. Ten.(Evang.), Basso (Jesus); Coro (das Volk)
   Evang. Cont., Org.

Je - sus ging mit sei - nen Jün - gern ü - ber den Bach Kid - ron

Daß Brecht Musik von Bach lieber hörte als von Beethoven, lag auch an seiner Furcht vor erhöhten Körpertemperaturen, in die ihn Beethovens Musik angeblich versetzte, die Bachs aber nicht. Eisler war hier skeptisch: »Ob tatsächlich bei Bach immer die normale Körpertemperatur von 37 Grad eingehalten ist, das bezweifle ich. Ich denke nur an – erst einmal den ergriffenen Ausdruck von Bertolt Brecht, wenn ich ihm Bach vorgespielt habe, wo mir seine Temperatur bedenklich höher schien. Zum Beispiel aber auch an die Matthäus-Passion, an das große e-moll-Stück zu Beginn: ›Kommt, ihr Töchter, helft mir klagen‹. Ich will meinen toten Freund nicht verdächtigen, aber ich glaube, hier war seine Temperatur bedenklich höher . . .«[106] In seiner Augsburger Jugend zumindest war Brecht durch Aufführungen der *Matthäuspassion* in eine solche Erregung versetzt worden, daß er um seine Gesundheit fürchtete. Aber auch unabhängig von Brechts besonderer Beziehung zu Bach läßt sich, wie Eisler ahnte, wahrscheinlich grundsätzlich das ekstatische Moment beim Musikhören nicht ganz ausschalten.

So wie Brecht Bausteine für seinen Gegenentwurf zur bürgerlichen Kunst fand, indem er beim Gang in die Kunstgeschichte die Klassik übersprang und direkt bei der Sprache Luthers anknüpfte, die dieser vom einfachen Volk übernommen hatte, so griff auch Eisler 1930 bei der Entwicklung einer neuen Arbeitermusik auf die vorbürgerliche Musik zurück – nicht auf die aristokratische Gesellschaftsmusik des Feudalismus[107], sondern auf die Musik, die für das einfache Volk vorgesehen war, die Kirchenmusik. In ihrem streng funktionalen Charakter ein Gegensatz zur bürgerlichen Konzertmusik konnte sie zum Vorbild für die Arbeitermusik werden. Durchaus zustimmend beschrieb er 1931 Musik in der Kirche: »Wendet sich nicht an den einzelnen, an sein individuelles Schicksal, sondern sie hat die Aufgabe, alle Personen in eine bestimmte religiöse Haltung zu bringen. Dadurch, daß der Hörer selber mitmusizieren muß, indem er den Choral mitsang, wurde er an der Musik beteiligt und wurde in eine bestimmte Haltung gezwungen. Musik als Genuß war hier ein untergeordneter Bestandteil.«[108] Und in seinem Vortrag »Die Erbauer einer neuen Musikkultur«, den er am 1. Dezember 1931 in Düsseldorf hielt, zitierte Eisler nicht ohne Bewunderung die praktische Auffassung der Kirchenväter, daß die Musik, wenn sie das Lernen der Psalmen erleichtern solle, nicht durch zu große Klangschönheit ablenken dürfe.[109] Wie Brecht, der 1928 die »Confessiones« des Augustinus gelesen hatte[110], fand Eisler bei den Kirchenvätern Bestätigungen seiner Position: »Schließlich gibt es noch eine praktische Einstellung des Komponisten selbst, die in einem krassen Gegensatz zum Begriff des Künstlers bei der Bourgeoisie steht. Johannes Cottonius, ein Theoretiker, sagt: ›Der Künstler soll beim Komponieren stets die Eigenart des Publikums, auf das er wirken will, vor Augen haben.‹«[111] Noch in seinem Todesjahr (1962) zitierte Eisler in einem Vortrag voller Anerkennung Augustinus und den Theoretiker Cottonius und merkte an: »So weit war man einmal!«[112] Für ihn war Augustinus einer der ersten Vorkämpfer gegen die »Dummheit in der Musik«.[113]

Noch häufiger berief sich Eisler, wenn er kritisch über die Funktion von Musik sprach, auf den chinesischen Philosophen Me-ti (oder Mo-dsi beziehungsweise Mo Tse), der weitaus früher als Augustinus, nämlich 497 bis 381 vor Chr., lebte. Brecht hatte die Schriften Me-tis über eine sinologische Gesellschaft erhalten; 1930, während der Arbeit an der *Maßnahme,* gab er sie an Eisler weiter. Dieser zitierte Me-tis »Verdammung der Musik« 1935 in mehreren Zeitschriftenbeiträgen[114], 1936 in seinem Aufsatz »Gesellschaftliche Umfunktionierung der Musik«, in anderer Formulierung auch in dem Vortrag »Gesellschaftliche Grundfragen der modernen Musik« (1948) und in dem Gespräch »Über die Dummheit in der Musik« (1958). In dem Aufsatz von 1936 lautet das Zitat: »Daß das Volk veranlaßt wird, Musikinstrumente zu gebrauchen, hat drei Nachteile zur Folge: die Hungernden werden nicht satt, die Frierenden nicht gekleidet und die Müden nicht ausgeruht. Wenn jetzt die Gelehrten und Edlen des Reiches ernstlich sein Wohl fördern und alle seine Mißstände beseitigen wollen, so können sie nichts anderes, als die Musik, wo sie geschätzt wird, verbieten und verhindern.«[115] 1935 entwickelte Eisler daraus den folgenden Gedanken: »Wir können die Hungernden nicht speisen mit unserem Gesang, wir können den Frierenden nicht Kohle zum Wärmen geben und den Obdachlosen nicht Wohnung, aber unsere Musik kann den Hoffnungslosen aufrichten, dem Unwissenden sagen, wer ihm Brot, Kohle und Obdach gestohlen hat, unser Gesang kann den Müden zum Kämpfer machen.«[116] Er begriff die Verdammung der Musik als Denkanstoß: als Kritik ihrer von der Wirklichkeit ablenkenden Genußfunktion, als Absage an ihre Funktion als Ersatzbefriedigung. »Die Krise hat jene Sucht nach Betäubungs- und Erregungszuständen, welche durch die eigentümlichen Lebensverhältnisse im Kapitalismus erzeugt wird, nur gesteigert«, heißt es in dem Aufsatz »Gesellschaftliche Umfunktionierung der Musik« weiter. »Wenn die Massen auch von der Kunst Rauschgiftwirkungen verlangen oder sie wenigstens akzeptieren, so geschieht das, weil sie auf diese Weise physische Äquivalente für Betätigungen und Erlebnisse suchen, die ihre soziale Lage ihnen vorenthält.« Eisler wußte: Gerade in schwierigen Zeiten der Unterdrückung, in denen eine politische Rebellion des Volkes drohte, wurde die Musik von den Herrschenden oft genug als Mittel zur Zerstreuung eingesetzt.

Daß Me-ti für Brecht[117] und Eisler 1930 interessant wurde, lag nicht allein an seiner kritischen Beurteilung der Musik, sondern überhaupt an seiner an der allgemeinen Wohlfahrt orientierten Nützlichkeitsphilosophie. Von Belang für die *Maßnahme* könnte auch Me-tis Mißtrauen gegenüber den Gefühlen gewesen sein; in seinem »Me-ti. Buch der Wendungen« zitierte Brecht unter der Überschrift »Über die Prüfung der Gefühlsbewegungen« folgende Gedanken: »Man hat uns, sagte Me-ti, in unserer Jugend gelehrt, unserem Verstand zu mißtrauen, und das war gut. Man hat uns aber auch gelehrt, unserem Gefühl zu trauen, und das war schlecht. Die Quelle, aus der unsere Gefühle kommen, ist ebenso verschmutzt wie die unserer Urteile.«[118] Als trügerisches Gefühl wird an erster Stelle das Mitleid genannt. Wie schon in der *Dreigroschenoper,* wo geschäftsmäßig mit dem Mitleid spekuliert wird, so erweist sich auch in der *Maßnahme* das »reine«, unreflektierte Mitleid als ein Fehler: Es gefährdet die politische Arbeit. Bereits 1927 hatte Brecht in einem Brief an Piscator eine nur an das Mitleid appellierende Arbeiterballade als politisch falsch abgelehnt: »Es steckt nicht ein Gramm revolutionärer Wirkung darin, es ist sogar ziemlich genau diese berüchtigste Sorte von Arbeiterliedchen, die an das Mitleid (wessen?) appellieren! Stellen Sie sich ein ganzes Haus voll erwachsener Männer vor, die tränenüberströmt vierstimmig davon singen, daß alle über sie herfallen, sogar die Rosen auf ihrem Grab! Die Wahrheit ist: Dies ist ein historisches Genrebildchen mit poetischem Ausdruck und peinlicher Wirkung!«[119]

Da Brecht und Eisler, gestützt unter anderem auf die Theorien des Augustinus und des Me-ti, den Emotionen mißtrauten und eine für die Gesellschaft nützliche Musik forderten, lag es nahe, an Musik anzuknüpfen, die noch nicht Genußmittel war wie die bürgerliche Konzertmusik, sondern Lehrmittel. Brechts Anspruch, »aus dem Genußmittel den Lehrgegenstand zu entwickeln und gewisse Institute aus Vergnügungsstätten in Publikationsorgane umzubauen«, den er in seinen Anmerkungen zur Mahagonny-Oper erhoben hatte, präzisierte Eisler dahingehend, daß die Kunst »Lehrmeisterin im Klassenkampf«[120] sein solle. Die Genußfunktion, die er nicht grundsätzlich ablehnte, verschob er dabei auf einen späteren Zeitpunkt; nach einer Revolution sollten die Arbeiter das Erbe auch der bürgerlichen Kunst antreten. Wenn auch für die Arbeitermusik Mittel der Kirchenmusik übernommen wurden, so doch nicht deren Ziele und Methoden. Gerade das Lehrstück *Die Maßnahme* sollte dazu beitragen, sozialistische Politik von Momenten einer Ersatzreligion zu befreien.[121] Zum Politikverständnis Brechts und Eislers gehörte notwendig die kritische Diskussion. Das Lehrstück vermittelt keine Lehre im Sinne eines Dogmas, sondern regt zur Auseinandersetzung an, es ist kein Weihespiel, sondern ein politisches Seminar, eher ein Anti-Oratorium als ein Oratorium.

Anders als bei Bachs Passionen sollen das Publikum und die Mitwirkenden bei der *Maßnahme* sich nicht in gläubiger Haltung in die Handlung versenken. Deshalb sind die musikalischen Teile jeweils relativ kurz und – wie bei Agitpropszenen – immer wieder durch Sprechen unterbrochen. Die Schlüsse sind meist offen und fordern damit zu weiterem Nachdenken auf. Verwendet Bach in seiner *Matthäus-Passion* gleich zwei Orchester, die jeweils aus Flöten, Oboen, Streichern, Orgel und Continuo-Instrumenten bestehen, so Eisler nur eine kleine Besetzung, die der der Agitproptruppen ähnelt. In der Verbindung von Agitproptruppenstil und dem Stil von Bach-Kantaten konnte er an seine im Jahr zuvor entstandene Rundfunkkantate »Tempo der Zeit« anknüpfen; früher als Brecht hatte Eisler hier zu einer Synthese von Agitprop- und Lehrstückelementen gefunden.[122] Außerdem kam die Besetzung mit Blechbläsern und Schlagzeug, der Verzicht auf den weichen Klang von Streichinstrumenten, den Vorstellungen Brechts näher. Daß der Stückeschreiber eine romantisch ausdrucksvolle Musik in jedem Fall vermeiden wollte, bestätigte er mit einer ironischen Postkarte, die er im Juli 1930 aus Unterschondorf am Ammersee an Eisler schickte. Die Karte zeigt auf einem Photo Brecht auf dem Regiestuhl, dazu die Bildunterschrift »Herrgott, mehr Seele ... mehr Ausdruck ...« Auf der Rückseite war zu lesen: »lieber eisler, gestatten Sie, daß die unterzeichneten auch an Sie diese nicht mehr ungewöhnliche bitte bzw. forderung stellen!«[123] Unterzeichnet war die Karte von Brecht, Slatan Dudow, Helene Weigel und dem Sohn Stefan (»Steff«). Die »Maßnahme«-Musik, die Eisler innerhalb von nur vier Wochen im Sommer 1930 in Berlin komponierte, entsprach dieser »Forderung« vollkommen. Durch eine archaisierend trockene Harmonik und die ebenso sparsame wie klanglich ungewöhnliche Besetzung mit 3 Trompeten, 3 Hörnern, 2 Posaunen, Klavier sowie reichem Schlagzeug (2 Paar Pauken, große Trommel, kleine Trommel, Rührtrommel, Becken, Tamtam) war die Gefahr romantischer Sentimentalität gebannt. Der hohe Schlagzeuganteil läßt auf die Bedeutung des Rhythmus für Gliederung und Aktivierung schließen. Musikalischer und dramaturgischer Hauptfaktor ist aber nicht das kleine Orchester, sondern der stark besetzte Chor, für dessen Singen und Sprechen die Instrumente lediglich das harmonische und rhythmische Gerippe liefern.

Der Chor ist Träger und Adressat des Lehrstücks. Damit unterscheidet sich *Die Maßnahme* von anderen proletarischen Oratorien, so dem 1929 uraufgeführten *Kreuzzug der Maschine* (Text: Lobo Frank, Musik: Arthur Wolff) für Chor, Kinderchor, Sinfonieorchester, Einzelsprecher und Bildprojektionen und dem *Aufmarsch* (Text: Max Barthel, Musik: Heinz Tiessen) für gemischten Chor, Sprecher und Blasorchester.[124] Die Beschränkung auf die Einwegkommunikation, die Brecht auf allen Gebieten – nicht nur im Rundfunk, sondern auch in Oper und Konzertsaal – bekämpfte, wird aufgebrochen. In der *Maßnahme* gibt es – wie bei wirklicher Volksmusik – keine unbeteiligten Konsumenten mehr, sondern nur noch Mitwirkende, nur noch Produzenten.

»Die Maßnahme«
Lehrstück von Bert Brecht. Musik von Hanns Eisler

Nr. 1   Vorspiel (Die vier Agitatoren, gem. Chor, Orchester)

I. *Die Lehren der Klassiker*
Nr. 2 a   Rezitativ (Der junge Genosse, Die drei Agitatoren, Orchester)
Nr. 2 b   Lob der U. S. S. R. (gem. Chor mit Orchester)

II. *Die Auslöschung*
Nr. 3 a   Rezitativ (Der Leiter des Parteihauses, Die zwei Agitatoren, Orchester)
Nr. 3 b   Sprechchor (Gem. Chor mit Schlagwerk)
Nr. 4   Lob der illegalen Arbeit (Gem. Chor mit Orchester, später: Die vier Agitatoren)

III. *Der Stein*
Nr. 5   Gesang der Reiskahnschlepper (Zwei Kulis, Der junge Genosse, Der Aufseher, Männerchor mit Orchester)
Nr. 6 a   Diskussion (Gem. Chor a cappella)
Nr. 6 b   Sprechchor (Lenin-Zitat) (Gem. Chor mit Schlagwerk)
Nr. 6 c   Kanon über ein Lenin-Zitat (Gem. Chor mit Schlagwerk)

IV. *Gerechtigkeit*
Nr. 7 a   Streiklied (Der junge Genosse, Männerchor mit Orchester)
Nr. 7 b   Diskussion

V. *Was ist eigentlich ein Mensch?*
Nr. 8 a   Rezitativ (Der Händler, Der junge Genosse, Orchester)
Nr. 8 b   Song von der Ware (Der Händler, Der junge Genosse, Orchester, später: gem. Chor)
Nr. 9   Ändere die Welt, sie braucht es (Gem. Chor mit Orchester)

Die Kunst als Lehrmeisterin im Klassenkampf

Der ernste Charakter des Lehrstücks, das grundsätzliche Verhaltensweisen diskutieren will, geht gleich aus dem Vorspiel hervor. Es entfaltet sich über einem langen Orgelpunkt über dem Ton E:

Eisler zitiert damit die Einleitung zur *Matthäuspassion*:

Leitet bei Bach das Vorspiel den chorischen Klagegesang über den Opfergang Jesu »Kommt, ihr Töchter, helft mir klagen« ein, so rühmt dagegen bei der Einleitungsmusik der *Maßnahme* der Kontrollchor die Leistungen der aus China zurückgekehrten drei sowjetischen Agitatoren: »Tretet vor! Eure Arbeit war glücklich!« Zwischen der heroisch-klagenden Musik und dem rühmenden Text besteht ein Widerspruch.

Der musikalische Fluß und die feierliche Zeremonie werden abrupt unterbrochen durch ein »Halt!« der Agitatoren; der Dreivierteltakt gerät ins Stolpern, die Musik schließlich zum Stillstand. Mitten hinein in ihre Belobigung melden die drei Agitatoren die Erschießung eines jungen Genossen. Im nachhinein wird so der klagende Gestus der Musik verständlich und erscheint die rühmende Haltung des Kontrollchores als voreilig.

In ihren Anmerkungen zur *Maßnahme* erwähnten Brecht und Eisler nicht den klagenden, sondern nur den heroischen Charakter der Musik. Was sie interessierte, war, daß nach der Unterbrechung und der damit verbundenen Situationsänderung die Musik wieder einsetzt. Sie ist unverändert, vollzieht die Situationsänderung also nicht mit. Aber auch der Kontrollchor behält seine sachliche Haltung bei. »Indem die Musik, im Ganzen einen Brauch konstituierend, die Haltung des Kontrollchors *nicht* verändert, unterwirft sie rückwirkend auch die Rühmung des Anfangs ihrer allgemeinen Funktion, eine geschäftsordnende Haltung als eine heroische zu fixieren. Wird also der Gesamtvorgang als sich von a bis b entwickelnd vorgestellt, wobei a eine rühmende, b eine geschäftsordnende Haltung bedeutet, dann erhält dadurch, daß die Musik ihre heroisierende Haltung, die aus a genommen ist, bei b beibehält, die rühmende Haltung des Anfangs rückwirkend einen geschäftsordnenden und die geschäftsordnende Haltung einen heroischen Charakter.«[125] Das ist eindeutig die Diktion Brechts und nicht Eislers, der Versuch, ein emotionelles Feld auf wissenschaftlich-distanzierte Weise zu betrachten. Analysiert werden nicht musikalische Formen, sondern Haltungen, wobei die des Chores und die der Musik einander gegenüberstehen; sie sollen nicht miteinander verschmelzen, sondern selbständig wahrgenommen werden. Dieses Gegenüber besitzt Kommentarfunktion, es gibt dem Hörer eine Interpretationshilfe, wobei auch rückwirkend Schlüsse gezogen werden können. So wie die analytische Kühle der Sprache sich unbeeindruckt zeigt von der Emotionalität der Musik, so wird hervorgehoben, daß die Musik die Haltung des Chores nicht beeinflußt: Der Chor handelt sachbezogen, nicht emotional. Selbst wenn er die Fortschritte der Revolution rühmt, urteilt er mit nüchternem Verstand, bleibt er im Rahmen der Geschäftsordnung. Ebensowenig bringt ihn die Nachricht von der Erschießung des jungen Genossen aus der Fassung. Einfühlung bleibt ausgespart. Die Musik fühlt sich nicht in den Ausdruck des Textes ein und der Text nicht in die Haltung der Musik.

Die Kargheit der Orchesterbesetzung und die Sparsamkeit der Musikverwendung überhaupt entspricht der skeptischen Haltung Brechts und Metis gegenüber Emotionen. Häufig haben Eislers Kompositionen nur die Aufgabe, den Chor rhythmisch zu disziplinieren, den Text zu gliedern und Kernsätze hervorzuheben. Im Rezitativ Nr. 2a, das im Gegensatz zur üblichen solistischen Rezitativpraxis als gesprochener Dialog zwischen einem einzelnen und einer Gruppe angelegt ist, unterstreicht eine unverändert wiederholte Kadenzformel das sechsmalige »Nein« der drei Agitatoren, mit dem sie wortkarg auf Fragen des jungen Genossen antworten. Durch diese Wiederholung einer Formel erhält die Szene den Charakter eines Rituals, womit neben Brechts Rationalität allerdings ein nicht unproblematisches magisch-formales Moment tritt. Der junge Genosse gehorcht der suggestiven, kaum begründeten Aufforderung der drei Agitatoren, seinen Posten zu verlassen und sich ihnen anzuschließen. Er tut dies, obwohl ihm die dunklen Antworten der Agitatoren rätselhaft erscheinen müssen.

Nach diesem Rezitativ folgt als säkularisierter Choral das *Lob der U. S. S. R.*, das Eisler musikalisch aus einem einzigen Motivkern ableitet. Die hier zu beobachtende Logik der Melodiebildung ist für sein Schaffen durchaus charakteristisch. Der zweitaktige Motivkern wird zunächst, bei leichter rhythmischer Veränderung, sequenziert (Takt 3–4), dann in der Bewegungsrichtung verändert (T. 5–6), rhythmisch variiert (T. 7–8) und erneut sequenziert (T. 9–10). Die Fortsetzung der Melodie (T. 14–18) ist gebildet aus T. 7–11, während der Schluß der Phrase das Modell von Takt 2 sequenziert.

Nach einem kontrastierenden Mittelteil, der sich durch syllabische Deklamation des hier auf Männerstimmen beschränkten Chores, durch Taktwechsel und Instrumentalbegleitung vom A-cappella-Anfang abhebt, kehrt zum Schluß der Anfangsteil wieder, nun allerdings nicht im Chor, sondern in den Instrumenten, und zunächst anders harmonisiert. Trotz der Schlichtheit des zweistimmigen Satzes, der sich nie vor den Text stellt, verrät sich doch hinter der wirksam eingesetzten Ökonomie der musikalischen Mittel die Herkunft Eislers aus der Schönberg-Schule.

Die oben demonstrierten Kompositionsprinzipien der Entwicklung und des Kontrasts entsprechen nicht nur Eislers musikalischem Stil, der von der Sprachlichkeit der Musik geprägt ist; sie entsprechen auch seinem dialektischen Denken. Zwar gibt es Beispiele für die formelhafte Wiederholung eines Melodiemodells, so etwa im Rezitativ zur Szene »Die Auslöschung«. Sonst allerdings weicht Eisler solchen Wiederholungen, selbst wenn sie von Brechts Text gefordert werden, eher aus.

Das unterscheidet ihn etwa von Carl Orff. Eisler wollte damit die mehr an das Unbewußte als an den Verstand appellierende rituelle Wirkung vermeiden, die durch die unveränderte Wiederholung von melodischen Floskeln, durch die Repetition von Kadenzformeln oder rhythmischen Wendungen zustande kommen kann. Entsprechend dominiert in seiner Musik zur *Maßnahme* nicht die Wiederholung, sondern der Kontrast. Die häufigen Taktwechsel, die Wechsel der Besetzung auch innerhalb der einzelnen Stücke, die Wechsel schließlich der Deklamationsformen vom Psalmodieren bis zum Rufen, dienen der Durchbrechung des rituellen, oratorischen Charakters, der Schärfung des Bewußtseins und der Aktivierung von Sängern und Zuhörenden. »Überhaupt ist Eisler in musikalischen Gliederungsmöglichkeiten unerschöpflich«, schrieb der Kritiker der Zeitung »Berlin am Morgen«.

Ebenso wie im aktivierenden Sprechchor *Wer für den Kommunismus kämpft* wechselt im *Lob der illegalen Arbeit*, einem der zentralen Stücke der *Maßnahme*, ständig der Sprachrhythmus, werden für fast jedes Textzeilenpaar neue rhythmische Modelle eingeführt. Nach der starren und gleichmäßigen Betonung der Silbe zu Beginn fällt um so mehr die rhythmische Deklamation des Wortes »Klassenkampf« heraus.

Eisler macht auf diese Weise den klopfenden Anapäst ♫ ♩ zum rhythmischen Symbol. Obwohl im Text das Wort »Klassenkampf« nicht wiederkehrt, ist durch die Wiederholung der dazugehörenden Rhythmusfigur in der Instrumentalbegleitung die Klassenkampfidee in der ganzen Komposition gegenwärtig. Was bei Brecht nur angedeutet ist, wird durch Eislers Musik hervorgehoben und verstärkt. (Notenbeispiel siehe nächste Seite oben.)

Der Klassenkampf ist es, so Eislers Kommentar, der die illegale Arbeit legitimiert und notwendig macht.[126]

Im folgenden *Gesang der Reiskahnschlepper* sind durch den Wechsel zweier Tempi zwei gegensätzliche Haltungen deutlich auskomponiert: Während sich der Kuli mit schwerem Schritt nur mühsam vorwärtsschleppt (Tempo I), treiben ihn die Aufseher (Tempo II) immer wieder zu

schnellerer Arbeit an – der Rhythmus ist Arbeitsrhythmus, das Tempo Arbeitstempo.[127]

Durch bewußte Enthaltsamkeit im Melodischen, durch asketische Harmonik und Dominanz des Rhythmischen, durch geschärfte Instrumentation, Verwendung dissonanter Intervalle und strikte Vermeidung von Temposchwankungen im Sinne eines Tempo rubato, auch durch Bevorzugung des Chorischen gegenüber dem Solistischen verhinderte Eisler, daß seine Musik im romantischen Sinne »ausdrucksvoll« wurde. Wie Brecht beurteilte er Kunst nach ihrer Funktion; Schönheit, die von der Aufgabe des Klassenkampfes ablenken könnte, stellte er deshalb zurück. In seinen »Ratschlägen zur Einstudierung der Maßnahme« führte er den Agitpropstil in den Chorgesang ein:

»1. Vor allem muß man brechen mit einem für einen Gesangverein typischen ›schönen Vortrag‹. Das gefühlvolle Säuseln der Bässe, der lyrische Schmelz, man kann auch manchmal ›Schmalz‹ sagen, der Tenöre, ist für die ›Maßnahme‹ absolut unzweckmäßig.

2. Anzustreben ist ein sehr straffes, rhythmisches, präzises Singen. Der Sänger soll sich bemühen, ausdruckslos zu singen, d. h. er soll sich nicht in die Musik einfühlen wie bei einem Liebeslied, sondern er soll seine Noten referierend bringen, wie ein Referent in einer Massenversammlung, also kalt, scharf und schneidend.«[128]

Eine Ausnahme von diesen Vortragsregeln gibt es beim *Lied des Händlers*[129], dem einzig durchgehend solistischen Stück, das ausdrücklich nicht in straffem Tempo, sondern »frei im Zeitmaß« zu singen ist. Wenn hier ferner der lyrische Schmelz eines Operntenors gefordert wird, so deshalb, um den Händler als Bürger zu charakterisieren. Das »Lied des Händlers« knüpft bewußt an modische Tanzschlager an und möchte kulinarisch wirken. Wie sich die Autoren das opernhaft Gespreizte und Aufgeblasene des Händlers vorstellten, ist einer zeitgenössischen Schallplattenaufnahme, bei der Brecht den jungen Genossen sprach, Eisler das Orchester leitete und Erik Wirl (Tenor) den Händler sang, zu entnehmen.[130] Erst wenn der Händler nicht von sich, sondern von der Behandlung der Kulis spricht,

Brecht und Eisler mit dem Tenor Erik Wirl bei der Schallplattenaufnahme des »Songs von der Ware« aus der »Maßnahme«. Berlin, Februar 1931.
(Quelle: Bertolt Brecht-Erben, Berlin)

wird die Musik zur straffen Kampfmusik. Auch der eitle Bourgeois betreibt Klassenkampf – von oben.

Um den jungen Genossen weiter in seine Geschäftsmethoden, die Gesetze der kapitalistischen Ausbeutung, einzuweihen, singt der Händler sodann den *Song von der Ware*[131], in dem er darlegt, daß für ihn auch der Arbeiter nur eine Ware ist. In den »Anmerkungen zur Maßnahme« heißt es dazu: »Die Musik zu Teil V (Was ist eigentlich ein Mensch?) ist die Imitation einer Musik, die die Grundhaltung des Händlers widerspiegelt, des Jazz. Die Brutalität, Dummheit, Souveränität und Selbstverachtung dieses Typus konnte in keiner anderen musikalischen Form ›gestaltet‹ werden. Auch gibt es hier kaum eine Musik, welche so provokatorisch auf den jungen Genossen wirken könnte.«[132] Brecht und Eisler meinten nicht den echten Jazz, sondern die aus den USA importierte, durch den Jazz beeinflußte kommerzielle Tanzmusik, die »widerliche Ware, welche die Vergnügungsindustrie aus ihm machte«. Seit der Weltwirtschaftskrise von 1929 war der Stern dieser Musik, die zuvor als Symbol amerikanischer Prosperität gegolten hatte, rapide gesunken.[133]

In seinem Gedicht vom »Verschollenen Ruhm der Riesenstadt New York«[134] sprach Brecht seine Skepsis gegenüber der von ihm einst bewunderten Musikart aus:

Noch werden Schallplatten verkauft, freilich wenige
Doch was erzählen uns diese Ziegen[135] eigentlich, die nicht
Singen gelernt haben? Was
Ist der Sinn dieser Gesänge? Was haben sie uns
Eigentlich vorgesungen all diese Jahre lang?
Warum mißfallen uns jetzt diese einstmals gefeierten
Stimmen?
Warum
Machen uns diese Lichtbilder der Städte so gar keinen
Eindruck mehr?
Weil es sich herumgesprochen hat
Daß diese Leute bankrott sind!

Eislers Vertonung des »Song von der Ware« ist ein Rückblick auf die
Jazzmode, der auch die *Dreigroschenoper* einen großen Teil ihres Erfolges
verdankte. Bewußt wird der Weillsche Songstil und dessen bei aller Parodie warenhaftes Moment kritisch zitiert. Im Unterschied zu Weill sind bei
Eisler die Songs meist nicht ambivalent, sondern in ihrer Haltung deutlicher kritisch. Den Song verwendet er zur Darstellung bürgerlicher Positionen, er ist Gegenpol zum Arbeiterlied. Eisler meidet den Ton des Kulinarischen und Verführerischen. Seine Anleihen beim Jazz sind kühler,
distanzierter. »Eisler verabreicht der Jazzband als Gegengift gegen das
Exotisch-Verführerische und Weltstädtisch-Morbide eine Mischung aus
militärischem und archaisierend-klassizistischem Ton, woraus sich Charaktere von beträchtlicher Variabilität ergeben: der Ausdruck kann jeder-
zeit von Polemik und Parodie in den Ton des Drohenden umschlagen.«[136]
Dies gilt auch für den »Song von der Ware«. In seinem Refrain wird die
Frage des Händlers »Weiß ich, was ein Mensch ist?« zunächst musikalisch
raffiniert mit von Weill übernommenen kleinterzverwandten Akkorden[137] und einer schwierigen, chromatisch sich windenden Melodie vertont. Die »Lösung« ist dagegen von entlarvender Schlichtheit: Bei der
Antwort »Ich kenne nur seinen Preis« springt die Musik von mondäner
Raffinesse über zur banalen Schlichtheit eines Dominant-Tonika-Schlus-
ses. Unüberhörbar ist bei alledem in den gehämmerten Anapästrhythmen
das Klassenkampfmotiv. (Notenbeispiel siehe nächste Seite oben.)
Der provozierenden Wirkung dieses Gesangs kann der junge Genosse,
der sich bis dahin um eine beherrschte Haltung bemüht hatte, nicht mehr
widerstehen. Wie der Gangster Bill Cracker in *Happy End* durch Musik
weich wird, so brechen auch bei dem jungen Genossen nach dem Musikvortrag die Emotionen unkontrolliert hervor. Die Musik ist stärker als seine Willenskraft. Er verrät seinen politischen Auftrag, indem er – anstatt
aus taktischen Gründen zu schweigen – gegen die unmenschliche Aus-
beuterhaltung des Händlers protestiert.

Auf den schmierigen Kulinarismus des Händler-Songs folgt der Chor *Ändere die Welt, sie braucht es*, der in seinem ernsten Largo-Charakter an Bachsche Passionen anknüpft. Die Überschrift, die zu einer weitverbreiteten politischen Parole wurde, stammt nicht von Brecht, sondern von Robert Gilbert. Er schrieb sie für Eislers Kantate »Tempo der Zeit«, in der vor dem Schlußchor ein Sprecher im Stil der Agitproptruppen fordert: »Vernichtet die Ausbeutung! Dann erst wird der technische Fortschritt denen dienen, die ihn schaffen. Ändert die Welt: Sie braucht es!«[138] Auch in der *Maßnahme* zielt diese Parole auf ein Ende der Ausbeutung. Im Kampf gegen die Ausbeutung bedeutet der einzelne wenig. Deshalb schließt der Chor mit der Frage »Wer bist du?«

Grundlegend behandelt ist das Verhältnis von Indviduum und Kollektiv im Chor *Lob der Partei*, in dem das Gegenüber von einzelnem und Partei musikalisch dem Wechsel von Einzelstimmen und Gesamtchor entspricht.

Die kommunistische Partei erscheint dabei als die Summe der Fähigkeiten des einzelnen, als das wissende, mit der marxistischen Theorie ausgerüstete Kollektiv. In der Instrumentalbegleitung herrscht ein einziger Rhythmus vor: der Anapäst. In eben diesem Rhythmus werden auch bei jedem Choreinsatz die Worte »Die Partei« gesungen. Der schon zuvor zum Symbol geprägte Rhythmus ist auch hier wieder bedeutungsvoller Kommentar: Er benennt als Aufgabe der Partei den Klassenkampf.

Eisler komponierte die »Maßnahme«-Musik zwischen dem 7. Juli und dem 2. August 1930 im möblierten Zimmer des Schauspielers Ernst Busch, in dem er damals wohnte. Busch hatte ihn bei den Aufführungen von Mehrings Theaterstück *Kaufmann von Berlin* nicht nur als Schauspieler und Rezitator, sondern auch als Chorführer und Sänger stark beeindruckt. Dazu Walter Mehring: »Das war eine außerordentlich günstige Zusammenarbeit: Eisler hatte als Komponist und Dirigent das Musikalische zu richten, und sein bestes Instrument, das sagte ich immer wieder, war Ernst Busch.«[139] Buschs metallische Stimme war schon aufgefallen, als man 1927 für eine Gesangseinlage in Ernst Tollers *Hoppla, wir leben!* - es handelte sich um das Mehring-Chanson »In diesem Hotel zur Erde« – einen Sänger suchte. Da die Kabarettistin Rosa Valetti, die das Chanson singen sollte, die Melodie Edmund Meisels stimmlich nicht schaffte, versuchte man es mit Busch. Er hatte in diesem Stück die Rolle eines Sozialdemokraten zu spielen; sein Gegenspieler als Revolutionär Karl Thomas war Alexander Granach. Die Rollenverteilung war Buschs Pech. Obwohl er bei einer Probe das Mehring-Chanson bravourös sang, winkte Piscator ab: »Wenn wir von Busch das Lied singen lassen, und er hat nachher die Szene mit Alexander Granach, und der Busch zermalmt mir den Granach, und wenn der jetzt auch noch das Lied singt, dann können wir nach Hause gehen. Dann gewinnt nämlich die SPD, dann braucht das Stück gar nicht weitergespielt zu werden.«[140] Die Begründung für die Ablehnung erfuhr Busch erst später – durch Brecht, der bei der Probe anwesend war und bei dieser Gelegenheit zum ersten Mal den künftig erfolgreichsten Sänger von Vertonungen seiner Gedichte hörte.[141] Buschs Stimme besaß eben den »erzenen Klang«, den Brecht an seinem einstigen Vorbild Wedekind bewundert hatte.

Zwischen Busch und Eisler hatte es 1929 beim *Kaufmann von Berlin* zunächst noch kein volles Einverständnis gegeben. Eisler war verärgert, daß Busch, der erst kurz vor der Premiere in Berlin eintraf, die Noten nicht ganz genau sang. Busch seinerseits war über den autoritären Ton des jungen Komponisten, den sein Schüler Herbert Breth-Mildner mit »Meister« titulierte, »ziemlich entsetzt«. Zum ersten Mal reichten sich beide die Hand nach der skandalumwitterten zweiten Aufführung des *Kaufmann,* bei der sich Busch vom Gegröle des Publikums nicht beeindrucken ließ – was wiederum Eisler beeindruckte. Seitdem wurde die Zusammenarbeit enger. Als nach dem Mißerfolg der aufwendigen Inszenierung die Piscator-Bühne im Oktober 1929 in Konkurs ging und Eisler, der keine Gage erhalten hatte, ebenfalls in finanzielle Schwierigkeiten geriet, sprang Ernst Busch ein. Anstelle des aus einer wohlhabenden Wiener Familie stammenden Breth-Mildner, der bis dahin sein Klavierbegleiter gewesen war, engagierte er dessen Lehrer, der es nötiger brauchte. Busch, der über mangelnde Auftrittsmöglichkeiten in Theater und Kabarett nicht zu klagen hatte und außerdem gerade seine neue Wohnung in der »roten« Künstlerkolonie am Breitenbachplatz bezog – dort wohnten auch Erich Engel, Erwin Piscator, Johannes R. Becher, Ernst Bloch, Kurt Tucholsky und Erich Weinert –, stellte Eisler außerdem großzügig sein möbliertes Zimmer zur Verfügung. Oft brachte er Texte mit, die er singen wollte und die Eisler dann, Buschs Sprachrhythmus zum Anhaltspunkt nehmend, komponierte.[142] Auf diese Weise entstanden unter anderem das »Lied der Baumwollpflücker«, die »Ballade vom Nigger Jim« und das »Lied der Arbeitslosen«, die denn auch bald auf Schallplatte verbreitet wurden. Gemeinsam traten sie – der schlanke, blonde Schauspieler-Sänger und der kleine, rundliche Komponist-Pianist – in Kabaretts wie Werner Fincks »Katakombe«, bei Großveranstaltungen im Sportpalast oder in kleineren Sälen auf.[143] Dazu Eisler: »In Ernst Busch fand das neue Arbeiterlied den großen Interpreten. Ernst Busch war der Liebling der Berliner Arbeiterschaft. Ein liberaler Bewunderer nannte ihn ›Barrikaden-Tauber‹. Jahre hindurch trat ich mit Ernst Busch fast jeden Abend oft in zwei und drei Vorstellungen auf. Vom Sportpalast bis zur kleinen Kneipe im Wedding durchzogen wir Berlin. Und wenn Busch das ›Stempellied‹, ›Radieschen‹, ›Wohltätigkeit‹, ›Arbeiter, Bauern, nehmt die Gewehre!‹ und andere Lieder sang, dann wußte ich durch die Begeisterung seiner Hörer, daß wir etwas Nützliches leisteten.«[144]

»Busch-Eisler« wurde zu einem Begriff, zum Inbegriff revolutionärer volkstümlicher Kunst. Beide Künstler wirkten ebenso unsentimental wie energisch und zielbewußt. Der Kritiker Herbert Jhering schrieb über

Hanns Eisler und Ernst Busch.
(Quelle: Ernst Busch-Archiv, Berlin)

Busch: »Er ist Individualist, fast eigenbrötlerisch, und doch ein Volks-schauspieler und Volkssänger von breitester Wirkung. Er macht niemals Konzessionen an einen billigen Geschmack und erreicht höchste Popula-rität. Er ist niemals versöhnlerisch gegen den Kitsch und kommt dadurch auch als politischer Darsteller zu Wirkungen, die der Kunst und nicht Pla-katparolen angehören. So sind die Gestalten Ernst Buschs eigenwillig und beispielhaft zugleich.«[145] Als Sänger und Darsteller war er in Kabarett, Film, Theater, Schallplattenstudio und Massenveranstaltung vielseitig tätig und blieb dabei doch immer er selbst, der Kieler Arbeitersohn.

Sergei Tretjakow erlebte 1931 in Berlin einen ihrer Auftritte. Als der An-sager die Namen Busch und Eisler nannte, gab es sofort prasselnden Bei-fall, dann konzentrierte Ruhe. »Die Zuschauer kommen hinter Säulen hervor, lehnen sich gegen die vor ihnen Stehenden, um die Bühne wenig-stens mit einem Auge sehen zu können. Der Sänger Busch. In Hemdsär-meln. Das Hemd in die Hose gesteckt. Hände in den Hosentaschen. Her-ausfordernde Haltung. So stehen gern deutsche Arbeiterjungen und be-trachten spöttisch einen Herrn mit Melone, Atembeschwerden und Sie-gelring, der ihnen vorsichtig aus dem Wege geht und an der Haustür klin-gelt, wo ein Emailleschild angebracht ist: ›Eingang nur für Herrschaften. Dienstpersonal und Boten haben den Hintereingang zu benützen.‹ – Die-ser Busch hat nichts mit dem Frack und der Hemdbrust des Solisten zu tun. Er hält keine Notenrolle in der Hand. Und am Flügel ein Zwerg, breitschultrig, mit großem Kopf, blitzender Glatze und Hosen, deren Harmonikafalten bis zu den Fersen gehen. Das ist der Komponist der Lie-der, die Busch singen wird. Hanns Eisler. Ich habe noch nie Diktion und Phrasierung gehört, wie sie Busch eigen sind. Kein einziges Wort wird von der Melasse der Melodie verwischt. Man weiß nicht einmal gleich, ob es sich um ein Lied handelt, es scheint manchmal wie ein Zwie-gespräch mit dem Hörer zu sein, manchmal eine ironische Anekdote über den Feind.«[146]

Ebensowenig wie die Zuhörer hinter dem Pianisten Eisler, der oft mit Fäusten auf das Klavier trommelte[147], den einstigen Schönberg-Schüler vermuteten, konnten sie ahnen, daß die beiden Künstler, die zu den be-kanntesten Figuren der linken Berliner Musikszene gehörten, gemeinsam in einem bescheidenen Zimmer im alten Berliner Konfektionsviertel wohnten. »In unserem Zimmer«, erinnert sich Busch, »war ein Bett, ein Stuhl, eine Chaiselongue, auf der Eisler schlief und ein Klavier. Jeden Morgen klopfte Eislers Schüler Herbert Breth-Mildner an unsere Stuben-tür und brachte die Brötchen.«[148] So wie Brecht einmal gegenüber Elias Canetti äußerte, er könne dann am besten produzieren, wenn das Telefon oft klingle[149], so scheint auch Eisler selbst durch Lärm nicht vom Kompo-nieren abgelenkt worden zu sein. Wolfgang Roth, der als Assistent Teo Ottos für das Bühnenbild zur »Maßnahme« zuständig war, berichtete:

»Als Hanns Eisler ›Die Maßnahme‹ komponierte, hämmerte ich im gleichen Raum seiner Wohnung Regale zusammen, es störte ihn nicht, und er störte mich nicht.«[150] Eisler komponierte nicht im stillen, sondern im lauten Kämmerlein. Sein Komponieren war für ihn eine Tätigkeit, die zu körperlicher Arbeit in keinem Gegensatz stand.

Das Konzert als politisches Meeting

Schon bei den von Karl Rankl geleiteten Proben mit dem Berliner Schubert-Chor, dem Gemischten Chor Groß-Berlin und dem Gemischten Chor Fichte erwies sich die *Maßnahme* als »Lehrmeisterin im Klassenkampf«. Die 400 Arbeitersänger waren Ausführende, und zugleich Adressaten des Lehrstücks. Eisler hatte in Ratschlägen zur Einstudierung ausdrücklich gefordert, daß die Sänger den Text nicht als selbstverständlich annehmen, sondern ihn diskutieren sollten. »Jeder Sänger muß sich über den politischen Inhalt seines Gesangs völlig im klaren sein und ihn auch kritisieren.«[151]

Karl Rankl, der ebenso wie Manfred Bukofzer, Hans Hauska, Ernst Hermann Meyer, Hanning Schröder, Leo Spies, Wladimir Vogel, Karl Vollmer und Stefan Wolpe auch als Komponist von Arbeiterchören hervortrat, schloß sich diesen Forderungen an.[152] Sowohl der straffe rhythmische Gesangsstil, der sich von dem bis dahin üblichen gefühligen Chorgesang weit entfernte, als auch der Inhalt führte in den Proben zu leidenschaftlichen Diskussionen. Erreicht wurde, wie Friedrich Deutsch berichtete, »daß sich jeder Sänger auf das intensivste mit den Gedanken des Werkes beschäftigte.«[153] Die Arbeitsenergie der Sänger bei den oft nächtlichen Proben war ungewöhnlich und nur aus ihrem Engagement erklärbar: »Es war nun beinahe unheimlich, wie sich dabei die Arbeitersänger, durchwegs nach vielstündiger körperlicher Schwerarbeit, hielten. Frauen und Mädchen mußten nach aufreibenden Proben in der Frühe zu Fuß den oft beträchtlich weiten Weg heimwärts gehen.«[154] Den Bewunderern dieser großen, meist sogar ohne Notenkenntnis erbrachten Chorleistung erklärte der Chronist: »Diese ... Bereitschaft einer vielköpfigen Masse zum Opfer ist auf Grund nebulöser Idealvorstellungen völlig undenkbar. Sie wurde allein dadurch existent, daß jeder einzelne im Kollektiv den Weg ins Neuland wirklich spürte: Den äußerst merkwürdigen Versuch beider Autoren – über dessen Sinn die nächste Zukunft entscheiden wird – den Menschen nicht zu Erlebnissen zu bringen, sondern ihn zu verändern.«[155]

So wie es Eisler und Rankl schon bei den Proben gelungen war, die Haltung der Arbeitersänger zu verändern, so gelang es auch bei der Uraufführung, die am 13. Dezember 1930 spätabends in der Berliner Philharmonie

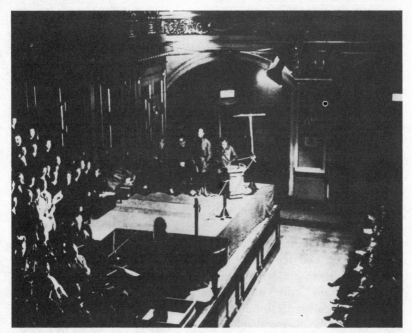

Uraufführung des Lehrstücks »Die Maßnahme« am 13. Dezember 1930 in der Berliner Philharmonie.
Links die 400 Arbeitersänger, die in halbkreisförmiger Aufstellung als Kontrollchor den Bericht der Agitatoren (auf dem Holzpodest sitzend) kommentieren. Unmittelbar vor dem Dirigenten Karl Rankl befindet sich die kleine Instrumentalgruppe.
(Quelle: Ernst Busch-Archiv, Berlin/DDR)

an der Bernburger Straße stattfand, den Konzertsaal umzufunktionieren, das »Konzert in ein politisches Meeting«[156] zu verwandeln. Dies entsprach einer Forderung, die bei der ersten Kulturkonferenz der Interessengemeinschaft für Arbeiterkultur am 15./16. November 1930 in der Sektion Musik-Gesang erhoben worden war: »Bekämpfung der Konzertform als einer veralteten bürgerlichen Institution, die für die moderne Arbeiterbewegung nicht mehr verwendbar ist. Anzustreben ist die Aktivisierung der Hörer und die Verwandlung des Konzerts in ein Mittel der Stärkung des Klassenbewußtseins, der revolutionären Schulung und Begeisterung.«[157]

Schon Paul Hindemith hatte 1922 in Frankfurt der traditionellen Konzertform eine »Gemeinschaft für Musik« gegenübergestellt und danach die Entwicklung von »Gemeinschaftsmusik« und »Gemeinschaftsstükken« zu seinen Zielen erhoben. Auch das zusammen mit Brecht erarbeitete *Badener Lehrstück vom Einverständnis* gehörte in diesen Zusammenhang. Die Trennung von Ausführenden und Zuhörern sollte aufgehoben, die Konsumentenhaltung beseitigt werden. Schon damals hatten sich aller-

311

dings Diskrepanzen gezeigt. Weder teilte Brecht das Harmoniebedürfnis Hindemiths, noch genügte ihm ein bloß momentanes Gemeinschaftsgefühl. Vielmehr strebte er ein dauerhaftes, sich nicht bloß aus dem Gefühl, sondern aus bewußter Entscheidung ergebendes Kollektiv an. Im Lehrstück *Die Maßnahme* war dies die kommunistische Partei. Während sich bei Brecht also die Idee einer »Gemeinschaftsmusik« im Lehrstück zuspitzte und konkretisierte, hatte sich Paul Hindemith nach dem Konflikt um die »Neue Musik Berlin 1930« davon entfernt. Als bewußten Gegenentwurf zur *Maßnahme* schrieb er ein Oratorium mit dem Titel *Das Unaufhörliche*.[158] Hindemith arbeitete hier mit dem Dichter Gottfried Benn zusammen, den Brecht als seinen Antipoden empfand[159] – und umgekehrt. Seinen ersten Textentwurf kommentierte Benn am 29.7. 1930 in einem Brief an Hindemith so: »Dieser Text, genannt: ›Das Unaufhörliche‹ ist kein Lehrstück, sondern mehr eine Dichtung. Der Name soll das unaufhörlich Sinnlose, das Auf und Ab der Geschichte, der Vergänglichkeit der Größe und des Ruhms, das unaufhörlich Zufällige und Wechselvolle der Existenz schildern, vielmehr lyrisch auferstehen lassen.«[160] Vielleicht unter dem Einfluß der »Maßnahme«-Uraufführung erwog Hindemith im Dezember 1930 noch einmal die Rückkehr zur Lehrstückidee; Benn konnte ihn aber schließlich davon abbringen.[161] Daß Benn seinen Text irrational verrätselte, ihn »rein mythisch, teilnahmslos und kontemplativ«[162] anlegte, rächte sich schon bei den von Karl Rankl geleiteten Proben. Von Chormitgliedern erfuhr der Dichter, sie fänden die Musik alle großartig, aber den Text verstünde niemand.[163] Paul Hindemith, der sich einst so intensiv für neue Musikgattungen und -funktionen eingesetzt hatte, kehrte 1930 zur alten Konzertform zurück. *Das Unaufhörliche* war »Hindemiths Abschied vom politischen Denken«.[164] Die Wege Brechts und Hindemiths, die sich in Baden-Baden eng berührt hatten, trennten sich damit endgültig.

Das Uraufführungspublikum bei der *Maßnahme* unterschied sich wesentlich von dem der Symphoniekonzerte.[165] »Neben den Spitzen der fortschrittlichen Berliner Intelligenz Scharen von Arbeitern und Arbeiterinnen: es ist eine Hörerschaft, wie sie wohl noch kein musikalisches Ereignis geformt hat, nicht unähnlich den besten Abenden bei Piscator.«[166] Vor die Philharmonie-Orgel war eine Leinwand gespannt, auf die die Brechtschen Texte projiziert wurden. Den Eindruck, man befände sich in einer Schule und nicht in einem Konzertsaal, verstärkte noch die Art der Schrift, eine teilweise mit orthographischen Fehlern übersäte Kinderfrakturschrift[167]. Zusätzlich wurden Fragebogen ausgeteilt, die dann in einer eigenen Diskussionsveranstaltung ausgewertet wurden. Ungewöhnlich für ein Konzert war auch die Einbeziehung szenischer Elemente. Neben dem großen Podium mit den Arbeiterchören und dem kleinen Orchester stand zur Rechten ein kleines Sonderpodium, das einige Besucher an einen

Boxring erinnerte. Auf diesem Sonderpodium führten die vier Agitatoren, dargestellt von den Schauspielern Alexander Granach, Helene Weigel und Ernst Busch sowie dem Tenor Anton Maria Topitz, pantomimisch, mit gelben Halbmasken mit schrägen chinesischen Augenschlitzen, einzelne Episoden ihrer Tätigkeit in China vor. Die Bewegungen waren jedoch so sparsam, daß der Charakter eines Oratoriums, einer »philosophisch-musikalischen Gattung« (Tretjakow) gewahrt blieb.[168]

Die Presseresonanz auf das ohne jede Zwischenfälle verlaufene und mit riesigem Beifall endende Ereignis war groß.[169] Man sprach von einer »neuen Ära in der Geschichte der proletarischen Sängerbewegung.« Die Kritik H.H.Stuckenschmidts endete mit dem Satz: »Man registriert: ein Werk prophetischer Art, einen Riesenerfolg.«[170] Die Aufführung regte, wie beabsichtigt, eine breite Diskussion an. Mehr im Zentrum als die Eislersche Musik, die meist gelobt, gelegentlich auch, so vom Hindemith-Biographen Strobel und von Klaus Pringsheim, wegen ihrer Einfachheit getadelt wurde, stand dabei die politische Aussage von Brechts Text. Auf Kritik stieß vor allem die Erschießung des jungen Genossen. Eine so unrealistische Entscheidung sei allein aus Brechts mangelnder politischer Praxis, aus seinem fehlenden Kontakt zu Organisationen der Arbeiterklasse erklärbar. Eine junge Kommunistin notierte damals: »Schade, daß brecht durchaus nichts von der kpd wissen will. in seiner unkenntnis der arbeiterschaft sind die unklarheiten der ›maßnahme‹ begründet. so kann er nie wirklich etwas für uns schaffen. wenn der den eisler nicht dabei gehabt hätte, wäre er von vornherein erledigt gewesen.«[171] Die Jungkommunistin, die dies kritisch anmerkte, wurde bald darauf Freundin und Mitarbeiterin Brechts. Es war Margarete Steffin.

Obwohl sich Brecht ausdrücklich auf den Marxismus-Leninismus berufen hatte, nannten kommunistische Kritiker *Die Maßnahme* ein idealistisches Stück. Alfred Kurella, der den ausführlichsten Diskussionsbeitrag lieferte, erfaßte wesentliche Schaffensmotive Brechts, wenn er schrieb, das eigentliche Thema des Stücks sei »die These von dem Primat des Verstandes über das Gefühl«: »›Dem Verstand folgen ist richtig – dem Gefühl folgen ist falsch‹, das ist die eigentliche Lehre des Stückes, und aus dieser grundfalschen, unmarxistischen Fragestellung, die im Anfang der Konzeption des ganzen Stückes steht, ergeben sich alle Fehler der Erfindung, des Aufbaus, der Durchführung und der Formulierung der ›Lehren‹ des Stückes. Gefühl und Verstand werden hier als selbständige, sich aus sich selbst bewegende Kategorien dargestellt. Sie werden vom Standpunkt des reinen Idealismus aus betrachtet. Ihre Gegenüberstellung ist nicht dialektisch, sondern metaphysisch.«[172] Zutreffend fährt er fort: »Man kann das Problem nur dann lösen, wenn man konkret die Umstände untersucht, unter denen ein Widerspruch von Verstand und Gefühl auftritt, und indem man dann weitergeht zu den gesellschaftlichen Ursachen, die in dem gegebenen und konkreten Fall den einen Revolutionär dem Verstand, den andern dem Gefühl den Vorrang geben läßt.«

Obwohl Kurella das Lehrstück wie die meisten späteren Interpreten als Drama mißverstand, obwohl er den jungen Genossen fälschlich als konkrete Person[173] und Gefühl und Verstand als sich ausschließende Gegensätze deutete, hat Brecht seine Kritik ernstgenommen. Er betrachtete *Die Maßnahme* auch als Lehr- und Lernstück für sich selbst und verbesserte seine Fehler, dem Lenin-Zitat folgend »Klug ist nicht, der keine Fehler macht, sondern/Klug ist, der sie schnell zu verbessern versteht«. Dieses Zitat wird in der 3. Szene der *Maßnahme* zunächst vom Chor rhythmisch gesprochen und dann als Kanon gesungen: Es soll sich dem Hörer wie ein Merkspruch einprägen. Die Umarbeitungen, die Brecht und seine Mitarbeiter vornahmen, waren grundlegend. In der neuen Fassung der *Maßnahme* sind Vernunft und Emotion, Härte und Gefühl, nicht mehr starr einander gegenübergestellt, sondern durchdringen einander. Spontane Aktionen werden nicht mehr prinzipiell als falsch dargestellt; vielmehr versuchen die Agitatoren, organisatorisch an sie anzuknüpfen. Der junge Genosse wird nicht mehr deshalb verurteilt, weil er das Gefühl über den Verstand stellte, sondern weil er politisch falsch, weil er unsolidarisch, reformistisch und putschistisch gehandelt hat. Im Verlauf der Diskussionen hatte Brecht gelernt, die Rolle von Ratio und Emotion differenzierter zu sehen. Dem moralisch-ästhetischen Urteil gegenüber hielt er politische Kriterien für übergeordnet. Die politische Kritik führte dazu, daß Brecht eine Grundpolarität seines Denkens, den »Gegensatz« von Vernunft und Gefühl, relativierte.

Durch die inhaltlichen Änderungen, die aus der *Maßnahme* trotz des beibehaltenen problematischen Schlusses ein wirklich politisches Stück machten, ergab sich auch für Eisler die Notwendigkeit einiger Umarbeitungen. Unter anderem ersetzte er den »Gesang der Baumwollspinner« durch das »Streiklied« und ließ im Chor »Ändere die Welt« einige Agitpropelemente fallen. Hatten Hindemith und Weill bei ihren Lehrstückkompositionen Brechts Textänderungen nicht mehr berücksichtigt, so daß heute das *Badener Lehrstück vom Einverständnis,* der *Lindberghflug* und *Der Jasager* musikalisch nur in den von Brecht überwundenen Frühfassungen vorliegen, so war Eisler mit Umarbeitungen einverstanden, sofern sie die politische Klarheit und Wirksamkeit des Werks erhöhten. In der Auffassung vom operativen Nützlichkeitscharakter der Kunst stimmte er, was sich als produktiv erwies, mit Brecht voll überein.

Brechts Lehrstücktheorie basiert auf der Annahme, daß der Mensch lernfähig und veränderbar sei.[174] Der Erfolg der *Maßnahme* gab ihm recht. Nicht nur beim Publikum, bei der Kritik und bei Brecht selbst lösten die Aufführungen einen beträchtlichen Lerneffekt aus, sondern vor allem auch bei den Arbeitersängern. Nach der Uraufführung schlossen sich die

400 Sänger der drei beteiligten Chöre zum »Arbeiterchor Groß-Berlin« zusammen.[175] Die gewachsene politische und künstlerische Eigenaktivität führte dazu, daß sich der Chor aus vorliegenden Texten und Musikstücken neue eigene Werke schuf, so die Chormontage »Solidarität«, die am 10. Oktober 1931 im Berliner Sportpalast uraufgeführt wurde.[176] Obwohl dem »Arbeiterchor Groß-Berlin« die Aufführung der *Maßnahme* zum 40jährigen DAS-Jubiläum untersagt wurde[177], tat Eisler alles, um die Verbreitung des Werks zu fördern. Daß nach der gutbesuchten zweiten Berliner Aufführung am 18. 1. 1931 im Großen Schauspielhaus mehr als ein Jahr verging, bis wieder eine »Maßnahme«-Aufführung (am 17. 4. 1932 in Düsseldorf) stattfand, lag nicht allein an den Umarbeitungen, sondern auch an der verspäteten Auslieferung des Klavierauszugs, der erst Ende November 1931 verfügbar war. Als in Düsseldorf der »Bund für neue Volksmusik« an musikalischen Schwierigkeiten zu scheitern drohte, rettete Eisler das Projekt, indem er sofort nach Düsseldorf reiste und dort eine Probe leitete.[178] Auch für die nächste Aufführung, die am 5. 5. 1932 in Leipzig stattfand, setzte er sich persönlich ein; da die dortige »Chorvereinigung Freiheit« die vom Verlag geforderte Leihgebühr nicht aufbringen konnte, übernahm er selbst ein Drittel der Kosten.[179] Weitere Aufführungen gab es in Frankfurt/Main (Mai 1932), Chemnitz (4. 6. 1932), Wien (20. 9. 1932)[180] und Köln (19. 11. 32). Eine Aufführung am 28. 1. 1933 in Erfurt wurde durch die Polizei abgebrochen. Die Naziherrschaft stand schon vor der Tür. Eine im Eisler-Archiv befindliche »Maßnahme«-Partitur zeigt Spuren von Bajonettstichen.

Rückblickend gab Eisler der *Maßnahme* einen bedeutenden Stellenwert bei der Revolutionierung der Arbeitersänger, aber auch bei der Entwicklung einer sozialistischen Kultur. »Den größten Nutzen bezog die revolutionäre Opposition aus der Mitarbeit des revolutionären Dichters Bert Brecht, dessen neuartige dramatische Arbeiten erst die praktischen Möglichkeiten boten, die Konzertform zu verändern. Brechts Theorie und Praxis des von ihm begründeten epischen Theaters übten großen Einfluß aus.«[181] Hatte Weill das epische Theater vor allem deshalb begrüßt, weil es geschlossene musikalische Formen ermöglichte, so sah Eisler in Brechts Neuerung die Chancen, zu veränderten Wirkungen, vor allem zu kulturpolitischen Veränderungen, zu kommen. *Die Maßnahme* betrachtete er 1934 als das interessanteste Resultat von Brechts epischen Versuchen. »›Die Maßnahme‹, ein politisches Lehrstück, verwendet und faßt die Resultate der Arbeiterkulturbewegung auf einer höheren Stufe zusammen. Das politische Lehrstück will nicht nur den Zuhörern, sondern auch den Ausführenden revolutionäres Verhalten lehren, indem es falsches politisches Verhalten darstellt. In kurzen Spielszenen wird durch Agitproptruppenschauspieler ein solches gezeigt, und durch große Massenchöre werden diese Spielszenen kommentiert. Das Zusammenwirken von Agitproptruppen, Arbeiterchören, Arbeiterorchestern und projizierten Schriften bot die technischen Möglichkeiten der Veränderung eines Konzertes in ein politisches Meeting.« H. H. Stuckenschmidt wertete ähnlich: »Dieses Werk, dieses dialektische Oratorium von breit ausladenden Formen, von ebenso kunstvoller Technik wie einfachen Konturen, ist ein Riesenschritt zu einer Aktivierung der Musik und des Podiums, es ist eines der wenigen großen Meisterwerke jener Sphäre der Avantgarde, in der künstlerisches und politisches Denken nicht mehr getrennt werden dürfen.«[182]

Auch für Brecht bedeutete *Die Maßnahme* einen modellhaften Schritt zu einem Kunstwerk der Zukunft. Wenn er in den fünfziger Jahren Aufführungen dieses Lehrstücks untersagte[183], so nicht deshalb, weil er es mittlerweile für schlecht oder falsch hielt; der Grund lag einzig darin, daß die Rezeptionsbedingungen ungünstig waren.[184] Als er in seinem Todesjahr gefragt wurde, welches er für die Form des Theaters der Zukunft halte, verwies er ohne zu zögern auf *Die Maßnahme*.[185]

Appelle an die Schwankenden

Vorwärts und nicht vergessen
worin unsre Stärke besteht!

Der »Kuhle Wampe«-Film und das »Solidaritätslied«

Nach dem Durchbruch mit der *Maßnahme* hatte Brecht seine neue Zielgruppe, das proletarische Massenpublikum, gefunden. Auf diesem Weg
ging er ab 1930 bewußt weiter, wesentlich unterstützt durch Hanns Eisler.
Die Verbindung zu Weill war zunächst noch nicht unterbrochen. Weill
schrieb die heute verschollene Bühnenmusik zur »Mann ist Mann«-Pre-
miere am 6. Februar 1931 am Berliner Staatstheater. Wenn sich Weill auch
für sein nächstes Opernprojekt *Die Bürgschaft* einen neuen Librettisten
suchte, nämlich Brechts alten Freund Caspar Neher, so verbrachte er doch
in den Monaten Mai und Juni 1931 seine Ferien mit Brecht, Elisabeth
Hauptmann, Emil Burri und Lotte Lenya im südfranzösischen Le Lavandou; drei Jahre zuvor war hier die *Dreigroschenoper* entstanden. Als im
September 1931 der Berliner Magistrat der Marxistischen Arbeiterschule
mit sofortiger Wirkung alle Schulräume entzog, schlossen sich mehrere
Künstler zu einer Protestaktion zusammen und stellten ihre Wohnungen
zu Unterrichtszwecken zur Verfügung.[1] Zu den Künstlern, die auf diese
Weise ihre Solidarität ausdrückten, gehörte neben Brecht, Feuchtwanger
und Eisler auch Weill. Am 16. November gab es wieder eine gemeinsame
Aktion: Bei einer Kundgebung der »Deutschen Liga für unabhängigen
Film« traten Brecht und Weill auf und sprachen über den »Dreigroschenoper«-Film. Dies sollte freilich eine ihrer letzten gemeinsamen Aktionen
bleiben.
Der monumentale »Dreigroschenoper«-Film (Regie: G.W.Pabst) mit
Rudolf Forster als Mackie Messer, Carola Neher als Polly Peachum, Lotte
Lenya als Jenny und Ernst Busch als Straßensänger war zwar kommerziell
ein großer Erfolg, ließ jedoch Brechts Änderungsvorschläge unberück-
sichtigt.[2] Als Konsequenz aus diesem Debakel versuchte er bei seinem
nächsten Film, an dem er von August 1931 bis Februar 1932 arbeitete, die

Brecht mit Hanns Eisler und Slatan Dudow 1931 bei der Arbeit am »Kuhle Wampe«-Film. (Quelle: Hanns Eisler-Archiv bei der Akademie der Künste der DDR)

üblichen Abhängigkeiten vom Produktionsapparat zu umgehen: »Unter dem frischen Eindruck der Erfahrungen aus dem Dreigroschenprozeß setzten wir, erstmalig in der Geschichte des Films, wie man uns sagte, einen Vertrag durch, der uns, die Hersteller, zu den Urhebern im rechtlichen Sinne machte. Dies kostete uns den Anspruch auf die übliche feste Bezahlung, verschaffte uns aber beim Arbeiten sonst unerlangbare Freiheiten. Unsere kleine Gesellschaft bestand aus zwei Filmschreibern (Brecht, Ottwalt), einem Regisseur (Dudow), einem Musiker (Hanns Eisler), einem Produktionsleiter (Robert Scharfenberg) und last not least einem Rechtsanwalt (Georg M. Höllering). Selbstverständlich kostete uns die Organisierung der Arbeit weit mehr Mühe als die (künstlerische) Arbeit selber, das heißt, wir kamen immer mehr dazu, die Organisation für einen wesentlichen Teil der künstlerischen Arbeit zu halten. Es war das nur möglich, weil die Arbeit als ganze eine politische war.«[3] Wie die Lehrstücke gehörte auch der mit relativ bescheidenen Mitteln hergestellte proletarische Filmklassiker *Kuhle Wampe* zu Brechts Versuchen, seine Produktionen aus dem kapitalistischen Kulturbetrieb herauszulösen. Daß er dabei die Erfahrungen mit der *Maßnahme* anwenden wollte, geht auch aus der Zusammensetzung des Arbeitskollektivs hervor.

In das neue Projekt brachten die Autoren nicht nur gemeinsame Lehr-stückerfahrungen, sondern auch individuelle Kenntnisse ein: Brecht seine frühere Tätigkeit als Filmautor, Dudow seine Kontakte zu den proletari-schen Filmgesellschaften »Prometheus« und »Weltfilm« sowie seine Ar-beit am Dokumentarfilm »Wie der Berliner Arbeiter wohnt«. Von beson-derer Bedeutung waren Eislers Erfahrungen mit dem Antikriegsfilm »Niemandsland« (nach einem Entwurf von Leonhard Frank, Drehbuch und Regie: Victor Trivas), zu dem er im Frühjahr 1931 die Musik ge-schrieben hatte. Schon in »Niemandsland« gab es Kleinbürgersatire, Paro-dien auf Männerchöre und Hochzeitsrituale, schon hier gab es die Tech-nik assoziativer Text- und Bildmontagen. Selbst der Titel *Kuhle Wampe oder Wem gehört die Welt?* und der Refrain des zentralen »Solidaritätslie-des« haben ihre Wurzeln in einer Szene des früheren Films, in der einer der Soldaten fragt: »Wem gehört der Rhein? Wem gehört Paris? Wem nutzen die Kolonien? Wem gehört die Welt?«

Schon in »Niemandsland« hatte Eisler die Musik nicht als Illustration, sondern als bewußten Kommentar verwendet. Auch die Musik selbst und ihre »verführerische« Funktion wurde dabei ganz im Sinne Brechts zum Thema. Der verdummenden Rauschwirkung von Militärmusik war eine eigene Sequenz gewidmet, die Eisler in seinem mit Theodor W. Adorno verfaßten Buch »Komposition für den Film« so analysierte: »Ein deut-scher Tischler folgt dem Einrückbefehl 1914. Er schließt seinen Schrank, ergreift sein Soldatenköfferchen und geht, von seiner Frau und seinen Kindern begleitet, über die Straße zur Kaserne. Es werden viele ähnliche Gruppen gezeigt. Der Ausdruck ist deprimiert, das Gehen schlapp, un-rhythmisch. Ganz leise setzt Musik ein, Andeutung eines Militärmarschs. Je lauter die Musik wird, desto frischer, rhythmischer, kollektiv einheitli-cher werden die Schritte der Männer. Auch die Frauen und Kinder neh-men eine kriegerische Haltung ein. Selbst die Schnurrbärte der Soldaten werden aufgezwirbelt. Triumphierendes Crescendo. Betrunken gemacht von der Musik, marschieren die Einrückenden, zu einer Bande von Schlächtern vereint, in die Kaserne. Abblendung.«[4]

Wie in dieser Modellszene setzte Eisler, der mit seinen Ideen Brecht be-einflußte[5], auch in *Kuhle Wampe* Musik als Kommentar zum Bild ein. So stellte er etwa deprimierenden Bildern von verfallenen Vorstadthäusern als bewußten Gegenpol eine rasche, scharfe, polyphone Musik gegenüber. »Der Kontrast der Musik – der strengen Form wie des Tons – zu den bloß montierten Bildern bewirkt eine Art von Schock, der, der Intention nach, mehr Widerstand hervorruft als einfühlende Sentimentalität.«[6] Die Musik artikuliert den Protest gegen die dargestellten Verhältnisse.

Kommentarfunktion besitzen in *Kuhle Wampe* auch die eingeblendeten Militärmärsche und Schlager. Wenn beim Einräumen der Möbel in der Notunterkunft aus dem Radio Märsche aus der Kaiserzeit (»Schwarzenbergmarsch«, »Deutsche Kaiserklänge«) ertönen, so wirft diese pompöse Musik nicht nur ein scharfes Licht auf die jämmerliche Wohnsituation, sondern auch auf das zurückgebliebene politische Bewußtsein der klein-bürgerlichen Protagonisten. Ähnlich entlarvend wirkt auch der Marsch »Einzug der Gladiatoren« beim Beginn des Verlobungsessens oder der Schlager »Schöner Gigolo, armer Gigolo« beim Besäufnis der Gäste. Die gleiche Musik, die den Realitätssinn der Protagonisten vernebelt, schärft die Wahrnehmung des Betrachters.

Dramaturgischer Kommentar war Eislers Musik schon in der Eröffnungs-szene der *Maßnahme* gewesen, indem sie dort die Situationsänderung nicht mitvollzog. Auch in *Kuhle Wampe* überbrückt die Musik Abschnitte, die sich inhaltlich scheinbar widersprechen. So beginnt im Film das hekti-sche Musik-Rondo *Jagd auf Arbeit* schon vor der rasenden Radfahrt, wenn sich die Arbeitslosen noch vor den Litfaßsäulen sammeln. Die Musik zeigt die innere Unruhe der Stellungsuchenden, die dem äußeren An-schein widerspricht.

Wie der Film »Niemandsland« ist auch *Kuhle Wampe* in mehrere deutlich unterscheidbare Abschnitte unterteilt, die durch geschlossene Musikstük-ke voneinander abgehoben werden. Der erste Teil (Zwischentitel »Ein Ar-beitsloser weniger«) zeigt den Selbstmord eines Verzweifelten, dem auf Grund einer Brüningschen Notverordnung die Arbeitslosenrente gestri-chen wurde und der nach wiederholter Jagd nach Arbeit keine neue Stelle finden konnte. Im zweiten Teil (»Das schönste Leben eines jungen Men-schen«) sieht man das traurige Schicksal eines jungen Paares in der Not-unterkunft »Kuhle Wampe«; trotz ihrer schlechten Lage wollen die bei-den ihre kleinbürgerlichen Illusionen nicht preisgeben. Die Teile 3 und 4 lassen unter der gemeinsamen Überschrift »Wem gehört die Welt?« einen Ausweg durchblicken. Bei einem proletarischen Sportfest, bei dem auch die Agitproptruppe »Das Rote Sprachrohr« auftritt, sowie bei einer politi-schen Diskussion in der Berliner S-Bahn kristallisiert sich immer mehr die Erkenntnis heraus, daß das Elend nur besiegt werden kann, wenn sich die Solidarität der Arbeitenden durchsetzt, wenn die Arbeiter selbst die Welt in Besitz nehmen.

Aufforderung zu gemeinsamem Handeln: »Das Solidaritätslied«

Ein wesentliches Mittel zur Aktivierung der Arbeiter waren Lieder über politisches Handeln: Kampflieder. Durchschlagende Wirkung konnten diese jedoch nur haben, wenn sie nicht bloß rezipiert, sondern von den Betroffenen selbst gesungen wurden. Zu Beginn der Arbeitersängerbewe-gung hatten einstimmige Lieder, Gesänge wie »Die Internationale«, »Die Arbeitsmänner«, der »Sozialistenmarsch« oder »Brüder, zur Sonne, zur

Freiheit«, noch eine erhebliche Rolle gespielt.[7] Mit der Erhöhung des musikalischen Niveaus der Chöre und ihrer Annäherung an das bürgerliche Konzertleben wurden diese von den Arbeitersängern immer mehr als »primitiv« abgelehnt. In Anlehnung an die bürgerliche Ästhetik trennten nun auch Arbeiter zwischen »hoher« und »niedriger« Kunst. Auf Demonstrationen und Versammlungen sangen sie immer wieder die gleichen, oft schon veralteten Lieder. Neue Lieder drangen kaum noch in ihr Bewußtsein, da die Arbeiterchöre ihre frühere Funktion, einstimmige Lieder zu popularisieren und zu verbreiten, verloren hatten. Solche Aufgaben übernahmen ab 1928 mehr und mehr Hanns Eisler und Ernst Busch, nicht zuletzt aber auch die Agitproptruppen, deren Ziel nicht das Konzertleben, sondern die politische Veränderung war. Eisler stellte den Arbeitersängern diese Agitproptruppen immer wieder als Vorbild hin. Sah er in Konzerten, auch in Arbeiterkonzerten, die Gefahr, daß die Zuhörer zu passiven Konsumenten wurden, so bewunderte er an den Agitproptruppen die vielfältigen Möglichkeiten, diese Passivität zu durchbrechen, auch Passanten anzusprechen, sie zu provozieren oder zu überzeugen. Bester Beweis des Einverständnisses war es, wenn die Zuhörer zum Schluß Lieder der Agitproptruppe mitsangen. Damit war dann wirklich jenes Einverständnis erzielt, das sich Brecht als Ergebnis seines *Badener Lehrstücks vom Einverständnis,* seiner Schuloper *Der Jasager* und seines Lehrstücks *Die Maßnahme* erhofft hatte.

Das Kampflied formuliert das Ergebnis eines Lernprozesses und zeigt einen Weg auf, die Erkenntnis in die Tat umzusetzen, den Schritt vom Ich zum Wir, von der Theorie zur Praxis zu machen. Da im Kampflied viele gemeinsame Zielsetzungen, nicht zuletzt Lehrstück- und Agitpropidee, aber auch Brechts alte Augsburger Idee einer proletarischen Freiluftmusik zur Deckung kamen, erhielt es für Eisler und Brecht erhebliche Bedeutung. Bereits in früheren Werken, so seinen opera 9, 10 und 13, hatte Eisler durch das Zitieren der »Internationale« auf die Notwendigkeit von Arbeiterkampfliedern hingewiesen. Ab 1928 wurde er selbst zum Komponisten solcher Lieder und erreichte auf diesem Gebiet eine ähnlich wegweisende Bedeutung wie Brecht für das Lehrstück. Angeregt durch Eisler, der bereits vorher, unter anderem mit Robert Gilbert und Erich Weinert, populäre Massenlieder geschrieben hatte, setzte es sich nun auch Brecht zum Ziel, Massenlieder herzustellen und zu verbreiten. Entscheidend war ihm dabei, daß diese Lieder nicht aus bloßer Gewöhnung, nicht wegen »mitreißender« Melodie- oder Textwendungen gesungen wurden, wie es bei vielen Naziliedern, aber auch bei Songs aus der *Dreigroschenoper* oder alten Liedern der Arbeiterbewegung der Fall war, sondern aus Überlegung und Einsicht. Identifikation sollte nicht allein über das Gefühl hergestellt werden. Gerade auf dem Gebiet des Massenliedes erhielt die Parole »Laßt euch nicht verführen!« eine grundlegende, nämlich politische Bedeutung.

Allzuoft geschah es, daß ein problematischer oder sogar gefährlicher Text nur wegen der Melodie akzeptiert wurde; die Nazis hätten mit ihren Sturmabteilungen (SA) kaum so große Werbeerfolge erzielt, wenn sie nicht so viele alte Arbeiterlieder mit verändertem Text hätten übernehmen können.[8] Brecht und Eisler hingegen, für die der Sozialismus Inbegriff der Vernunft war, wollten Arbeiter- und Kampflieder nicht durch Überrumpelung, sondern durch Diskussion vermitteln.

Darin stimmte Brecht mit Eisler voll überein: »Man darf die Popularisierung eines guten Kampfliedes nicht dem Zufall, seiner ›zündenden Wirkung‹, dem günstigen Umstand, daß es ›der Masse aus dem Herzen spricht‹, überlassen.«[9] Wie Eisler setzte er deshalb große Hoffnungen auf die Vermittlung durch Agitproptruppen: »Man muß kleinen Einheiten von Arbeitern das als gut erkannte Lied lehren und ihnen die Aufgabe setzen, es den Massen einzustudieren.«[10] Tatsächlich boten die Agitproptruppen erhebliche Möglichkeiten zur Verbreitung von politischen Liedern. Während nach 1930 die Chorbewegung stagnierte und sich in Fraktionskämpfe verstrickte – Eisler bedauerte später angesichts des Faschismus diese von ihm mitverschuldete Entwicklung –, wuchs die Zahl der Agitproptruppen gerade in den Jahren der Massenarbeitslosigkeit sprunghaft an. Allein die Berliner Truppen traten vom August 1930 bis zum April 1931 circa 1400 mal vor insgesamt 500 000 Zuschauern auf und konnten dabei 6000 neue Mitglieder für proletarische Organisationen werben.[11]

Mit dem steigenden Erfolg schwollen auch die Zensur- und Verbotsmaßnahmen an, wobei die Polizei sich beispielsweise auf den »Gotteslästerungsparagraphen« oder die Reichsgewerbeordnung stützte. Einen wirklichen Einschnitt bedeutete allerdings im März 1931 Hindenburgs »Verordnung zur Bekämpfung politischer Ausschreitungen«, mit der unter Umgehung des Parlaments praktisch die Versammlungs-, Koalitions- und Pressefreiheit aufgehoben wurde. Auf diese Notverordnung stützte sich der sozialdemokratische Polizeipräsident zu Berlin, Grzesinski, als er am 2. April 1931 in einem Geheimerlaß an die Abteilung IA (politische Polizei) anordnete, das Auftreten von Agitproptruppen in Versammlungen grundsätzlich zu verbieten.[12] Damit wurde die Agitproparbeit in die Illegalität gedrängt; betroffen waren davon allein die Kommunisten – die Nazis hatten keine solchen Truppen. Wie sehr von bürgerlicher Seite die Agitproptruppen gefürchtet wurden, geht aus einer internen Denkschrift des Berliner Polizeipräsidiums hervor; dort heißt es: »Derartige Aufführungen sind viel mehr als irgendwelche noch so wirkungsvolle Reden geeignet, die Zuhörer von der Richtigkeit kommunistischer Thesen zu überzeugen.«[13]

Nach dem Verbot der Agitproptruppen mußten andere Medien die Funktion übernehmen, Massenlieder zu verbreiten. Schon im Film »Niemandsland« unterlegte Eisler der Schlußszene sein Lied »Der heimliche

Aufmarsch«; da das Lied zuvor wegen seines Weinert-Texts verboten worden war, konnte allerdings nur eine Instrumentalfassung erklingen. Auch im Film *Kuhle Wampe* steht am Schluß ein Massenlied. Allmählich entwickelt es sich als Ergebnis eines Lernprozesses: das »Solidaritätslied«, das neben »Komintern« und »Einheitsfront« weltweit zu Eislers bekanntester Komposition wurde.

Zunächst war jedoch ein anderes Lied, die *Ballade von dem Tropfen auf den heißen Stein* für den Schluß des Films vorgesehen. Slatan Dudow äußerte Bedenken: So poetisch dieses Gedicht auch sei, so logisch seine Anfangszeile »Der Sommer kommt« an das Gedicht *Das Frühjahr* im zweiten Teil des Films anknüpft, so sehr sei es doch inhaltlich allzu eng auf das Wohnungsproblem beschränkt.[14] »Mir schien, so sehr ich auch Brecht schätzte und die Ballade schön fand«, resümierte Dudow seine Einwände, »daß sie für den Film nicht das richtige war. Ich stellte mir ein Lied vor, das, knapp in der Wortführung, mobilisierend wirken müßte, und ich versuchte meine Gründe klar darzulegen. Eisler rückte etwas nervös an seiner Brille und sah auf Brecht, Brecht machte einen verstimmten und nachdenklichen Eindruck, und mir war auch nicht wohl zumute, schließlich war ich der Jüngste im Kollektiv. Die peinliche Pause hielt an, bis Eisler das erlösende Wort sprach: ›Der Steppenwolf‹, so nannten mich damals die Freunde, ›scheint recht zu haben.‹ Brecht lächelte zweifelnd und fragte bereitwillig: ›Ja, ja, aber wie macht man so was?‹ Und bevor wir uns klar wurden und während wir eifrig darüber diskutierten, hatte Brecht – in großen Zügen – das ›Solidaritätslied‹ entworfen. In diesem Kreis galt das Argument und nicht die Autorität!«[15] Die stufenweise Entwicklung des »Solidaritätsliedes«, wie sie sich aus den vorliegenden Entwürfen ablesen läßt, stellt ein überzeugendes Beispiel der Zusammenarbeit von Brecht und Eisler dar.[16] Zu den ersten Skizzen dürfte ein Entwurf Brechts[17] gehören, in dem er eine Textzeile zusammen mit einer auf vier Textzeilen berechneten Melodie aufzeichnete. Unter die beiden ersten Zeilen notierte er die Worte »Sehen wir die Sonne scheinen/auf dem See und auf dem Feld«:

Aus dieser in Brechts eigener Notenschrift aufgezeichneten Skizze läßt sich nicht nur die Vierzeiligkeit, die Tonart g-moll, sondern auch, wenn die Notenhälse die Taktanfänge markieren, schon die endgültige rhythmische Fassung und ihr melodischer Gestus herauslesen. Übertragen in moderne Notenschrift lautet der Entwurf:

Zum Vergleich folgt der schließlich von Eisler komponierte Strophen-
Beginn:

Die musikalische Verwandtschaft ist unübersehbar. Gemeinsam sind
Brechts Skizze und Eislers endgültiger Fassung der Rhythmus und die Be-
schränkung der Melodik auf kleine, einen engen Tonraum umkreisende
Sekundschritte.
In einer auf vier Strophen erweiterten Textfassung[18] lautet die 1. Strophe:

> Sahen wir die Sonne scheinen
> Auf die Straße, auf das Feld,
> Konnten wir doch niemals meinen,
> Dies sei uns're wahre Welt.

Das Wort »See«, das sich im ersten Entwurf auf den Berliner Müggelsee,
an dem die Obdachlosenzeltkolonie »Kuhle Wampe« lag, bezogen hatte,
ist hier durch »Straße« ersetzt, wodurch sich der Gültigkeitsbereich des
Liedes vergrößerte. In der 3. Strophe dieses Entwurfs wird der »grauen
Woche« das »rote Wochenend« entgegengestellt. Dieses »rote Wochenend«, für den Film wohl aus Zensurgründen in ein »frohes Wochenend«
abgeändert, ist jedoch, wie Brecht in der 4. Strophe unter Rückgriff auf
seine frühere Ballade formuliert, nur »ein Tropfen auf den heißen Stein«:

> Denn wir wissen, das ist nur ein
> Tropfen auf den heißen Stein,
> Aber damit kann die Sache
> Nicht für uns bereinigt sein.

Schon für die 4. Strophe zeigt das Manuskript mehrere handschriftliche
Verbesserungen von der Hand Brechts, Eislers und eines Dritten. Die
5. Strophe begann ursprünglich »Aber eines Tag's wird man uns sehen/
Ausmarschieren mit Gesang.« Eisler änderte das »Ausmarschieren« um in
»Auf die Straße ziehen«. Damit wird Bezug genommen auf eine aktuelle
politische Forderung der Linken: Angesichts der sich mehrenden Aufmärsche der Nazis hieß es für die Arbeiterbewegung, sich nicht einschüchtern
zu lassen, sondern die Zahl der Straßendemonstrationen noch zu verstärken. In diesem Sinn ließ Brecht sein Gedicht »Als der Faschismus immer
stärker wurde«[19] mit den Zeilen schließen

> Denn die Straßen zumindest sind unser
> Wenn sie die Häuser uns rauben.

Unter Einbeziehung von Eislers Änderung lautet die 5. Strophe:

Aber eines Tag's wird man uns sehen
Auf die Straße ziehen mit Gesang
Und an eine and're Arbeit gehen
Erstens alle, zweitens dann für lang.

In einer auf sieben Strophen erweiterten Fassung trägt das Lied den Titel
»Sonntagslied der freien Jugend (Solidaritätslied)«.[20] »Solidaritätslied«
war hier zunächst nur ein Untertitel. Diese siebenstrophige Fassung, die
leicht gekürzt dann auch für den Film verwendet wurde, besaß eine neue
1. Strophe[21], die aus der Schlußzeile des früheren Entwurfs abgeleitet war:

Erstens sind wir hier nicht alle
Zweitens ist es nur ein Tag
Wo die Arbeit einer Woche
Uns noch in den Knochen lag.

Schon diese Fassung läßt in ihrer nüchternen Sprachform erkennen, daß
hier nicht weihevolle Stimmung verbreitet oder einfach »mitgerissen«,
sondern argumentiert wird. Mit dieser nüchternen Rationalität, die in
bürgerlichen Liedern selten anzutreffen ist, verbindet sich die proletarische Jargonformulierung von der Arbeit, die auch am Feierabend »noch
in den Knochen liegt«.

In den Teilen 3 und 4 des »Kuhle Wampe«-Films wird das »Solidaritätslied« stufenweise vorbereitet. Schon zur Szene »Die Fabriken«, die mit
einer filmischen Montage aus Industrieaufnahmen den Teil 3 einleitet, erklingt eine Orchestermusik, in die Motive aus der Liedmelodie eingear-
beitet sind. Allmählich erweitern sich diese Partikel zum Ganzen. Beim
folgenden Arbeitersportfest – die sportlichen Kämpfe sollen dabei auf die
notwendigen politischen Kämpfe verweisen – wird der Refrain schon
von Arbeitersportlern gesungen, die Melodie der Strophe dagegen nur
gepfiffen. Stufe für Stufe ersteht so vor dem Hörer das ganze Lied. Nach
einem »Sportlied« und einem »Lied von der Roten Einheitsfront«[22] singt
schließlich die Agitproptruppe »Das Rote Sprachrohr«, die bei einem Auftritt im Freien gezeigt wird, die Strophen 1 und 2 des »Solidaritätslieds«;
Arbeitersportler fallen in den Refrain mit ein: Aus der Darbietungsmusik
wird ein Massenlied. Die Möglichkeit zur Identifikation erhöht sich für
den Kinobesucher, wenn mit den Strophen 3 und 4 neben Chor und Orchester auch der Solist Ernst Busch, einer der Hauptdarsteller des Films[23],
zu hören ist. Sein Gesang ertönt, wenn das ›rote Wochenend‹ im Grünen
beendet ist und die Arbeitersportler zur S-Bahn gehen, die sie wieder in
den Berliner Großstadtalltag zurückbringt.

Der letzte Refrain besitzt eine wichtige filmdramaturgische Funktion: Er
leitet mit seiner Frage: »Wessen Welt ist die Welt?« unmittelbar auf die
Schlußszene, die politische Diskussion in der S-Bahn, hin. In dieser Dis-

Auftritt der Agitprop-truppe »Das Rote Sprachrohr« im Film »Kuhle Wampe«. Links vom Podest mit weißer Bluse und Krawatte die Hauptdarstellerin Hertha Thiele, hinter ihr Ernst Busch.
(Quelle: Hanns Eisler-Archiv)

kussion, die den Film in die Nähe des Lehrstücks und des Agitproptheaters rückt, wird der Appell des Liedes aufgegriffen; die dort formulierten Fragen werden an die kapitalistische Wirklichkeit gestellt. Der Impuls des ›roten Wochenends‹ geht weiter. Der Film macht den Zuhörer und Zuschauer nicht nur allmählich mit Melodie und Text des Solidaritätslieds vertraut, sondern zeigt es auch in seiner Funktion als Massenlied. Nicht zuletzt aber demonstriert er, wie das Lied zum politischen Handeln anregt.

Das »Solidaritätslied« entwickelt sich aus der dramatischen Situation und führt sie weiter. Es steht am Ende eines Lernprozesses und treibt ihn vorwärts, es bildet die Brücke von reflektierender Kunst zu politischer Praxis.[24]

Im Hintergrund wirkte sich dabei technisch neben dem Agitpropvorbild auch das filmmusikalische Verfahren des »Theme-songs« aus. Schon in den letzten Stummfilmjahren hatte sich in Amerika die Tendenz zu solchen Titelsongs herauskristallisiert: Der ganzen Begleitpartitur lag ein zentrales Lied zugrunde, das schon im Vorspiel erklang und dessen Motive dann in den einzelnen Musiknummern immer wieder aufgegriffen wurden; parallel zum Film wurden im Medienverbund Notenausgaben und Schallplattenaufnahmen dieses Titelsongs, meist vom Hauptdarsteller des Films gesungen, herausgebracht. Der Titelsong warb für den Film und umgekehrt.[25] Auch das »Solidaritätslied« erschien bald in Einzeldrucken sowie auf Schallplatten.[26] Der proletarische Film nutzte die Konstellation der neuen Medien aus, jedoch nicht in kommerzieller, sondern in aufklärerischer politischer Absicht. Während der Titelsong der kommerziellen Filme schon zu Beginn als Ganzes erklingt und ein Happy-End verheißt, ist das Solidaritätslied erst am Schluß von *Kuhle Wampe* vollständig zu hören. Es verspricht dort nicht Glück und Erfüllung, sondern ruft zur Aktivität, zur Solidarität auf. Der Schluß ist offen.

Während die mehrfach umformulierten Strophen erst allmählich von ihrem Bezug auf die Filmhandlung gelöst wurden – so auch in der Fassung »Wer was will, der muß was wagen«[27] – und erst 1949 die bekannte Allgemeingültigkeit erhielten, besaß der durch die Schlußszene aus »Niemandsland« angeregte Refrain sehr bald die endgültige Form. Abweichend war nur die aus der aktuellen politischen Situation hergeleitete Zeile »Wessen Straße ist die Straße?«.[28] Bereits im Herbst 1931, ein halbes Jahr vor der Filmuraufführung[29], wurde dieser Refrain in der Handschrift des Komponisten in der »Illustrierten Roten Post« veröffentlicht.[30] In seiner drängenden Irregularität ist er ein aktivierender Kontrast zur gleichmäßigen rhythmischen Regularität der Strophen. Schon seine Zeilenstruktur, die Einfügung der Zeile »Vorwärts, nie vergessen« in die übliche Vierzeiligkeit, erregt Aufmerksamkeit:

> Vorwärts, und nicht vergessen,
> worin unsre Stärke besteht!
> Beim Hungern und beim Essen
> vorwärts, nie vergessen
> die Solidarität!

Die für die Aussage entscheidenden Worte »Vorwärts« und »Solidarität« bilden den Rahmen des Refrains. Durch das Einschieben des erneuten Appells »Vorwärts!« – ein Wort, das schon früh mit der deutschen Arbeiterbewegung assoziiert wurde – gerät der Vers aus dem Gleichmaß und erhält neue rhythmische Energie, um auf das Ziel, die Solidarität, hinzusteuern. Zur Irregularität der Zeilenstruktur tritt der rhythmische Wechsel innerhalb der Zeilen spannungsfördernd hinzu; in jeder Zeile ist die Dreihebigkeit, die Folge von drei Betonungen, rhythmisch anders realisiert. Ein so »synkopisch« beschaffener Refrain kann nur mit klarem Bewußtsein gesprochen und gesungen werden. Die rhythmische Struktur, die schon den frühesten Fassungen des »Solidaritätsliedes« zugrunde lag, sperrt sich – ähnlich wie die wechselnde Rhythmik in der »Legende vom toten Soldaten« – gegen dumpfen Trott.

Eisler baute seine Vertonung auf dem Sprachrhythmus auf. Zusätzlich orientierte er sich an der Sprechmelodie Ernst Buschs[31], der die Betonungsakzente auf die inhaltlich zentralen Worte legte.

Durch musikalische Mittel verschärfte Eisler noch den Kontrast zwischen der vertraut wirkenden rhythmischen Gleichmäßigkeit der Strophen und dem neuartigen Aufforderungscharakter des Refrains. Während sich in der Strophe der punktierte Rhythmus der ersten Zeile fast unverändert wiederholt, das harmonische Schema jeweils paarweise wiederkehrt und die Melodik größere Sprünge vermeidet, herrscht im Refrain das Prinzip des Wechsels und der Überraschung. Indem auf diese Weise in der Abfolge von Strophe und Refrain Vertrautes und Neues nebeneinanderstehen, sorgt die Komposition einerseits für Verständlichkeit, andererseits aber auch für den Signalcharakter, der aktiviert und Rauschwirkungen verhindert.

Beispielhaft ist im Refrain die aktivierende Wirkung am Baß der Instrumentalbegleitung zu beobachten. Anstelle von stampfendem Gleichmaß gibt es Wechsel und metrische Vielfalt; mehr als an traditionelle Marschlieder fühlt man sich an die federnden Bässe des Jazz erinnert. Bei aller Jazznähe, die in Takt 5 ff. durch die Synkopen betont wird, ist der Baß aber auch entsprechend den Gesetzen des Kontrapunkts als selbständige Gegenstimme zur Melodie behandelt.

(Notenbeispiel siehe nächste Seite oben.)

Die Baßführung in der solistischen Strophe ist einfacher. Aber auch hier zwingt Eisler durch die Dynamik (Piano statt Forte), durch die Artikulation (kurze Achtelnoten statt schwerer Viertel) sowie vor allem durch die Metrik (irreguläre, in sich unsymmetrische Dreitaktgruppen statt der zu erwartenden regelmäßigen Viertakter) den Sänger zu Aufmerksamkeit.

Während die Strophen unter verschiedenen Aspekten argumentieren, besitzt der Refrain den Charakter eines Appells. Er zielt auf das Wort »Solidarität«. Auch Eisler orientiert seine Komposition in ihrer musikalischen Entwicklung ganz auf diesen Zielpunkt hin. Dabei wahrt er – wie schon am Beispiel »Lob der UdSSR« verdeutlicht – gegenüber dem Text Eigenständigkeit, er folgt eigenen musikalischen Formgesetzen, die allerdings auf den Text beziehbar sind. So erreicht er wie Brecht eine Steigerung – jedoch mit anderen und wirkungsvolleren Mitteln. Während die beiden ersten Textzeilen

    Vorwärts, und nicht vergessen,
    worin unsre Stärke besteht!

bei Brecht nicht korrespondierend aufeinander bezogen sind, macht Eisler daraus die Abfolge von Zweitaktmodell (Takt 1/2) und variierter Wiederholung (T. 3/4); es beginnt damit ein musikalischer Entwicklungsprozeß. Kenner werden in Takt 2 und 4 der Klavierbegleitung den symbolträchtigen Anapäst  wiedererkennen.

Während Brecht die Steigerung nur durch das Wort »vorwärts« zum Ausdruck bringt, steigert Eisler durch Mittel der entwickelnden Variation, die er aus der Tradition Beethoven-Brahms-Schönberg übernommen hat.[32] Die dritte Zeile ist bei ihm eine variierte Sequenz des Modells von Takt 1/2, wobei die Steigerung aus der Erhöhung der Melodie um einen Ganzton sowie aus der drängenden Verkürzung von Takt 6 (»Essen«) resultiert.

Daß die Solidarität in T. 9/10 das Ziel verkörpert, geht nicht nur aus dem hier erreichten Spitzenton d″ hervor, der zudem durch die viermalige Wiederholung besonderen Nachdruck erhält.

Vielmehr geschieht in diesen beiden Takten auch ein harmonisch bedeut-
samer Umbruch: Mit dem Wechsel vom g-moll-Akkord zum A-Dur-
Dreiklang wird die bis dahin vorherrschende Tonart a-phrygisch verlassen. Es ist dies nicht ein »normaler« Tonartenwechsel, sondern eine Art
Sprengung des harmonischen Systems: Das alte System der Kirchenton-
arten geht hier in das modernere System der Dur-Moll-Tonarten über.
Obwohl dieser Umschlag auf dem Wort »Solidarität« das Ziel einer sich
steigernden Entwicklung darstellt, ist damit jedoch die Bewegung keineswegs zu einem Ende gekommen. Denn wie aus der Fortsetzung in der
Strophe zu entnehmen ist, besitzt der A-Dur-Dreiklang nicht Tonika-,
sondern Dominant-Funktion; die neue Tonart d-moll ist Resultat der A-
Dur-Tonika, Fortsetzung und nicht Neubeginn. Durch strikt musikalische
Mittel hat Eisler etwas zum Ausdruck gebracht, was in Brechts Text noch
nicht enthalten war: daß nämlich die erstrebte Solidarität nicht das Ende,
sondern die Voraussetzung weiterer Entwicklung ist. Damit verweist Eisler schon in den ersten Refrains auf die Offenheit des letzten Refrains:

Eisler knüpft an die Hörerfahrungen eines Arbeiterpublikums an und
führt sie weiter. Seine Musik, die wie der Film und wie Brechts Text logisch auf das Kernwort »Solidarität« hinzielt, lehnt sich an volkstümliche
Liedtraditionen an und ist doch im Kern avantgardistisch, geprägt von den
Erfahrungen der Schönberg-Schule. Melodie und Rhythmus sind für sich
genommen kompliziert, prägen sich jedoch in Verbindung mit der Begleitung und dem Text ein. Da sich alle Elemente aufeinander beziehen
und miteinander verklammert sind, bildet das Ganze eine untrennbare
Einheit. Text und Musik stehen im »Solidaritätslied« in so enger Verbindung wie in nur wenigen Liedern. Dadurch reduziert sich die Gefahr
einer Verselbständigung der Musik. Es ist kaum denkbar, daß jemand die
Melodie des »Solidaritätsliedes« pfeift, ohne dessen Text zu kennen.
Brecht-Eislers »Solidaritätslied« ist ein Gegenmodell zum Politschlager.
Gegen sogenannte »rote Schlager« hatte sich Eisler erstmals 1932 gewandt: »Die erste Forderung, die der Klassenkampf an Kampflieder stellt,
ist eine große Faßlichkeit, leichte Verständlichkeit und energische, präzise
Haltung. Hier liegt eine große Gefahr für die revolutionären Komponisten. Die Faßlichkeit der bürgerlichen Musik ist ausschließlich in der
Schlagerliteratur zu finden, und es ist leider festzustellen, daß oft der Fehler gemacht wird, sich mit einem sogenannten ›roten Schlager‹ schon zufriedenzustellen. Der bürgerliche Schlager hat aber eine durchaus korrup-
te, unaktive musikalische Haltung und kann nicht von uns übernommen
werden. Völlig unbrauchbar am Schlager ist seine Melodieführung und
seine Harmonik. Aber es ist möglich, den Rhythmus des Jazz umzumon-
tieren und straff und energisch zu machen.« Mit dem »Solidaritätslied«
sind Brecht und Eisler nicht nur der politischen, sondern auch der musikalischen Dummheit begegnet. Sie haben den Beweis dafür geliefert, daß
»das Volk« nicht mit schlagerhafter Simplizität abgespeist zu werden
braucht. Gern berief sich Eisler dabei auf Marcel Proust, der in seinem
mehrbändigen Romanwerk *Auf der Suche nach der verlorenen Zeit,* einem
glänzenden Porträt der Pariser Oberschicht, geschrieben hatte, daß »die
Damen und Herren der Gesellschaft ... die wahrhaft Ungebildeten sind
und nicht die Elektrizitätsarbeiter. In dieser Hinsicht wäre eine der Form
nach volkstümliche Kunst eher für die Mitglieder des ›Jockey‹ als für die
Gewerkschaft angebracht.«[33] Daß Massenlieder nicht primitiv sein müssen, hatte schon die musikalisch anspruchsvolle »Marseillaise« bewiesen,
deren Melodie sich auch bei deutschen Arbeitersängern mit Neutextierungen durchsetzte.
Das »Solidaritätslied« kam an, obwohl sein Refrain harmonisch, motivisch und metrisch nach dem avancierten Prinzip der entwickelnden
Variation gebaut und unbezweifelbar kompliziert ist. Brecht machte die

Erfahrung, daß Arbeiter solche Feinheiten zu schätzen wissen: »Arbeiterchöre sprachen kompliziert rhythmisierte Verspartien (›Wenn's Reime wären, dann ging's runter wie Wasser, und nichts bliebe hängen‹) und sangen schwierige (ungewohnte) Eislersche Kompositionen (›Da ist Kraft drin‹). Aber wir mußten bestimmte Verszeilen umändern, deren Sinn nicht einleuchtete oder falsch war. Wenn in Marschliedern, die gereimt waren, damit man sie schneller lernen konnte, und die einfacher rhythmisiert waren, damit sie besser ›durchgingen‹, gewisse Feinheiten (Unregelmäßigkeiten, Kompliziertheiten) waren, sagten sie: ›Da ist ein kleiner Dreh drinnen, das ist lustig.‹ Das Ausgelaufene, Triviale, das so Gewöhnliche, daß man nichts mehr dabei denkt, liebten sie gar nicht (›Da kommt nichts bei raus‹). Wenn man eine Ästhetik brauchte, konnte man sie hier haben. Ich vergesse nie, wie mich ein Arbeiter anschaute, dem ich auf seine Anregung, in einen Chor über die Sowjetunion noch etwas einzubauen (›Da *muß* noch das rein – sonst wozu?‹), erwiderte, das würde die künstlerische Form sprengen: mit dem Kopf auf die Seite gelegt, lächelnd. Ein ganzer Trakt der Ästhetik stürzte durch dieses höfliche Lächeln zusammen. Die Arbeiter hatten keine Angst, uns zu lehren, und sie hatten keine Angst, selber zu lernen.«[34] Schon in der Augsburger Vorstadt war Brecht gegen den hochmütigen bürgerlichen Begriff der Volkstümlichkeit skeptisch geworden. Daß »das Volk nicht tümlich« sei, wurde ihm auch in Berlin immer wieder bestätigt: »Ich spreche aus Erfahrung, wenn ich sage: Man braucht nie Angst zu haben, mit kühnen, ungewohnten Dingen vor das Proletariat zu treten, wenn sie nur mit seiner Wirklichkeit zu tun haben.« Als Beispiel nannte er »die sogenannte Agitpropkunst, über die nicht die besten Nasen gerümpft werden«; für Brecht war sie eine »Fundgrube neuartiger künstlerischer Mittel und Ausdrucksarten«.[35]

Das »Solidaritätslied« gilt als Musterbeispiel eines gelungenen politischen Massenliedes. Textlich wie musikalisch richtet es sich nicht an dumpfe Instinkte, sondern an die Vernunft. In seinem ganzen Charakter ist das Lied eine Warnung vor Verführung, ein Appell an die Aufmerksamkeit, an das Nicht-Vergessen. Brecht und Eisler hüteten sich davor, dem Politischen Merkmale des Religiösen zu geben und das Kampflied in die Nähe des Chorals zu rücken. Schon allein durch die leicht federnden Bässe werden solche falschen Assoziationen vermieden. Von den gefühligen »Tendenzliedern« der frühen Arbeiterbewegung, die die Gefahr des Sentimentalen nicht immer hatten vermeiden können und wollen, ist das »Solidaritätslied« ebensoweit entfernt wie von den faschistischen Liedern. Die Nazis, die mehrere traditionelle Arbeiterlieder für ihre Zwecke umfunktionierten, konnten eine solche Umfunktionierung beim »Solidaritätslied« nie durchsetzen. Noch heute hält dieses Lied inhaltlich und musikalisch auch den kritischsten Analysen stand.

Das »Solidaritätslied« setzte sich nicht trotz seiner künstlerischen Raffinessen durch, sondern eben weil diese der Aussage zu größerer Prägnanz verhalfen. Der Bildhauer Fritz Cremer hat beschrieben, wie Eislers Kampflieder vor 1933 wirkten: »Wir knallten seine Lieder in den Jahren vor 1933 durch die engen Straßen der Arbeiterbezirke Berlins. Sie waren leider unsere Hauptwaffe, während sich die SA mit Revolvern versah. Und als das Ungeheuer des deutschen Faschismus auf uns lastete, haben wir Übriggebliebenen Eislers vorläufig noch übriggebliebene Schallplatten hinter vorgehängten Decken auf armseligen Grammophonen gespielt. Ihre Zuversicht und ihre Wucht aber waren nicht zu dämpfen und die gedankliche Klugheit der Lieder machte uns wachsam und stark.«[36] Stark beeindruckt vom »Solidaritätslied« war auch der Komponist und Kapellmeister Paul Dessau, der schon 1927 beim Kammermusikfest Baden-Baden Brecht flüchtig kennengelernt hatte: »Ich war einfach begeistert. Ich hatte diesen Eindruck nur noch von ganz anderen großen Sachen, wie von der ›Salome‹ oder, wenn Sie wollen, von der ›Rhapsodie in Blue‹ . . . So wie es gesungen wurde, ausgezeichnet, das war hervorragend. Durch die Rhythmik, durch die Diktion, nicht wahr, durch das: ›Wessen Straße ist die Straße, wessen Welt ist die Welt‹. Das gab es eben nicht vorher.«[37]

Probleme mit der Zensur

Schon vor der Uraufführung erregte der Film Aufsehen, so bei den Außenaufnahmen in Arbeitervierteln um den Schlesischen Bahnhof und im Wedding. Als bekannt wurde, daß auch Ernst Busch dabei war, kam aus vielen Fenstern der Ruf: »Busch, singe!« Die Dreharbeiten konnten erst fortgesetzt werden, nachdem Busch das »Stempellied« zum besten gegeben hatte.[38] Neben Ernst Busch und Helene Weigel waren an den Musikaufnahmen für *Kuhle Wampe* unter der Leitung von Josef Schmid auch das Orchester Lewis Ruth und mehrere Berliner Arbeiterchöre, der Uthmann-Chor, die Sängervereinigung Norden, die Arbeitersänger Groß-Berlin, dazu aber auch der Chor der Berliner Staatsoper, beteiligt. Anstelle von Helene Weigel hatte Brecht, angeregt durch Eisler, zunächst die Sopranistin Margot Hinnenberg-Lefèbre engagieren wollen; mit großem Erfolg hatte sie, die spätere Frau von Hans-Heinz Stuckenschmidt, 1927 Eislers »Zeitungsausschnitte« zur Uraufführung gebracht. Als aber Brecht, der ihre Stimme kennenlernen wollte, sie bat, sie möge ihm durchs Telefon vorsingen, lehnte die Sängerin dankend ab.[39] Auch später ließ sich Brecht von seinen Komponisten gern melodische Einfälle durchs Telefon, das neben der Schreibmaschine zu seinen wichtigsten Arbeitsmitteln gehörte, vorsingen.[40] Die klangliche Verfremdung der Stimme durch den technischen Apparat, die die Sängerin Hinnenberg-Lefèbre als unangenehm empfunden hatte, war für ihn wahrscheinlich sogar ein zusätzlicher

Reiz – eine Art Grammophonersatz. Auf den wenigen Schallplattenaufnahmen, die von Brechts Singstimme existieren – überliefert sind nur
»Die Moritat von Mackie Messer« und »Die Ballade von der Unzulänglichkeit des menschlichen Strebens« – klingt sie so, als käme sie geradewegs aus dem Telefonhörer.

Da der Film von der Filmprüfstelle Berlin zunächst verboten wurde, war
er bereits vor der Uraufführung ein Politikum. Am 18. April 1932 gab es
eine Protestkundgebung, bei der unter anderem Brecht und Eisler sich an
einer Diskussion über das Thema »Warum darf man im Tonfilm die
Wahrheit nicht sagen?« beteiligten. Am 5. Mai – der Film war mittlerweile nach mehreren Schnitten freigegeben worden – berichtete die »Rote
Fahne« von einem Massentreffen an der Kuhlen Wampe am Großen
Müggelsee »für die Forderungen der werktätigen Wochenendler, Aus-
flügler und Wanderer, wie unentgeltliche Ausgabe von Zeltscheinen für
alle Werktätigen, Sonntagsrückfahrkarten für den Vorortverkehr«. Obwohl neben der Zensur auch zuvor schon finanzielle Schwierigkeiten eine
Verwässerung der politischen Aussagen erzwungen hatten, wurde *Kuhle
Wampe* zum politischen Kampfmittel. Vor allem das »Solidaritätslied« verbreitete sich und brachte, wo es gehört und gesungen wurde, Ordnung in
die verwirrten Gefühle.[41]

»Ringt um die Schwankenden!«

> Ich wollte nach links marschieren, nach rechts mar-
> schierte er.

Die Maßnahme hatte sich an klassenbewußte Arbeiter gerichtet und Fragen
der revolutionären Taktik angesprochen.[1] Brecht und Eisler genügte es jedoch nicht, Kunst für Kommunisten zu machen. Zwar war einerseits das
öffentliche Interesse an der KPD seit den Reichstagswahlen vom September 1930 noch gewachsen[2], jedoch stieg andererseits auch die Zahl der
NSDAP-Wähler.[3] Verantwortlich für den Aufstieg der Nazis von einer
noch 1928 bedeutungslosen Gruppierung zu einer Massenpartei war nicht
allein die massive finanzielle Unterstützung durch die rheinisch-westfäli-
sche Schwerindustrie, sondern auch das sinkende Klassenbewußtsein
beim Millionenheer der Arbeitslosen.[4] So konnte der Sozialphilosoph
Max Horkheimer schreiben: »Zwischen den in Arbeit stehenden und den
nur ausnahmsweise oder vielmehr gar nicht Beschäftigten gibt es heute eine ähnliche Kluft wie früher zwischen der gesamten Arbeiterklasse und
dem Lumpenproletariat.«[5] Er fügte hinzu: »Diese Masse ist schwan-
kend.«

Im Februar 1931 veröffentlichte die Berliner Zeitung »Die Welt am Abend« eine Broschüre mit dem Titel »Wie kämpfen wir gegen ein Drittes Reich? Einheitsfront gegen das Hakenkreuz«. Darin enthalten war ein Aufsatz von Hanns Eisler mit dem Titel »Ringt um die Schwankenden!«[6] Mit den Schwankenden meinte Eisler die Kleinbürger, die Angestellten, Beamten und kleinen Geschäftsleute, die in Gefahr stünden, zur NSDAP überzulaufen. Er forderte gerade die Künstler dazu auf, dieses Überlaufen zu verhindern. Nicht mehr die kommunistischen Arbeiter seien gegenwärtig die wichtigste Zielgruppe der revolutionären Künstler, sondern die schwankenden Kleinbürger, die man für eine antifaschistische Einheitsfront gewinnen müsse. Eisler forderte von den Künstlern die »Zersetzung der starken und falschen faschistischen Vorstellungen wie Nation, Rasse, Volk« und die Propagierung der Einheitsfront. Dazu müsse eine Broschürenkampagne mit einer Versammlungskampagne verbunden werden. Schon der »Kuhle Wampe«-Film hatte sich an schwankende Arbeitslose gerichtet, um sie für eine antifaschistische Einheitsfront zu gewinnen. Wegen der Zensur mußten die politischen Aussagen zwar verwässert werden – was bei der Moskauer Uraufführung auf Kritik stieß –, jedoch erklingt immerhin in einer Szene das »Lied von der Roten Einheitsfront«. Eine ähnliche Funktion hatte eine »Rote Revue« mit dem ironischen Titel *Wir sind ja sooo zufrieden*, die am 17. November 1931 in Berlin aufgeführt wurde. Für diese Kollektivarbeit der »Jungen Volksbühne« konnten die Schriftsteller Bertolt Brecht, Ernst Ottwalt, Ludwig Renn, David Weber, Erich Weinert und Günther Weisenborn sowie die Komponisten Hanns Eisler, Friedrich Hollaender und Kurt Weill gewonnen werden – eine »Agitproptruppe« von prominenten Linksintellektuellen! In dieser Konstellation hatte es bis dahin noch keine Zusammenarbeit gegeben. Weill komponierte auf einen Text von Günther Weisenborn sein Lied »Das blinde Mädchen«[7], das von Lotte Lenya vorgetragen wurde. Eisler steuerte das »Bankenlied« (Text: Jean Baptiste Clement/Walter Mehring) für Chor bei sowie, auf Texte von Brecht, die *Ballade vom Paragraphen 218* und das *Lied vom SA-Mann*, das vor den Gefahren des Faschismus warnte. Von Eisler war ferner zu hören die »Ballade von der Krüppelgarde«, »Komintern«, »Der rote Wedding«, ein »Lied von der Obdachlosigkeit« sowie bereits das »Solidaritätslied«, das damit noch vor der Filmpremiere seine Uraufführung erlebte. »Hier erlebt man einmal«, schrieb das Berliner »12-Uhr-Blatt«, »wie die geistige Potenz eines Brecht, eines Hanns Eisler, erlöst aus der Isoliertheit des Literatur-Betriebs, auf die Masse wirkt . . .«[8]

Das *Lied vom SA-Mann*, das in der Revue von Ernst Busch vorgetragen wurde, zeigt, wie die Not die Arbeitslosen in die Arme der Nationalsozialisten treibt; verwirrt und geschwächt – das unterstreicht der schwerfällige Marschrhythmus und die trotz der cis-moll-Vorzeichen zwischen fis-

moll und h-moll schwankende Tonalität – lassen sich die kleinen Leute –
Arbeiter ebenso wie Kleinbürger – verführen und landen in den Armen
ihrer Gegner, der Reichen. Eisler hat die blinde Willenlosigkeit des SA-
Mannes auf ebenso einfache wie einleuchtende Weise auskomponiert. In
der 1. Strophe ist der hungrige Arbeiter noch nicht ein Teil der SA; entsprechend stehen hier Melodie und schlichte akkordische Begleitung bei
den Zeilen »Da sah ich viele marschieren, sie sagten ins ›Dritte Reich‹«
einander noch so unverbunden gegenüber wie das Ich und die marschie-
rende SA-Truppe. In den nächsten Zeilen, in denen sich der Mann der SA
anschließt und zum Mitläufer wird, beginnt auch musikalisch eine Integration: das Klavier übernimmt die Gesangsmelodie.

Sobald er in den Bann der SA geraten ist, kann sich der neue SA-Mann
von der marschierenden Truppe nicht mehr entfernen. Im Verhältnis von
Gesangsmelodie und Klavierbegleitung zeichnet Eisler dieses dumpf-ge-
waltsame »Mitgehen« von schwachem Individuum und falschem Kollektiv nach.[9] Verlaufen Gesangsmelodie und Begleitung parallel, so zeigt sich
darin die scheinbare Übereinstimmung der SA-Leute, die alle Brot und
Arbeit fordern. In den nächsten Zeilen aber wird der innere Konflikt und
seine gewaltsame Unterdrückung offenbar. Bei den Worten »Ich wollte
nach links marschieren, nach rechts marschierte er« trennen sich noch einmal Melodie und Begleitung, Individuum und Kollektiv, um dann aber
bei den Zeilen »Da ließ ich mich kommandieren, blind lief ich hinter ihnen her« um so brutaler wieder »zur Ordnung« gerufen zu werden. Zur
Charakterisierung der Primitivität und Totalität dieser »nationalsozialisti-
schen« Vereinheitlichung verwendete Eisler an dieser Stelle die mittel-
alterliche Fauxbourdon-Technik: Alle Stimmen laufen in Quinten und
Oktaven parallel. Eine Selbständigkeit der Stimmen gibt es nicht mehr.

Diese Parallelität, die nicht nur nach den Regeln der klassischen Stimmführung, sondern auch nach Brecht-Eislers politischer Überzeugung »falsch« ist, fällt ebenso auf wie die beiden gewaltsamen Akkordschläge nach »Kommandieren«.

Dieses »Lied vom SA-Mann« war ein Teil der zwei Dutzend Bilder umfassenden »Roten Revue« der Jungen Volksbühne über das Schicksal der politisch ahnungslosen Kleinbürgerfamilie Freese. Dazu schrieb die »Welt am Abend« am 27.11.1931: »Am stärksten wirkt ohne Zweifel der Song des SA-Proleten, der erkennt, daß er, von Hunger und Not verwirrt, in die Front seiner eigenen Feinde geriet. Man weiß, wie Ernst Busch solche Lieder singen kann: voller Schärfe, Kraft, Erregung. Hinreißend.«
Helene Weigel sang die bereits im November 1929 von Carola Neher uraufgeführte *Ballade vom Paragraphen 218*, die als Dialog zwischen einem zynischen Arzt und einer Schwangeren einer Agitpropszene ähnelt. Seit 1929 war die wie Marianne Zoff und Lotte Lenya aus Wien stammende Schauspielerin mit Brecht verheiratet. Schon 1928 war sie in *Mann ist Mann* auch als »Sängerin der Brechtschen Chansons, die ihr klar und scharf zum Munde stehen«[10] hervorgetreten. Anstelle von Margot Hinnenberg-Lefèbre interpretierte sie dann in *Kuhle Wampe* das von Eisler sachlich und antiromantisch auskomponierte Liebeslied »Das Frühjahr« (oder »Die Spaziergänge«).

Die »Rote Revue« vom 17. November 1931 blieb nicht die einzige künstlerische Veranstaltung, die sich an schwankende Kleinbürger richtete. Noch sind nicht alle Quellen erforscht, jedoch wird berichtet von einer »Roten Kabarettmatinee« im Mozartsaal am Nollendorfplatz, an der am 13. Dezember 1931 neben Trude Hesterberg, Paul Graetz, Lotte Lenya, Ernst Busch, Agnes Straub, Blandine Ebinger und Kate Kühl auch Hanns Eisler und Kurt Weill teilnahmen.[11] Angesichts der Buntheit dieser Besetzung wäre es denkbar, daß – wie im Lehrstück – auch die Mitwirkenden selbst Adressaten waren.

Ein kleinbürgerliches Publikum über den konservativen Charakter des Faschismus aufklären sollte auch eine Märchenrevue *Es war einmal ... Ein Weihnachtsmärchen nur für Erwachsene* nach einer Idee von Friedrich Hollaender.[12] Nach Unterlagen im Brecht-Nachlaß sollte dabei Ernst Toller das Andersen-Märchen »Des Kaisers neue Kleider« auf Hitler anwenden, Helmut Markiewicz das Märchen »Zwerg Nase« auf den Antisemitismus, Erich Weinert »Rübezahl« auf Hindenburg und David Weber (Robert Gilbert) »Heinzelmännchen« auf die Sehnsüchte der Herrschenden nach einem dummen, arbeitsamen Proletariat beziehen. In weiteren Szenen wurden die Märchen vom Rumpelstilzchen, vom Schlaraffenland (Text: Karl Schnog, Musik: Walter Gronostay), von der Prinzessin auf der Erbse und »Von einem, der auszog, das Gruseln zu lernen« (Text: G. Weisenborn) verarbeitet. Brechts Beitrag sollte in der Ballade »O Falladah, die du hangest!« nach dem Grimm-Märchen »Die Gänsemagd« bestehen, die er zu einem Dialog zwischen Reporter und Pferd erweitert hatte. Eisler vertonte Brechts Gedicht vermutlich im Herbst 1932.[13] Für die Schlußszene »Es war einmal, das war einmal« war Erich Kästner vorgesehen. Aufführungen konnten bisher nicht nachgewiesen werden. Der ganze Revueplan ging von der Überzeugung aus, daß der Aufstieg der NSDAP bald beendet sein würde. Tatsächlich verloren die Nazis bei den Reichstagswahlen vom November 1932 zwei Millionen Stimmen, während die KPD einen Stimmenzuwachs verbuchte.

Agitprop mit Bach-Fugen: »Die Mutter«

> Wer seine Lage erkannt hat, wie sollte der aufzuhalten sein?

Parallel zum Film *Kuhle Wampe* und zur »Roten Revue« entstand das Stück *Die Mutter,* zu dem Eisler einige seiner besten Lieder und Chöre beisteuerte. Für Brecht wie für Eisler war es typisch, gleichzeitig an mehreren Projekten zu arbeiten oder schrittweise aus der Kritik an einem früheren Projekt eine neue Arbeit zu entwickeln. Wie der Film *Niemands-*

land, der am 9. Dezember 1931 Premiere hatte, eine wesentliche Voraussetzung für *Kuhle Wampe* gewesen war, so beeinflußten auch die Filmarbeiten wiederum die Entstehung der *Mutter.* Das »Kuhle Wampe«-Präludium beispielsweise verwendete Eisler im Bühnenstück als »Lob der Wlassowas« wieder. Auch *Die Mutter* entstand als Kollektivarbeit. Die Grundlage bildete eine Dramatisierung von Maxim Gorkis gleichnamigem Roman, die Günther Weisenborn und Günther Stark 1931 für die Berliner Volksbühne angefertigt hatten. Weisenborn war mit der eigenen Dramatisierung unzufrieden und gewann Brecht als Autor. Dieser stellte eine völlig veränderte Fassung, ein neues Stück her.

Wieder war Eisler dabei weit mehr als bloß Lieferant von musikalischen Ideen. Einen plastischen Eindruck von der produktiven Arbeitsatmosphäre gab Günther Weisenborn in einem Aufsatz über Hanns Eisler: »Er gefiel mir sofort wegen seiner weit vorausreichenden Gedanken, wegen seines Mutes, Gedanken rücksichtslos bis zum Ende abzuschreiten, wegen seiner Lachlust und der verblüffenden Neuartigkeit seiner Einfälle. Es war eine Zeit, in der wir alle gern lachten, weil wir die Türen der konventionellen Dramaturgie zugeschlagen hatten und uns tastend wie im Dunkeln vorwärts bewegten. (...) Eisler war in seiner genialen Folge von Argumenten oft die Stufen bis in eine noch unerkennbare Gedankenebene ›hinabgeeilt‹. ›Er ist tief im Keller!‹ rief Brecht. Wir lachten. ›Kommt mal runter und leuchtet!‹ schrie Eisler und schob seine blaublitzende Brille zurecht.«[1]

In mehrfacher Weise ist *Die Mutter* ein Gegenentwurf zur *Maßnahme.* Zielgruppe ist nicht mehr die organisierte, sondern vor allem die unorganisierte Arbeiterschaft. *Die Mutter* richtet sich nicht an die Mitwirkenden, sondern an das Publikum, es ist kein Lehrstück, sondern ein Schauspiel. Formale Grundlage der musikalisch-dramatischen Gestaltung bildet nicht das Oratorium, sondern das Agitpropstück. Inhaltlich bildet nicht mehr die Theorie, sondern die Praxis den Ausgangspunkt. Dargestellt wird nicht mehr ein spezieller, sondern ein allgemeingültiger Fall. Brechts in der *Maßnahme* teilweise noch doktrinäre »Sturheit« (Eisler) ist hier Lebensklugheit gewichen.[2] Stand am Anfang der *Maßnahme* der Schock über eine extreme politische Entscheidung, so beginnt *Die Mutter* mit dem alltäglichen Leben einer Arbeiterfamilie im vorrevolutionären Rußland. *Die Maßnahme* war eine Auseinandersetzung mit dem politischen Radikalismus; *Die Mutter* befaßt sich dagegen stärker mit dem Reformismus, in der 3. Szene verkörpert durch den Arbeiter Karpow. Kritisiert wird auch die unentschiedene Haltung des Lehrers, der zwar die Arbeiter unterrichtet, aber in seiner Weltanschauung Idealismus und Materialismus miteinander versöhnen möchte; Urbild dieses Lehrers war Eislers Vater, der Neukantianer Rudolf Eisler.[3] Das Lernen geschieht in der *Mutter* nicht am Spezialfall, sondern im »Schritt-für-Schritt des gesunden Menschenverstands« (Walter Benjamin).[4] Gab es in der *Maßnahme* die negative Hauptfigur des jungen Genossen, so wird dagegen die Hauptfigur der *Mutter,* die Arbeitermutter Pelagea Wlassowa, positiv gezeichnet. Noch im Alter von 45 Jahren lernt sie, zusammen mit anderen Arbeitern, das Lesen. Im »Lob des Lernens« gibt Brecht die Begründung dafür: Erst das Wissen verschafft den Zugang zur Macht, zur Führung im Staat.

Brecht setzte Gorkis historische Erzählung über die Vorgeschichte der russischen Oktoberrevolution nicht nur bis 1917, sondern darüber hinaus fort. Dies geschah durch aktuelle Anspielungen wie etwa den »Bericht über den 1. Mai«, der die Erfahrungen mit dem »Blut-Mai« 1929 verarbeitet. Sein Ziel war es dabei, auch noch Unpolitische und Außenstehende für die Politik der KPD zu mobilisieren. Daß dabei eine Frau im Mittelpunkt stand, war kein Zufall: Seit dem Weddinger Parteitag der KPD wurden vermehrt die Frauen Adressaten der Parteiarbeit. Das Stück argumentiert ganz im Sinne einer Resolution des ZK der KPD vom 14. Mai 1931, in der es hieß: »Wirklich konkrete praktische Arbeit zur Erfassung, Mobilisierung und Eingliederung der Frauen in alle Kämpfe – das ist uns besonders jetzt möglich, wo unter den Auswirkungen der Krise, der Erwerbslosigkeit, der Teuerung, des Unternehmerangriffs, der Kulturreaktion (§ 218) die Arbeiterinnen, Angestellten und Hausfrauen noch schwerer betroffen sind als die Männer.«[5] Während Aufführungen der *Maßnahme,* deren Adressaten auch die Arbeitersänger selbst waren, durch ihren großen Apparat auf große Säle beschränkt blieben, konnte *Die Mutter* wegen ihrer kleineren Besetzung auch in kleineren Sälen in den Arbeiterbezirken aufgeführt werden. Wie bei einer Agitproptruppe bestanden die Mitwirkenden aus Berufs- und Laienschauspielern. Die Requisiten paßten in ein kleines Auto und konnten leicht transportiert werden. *Die Mutter* füllte so, auf einer höheren ästhetischen Stufe, die Lücke in der künstlerisch-politischen Massenarbeit aus, die durch die behördliche Behinderung der Arbeit der Agitproptruppen und der marxistischen Arbeiterschulen entstanden war.

Auch in der musikalischen Gestaltung ist *Die Mutter* ein Gegenentwurf zur *Maßnahme.* Die disziplinierende Funktion des Rhythmus tritt hier zurück gegenüber einem mehr melodischen, mehr freundlichen Gestus. Statt des mittelgroßen, aggressiv wirkenden Blechbläsersatzes in der *Maßnahme* verwendete Eisler in der *Mutter* eine kleinere, solistische Instrumentalbesetzung: Trompete, Posaune, Schlagwerk und Klavier. In späteren Ergänzungen und Bearbeitungen hat er diese Tendenz zum Freundlichen und Kammermusikalischen noch verstärkt. Schon aus der Existenz von Ergänzungen geht hervor, daß *Die Mutter* häufig aufgeführt wurde.

Die Mutter
Schauspiel von Bertolt Brecht unter Mitarbeit von Günther Weisenborn
nach dem Roman von Maxim Gorki
Bühnenmusik von Hanns Eisler

Musiktitel der Uraufführung Januar 1932:
Besetzung: Soli, 1stimmiger Chor, Trompete, Posaune, Klavier
        und Schlagzeug

1. Wie die Krähe
2. Lied von der Suppe
3. Lob des Lernens
4. Über die Unzerstörbarkeit des Kommunismus
5. Lob der Wlassowas (Melodram)
6. Lob der dritten Sache (Melodram)
7. Lob des Kommunismus
8. Die Partei ist in Gefahr
9. Schlußmusik

Musiktitel der amerikanischen Aufführung New York 1935:
Besetzung: Soli, 4 st. Chor, 2 Klaviere

Ouvertüre
 1. The Song of the Question (= Wie die Krähe)
 2. The Song of the Answer (= Lied von der Suppe)
 3. The Whole Loaf (= Der zerrissene Rock. Andere Überschriften: Ver-
    urteilung des Reformismus, Lied vom Flicken und vom Rock. Neu-
    komponiert.)
 4. In Praise of Socialism (= Lob des Kommunismus)
 5. In Praise of Learning (= Lob des Lernens)
 6. A Song for Prison (= Im Gefängnis zu singen)
 7. In Praise of Vlasova (= Lob der Wlassowas)
 8. The Third Thing (= Lob der dritten Sache)
 9. The Death of a Comrade (= Grabrede)
10. The Party is in Danger (= Die Partei ist in Gefahr)
11. Dialectics (= Lob der Dialektik)

Musiktitel der Kantatenfassung Wien 1949:
Besetzung: Soli, 4 st. Chor, 2 Klaviere

Ouvertüre
 1. Wie die Krähe (neu durchkomponiert)
 2. Das Lied von der Suppe
 3. Der zerrissene Rock

4. Bericht vom 1. Mai 1905. Gedanken über die rote Fahne
5. Lob des Kommunismus (Nachspiel ergänzt)
6. Lob des Lernens
7. Lob eines Revolutionärs
8. Im Gefängnis zu singen
9. Lob der Wlassowas (Rezitativ)
10. Lob der dritten Sache (neu durchkomponiert)
11. Grabrede
12. Steh auf! (Die Partei ist in Gefahr)
13. Lob der Dialektik (erweitert)

Theateraufführung am Berliner Ensemble 1951:
Besetzung: Gesang (Chor), Flöte und Klarinette (in B), Horn und Trompete (in B), Banjo, Kontrabaß, Schlagzeug und Klavier

Ouvertüre
1. Wie die Krähe
2. Das Lied von der Suppe
3. Der zerrissene Rock
4. Bericht vom 1. Mai (Melodram mit Chor neukomponiert)
5. Lob des Kommunismus
6. Lob des Lernens
7. Lob eines Revolutionärs
8. Im Gefängnis zu singen
9. Lob der Wlassowas
10. Lob der dritten Sache
11. Grabrede
12. Steh auf!
13. Lob der Dialektik

Der neue Ton der Freundlichkeit: »Wiegenlieder des Kommunismus«

Während in der *Maßnahme* eine gesellschaftlich »hochstehende« Musikgattung, das Oratorium, verweltlicht, ent-ästhetisiert und proletarisch aufgerauht wurde, erhielten in der *Mutter* umgekehrt die mittlerweile verbotenen Agitpropformen durch klassische musikalische Mittel neuen Glanz. Der Agitpropisierung des Chorgesangs steht damit die Ästhetisierung des Agitprop gegenüber. In beiden Fällen gelang es Eisler, nicht zuletzt durch Rückgriff auf die Musik Johann Sebastian Bachs, die Kluft zwischen »hoher« und »niederer« Musik zu verringern.
Hatten Brecht und Eisler für einige Chöre der *Maßnahme* vorgeschrieben, sie seien »mit voller Stimmstärke unter Anstrengung zu singen«[7], so über-

343

wiegen dagegen in der Musik zur *Mutter* die leiseren Töne. Dieser zartere Ton der Freundlichkeit, der in den bisherigen Brecht-Vertonungen, auch in denen Kurt Weills, gefehlt hatte, ist eine Spezifik Eislers, die er als Gegenpol zur allzu ernsten Kunstmetaphysik schon früh entwickelte, aber auch eine Folge von Brechts veränderter Einstellung zur Emotion. Seit der »Maßnahme«-Edition empfand er die »Macht der Gefühle« (Alexander Kluge) nicht mehr als undialektischen Gegenpol zur Vernunft. Mit der Freundlichkeit wählte er sich ein Verhalten, in der Emotion und Vernunft vereint sind. In der Freundlichkeit, die Brecht voll Sympathie auch an den »höflichen Chinesen« beobachtete, sind die Emotionen, fern von Überschwenglichkeit oder taumelnder Begeisterung, gedämpft und kontrolliert. Während Brecht gerade in der Auseinandersetzung mit dem Bürgertum Härte und Sarkasmus kultiviert hatte – in einem seiner Sonette bekannte er: »Am meisten sucht' ich Unempfindlichkeit«[8] –, so zeigte er jetzt in der Begegnung und Zusammenarbeit mit Gleichgesinnten wieder positivere Gefühle. Er wollte, wie er in seinem berühmten Gedicht »An die Nachgeborenen« schrieb, »den Boden bereiten für Freundlichkeit«.

Ein neuer Brecht kündigte sich an. Gerade bei der Arbeit an der *Mutter* entdeckte er neu solche menschlichen Eigenschaften wie Wärme und Humor. Es scheint, als habe er diese Eigenschaften bis dahin nicht einmal an seiner eigenen Frau genügend wahrgenommen. So berichtete Helene Weigel über die »Mutter«-Proben: »Das war eine merkwürdige Sache: Brecht hat mich zwar geschätzt, aber er hatte von mir als Schauspielerin am Anfang keine sehr hohe Meinung ... Brecht bekam erst eine andere Meinung von mir mit der Aufführung der ›Mutter‹. Der Humor, die Wärme, die Freundlichkeit, das alles sind erst Entdeckungen gewesen, die wir bei der Rolle der Wlassowa machten. Das war auch für Brecht überraschend.«[9]

»Freundlich, aber ohne Sentimentalität« oder »leicht« sind seitdem auch in Eislers Brecht-Vertonungen häufig anzutreffende Vortragsbezeichnungen. So wollte er etwa seine Vertonung von »An die Nachgeborenen« »ganz leicht und entspannt ... hell, fast humoristisch«[10] gesungen haben. Auch in seinen Kompositionen für *Die Mutter* finden sich mehrere Beispiele musikalischer Freundlichkeit. Eisler verwandte diesen neuen Ton besonders bei Liedern und Chören mit zustimmender oder auffordernder Funktion, vor allem also bei den Stücken, die mit »Lob« überschrieben sind. Für Brecht waren bis dahin eher die Haltungen der Skepsis, des Zweifels, der Ironie, der Kritik und Parodie charakteristisch gewesen – Haltungen, die sich aus seiner Kritik am Bürgertum entwickelt hatten. Noch in der *Maßnahme* hatte, trotz »Lob der UdSSR« und »Lob der illegalen Arbeit«, die Kritik an falschem Verhalten, an der Verführung durch Gefühle, dominiert. In der *Mutter* steht dagegen stärker der Ausdruck der Zustimmung im Vordergrund: die Zustimmung zu gesellschaftsveränderndem Handeln im »Lob des Kommunismus«, im »Lob des Lernens«, im »Lob des Revolutionärs«, im »Lob der Wlassowas«, im »Lob der dritten Sache« und schließlich im »Lob der Dialektik«. Wenn Brecht und Eisler dabei freundliche Töne anschlugen, so sollten damit auch Ängste und Vorurteile beseitigt werden.

Im *Lob des Kommunismus* antwortet Pelagea Wlassowa einigen Frauen auf ihre Fragen, ob der Kommunismus nicht ein Verbrechen sei: »Das ist nicht wahr. Der Kommunismus ist gut für uns ... Er ist vernünftig, jeder versteht ihn. Er ist leicht.« Sie endet mit dem berühmten Satz: »Er ist das Einfache, das schwer zu machen ist.«[11] Die Vertonung trägt alle Merkmale

kunstvoller Einfachheit. So basiert die Melodie auf dem Intervall der kleinen Terz (einmal über dem Ton f', dann über c''), während die akkordische Begleitung im Andante-Tempo einen gleichmäßig vorwärtsschreitenden, nur gelegentlich durch Taktwechsel unterbrochenen Dreivierteltakt ausformt. Der Charakter des Einfachen, Freundlichen und Leichten wird nicht nur durch die einfache melodische und harmonische Disposition, durch die zarte Pianodynamik und die einfache dreiteilige Liedform erreicht, sondern auch durch den federnd-synkopischen Einsatz der Singstimme.

Die Singstimme wird neben den Akkorden von der Klarinette zusätzlich noch durch elegante Figurationen begleitet, die – erkennbar an den häufigen Pralltrillern – aus der Barockmusik übernommen sind. Während der Hauptteil der Komposition auf freundliche, gänzlich unpathetische Weise das Lob des Kommunismus anstimmt und ihn dabei – gegen abschreckende Warnungen aus der bürgerlichen Presse – als »das Einfache« charakterisiert, verweist das allerdings erst 1949 komponierte instrumentale Nachspiel auf die Schwierigkeiten, die seiner Verwirklichung noch im Wege stehen. Dies geschieht nicht nur durch die kompliziertere Fugatotechnik, sondern auch durch den in den Vordergrund gerückten Anapäst-Rhythmus ♫ ♩ .

Der Anapäst, der den Schluß im dreifachen Forte in eine rasante Beschleunigung hineintreibt, steht seit der *Maßnahme* symbolisch für Klassenkampf. Für Paul Dessau war dieses »Lob des Kommunismus« – komponiert »mit einer Zartheit, die nur mit einem Liebeslied zu vergleichen ist«[12] – der schönste Gesang unserer Zeit, ein »wunderbares Gleichnis von Kampf und Zartheit«.[13]

Auch im *Lob des Lernens*[14], einem der meistgesungenen Stücke aus der *Mutter,* kehrt der Anapäst als »das Einfache« wieder, das dem Lernen erst seine eigentliche Begründung gibt.

Freundlich fordert Pelagea Wlassowa ihre Nachbarn auf, wieder das Lernen zu lernen. Weder die Alten noch die Obdachlosen sollen davon ausgeschlossen bleiben. Ziel des Lernens ist jedoch kein abstrakter Bildungserwerb, sondern die Beendigung von Hunger und Ausbeutung. Im viertaktigen Vorspiel klingt zart schon die Melodie von »Du mußt die Führung übernehmen« an.

Wie in einer zweistimmigen Invention von Bach wird dieses Motiv in der Umkehrung imitiert. Dies geschieht im Pianissimo und in Staccato-Artikulation. Die zart getupfte, federnde Eleganz des Staccato, die in der Musik zur *Mutter* das in der *Maßnahme* vorherrschende breite Marcato verdrängt, ist, ebenso wie der Signalcharakter der Triller, ein wichtiger Bestandteil von Eislers neuem freundlichen Ton. Dafür, daß die neugewonnene, fast schon Mozartsche Leichtigkeit jedoch keine unverbindliche Tändelei bleibt, sorgen neben dem Text die metrischen Irregularitäten, die Taktwechsel, die Siebentaktigkeit der Anfangsphrase, der Montagecharakter der Großform, die allmähliche Annäherung des Rufes »Du mußt die Führung übernehmen« an den Kampfliedcharakter.

Wohl auch wegen der freundlichen Zartheit der Gesänge, die Pelagea Wlassowa anstimmt, sprach Walter Benjamin von »Wiegenliedern«. Die Mutter habe den Kommunismus wie einen Sohn angenommen. »Sie singt: Was spricht gegen den Kommunismus; sie singt: Lerne, Sechzigjährige; sie singt: Lob der dritten Sache. Und das singt sie als Mutter. Es sind nämlich Wiegenlieder. Wiegenlieder des kleinen und schwachen, aber unaufhaltsam wachsenden Kommunismus. Diesen Kommunismus hat sie als Mutter an sich genommen . . .«[15]

Vielleicht angeregt durch Benjamins Rezension oder auch durch Walter Mehrings »Anrede an ein neugeborenes Kind«[16] schrieb Brecht 1932 für Helene Weigel seine *Vier Wiegenlieder für Arbeitermütter*, die Eisler auf eine ebenso schlichte wie subtile Weise vertonte.[17] So beginnt das erste Lied, das die Tonalität bewußt in der Schwebe hält, nicht, wie üblich, mit dem Vordersatz einer musikalischen Periode, sondern mit dem Nachsatz.

Das zweite Lied ist nach Art des Bänkelsangs besonders monoton und mit falschen Betonungen komponiert, um die Aufmerksamkeit auf die Trübsinnigkeit und Schwierigkeit des Arbeiterlebens in der Wirtschaftskrise zu lenken. Das dritte Lied lehnt sich im Gestus an Schuberts »Winterreise« (»Fremd bin ich ausgezogen«) an, während der Schlußgesang Eislers Kampflied »Der heimliche Aufmarsch« zitiert. Wie die Lieder der *Mutter* so sind auch diese Gesänge Wiegenlieder nur im übertragenen Sinne. Die Mutter singt sie mehr sich selber als dem Kinde zu. Sie sollen nicht einlullen, sondern aufwecken. Deshalb verzichtete der Komponist bei aller sangbaren Einfachheit nicht auf verborgene Widerhaken. Bevor Helene Weigel im Winter 1932/33 die »Wiegenlieder« zum erstenmal aufführte, wies Eisler ihren Klavierbegleiter Georg Knepler auf solche Feinheiten hin. Knepler wurde in Eislers Berliner Wohnung, die sich damals in der Bregenzer Straße 9 am Olivaer Platz befand, außerdem Zeuge von Brechts Lernbereitschaft.[18] Die letzten Zeilen des ersten Liedes hatten ursprünglich gelautet: »Und nur bei Karl Marx und Lenin stand/daß wir Arbeiter eine Zukunft haben.« Auf den Einwand, daß diese Autoren ja auch schon den Weg zum Sozialismus angedeutet hätten, änderte Brecht die letzte Zeile sofort um in

> Und nur bei Marx und Lenin stand,
> Wie wir Arbeiter eine Zukunft haben.

In der *Mutter* ist das *Lob der dritten Sache* am ausgeprägtesten ein »Wiegenlied des Kommunismus« im Sinne Walter Benjamins. Da Pawel, der Sohn Pelagea Wlassowas, bei revolutionärer Arbeit gefangengenommen und dann erschossen wurde, ist das »Lob der dritten Sache« zunächst eine Trauermusik. Wie bei der an Bachsche Passionen angelehnten *Grabrede* lassen Brecht und Eisler Trauer durchaus zu. Sie lassen dieses Gefühl jedoch nicht zu dumpfer Verzweiflung verkommen, sondern fügen zur Trauer die politische Überlegung hinzu. Emotionalität und Ratio sind keine Gegensätze mehr, wenn sich die Mutter an den gemeinsamen politischen Kampf erinnert, der die Ursache des Todes war und der sie weiterhin mit ihrem Sohn verbindet. Pelagea Wlassowa hat zwar ihren Sohn verloren, jedoch nicht diese »dritte Sache«. Mit dieser Erkenntnis dringt in den Ton der Trauer auch Trost hinein. Wie das *Lob der Wlassowas*, das die polyphone Motorik des »Kuhle Wampe«-Präludiums zum Symbol zielstrebiger politischer Arbeit macht, waren auch *Wie die Krähe* und das *Lob der dritten Sache* ursprünglich Fugen, über die der Text in einer rhythmisch fixierten Form gesprochen wurde. Dazu hieß es auf dem Programmzettel der Uraufführung: »Das ist auf dem Sprechtheater etwas Ungewöhnliches, mußte aber trotz aller Schwierigkeiten einmal ausprobiert werden, da der theoretische Inhalt der Brechtschen Form und ihre eigenartige freie Form der Musik andere Aufgaben zuwies als etwa ein

Songtext.«[19] Für die Wiener »Mutter«-Aufführung von 1949 hat Eisler das »Lob der dritten Sache«, dessen ursprüngliche Musikfassung zum 3. Satz (Invention) der Kleinen Sinfonie op. 29 (1932) wurde, unter Verwendung seiner Filmmusik zu »Deadline at Dawn«, neu komponiert. Die mit komplexen atonalen Mitteln als kammermusikalische Reflexion auskomponierte Musik wurde nun gleichsam zum langsamen Satz der »Mutter«-Musik. Wenn die Mutter von der dritten Sache singt, singt sie so liebevoll wie zu einem Kind. Als Vortragsbezeichnung steht hier ein dreifaches Piano, das zuletzt zum kaum noch hörbaren »pppp« wird, und »dolcissimo, freundlich, ohne Sentimentalität!«.

Brecht hat Eislers Musik zur *Mutter* sehr geschätzt. Hier werde bewußter als in irgendeinem anderen Stück des epischen Theaters die Musik eingesetzt, um den Zuschauer in eine kritisch betrachtende Haltung zu versetzen. »Die Musik Eislers ist keineswegs das, was man einfach nennt. Sie ist als Musik ziemlich kompliziert, und ich kenne keine ernsthaftere als sie.« Besonders hob er ihren »strengen und zugleich so zarten und vernünftigen Gestus« hervor. »In dem kleinen Stück, in dem den Anschuldigungen, der Kommunismus bereite das Chaos, widersprochen wird, verschafft die Musik durch ihren freundlich beratenden Gestus sozusagen der Stimme der Vernunft Gehör. Dem Stück ›Lob des Lernens‹, das die Frage der Machtübernahme durch das Proletariat mit der Frage des Lernens verknüpft, gibt die Musik einen heroischen und doch natürlich heiteren Gestus.« Besonders wesentlich war für Brecht, daß Eislers Musik durchaus Emotionen hervorruft, diese jedoch nicht in unkontrollierte Bereiche abgleiten läßt: »So wird auch der Schlußchor ›Lob der Dialektik‹, der sehr leicht als ein rein gefühlsmäßiger Triumphgesang wirken könnte, durch die Musik im Bereich des Vernünftigen gehalten.« Wie auch Brechts Nachsatz belegt, hatte er mittlerweile zu seinen Gefühlen ein rationaleres Verhältnis gewonnen: »Es ist ein oft auftauchender Irrtum, wenn behauptet wird, die Art der epischen Darbietung verzichte schlechthin auf emotionelle Wirkungen: Tatsächlich sind ihre Emotionen nur geklärt, vermeiden als Quelle das Unterbewußtsein und haben nichts mit Rausch zu tun.«[20]

Brecht hat Eislers Musik so sehr geschätzt, daß er sie als zwingenden und grundlegenden Bestandteil seines Werks empfand. So bemühte er sich, die Eislersche Partitur der »Mutter«-Musik in die Reihe der »Versuche« aufzunehmen, die sonst nur literarischen Texten, nicht aber Musikstücken offenstand. Eislers Verlag, die Wiener Universal Edition, hatte sich sogar bereit erklärt, das Druckformat der »Mutter«-Partitur dem der »Versuche« anzugleichen und die Partitur Brechts Verlag Kiepenheuer zum Vertrieb und zur Verrechnung zu überlassen.[21] Der Plan, der für den Vertrieb musikalisch-literarischer Produktionen Vorbildcharakter hätte haben können, scheiterte jedoch am Einspruch des Kiepenheuer-Verlages.

Der Vorwurf der Primitivität, der gelegentlich Eislers Musik zur *Maßnahme* gemacht wurde, ist gegen seine Musik zur *Mutter* nie erhoben worden. Zwar sind gerade die sängerisch anspruchsvollsten Stücke erst später komponiert worden, jedoch beeindrucken schon die neun Musiknummern, die zur Uraufführung im Januar 1932 vorlagen, trotz ihrer Beschränkung auf eine kleine Besetzung (einstimmiger Gesang, Trompete, Posaune, Klavier und Schlagzeug)[22] durch ihre kunstvoll polyphone Gestaltung. Daß Eisler diese Nummern innerhalb von nur zehn Tagen komponiert haben soll, wie er später behauptete[23], erstaunt. Stellte er in der *Maßnahme* die Chorparts ganz in den Vordergrund, so sind in der Musik zur *Mutter* die instrumentalen und vokalen Teile gleichberechtigt; Ausnahmen stellen nur die Nummern mit gesprochenem Text dar.

Während in der heute vorliegenden Fassung die Tonart a-moll den tonalen Rahmen des Werks bildet, war es in der ursprünglichen Fassung die Tonart b-moll. Das Stück *Wie die Krähe*, bei dem ursprünglich nur die Refrains gesungen, das übrige aber gesprochen wurde, stand zunächst in b-moll. Damit war der Bezug dieser Marschmelodie (A) zum Schlußrefrain von *Im Gefängnis zu singen* (B) noch deutlicher.

Ein ähnlicher Zusammenhang, der zur formalen Geschlossenheit des Werkes beiträgt, existiert zwischen den Stücken »Im Gefängnis zu singen« (C) und »Grabrede« (D).

Die Gesänge der *Mutter,* die von Schauspielern rezitiert oder gesungen werden, sind jeweils Bestandteil der Handlung. Ihre Bedeutung ergibt sich aus dem szenischen Zusammenhang. »Wie die Krähe« singen die revolutionären Arbeiter der Wlassowa zu. Ebenfalls an die Mutter richtet die junge Arbeiterin Mascha Chalatowa das »Lied von der Suppe«. Mit seinem Lied »Über die Unzerstörbarkeit des Kommunismus«, das später den Titel »Im Gefängnis zu singen« erhielt, wendet sich dagegen Pawel an das Publikum. Er nennt die Machtmittel der Bourgeoisie – Gefängnisse,

Richter, Zeitungen, Druckereien, Polizisten und Soldaten –, jedoch nicht im Ton der Verzweiflung, sondern mit der Zuversicht, daß auch dieser geballte Apparat den Sieg der Revolution nicht mehr wird aufhalten können. Die Abfolge von Strophe und Refrain, von Bericht und anschließender Reflexion, hat Eisler hier sehr kontrastreich gestaltet: Die Strophen ähneln Rezitativen, die Refrains Arien. Die Überleitung zum Refrain bildet jeweils eine gesprochene Frage: »Glauben sie denn, daß sie damit uns kleinkriegen?« oder »Müssen sie denn die Wahrheit so fürchten?« Ausgeführt wurden diese Gesänge von Schauspielern, die instrumentale Begleitung aber von Berufsmusikern. Wie Helene Weigel berichtete, bestanden diese Musiker, im Unterschied zu der sich aus Profis und Laien zusammensetzenden Schauspielergruppe, 1932 stets auf ihrer vollen tariflichen Bezahlung[24] – offenbar waren unter Musikern ein politisches Interesse und materielle Solidarität weniger verbreitet als unter Schauspielern. Hatte sich die Musik zur *Maßnahme* im Sinne der Lehrstücktheorie und der Laienmusikbewegung immer auch an die Ausführenden selbst als Adressaten gerichtet, so war die Musik zur *Mutter* im wesentlichen Darbietungsmusik, Musik zum Zuhören. Im Unterschied zur *Maßnahme,* in der sich die Bildungsfunktion der Musik wesentlich auf die Vermittlung politischer Theorien beschränkt hatte, übernahm die Musik zur *Mutter* auch wieder eine musikpädagogische Aufgabe. Mehr noch als in seinem früheren Werken bezog Eisler jetzt klassische Musiktraditionen, vor allem die J.S.Bachs, ein. Indem er Elemente der »hohen« Kunstmusik auf die »niedere« Welt der Arbeit und des Alltags übertrug, durchbrach er wenigstens im Medium der Kunst die radikale Trennung von Arbeit und Erholung, von Produktions- und Konsumsphäre, wie sie sich im Kapitalismus entwickelt hatte. Gegen diese Trennung hat Eisler protestiert. Er wollte in den Arbeitern nicht nur die Erbauer einer neuen Gesellschaft, sondern auch die Erbauer einer neuen Musikkultur sehen. Mit eben diesem Thema befaßte er sich gerade zur Entstehungszeit der *Mutter* in einem grundlegenden Vortrag.[25] Was Brecht auf dem Gebiet des Theaters versuchte, demonstrierte Eisler hier am Beispiel der Musik: die Anwendung der Methode des dialektischen Materialismus auf die Musik.

Weill und Eisler: Verschiedene Grade der Konsumierbarkeit

Daß die Uraufführung der *Mutter* schon im Januar 1932 stattfinden konnte, hing mit der gleichzeitigen Berliner Aufführung der »Mahagonny«-Oper zusammen. Bei den Proben entzweiten sich Brecht und Weill an der Frage, ob der Musik oder dem Wort die Priorität gebührt. Der Streit ging, wie Ernst Josef Aufricht beobachtete, sehr tief: »Anwälte kamen ins Theater, sie drohten mit einstweiligen Verfügungen. Brecht schlug einem Pressefotografen die Kamera aus der Hand, er hatte ihn mit Weill zusammen aufgenommen. ›Den falschen Richard Strauss werfe ich in voller Kriegsbemalung die Treppe hinunter!‹ schrie Brecht hinter Weill her.«[26] Als auch Caspar Neher, der Regie führte und mit beiden Kontrahenten befreundet war, keinen Ausgleich finden konnte, kam Aufricht auf eine Idee. »Um Brecht von den Proben fernzuhalten, bot ich ihm an, mit seinem Stück ›Die Mutter‹ (nach Gorki) zu beginnen. Das Theater am Kurfürstendamm hatte im Keller einen großen leeren Raum. Brecht konnte dort sofort probieren (...) Ich hätte diesen Brecht nicht aufgeführt, aber ein Stück mit soviel Ideologie und mit der Weigel in der zentralen Rolle mußte Brecht faszinieren. Meine Rechnung ging auf. Brecht bevorzugte den Keller und ließ uns oben bei ›Mahagonny‹ in Ruhe.«[27] Das Nebeneinander von bürgerlicher Oper im Theater und proletarischem Drama im Keller zeigt fast sinnbildlich die unterschiedliche soziale Wertschätzung von »Hochkultur« und »Subkultur«. Plastisch zeigt sich hier auch die Zweigleisigkeit von Brechts künstlerischer Arbeit: Neben dem proletarischen Publikum, seiner eigentlichen Zielgruppe, wollte er weiterhin noch das Bürgertum erreichen. Nicht zuletzt dienten die Tantiemen aus Aufführungen im bürgerlichen Kulturbetrieb zur Finanzierung der nicht mit Gewinn verbundenen proletarisch-revolutionären Produktionen. Ohne die *Dreigroschenoper* hätte er die politischen Werke kaum durchsetzen können. Brecht brauchte 1932 immer noch die »Mahagonny«-Welt, bevorzugte aber die Welt der *Mutter*. Daß er auch den Komponisten Eisler bevorzugte, machte sein Bruch mit Weill vollends deutlich.

So kritisch auch Weill über die bürgerliche Gesellschaft dachte, so blieb sie für ihn doch der eigentliche Adressat. Darin glich er Paul Hindemith, den Ernst Bloch einmal als »sozialdemokratische Urnatur« bezeichnete. Als Neuköllner Schüler Hindemith aufforderten, für sie Kampflieder zu schreiben, lehnte dieser energisch ab; »er schätze die Lieder Eislers, er könne auch das Bedürfnis der Schüler verstehen – aber Kampflieder, das sei ein Genre, was ihm sehr fern liege«.[28]

Die unterschiedlichen Positionen waren schon hervorgetreten, als im März 1929 in der Zeitschrift »Melos« drei Artikel über Probleme der Musikkritik, verfaßt von Hindemith, Weill und Eisler, erschienen waren. Die Reihenfolge Hindemith, Weill und Eisler, in der die Aufsätze abgedruckt waren, entsprach nicht nur dem damaligen Bekanntheitsgrad der drei Komponisten, sondern auch der Radikalität ihrer Position. Hindemith war der vorsichtigste. Weill durchschaute zwar das ökonomische Abhängigkeitsverhältnis des Kritikers, zog jedoch keine praktischen Konsequenzen; so wie er in der bürgerlichen Gesellschaft auf den »neuen Menschen« hoffte, so erwartete er sich optimistisch auch bei der Musikkritik grundlegende Verbesserungen von einer neuen Kritikergeneration: »Ob dieses

System zu ändern ist – das ist eine politische Frage. Aber gewiß ist, daß auch innerhalb dieses Systems das Gesamtbild der Presse sich ändern wird. Mit einer jungen Musikergeneration wächst eine junge Generation von Kritikern heran.«[29]

Auf solche vagen Erwartungen wollte Eisler sich nicht einlassen: »Ich halte jede Reform der Zeitungskritik für aussichtslos und jeden Versuch zu einer solchen für einen hoffnungslosen kleinbürgerlichen Opportunismus. Einer Reform der Zeitungskritik ginge eine Reform der Zeitung voraus, die wieder nur durch eine Änderung der ökonomischen und gesellschaftlichen Zustände erreicht werden kann.«[30] Obwohl Weill erkannt hatte, daß »durch die fortschreitende Politisierung des täglichen Lebens auch die Kunst eine immer deutlichere politische Färbung erhält«[31], obwohl er wußte, daß bestimmten politischen Interessen auch bestimmte Tendenzen der Kunstpolitik entsprechen, zog er, anders als Eisler, nicht die Konsequenz, auch die Kunst bewußt zu einem politischen Mittel zu machen. Da er an die Selbsterneuerung der kapitalistischen Gesellschaft glaubte und in seinen Werken keine Fundamentalopposition betrieb, blieb seine Musik für den bürgerlichen Kulturbetrieb konsumierbar.

In den bürgerlichen Feuilletons galten die inhaltlich wie musikalisch mehrdeutigen Brecht-Weill-Songs als »raffiniert«, während man Eislers Kampflieder vorschnell als »primitiv« verurteilte. Zwar nicht immanent-ästhetisch, jedoch in ihrem funktionalen Bezug waren Eislers Kompositionen durchaus komplex. Der Prozeß der gesellschaftlichen Veränderung ist ein sehr viel differenzierterer Rahmen als die Abgeschlossenheit eines Konzertsaals. Für bürgerliche Kritiker allerdings, die es gewohnt waren, alles auf die Folie des Konzerts zu beziehen, mußte die Einbeziehung des wechselnden funktionalen Rahmens, der wechselnden Situation der sozialen Auseinandersetzung, fremd sein; jedoch erkannten sie durchaus den Zündstoff, der in Brecht/Eislers Werken steckte. Mit den ästhetischen Begriffen waren in Wahrheit politische Urteile gemeint. Für ein bürgerliches Publikum war Eisler kaum noch kulinarisch rezipierbar. Zusätzlich unterlag seine Musik einem weiteren, bis heute verbreiteten Wertungsschema, nach dem Optimismus und didaktische Klarheit als platt gelten, Pessimismus, Skeptizismus und dunkle Vagheit dagegen als tief und gedankenschwer.[32]

In der Arbeiterbewegung galt die genau entgegengesetzte Auffassung. Tendenzen zu Didaktik und Optimismus waren hier nicht verpönt. Während für das Bürgertum bis heute der schillernd-unterhaltsame Weill der bekannteste Brecht-Komponist blieb, wurde das für die Arbeiter mehr und mehr Eisler. Anscheinend haben Eisler und Weill diese Aufteilung akzeptiert. Eisler entwickelte keinen besonderen Ehrgeiz, das bürgerliche Publikum zu erreichen, während umgekehrt Weill die Arbeiterschaft als Zielgruppe bald preisgab. Wohl wegen dieser stillschweigenden Übereinkunft gab es zwischen beiden Komponisten wenig Kontakte und auch wenig Kontroversen. Während sich Eisler mit Hindemith immer wieder auseinandersetzte, hat er Weill, dem er immerhin musikalisch einige Anregungen verdankte[33], kaum je erwähnt. Neben seiner impliziten Kritik an Weills Songstil im »Lied des Händlers« aus der *Maßnahme* ist nur sein Urteil über Weills Oper *Die Bürgschaft* (1932) bekannt: Eisler sprach, in Anspielung auf eine veraltete Familienzeitschrift, von »Avant-Gartenlaube«; Weill war für ihn ein veralteter Avantgardist. 1958 vermutete er, Weill habe die eigentlichen Gedanken Brechts nie richtig verstanden: »Weill sah nur die neuartigen Wirkungen. Was da los ist – das wußte er nicht.«[34] Umgekehrt fehlt in den Schriften Weills jeder Hinweis auf Eisler.

Als am 21. Dezember 1931 im Theater am Kurfürstendamm die Berliner Erstaufführung der »Mahagonny«-Oper stattfand, spielten Kritiker Weill gegen Brecht, die Musik gegen den Text aus. Franz Köppen, Kritiker der »Berliner Börsen-Zeitung«, der sich über »die Banalität des Sujets« mokierte, schrieb: »So wäre denn Brecht nichts ohne Weill. Und wenn zu Brechts Eigenschaften Bescheidenheit gehörte, könnte man annehmen, er habe sich absichtlich zurückgehalten, um Weill nicht im Wege zu stehen und ihm die Ehre zu lassen. Jedenfalls, Weill setzt sich durch wie bisher noch nie und setzt sich über den Text hinaus durch.«[35] Auch im »12-Uhr-Blatt« hieß es: »Am nachhaltigsten wirkt Weills Musik.«[36]

Während Weill sich bei *Mahagonny* wohl nicht einmal ungern gegen Brecht ausspielen ließ, hat es solche Vergleiche von Komponist und Dichter bei der *Mutter* nicht gegeben. Obwohl dabei die Arbeiterschaft die eigentliche Zielgruppe war, erprobte Brecht auch die Reaktionen eines bürgerlichen Publikums. Nach mehreren geschlossenen Veranstaltungen für Betriebsräte und Frauenvertrauensleute ab 12. Januar 1932 im Wallner-Theater fand am 17. Januar im Komödienhaus am Schiffbauerdamm die öffentliche Uraufführung der *Mutter* statt. Sie stand auch Bürgern offen, wurde jedoch, um keinen Zweifel am politischen Charakter der Aufführung zu lassen, dem Andenken Rosa Luxemburgs gewidmet. Helene Weigel spielte die Pelagea Wlassowa, Ernst Busch ihren Sohn Pawel, Gerhard Bienert den Lehrer und Theo Lingen den Polizeikommissar. Unter den Laiendarstellern ragte Margarete Steffin, Brechts spätere Mitarbeiterin, hervor. Sogar der Brecht sonst so skeptisch gegenüberstehende Alfred Kerr lobte die »einfach herrliche« Leistung der Weigel; an Ernst Busch hob er »die stachelnden Klänge von Eisler« hervor.[37]

Zu Eislers Musik schrieb die »Rote Fahne«: »Hier gibt es kein Monstreorchester wie am Kurfürstendamm in Kurt Weills Musik zu Brechts ›Mahagonny‹; keine rauschenden Geigen, schwellenden Bläserklänge, strömende Harmonien, sondern ein ganz kleines Ensemble von ein paar Blechbläsern, Schlagzeug und Klavier. Aber es gibt hier scharfe, klare Stimmführung, harte Marschrhythmen, proletarische Songs, die zu gespanntester Aufmerksamkeit fesseln vom ersten bis zum letzten Ton. Eislers Kunst, durch die Musik Worte, Sätze, Parolen zu einheitlichen, schlagend wirkenden Gebilden zusammenzufassen, zeigt sich in der Begleitmusik zur ›Mutter‹ aufs neue in hinreißender Weise. Aber über die packenden Songs und Chorlieder hinaus hat er für die Instrumentalmusik hier ganz neue Möglichkeiten gewiesen: Ansätze zu einer neuen ›Polyphonie‹ bei stärkster Betonung des Rhythmischen und größter Lebendigkeit der Gesamtwirkung. Hier muß unbedingt weitergebaut werden! Zu bedauern ist nur eines: es ist fast ein bißchen zu wenig Musik; an mehreren Stellen hätte man sich mehr von Eislers kraftvollen, aktivisierenden Klängen gewünscht.«[38] Eisler hat diesen Ratschlag zur Erweiterung der Musik später berücksichtigt.

In der von Willy Münzenberg gegründeten auflagenstarken Zeitung »Welt am Abend« war zu lesen: »Hanns Eislers Musik ist nicht Begleitung, sondern organischer Teil des Werks. Sie bestimmt Rhythmus und Höhepunkte. Von den mitreißenden Songs ist besonders derjenige, den Ernst Busch singt, als Meisterstück zu bezeichnen. Kein Song; vielmehr ein proletarisches Kampflied, das bald in aller Arbeiter Munde sein wird.« Gemeint war damit das Lied »Über die Unzerstörbarkeit des Kommunismus«, das später den Titel »Im Gefängnis zu singen« erhielt. Interessant ist an dieser Kritik nicht nur die Feststellung der dramaturgischen Funktion der Musik, sondern auch die Abkehr vom Begriff des Songs.

Eine kulinarische Haltung wie noch gegenüber der *Dreigroschenoper* war gegenüber der *Mutter* nicht mehr möglich. Über einem politisch so eindeutigen Stück mußte sich das Publikum spalten. Die bürgerliche Presse, die zwar nicht umhin konnte, die schauspielerischen Leistungen zu loben, kritisierte das Stück wegen seiner kommunistischen Tendenz als »primitiv«. In seinen 1938 veröffentlichten Anmerkungen zur *Mutter,* in denen er besonders auf die Reaktionen der nichtproletarischen Feuilletons ausführlich einging, schrieb Brecht dazu: »Diese Leute sind gegen die Politik. Das bedeutet praktisch, daß sie für die Politik sind, die mit ihnen gemacht wird.«[39] Am Beispiel der »Mutter«-Rezeption erkannte er besonders deutlich, die Unterschiede im Publikum: »Da von den Aufführungen einige vor fast nur bürgerlichem, andere (die meisten) vor nur proletarischem Publikum stattfanden, konnten wir den Unterschied zwischen dem Reagieren der beiden Arten von Zuschauern genau beobachten. Er ist ungeheuer. Während die Arbeiter auf die feinsten Wendungen der Dialoge sofort reagierten und die kompliziertesten Voraussetzungen ohne weiteres mitmachten, begriff das bürgerliche Publikum nur mühsam den Gang der Handlung und überhaupt nicht das Wesentliche. Der Arbeiter (besonders lebhaft reagierten die proletarischen Frauen) stieß sich keinen Augenblick daran, daß die jeweiligen Situationen in der kürzestmöglichen und trokkensten Weise angedeutet wurden, und konzentrierte sich sogleich auf das Wesentliche: das jeweilige Verhalten der Menschen den Situationen gegenüber; der Arbeiter reagierte also von vornherein politisch. Der Westen saß mit gelangweiltem Lächeln, dessen Dummheit geradezu komisch wirkte, da und vermißte die gewohnte gefühlvolle Ausschmückung und Buntfärbung der Situationen. Er hielt sich an das grob Stoffliche. Wer ist also primitiv und wer nicht?«[40]

Das Ende einer Entwicklung

Die Machtmittel der Herrschenden, von denen das Lied »Im Gefängnis zu singen« handelt, wurden nach mehr als 30 »Mutter«-Aufführungen im Theater gegen weitere Vorstellungen in den Berliner Arbeiterbezirken wirksam.[41] Eine Aufführung am 29. Februar im Gesellschaftshaus Moabit wurde von der Polizei behindert. Aber trotz ständiger Unterbrechungen durch die Baupolizei, die immer neue Einwände erfand, war gerade diese Aufführung ein großer Erfolg. Für Helene Weigel war es »eine unserer erfolgreichsten Aufführungen, weil die Leute herrlich fanden, daß wir uns nicht kleinkriegen ließen und weitermachten unter immer schwierigeren Bedingungen.«[42]

Nicht nur bei der *Mutter,* sondern auch bei anderen Aufführungen, wurden 1932 für Brecht und Eisler die Bedingungen immer schwieriger. Ihre letzte gemeinsame Theaterarbeit vor 1933 waren Lieder für Paul Schureks Volksstück *Kamerad Kasper;* Ernst Busch erntete mit den jazzbegleiteten Gesängen große Erfolge.[43] Die Opernpläne *Schweyk* und *Aufbau des neuen Menschen,* die noch 1932 anvisiert wurden, kamen – ebenso wie ein Opernprojekt Eislers mit Tretjakow – nicht mehr zustande, das erste Projekt wegen Schwierigkeiten mit den Hasek-Erben, das zweite wegen der Schwierigkeit der Zeitumstände. Unvollendet blieb auch eine Arbeit, von der die »Rote Fahne« am 25. 12. 1932 berichtete: »Bert Brecht arbeitet zusammen mit Eisler an einem Arbeiterchorwerk, in dem Stücke aus dem ›Kommunistischen Manifest‹ zur Verwendung kommen.«

Die letzte Uraufführung eines Brechtschen Theaterstücks im Deutschland vor 1945 fand bereits am 11. April 1932 statt. Schauplatz dieser Aufführung war nicht mehr ein Theater, sondern der Rundfunk. Brecht verdankte dies dem Rundfunksprecher und -regisseur Alfred Braun, der schon 1927 die Hörspielfassung von *Mann ist Mann* inszeniert hatte. Hatte diese aber 1927 neben der Bühnenfassung gestanden, so konnte 1932 Brechts *Heilige Johanna der Schlachthöfe* nur noch im Rundfunk gegeben werden. »Es wird einmal zu den denkwürdigsten, aber unrühmlichsten Merkmalen in der Kulturgeschichte unserer Zeit gehören«, kommentierte der Kritiker Fritz Walter diesen Vorgang, »daß das Theater die Vermittlung eines der größten und bedeutendsten Dramen der Epoche dem Rundfunk überlassen mußte.«[44]

Schon 1932 gab es für Brecht, Weill und Eisler die besseren Aufführungsmöglichkeiten im Ausland. Die Uraufführung von *Kuhle Wampe* fand am 14. Mai in Moskau statt. Im Dezember wurden das »Mahagonny«-Songspiel und der *Jasager* in Paris zu einem großen Erfolg.[45] Am Silvesterabend 1932/33 wirkten Busch und Eisler beim holländischen Arbeitersender VARA in Hilversum an einer vierstündigen proletarischen Silvesterfeier, die bis ein Uhr nachts dauerte, mit. »Wir konnten alles bringen, was wir wollten«, erinnerte sich Ernst Busch dankbar. »Als wir zurück wollten nach Deutschland, ich hatte noch den ›Silbersee‹ zu spielen[46], brachte uns der Leiter des Radiosenders an den Bahnhof und machte den Vorschlag: ›Wenn Sie in Schwierigkeiten geraten sollten, können sie zu uns kommen.‹«[47] Brecht und Eisler intensivierten zwar 1932 ihre Bemühungen um eine rote Einheitsfront gegen den Faschismus, jedoch glaubten sie nicht an einen baldigen Machtantritt der Nazis. Anfang 1932 komponierte Eisler ein »Kampflied gegen den Faschismus«, das schon wenig später auf einer Schallplatte des »Kampfbundes gegen den Faschismus« erschien.[48] Der Liedtext von Erich Weinert begann mit den Worten »Wer zahlt das Geld für Hitler«. Auch Brecht schrieb in diesem Jahr ein antifaschistisches Lied, das, arrangiert von Hanns Eisler und gesungen von Ernst Busch, ebenfalls noch vor 1933 auf einer Schallplatte des Deutschen Arbeiter-Sängerbundes veröffentlicht wurde: *Der Marsch ins Dritte Reich*.[49] Das englische Soldatenlied »It's a long way to Tipperary«, dessen Melodie er benutzte, übertrug er dabei höhnisch auf die Nazis:

> Es ist ein langer Weg zum Dritten Reiche
> Man soll's nicht glauben, wie sich das zieht.

Brecht knüpfte damit an die volkstümliche Praxis des Umsingens an; bekannte Melodien wurden aus aktuellem Anlaß neu textiert. In ähnlicher Weise hatte er auch dem »Sportlied« für *Kuhle Wampe* Eislers Melodie zur »Ballade von den Säckeschmeißern« zugrunde gelegt, die durch eine Schallplattenaufnahme Ernst Buschs rasch populär geworden war. Solche Popularität erhoffte er sich auch von seinem »Marsch ins Dritte Reich«, der am 11. 12. 1932 bei einer Busch-Eisler-Matinee erstmals vorgestellt wurde. Wegen der sinkenden Wählerstimmen für die NSDAP war Brecht gelassen. Er ahnte nicht, daß Hitler schon einen Monat später auf außerparlamentarischem Wege sein Ziel erreichen würde.

Mit dem Machtantritt Adolf Hitlers am 30. Januar 1933 ging eine Periode des Übergangs zu Ende; die Entwicklung von einer bürgerlichen zu einer sozialistischen Kultur wurde radikal gestoppt. Während die Kultur des Bürgertums vor 1933 einen Tiefstand erreicht hatte, die Zahl der Opern- und Konzertaufführungen ständig sank und häufig Operettenvorstellungen an deren Stelle traten, war die Arbeiterkultur aufgeblüht. Am Beispiel des Chorgesangs hatte sich am deutlichsten gezeigt, wie Arbeiter die alte Führungsposition der Bürger übernahmen und zu Erbauern einer neuen Musikkultur wurden. »Die Zeit war die Zeit des Übergangs«, schrieb Brecht rückblickend später, »und die Werke der Künstler bedeuteten sowohl einen Abstieg und ein Ende, als auch einen Aufstieg und einen Anfang. Sie trugen die Kennzeichen der Zersetzung und zersetzten Bestehendes, und sie trugen die Kennzeichen des Aufbaus und halfen aufbauen. Die Kunst der herrschenden Klassen war fertig, in der doppelten Bedeutung des Wortes, der guten und der schlechten, und die der Unterdrückten war unfertig, ebenfalls in der guten und in der schlechten Bedeutung des Wortes.«[50]

Kritik am Bestehenden hatte Brecht zusammen mit Weill in der *Dreigroschenoper, Happy End* und *Mahagonny* geleistet, den Aufbau des Neuen dagegen vor allem mit Eisler. Brecht und Eisler gehörten zu der nicht unbeträchtlichen Zahl bürgerlicher Künstler, die um 1930 zur Arbeiterkultur überwechselten.[51] Für Brecht war Eisler selbst im Vergleich mit dem Zeichner George Grosz, dem Fotomontagekünstler John Heartfield, mit Erwin Piscator, dem Regisseur des politischen Theaters, und sich selbst das herausragende Beispiel. »Von den fünf Künstlern, welche, die Partei des im Weltkrieg mißbrauchten und in der Republik nicht entschädigten Volkes nehmend, am bekanntesten geworden sind, scheint mir der Musiker unter ihnen das glücklichste Beispiel für Volkstümlichkeit. Der Dichter unter ihnen hatte erst im letzten Drittel der 14 republikanischen Jahre seine widerstrebende Kunst so weit, daß sie auf den Kampfplatz einrücken konnte. Der Zeichner brachte seine Darstellungen des Gesichts der herrschenden Klassen ebenso wie der Photograph seine Montagen anklagender Dokumente nur schwer unter die Menge[52], und der Theaterleiter hatte es oft nicht leicht, über die Mauer der seine teuren Darbietungen bezahlenden wohlhabenden Zuschauer hinweg zu dem Publikum der billigen Plätze zu gelangen. (...) Aber der Musiker unter ihnen fand keinen so großen Widerstand in seiner Kunst und hatte Volksmassen als Ausübende.«[53] Für Brecht waren die fünf Künstler technisch Fortsetzer der bürgerlichen Tradition, in ihrer Funktion aber deren Gegenpole. Besonders deutlich manifestierte sich ihm dies im Gegensatz zwischen Eisler und Schönberg: »Der Musiker, Hanns Eisler, war der Schüler eines Meisters, der die Musik so mathematisiert hatte, daß seine Arbeiten nur noch wenigen Fachleuten zugänglich waren. Aber der Schüler wandte sich an die großen Massen. Nur ein paar Virtuosen versuchten die Stücke des Schönberg zu spielen, Millionen reproduzierten diejenigen des Eisler.«[54] Ähnlich hatte H.H. Stuckenschmidt schon 1930 über Eisler geschrieben: »Ohne auf den Programmen bürgerlicher Konzerte zu figurieren, ist er einer der meistaufgeführten Komponisten und überdies im werktätigen

Volk ein durchaus populärer Mann.«[55] Immer mehr waren Arbeiter vom bloßen Publikum zu Mitwirkenden und Agierenden geworden. Auch in der Politik drängten sie trotz aller Behinderungen zum Handeln.

Hitler brachte diese Entwicklung zu einem Ende. Äußere Formen der Arbeiterkultur wie Aufmärsche und Massenlieder übernahm er und mißbrauchte sie zu Disziplinierung und Militarisierung, zur Gängelung statt zur Befreiung. Gleichzeitig gab er der traditionellen bürgerlichen Kultur ihre Führungsposition zurück, Opernhäuser und Konzertsäle füllten sich wieder.

Teil III:

Kunst im Exil

1933: Deutschland unter dem Ver-Führer

Hier ist Tünche, da wird alles neu
Und dann habt ihr eure neue Zeit!

Nach dem Reichstagsbrand

Kaum einen Monat nach der Ernennung Hitlers zum deutschen Reichskanzler brannte am 27. Februar 1933 in Berlin der Reichstag. Als Brand-
stifter wurden die Kommunisten beschuldigt, woraufhin noch in der
gleichen Nacht eine sorgfältig vorbereitete Verhaftungs- und Verschlep-
pungswelle einsetzte. Auch Brecht mußte mit seiner Verhaftung rechnen,
hatten ihn doch die Nazis wegen seiner »Legende vom toten Soldaten«
schon vor ihrem Münchner Putsch von 1923 auf die Liste der zu verhaf-
tenden Personen gesetzt. Am 28. Februar verließ er mit seiner Familie
Deutschland. Für ihn gab es keinen Zweifel, wer die Urheber der Brand-
stiftung waren.
Dafür, daß Hitler und vor allem Göring die Aktion geplant hatten, sprachen alle Anzeichen, so besonders die Tatsache, daß der Brand in der vor-
angegangenen Nacht gerade durch den »Hellseher« Hanussen, einen
engen Vertrauten höchster SA-Führer, prophezeit worden war. Ein Mann,
der diese Zusammenhänge genauestens kannte, der schon 1932 einen
Prozeß gegen Hanussen erzwingen wollte und noch nach dem 30. Januar
1933 einen Generalstreikaufruf der KPD veröffentlichte, war Bruno Frei,
der Chefredakteur der Münzenberg-Zeitung »Berlin am Morgen«.[1] Er saß
an jenem 28. Februar im gleichen Zug, mit dem Brecht und Helene Weigel von Berlin nach Prag fuhren. Unmittelbar nach seiner Ankunft in Prag
veröffentlichte Frei im Auftrag der tschechischen KP unter einem Pseudonym in Massenauflage eine Broschüre mit Gegeninformationen zur
Nazipropaganda. Wenig später gründete er zusammen mit Wieland Herzfelde, F. C. Weiskopf und Franz Höllering in Prag eine antifaschistische
Exilzeitung; sie hieß, als Antwort auf den »Angriff« von Propagandaminister Goebbels, »Gegen-Angriff«[2], erschien zunächst vierzehntägig, ab
1. Oktober 1933 wöchentlich und – gedruckt in Straßburg – während des

Reichstagsbrandprozesses sogar täglich.[3] Zum »Gegen-Angriff« gehörte eine satirische Beilage mit dem Titel »Roter Pfeffer«. In einer dieser Beilagen wurde 1933 ein langes Brecht-Gedicht veröffentlicht, das überschrieben war *Ballade vom Reichstagsbrand.*[4]

Um seiner Ballade eine möglichst weitreichende Wirkung zu geben, hatte Brecht ihr die sehr populäre Melodie der »Moritat von Mackie Messer« unterlegt. Es ist denkbar, daß er seine Ballade als Moritatensänger in einem Pariser Emigrantenkabarett aufgeführt und sich dabei selbst auf der Ziehharmonika begleitet hat. Jedenfalls hat er eine einfache Begleitung für dieses Instrument entworfen und sich auch eigens Tabellen für die Knopffolge angefertigt.[5]

Sangbarkeit und Bekanntheit waren für Brecht nicht die einzigen Gründe für die Wahl gerade dieser Melodie. Vielmehr gab es auch inhaltliche Übereinstimmungen; in beiden Fällen ging es um getarnte Gaunereien, um Verbrechen hinter der Maske des Biedermanns. Die Moritat vom Reichstagsbrand war eine aktuelle Konkretisierung und Bestätigung der »Moritat von Mackie Messer«. Aus beiden Moritaten ging folgerichtig schließlich das Gangsterdrama *Der aufhaltsame Aufstieg des Arturo Ui* hervor. Brecht wollte denen die Augen öffnen, die die Fälschungen der Nazis glaubten.[6] Nicht nur das »Braunbuch über Reichstagsbrand und Hitlerterror«, das Willy Münzenberg im Herbst 1933 in 17 Sprachen in Paris herausbrachte und das getarnt als Schillers »Wallenstein« in vielen tausend Exemplaren in Hitler-Deutschland verbreitet wurde, sondern auch die spätere historische Forschung[7] haben die inhaltliche Richtigkeit der Moritat bestätigt.

Im März 1933 verließ Brecht mit seiner Familie Prag und fuhr weiter nach Wien, wo Hanns Eisler ihn schon erwartete. Eisler war am 23. Februar von Berlin abgereist, da Anton Webern, der bereits vorher mehrere seiner Chorkompositionen dirigiert hatte, ihn nach Wien eingeladen hatte. Anlaß der Einladung war ein Arbeiter-Sinfonie-Konzert, das am 19. März im Großen Konzerthaussaal stattfinden sollte. Auf dem Programm stand eine Lied-, Chor- und Sprechmontage *Das Lied vom Kampf*, die vor allem Titel aus *Maßnahme* und *Mutter* enthielt. Die Balladen aus der *Mutter* waren bereits zuvor von einer Vereinigung revolutionärer Musiker unter Leitung von Felix Greissle, einem Mitschüler Eislers bei Schönberg, mehrfach in Wien aufgeführt worden.[8] An der Aufführung des »Lieds vom Kampf« war mit dem Sprechchor und dem Singverein der Kunststelle Wien, dem von Hermann Scherchen betreuten Wiener Orchesterstudio und fünf Schauspielern ein umfangreicher Apparat beteiligt. Die Spielleitung lag bei Guido Török, die musikalische Leitung bei Anton Webern. Verbunden durch Brecht-Texte, kamen dabei die folgenden Musikstücke zur Aufführung:

I. Schön ist es, das Wort zu ergreifen im Klassenkampf (»Lob der illegalen Arbeit« aus »Maßnahme«)

II. Wie schreibt man: »Klassenkampf« (»Lob des Lernens« aus »Mutter«)

III. Die Reiskahnschlepper (»Gesang der Reiskahnschlepper« aus »Maßnahme«)

IV. Song von der Ware (aus »Maßnahme«)

V. Die Arbeit geht weiter (»Lob der U.S.S.R.« aus »Maßnahme«)

VI. Lied des Gefangenen (»Im Gefängnis zu singen« aus »Mutter«)

VII. Grabgesang für einen Genossen (»Grabrede« aus »Mutter«)

VIII. Die rote Fahne (aus »Mutter«)

IX. Das Lied von der Solidarität (»Solidaritätslied«)

Die Wirkung war gewaltig. Ein Rezensent sprach von einem »revolutionären Erlebnis von höchster Intensität« und fuhr fort: »Hier wurde jene Schwelle überschritten, die von der künstlerischen zur politischen Tat führt. Aus dem ›Konzert‹ wurde eine flammende Kundgebung, bei der die sozialistische Begeisterung die Trennung zwischen Darstellern und Publikum vergessen ließ und alle einigte im leidenschaftlichen Bewußtsein einer unbesiegbaren Idee. Hervorgehoben muß die hinreißende musikalische Leitung Anton Weberns werden.«[9] Tatsächlich führte das Konzert zu politischer Tat. Da soeben der österreichische Bundeskanzler Dollfuß das Parlament ausgeschaltet hatte, bildeten die Besucher nach dem Konzert einen Demonstrationszug, sangen revolutionäre Lieder und riefen im Chor antifaschistische Parolen. Am 28. April wurde »Das Lied vom Kampf« noch einmal wiederholt, diesmal dirigiert von Weberns Schüler Ludwig Zenk, woraufhin in der 1. Mai-Sondernummer der »Arbeiter-Zeitung« die Brecht-Texte unter der Überschrift »Wir sind, wir waren und wir werden sein« abgedruckt wurden.[10]

Trotz dieser Resonanz im Schatten des Dollfuß-Regimes blieben Brecht und Eisler nur kurz in Österreich. Während Eisler schon im März Kompositionsaufträge für Filme in Prag und Paris übernahm, begab sich Brecht in die Schweiz. Die Suche nach einem Ort begann, wo sich eine neue Existenz aufbauen lassen könnte. Da die Werke Brechts, Eislers und Weills in Hitler-Deutschland verboten worden waren, verhandelte jeder von ihnen über Aufführungsmöglichkeiten im Ausland, zunächst natürlich im deutschsprachigen Ausland. Brecht mußte mit den aus Berlin transferierten Honoraren haushalten. Den Hoffnungen von Helene Weigel auf Arbeitsmöglichkeiten in Wien folgte die Enttäuschung. In dieser Situation erreichte Brecht in der Schweiz eine Anfrage von Kurt Weill aus Paris, ob er sich an einem Ballettprojekt beteiligen wolle.

Noch einmal Zusammenarbeit mit Weill: »Die sieben Todsünden der Kleinbürger«

> ... daß sie nicht sündigen gegen die Gesetze, die da reich und glücklich machen.

Kurt Weill war erst einen Monat nach Brecht aus Berlin geflohen. Noch am 18. Februar 1933 war in Leipzig mit großem Erfolg seine Oper *Der Silbersee* auf einen Text von Georg Kaiser uraufgeführt worden. Da auch die gleichzeitigen Premieren in Magdeburg und Erfurt beim Publikum gut ankamen, mußte die Nazipresse mit Drohungen und Verleumdungen arbeiten. Sie warnte Weill, der es sich als Jude erlaube, »für seine unvölkischen Zwecke sich einer deutschen Opernbühne zu bedienen«.[1] Da Weill im *Silbersee,* wie schon ein Jahr zuvor bei seiner Oper *Die Bürgschaft,* einen an Händel erinnernden neoklassizistischen Oratorienstil aufgegriffen hatte, blieben den Nazirezensenten statt musikalischer Argumente Drohungen. Vom »Völkischen Beobachter« deutlicher gewarnt wurde der Leipziger Regisseur Detlef Sierck; er habe »dem Berliner Literatentum und seinen vorgestrigen intellektuellen Trabanten einen Dienst erwiesen, der ihn teuer zu stehen kommen kann«.[2] Sierck wanderte bald darauf nach Hollywood aus, wo er unter dem Namen Douglas Sirk zu einem erfolgreichen Filmregisseur wurde. Am schärfsten bedrohten die Nazis jedoch den Leipziger Generalmusikdirektor Gustav Brecher; er werde die »alles Ungesunde und Schädliche hinwegfegende Kraft« des neuen Regimes »noch genau kennenlernen!«[3] Brecher emigrierte im März in die Niederlande.

In Magdeburg, wo Weills *Silbersee* nicht zuletzt durch die Mitwirkung von Ernst Busch zu einem Ereignis geworden war, gab es von langer Hand vorbereitete Proteste. Am 27. Februar, dem Tag des Reichstagsbrandes, spielte Busch zum letzten Mal die Rolle des Severin. Es blieb bis zum Jahr 1945 sein letzter Auftritt auf einer deutschen Bühne.[4] Am 9. März 1933 traf auch er in den Niederlanden ein.

Tausende von Antifaschisten, die nicht ins Ausland fliehen konnten oder wollten, wurden in jenen Märzwochen 1933 verhaftet und in die ersten Konzentrationslager gebracht. Verschleppt wurden Arbeiter und Intellektuelle, Kommunisten, Sozialdemokraten, Gewerkschafter, aber auch jüdische Künstler, Wissenschaftler und Kaufleute. Weill jedoch, der von der Nazipresse milder behandelt wurde als Brecht, Sierck und Brecher, blieb zunächst noch in Berlin. Er arbeitete an einer Musik zu einem Film *Kleiner Mann – was nun?* nach dem sozialkritischen Roman von Hans Fallada; Berthold Viertel sollte die Regie führen, Caspar Neher die Ausstattung besorgen.[5] Glaubte Weill, in Deutschland bleiben zu können? Am 21. März, dem sogenannten »Tag von Potsdam«, gab er auf, als ihm ein Freund von der drohenden Verhaftung durch die Gestapo berichtete. Zwei Tage später traf Weill in Paris ein.

In der französischen Hauptstadt war er kein Unbekannter. Im Dezember 1932 hatten hier mit geradezu triumphalem Erfolg Aufführungen des »Mahagonny«-Songspiels und des *Jasagers* stattgefunden. Weill wußte, daß er in Paris auf so einflußreiche Bewunderer und Mäzene wie die Vicomtesse Marie-Laure de Noailles oder die Prinzessin Eduoard de Polignac, die Erbin des Singer-Vermögens, zählen konnte. Außerdem wohnte in Paris die Tänzerin Tilly Losch, eine gute Freundin Lotte Lenyas. Ihr Mann, der englische Millionär Ed James, finanzierte ihr eine Ballettgruppe »Les Ballets 1933«. Als Choreograph wurde Georges Balanchine gewonnen, als Dirigent der frühere Weill-Schüler Maurice Abravanel, der schon die Pariser Aufführung des Songspiels dirigiert hatte. An Geld fehlte es nicht, die berühmtesten Namen waren gerade gut genug. So wünschten sich die Geldgeber zusätzlich zu Weill die Mitwirkung von Brecht.[6] Sie dachten dabei vermutlich mehr an den Ruhm der *Dreigroschenoper* als an ein Ballett – Brecht hatte noch nie besonderes Interesse für diese Gattung gezeigt.

Ohne die großzügige Finanzierung wäre dieses Projekt nie zustande gekommen. Zwar hatte Weill die Hinzuziehung Brechts nicht direkt abgelehnt – das hätte möglicherweise die Geldgeber verstört –, jedoch erklärte er mehrfach, daß seine Erfolge von den Texten unabhängig seien; auf die Musik käme es an.[7] In der Tat war in den ausführlichen Pariser Rezensionen zum »Mahagonny«-Songspiel und zum *Jasager* der Name Brechts kaum je genannt worden.[8] Weill stand ganz im Mittelpunkt. So vermied er in einem Interview mit Gabrielle Buffet-Picabia überhaupt, den Namen Brechts zu erwähnen. Brecht hat sich darüber, wie aus Anstreichungen in dem entsprechenden Zeitungsexemplar hervorgeht, geärgert.[9]

Für den Exilrussen Balanchine wiederum, der die Rivalitäten im Hintergrund nicht kannte, waren beide Deutsche gleichermaßen unbequeme Revolutionäre. In einem Interview erklärte der Choreograph später: »Es war schon ein wenig seltsam. Ich lebte damals in einer ästhetischen Welt, die sich im Geist noch nicht aus St. Petersburg entfernt hatte; aus dem künstlerischen, progressiven Petersburg allerdings, in dem man vom Borscht lebte und vom Kaviar höchstens träumte. Brecht und Weill dagegen waren karge, scharfe und ungemütliche Kommunisten. Aber was sie sagten und schrieben, hatte eine ungeheure Wirklichkeit, eine Konfrontation mit den Gegebenheiten jener Zeit.«[10] Das Ballett war eine Gleichung mit mehreren Unbekannten.

Mit der Aufteilung in eine gesungene und eine getanzte Hauptrolle (Anna I und Anna II) gingen Brecht und Weill auf eine Grundbedingung der Produktion ein, wonach Tilly Losch und Lotte Lenya die tragenden Rollen bekommen sollten. Für Brecht ergab sich dadurch die Möglichkeit, die »Trennung der Elemente«, ein Charakteristikum des epischen Theaters, zu verwirklichen. Mit diesem technischen Mittel konnte er darüber hinaus die Entfremdung des Individuums in der bürgerlich-kapitalistischen Welt aufzeigen. Die Härte des Überlebenskampfes – dies der Aussagekern seines Balletts – zwingt vor allem die Kleinbürger, bessere Gefühle und Tugenden zu unterdrücken. Anna I, die »Verkäuferin«, muß Anna II, die »Künstlerin«, im Zaum halten. Die traditionellen christlichen Tugenden werden im Kapitalismus zu Todsünden. Erfolgreich kann ein Kleinbürger nur sein, wenn er die herkömmlichen Tugenden meidet und sich konsequent in Trägheit, Stolz, Zorn, Völlerei, Unzucht, Habsucht und Neid übt.

Auch Brecht hatte die Reise nach Paris nur des Geldes wegen angetreten und mußte deshalb kurzfristig andere, ihm wichtigere Themen in den Hintergrund stellen. Für ihn wurde die Spaltung in »Verkäufer« und »Künstler« notwendig, um dadurch die Möglichkeit zu finden, nicht nur seine Existenz, sondern auch den politischen Kampf weiterzuführen. Dies bedeutete jedoch nicht, daß er in den *Sieben Todsünden der Kleinbürger* seine kritische Position preisgab. Im Gegenteil hat er seine Kritik an der Doppelmoral des Bürgertums selten schärfer formuliert.

Die sieben Todsünden der Kleinbürger
Ballett mit Gesang von Bertolt Brecht und Kurt Weill

Prolog (Andante sostenuto)
Nr. 1 *Faulheit* im Begehen des Unrechts (Allegro vivace)
Nr. 2 *Stolz* auf das Beste des Ichs (Unkäuflichkeit) (Allegretto, quasi Andantino)
Nr. 3 *Zorn* über die Gemeinheit (Molto agitato)
Nr. 4 *Völlerei* (Sättigung, Selberessen) (Largo)
Nr. 5 *Unzucht* (selbstlose Liebe) (Moderato)
Nr. 6 *Habsucht* bei Raub und Betrug (Allegro giusto)
Nr. 7 *Neid* auf die Glücklichen (Allegro non troppo)
Epilog (Andante sostenuto)

Es ist denkbar, daß Brecht die Figuren der Anna I und Anna II nicht nur formal, sondern auch inhaltlich auf die beiden Protagonistinnen Tilly Losch und Lotte Lenya bezog. Beide waren einmal aus Wien aufgebrochen, um als Tänzerinnen ihr Glück zu versuchen. Für diese Deutung sprechen auch die folgenden Verse des Familienquartetts: »Der Herr erleuchte unsre Kinder, daß sie den Weg erkennen, der zum Wohlstand führt. Er gebe ihnen die Kraft und die Freudigkeit, daß sie nicht sündigen gegen die Gesetze, die da reich und glücklich machen.« Autor dieser Verse war nicht Brecht, sondern Weill. Er dürfte dabei nicht allein die reich

verheiratete Tilly Losch, sondern auch seine Frau im Blick gehabt haben. 1933 war sie nicht mit ihm nach Paris gekommen, sondern hatte zunächst ein Engagement am Züricher Corso-Theater angetreten. Die Operette, bei der sie dort mitwirkte, hieß *Lieber reich, aber glücklich*.[11] Weill selbst hatte 1930 eine eigene Kammerrevue mit dem Titel »Wie werde ich reich und glücklich?« angekündigt.[12] Wahrscheinlich war die Titelfrage nicht nur ironisch gemeint.

Inhaltlich und musikalisch war das Ballett eine Fortsetzung der »Mahagonny«-Oper und der episch-oratorischen *Bürgschaft;* auch im Neherschen Libretto zur *Bürgschaft* hatte das »Gesetz des Geldes und der Macht« menschliche Werte zerstört. Die zitierten Ermahnungen der Familie werden von einem Männerquartett im verfremdeten Liedertafelstil gesungen. Sonst jedoch verzichtete Weill wie schon in der Musik zur *Bürgschaft* und zum *Silbersee* in den *Sieben Todsünden* auf stärker parodistische Wirkungen sowie auf Schocks und ästhetische Brüche. Statt dessen dominiert ein einheitlicherer symphonischer Stil, in dem der Klassizismus eines Busoni nachwirkt. Das konventionell besetzte Orchester, in dem neben Streichern und Holzbläsern auch Harfe und Hörner nicht fehlen, besitzt einen überwiegend weichen Klang. Durch ihn wird Brechts gesellschaftskritische Schärfe umgefärbt zum Ton der Trauer. Als vereinheitlichendes Hauptmotiv legte Weill seiner Komposition eine Abfolge von fallender Sexte und fallender Sekunde zugrunde – Intervalle, die seit dem Mittelalter musikalische Topoi für Klage sind:

»Schon in das motivisch-thematische Grundmaterial der ›Sieben Todsünden‹ ist also jene Trauer eingesenkt, die als Klage über eine verkehrte Welt Tonfall und Gestus des Werks bestimmt. Die Musik kommentiert damit, als Widerspruch und Einspruch, die zynisch-einverstandene Oberfläche des Textes.«[13] Dementsprechend ist auch der Epilog nicht als Triumph, sondern als Klage auskomponiert. Anna I/II haben ihr Ziel, den Erwerb des kleinen Häuschens, erreicht – jedoch um den Preis der Zerstörung ihrer menschlichen Tugenden.

Zur Uraufführung am 7. Juni 1933 im Pariser Théâtre des Champs-Elysées waren Lotte Lenya und ihre Freundin Tilly Losch wieder auf der Bühne vereint. Da Lotte Lenya den Text auf deutsch sang, blieb den Parisern nicht nur die Sozialkritik, sondern auch die Fülle persönlicher Anspielungen – nicht zuletzt auf Ed James – verborgen. Die Sozialkritik wurde auch dadurch eliminiert, daß das Ballett unter dem Titel »Anna-Anna ou les Sept Péchés Capitaux« angekündigt wurde; das Wort Kleinbürger, das wohl nicht zuletzt Weill gestört haben dürfte, entfiel. Obwohl keinerlei Sozialkritik mehr provozierend wirken konnte, blieb die Resonanz beim Pariser Publikum schwach. Brecht meldete seiner Frau nach der Uraufführung: »Das Ballett ging ganz hübsch, war allerdings nicht so bedeutend.«[14] Gemessen an den hohen Erwartungen war es ein Mißerfolg – ein Mißerfolg vor allem Weills, denn an ihn hatten sich die höchsten Erwartungen geknüpft. Der deutsche Emigrant Harry Graf Kessler notierte über »Weills Pantomime«, die Autorschaft Brechts völlig vernachlässigend, in sein Tagebuch: »Sie hat trotz der Beliebtheit, die Weill hier genießt, eine schlechte Aufnahme in der Presse und beim Publikum gehabt (...) Man hat offenbar von Weill hier zuviel erwartet, ihn gleich mit Wagner und Richard Strauss in eine Linie gerückt; Snobismus.«[15] Bei solchen kulinarischen Erwartungen, die schon von vornherein Brechts inhaltliche Konzeption in den Hintergrund drängten, war der Mißerfolg allerdings vorprogrammiert. Erst viel später wurde in Interpretationen mit Lotte Lenya, Pina Bausch oder dem italienischen Popstar Milva die große künstlerische Bedeutung dieses Werks erkannt, das K. H. Ruppel sogar für die stärkste gemeinsame Arbeit von Brecht und Weill hält: »Brecht ist selten härter, bitterer gewesen als in diesen Strophen von der totalen Auslieferung eines Menschen an die Konventionen, die zum Wohlstand führen und ihn davon abhalten, ›zu sündigen gegen die Gesetze, die da reich und glücklich machen‹, und Weill hat in seinem Songstil nie eine prägnantere Verdichtung der musikalischen Form erreicht als hier . . .«[16]

Da 1933 in Paris aber die erhofften Erfolge ausblieben, blieben Brecht und Weill nicht mehr lange in der französischen Hauptstadt. Weill komponierte 1934 noch die Musik zu dem Boulevardstück *Marie Galante,* wobei er auch wieder an *Happy End* und die *Dreigroschenoper* anknüpfte; das Chanson »J'attend un navire«, das in Frankreich später als Erkennungslied der Résistance populär wurde, war inspiriert durch die Ballade von der Seeräuber-Jenny.[17] 1935 verließ Weill die Alte Welt und übersiedelte nach New York, wo er die Musik zu Franz Werfels Stück *The Eternal Road* komponieren sollte.[18] Er blieb in den USA und wandte seine Erfahrungen mit der *Dreigroschenoper* auf den Broadway an. Brecht dagegen nahm schon kurz nach der Premiere der *Sieben Todsünden* eine Einladung der Schriftstellerin Karin Michaelis nach Dänemark an. Im August 1933 kaufte er in dem Dorf Skovsbostrand bei Svendborg ein eigenes Haus, das für sechs Jahre seine Zufluchtsstätte bleiben sollte.

Gegen die Vernichtung der Wahrheit:
»Die Rundköpfe und die Spitzköpfe« und »Arturo Ui«

> Unsere Feinde sagen: Der Kampf ist zu Ende.
> Aber wir sagen: Er hat angefangen.
>
> Unsere Feinde sagen: Die Wahrheit ist vernichtet.
> Aber wir sagen: Wir wissen sie noch.

Beobachtungen am Radiogerät

Im dänischen Exil arbeitete Brecht an einem Theaterstück, das einem bürgerlichen Publikum in Westeuropa den deutschen Faschismus erklären sollte. *Die Rundköpfe und die Spitzköpfe oder Reich und reich gesellt sich gern* mit dem Untertitel »Ein Greuelmärchen« ist eine Parabel über Hitlers Versuch, den Klassenkampf als Rassenkampf zu tarnen. Schon 1932 in Berlin hatte Brecht mit dieser Arbeit begonnen, wobei Shakespeares Stück *Maß für Maß* den Ausgangspunkt bildete. Im Verlauf der Umarbeitung entfernte er sich allerdings immer weiter von Shakespeare und näherte sich immer mehr der Gegenwart an. Parabelhaft stellte er das Grundmodell des Faschismus dar: Das Finanzkapital errichtet eine Diktatur, um die verhaßte Republik zu stürzen und einem proletarischen Umsturz zuvorzukommen. Daß es sich dabei um einen Kampf gegen links handelte, verschleiert die neue Rassenlehre, die das Volk in Gut und Böse, in Rundköpfe (»Tschuchen«) und Spitzköpfe (»Tschichen«) einteilt.

Brecht wollte den Schleier der Nazipropaganda durchschaubar machen, er wollte zeigen, daß für Hitler zunächst nicht die Judenverfolgung (die Brecht allerdings unterschätzte), sondern der Kampf gegen die Arbeiterbewegung, besonders gegen die Kommunisten, im Vordergrund stand. Für ihn war Hitlers Machtergreifung eine Konterrevolution, »der große Versuch zur Rettung des Privateigentums an Produktionsmitteln«.[1] Wie schon bei der Märchenrevue *Es war einmal* sollte auch mit diesem »Greuelmärchen« der konservativ-kapitalistische Charakter des Faschismus entlarvt werden. Den Titel »Sozialisten« hatten sich die »Nationalsozialisten« nur zur Tarnung entlehnt; sie wußten, daß viele Arbeiter sich nach dem Sozialismus sehnten. Der »Nationalsozialismus« verhieß die große, wunderbare Synthese, die Aufhebung der Gegensätze, die Vereinigung von rechts und links. Der hartnäckige Widerstand vieler organisierter Arbeiter dagegen wurde der Öffentlichkeit verschwiegen; es blieb so der antifaschistische Widerstand ein »lautloser Aufstand«. Viele Arbeiter waren aber andererseits diesem Propagandatrick zum Opfer gefallen, zumal die Nazis vor allem in der SA äußere Formen der Arbeiterkultur, vom Klassenspezifischen ins Völkisch-Ständische gewendet, übernahmen. Obwohl die gewaltsame Entmachtung der SA im Jahre 1934 mit letzter Deutlichkeit zeigte, wie wenig ernst es die Nazis mit ihren »sozialistischen« Zielen meinten, behielt die Propaganda ihre gefährliche Wirkung.

Die Nazi-Erfolge beruhten wesentlich auf der massiven Verwendung von Begriffen wie Nation, Volksgemeinschaft und Führer, von Attributen wie Uniform, Fahne und Hitler-Gruß, die vor allem stärker an das Gefühl appellierten. An die Stelle der Vernunft trat der Glaube, an die Stelle der von Menschen gemachten Geschichte Schicksal und Vorsehung. In diesem Gefühlstaumel konnte das, was im Sinne der Arbeiterbewegung ein Rückschritt war, als Fortschritt ausgegeben werden. Der Anschein des Proletarischen wurde gewahrt, indem alte Symbole der Arbeiterbewegung – die Fahne, die geballte Faust, der Kampfruf – übernommen, jedoch umgedeutet und verändert wurden; an die Stelle der roten trat die braune Farbe. Brecht, für den Hitler immer nur »der Anstreicher« war, fühlte sich an die Unklarheit alter Arbeiterlieder erinnert. Vor allem dachte er an das sozialdemokratische Arbeiterlied »Wann wir schreiten Seit' an Seit'« (Claudius/Englert), das von der SA ohne jede Textänderung übernommen werden konnte:

Wann wir schreiten Seit' an Seit' und die
alten Lieder singen,
fühlen wir, es muß gelingen. Mit uns zieht
die neue Zeit!

In seiner gefühlsbetonten Unbestimmtheit war ein solches Lied, das auch 1933 viel gesungen wurde, gefährlich. Dazu Brecht: »Keine andere Zeile eines Liedes begeisterte die Arbeiter um die Jahrhundertwende stärker als die Zeile ›Mit uns zieht die neue Zeit‹; die Alten und Jungen marschierten unter ihr, die Ärmsten und die Ausgemergeltsten und die sich schon etwas von der Zivilisation erkämpft hatten; sie schienen sich alle jung. Unter dem Anstreicher wurde die unerhörte Verführungskraft dieser Worte ebenfalls erprobt, auch er verhieß eine neue Zeit. Die Worte zeigten da ihre Vagheit und Leere.«[2] Brecht sah sehr klar, daß es gerade diese Unbestimmtheit war, die nun von den Verführern der Massen ausgenutzt wurde, er durchschaute, daß der Erfolg der Nazis auf einer Ideologie beruhte, die konkrete Aussagen mied und vor allem den Klassenbegriff nicht mehr kannte.

Was die »neue Zeit« der Nazis wirklich bedeutete, hat Brecht mit großer Prägnanz dargestellt: »In diesen Zeiten wird der Begriff des Neuen selber verfälscht. Das Alte und Uralte, neuerdings auf den Plan tretend, proklamiert sich als neu, oder es wird als neu verkündet, wenn das Alte oder Uralte auf eine neue Art durchgesetzt wird. Das wirklich Neue aber wird, da heute abgesetzt, als das Gestrige erklärt, zu einer flüchtigen Mode heruntergemacht, deren Zeit vorbei ist.«[3]

Für Brecht war das wirklich Neue weiterhin der Sozialismus und nicht der Kapitalismus, selbst wenn dieser in neuer Form auftrat. Solche Bewußtseinsmanipulationen der Nazis wollte er zusammen mit Eisler in dem Stück *Die Rundköpfe und die Spitzköpfe* zum Thema machen. Zunächst war Eisler allerdings noch mit Filmarbeiten beschäftigt und konnte deshalb nicht zu Brecht nach Dänemark kommen. Im Dezember 1933 beklagte sich dieser in einem Brief an Sergej M. Tretjakow, Eisler schreibe viel zuviel Filmmusik in Paris. »Es ist gut, wenn er wieder zu einer größeren Arbeit kommt.«[4] Auch Eisler hatte sich längst schon wieder Projekte mit Brecht vorgenommen, unter anderem auch eine gemeinsame »Medea«[5]. Am 4. Januar 1934 schrieb er aus London an Brecht: »Im Frühjahr treffen wir uns zu einer anständigen Arbeit, nach der ich äußerst begierig bin.« Am 12. Februar traf er nach anstrengender Reise in Skovsbostrand ein. Jener 12. Februar 1934 war ein aufregender Tag. Eislers Abreise aus Paris hatte ganz im Zeichen des Generalstreiks gestanden, unter dem Eindruck der Arbeiterdemonstrationen gegen Chiappe und die Croix de Feu, bei denen auch das »Solidaritätslied« in französischer Sprache gesungen wurde. Die Ankunft in Skovsbostrand wurde dagegen überschattet von schlechten Nachrichten. »Wir wunderten uns über die karge Begrüßung«, erinnert sich Eislers Frau Lou. »Gespannte Gesichter, Hände deuten hastig auf zwei leere Stühle. Bald verstanden wir. Vor dem Radioapparat saßen Brecht, seine Frau, Marie Lazar und Karl Korsch; erregt hörten sie den Bericht über den Ausbruch der Februarkämpfe in Österreich.«[6]

Den blutigen Straßengefechten in Wien, Linz und anderen Städten waren schon seit mehr als einem Jahr antidemokratische Aktionen des damaligen Bundeskanzlers Dollfuß vorausgegangen. Nach dem Muster des italienischen Faschismus hatte er Schritt für Schritt eine autoritäre Regierungsform errichtet, allerdings mit proklerikalem Einschlag und auch mit antideutschen Tendenzen, durch die sich Hitler herausgefordert fühlte. In den drei blutigen Februartagen 1934 kämpfte der Republikanische Schutzbund mit Teilen der Arbeiterschaft verzweifelt für Wiedereinsetzung des Parlaments gegen bewaffnete Heimwehrformationen, diese verstärkt durch Regierungstruppen. Der Zerschlagung der sozialistischen Erhebung folgte das Verbot der demokratischen Parteien und Organisationen. Der Traum von einem österreichischen Rechtsstaat war ausgeträumt. Für Texte von Brecht und Kompositionen von Weill oder Eisler gab es nun auch in Hitlers austrofaschistischem Nachbarland keine Wirkungsmöglichkeiten mehr.

Am 11. Februar 1934, dem Vorabend des Aufstandes gegen die Willkürherrschaft, hatte das letzte österreichische Arbeitersinfoniekonzert stattgefunden. Es endete nach Werken von Stölzel, Pisk, Johann Sebastian Bach und Honegger mit Eislers »Kuhle Wampe«-Musik. David Josef Bach, der Jugendfreund Arnold Schönbergs und Gründer der Wiener Arbeitersinfoniekonzerte, schrieb darüber: »Es bleibt unsere Freude und unser Stolz, der letzte Hauch eines freien Österreichs gewesen zu sein. Auf dem Programm war die ganze Musik zu dem Film von Hanns Eisler, die mit dem Solidaritätslied endete. Der Verleger hatte die Aufführung verboten. Wir erklärten aber, daß das Lied auch ohne seine Erlaubnis aufgeführt werden würde. Die Arbeiter kamen, und als das Lied der Solidarität erklang, sprang das Publikum bei den ersten Takten von seinen Sitzen. Am nächsten Tag erfolgte jener Schlag des Faschismus, der Österreich von dieser Vorhölle in den Abgrund des Nationalsozialismus führte.«[7]

Kein Zweifel, daß manche der Arbeiter, die an diesem Abend zu den Konzertbesuchern gehört hatten, an den Tagen darauf zu den erbittert um politische Freiheit Kämpfenden zählten. Die Ereignisse in Österreich ließen in Brecht den Gedanken wachwerden, der Aufstand könnte Signalwirkung für deutsche Arbeiter unter der Hitler-Diktatur haben. Er täuschte sich.

Die »anständige Arbeit«, mit der Eisler seinen Besuch in Brechts dänischem Exilort angekündigt hatte, galt einer Aktualisierung der *Rundköpfe*. Zu Brecht und Eisler gesellte sich Margarete Steffin, die bald Brechts engste Mitarbeiterin und Freundin wurde. Allmählich löste sich die bedrückte Stimmung. Trotz der Niederlage in Österreich gab Brecht die Hoffnung auf den antifaschistischen Widerstand nicht auf, den er in seinem Stück »Die Sichel« nannte – eine Kurzform des Hammer-und-Sichel-Emblems. Die dänische Schauspielerin Ruth Berlau, die in Kopenhagen mit Arbeitern *Die Mutter* einstudierte, schilderte die Zusammenarbeit höchst anschaulich: »Aus dem Radio kommt eine Hitler-Rede. Eisler und Brecht schütteln immerfort die Köpfe und schauen sich an. Sie lachen viel. Brecht lacht Tränen. Eisler läuft hin und her. Aber beide hören scharf zu: sie arbeiten an ›Rundköpfe und Spitzköpfe‹. Ein anderer Titel ist ›Reich und reich gesellt sich gern‹. Aus dem Radio heulen Heilrufe. Es schallt über den stillen Fjord – ich mache das Fenster zu, die Dänen möchten es vielleicht mißverstehen, daß man sich so etwas anhört. Vor dem Horst-Wessel-Lied wird abgedreht. Auf das Radio zeigend, sagt Brecht dann den Untertitel für die ›Rundköpfe und die Spitzköpfe‹: ›Ein Greuelmärchen‹! Pause. Jetzt sitzen beide unheimlich still. Beide rauchen, Eisler eine Zigarette nach der anderen, Brecht, im Schaukelstuhl, große Zigarren, die immerfort ausgehen. Sie wechseln Blicke, schütteln die Köpfe, aber schweigen. Aber Tragisches ist nicht dabei, nie. Das Fenster wird wieder geöffnet. Eisler singt das Sichellied: ›Bauer, steh auf! Nimm deinen Lauf!‹«[8]

Die Analyse der Radiosendungen aus Nazideutschland stand in engem Zusammenhang mit dem neuen Theaterstück. Der Rundfunk war für die Nazis zum entscheidenden Propagandainstrument geworden: Goebbels bezeichnete ihn als »das allermodernste und das allerwichtigste Massenbeeinflussungsinstrument«.[9] Mit diesem Instrument sollte die Bevölkerung hundertprozentig für Hitler gewonnen werden. »Der Rundfunk«, so Goebbels in einer Rede am 25.3. 1933, »muß uns diese 100 Prozent zusammentrommeln. Und haben wir sie einmal, muß der Rundfunk uns diese 100 Prozent halten, muß sie verteidigen, muß sie so innerlich durchtränken mit dem geistigen Inhalt unserer Zeit, daß überhaupt niemand mehr ausbrechen kann.«[10] Damit ist nicht nur der totalitäre Anspruch, sondern auch der gewaltsame, manipulative Charakter der Nazipropaganda artikuliert. Wegen dieses Anspruchs war das Regime an weiterer Verbreitung billiger »Volksempfänger« interessiert. Tatsächlich stieg die Zahl der Radiobesitzer von 1932 bis 1934 von vier auf fünf Millionen an.[11] Noch einseitiger als zuvor wurden nun die Hörer zu bloßen Empfängern degradiert. Die Volksempfänger waren durchaus keine Kommunikationsapparate im Brechtschen Sinn; sogar die freie Programmwahl war eingeschränkt.

Mit welcher Aufmerksamkeit Brecht die Radiosendungen der Nazis auswertete, geht aus seinen Briefen hervor. So schrieb er im Januar 1934 an Bernhard von Brentano, den er nach Dänemark einlud: »Im Radio können Sie die geistigen Kämpfe in Deutschland verfolgen.«[12] Ähnlich ironisch teilte er Kurt Kläber mit: »Das Radio läßt uns die geistigen Kämpfe in unserer fernen Heimat miterleben. Wir sehen Bonifazius zum Streich gegen die Hitlereiche ausholen und begleiten ihn (allerdings nur im Geiste) ins Konzentrationslager.«[13] Auch George Grosz ließ Brecht wissen, er plane »fortwährend Schläge gegen die Verbrecher, die im Süden hausen ... Ich höre jeden ihrer Vorträge im Radio, lese ihre Gesetzentwürfe und sammle ihre Fotografien.«[14]

Wie den Romanisten Victor Klemperer, den Vetter Otto Klemperers[15], so interessierte auch Brecht der Betrugscharakter der Sprache des »Dritten Reichs«, die Doppeldeutigkeit der Naziworte, die Manipulation durch Unklarheit. Aus diesem Interesse heraus forderte er auch Karl Kraus auf, seine »Sittenlehre der Sprache« fortzuführen[16], und regte er den Soziologen Otto Neurath an, einen »Katalog eingreifender Sätze« zusammenzustellen: »Es handelt sich zunächst nicht um eine Sammlung einwandfreier Sätze, sondern auch durch einen Katalog von Scheinwahrheiten, Lügen, Infamien, Metaphysizismen unter dem Seziermesser soll einwandfreies Denken gelehrt werden.«[17] Voll Bitterkeit registrierte Brecht, daß die Nationalsozialisten teilweise ein sozialistisches Vokabular übernahmen: »Unsere Parolen sind in Unordnung. Einen Teil unserer Wörter/Hat der Feind verdreht bis zur Unkenntlichkeit.«[18]

Der Faschismus bedeutete das Ende des »wissenschaftlichen Zeitalters« in der Kunstrezeption. Die neuen Machthaber gaben der Kunst nun wieder die Rolle der »Großen Verführerin«, gegen die Brecht seit seiner Jugend angekämpft hatte. Mit Wort und Musik appellierten sie an Gefühle und dumpfe Urinstinkte – Kunst sollte wie Schlagsahne die Reste kritischen Bewußtseins auflösen. Während so gerade auch das Musikpublikum seinen schweifenden Gefühlen überlassen wurde, saßen – nicht anders als heute in der kapitalistischen Unterhaltungsindustrie – an den Schalthebeln der faschistischen Kulturpolitik kühl denkende Planer wie Propagandaminister Goebbels.[19] Kunst war ein Teil der Propaganda. Gefühl und Härte waren säuberlich aufgeteilt: Mit Härte wurde von oben durchgesetzt, daß sich Kunst auf Gefühlswirkungen zu beschränken habe; kritische Kunst wurde als »kulturbolschewistisch« ausgemerzt. Durch die Ausschaltung des kritischen Verstandes in der Kunst wurde das Publikum narkotisiert und hilflos politischen Manipulationen ausgesetzt, es sollte lenkbarer gemacht werden.

In einem Brief an den Schauspieler Heinrich George, der früher Rollen in Brecht-Stücken gespielt hatte und sich nun den neuen Herren andiente, schrieb Brecht 1933 aus dem dänischen Exil: »Das Schicksal in den Dramen, die ihr spielen werdet, wird eine verborgene Macht sein, denn es muß den Menschen hinfort wieder verborgen werden, daß des Menschen Schicksal der Mensch ist. Die Musik wird die Aufgabe haben, die sie in den Tagen des Rattenfängers von Hameln hatte: ein richtiger ›Zauber‹. Ihr werdet viel zaubern müssen, meine Lieben!«[20]

Über die Mehrdeutigkeit der Sprache: »Die Rundköpfe und die Spitzköpfe«

Brecht und Eisler führten in ihrem neuen Stück diesen »Zauber« vor. Sie zeigten, wie bei Bedarf Worte in ihr Gegenteil verkehrt werden können und sich so Alt in »Neu«, Kapitalismus in »Sozialismus«, (sozial) unterprivilegiert in (rassisch) privilegiert verwandelt. Es handelt sich um ein Stück über den Wechsel von Bedeutungen, über Manipulation mit verschiedenen Bedeutungen eines Wortes. Es ist ein Stück über das Funktionieren von Sprache im Kommunikationsprozeß, genauer: über den manipulativen Gebrauch von Sprache. Immer mehr bezog Brecht die Wirkungsmöglichkeiten von Sprache und Kunst nicht nur in seine Überlegung mit ein – so 1935 in seinem grundlegenden Essay »Fünf Schwierigkeiten beim Schreiben der Wahrheit« –, sondern machte diese Funktionsweise selbst zum Gegenstand seiner Kunst. Seine Gedichte und Stücke handeln von eingeschliffenen Wirkungen, wollen aber eben dadurch zur Reflexion über die Routine einladen. Das Publikum sollte so in die Lage versetzt werden, Manipulation zu durchschauen, und damit widerstandsfähig werden. Nach der Kritik des Konsumzwangs in der »Mahagonny«-Oper und der Bekehrungsgesänge in »Happy End« nahm sich Brecht in »Die Rundköpfe und die Spitzköpfe« mit den Wortverdrehungen der Nazis eine besonders gefährliche Form der Manipulation zum Thema. Aufgezeigt wird, wie die gleichen Begriffe bei verschiedenen sozialen Schichten verschiedene Bedeutung besitzen können. Wie schon bei der *Dreigroschenoper* steht die Ideologiekritik im Zentrum, die Diskrepanz zwischen Schein und Sein. Wie Brecht die Doppeldeutigkeit und Manipulierbarkeit der Sprache in den *Rundköpfen* durch veränderte Wiederholungen von Vorgängen virtuos demonstriert[21], so setzte auch Eisler in seinen Kompositionen für Brechts Stück die Doppeldeutigkeit der Musik auf gezielte und aufklärende Weise ein. Besonders witzig geschieht das in einer Szene, in der die reiche Isabella die arme Nanna[22], die ihren Lebensunterhalt als Prostituierte verdient, in den klösterlichen Tugenden Enthaltsamkeit, Gehorsam und Armut unterweist.[23] Für Isabella bedeuten die Tugendforderungen Heuchelei, da sie nicht im Ernst in ein Kloster gehen möchte, für Nanna aber, die die Heuchelei durchschaut, blanken Hohn. Die klösterlichen Tugenden sind für sie in ihrem Beruf »Todsünden«. Zum Gehorsam hingegen zwingt sie nur die Armut, die die reiche Isabella zynisch von ihr fordert. Für Nanna allerdings ist Armut keine Tugend, sondern bittere Realität. Wie in der politischen Phraseologie ist es auch in der Morallehre entscheidend, wer welche Forderungen mit welchen Motiven aufstellt. Nicht die Worte zählen, sondern das, was mit ihnen gemeint ist.

Daß die Worte der reichen Isabella im Munde der armen Nanna eine ganz andere Bedeutung annehmen, hat Eisler sehr intelligent und witzig auskomponiert. Isabellas Tugendforderungen läßt er im »Andante religioso« in einem psalmodierenden Rezitativstil beginnen. Die Musik wird allerdings zwiespältig, wenn Isabella Keuschheit fordert, wenn sie verlangt, daß an die Stelle der »Mannesgier« die Liebe allein zu Gott treten solle, »so daß es für mich nur den Einen gibt, dem ich mich anvertrau und der mich liebt«. Eisler läßt hier zwar die Begleitung noch karger, noch kirchlicher und »keuscher« werden; die rezitativische Melodik allerdings wendet er ins Schlagerhafte:

Diese Gegensätzlichkeit von frivoler Melodie auf der einen und ernster Vortragsart mit asketischer, quasi-religiöser Begleitung auf der anderen Seite symbolisiert die Heuchelei der Isabella. Sie spricht zwar mit gesetzten Worten von »dem Einen«, dem sie sich opfern wolle, meint im stillen damit aber nicht Gott, sondern einen Mann. Nannas Vorgesetzte, die Bordellwirtin Cornamontis, durchschaut diese Heuchelei nicht. Sie glaubt den verlogenen Worten Isabellas und wendet sich voll Rührung und mit weinender Stimme an Nanna: »Da siehst du, was Vornehmheit ist, du Pächtersfetzen.« Frau Cornamontis ist ein Beispiel für blindes Vertrauen auf »das Höhere«, für die Manipulierbarkeit durch Gefühle. Der anrührende Gesang hat sie vergessen machen, daß der bei ihr beschäftigten Hure Nanna die »vornehme« Tugend der sexuellen Enthaltsamkeit aus beruflichen und finanziellen Gründen gar nicht möglich ist. Sie hat unter dem Ansturm der Gefühle auch ihre eigenen Interessen vergessen, sie hat übersehen, daß die Tugenden der Reichen die Todsünden der Kleinbürger sind.

Anders als die Bordellwirtin fällt Nanna auf den frommen Gesang der feinen Dame nicht herein. Sie wiederholt zwar auftragsgemäß die ihr vorgetragenen Tugendlehren Wort für Wort, jedoch mit spitzer, frecher Ironie. Ihre Ironie wendet sich allein gegen die heuchlerische Isabella, nicht aber gegen die Tugendforderungen selbst. Für Nanna stellen diese Forderungen durchaus Ideale dar – menschliche Ideale freilich, die für sie unerreichbar sind. Eisler hat diese Zwiespältigkeit in Nannas Wiederholung auskomponiert, obwohl er die Worte und sogar die Melodie der Isabella getreu beibehielt. Indem er Nanna aber in rascherem Tempo singen läßt, bringt er ihren unwilligen Gehorsam zum Ausdruck; für Nanna ist die Wiederholung der Tugendforderungen eine Pflichtübung, die sie mit ironischen Spitzen gegen die reiche Dame (»Kunststück!«) versieht. Bei der Schlußzeile läßt Eisler die Ambivalenz des Ausdrucks »der Eine« in Eindeutigkeit umschlagen. (Notenbeispiel siehe nächste Seite oben.)

Die flotte Tanzmusikbegleitung läßt die weltliche Sinnlichkeit der Melodie ungehemmt hervortreten. Aus »dem Einen« ist nun unverkennbar »der eine« geworden. Nanna möchte ihren Hurenberuf nicht im Ernst mit dem Kloster vertauschen, sondern träumt davon, an die Stelle der vielen »Kunden« einen einzigen Mann zu setzen. Nanna mißtraut den großen Worten, sie singt die Gesänge der Herrschenden nicht gedankenlos nach, sondern überprüft und mißt sie an ihren eigenen Interessen.

Die Szene bedarf der politischen Interpretation. Die reiche Isabella gehört, obwohl sie offiziell den verfemten Spitzköpfen zugehört, zu den Herrschenden, die arme Nanna dagegen zu den Beherrschten, obwohl sie sich rühmen darf, Mitglied der »besseren« Rasse der Rundköpfe zu sein. Entscheidend in letzter Instanz, das will Brecht zeigen, ist nicht die Rassen-, sondern die Klassenzugehörigkeit. Von Klostertugenden läßt sich ebensowenig leben wie von Rassenehre. Für Isabella sind die Tugendforderungen nur Mittel zum Zweck der Unterdrückung. Die Prostituierte Nanna durchschaut dies sofort.

Einzig die Bordellwirtin Cornamontis verfällt den Phrasen. Obwohl sozial zwischen Isabella und Nanna stehend, distanziert sie sich von der armen Pächterstochter, übernimmt aber voll blinder Ehrerbietigkeit die Forderungen der reichen Frau. Frau Cornamontis wird damit als Vertreterin des Kleinbürgertums gekennzeichnet. Die Parabel entwirft folgendes Bild vom Mechanismus der Nazipropaganda: Während die Herrscher und die Ärmsten an ihrem Manipulationscharakter nicht zweifeln, nimmt jene soziale »Mitte«, aus der sich der Stamm der überzeugten Nazis rekrutierte, die Naziideologie für bare Münze; sie gibt ihr sogar eine religionsartige Bedeutung.

Im Kampf gegen Hitlers Propaganda, gegen sein »Wunderwerk der Vernebelungstechnik«[24], wollten Brecht und Eisler mit ihrem »Greuelmärchen« zur Skepsis gegenüber Phrasen anleiten. Ebenso wie die moralischen Forderungen waren für sie auch die politischen Reden nie »objektiv« oder gar »ewig« gültig, wie es die Schöpfer des »Tausendjährigen Reichs« suggerierten, sondern Ausdruck bestimmter sozialer Interessen. Daß Brecht mit den Liedeinlagen der *Rundköpfe und Spitzköpfe* vor allem verschiedene soziale Haltungen darstellen und kritisieren wollte, geht auch aus einer Aufstellung der Gesangsstücke hervor, die sich in seinem

379

Nachlaß fand. Danach sind die Gesänge jeweils bestimmten sozialen Gruppen zugeordnet[25]:

angelahymne (kleines marschlied)
rondo der schweinezüchter
chorlied der kleinbürger (choral)
chorlied der beamten vom nervus rerum 2. terzett
chorlied der emigranten
chorlied der arbeitsdienstwilligen (tünchnersong)
lied der sichel
das lied vom vielleicht
ballade vom knopfwurf (cornamontis)
ballade vom rad (judith)
kleine keuschheitsarie (isabella)

In der Endfassung bezogen sich die Liedtitel nicht mehr auf die sozialen Gruppen, von denen die Gesänge angestimmt werden, sondern auf die besungenen Inhalte:

1. Hymne des erwachenden Jahoo (auch: Iberin-Choral)
   Text: BB 3,930, Musik: ungedruckt
2. Lied eines Freudenmädchens (Nannas Auftrittslied)
   T.: BB 3,931, M.: ELK 2,59 (Bluestempo)
3. Lied von der Tünche (Lied der Iberin-Soldaten)
   T.: BB 3,936, M.: ELK 2,95
4. Sichellied (aus der Oper »Der Bergsee« von Julius Bittner)
   T.: BB 3,938
5. Die Ballade vom Knopfwurf (gesungen von Frau Cornamontis)
   T.: BB 3,959, M.: ELK 2,107 (Allegretto)
6. Kavatine der Isabella (Keuschheitsarie)
   T.: BB 3,963, M.: ELK 2,122
7. Was-man-hat-das-hat-man-Lied (gesungen vom Pächter Callas)
   T.: BB 3,969, M.: ungedruckt
8. Chorlied von der nützlichen Missetat (Das neue Iberinlied)
   T.: BB 3,971, M.: ungedruckt
9. Lied von der belebenden Wirkung des Geldes (gesungen vom Richter)
   T.: BB 3,981, M.: ELK 1,140 (Allegretto)
10. Die Ballade vom Wasserrad (gesungen von Nanna)
    T.: BB 3,1007, M.: ELK 1,1 (Andante con moto)
11. Lied der Kupplerin (gesungen von Frau Cornamontis)
    T.: BB 3,1013, M.: ELK 2,67 (»ordinär«)
12. Duett (Isabella – Judith/Nanna)
    T.: BB 3,1015, M.: ELK 2,101 (Andante religioso con moto)

13. Das Vielleicht-Lied (Rundgesang der Pachtherren)
T.: BB 3,10140, M.: ELK 2,99 (»Misterioso«)

Nicht nur das Duett Isabella-Nanna, sondern auch die übrigen Gesänge aus den *Rundköpfen und Spitzköpfen* fordern zur Skepsis gegen Phrasenhaftigkeit in Wort und Musik auf. Es beginnt gleich in der 2. Szene mit der *Hymne des erwachenden Jahoo*, mit der Brecht die logische Unmöglichkeit des Begriffs »Nationalsozialismus« demonstriert. Er wehrte sich damit gegen die auch von dänischen Zeitungen verbreitete Legende, der Nationalsozialismus sei eine Form von Sozialismus.[26] Mit Strophen aus dem zweiten Hitler-Choral der *Lieder Gedichte Chöre*[27] zur Melodie des Chorals »Lobe den Herren, den mächtigen König der Ehren« zeigt er auf, wie unmöglich es ist, in »Jahoo« – mit diesem Wort aus Swifts *Gulliver* meinte er Hitler-Deutschland – zugleich die Forderungen der Unternehmer und der Arbeiter und Bauern zu verwirklichen. Das Nebeneinander sich widersprechender Forderungen macht die Hymne, die eher ein Fragenkatalog ist, zur Farce. Die Bevölkerung von Jahoo singt die Hymne denn auch nur auf soldatisches Kommando: »Achtung! Iberin-Choral! Alles mitsingen! Spontan!« Auch das *Lied von der Tünche* legt den Finger auf die Verschleierung der sozialen Widersprüche durch Iberin-Hitler; um die Risse im Gesellschaftsgefüge, die Klassengegensätze, unsichtbar zu machen, streicht er sie mit Tünche zu. Mit dem Wort Tünche meinte Brecht, der die Metapher vom »Anstreicher Hitler« immer wieder verwendet hat, den Propagandaapparat der Nazis. Eisler hat in seiner Vertonung des »Lieds von der Tünche« den Widerspruch zwischen düsterer gesellschaftlicher Wirklichkeit und glänzendem propagandistischen Schein musikalisch durch einen scharfen Kontrast zwischen Strophe und Refrain ausgedrückt. Von der Schwierigkeit und Verfahrenheit der Situation spricht in der Strophe die schwierige Melodie und das komplizierte Nebeneinander von d-moll und as-moll.[28]

Die als ästhetischer Bruch dagegengesetzte melodische und harmonische Einfachheit des Refrains »übertüncht« die harmonischen »Risse« der Strophe mit flottem Zweckoptimismus:
(Notenbeispiel siehe nächste Seite oben.)

Ähnlich gegensätzlich ist das Verhältnis von Strophe und Refrain im Auftrittslied der Nanna, dem später auch von Weill vertonten *Lied eines Freudenmädchens.* Gegenüber der schweifenden Harmonik der Strophe (im Bluestempo) erscheint die klare Akkordstruktur des Refrains als Ziel. In ihrem dazugehörigen Text bringt Nanna freilich das Gegenteil zum Ausdruck: eine »Erfüllung«, ein Ziel kann es für sie nicht geben. Sie muß sich mit dem Trost begnügen, daß ihre »Herren«, denen sie einen »Liebesdienst« leistet, ständig wechseln, daß also das Leiden jeweils schnell vorübergeht. Diese fatalistisch-geduldige Lebensanschauung überträgt das Freudenmädchen Nanna auf die Politik. In der *Ballade vom Wasserrad*[29] erklärt sie ihr resignatives Weltbild: Wenn auch die Herrscher wechseln, so muß die Masse des Volkes ihnen doch immer dienen; das Volk ist das Wasser, welches das Rad der Geschichte bewegt – aber immer nur in einer untergeordneten Rolle. Nanna sieht zwar, »daß wir keine anderen Herren brauchen, sondern keine«, fällt aber doch am Schluß wieder in den resignativen Refrain ein:

> Freilich dreht das Rad sich immer weiter
> Daß, was oben ist, nicht oben bleibt.
> Aber für das Wasser unten heißt das leider
> Nur: daß es das Rad halt ewig treibt.

Wie Brecht in seinen Anmerkungen zur Kopenhagener Uraufführung der *Rundköpfe und Spitzköpfe* schrieb, wollte er mit dieser Ballade das Publikum zum Widerspruch herausfordern. »Die Kellnerin Nanna Callas wurde als ein Typus gezeichnet, der infolge doppelter Ausbeutung (als Kellnerin und als Prostituierte) eine noch unentwickeltere politische Haltung als ihr Vater, der Pächter, zeigt. Ihre Einstellung ist nur scheinbar realistischer;

sie ist in der Tat hoffnungslos. Die Darstellerin brachte das besonders deutlich in der ›Ballade vom Wasserrad‹ zum Ausdruck.«[30] Eislers Vertonung der »Ballade vom Wasserrad«, in der dem Wechsel der Haltungen jeweils ein Wechsel des musikalischen Materials entspricht, bringt den erwarteten Protest gegen Nannas Einstellung schon musikalisch zum Ausdruck. Nur die Strophen wirken in ihrer archaischen Statik und Formelhaftigkeit resignativ. Dagegen ist in den Refrains die durchgehende Achtelbewegung der Begleitung und die weitgeschwungene Melodik der Gesangsstimme schon ein Einspruch gegen Nannas Geschichtsfatalismus.

Brecht hat 1951 den Auswahlband *Hundert Gedichte* mit dem »Lied vom Wasserrad« beginnen lassen. Dem derart herausgehobenen Gedicht, das er ursprünglich auch in seinem Stück *Mutter Courage und ihre Kinder* hatte wiederverwenden wollen[31], hat er allerdings einen neuen Schlußrefrain angehängt, der die Resignation durchbricht.[32]

> Denn dann dreht das Rad sich nicht mehr weiter
> Und das heitre Spiel, es unterbleibt,
> Wenn das Wasser endlich mit befreiter
> Stärke seine eigne Sach' betreibt.

Auch Eisler hat seiner Vertonung der »Ballade vom Wasserrad« große Bedeutung beigemessen. In der Ausgabe seiner *Lieder und Kantaten* stellte er sie an die erste Stelle. Brechts neuem Refrain gab er dabei durch eine nur leicht veränderte Begleitung den Charakter eines Kampfliedes. So wie die erste Fassung der »Ballade vom Wasserrad« noch keine positive Haltung anzeigt, so fordern auch die meisten übrigen Gesänge des Stücks[33] das Publikum nicht zum Einverständnis, sondern zum Widerspruch heraus.

Die Gesänge aus den *Rundköpfen und Spitzköpfen,* mit denen ein bürgerliches Großstadtpublikum auf witzige, ironische Weise vor den verdummenden Phrasen der deutschen Faschisten gewarnt werden sollte, gehören zu Eislers raffiniertesten und wirkungsvollsten Brecht-Vertonungen. Auch Brecht erkannte dies. Nachdem Eisler Anfang April 1934 von Skovsbostrand nach Paris abgereist war, nicht zuletzt, um schon wegen Aufführungen der *Rundköpfe* zu verhandeln, schrieb ihm Brecht, wie wichtig seine baldige Rückkehr nach Dänemark sei. Eine Uraufführungszusage könne das Kopenhagener Theater nur geben, wenn er dort persönlich seine Musik vorstelle. »Die Vorführung der Musik ist entscheidend.«[34] Den Regisseur Per Knutzon, der Einwände gegen die Rassenproblematik im Stück geltend machte, verwies Brecht auf Eislers Musik: »Das Stück wird ... eher wie ein indisches Märchen wirken ..., mild und ein wenig die menschliche Einfalt verspottend. Die Musik wird da viel ausmachen. Es ist z.B. kein einziges Lied über das Rassenproblem dabei, wir dachten einfach nicht daran! Schon als Sozialist habe ich überhaupt keinen Sinn für das Rassenproblem selber; auf der Bühne wird alles, was damit zusammenhängt, komisch wirken. Ernst dagegen wird das Soziale wirken. Aus der Musik sieht man das am allerbesten.«[35]

Brecht kannte Eislers Musik von internen Vorführungen. Der Komponist hatte in Skovsbostrand die jeweils fertiggestellten Musikstücke auf seinem gemieteten Klavier vorgespielt. Die Zuhörer mußten sich dann, wie sich seine Frau Lou erinnert, in ein enges Zimmer zusammendrängen: »Drei Minuten zu Fuß von Brechts Haus entfernt mieteten wir bei der Witwe eines Fischers zwei Zimmer in einer dürftigen Kate, die, wie alle Behausungen des Dorfes, auch ein Strohdach hatte. Das gemietete Piano, das aus Svendborg kam, nahm fast den ganzen Raum des einen Zimmers ein, trotzdem wurde dort den Brechts, Grete Steffin, Karl Korsch und Walter Benjamin, die dicht aneinandergedrängt, bei offener Tür gerade noch Platz fanden, die jeweils fertig gewordenen Kompositionen für die ›Rundköpfe und Spitzköpfe‹ von Eisler vorgespielt und vorgesungen, meist bei rauchenden Petroleumlampen, denn es gab kein elektrisches Licht in unserer Bude.«[36]

Trotz aller Intensität, mit der sich beide Autoren um Aufführungen ihres neuen Stückes bemühten, blieb es relativ unbekannt. Schon die Verhandlungen, die Brecht im Juni 1933 in Paris deswegen mit Aufricht geführt hatte[37], waren erfolglos geblieben. Eisler, der im April 1934 auch dem saarländischen Schriftsteller Gustav Regler einige Balladen aus dem neuen Stück vorspielte[38], erreichte es, daß Willy Münzenberg und sein engster Mitarbeiter Otto Katz, der ehemalige kaufmännische Leiter der Piscator-Bühne, in Paris und London Kontakte knüpften. Am 14. Mai konnte Eisler Brecht mitteilen, daß der Schauspieler Charles Laughton in London und Erwin Piscator in Paris Interesse zeigten; Piscator wolle das Stück in Zürich inszenieren.[39]

Nachdem sich die Hoffnungen auf Paris und Zürich zerschlagen hatten und er im Juli wieder zu Brecht nach Dänemark gekommen war, verhandelte Eisler ab August in London.[40] Der Produzent und Regisseur Alexander Korda und der Schauspieler Fritz Kortner waren von dem Stück zwar begeistert, gaben ihm in London jedoch wenig Chancen. Auch Stefan Zweig, dem Eisler und Brecht einige Balladen vorführten, verhielt sich zurückhaltend. Brecht hatte es für sinnvoll gehalten, dem reichen Schriftsteller und Verlagserben als erstes ausgerechnet das »Lied von der belebenden Wirkung des Geldes« vorspielen zu lassen. Er überschätzte Zweigs Toleranz. Der Wiener blieb zwar höflich, rächte sich jedoch auf seine Weise, indem er Brecht anschließend zu einem schäbigen Lunch zum Gesamtpreis von zwei Schilling sechs Pence einlud. »Das war das einzige und letzte Zusammentreffen von Brecht mit Zweig.«[41]

Helene Weigel versuchte unterdessen, Wiener Theater für das Stück zu interessieren, ebenfalls vergeblich.[42] Im Mai 1935 verhandelte Eisler in New York[43], Brecht in Moskau.[44] Dort kam es während Brechts Aufenthalt lediglich zur Aufführung einzelner Szenen[45], die von Piscator im Rahmen seines »Engels«-Projekts in Aussicht genommene Gesamtaufführung kam jedoch nicht mehr zustande.[46] Ebensowenig wurden die *Rundköpfe* in New York aufgeführt, wo Brecht und Eisler noch einmal im Herbst 1935 gemeinsame Verhandlungen führten[47] und wo im Dezember 1935 immerhin Aussichten zu bestehen schienen auf eine Verfilmung und eine USA-Tournee.[48]

Naziproteste gegen die Uraufführung

Die schon im Juni 1934 mit sensationellen Schlagzeilen angekündigte[49] Uraufführung fand erst am 4.11.1936 unter der Regie von Per Knutzon in Kopenhagen statt. Obwohl Eisler längst die Partitur und den Klavierauszug hatte fertigstellen lassen und mit Wieland Herzfelde schon den Druck der Noten im Malik-Verlag vereinbarte[50], konnte aus finanziellen Gründen seine Musik nicht in der Originalbesetzung (Flöte, 2 B-Klarinetten, 1 Es-Klarinette, Baßklarinette, Alt- und Tenorsaxophon, 2 Trompeten, 1 Posaune, Banjo, Klavier, Schlagzeug, Akkordeon, Kontrabaß), sondern nur in einer Fassung für zwei Klaviere, die der dänische Komponist Otto Mortensen (geb. 1907) anfertigte, gespielt werden.

Obwohl die Kopenhagener Uraufführung ein Publikumserfolg war[51], mußten *Die Rundköpfe und die Spitzköpfe* nach nur 21 Aufführungen vom Spielplan genommen werden. Entscheidende Ursache war nicht so sehr der von vielen Kritikern bemängelte »undramatische«, nämlich episch verfremdete Aufführungsstil als vielmehr eine Pressekampagne, die sich an Brechts »pessimistischer«, das heißt kommunistischer Weltansicht entzündete. Dieser Kampagne, die vor allem durch die dänische Zeitung »National-Socialisten« sowie durch einen Protest der deutschen Naziregierung gegen Brecht beim dänischen Botschafter in Berlin[52] gestützt wurde, fielen auch die *Sieben Todsünden der Kleinbürger* zum Opfer; nach seiner Kopenhagener Premiere am 12. November 1936 wurde das Ballett trotz großen Publikumserfolgs nach nur zwei Vorstellungen abgesetzt. Der Einfluß der Nationalsozialisten war auch in Dänemark so stark, daß Brecht nicht einmal in Parabelform seine Hitler-Kritik für längere Zeit auf die Bühne bringen konnte. Zum Jahreswechsel 1936/37 schrieb er an Karl Korsch: »Ich mußte doch recht froh sein, daß nach den ›Rundköpfen‹ meine Aufenthaltserlaubnis erneuert wurde. Es gibt übrigens auch genügend Freunde, die sagen: Ich müßte entweder einen reaktionären Inhalt oder eine reaktionäre Form wählen.« Revolutionärer Inhalt und neue Form zugleich sei zuviel des Guten.[53] Möglicherweise haben Brecht und Eisler tatsächlich mit den mehrfachen Brechungen der Sprache, der Handlung und der Musik das Publikum und die Kritik überfordert. Zugleich gibt es wohl kein anderes Brecht-Stück, in dem die Unterscheidung von Phrase und Sinn, von Schein und Wirklichkeit so eng zum Thema gehört wie gerade in den *Rundköpfen und Spitzköpfen*.

Brechts ursprüngliche Hoffnung auf ein im Theaterbetrieb erfolgreiches Stück[54] erwies sich als illusionär. Schon im Herbst 1932 – er hatte gerade die Vorform, die Shakespeare-Bearbeitung, fertiggestellt – ahnte er die Schwierigkeiten, als er in einem Brief an Eisler schrieb: »die maßfürmaßbearbeitung ist fertig und ganz gut (unaufführbar) geworden. ich hoffe Sie werden einer der drei leser sein, die das werk (unter anwendung der gebotenen vorsichtsmaßregeln) lesen. und auch das war als zu melkende kuh gedacht! oh vergänglichkeit!«[55]

Das Verfremdungsprinzip: eine Antwort auf Hitlers Vernebelungstechnik

Bis heute hat weder Brechts Stück noch Eislers Musik eine angemessene Beachtung gefunden, und das obwohl Brechts Parole »Laßt euch nicht verführen« und Eislers Warnung vor »Dummheit in der Musik« in kaum einem anderen Werk so konsequent realisiert wurden wie gerade in den *Rundköpfen und Spitzköpfen*. In seinen Anmerkungen zur Kopenhagener Uraufführung hat Brecht zum erstenmal den für seine Theatertheorie so wichtigen Begriff der »Verfremdung« verwendet.[56] »Bestimmte Vorgänge des Stücks sollten – durch Inschriften, Geräusch- und Musikkulissen und die Spielweise der Schauspieler – als in sich geschlossene Szenen aus dem

Bezirk des Alltäglichen, Selbstverständlichen, Erwarteten gehoben (verfremdet) werden.«[57] Zu den Beispielen für Verfremdung, die Brecht anführte, gehört auch die Sichtbarmachung der Musik: Die Orgelmusik, die den Auftritt der Nonne begleitet, erklingt von einem mitgebrachten Grammophonapparat; »die zwei Klaviere waren, wenn sie arbeiteten, beleuchtet; ihr Mechanismus war offengelegt.«[58] Alles, was der »Herstellung von Stimmung, Atmosphäre und Illusion«[59] diente, sollte ausgespart bleiben.

Daß Brecht das Prinzip der Verfremdung gerade an einem Anti-Hitler-Stück erarbeitete, ist kein Zufall. Es war seine Antwort auf den Rückgriff der Faschisten auf die scheinbare Selbstverständlichkeit abgenutzter und unklar gewordener Begriffe, auf die alte romantische Illusionskunst, auf kultische Weihespiele und auf die Musikdramen Richard Wagners. Wie genau Wagner ins faschistische Konzept paßte – Brecht sprach deshalb im Unterschied zur Weimarer von der »Bayreuther Republik«[60] –, hat Eisler 1935 in seinem Aufsatz »Musik und Musikpolitik im faschistischen Deutschland« – bis heute eine der treffendsten Analysen zum Thema – ausgeführt. Die Verwandtschaft des »Ring des Nibelungen« mit der Nazi-ideologie sah er in der »verschwommenen idealisierenden Darstellungsart« und in den »Lösungen«: »Die Lösung durch den Helden (›Siegfried‹), durch göttliche Gnade (›Parsifal‹), durch die Liebe (›Tristan‹, ›Fliegender Holländer‹). Nie wird die Lösung durch eine Leistung, eine Aktion des Leidenden erreicht, immer bleibt er ihr passives Objekt, immer kommt die Lösung von außen, von ›oben‹: statt Lösungen – Erlösungen. Diese im tiefsten Sinn reaktionäre Geisteshaltung ist der der Faschisten, die die ›Erlösung‹ durch den ›Helden‹ (Führer) anstelle der Lösungen durch den Klassenkampf zu propagieren verpflichtet sind, verwandt.«[61] Eisler zitierte Nietzsche, der bei Wagner »die drei großen Stimulantia der Erschöpften, das Brutale, das Künstliche und das Unschuldige (Idiotische) ... auf die verführerischste Art gemischt«, fand, und fuhr fort: »Unter diesen drei Rubriken läßt sich tatsächlich auch alles das einreihen, was der Faschismus in der Musikpolitik fördert: Das Brutale – Militärmusik und faschistisches Kampflied; das Künstliche – die künstliche Belebung alter Lieder, Instrumente, Musizier- und Musikformen; das Unschuldig-Idiotische – die Volkslieder und die verlogene Nachahmung ihrer Haltung bei der Neuproduktion von heute (›Das aufrecht Fähnlein‹, ›Spinnerin Lobunddank‹ usw.).«[62] Was die Nazis an Wagners Musik besonders schätzten, war ihre hypnotisierende Wirkung, ihr »Zauber« mit »unendlicher Melodie« und »unsichtbarem Orchester« – ein Zauber, den sie in ihrer ganzen Musikpolitik zu verwirklichen suchten. Dazu Eisler: »Was beim Anhören von Musik wünschenswert erscheint, ist ein Rauschzustand, ein kritikloses, niedergeschmettertes, verzückt-passives Entgegennehmen – ein Zustand, der in der faschistischen Politik so dringend gebraucht wird.«[63] Brechts

Kritik am Rauschzustand der Konzerthörer, die er in den Anmerkungen zur »Mahagonny«-Oper formuliert hatte, bekam angesichts des deutschen Faschismus besondere Brisanz.

Adolf Hitler, der Brecht zufolge in seinen Reden mehr als mit Worten mit Tönen sprach[64], war ein glühender Wagnerianer. Seinem politischen Sendungsbewußtsein und seinem messianischen Politikverständnis entsprach die Auffassung von der »Heiligkeit« der Kunst. So wie er die Entmystifizierung des »Heldentods« in Brechts »Legende vom toten Soldaten« nicht ertragen konnte, so war es für ihn auch unerträglich, daß Paul Hindemith die »Heiligkeit« der Opernbühne in seiner Oper *Neues vom Tage* mit einer Badeszene zum Lob der Warmwasserversorgung »entweiht« hatte.[65] Goebbels griff Hitlers Aversionen auf und machte daraus den »Fall Hindemith«. Aufführungen von Hindemith-Werken wurden 1934 behindert, wogegen Wilhelm Furtwängler öffentlich protestierte.[66]

Die Badeszene mochte zwar der Auslöser der Angriffe gewesen sein; in seinem zitierten Aufsatz wies Eisler aber darauf hin, daß Hindemiths Musik auch wegen ihres sachlichen, experimentellen Charakters für die Zwecke der Faschisten wenig geeignet sei.[67] Ähnlich argumentierte Brecht, möglicherweise unter dem Einfluß Eislers, in einem Brief an Hindemith, den er um 1934 entwarf. Dort heißt es: »Ob Sie wollen oder nicht, Sie können eine Musik, wie sie in Hitlerdeutschland verlangt wird, nicht schreiben. Es nützt nichts, wenn Sie ›Mein Kampf‹ vertonen, ein Buch, dessen Autor die höchsten Spitzen der Polizei zu Freunden hat. Sie werden damit niemand täuschen.«[68] Brecht und Eisler waren überzeugt, daß die neuen künstlerischen Techniken, unabhängig von den vertonten oder dargestellten Inhalten, für die Ziele der Nazis nicht taugten. Neue künstlerische Mittel konnten so zu Mitteln einer Ästhetik des Widerstandes werden.

Arturo Ui

Wie wichtig es für Brecht war, das falsche Charisma Hitlers und die Hohlheit seines »Zaubers« durchschaubar zu machen, geht auch daraus hervor, daß er trotz des Mißerfolgs mit den *Rundköpfen* dem Thema ein zweites Theaterstück widmete. Schon im September 1934 plante er, wie Walter Benjamin berichtete, »eine Satire auf Hitler im Stile der Historiographen der Renaissance«.[69] Im Winter 1935/36, als er sich mit Eisler zur Einstudierung der *Mutter* in New York aufhielt, fand Brecht in der Geschichte des Gangsters Al Capone aus Chicago erstaunliche Parallelen zum Aufstieg Hitlers. Auf diese Zeit, als Optimisten im Exil und im Widerstand noch glauben konnten, Hitlers Aufstieg sei aufhaltbar, ging die Konzeption zum Parabelstück *Der aufhaltsame Aufstieg des Arturo Ui* zurück. Wie in den *Rundköpfen und Spitzköpfen* setzte sich Brecht auch hier zum Ziel, der wirksamen Propaganda der Nazis entgegenzuarbeiten; wie in der »Moritat vom Reichstagsbrand«, die als eine der Keimzellen des *Arturo Ui* anzusehen ist, riß er den Gangstern die Maske des Biedermanns vom Gesicht. Er stellte dar, wie billig der »Zauber« der Nazis in Szene gesetzt, wie mühsam der hohe Stil ihrer Reden, die demonstrativ aufgesetzte »staatsmännische Haltung« angelernt war. Wie in der *Dreigroschenoper* die Bettler »große Oper« vorführen, wird auch *Der aufhaltsame Aufstieg des Arturo Ui* im Prolog als historische Gangsterschau »im großen Stil« angekündigt. Vor einem Jahrmarktsrahmen, der – wie einst beim Augsburger Plärrer – durch Panoramen, sensationelle Ankündigungen und Bumsmusik charakterisiert wird, geht das Theater bewußt unvollkommen in Szene.

Im Jahre 1941, als Brecht in Finnland sein schon in Dänemark konzipiertes Stück endlich im Hinblick auf amerikanische Aufführungen ausführte, fehlte ihm sein musikalischer Mitarbeiter und Freund Eisler, der schon in die USA übergesiedelt war. Dennoch enthält Brechts Text einige musikalische Ideen. So entspricht dem Gegenüber von Jahrmarkt und heruntergekommenem »hohem« Theaterstil das Gegenüber von »Bumsmusik« zu Beginn und Orgelmusik innerhalb des Stücks. Die Orgel steht dabei für die »hohe« Kunst, die eine Aura von Ehrfurcht und Respekt verbreiten soll, wie sie sich Hitler wünschte. »Nichts ist mehr geeignet, den kleinen Nörgler zum Schweigen zu bringen, als die ewige Sprache der großen Kunst«, hatte der »Führer« am 11. September 1935 in Nürnberg beim »Reichsparteitag der Freiheit« verkündet.[70] In den Szenen zum »Speicherbrandprozeß«, die sich auf den Reichstagsbrandprozeß beziehen, heißt es in den Regieanweisungen mehrfach: »Eine Orgel spielt Chopins Trauermarsch als Tanzmusik«.[71] Brecht entlarvte damit die von Hitler und Göring zur Schau gestellte Haltung von Trauer, Würde und Empörung als Fassade, als Heuchelei. Durch die Verkehrung der Trauermusik in eine Tanzmusik zeigte er die Durchsichtigkeit der Maskierung. Hinter der schönen Tünche, die Nörgler überwältigen soll, klaffen die Risse. Hinter der vermeintlichen Trauer verbirgt sich der Triumph über die Vernichtung der Gegner.

Wenn ein Trauermarsch als Tanzmusik gespielt wird, ist dies eine Verfremdung des ursprünglichen Gestus. Das Verfahren der Verfremdung, das Brecht und Eisler in der Auseinandersetzung mit nationalsozialistischer Propaganda weiterentwickelten, macht die Bedeutung des Allzuvertrauten erst bewußt. Wie sehr Brecht dabei auch musikalisch experimentieren konnte, belegt eine Episode aus dem Jahre 1953. Wieder spielte dabei Chopins Trauermarsch aus der b-moll-Klaviersonate op. 35 eine Rolle. Brecht zeichnete damals für die Regie von Erwin Strittmatters Komödie *Katzgraben* verantwortlich. Eisler, der die Komposition der Bühnenmusik übernommen hatte, hatte das Schlußlied »Die alte Zeit ist nun herum« bewußt einfach gesetzt. »Ich dachte: je leichter, desto besser. Der Gestus ist kindlich. Als ich zurückkam und kam in die Probe, sah und hörte ich – mit größtem Vergnügen übrigens –, wie unser guter Schauspieler Franz mit kräftiger Stimme eine fast dämonische Melodie sang: ›Die alte Zeit ist nun herum.‹ Und ich fragte den Brecht: ›Das ist ja wunderbar, wer . . .?‹ – ›Das habe ich gemacht‹, sagte er. Ich sagte: ›Wie hast du denn das gemacht?‹ Da sagte er: ›Ich habe mich immer erinnert, daß du bei bestimmten Kompositionen auch die kontrapunktische Methode der Umkehrung verwendest, daß du ein Thema umkehrst. Nun habe ich den Trauermarsch von Chopin, das Trio, umgekehrt, und da ist diese Melodie entstanden.‹ Ich fand das ganz ausgezeichnet. Allerdings ohne ein gewisses Schmunzeln konnte ich das nie hören. Vor allem, weil es so phantastisch von Franz, mit soviel Dämonie, gesungen wurde. Ich sagte zu ihm: ›Selbstverständlich hast du auch die ganze Trauer mitkomponiert, daß die alte Zeit nun herum ist‹.«[72] Trotz Eislers Lob tauschte Brecht schließlich doch seine Komposition gegen die Eislers aus. Möglicherweise hatte er mit seiner Umkehrung des Chopin-Trauermarschs eine andere Wirkung als die von Eisler empfundene erzielen wollen, möglicherweise war sein Ziel keine Verfremdung des Texts, sondern der Musik gewesen.

Es war dies das einzige Mal, daß Brecht seinen Freund Eisler mit einer eigenen Komposition überraschte. Kunstvoller im Sinne des musikalischen Handwerks hat Brecht nie komponiert.

Lieder, Gedichte und Chöre gegen
den Faschismus

Wenn das bleibt was ist
seid ihr verloren.

Ein neues politisches Liederbuch

Brechts Bühnenvertrieb Felix Bloch Erben, der unter anderem die ertragreichen Rechte an der *Dreigroschenoper* besaß, wurde schon im Juni 1933 unruhig, als sein Vertragspartner aus der Emigration keine erfolgversprechenden Bühnenstücke mehr ablieferte. Brecht verteidigte sich gegen die Vorwürfe, die gegen ihn erhoben wurden: »Sie werfen mir vor, ich hätte außer Theaterstücke zu schreiben noch andere von Ihnen nicht verwertbare literarische Arbeiten produziert. Das ist richtig. Sie wußten aber, daß ich das auch schon vor der Zeit des mit Ihnen geschlossenen Vertrags getan habe, daß ich niemals ein Serienfabrikant für das Theater war und daß meine, wie Sie sagen luxuriöse Tätigkeit, die sich auf die Produktion von Lehrstücken, Gedichten, Prosastücken und die Aufrichtung eines neuen Theaterstiles erstreckte, meinem allgemeinen Ansehen als Schriftsteller durchaus zugute kam – und damit auch in Ihrem Interesse lag.«[1] In Wahrheit lag freilich die Arbeit, die Brecht nach 1933 leistete, weniger im Interesse seines Vertriebs, sondern vor allem im Interesse des antifaschistischen Widerstandes.

Primär den Interessen des antifaschistischen Widerstands diente auch der Verleger Willy Münzenberg. Nach seiner Emigration führte der erfolgreiche Zeitungsverleger unter anderem mit Unterstützung von Heinrich Mann und Bruno Frei von Paris aus den Kampf gegen den Faschismus weiter. Er gründete das Weltkomitee für die Opfer des deutschen Faschismus, die Deutsche Freiheitsbibliothek und übernahm die Editions du Carrefour. Für diesen Verlag stellten Brecht und Eisler, unterstützt von Margarete Steffin, im August/September 1933 in Paris ihren Band *Lieder Gedichte Chöre* zusammen. In ihrem historisch orientierten Aufbau, der vom Ende des Kaiserreichs und der verratenen Revolution über Weimarer Republik und Faschismus zu einer künftigen Revolution fortschreitet, gilt die Sammlung als der geschlossenste Zyklus in Brechts lyrischem Werk.[2]

Der erste Teil des Bandes verweist unter der Überschrift »1918–1933« mit acht Gedichten auf den Ersten Weltkrieg und den Klassenkampf von oben als die Wurzeln der Weimarer Republik und des »Dritten Reiches«. Nicht nur in Brechts frühem Antikriegslied »Legende vom toten Soldaten«, sondern auch in den zwei »Gedichten des Unbekannten Soldaten unter dem Triumphbogen« sowie in »Zu Potsdam unter den Eichen« ist es der kleine Mann, der von den Herrschenden in den Krieg geschickt wird – in einen Krieg gegen seine Klassenbrüder. In den »Deutschen Wiegenliedern« – so sind in dieser Sammlung die »Vier Wiegenlieder für Arbeitermütter« überschrieben – fleht die Mutter ihren Sohn an, nicht zum Militär zu gehen, sich nicht verführen zu lassen wie der SA-Mann im »Lied vom SA-Mann«. Das abschließende umfangreiche »Lied vom Klassenfeind«, das Brecht eigens für diesen Band schrieb, blickt auf die Geschichte der Weimarer Republik zurück und deutet sie als einen einzigen großen Betrug an den Arbeitern.

Der zweite Teil enthält unter der Überschrift »1933« aktuelle Gedichte über Machtergreifung und Widerstand, wobei sich Brecht auf detaillierte Informationen unter anderem aus dem »Braunbuch über Reichstagsbrand und Hitlerterror« stützte. Das »Lied vom Anstreicher Hitler« basiert auf einem »Song von der Tünche«, den Brecht ursprünglich für die Verfilmung der *Dreigroschenoper* verfaßt hatte. Schon das »Lied vom Klassenfeind« enthielt die Metapher vom Anstreicher, der mit Propagandaphrasen die gesellschaftlichen Risse übertüncht. Den propagandistischen Nebel, die quasireligiöse Aura, mit der der »Führer« sich umgab, verhöhnte Brecht auch in seinen »Hitler-Chorälen«. Sie basieren sowohl inhaltlich als auch rhythmisch-melodisch auf den evangelischen Chorälen »Nun danket alle Gott«, »Lobe den Herren, den mächtigen König der Ehren«, »Befiehl du deine Wege«, »So nimm denn meine Hände«, »Ein' feste Burg ist unser Gott« und »Ein strenger Herr ist unser Gott«, die Brecht in Augsburg auswendig gelernt hatte. Nach diesen Gedichten, die sich nicht nur gegen den neuen Reichskanzler, sondern auch gegen die blinde Dummheit seiner Anhängerschaft richten, folgen solche über den antifaschistischen Widerstand, auf den Brecht große Hoffnungen setzte. Die »Ballade vom Baum und den Ästen« vertraut darauf, daß das deutsche Volk – der Baumstamm – eines Tages dem tollen Treiben der neuen Machthaber – der Äste – ein Ende bereiten wird. Die nächsten Gedichte, »Sonnenburg«, »Ein Bericht«, »An die Kämpfer in den Konzentrationslagern« und »Begräbnis des Hetzers im Zinksarg«, prangern die Verfolgung, Inhaftierung, Folterung und Tötung deutscher Antifaschisten durch SA und Gestapo an. »Niedergeknüppelt, aber nicht widerlegt« sind diese Widerstandskämpfer ebenso wie der Kommunist Dimitroff, der den Reichstagsbrandprozeß in einen Prozeß gegen Göring umfunktionierte. Diesem mutigen und klugen Mann widmete Brecht seine »Adresse an den Genossen Dimitroff, als er in Leipzig vor dem faschistischen Gerichtshof kämpfte«. (Gleichzeitig arbeitete er am »Braunbuch II – Dimitroff gegen Göring« mit.)

Der dritte Teil des Bandes besteht aus Liedern und Chören aus den Stükken *Die Mutter* und *Die Maßnahme,* die gegen die faschistische Herrschaft schon sozialistische Perspektive setzen. Zu einem Anhang gehören die »Ballade von der Billigung der Welt«, das Gedicht »Verschollener Ruhm der Riesenstadt New York«, das »Lied der Lyriker, als schon im ersten Drittel des XX. Jahrhunderts für Gedichte nichts mehr gezahlt wurde« und das klagende und anklagende Gedicht »Deutschland«.[3]

Was den Band *Lieder Gedichte Chöre* mit der *Hauspostille* verbindet, ist neben seinem religions- und ideologiekritischen Charakter ein 32 Seiten starker Notenanhang. Enthielt die *Hauspostille* ausschließlich Noten von Brecht, an denen allerdings häufig Bruinier mitgearbeitet hatte, so waren den *Liedern Gedichten Chören* ausschließlich Kompositionen von Eisler beigegeben:

Vier Wiegenlieder für Arbeitermütter
Das Lied vom SA-Mann
Das Lied vom Klassenfeind
Das Lied vom Anstreicher Hitler
Ballade vom Baum und den Ästen
Balladen aus dem Schauspiel »Die Mutter«:
    Lob des Lernens
    Bericht über den Tod eines Genossen
    Lob des Revolutionärs

Weitere Gedichte des Bandes vertonte Eisler später in seiner »Deutschen Symphonie«. Andere Texte wurden bereits vorher komponiert, so von Weill die beiden »Gedichte des Unbekannten Soldaten unter dem Triumphbogen« und »Zu Potsdam unter den Eichen« und von Eisler die »Ballade von der Billigung der Welt«. Das »Lied vom Anstreicher Hitler« komponierte Eisler im August 1933 in Paris, wo auch die Vertonungen der »Ballade vom Baum und den Ästen« und das »Lied vom Klassenfeind« entstanden. Nachdem er zusammen mit dem Regisseur Joris Ivens den Film »Neue Erde« fertiggestellt hatte, schrieb er am 10. August an Brecht: »Es ist ein Jammer, daß ich nicht zu Ihnen kommen kann. Eine Arbeit mit Ihnen wäre jetzt großartig. Sind Sie fleißig? Das Gedicht über den Anstreicher Hitler habe ich recht lustig komponiert.« Dem Brief fügte Eisler eine eigene Dichtung »Requiem über den Tod der unbekannten Proleten« bei, eine Ergänzung zu den beiden Gedichten vom Unbekannten Soldaten. Dazu fragte er an: »Können Sie es a) verbessern, b) länger machen?«[4] Obwohl Eislers Gedicht nicht in die *Lieder Gedichte Chöre* aufgenommen wurde, steht auf dem Buchumschlag sein Name gleichberechtigt neben dem Brechts. Brecht wußte, wie groß die Anziehungskraft des Namens Eisler unter der Arbeiterbewegung war, er wußte, daß seine Gedichte durch Eislers Vertonungen eine größere Wirksamkeit erhielten. Deshalb forderte er auch 1933 die Redaktion der Moskauer Zeitschrift »Internationale Literatur« auf, neben seinen »Wiegenliedern proletarischer Mütter« unbedingt Eislers Noten abzudrucken, »damit die Gedichte Gebrauchswert erhalten«.[5] Während die *Hauspostille* in ihren Gebrauchsanleitungen noch den Nutzen einzelner Leser im Blick gehabt hatte, zielten die *Lieder Gedichte Chöre* auf politischen Gebrauchswert bei einem Massenpublikum.

Es war allerdings nicht leicht, vom Ausland aus noch ein Publikum in Nazideutschland zu erreichen. Auf offiziellem Weg konnte ein Band wie *Lieder Gedichte Chöre* unmöglich ins Deutsche Reich gelangen; kein Buchhändler hätte es sich leisten können, ihn zu bestellen. Dennoch gelang es dem Widerstand, unter Lebensgefahr regelmäßig antifaschistische Schriften über die Grenze zu schmuggeln. Die meisten dieser Schriften wurden, häufig äußerlich als Reiseführer, Gesundheitsratgeber oder Kochrezepte getarnt, direkt Parteimitgliedern oder zuverlässigen Gewerkschaftern zugeleitet.[6] Auf solche illegalen Vertriebswege hoffte auch Brecht für den Band *Lieder Gedichte Chöre*.[7] Ein größerer Teil der 3000 Stück umfassenden Gesamtauflage[8] sollte, so hoffte er, über das Saargebiet zum Widerstand gelangen. Er konnte um so mehr auf diese geheimen Transportwege hoffen, als Eislers Bruder Gerhart die Abteilung Propaganda der in Paris niedergelassenen Auslandsleitung der KPD koordinierte. Hanns Eisler hatte sich erst im Januar 1934 zu Konzerten und Vorträgen im Saargebiet aufgehalten.[9]

Schon vor Erscheinen des Bands waren 700 Exemplare beim Verlag vorbestellt, zweifellos nicht von Reichsdeutschen, sondern von Emigranten. Im April 1934 berichtete Eisler zufrieden nach Dänemark: »Das Buch wird allgemein sehr günstig aufgenommen.«[10] Arnold Zweig widmete dem Buch einen Essay. Im Kopenhagener »Extrabladet« schrieb der bekannte Kritiker Kaj Friis Møller in einem längeren Aufsatz, Brecht könne von sich sagen, ganz allein das nazistische Deutschland eingekreist zu haben.[11] Wenige Exemplare dürften jedoch die eigentliche Zielgruppe, den innerdeutschen Widerstand, wirklich erreicht haben.

Die Lieder und Chöre aus den Stücken *Mutter* und *Maßnahme* waren, da sie von illegaler politischer Arbeit handelten, 1933 einerseits für den innerdeutschen Widerstand aktuell, andererseits wegen ihrer deutlichen KPD-Orientierung in der antifaschistischen Bündnispolitik der Emigranten auch nicht unproblematisch. Möglicherweise kam aus diesem Grunde eine mit Aufricht für Januar/Februar 1934 in Paris geplante »Mutter«-Aufführung nicht zustande.[12] Mit der *Mutter* gab es auch an anderer Stelle Schwierigkeiten. Im Dezember 1933 schrieb Brecht an Tretjakow: »Eine Radioaufführung der Gesänge aus der ›Mutter‹ in Hilversum (Holland) wurde im letzten Augenblick verboten. Das wäre eine gute Gelegenheit gewesen, nach Deutschland hinein zu sprechen, es gibt so wenige.«[13] Vermutlich ging das Verbot auf eine Intervention der deutschen Regierung zurück.[14] Brecht regte deshalb Tretjakow an, den Moskauer Sender dafür zu interessieren: »Wenn man die Gesänge aus der ›Mutter‹ dort geben könnte, wäre es sehr wichtig, denn hier hören ihn viele Arbeiter.«

Die Gesänge aus *Mutter* und *Maßnahme* und die neuen politischen Lieder, die Brecht und Eisler ab 1933 schrieben, sollten einen Gegenpol bilden zu der harmonistisch verharmlosenden Volksliedpflege im Faschismus.[15] Während die Volkslieder im Faschismus der Illusion einer »Volksgemeinschaft« dienten, hielten Brecht und Eisler in ihren Liedern am Klassenbewußtsein fest. »Das Kampflied ist«, so Eisler 1935, »das eigentliche Volkslied des Proletariats.«[16]

Die große Illusion:
Arbeitermärsche für ein rotes Rätedeutschland

> In Erwägung, daß wir der Regierung
> Was sie immer auch verspricht, nicht traun
> Haben wir beschlossen, unter eigener Führung
> Uns nunmehr ein gutes Leben aufzubaun.

Mit der Produktion der *Lieder Gedichte Chöre* war das Interesse Brechts und Eislers an antifaschistischen Kampfliedern durchaus nicht erschöpft. Ebenso wie Eisler wußte auch Brecht: »Das Arbeiterkampflied kann eine starke politische Wirkung ausüben in Zeiten, wo die Arbeiter unter demokratischen Regierungen ihre Ziele offen propagieren können, und in solchen Zeiten, wo faschistische Diktaturen gesprengt werden und die Massen in große, aber einheitliche Bewegung kommen. Das Kampflied kann helfen, die Bewegung weiterzutreiben, sie zu vertiefen und sie zu organisieren.«[1] 1934 ging es Brecht um die zweite Funktion: um die Sprengung einer faschistischen Diktatur.

Für die Produktion von Kampfliedern brauchte er Eisler. Zwar hat er in Briefen zahlreiche aus Deutschland geflohene Künstler, Politiker und Theoretiker, darunter Karl Korsch, Walter Benjamin und George Grosz, zu sich nach Skovsbostrand eingeladen, jedoch war er Ruth Berlau zufolge besonders an einem längeren Aufenthalt Eislers interessiert. Berlau zitiert einen Brief, in dem Brecht schrieb: »Eislers Anwesenheit ist ein

Glück. Hoffentlich findet er was hier, daß er bleiben kann.«[2] Kaum einen Brief soll Brecht an sie geschrieben haben, in dem er nicht auch Eisler erwähnte.

Eislers erster Arbeitsaufenthalt in Dänemark diente vor allem den *Rundköpfen und Spitzköpfen*. Daneben komponierte er aber auch die *Ballade von der Billigung der Welt*[3], die am 25. Februar 1934, dreizehn Tage nach seiner Ankunft bei Brecht, vollendet war. Anders als die »Ballade vom SA-Mann« spricht diese Ballade – ein Rollenlied eines affirmativen Dichters – vom Überlaufen nicht der Kleinbürger, sondern der Intellektuellen zum Nationalsozialismus; bei ihnen ist es nicht der Hunger, sondern die Angst vor Gewalt, was sie aus ihrer Haltung distanzierter Unentschiedenheit heraustreibt. Eislers Vertonung zeigt in den Strophen das unsichere Schwanken der Intellektuellen, im rhythmischen Refrain aber die eindeutige Position der Herrschenden, der Junker, Unternehmer, Militärs. Ein melodisches Zitat aus dem Kampflied »Der heimliche Aufmarsch« (»Arbeiter, Bauern, nehmt die Gewehre zur Hand ...«) erinnert daran, daß diese Herren, die einen Angriffskrieg gegen die Sowjetunion vorbereiten, nur durch die bewaffnete Macht von Arbeitern und Bauern ausgeschaltet werden können. Das Zitat, das Eisler schon in seinen proletarischen Wiegenliedern verwendet hatte, erklingt in leicht abgewandelter Form im dreifachen Piano.

Eisler fuhr Mitte April 1934 nach Paris. Im Juli kehrte er nach Dänemark zurück. »Brecht erwartete ihn ungeduldig. Ein kleines Haus unten am Svendborg Fjord wurde gemietet. Eisler badet und schwimmt gern. Brecht selten. Der Weg von Brechts Haus zu Eisler nimmt zehn Minuten zu Fuß. Brecht fährt immer, Eisler läuft, er macht gern Spaziergänge.«[4] In diesem Sommer waren neben Walter Benjamin auch Eislers Schwester Ruth Fischer, deren Mann, der kommunistische Politiker Max Maslow, sowie Lou Jolesch, die spätere Frau Eislers, zu Besuch in Dänemark.

Schon Ende August riefen kulturpolitische Aufgaben sowie ein Filmauftrag Eisler wieder nach London. Brecht folgte ihm im Oktober, zumal auch Karl Korsch und Leo Lania in der britischen Hauptstadt Zuflucht gefunden hatten. Damit begann für Brecht eine Phase größerer kulturpolitischer Reisetätigkeit. Jener Londoner Herbst 1934 wurde bedeutsam, weil er noch einmal die Dreiergruppe Brecht-Busch-Eisler zusammenbrachte – zum letzten Mal bis 1948. Brecht, Busch und Eisler hatten in der Weimarer Republik vor allem bei den Aufführungen der *Maßnahme*, der *Mutter* und beim »Kuhle Wampe«-Film zusammengewirkt. Je mehr Brecht-Texte Eisler vertonte, um so mehr waren die Namen Brecht-Busch-Eisler zu einer Einheit geworden. Nach 1933 hatten sich die Wege getrennt. Entweder trafen sich Brecht und Eisler oder Busch und Eisler. Eine Begegnung aller drei gab es nur im Herbst 1934. Ernst Busch fand direkt gegenüber von Eislers Londoner Pension eine Kellerwohnung.[5] Brecht nahm Quartier in der Pension, in der Karl Korsch wohnte. Aus dieser Konstellation erwuchsen einige neue Kampflieder, *Das Saarlied*, *Das Einheitsfrontlied* und *Sklave, wer wird dich befreien?*, die direkt den antifaschistischen Widerstandskampf unterstützen sollten.

Anlaß für das »Saarlied« war eine Kampagne der KPD im Saarland, das seit 1919 vom Völkerbund verwaltet wurde und in einer Abstimmung am 13. Januar 1935 über seinen künftigen Status entscheiden sollte. Walter Ulbricht gab für die KPD die illusionistische Losung heraus, die Arbeiter an der Saar sollten weder für Frankreich noch für Hitler-Deutschland oder den Status quo, sondern »für die rote Saar im roten Rätedeutschland« stimmen. Allen Ernstes glaubte man daran, daß von der Saar eine proletarische Revolution zum Sturz Hitlers ausgehen könnte. Unterstützt wurde diese Kampagne von der Komintern, die in einer Resolution vom 1. April 1933 erklärt hatte: »Die Errichtung der offenen faschistischen Diktatur, die alle demokratischen Illusionen in den Massen zunichte macht und die Massen aus dem Einfluß der Sozialdemokratie befreit, beschleunigt das Tempo der Entwicklung Deutschlands zur proletarischen Revolution.«[6] Daß Brecht diese Hoffnung teilte, geht aus seinem »Saarlied« hervor, dessen Refrain lautet:

Haltet die Saar, Genossen
Genossen, haltet die Saar.
Dann werden das Blatt wir wenden
Ab 13. Januar.

Ebenso eingängig wie der Refrain sind die Strophen formuliert, die von der »Besetzung« Deutschlands durch die »Räuber« Thyssen und Göring sprechen. Die einfache Melodie, die Eisler dazu komponierte, wurde schon im November zusammen mit dem Text in einem Saar-Sonderheft von »Unsere Zeit« abgedruckt.[7] Für wie wichtig Brecht dieses »Saarlied« hielt, geht aus einem Brief an Bernhard Reich in Moskau hervor: »Warum rempelst Du das ›Saarlied‹ an? Es ist in 10 000 Exemplaren im Saargebiet verbreitet, stand in allen antifaschistischen Zeitungen, auch in englischen[8], und hat mehr Wichtigkeit als ein halbes Dutzend Dramen.«[9]
In einem Brief vom November 1934 aus London fragte Brecht seine Frau Helene Weigel, ob sie auf ihrer Reise von Österreich und der Schweiz zurück nach Dänemark das Saargebiet passieren würde. »Wenn übers Saargebiet, dann schick ich Dir die letzten Arbeiterlieder von mir und Eisler mit Musik. (Sehr einfach, Marschlieder.).«[10] Diesem Brief zufolge waren in jenem Londoner Herbst außer dem »Saarlied« noch andere Arbeiterlieder für die Saarkampagne entstanden. Es muß sich dabei um das *Hammer- und Sichellied*[11], das *Antikriegslied (Lied gegen den Krieg)*[12], *In Erwägung*[13] sowie *Keiner oder alle (Sklave, wer wird dich befreien)*[14] handeln. Gemeinsam ist diesen Liedern ihr Kampfliedcharakter sowie die Perspektive einer proletarischen Revolution, wobei das »Hammer- und Sichellied« mit einem Stalin-Zitat auf das Vorbild der Sowjetunion verweist.
Eine weitere Gemeinsamkeit mehrerer dieser Lieder ist die Anspielung auf Kriegsfurcht. In den geheimen »Deutschlandberichten der Sozialdemokratischen Partei Deutschlands (Sopade)«, die bis März 1938 vom Exilvorstand der Sozialdemokratischen Partei in Prag herausgegeben wurden, ist im Herbst 1934 die Rede von einer »wachsenden Kriegspsychose« in Zusammenhang mit der Saar-Abstimmung. In einem Bericht aus Schlesien heißt es: »Jeder ist überzeugt, daß die Saarabstimmung den Krieg bringt.«[15] Ein Bericht vom Oktober 1934 bestätigt dies: »Es ist offizielle und inoffizielle Überzeugung an allen Ecken und Enden Europas, daß Deutschland der Brandherd des nächsten Krieges ist.«[16] Die Auffassung, eine Wahlniederlage der Nazis an der Saar könne einen Krieg auslösen, führte bei der Bevölkerung zu fatalistischen Gedanken. »Wenn heute die Kriegspanik in einer Niederlage des Systems an der Saar notwendig den Krieg sieht, so ist eine solche Anschauung für die propagandistischen Zwecke des Systems an der Saar und in Deutschland sehr bequem. Sie führt zu der Schlußfolgerung: wenn Hitlers Saarniederlage den Krieg bedeutet, dann ist es besser, ihn durch die Abstimmung für Hitlerdeutsch-

land zu vermeiden.«[17] Gegen diese resignative Haltung stellten die Männer in Hitler-Deutschland, die an ihrer sozialdemokratischen Gesinnung festhielten und diese geheimen Berichte verfaßten, die Forderung, sich durch die Kriegsgefahr nicht vom eigentlichen Ziel, dem Sturz des Nazisystems, ablenken zu lassen.[18] In diesem Sinn ist auch der Refrain von Brechts »Lied gegen den Krieg«[19] zu verstehen:

> Dreck euer Krieg! So macht ihn doch allein!
> Wir drehen die Gewehre um
> Und machen einen andern Krieg
> Das wird der richtige sein.

Eine ähnliche Bedeutung besitzt in diesem Zusammenhang das Gedicht »In Erwägung«[20]:

> In Erwägung, daß ihr uns dann eben
> Mit Geschützen und Gewehren droht,
> Haben wir beschlossen, nunmehr schlechtes Leben
> Mehr zu fürchten als den Tod.

Auf Eislers Anregung erweiterte Brecht das Lied um mehrere Strophen und gab ihm den Titel *Resolution*.[21] Als *Resolution der Kommunarden* erlangte es später in dem Stück *Die Tage der Commune* große Bekanntheit. Gedruckt wurde es zum ersten Mal 1937 in Ernst Buschs Spanien-Liederbuch *Canciones de Guerra de las Brigadas Internacionales*.[22] Anders als etwa das »Solidaritätslied«, in dem die Melodie mit der Begleitung eine fast untrennbare Einheit bildet, ist die »Resolution« für unbegleiteten Gesang konzipiert. Eisler orientierte sich damit an der Volksliedtradition, aber auch an den begrenzten musikalischen Möglichkeiten im antifaschistischen Widerstand im Hitler-Deutschland. Im Vordergrund steht deshalb nicht die Harmonik, sondern die Melodik. Die Akkordeonbegleitung entstand erst 1956 anläßlich der »Tage der Commune«-Aufführung. Eisler komponierte die zunächst vorliegende vierte Strophe auf eine ebenso geniale wie einprägsame Weise. Genial ist schon die Verkürzung der ersten Periode von acht auf sieben Takte; die Wiederkehr des melodischen Motivs setzt in Takt 4 gleichsam zu früh ein. Die Betonungen verschieben sich und aus der volltaktigen wird eine auftaktige Melodie:
(Notenbeispiel siehe nächste Seite oben.)
Aus den aufsteigenden Sekundschritten cis-dis-e bei »Kohle friert« entwickelt Eisler gemäß dem Verfahren der entwickelnden Variation (eine musikalische Eigenschaft – hier: die Tonhöhe – wird beibehalten, eine andere – hier: der Rhythmus – verändert) ein zweites musikalisches Motiv, das sogleich sequenziert, das heißt auf einer anderen Tonstufe wiederholt wird (1. »Haben wir beschlossen«, 2. »sie uns jetzt zu holen«). Diese entwickelnde musikalische Arbeit, die durch die Sequenzierung und den

schnelleren Harmoniewechsel deutlich hörbar ist, entspricht der aktivierenden Funktion des Textes. Indem Eisler an die Sequenzierungen, gleichsam als deren Fortsetzung, die Wiederkehr des Anfangsmotivs anhängt, knüpft er direkt an die Struktur von Brechts Gedicht, an die Wiederholung der Formel »In Erwägung« in der 4. Zeile, an.

Der Refrain, textlich wie musikalisch die logische Konsequenz der Strophe, ist in Eislers Vertonung zugleich Kontrast wie auch Fortsetzung: Kontrast durch die Wendung nach E-Dur, durch den Verzicht auf das Anfangsmotiv und durch die aufwärtsschreitende Sequenzierung eines neuen Sext-Motivs (1. »In Erwägung«, 2. »Mit Geschützen«, 3. »Haben wir«), Fortsetzung durch die Textformel »In Erwägung« und vor allem den Schluß, der in rhythmisch-veränderter Form den Schluß der Strophe aufgreift. (Notenbeispiel siehe nächste Seite oben.)

In Er - wä - gung, daß ihr uns dann e - ben____ mit Ge - schüt - zen und Ge - weh - ren

droht____, ha - ben wir be - schlos - sen, nun - mehr schlechtes Le - ben mehr zu fürch - ten

als den Tod

Ein wirksames Massenlied ist auch jenes im Dezember 1934 in London komponierte Lied, dessen Strophe fragt »Sklave, wer wird dich befreien?«, worauf der Refrain antwortet »Keiner oder alle!« Brechts Glaube an einen denkbaren Sturz des Hitler-Regimes ging auch aus dem Schluß der *Rundköpfe und Spitzköpfe* hervor, wo die »Sichel«-Bewegung unbesiegt weiterkämpft.

In London entstand 1934 eines der bekanntesten Massenlieder dieses Jahrhunderts, das *Einheitsfrontlied*.[23] Bisher wurde die Entstehung dieses Liedes auf eine Anfrage Piscators zurückgeführt. Dieser hatte als Präsident des Internationalen Revolutionären Theaterbunds in Moskau am 21. Dezember 1934 an Brecht, der sich seit Mitte des Monats wieder in Dänemark befand, geschrieben: »Lieber Bert Brecht! Unser Musik-Bureau wendet sich an Dich mit der Bitte um ein gutes Einheitsfront-Lied. Wenn dasselbe Eisler nicht vertont, werden wir es einem unserer Genossen zur Vertonung übergeben. Gerade jetzt ist es selbstverständlich sehr notwendig, unsere Sängerchöre mit diesem Material zu beliefern. Abgesehen von der politischen Situation bereiten sie sich für eine große Olympiade vor, die im Frühjahr nächsten Jahres voraussichtlich in Elsaß-Lothringen stattfinden soll. Wir rechnen damit, daß Du uns auf keinen Fall im Stich läßt.«[24] Schon am 4. Januar 1935 teilte Eisler Brecht in einem Brief mit, das Einheitsfrontlied befinde sich »schon lange« in Moskau, wo es im

Staatsverlag erscheine.[25] Demnach müßte Brecht seinen Text umgehend geschrieben und an Eisler weitergeleitet haben. Wahrscheinlicher ist allerdings, daß das Lied bereits vor Piscators Anfrage fertig war. Eislers Frau zufolge entstand das Lied sogar schon unter dem Eindruck der großen Pariser Arbeiterdemonstrationen vom Februar 1934. »Brecht und Eisler komponierten es am selben Tag.«[26] Einen Hinweis auf eine frühere Datierung gibt auch Eislers Bühnenmusik für eine englischsprachige Aufführung von Ernst Tollers Schauspiel *Feuer aus den Kesseln,* die in dem Lied »We don't fight for our country« eine Melodie enthält, die mit dem Strophenteil des Einheitsfrontliedes nahezu identisch ist.[27]

Die Anfangszeile »Und weil der Mensch ein Mensch ist« stellt keine bloße Verdopplung dar, sondern meint den Anspruch des Menschen auf Menschlichkeit. Gerade angesichts der Wortverdrehungen durch den Faschismus kam es Brecht darauf an, einfache Worte besonders genau zu verwenden. Dies gilt auch für die letzte Strophe, die mit der Zeile »Und weil der Prolet ein Prolet ist« beginnt. Auch hier handelt es sich nicht um eine bloße Wortwiederholung. Während sich mit dem Wort »Mensch« und selbst »Genosse« noch alle Adressaten des Liedes, Sozialdemokraten, Kommunisten und Gewerkschafter, identifizieren konnten, war »Prolet« das Schimpfwort von Reaktionären für Proletarier. Brecht verwandelte das Schimpfwort in einen Ehrentitel.

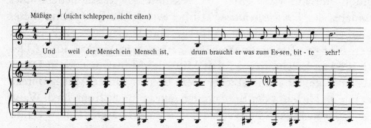

Und weil der Prolet ein Prolet ist
Drum wird ihn kein andrer befrein.
Es kann die Befreiung der Arbeiter nur
Das Werk der Arbeiter sein.[28]

Die Formulierung der beiden letzten Zeilen lehnt sich an das Gothaer Programm der deutschen Sozialdemokratie an, in dem es geheißen hatte:

»Die Befreiung der Arbeiter muß das Werk der Arbeiterklasse sein.«[29] 1934/35 waren für Brecht und Eisler mit diesen Formulierungen noch immer Hoffnungen auf eine proletarische Revolution in Hitler-Deutschland verbunden. So schließt etwa Eislers Aufsatz »Einiges über das Verhalten der Arbeitersänger und -musiker in Deutschland«, der illegal als Broschüre verbreitet werden sollte, mit den Forderungen: »Arbeitersänger an die Front! Verstärkt den Kampf gegen den Hitlerfaschismus, für ein sozialistisches Räte-Deutschland!«[30] In diesem Aufsatz, der in zahlreichen Punkten, so der Forderung nach einer Analyse der musikalischen Wirkungen, Ideen Brechts entspricht, stellte Eisler das Einheitsfrontlied als ein »neues revolutionäres Lied« vor, das dem Kampf gegen den Faschismus diene.[31]

Der überwältigende Sieg der Nazis bei der Saar-Abstimmung vom 13. Januar 1935 machte alle Hoffnungen auf einen baldigen Umsturz zunichte. Durch geschickte Zusammenarbeit mit der gerade im Saarland einflußreichen katholischen Kirche, durch breite Propagierung der Parole »Nix wie hemm«[32] und nicht zuletzt durch Kriegsdrohungen hatten faschistische Funktionäre die Sympathien großer Teile der saarländischen Bevölkerung für Hitler verstärken und so das Ja zum Anschluß herbeiführen können. Im Gefühl dieses Sieges konnte Hitler in Deutschland die allgemeine Wehrpflicht einführen, den Ausbau der Luftwaffe beschließen, ein deutsch-britisches Flottenabkommen unterzeichnen und am 21. Mai 1935 mit dem »Reichsverteidigungsgesetz« die Industrie noch stärker auf Kriegswirtschaft orientieren.

Zwischen New York und Moskau: Die Massenlieder verbreiten sich

Eisler auf USA-Tournee

Für die Hitler-Gegner im Saargebiet entstand nach dieser Abstimmung eine verzweifelte Situation. Viele von ihnen mußten das Land verlassen. Zugunsten der Kinder der deutschen Saarflüchtlinge unternahm jetzt Eisler im Auftrag der englischen Zweigstelle des von Münzenberg geleiteten »Hilfskomitees für die Opfer des deutschen Faschismus« eine Konzert- und Vortragstournee durch die USA.[1] Die eigentliche Bedeutung dieser Reise, die von Februar bis Mai 1935 in die größten Städte der USA führte, lag jedoch in ihrem Beitrag zur amerikanischen Arbeitermusikbewegung, in der Vermittlung der deutschen Erfahrungen. So brachte die New Yorker Zeitschrift »Music Vanguard« in ihrem März-April-Heft eine Übersetzung von Eislers »Geschichte der deutschen Arbeitermusikbewegung von 1848«.[2] Bei Eislers Auftritten, die auf eine starke Resonanz stießen, waren jeweils auch Eisler-Lieder zu hören, gesungen von dem jungen amerikanischen Bariton Mordecai Bauman, der soeben seine Ausbildung an der New Yorker Juilliard School beendet hatte. Einige dieser Lieder, so das *Kominternlied*, waren schon zuvor in amerikanischen Liederbüchern abgedruckt worden, so im »Red Song Book«, das 1932 von der Workers Music League New York herausgegeben wurde, im Buch »America Sings« (herausgegeben vom Workers Bookshop, New York 1934), im »Rebel Song Book« (New York 1935), im »Workers Song Book« (Workers Music League New York 1935) und in der »Mass Song Series« des New Yorker Pierre-Degeyter-Clubs (ab 1935). Eislers Lieder waren bei der amerikanischen Linken schon so bekannt, daß bei einzelnen seiner Auftritte ganze Arbeiterchöre seine Lieder sangen. In Boston waren es vier Chöre: der Chor der Workers Music League, der Russische Ukraine-Chor, der Laisve-Chor und der Gesangverein Freiheit.[3] In New York City, wo der Dirigent und Komponist Jacob Shaefer, ein Veteran der amerikanischen Arbeitermusikbewegung, mehrere jüdische Arbeiterchöre gegründet hatte, konnte Eisler am 2. März 1935 im überfüllten Mecca-Temple sogar einen aus verschiedenen Arbeiterchören gebildeten tausendköpfigen Chor dirigieren.[4] Ein speziell für diesen Anlaß gedrucktes Liedblatt enthielt den »Roten Wedding« (Red Front), das Kominternlied (»Rise up fields and workshops«), das »Solidaritätslied« (»Forward, and not forgotten«) und den »Heimlichen Aufmarsch« (»Death and Destruction«).[5]

Am 16. März schrieb Eisler »auf der Reise von Denver nach S. Francisco« an Brecht: »Meine Reise durch dieses sehr eigenartige Land beginnt großartige Formen anzunehmen und zwar in Bezug auf die politische Wirkung. Es ist mir gelungen, zum ersten Mal in diesem Land die Frage Musik neu zu stellen und die Wirkung ist kaum beschreibbar.«[6] Auf einem separaten Blatt fügte er hinzu: »Deine Lieder sind hier ein riesiger Erfolg!« Auffallend ist das Du. Brecht und Eisler hatten sich bis dahin »in chinesischer Höflichkeit« (Ruth Berlau) stets gesiezt.

In den USA verbreitete Eisler auch das in einem deutschen KZ entstandene »Moorsoldatenlied«, das er im Januar 1935 in London zusammen mit Ernst Busch bearbeitet hatte[7] und das in den USA unter dem Titel »Peatbog Soldiers« zu einem Volkslied der amerikanischen Linken wurde.[8] (Notenbeispiel siehe nächste Seite oben.)

Neben dem »Moorsoldatenlied« wurden, so Mordecai Bauman, das »Solidaritätslied«, das »Einheitsfrontlied« und das »Lob des Lernens« »in den progressiven Kreisen Amerikas besonders populär«.[9] Anders als in Europa war Brecht in den USA noch wenig bekannt. Verbreitet wurden in den dreißiger Jahren Eislers Lieder.[10]

Die Deutsche Botschaft in Washington ließ Eislers Tournee durch Kundschafter beobachten. Am 3. April 1935 schickte sie einen Bericht über den

Wo - hin auch das Au - ge blik - ket, Moor und Hei - de nur rings - um. Vo - gel -
sang uns nicht er - quik - ket, Ei - chen ste - hen kahl und krumm. Wir sind die Moor - sol -
da - ten und zie - hen mit dem Spa - ten ins Moor! Wir Moor!

Auftritt in San Francisco an das Auswärtige Amt in Berlin: »Vor ungefähr 450 Personen, von denen mehr als 400 Juden, etwa 20 Neger und der Rest weiße Sozialisten und Kommunisten waren, hielt der angeblich aus einem deutschen Konzentrationslager entwichene Komponist Hanns Eisler am Abend des 20. März d. J. im hiesigen Scottish Rite Auditorium einen fast einstündigen Musikvortrag.«[11] Durch den Hinweis auf den starken jüdischen Anteil im Publikum sollte die Minderwertigkeit der Veranstaltung unterstrichen werden. Den Liedern konnte der faschistische Berichterstatter eine gewisse Wirkung jedoch nicht absprechen: »Das dritte Lied hieß ›Praise of Learning‹ (Lob des Lernens) und forderte in präziser Form und kategorischer Weise zur Selbstausbildung des Arbeiters auf, wobei der beschwörende Ton des Kehrreims ›You must be ready to take over‹ dem Ganzen eine Eindringlichkeit verlieh, von der eine sehr starke Wirkung auf die Zuhörer ausging ... Die letzte Darbietung ›United Front‹ (Einheitsfrontlied) deutete in klarer musikalischer Sprache die Forderungen des Proletariats an und rief zur Beschreitung des der Arbeiterschaft vorgezeichneten Weges auf und endete mit einer ins Fanatische gesteigerten Note des Triumphs.«

Von seiner dreimonatigen USA-Tournee kehrte Eisler Anfang Mai 1935 außerordentlich befriedigt zurück. Er hatte nicht nur neue Kampflieder verbreitet, die amerikanische Arbeitermusikbewegung unterstützt und Geld für die Saarflüchtlinge gesammelt, sondern auch eine Berufung zum Visiting Professor for Music an der New School für Social Research in New York sowie eine Anfrage der New Yorker Theatre Union wegen einer »Mutter«-Aufführung in der Tasche. Für Brecht brachte er außerdem neue Stoffe mit, so Erfahrungen, die er am 1. Mai in New York gemacht hatte: »Da marschierte wirklich eine Internationale auf. Losungen in allen Sprachen und Lieder der ganzen Welt hörte man. Besonders erschütternd war für mich ein Plakat, getragen von zwei sehr schlecht gekleideten Negergenossen, auf dem geschrieben stand ›Hände weg von Sowjetchina‹. ›Die Freunde des Sowjetchinas‹, die diese Losung trugen, waren hungrig und selber in einer maßlosen Weise unterdrückt, aber sie waren Freunde des Sowjetchinas.«[12] Brecht hat diesen Bericht zu einer, von Eisler allerdings nicht vertonten, »Kantate Erster Mai« geformt.[13]

In der Zeit, in der Eisler in den USA war, besuchte Brecht mit Helene Weigel Moskau, jedoch ohne großen Erfolg. Die stärkste Resonanz gab es bei einem »Brecht-Abend« deutscher Emigranten. Im kleinen Zuschauerraum des Thälmann-Klubs saßen Johannes R. Becher, Fritz Heckert, Wilhelm Pieck, Bernhard Reich, Erwin Piscator, Erich Weinert, Friedrich Wolf und von sowjetischen Künstlern Sergej Tretjakow und L. Z. Kopelev. Gustav von Wangenheim, ästhetisch eher ein Antipode Brechts, hatte die Moritat von Mackie Messer szenisch arrangiert; Hans Rodenberg trug einige Lieder aus der *Mutter* vor; die von Brecht besonders geschätzte Carola Neher sang Songs aus *Happy End,* und Alexander Granach, der in Deutschland nicht zuletzt als Darsteller mehrerer großer Rollen in Brechtstücken bekannt geworden war, hatte – und das war für Brecht eine Premiere! – Szenen aus *Die Rundköpfe und die Spitzköpfe* mit Laien einstudiert.

Für Brecht hatte diese Veranstaltung eine eher peinliche Fortsetzung. Der führende Kominternpolitiker Béla Kun lud ihn und einige Freunde zu sich ein. Bernhard Reich berichtet: »Die Weigel, Brecht, Tretjakow, Piscator, Anna Lacis und ich wurden mit patriarchalisch-rührender Herzlichkeit begrüßt. Kun, der wahrscheinlich von jemand erfahren hatte, daß Brecht ganz herrlich seine Balladen vorzutragen verstand, bat ihn, doch einige, zumindest den ›Toten Soldaten‹, zu singen. Zu meiner Verwunderung ›zierte‹ sich Brecht: Er habe schon eine Ewigkeit nicht mehr gesungen, er habe es verlernt; übrigens könne er ohne Gitarre nicht singen. Die Gitarre wurde beschafft. Brecht zögerte noch immer... Da warfen wir – die Lacis, Piscator und ich – uns in die Schlacht und brachen Berts Widerstand. Er nahm die Gitarre und sang die ›Legende vom toten Soldaten‹. Brecht hatte wirklich viel verlernt. Sein Vortrag war ein wenig gezwungen; er zündete nicht. Die Zuhörer applaudierten und sagten ihm freundliche Worte. Die Balladen waren Brechts Jugend. Heute nannte er sich nicht mehr Bert Brecht. Der in unserer Mitte saß, war der arme b.b.«[14] Für alle, die den frühen Brecht hatten singen hören, muß es eine Ernüchterung gewesen sein, daß sich die Spontaneität und Unmittelbarkeit, die seinen Balladenvortrag einst ausgezeichnet hatte, nicht wunschgemäß zurückholen ließ. Stand Brecht, seit er das Komponieren den Komponisten überließ und Theorien über Musik entwickelt hatte, seinen eigenen Melodien nicht mehr unbefangen genug gegenüber?

In der Sowjetunion bemerkte er mit einigem Unbehagen, daß seine literarischen Arbeiten im Schatten der Musik standen. Das galt nicht allein für die *Dreigroschenoper,* sondern auch für die von Eisler vertonten Massenlieder. »Ich habe meinen Namen noch auf sehr wenig Grammophonplatten und Konzertprogrammen gefunden, und wenn er dort stand, dann sehr klein gedruckt. Diese Haltung des Publikums wird von den Musikern angeführt.«[15] Daß Eisler erfolgreicher war, bestätigte ihm auch Tretjakow, der 1936 berichtete, Eislers Geschäfte mit den Moskauer Verlagen seien mindestens viermal so gut wie die von Brecht.[16]

Nach dem Moskauer Erfolg der *Dreigroschenoper* im Januar 1930 war die Uraufführung des »Kuhle Wampe«-Films nur noch auf mäßiges Interesse gestoßen. Die analytische Kühle Brechts blieb den Russen, die gefühlvolle Kunst liebten, fremd. So waren es meist die deutschen Emigranten, die sich in der Sowjetunion für Brecht einsetzten. Ernst Ottwalt, der schon am »Kuhle Wampe«-Drehbuch mitgewirkt hatte, verarbeitete Brechts Ballade vom Reichstagsbrand zu einem Einakter, der ab März 1934 von einem deutschsprachigen Tournee-Ensemble aufgeführt wurde. Die Vorstellungen wurden freilich hauptsächlich von den Flüchtlingen aus Deutschland besucht, bei den Theaterleuten und Kulturfunktionären der Sowjetunion blieben sie in der Regel ohne Echo. Jetzt, im Frühjahr 1935, hoffte Brecht jedoch auf eine Verbesserung, denn im Jahr zuvor war Erwin Piscator zum Präsidenten des Internationalen Revolutionären Theaterbunds gewählt worden. Gemeinsam mit Bernhard Reich bereitete er ein Theater deutscher Emigranten in der UdSSR vor, das Engelsprojekt. In der nach Friedrich Engels benannten Hauptstadt der Wolgarepublik sollte ein Experimentiertheater entstehen, das Piscator mit *Die Rundköpfe und die Spitzköpfe* eröffnen wollte. Von den damals noch etwa 600 000 Einwohnern des Wolgagebiets sprachen zu dem Zeitpunkt etwa zwei Drittel Deutsch. Der großangelegte Theaterplan zerschlug sich. Stalins Verhaftungswellen und Schauprozesse setzten ein, zu deren Opfern später Tretjakow, Carola Neher und Ernst Ottwalt gehören sollten, Brechts Freunde. In den 26 Jahren zwischen der Aufführung der *Dreigroschenoper* im Moskauer Kammertheater im Januar 1930 und dem Tod des Stückeschreibers im Jahre 1956 gab es in der Sowjetunion nur eine einzige Brecht-Aufführung; es handelte sich dabei nicht einmal um ein ganzes Stück, sondern um die Szene »Der Spitzel« aus *Furcht und Elend des Dritten Reiches,* die im September 1941 im Theater des Leninschen Komsomol in Moskau gespielt wurde.[17]

Während Brechts Theaterstücke in der Sowjetunion fast unbekannt blieben, verbreiteten sich jedoch die von Eisler komponierten Massenlieder. Die Vorbehalte gegen Eisler, die Erwin Piscator noch 1934 beobachtet hatte[18], klangen 1935 zumindest in bezug auf die Lieder ab. Wie in den USA wurden auch in der UdSSR »Komintern«, »Einheitsfrontlied« und »Solidaritätslied« besonders beliebt. Zu verdanken war die Popularität dieser Lieder nicht zuletzt dem Sänger Ernst Busch.

Vernünftige Identifikation: Der Sänger Ernst Busch

Ernst Busch traf im Sommer 1935, nachdem Brecht schon wieder abgereist war, in Moskau ein. Bei Sergej Tretjakow hatte er zuvor angefragt, ob die Sowjetunion nicht einen ausgebildeten Schlosser brauche – Busch hatte in seiner Jugend eine Schlosserlehre abgeschlossen. Tretjakow antwortete, man brauche Busch nicht als Metallfacharbeiter, sondern als politischen Sänger.[1] Die Anfrage war typisch für Busch; trotz seiner Bekanntheit verstand er sich nicht als Star, sondern immer noch als Arbeiter.

Je mehr Brecht von Weill zu Eisler überwechselte, um so mehr war Busch zum Brecht-Sänger geworden. Er mußte sich mit den Liedern, die er sang – mit positiven wie mit negativen Liedern –, identifizieren können; die raffinierte Ambivalenz der meisten Weill-Songs war deshalb nicht seine Sache. Seine kraftvolle metallische Stimme unterschied sich wesentlich von der einschmeichelnden Süße eines Harald Paulsen oder von dem zerbrechlichen Sopran einer Lotte Lenya. Als »süß, hoch, leicht, gefährlich, kühl« hatte Ernst Bloch die Stimme Lotte Lenyas charakterisiert[2]; Adorno sprach von der Stimme einer Minderjährigen[3], während ein französischer Kritiker die Wirkung als »unbeschreiblich zersetzend« lobte.[4] Busch hingegen wirkte in keinem Moment zersetzend, sondern aufbauend, kräftigend, auf nüchterne Weise mitreißend. Er konnte deshalb zum idealen Vorsänger der Massenlieder von Brecht und Eisler werden; Busch sang die Strophen, worauf das Publikum in den Refrain einfiel. In diesem Sinn hatten Brecht und Eisler bei den Massenliedern die Abfolge von Strophe und Refrain meist konzipiert. Oft fand Eisler Melodie und Rhythmus, indem er Busch zuerst das Gedicht, das vertont werden sollte, vorsprechen ließ.[5] Busch war Vorsänger und Vorsprecher, als Interpret war er der Repräsentant der Arbeiter.

Als Vorsänger wirkte Busch aber nie wie ein Lehrer mit dem Zeigefinger, nie auch wie ein abgehobener Künstler. Dazu der Regisseur Leopold Lindtberg, der mit ihm manchmal vor Arbeitern auftrat: »Er war der Busch, er war der Proletenjunge, der zu den Proleten kam und ihnen etwas vorgesungen hat. Es war ein sehr kameradschaftliches Verhältnis zwischen ihm und seinem Publikum.«[6] Auch der Komponist Ernst Hermann Meyer erinnert sich an Arbeiterveranstaltungen um 1930, in denen Ernst Busch ein Lied vorsang, »mit dem er die Massen hinriß und das von diesen bald begeistert in Gänze oder im Refrain mit- und nachgesungen wurde.«[7] Aller epischen Theorie zum Trotz wirkte Busch mitreißend. Die Arbeiter konnten sich mit ihm identifizieren, weil er in allem, was er tat und sagte, aufrichtig und glaubwürdig war.

Ernst Busch erreichte nicht nur ein Arbeiterpublikum, sondern auch bürgerliche Zuhörer, so etwa, wenn er zusammen mit der Tänzerin Jo Mihaly, der Frau des Schauspielers Leonard Steckel, in einem Programm »Lieder der Zeit« auftrat. Jo Mihaly hatte 1934 in Zürich den hauptsächlich aus Schweizern bestehenden Neuen Chor gegründet, der bis 1938 Agitpropszenen, Pantomimen, Ausdruckstänze, von Brecht und Eisler das »Solidaritätslied« sowie – bereits 1934! – Szenen aus den *Rundköpfen und Spitzköpfen* aufführte.[8] Im Programm »Lieder der Zeit« verwandelte sie Lieder in Tänze. So folgte etwa Eislers »Lied von den Baumwollpflückern« der Tanz »Indianische Baumwollpflückerin«, und Brechts »Legende vom toten Soldaten« ging in eine getanzte »Vision eines Krieges« über.[9] Als Ernst Busch und Jo Mihaly mit diesem Programm im Deutschen Klub in Paris auftraten, war auch Alfred Kerr von Buschs Gesang so begeistert, daß er ihm ein hymnisches Gedicht widmete.[10]

Als Künstlertypus entsprach Busch stärker als Brecht dem Dichter und Rezitator Erich Weinert, mit dem zusammen er ab 1935 viel vor Deutschen in der Sowjetunion auftrat. An die Deutschen in Hitler-Deutschland richteten sich beide mit Radiosendungen über den Kominternsender. Busch erzielte dadurch die breiteste Wirkung. Schon von 1933 bis 1935 hatte er in Belgien und Holland über Radio singen können. Der Kominternsender jedoch war wirkungsvoller: »Mit seinen 500 kW ging der Sender fast um die ganze Erde. Ohne diese große Reichweite wären unsere Lieder kaum in Deutschland und nicht in aller Welt bekanntgeworden.«[11] Auch im Radio war Busch, wie schon bei den Berliner Massenveranstaltungen, der Vorsänger. Wenn er abends vor das Mikrophon trat, forderte er seine Hörer auf, Papier und Bleistift zu nehmen und sich den Text, den er langsam diktierte, Zeile für Zeile mitzuschreiben. Am Klavier begleitet von Grigori Schneerson, baute er dann das ganze Lied zusammen. »Wir haben es immer und immer wiederholt. Und daß die Leute es gehört haben, beweisen die Briefe, die wir aus aller Welt bekamen.«[12] Wenn Eisler neue Lieder schickte, sang Busch sie sogleich über den Kominternsender. Zu den letzten Brecht-Eisler-Liedern, die Busch noch in der Sowjetunion sang, gehört das »Deutsche Lied 1937«, von dessen Schlußzeile Schneerson besonders beeindruckt war; sie lautete: »Wenn ich wiederkehre, kehr ich unter andern Fahnen wieder. Also weine nicht.«

Ernst Busch vor dem Mikrophon von Radio Komintern.
(Quelle: Ernst Busch-Archiv)

Als Ernst Busch 1937 zu den Internationalen Brigaden nach Spanien ging, war er dort nicht minder aktiv bei der Verbreitung von Liedern. Er stellte die *Canciones de las Brigadas Internacionales,* das erste internationale Arbeiterliederbuch, zusammen; Heinrich Mann schrieb dazu das Vorwort. Unter schwierigsten Bedingungen nahm er Schallplatten auf und trat 53 mal im Freiheitssender 29,8 auf. Die Massenlieder wurden zu Kampfliedern, sie unterstützten den Kampf gegen die spanischen, deutschen und italienischen Faschisten. Am häufigsten erklang bei den Deutschen neben den Brecht-Eisler-Liedern das Lied des Thälmann-Bataillons. Die Musik stammte von einem Komponisten, der zuvor nicht mit Massenliedern hervorgetreten war, von Paul Dessau.

Nach seiner Rückkehr aus Spanien, wo die Übermacht der Faschisten gesiegt hatte, plante Busch für Belgien Inszenierungen der *Maßnahme* und der *Rundköpfe und Spitzköpfe*. Beide Pläne ließen sich nicht realisieren, jedoch führte er erfolgreich bei der *Dreigroschenoper* in Antwerpen und Amsterdam Regie. Daneben machte er weiter Schallplattenaufnahmen, leitete in Antwerpen ein politisch-satirisches Emigrantenkabarett, bei dem das deutsch gesungene »Einheitsfrontlied« eine große Rolle spielte, und gründete einen Chor. Ein Chormitglied erinnert sich: »Das erste, was wir überhaupt probten, war das ›Solidaritätslied‹, denn es war jedermann bekannt und konnte in allen Veranstaltungen gesungen werden, und wenn wir Deutsche es sangen, war es immer etwas Besonderes.«[13]

Im Exil wurden die Bedingungen für Busch immer schwieriger, groß-angelegte Schallplattenpläne scheiterten, nicht einmal das Visum für die Sowjetunion traf ein. Nachdem am 10. Mai 1940 die deutsche Wehrmacht in Belgien einmarschiert war, wurde Busch verhaftet. Nach einem Fluchtversuch aus einem französischen Lager, wo er unter primitivsten Bedingungen interniert war, wurde er an die Nazis ausgeliefert und 1942 in Berlin der Vorbereitung zum Hochverrat angeklagt; er habe »durch Gesangsvorträge den Kommunismus in Europa verbreitet«, lautete die Anklage. Nur durch das persönliche Eingreifen von Generalintendant Gustav Gründgens konnte Busch vor dem Todesurteil bewahrt werden.

Busch war ab 1940 inhaftiert, seine Schallplatten jedoch wirkten weiter, selbst in Nazideutschland, wo Antifaschisten sie heimlich abspielten. So bekannte der Komponist Boris Blacher später: »Seine Schallplatten waren mir eine große Hilfe während des ›Tausendjährigen Reichs‹.«[14] Der Schriftsteller Heinar Kipphardt hörte als deutscher Soldat an der Ostfront im Jahre 1943, als die deutschen Armeen schon auf dem Rückzug waren, zum erstenmal die Stimme von Ernst Busch: »Ein Lautsprecher eines Propagandatrupps der Roten Armee begann eines seiner Fünfminutenprogramme. Nachrichten, Informationen. Danach kam ein Lied von einer abgespielten Schallplatte über schrille Lautsprecher aus zwei Kilometer Entfernung. Ein deutsches Arbeiterlied. Ich kannte es nicht, und ich kannte den Mann nicht, der es sang. Die Worte hatten für mich keine Bedeutung, trotzdem hörte ich auf einmal zu. Ich wußte nicht warum, ich wollte nicht, trotzdem hörte ich zu. Die Stimme verjagte meine Apathie. Was packte mich an dieser Stimme? Ist sie schön? Natürlich ist sie auch schön. Aber es war nicht ihre Schönheit, die mich ergriff, auch nicht die Klarheit, die Genauigkeit, nicht die aggressive Schärfe, die diese Stimme hatte. Es war etwas anderes. Diese Stimme wußte, daß der Mensch, daß die Vernunft, daß die Wahrheit triumphieren wird. Sie wußte darüber hinaus, wie das zu machen ist. Das war der Grund für die karge Schönheit, das war der Grund für die harte Klarheit, das war der Grund für die metallene Schärfe, das war der Grund für die glühende Vernunft dieser Stimme. Dieser deutschen Stimme, dieser Stimme der deutschen Arbeiterklasse. Das war die Stimme von Ernst Busch, von einer abgespielten Schallplatte über schrillen Lautsprecher Taktik und Strategie der Wahrheit lehrend.«[15]

So erhellend und aufklärend wirkte Buschs Stimme auf einen deutschen Soldaten, der zehn Jahre lang die ganz anders gearteten Stimmen von Hitler und Goebbels hatte ertragen müssen. Daß auch die Menschen der Sowjetunion Busch als einen Vorsänger verstanden, bestätigt Konstantin Simonow: »Wenn ich an Eisler denke, denke ich an Brecht, wenn ich an Brecht denke, erinnere ich mich an Busch, erinnere ich mich an Busch, erinnere ich mich an Eisler.... Ich habe seine Lieder gehört und selbst oftmals gesungen, obwohl ich nicht singen kann.«[16]

Musik für die Einheits- und Volksfront

> Es kann die Befreiung der Arbeiter nur
> Das Werk der Arbeiter sein.

Die Politik der antifaschistischen Einheitsfront war umstritten, solange die Kommunisten noch an einen von der Saar ausgehenden proletarischen Umsturz glaubten. Nachdem sich alle politischen Hoffnungen der Hitler-Gegner als Illusionen erwiesen hatten, verabschiedete das ZK der KPD im Januar 1935 die Resolution »Proletarische Einheitsfront und antifaschistische Volksfront zum Sturz der faschistischen Diktatur«. Maßgebliche Richtlinien für die neue Politik brachte der VII. Weltkongreß der Kommunistischen Internationale, der im Sommer 1935 in Moskau stattfand. Hier wurde beschlossen, daß das wichtigste aktuelle Ziel der internationalen Arbeiterbewegung die Einheitsfront der Arbeiterklasse sei. Ergänzt werden sollte die proletarische Einheitsfront durch die Volksfront, an der auch Bürgerliche mitarbeiteten. Schon im August 1935 trat in Paris der »Vorbereitende Ausschuß für die Schaffung der Deutschen Volksfront« zusammen, der mit einem »Appell an alle antifaschistischen Deutschen« auf sich aufmerksam machte. Die wichtigsten Losungen lauteten:
1. Förderung des gemeinsamen Kampfes gegen die Hitlerdiktatur innerhalb und außerhalb Deutschlands, 2. gemeinsame Hilfe für die Opfer des faschistischen Terrors, 3. Kampf gegen die Kriegsgefahr und für einen unteilbaren und dauerhaften Frieden.[1] Eisler nahm, von New York und London kommend, im Frühsommer 1935 in Paris an einer vorbereitenden Konferenz dieses Gremiums teil. »Es war eine Konferenz – einberufen von der Partei – an der teilnahmen: Sozialdemokraten, Parteilose, Künstler und Gelehrte und Politiker vor allem.«[2] Der als »Lutetia-Kreis« bekannte Ausschuß hatte mit vielen Schwierigkeiten zu kämpfen. So verweigerte der Prager Exilvorstand der SPD offiziell die Mitarbeit. Auch zwischen Brecht und Eisler gab es Differenzen in der Frage der

Volksfrontpolitik. Brecht setzte sich mit aller Kraft für die Einheitsfront ein; die Ausweitung zur Volksfront jedoch betrachtete er im Unterschied zu Eisler mit großer Skepsis. Er sah die Gefahr der Verbürgerlichung. »Gegen die Volksfront in Paris hatte er eine unüberwindliche Abneigung. Wir gerieten uns darüber heftigst in Dänemark in die Haare«.[3] Im Juni 1935 erklärte Brecht auf dem »Internationalen Schriftstellerkongreß zur Verteidigung der Kultur«, für ihn bleibe die Frage der Eigentumsverhältnisse zentral; für viele bürgerliche Schriftsteller, denen es primär um die Wiederherstellung der Menschenrechte in Deutschland ging, bedeutete diese dezidiert marxistische Rede Brechts einen Schock. Keine taktischen Rücksichten konnten Brecht bewegen, die Klassenfrage in den Hintergrund zu stellen.

Eisler war in diesen Jahren kulturpolitisch weitaus aktiver als Brecht. Da seine Tätigkeit für die Einheits- und Volksfront mit zahlreichen Reisen verbunden war, ging zur beiderseitigen Enttäuschung die Zusammenarbeit im Jahre 1935 zurück. Während Brecht nach dem Pariser Schriftstellerkongreß wieder nach Dänemark zurückkehrte, nahm Eisler vom 8. bis 10. Juni aktiv an der 1. Internationalen Arbeitermusikolympiade in Strasbourg teil. Dieses von Erwin Piscator initiierte Ereignis brachte Arbeiterchöre und -orchester aus verschiedenen europäischen Ländern mit aufgeschlossenen Avantgardekomponisten, unter ihnen Alan Bush, Michael Tippett und Henry Cowell, zusammen.[4] Der französische Altmeister Charles Koechlin schrieb für diesen Anlaß ein musikalisches Werk, das er dem inhaftierten deutschen Kommunisten Ernst Thälmann widmete.[5] Dem Ehrenkomitee der Olympiade gehörten so bekannte Künstler wie Romain Rolland, Henry Barbusse, Darius Milhaud, Arthur Honegger, Bertolt Brecht, Egon Erwin Kisch, André Malraux, Martin Andersen Nexö, Erwin Piscator und Friedrich Wolf an. Mit Recht schreibt der Ästhetiker und Eisler-Forscher Günter Mayer: »Es gelang hier zum ersten Mal in der Geschichte der Arbeitermusikbewegung, die besten Vertreter linksbürgerlicher Intellektueller und Komponisten auf der Grundlage eines gemeinsamen antifaschistischen Programms zu vereinigen.«[6]

Für Eisler, der den Juryvorsitz übernommen hatte, war der politische Erfolg der Arbeitermusikolympiade größer als der musikalische. An Brecht schrieb er: »Der Piscator hat mir mit dieser Olympiade etwas ganz abscheuliches angetan ... musikalisch genommen. Politisch versuche ich herauszuholen, was eben herauszuholen ist.« Nach den umfangreichen kulturpolitischen Aktivitäten erhoffte er sich wieder eine Phase künstlerischer Arbeit. »Ich wünsche schon sehr bei Dir zu sitzen und zu arbeiten ... Seit Januar habe ich ca. 16 000 Meilen zurückgelegt und weiß gar nicht mehr, wie Notenpapier aussieht. Ich glaube da gibt es 5 Linien und da muß man Punkte machen, die auf Striche aufgesetzt werden. Die gute alte Musik ...«[7] In einem »Nachtrag betreffs Amerika« fügte er hinzu, daß eine amerikanische Aufführung der *Maßnahme* vorgesehen sei. »Jetzt müssen wir sie umarbeiten!«[8]

Bevor Eisler jedoch zu Brecht nach Dänemark fahren konnte, nahm er am Musikfest der nordböhmischen Arbeitersänger in Reichenberg teil; auch hier gab es Fortschritte bei der Bildung einer antifaschistischen Einheitsfront. Von dort reiste er weiter nach Moskau, wo er zum Präsidenten des Internationalen Musikbüros gewählt wurde. Wegen einer langwierigen Krankheit, die ihn in Moskau festhielt, mußte er die für Mitte Juli angekündigte Ankunft bei Brecht um einen Monat verschieben. »Das ist eine Katastrophe für mich, denn das heißt, meinen Urlaub, statt mit Dir zu arbeiten, krank im Bett zu verbringen. Ich kann Dir gar nicht sagen, wie mich diese Aussicht niederdrückt, denn ich lege den allergrößten Wert darauf, besonders da ich für ein Jahr nach Amerika gehe, nicht nur mit Dir in engstem Kontakt zu bleiben, sondern vor allem mit Dir etwas praktisches zu arbeiten.«[9]

Auch Brecht wartete auf Eisler. Zwei größere Projekte, beide nicht in unmittelbarer Verbindung zur Volksfrontidee, standen für ihn im Vordergrund: ein publikumswirksames Bühnenwerk im Stil der *Dreigroschenoper* und das Lehrstück *Die Horatier und die Kuriatier*. Schon am 14. Juni 1935 hatte Brecht in der in Kopenhagen erscheinenden »Berlingske Tidende« verlautbaren lassen, daß er mit Eisler an einer Operette arbeite, in deren Mittelpunkt eine weibliche Piratin stehe.[10] Um ein breiteres Publikumsinteresse zu wecken, fügte er hinzu, daß für die Hauptrolle der Hollywoodstar Mae West vorgesehen sei. Die Anregung, mit Hilfe eines neuen Bühnenhits freie Hand für politisch ernsthafte schriftstellerische Arbeiten zu erhalten, kam von Ruth Berlau, die gerade in Kopenhagen mit Arbeiterschauspielern *Die Mutter* einstudierte.[11] Mit ihr erarbeitete Brecht dann 1936 in London das Textbuch zur Operette *Freuden und Leiden der kleineren Seeräuber,* das allerdings weder vollendet noch komponiert wurde. 1948 gab Brecht sein Textbuch dem Komponisten Gottfried v. Einem. Veröffentlicht wurde aus den Manuskript-Fragmenten bisher nur das »Lied der liebenden Witwe«.[12]

Größere Bedeutung maß Brecht 1935 dem Lehrstück *Die Horatier und die Kuriatier* bei. Das Stück, das er angeblich im Auftrag der Roten Armee schrieb[13], behandelt in Parabelform strategische Probleme eines Krieges zwischen Hitler-Deutschland und der Sowjetunion. Wie schon bei der *Maßnahme* ging er auch bei diesem Lehrstück sowohl von einer sehr alten als auch einer aktuellen Textvorlage aus; einen altrömischen Stoff aus »Ab urbe condita« des Titus Livius kombinierte er mit dem philosophischen Lenin-Text »Über das Besteigen hoher Berge«, den er auch in sein »Buch der Wendungen« aufnahm.[14] Eisler zufolge gehörte dieser Lenin-Text zu den Lieblingstexten Brechts.[15] Die Erkenntnis, daß nicht nur der direkte Weg, sondern auch der Umweg zum Ziel führen kann, wandte Brecht in seinem neuen Lehrstück auf die Kriegsführung an. Den späteren Verlauf des deutschen Rußlandfeldzuges nahm er dabei vorweg. Die militärisch überlegenen Kuriatier, die in dieser Parabel für Hitler-Deutschland stehen, greifen die Horatier (die Sowjetunion) an. Nach Anfangserfolgen der Kuriatier tragen schließlich die Horatier den Sieg davon, weil sie, anstatt ihre Kräfte frühzeitig zu verbrauchen, die Strategie des taktischen Rückzugs eingeschlagen haben.

Die Sowjetunion war nicht der einzige Adressat; Brecht glaubte, daß »ein beträchtlicher Propagandawert herauskommen könnte, wenn man das Stück in den amerikanischen, englischen, französischen, nordischen linksstehenden Schulen zur Aufführung brächte«.[16] In einem Brief an Fritz Sternberg, dessen Buch *Der Faschismus an der Macht* (Amsterdam 1935) er studiert hatte, kritisierte er dessen »starre Parole in der Kriegsfrage«: »In einem Weltkrieg kämpft das Proletariat doch an vielen ganz verschiedenen Punkten, für ganz verschiedene Zwecke eingesetzt ... Eine Parole: Verteidigung der Sowjets ist für das französische Proletariat doch niemals bewußtseinstrübend, außerdem ganz ungemein elastisch, in jeder Phase des Krieges revolutionär.«[17]

Von der Musik zu seinem Lehrstück erhoffte sich Brecht eine Kommentierung der Schlacht; der Gegensatz zwischen den Chören der Horatier und Kuriatier sollte musikalisch deutlich werden.[18] Um so betroffener war er, als Eisler, der erst Ende August 1935 in Dänemark eintraf, schon nach wenigen Tagen wieder abreisen mußte, diesmal zum XIII. Festival der Internationalen Gesellschaft für Neue Musik nach Prag; im Auftrag des Internationalen Musikbüros sollte er dort Einheitsverhandlungen mit der IDAS, der Internationale der Arbeitersänger, führen. Hierüber kam es zum ersten größeren Streit zwischen Brecht und Eisler: Eisler war enttäuscht, daß Brecht auf seine anstrengende kulturpolitische Tätigkeit nur wenig Rücksicht nahm[19], Brecht, daß die Zusammenarbeit an seinem Lehrstück ausfallen mußte. Trotz aller Wirkungsorientierung lag ihm die Idee, Kunst durch Politik zu ersetzen, die sogar ein Arnold Schönberg zeitweise für sich erwogen hatte, fern. In einem Brief an Eisler vom 29. August schrieb er: »Bei den außerordentlichen Schwierigkeiten der Emigration kann eine politisch-künstlerische Produktion eben nur unter dem Einsatz aller Kräfte fortgeführt werden.« Die Anwesenheit Eislers sei auch bei der Entwicklung des Textes wichtig: »Auch bei einer Zusage, wie ich sie von Dir verlangte, wäre eine Beendigung der Arbeit an dem Lehrstück bei den objektiven Schwierigkeiten nicht sichergestellt gewesen, aber ohne sie war eine Fortführung der Arbeit durch mich ganz unsinnig. Deine Behauptung, Du seiest eigentlich für den Text und ich sei eigentlich für die musikalische Form gar nicht notwendig, wirst Du kaum aufrechterhalten können.«[20] Wenige Tage später hatte Brecht die Rohschrift des Stücks beendet. Obwohl er wußte, welche Zumutung dies bedeutete, bat er Eisler erneut, wenigstens einige Tage nach Dänemark zu kommen. »Es wäre jetzt sehr nötig, daß wir die Sache durchgehen. Den Chören habe ich vorläufig nur soviel gegeben, als für die Handlung nötig ist. Einzelstücke wären noch zu machen. Die Musikfrage ist diesmal wirklich nicht ganz einfach, für einzelne Partien fehlt mir vorläufig die Form. So, wie es gegenwärtig ist, kann kaum alles gesungen werden. Aber überall ist Musik nötig, da auch die Bewegung der ›Heere‹ ja genau fixiert werden muß.«[21] Die dichterische Form ergab sich für Brecht nicht allein aus dem Inhalt, sondern auch aus den musikalischen Möglichkeiten. Bei schwierigen Partien wollte er auf die Pantomime ausweichen. Eisler antwortete, er könne wirklich nicht mehr nach Dänemark kommen, sondern müsse von Prag über Wien und Paris direkt nach Le Havre fahren, um dort sein Schiff nach New York zu erreichen. Brecht solle ihm jedoch eine Kopie des Schulstücks schicken: »Ich werde dann gleich schreiben und Vorschläge machen.«[22] Zugleich erinnerte er den Freund daran, »das kleine Büchlein« für Willy Münzenberg nicht zu vergessen.[23]

In diesem Büchlein, einem Nachtrag zu *Lieder Gedichte Chöre,* sollten die folgenden Lieder und Gedichte abgedruckt werden:

- Einheitsfrontlied
- Keiner oder alle
- Antikriegslied (Lied gegen den Krieg)
- Ballade von den Osseger Witwen
- Hammer und Sichel
- In Erwägung

Eisler dachte an eine zweisprachige deutsch-französische Ausgabe, wobei Walter Benjamin die Übersetzung kontrollieren solle. Gleichzeitig schlug er für das Gedicht »In Erwägung« den Titel »Resolution« vor und forderte Brecht auf, weitere Strophen zu schreiben. Dieser erkannte die versöhnende Geste und lenkte auf produktive Weise ein, indem er Eislers Vorschlag aufgriff und, wie schon erwähnt, das nunmehr »Resolution« genannte Gedicht um mehrere Strophen erweiterte. Seine Mitarbeiterin Margarete Steffin schickte die Abschrift dieser erweiterten Fassung umgehend an Eisler und fügte hinzu: »Ich mag (das Gedicht) gern, schreibe, wie es Dir gefällt. Ich höre, die Weigel soll es wunderbar singen. Bei den ›Osseger Witwen‹ hat sie sich mit dem Einproben schwer getan, aber jetzt ist es herrlich geworden. Von der Musik ist Brecht besonders begeistert.«[24] Eisler antwortete postwendend: »Die ›Resolution‹ ist ganz ausgezeichnet geworden. Ich freue mich sehr darüber.« Beide wußten, wie sehr sie einander brauchten. Herzlichere, wärmere Töne sind zwischen ihnen selten gewechselt worden. Weder das Kampfliederbüchlein noch das Lehrstück wurde allerdings damals vollendet. Für das eine war es wohl schon zu spät, für das andere noch zu früh.

Eine Amerika-Reise und ihre Folgen

Die »Mutter«-Aufführung der New Yorker Theatre Union

Wenige Wochen nach Eisler reiste auch Brecht nach New York. Er widmete diesem Ereignis sein Gedicht »Als der Klassiker am Montag, dem siebenten Oktober 1935, es verließ, weinte Dänemark«.[1] Selbstbewußt sah er es als seine historische Mission an, durch die von Eisler vermittelte »Mutter«-Aufführung Amerika das Lehrstück zu bringen. Ganz sicher war er jedoch nicht, ob die Neue Welt für diese Mission, die er mit der Entdeckung des Kontinents durch Kolumbus verglich, schon reif sei. Im schnellebigen Amerika sei auch der Ruhm des Kolumbus schnell verblaßt.

> Sieh seinen Ruhm wie einen Staub verwehen
> Seit langem ist's nur das Ei, von dem man spricht.
> Gern steht das Allerneueste dort im Licht.
> Ob sie jedoch ein Lehrstück schon verstehen?

Brecht reiste in die USA, um in einer »ganz hübschen kleinen Diktatur«[2] zusammen mit Eisler, unterstützt auch von der amerikanischen KP, an der New Yorker Theatre Union, einem Arbeitertheater, seinen epischen Theaterstil durchzusetzen. Zu dieser Reise hatte ihn Eisler ermutigt: »Fahren ist richtig, da Du Dich dort persönlich so durchsetzen kannst, wie das Rasiermesser in der Butter.«[3]

Die Durchsetzungsmöglichkeiten beider waren jedoch geringer als erwartet. Als das New Yorker Theater trotz der Einsprüche der Autoren, auch trotz eines in Gedichtform abgefaßten »Briefes an das Arbeitertheater Theatre Union in New York das Stück ›Die Mutter‹ betreffend«[4], von seinem naturalistischen Inszenierungsstil nicht abwich und entgegen den Absprachen sogar politisch zentrale Szenen strich, spitzte sich der Konflikt zu.[5] Brecht und Eisler wurden am 8. November regelrecht aus dem Theater hinausgeworfen. »Brecht, der einen Erbkrieg mit Musikanten und Musikern führt«, so Eisler, habe »einen der Pianisten tödlich beleidigt mit irgendwelchen Schimpfworten.«[6] Als dann »Die Partei ist in Gefahr« und »Lob der Wlassowas« nicht ins Publikum, sondern der kranken Mutter ins Gesicht gesungen wurde, riß auch Eisler die Geduld, obwohl er die Pianisten für ausgezeichnet und den Chor für sehr gut hielt. Einer der beiden Pianisten, die sich von Brecht hatten beschimpfen lassen müssen, war der spätere Hollywoodkomponist Alex North.[7]

Brecht und Eisler erhielten nicht einmal Zutritt zur Premiere am 19. November, jedoch wurden sie durch Elisabeth Hauptmann und Eislers Frau Lou informiert. Es war ein eklatanter Mißerfolg. Ähnliche Eindrücke vermittelten die negativen Pressestimmen. Damit war eine große Chance verpaßt. Denn so fremdartig für die Theatre Union auch der epische Theaterstil war, so bestand doch 1935 in New York allgemein ein größeres Interesse für Brecht als je zuvor. Am ehesten noch in diesem Jahr hätten Brechts Theaterideen in den USA auf einen fruchtbaren Boden fallen können.

Den Boden für Brecht hatte Eisler vorbereitet, der seit Oktober an der New Yorker New School for Social Research unterrichtete. Er besorgte dem Freund Quartier in dem Haus, in dem er selber wohnte. Er begleitete den Stückeschreiber nicht nur bei allen Theater- und Filmverhandlungen[8] – nicht zuletzt wegen der *Rundköpfe und Spitzköpfe* –, sondern sorgte auch für Schallplattenaufnahmen mit Mordecai Bauman; zusammen mit den von Lan Adomian geleiteten New Singers sang dieser das »Solidaritätslied«, das »Einheitsfrontlied« und Lieder aus der *Mutter*. Eisler bemühte sich auch um englische Übersetzungen von Brechts Gedichten und fand dabei als eine vorzügliche Übersetzerin Eva Goldbeck, die Ehefrau des Komponisten Marc Blitzstein.

Mit den Übersetzungen, die Eva Goldbeck bereits vor seiner Ankunft angefertigt hatte[9], war Brecht zufrieden, entsprachen sie doch seinen »Anmerkungen zur Übersetzung von Kampfliedern«[10], die schon im Sommer 1935 in der New Yorker Zeitschrift »Music Vanguard« veröffentlicht worden waren; wie ein Originalautor solle, so hieß es dort, auch ein Übersetzer populäre Ausdrücke für abstrakte Slogans finden. Wie hoch andererseits Eva Goldbeck Brecht einschätzte, zeigt ihr Aufsatz »Principles of ›Educational‹ Theatre«, der offensichtlich auf Gesprächen mit Brecht und Eisler beruhte und im Dezember 1935 in »New Masses« erschien. Einleitend werden darin beide Künstler so charakterisiert: »Hanns Eisler is ›the most popular composer in the world‹; Bert Brecht is the most popular ›underground‹ writer in Hitler's Reich. ... Now Brecht and Eisler are in America, ready to be of service to our art-movement.«

Auch an anderer Stelle zeigte sich, dem »Mutter«-Debakel zum Trotz, eine prinzipielle Bereitschaft, von Brecht und Eisler zu lernen und die Aufnahme ihrer Werke zu fördern. Am 23. November, vier Tage nach der Premiere, veröffentlichte die deutschsprachige Zeitung »Der Arbeiter«[11] ein Interview, und einen Tag später brachte die »New York Times« einen Brecht-Aufsatz »The German Drama: Pre-Hitler«; die »Herald Tribune« folgte am 1. Dezember mit einem Beitrag unter der Überschrift »Bert Brecht and Hanns Eisler are Hitler's Gift to Broadway«.[12] Viel Verständnis fanden beide Künstler auch bei einem Gespräch mit I. V. Jerome, dem Kulturbeauftragten der amerikanischen KP. Am 7. Dezember gab es in der New Yorker Townhall ein Konzert mit Symposium »Musik in der Krise«, bei dem die Komponisten Aaron Copland, Hanns Eisler, Henry Cowell sowie der Kritiker Oscar Thompson Vorträge hielten; die New Singers sangen Chöre von Davidenko und Eisler. Am 11. Dezember folgte im

Youth House 159 W 49th Street ein Symposium mit dem Titel »Musik und Dichtung im Arbeitertheater«; zu den Referenten gehörten Persönlichkeiten wie Archibald MacLeish, Aaron Copland und John Gassner. Coplands Vortrag trug den Titel »Eisler und die Musik im Theater«.

Wenig beachtet wurde bisher, daß fast gleichzeitig mit Brecht und Eisler auch Kurt Weill in New York angekommen war. Zu diesem Zeitpunkt war er in den USA nahezu unbekannt. Die Broadway-Inszenierung der *Dreigroschenoper* hatte 1933 nach nur wenigen Aufführungen abgesetzt werden müssen. Auch bei Weills erstem amerikanischen Konzert, das er am 10. Dezember 1935 vor einem interessierten Fachpublikum gab, war die Resonanz nur gering. Lotte Lenya und ein kleiner Chor sangen Ausschnitte aus Weills europäischen Bühnenwerken; nach der Pause jedoch saß kaum noch die Hälfte der etwa 150 Besucher im Saal.[13] Ebensowenig wie Brecht gelang Weill auf Anhieb der Durchbruch beim amerikanischen Publikum. Möglicherweise bestärkte ihn sein Mißerfolg darin, sich die Bedingungen des Broadway zu eigen zu machen – im Gegensatz zu Brecht.

Für die New Yorker Inszenierung der *Mutter* hatte Eisler seine Musik in zwei Klaviere umgeschrieben. Außerdem hatte er für diese Aufführung den Chor *Der zerrissene Rock*, eine wirkungsvolle Auseinandersetzung mit dem Reformismus, in Form einer Miniaturkantate vertont. Es ist anzunehmen, daß Weill eine Vorstellung der *Mutter* besucht hat, denn er hat sich in einem Interview lobend über Eislers »Mutter«-Musik geäußert. Von diesem positiven Urteil hat er sich auch durch den eigenen Mißerfolg nicht abhalten lassen.[14]

Am 8. Dezember warnte Brecht, der von der Theatre Union enttäuscht war, Piscator in Moskau: »Nur nichts zu tun haben mit den sogenannten linken Theatern. Die sind durch kleine Cliquen beherrscht, in denen die Stückeschreiber dominieren, und haben die übelsten Producer-Manieren des Broadway.«[15] Brechts Urteil war etwas voreilig, denn im Januar 1936 fanden tatsächlich an einem anderen linken Theater New Yorks die von Eisler vermittelten »Maßnahme«-Proben statt. Federführend war dabei der einflußreiche Regisseur Lee Strasberg, der mit Harold Clurman das progressive Group Theatre leitete. In der gemeinsamen Wohnung lebte mit ihnen der Theaterautor Clifford Odets, der auch in der Zielsetzung mit diesem epochemachenden Theaterkollektiv verbunden war. Odets, der mit Eisler gut befreundet war, hatte Anfang 1935 durch sein Gewerkschaftsstück *Waiting for Lefty* Aufsehen erregt. Brecht, Clurman, Odets und Strasberg schätzten sich gegenseitig, wobei Brecht zunächst davon absah, daß das Group Theatre ästhetisch mehr den Theorien Stanislawskis anhing. Es ist anzunehmen, daß seine Feindschaft mit der Theatre Union nicht allein aus ästhetischen Differenzen, sondern auch aus persönlichen Animositäten zu deren Regisseur Wolfson herrührt hatte.[16] Zu Stras-

Kurt Weill und Lotte Lenya in New York nach ihrer Ankunft im September 1935.
(Quelle: Lotte Lenya, New York)

berg ergab sich hingegen sofort eine gute Beziehung. Um so mehr bedauerte Brecht, daß die Proben schon Ende Januar aus politischen Gründen abgebrochen werden mußten. »Dies ist sehr schade, denn ich hatte den Eindruck, daß wir sehr gut zusammenarbeiteten. Im allgemeinen war es nicht leicht für mich, das auszudrücken, was mir nötig schien, um das Theater hier vom bourgeoisen Drogenhandel und von emotionaler Manipulation fernzuhalten. Die wenigen Proben mit Ihnen und Ihrer Gruppe haben mir aber wenigstens gezeigt, daß auch hier ein revolutionäres pädagogisches Theater möglich ist.«[17]

Offensichtlich war Brecht, der nicht ganz erfolglos nach Dänemark zurückkehren wollte, nun eher zu Zugeständnissen bereit. Leider hat er später die Chance einer Zusammenarbeit mit Strasberg und Clurman nicht mehr wahrgenommen, weil er in beiden Stanislawski-Anhänger sah. Sein häufig dogmatischer Standpunkt in ästhetischen Fragen bedeutete nicht selten ein Hindernis für die Praxis.

Amerikanische Arbeitermusik in den »roten Dreißigern«

Wie im Deutschland der zwanziger Jahre entwickelte sich in den dreißiger Jahren in den USA eine Tendenz zu funktionaler Musik, zu Gebrauchskunst. Auch die amerikanischen Künstler radikalisierten sich mit wachsender Arbeitslosigkeit; waren 1930 noch vier Millionen Amerikaner ohne Arbeit, so im März 1933 fast 18 Millionen.[18] Mehr und mehr wuchs der Einfluß des Marxismus und sowjetischer Vorbilder. Einen beträchtlichen Einfluß auf die amerikanische Intelligenz übte die 1926 gegründete Zeitschrift »New Masses« aus, die sich für eine Massenkultur nach sowjetischem Vorbild einsetzte. Erkannt wurde nun auch die Bedeutung der mexikanischen Wandmaler; so malte Diego Rivera 1933 für das New Yorker Rockefeller Center ein Wandbild, in dessen Zentrum ein überlebensgroßes Lenin-Porträt stand.

Als Teil dieses kulturellen Aufbruchs entstand eine amerikanische Arbeitersängerbewegung. Nachdem 1931 in New York die Workers' Music League gegründet worden war, schossen gerade in dieser Stadt die Arbeiterchöre aus dem Boden. Mit den Chören kam das Bedürfnis nach neuen Kompositionen, vor allem nach Massenliedern. Für diese Aufgabe stellten sich einige der angesehensten Komponisten der USA zur Verfügung, an ihrer Spitze Charles Seeger und Aaron Copland. Viele Musiker schlossen sich dem 1932 gegründeten »New York Composer's Collective« an, dessen programmatisches Ziel es war, »Komponisten mit den Arbeitern Amerikas zu vereinen und sie in ihrem Kampf gegen ökonomische Ausbeutung sowie gegen Krieg und Faschismus zu unterstützen«.[19] Das Composer's Collective erarbeitete gemeinsam die Musik, die dann über die Workers' Music League verbreitet wurde. Auch hierbei spielten sowjetische Vorbilder eine Rolle. Cowell hatte die Sowjetunion 1929 besucht; Ashley Pettis, auch er ein Mitglied des Kollektivs, berichtete 1932 über sowjetische Komponistenkollektive.[20]

Den Anschauungen Eislers stand neben Seeger und Siegmeister vor allem Aaron Copland nahe, der 1934 in einem Artikel über das neu erschienene »Worker's Song Book«, das aus der Arbeit des New Yorker Komponistenkollektivs hervorgegangen war, die Bedeutung von Massenliedern hervorhob: »Keine andere Form kollektiver künstlerischer Aktivität übt einen so weitreichenden Einfluß aus. Das Lied, das die Masse selbst singt, ist ein kulturelles Symbol, welches dazu beiträgt, dem Alltagskampf des

Proletariats Kontinuität zu geben. Für jeden Komponisten bedeutet es einen Ansporn, ein gutes Massenlied zu schreiben.« Notwendig sei dafür nicht nur ein aktueller Text, sondern auch eine qualitativ hochrangige Musik – »nicht allein aus ›ästhetischen‹ Gründen, sondern weil ein besserer musikalischer Satz das Lied zu einer packenderen Erfahrung und damit auch zu einer größeren politischen Triebkraft steigern kann.«[21] Der Aufgabe, gute neue Massenlieder zu schreiben, widmeten sich neben Aaron Copland, Henry Cowell und Charles Seeger unter anderem die Komponisten Elie Siegmeister, Wallingford Riegger, Norman Cazden, Earl Robinson, Alex North, Marc Blitzstein und George Maynard.[22] Die Ankunft Eislers in den USA im Februar 1935 bedeutete für das Composer's Collective ein Ereignis, konnte Eisler ihnen doch von weitreichenden europäischen Erfahrungen berichten. Umgekehrt berichtete Eisler 1935 den Europäern von den neuen Bestrebungen in den USA: »Dies Kollektiv gehört vielleicht zu der interessantesten Vereinigung moderner Komponisten, die es heute gibt. Sie publizieren jährlich ein Sammelheft von Vokalwerken für die Arbeiterklasse. In diesen Heften finden wir eine große Anzahl oft ganz ausgezeichneter Lieder und Chöre. (...) Diese Komponisten kämpfen gegen die veraltete Epigonenmusik, gegen den Kitsch des Tonfilms und der Jazzmusik, gegen die snobistische, isolierte moderne Konzertmusik. Sie kämpfen für einen neuen modernen Stil, der sich auf die letzten Errungenschaften der modernen Musik stützt, aber diese ausnützt für den Kampf der Arbeiter und Angestellten gegen Unterdrückung, für Brot und Freiheit. Dieses Komponistenkollektiv veranstaltet eine Reihe Konzerte, die ausgezeichnet besucht sind, und zwar von allen Schichten der New Yorker Bevölkerung.«[23] Eisler fügte hinzu, daß weitere prominente Musiker wie die Komponisten Roger Sessions und Roy Harris sowie die Dirigenten Stokowski und Slonimsky mit diesem Kollektiv sympathisierten. Roy Harris hatte am 23. Februar 1934 im New Yorker Pierre-Degeyter-Club[24] einen Vortrag »Musik und Arbeit – ihre ästhetischen Beziehungen« gehalten. Einige der Komponisten, so Wallingford Riegger und Marc Blitzstein, hatten vor 1933 in Berlin studiert und dort möglicherweise schon Arbeitermusik kennengelernt.

Hatte das erste Arbeiterliederbuch, das das Composer's Collective 1934 veröffentlicht hatte, nur amerikanische Lieder enthalten, so besaß das zweite »Workers' Song Book«, das 1935 erschien, einen mehr internationalen Charakter. Neben zwei Liedern von Stefan Wolpe und Karl Vollmer enthielt es Eislers »Komintern« sowie das »Solidaritätslied«.[25] Als Eisler am 4. Oktober 1935 erneut in New York eintraf, wurde er am Schiff von einer Musikerdelegation begrüßt. In der kommunistischen Tageszeitung »Daily Worker« hatte ein L. E. Swift, so das Pseudonym für Elie Siegmeister,[26] »The Return of Hanns Eisler« in einem umfangreichen Artikel angekündigt und dabei die große Bedeutung des Komponisten bei der Entwicklung einer amerikanischen Arbeitermusik hervorgehoben. Erst durch Eisler sei die Verbindung nach Europa hergestellt worden. »Dieses Frühjahr waren Eislers Erfahrungen hier von enormem Wert, nicht nur auf dem schöpferischen Gebiet und bei den Konzerten, sondern auch deshalb, weil sie den verschiedenen neuformierten Arbeitermusikgruppen überall im Lande die Anregungen eines in musikorganisatorischen Fragen langgeübten Geistes brachten.«[27] Eingeladen wurde zu zwei Kursen Eislers an der New School for Social Research; der eine beschäftigte sich mit der Krise der modernen Musik, der andere mit der Komposition von Massenliedern.

Angesichts dieses hohen Ansehens, das Eisler in der amerikanischen Arbeiterbewegung, vor allem aber in der Arbeitermusikbewegung genoß, ist der Mißerfolg der New Yorker »Mutter«-Aufführung doppelt erstaunlich. Er dürfte wesentlich darauf zurückzuführen sein, daß Brecht auf dem für amerikanische Schauspieler ungewohnten epischen Stil beharrte. Eisler ging deshalb dazu über, seine Kompositionen mehr und mehr aus dem Zusammenhang des Stücks zu lösen und Kantatenaufführungen durchzusetzen. So fand beispielsweise am 3. Mai 1936 unter seiner Leitung im Auditorium der New School for Social Research eine konzertante Aufführung mit den New Singers statt; Zwischentexte erklärten dabei den Handlungszusammenhang.[28] Eisler komponierte für diesen Anlaß Brechts *Gedanken über die rote Fahne*, die bei Berliner Aufführungen nur rezitiert worden waren.

Marc Blitzstein

Der amerikanische Komponist Marc Blitzstein, der Eislers Kurs über »Die Krise in der Musik« besucht hatte, war von der Musik zur *Mutter* stark beeindruckt. Der aus einer reichen jüdischen Familie aus Philadelphia stammende Komponist hatte schon als pianistisches Wunderkind auf sich aufmerksam gemacht. In Europa, ab 1926 bei Nadia Boulanger in Paris und ab 1927 bei Arnold Schönberg in Berlin, begann er mehr und mehr seine Position als Avantgardekomponist in Frage zu stellen. Schon damals in Berlin, wo er auch die *Dreigroschenoper* erlebte, kam er mit Brecht, Eisler und Weill in Kontakt. Am gleichen Tag wie Weill geboren, schenkte er diesem zu einem Geburtstag, wahrscheinlich 1929, eine Übersetzung der »Moritat von Mackie Messer«.[29] Blitzsteins eigene Werke, so die Einakter *Triple Sec* (1928) und *Parabola and Circula* (1929), waren stilistisch allerdings eher von Hindemith, Strawinsky und Satie beeinflußt.

Die Jahre von 1931 bis 1935 gelten als Übergangsperiode in Blitzsteins Schaffen. Nach dem Ballett *Cain* (1930) fand er mit der Choroper *The Condemned* (1932) erstmals ein konkretes politisches Thema, den Fall Sac-

Auf einem Empfang im November 1945: Aaron Copland, Elie Siegmeister, Leonard Bernstein und Marc Blitzstein.
(Quelle: High Fidelity/Musical America)

co und Vanzetti. Wesentlich für diese Politisierung war die Begegnung mit der Übersetzerin und engagierten Schriftstellerin Eva Goldbeck, die er 1933 heiratete. 1934 entschloß sich Blitzstein, sich der amerikanischen Arbeiterbewegung zu widmen. Er trat dem Composer's Collective bei, wobei ihm immer mehr Eisler zum Vorbild wurde. Dessen Massenlieder liebte er sehr, und Eislers Vortrag über die Krise in der Musik hielt er für »das Manifest der revolutionären Musik unserer Zeit«[30]; zum ersten Mal sei hier eine wirkliche Synthese von Marxismus und Musik gelungen.[31] Kurt Weill, dem er zuletzt 1934 in Louveciennes bei Paris begegnet war, stand er dagegen skeptisch gegenüber. Er hielt seine Musik für zu weich; nur deshalb habe die *Dreigroschenoper* so mißverstanden werden können. Anstatt zu erschrecken, wie es sich Brecht vorgestellt habe, habe sich die Mittelklasse begeistert mit den Gangstern identifiziert.[32]
Im Dezember 1935 in New York spielte Blitzstein dem Stückeschreiber seinen Prostitutions-Song »The Nickel Under Your Foot« vor. Brecht war beeindruckt und regte den Komponisten an: »Warum nicht ein ganzes Stück über alle Formen von Prostitution im Kapitalismus – in der Presse, in der Kirche und so weiter?« Blitzstein griff diese Anregung begeistert auf und machte daraus seine sozialkritische Oper *The Cradle Will Rock,* die er Brecht widmete. Er schrieb sie, nachdem Brecht und Eisler die USA wieder verlassen hatten, im Sommer 1936 in einem Ferienlager des

Group Theatre. Am gleichen Ort arbeiteten zur gleichen Zeit zwei andere Komponisten, die sich ebenfalls auf Brecht beriefen: Aaron Copland und Kurt Weill.[33] Copland schrieb seine Schuloper *The Second Hurricane,* die Anregungen aus Brecht-Weills *Jasager* und Hindemiths *Wir bauen eine Stadt* weiterentwickelte[34], während Weill zusammen mit Paul Green an seiner amerikanischen Schweyk-Version *Johnny Johnson* arbeitete. Blitzstein kam bei dieser Gelegenheit mit Weill zusammen und revidierte teilweise seine bisherige kritische Einstellung. Einem Beitrag über *Johnny Johnson,* den er für die Zeitschrift »Modern Music« schrieb, sind leichte Vorbehalte aber noch immer zu entnehmen, Vorbehalte nicht zuletzt gegen den mit keinem Wort erwähnten Autor Paul Green. »Es ist Musik der leisen Stimme, aber sie enthält eine Botschaft. Samtene Propaganda – Gift, wie er sagt. Gefahr lauert da, aber nicht immer. Ihr gereicht diese Gefährlichkeit zum Vorteil, wenn Brecht die Texte liefert; er schlägt mit ihnen genaue, harte, scharfe Linke aufs Kinn.«[35]

Blitzstein wurde seit 1935 zum wichtigsten musikalischen Anwalt Brechts in den USA. Nach *The Cradle Will Rock,* dessen ungewöhnlicher Uraufführungserfolg Theatergeschichte machte[36], widmete er sich auch in seinen weiteren Produktionen vorrangig dem musikalischen Theater; der Einfluß Brechts wirkte dabei fort.[37] Nachdem Eva Goldbeck bereits im Mai 1936 gestorben war – zuvor hatte sie sich noch um Übersetzungen der *Maßnahme* und des *Dreigroschenromans* bemüht[38] –, setzte er auch als Brecht-Übersetzer ihr Erbe fort. Mit seiner Adaption der *Dreigroschenoper* sollte er in den fünfziger Jahren für einen der größten amerikanischen Theatererfolge sorgen. Schon 1936 hatte Weill ihn angeregt, das ganze Werk zu übersetzen, aber erst kurz vor Weills Tod stellte Blitzstein für Lotte Lenya eine amerikanische Fassung der »Seeräuber-Jenny« her. Etwa um die gleiche Zeit wandte sich Brecht an Blitzstein. Er plane, dessen Werke in Ost-Berlin aufzuführen, hoffe aber, daß sich Blitzstein umgekehrt in den USA für Brecht einsetze.[39] Während über Aktivitäten Brechts für Blitzstein nichts bekannt ist, schuf dieser seine geniale »Dreigroschenoper«-Adaption, die in einer Serienaufführung am New Yorker Theatre de Lys insgesamt 750 000 Zuschauern erreichte.[40] Durch die lange Laufzeit – insgesamt 2707 Vorstellungen – war die Wirkung in New York sogar größer als vor 1933 in Berlin. Auch Kurt Weill hatte auf diese Weise postum einen größeren Erfolg, als er zu Lebzeiten mit allen seinen Broadway-Werken je erzielen konnte; in den USA begann damit die Wiederentdeckung seiner Berliner Werke, so auch von *Happy End.* 1956 begann Blitzstein mit einer Übersetzung der *Mutter Courage,* 1958 mit einer Adaption von *Aufstieg und Fall der Stadt Mahagonny;* beide Arbeiten waren, als Blitzstein 1964 starb, unvollendet.

Brecht konnte 1935 nicht ahnen, welche weitreichenden Wirkungen seine anerkennenden Worte über den Song »The Nickel Under Your Foot« bei Blitzstein auslösen würden. Er dachte immer noch daran, sich bei der Theatre Union für seine Strenge zu rechtfertigen. Anscheinend noch in New York hat er seinen Aufsatz *Über die Verwendung von Musik für ein episches Theater* geschrieben.[41] Es ist eine Bestandsaufnahme seiner bisherigen musiktheatralischen Arbeiten, eine Selbstvergewisserung nach dem »Mutter«-Debakel. Vor allem zwei Aspekte stellte er in den Vordergrund: 1. die stilbildende Zusammengehörigkeit und Zielgerichtetheit seiner bisherigen Theaterproduktionen, 2. den gesellschaftlichen Nutzen dieser künstlerischen Experimente. Offensichtlich argumentierte er damit auch gegen die Theatre Union, gegenüber der er sich vom Verdacht der Willkür befreien wollte. Den selbstkomponierten Liedern zu den ersten Stükken maß er in seinem Aufsatz noch keinen eigenen Kunstwert zu. Kunstwert hätten erst die Kompositionen von Kurt Weill erreicht, wobei Brecht auf die verschollene »Mann ist Mann«-Bühnenmusik, vor allem aber auf die *Dreigroschenoper* verwies, die er als »die erfolgreichste Demonstration des epischen Theaters« bezeichnete. Als »Schmutzaufwirblerin, Provokatorin und Denunziantin« habe hierbei die Musik an der Enthüllung der bürgerlichen Ideologien mitgewirkt. Eben diese gesellschaftsändernde Wirkung, die er bei der *Dreigroschenoper* vielleicht überschätzte, war für ihn der eigentliche Nutzen jener »großen Umwälzung der Dramatik« vom aristotelischen zum epischen Theater. Zu den Hauptkennzeichen der neuen Theaterform zählte er die Trennung der Elemente und die Ablösung des mimischen durch das gestische Prinzip. Daß die Theatre Union der ungenannte Adressat des Aufsatzes war, geht unter anderem aus der Kürze hervor, mit der Brecht auf *Mahagonny* und auch *Die Rundköpfe und die Spitzköpfe* einging, und der Ausführlichkeit, mit der er sich dagegen der Musik zur *Mutter* und den Gefahren der Apparate für die künstlerische Produktion widmete. Aus den New Yorker Erfahrungen mit der *Mutter* zog er den Schluß: »Eine sorgfältige Erziehung und strenge Schulung unserer Arbeitertheater ist nötig, daß sie die ihnen gestellten Aufgaben bewältigen und die ihnen hier gebotenen Möglichkeiten ausschöpfen können. Auch ihr Publikum muß eine bestimmte Schulung durch sie erfahren. Es muß gelingen, den Produktionsapparat des Arbeitertheaters herauszuhalten aus dem allgemeinen Rauschgifthandel des bürgerlichen Theaterbetriebes.«[42] Denn für Brecht war das bürgerliche Theater nicht anders als das Kino oder der Konzertsaal hauptsächlich ein Ort der Flucht in den Rausch. Gerade ein Arbeitertheater dürfe diesem vermeintlichen Bedürfnis nicht nachgeben, solle nicht hinter seinem Publikum herlaufen, sondern ihm vorangehen.[43] Auch die Musik müsse im proletarischen

Theater von dieser Rauschfunktion ausgeschlossen bleiben. Hier verwies er vor allem auf die Kompositionen Eislers, die, richtig eingesetzt, dem Zuschauer eine kritisch betrachtende Haltung verleihen und »durch ihren freundlich beratenden Gestus sozusagen der Stimme der Vernunft Gehör« verschaffen.

Obwohl Brecht mit seinem Musikaufsatz, dem zweiten umfangreichen nach den »Mahagonny«-Anmerkungen, noch einmal vor sich selbst die Strenge gegenüber der Theatre Union rechtfertigte, sah er gleichzeitig doch auch realistisch, daß er seine Einflußmöglichkeiten überschätzt hatte. Trotz aller Bemühungen war seine Theorie in den USA noch nicht ausreichend bekannt geworden. Sie müßte, wie er im Juli 1936 aus London an Piscator schrieb, werbewirksamer und effektiver »verkauft« werden. »Es ist ja grundfalsch, daß wir für unsere Art, Theater und Film aufzufassen, keine Propaganda machen. Wir müßten Artikel schreiben, vielleicht auch eine Broschüre mit Fotos, das ganze riesige Material muß endlich einmal, indem es in eine bestimmte Form gebracht wird, verwendbar gemacht werden.«[44] Voll Neid blickte er auf die weltweite Popularität der Stanislawski-Schule und resümierte: »Wir sind wirklich weltfremde Träumer.« Getreu der Leninschen Erkenntnis, daß auch ein Rückzug Fortschritt bedeuten könne, stellte Brecht nach der Rückkehr aus den USA seinen Plan, als »Einstein des Theaters« anerkannt zu werden, einstweilen in den Hintergrund. Die ideale Synthese von politischer und ästhetischer Avantgarde war, wie er dann auch am 4.11.1936 bei der Kopenhagener Uraufführung der *Rundköpfe und Spitzköpfe* erkannte, einstweilen noch nicht zu realisieren.

Pragmatischer geworden, widmete er nun seine nächsten Arbeiten konkreten Einzelzielen: einerseits dem Gelderwerb die schon erwähnte Operette *Freuden und Leiden der kleineren Seeräuber* und die Filmproduktion *Bajazzo*, andererseits dem Appell die Dramen *Furcht und Elend des Dritten Reiches* und *Die Gewehre der Frau Carrar*. In diesen Arbeiten verzichtete Brecht auf die Stilmittel des epischen Theaters, teilweise auch auf Musik.

Brechts und Eislers Mitarbeit am »Bajazzo«-Film nach der Oper von Leoncavallo stand zu ihrer antikulinarischen Kunstauffassung in striktem Gegensatz. Für den Hauptdarsteller, den berühmten Tenor Richard Tauber, hatte Brecht schon ein Jahr zuvor zusammen mit Fritz Kortner eine andere Filmidee entworfen, die seiner Musikauffassung mehr entsprach: Tauber sollte darin einen Taubstummen spielen.[45] Mit dieser Idee brachte er schlagend zum Ausdruck, was er nicht allein von Tauber, sondern überhaupt von Tenören hielt. An dem Bajazzo-Film arbeitete Brecht jetzt lediglich mit, um die Mittel für ein kleines Häuschen in Norwegen oder Schweden aufzutreiben.[46] In Dänemark, so nah der deutschen Grenze, fühlte er sich nicht mehr restlos sicher.

Pragmatismus war auch die Wurzel von Brechts Vorschlag gegenüber dem politisch engagierten Regisseur Per Knutzon, bei der Kopenhagener »Rundköpfe«-Premiere nicht das Theaterkollektiv, sondern den Star Lulu Ziegler werbewirksam herauszustellen. Dem Einwand, daß dies den Gepflogenheiten der Kopenhagener Truppe widerspreche, hielt er entgegen: »Ihr arbeitet inmitten einer hochkapitalistischen Gesellschaft und könnt Euch nicht so verhalten, als wäret Ihr in einer andern. Ihr müßt, was immer Nützliches und Hochwertiges es sein mag, was Ihr abliefert, auf dem hochkapitalistischen Markt als Ware abliefern, und je besser Ihr das versteht, desto nützlicher wird Eure Arbeit sein.«[47]

Langfristige und kurzfristige Zielsetzungen wechselten einander ab. Hatte die New Yorker »Mutter«-Inszenierung als Modell wirken sollen, nämlich als Modell des epischen Theaters, so setzte Brecht nach Rückkehr aus New York auf unmittelbaren Erfolg. Wohl deshalb hat er auch die Arbeit an dem Lehrstück *Die Horatier und die Kuriatier,* die für Walter Benjamin das vollkommenste seiner Lehrstücke war[48], zurückgestellt und erst 1941 wieder aufgenommen.

Seine beiden nächsten Stücke repräsentieren demgegenüber wieder traditionelle, aristotelische Dramatik. Das Spanienstück *Die Gewehre der Frau Carrar* war Brechts Beitrag zum Freiheitskampf der spanischen Republik. Er war nicht wie Ruth Berlau, Ernst Busch und Hanns Eisler nach Spanien gefahren, um sich im Bürgerkrieg zu engagieren; er sah es als seine Aufgabe an, als Schriftsteller zu wirken. Sein Stück ist ein Aufruf zur Parteinahme, eine Absage an »Nichteinmischung«. Nur in einer einzigen Szene enthält das Spanienstück Musik: Als die Internationalen Brigaden, die der spanischen Republik gegen Franco zu Hilfe gekommen sind, am Haus der Frau Carrar vorbeiziehen, hört man Revolutionslieder der einzelnen Nationen – die »Thälmannkolonne« der Deutschen, die »Marseillaise« der Franzosen, die »Warschawjanka« der Polen, »Bandiera rossa« der Italiener, »Hold the Fort« der Amerikaner, »Los cuatros generales« der Spanier.[49] Die Uraufführung fand am 16. Oktober 1937 mit großem Erfolg in Paris statt.[50] Nach 1945 sollten *Die Gewehre der Frau Carrar* sogar zu einem der meistgespielten Theaterstücke Brechts avancieren – obwohl mit Ausnahme der Liedzitate sonst Musik dabei fehlte.

Weite und Vielfalt realistischer Kunst

Wenn etwas gesagt werden soll, was nicht gleich
  verstanden wird
Wenn ein Rat gegeben wird, dessen Ausführung
  lang dauert
Wenn die Schwäche der Menschen befürchtet wird
Die Ausdauer der Feinde, die alles erschütternden
  Katastrophen
Dann muß den Werken eine lange Dauer verliehen
  werden.

Neue Töne: die Zwölftontechnik

Angesichts des Mißbrauchs volkstümlicher politischer Kunst durch die
Nazis, so etwa durch die Neutextierung ehemaliger sozialistischer Lieder
für NS-Zwecke – aus dem »Roten Wedding« wurde ein »Brauner Wedding« – oder indem sie sich in ihren Massenaufmärschen moderner
Formen der proletarischen Freilust- und Straßenkunst bemächtigten[1], war
es schwieriger geworden, wirksame antifaschistische Kunst zu machen.
Brecht faßte die Problematik in einem Gedicht[2] zusammen:

Da das Instrument verstimmt ist
Sind die alten Notenbücher wertlos
Und so braucht ihr einige neue Griffe.

Wäre nicht auch Dummes klug zu sagen
Hätten nicht auch Räuber süße Lieder
Wäre unser Handwerk unten mehr geachtet.

Das Instrument, das die Musik symbolisiert, ist – typisch für Brecht – eine
Gitarre. Durch allzu häufigen Gebrauch, schließlich durch Mißbrauch, haben sich die Saiten verstimmt, so daß die alten Lieder fremd und falsch
klingen. Wie ein Seismograph zeigt das verstimmte Instrument den
Wechsel der Zeiten an. Brecht fordert nicht dazu auf, die Saiten neu zu
stimmen. Dazu ist es zu spät. Der Faschismus ist ein Faktum, die Geschich-
te ist irreversibel, sie läßt sich nicht zurückdrehen; die Beschädigung kann
nicht geleugnet werden.
Auch die süßen Lieder der Räuber haben das Instrument beschädigt:
Brecht spricht hier vom Proteus-Charakter der Musik, die sich wie eine
Hure den jeweiligen Herren anpaßt, die auch dem Verbrecher eine süße
Stimme verleiht – wie die Kreide im Grimm-Märchen von den sieben

Geißlein dem Wolf – und selbst noch dem Dummen den Anstrich des Bedeutenden verleiht. Wegen ihrer Austauschbarkeit, so meinte er, werde politische Kunst vom Volk verachtet: Das Nachlassen der Wirkung der Nazipropagandakunst, das er sich einerseits erhoffte, müßte, so fürchtete er andererseits, auch die Wirkung der antifaschistischen Lieder beeinträchtigen.

Die faschistische Kunstpolitik hatte Brecht und Eisler mißtrauisch gemacht gegen »süße Lieder«, gegen allzu große Eingängigkeit. Ihre eigene neue Kunst sollte sich von der der Faschisten nicht allein durch die Inhalte, sondern auch durch die künstlerischen Mittel unterscheiden. In der Terminologie des Gitarrenspiels hatte Brecht dafür den Ausdruck »neue Griffe« verwendet. Nicht die vertrauten, sondern die fremden Klänge sollten zur Vermittlung der Wahrheit dienen. Eine glatte, widerspruchslose, eingängige Kunst wäre in dieser Situation falsch. »In meinem Lied ein Reim/käme mir fast vor wie Übermut.«[3] Diese Erkenntnis war folgenschwer für Brechts Musikauffassung, billigte er doch jetzt auch solche Musik, die er zuvor als Kunst für Spezialisten abgetan hatte. Der Abstand zwischen Schönberg und Eisler, den er unter dem Aspekt der Volkstümlichkeit betont hatte, reduzierte sich unter dem Aspekt der Wahrheit und des Realismus. Nach ihrer gemeinsamen Zeit in London 1934 schrieben Brecht und Eisler keine »Arbeitermärsche« mehr.[4]

Brecht wußte, daß sein Freund nicht nur der volkstümliche Massenliedkomponist, sondern auch ein international geschätzter Musikfachmann war. Als auf den Aufsatz *Die Kunst zu erben*, in dem sich Ernst Bloch und Hanns Eisler kritisch mit der Oberlehrerhaltung eines »revolutionären Akademismus« auseinandersetzten[5], Georg Lukács – er vor allem war mit der Kritik gemeint gewesen – polemisch geantwortet und dabei auch von »den Eislers« gesprochen hatte[6], schrieb Brecht eine Entgegnung: »Es wurde da von ›den Eislers‹ gesprochen, die irgend etwas sollten oder nicht sollten. Meiner Meinung nach sollten die Lukács' es unbedingt unterlassen, solch eine Mehrzahl anzuwenden, solange es unter unsern Musikern tatsächlich nur einen Eisler gibt. Die Millionen von Arbeitern weißer, gelber und schwarzer Rasse, die die Massenlieder Eislers geerbt haben, werden da sicher meiner Meinung sein. Aber auch allerhand Fachleute für Musik... würde man verwirren, wenn die deutsche Emigration im Gegensatz zu den sieben griechischen Städten, die sich darum stritten, einen Homer hervorgebracht zu haben, sich zu der Prahlerei hinreißen ließe, sieben Eislers zu haben.«[7] Da Brecht wußte, daß es tatsächlich auf der ganzen Welt nur einen Eisler gab, wählte er ihn als einzigen Musiker für sein internationales Projekt einer Diderot-Gesellschaft aus.[8]

Selbst wenn ihm oft dieser Ruf vorauseilte, so war doch Eisler nie ein bloßer Massenliedkomponist gewesen. Bei Vorträgen vor Avantgardekomponisten der IGNM, der Internationalen Gesellschaft für Neue Musik, an der New School for Social Research oder auch auf Massenveranstaltungen hob er immer wieder hervor, daß das Komponieren von Massenliedern nur eine von mehreren Aufgaben des modernen Komponisten sei. Eine zweite Aufgabe seien technische Experimente mit Orchester- und Filmmusik, eine dritte die musik-pädagogische Musik. Als wegweisend für die weitere Entwicklung der Musik stellte er stets seinen Lehrer Arnold Schönberg hin, so auch in einem Aufsatz für »New Masses«, die kulturpolitische Zeitschrift der KP der USA.[9] Wer das Talent habe, Schönbergs Technik ohne deren Expression zu übernehmen, der könne von ihm noch lernen, »wenn die anderen sich jetzt in Mode befindlichen Komponisten schon lange vergessen sind«. 1934 in Paris versuchte er Schönberg zu einer Übersiedlung in die UdSSR zu bewegen[10], weil er überzeugt war, daß die Gesellschaft der Zukunft einen solchen Komponisten brauchen würde. Vor allem in der von Schönberg entwickelten Zwölftontechnik sah er eine Möglichkeit, aus dem Chaos des Beliebigen wieder zu einem neuen, allgemein verbindlichen Musikstil zu kommen. Die Zwölftontechnik würde die »neuen Griffe« anbieten, die das durch den Faschismus verstimmte Instrument »Musik« brauchte.

Dazu mußte Eisler die Zwölftontechnik, die bis dahin vor allem dem Ausdruck von Angst, Verzweiflung und Klage gedient hatte, für seine neuen Zwecke umfunktionieren, er mußte sie vom Gestus »öffentlicher Einsamkeit«, aus dem Schönbergs atonale Musik hervorgegangen war[11], befreien. Eben weil der Zwölftontechnik der Charakter des Esoterischen anhing, hatte Eisler, der schon 1924 zwölftönig komponiert hatte, diese Technik bei seinen Massenliedkompositionen vermieden. Er behielt die neue Technik zunächst der Orchester-, Kammer- und musik-pädagogischen Musik vor.[12] Diese Gattungen, die Eisler zwischen 1929 und 1932 vernachlässigt hatte, traten ab 1932, vor allem aber ab 1935 wieder stärker in den Vordergrund. In gleichem Maße, wie die Konzertmusik für ihn an Bedeutung gewann, sank sein Interesse an Kampf- und Massenliedern. Mit Hitlers Sieg bei der Saar-Abstimmung hatten sich die Hoffnungen auf einen baldigen Umsturz als illusorisch erwiesen. Da Brecht und Eisler mit einer längeren Dauer des Faschismus rechnen mußten, betrachteten sie es nun als ihre Aufgabe, antifaschistische Werke von größerer Haltbarkeit zu schreiben. Entsprechend der gewachsenen Stärke der Feinde mußte, wie es im Gedicht »Über die Bauart langdauernder Werke« hieß, auch »den Werken eine lange Dauer verliehen werden«.[13] Für Brecht hieß dies, auf seinen Anspruch auf unmittelbare Wirkung zeitweise zu verzichten. Das »Saarlied« beispielsweise hatte ihm gezeigt, wie schnell politisch aktuell konzipierte Kunst veralten kann, ohne daß auch nur ein kleiner Erfolg erzielt wird. Brecht gab den Wirkungsanspruch nicht völlig preis, jedoch erschien es ihm nun realistischer, den Blick aus der Gegenwart mehr in die Zukunft zu lenken.

Die Zwölftontechnik bot sich nicht nur deswegen an, weil Eisler sie für die gleichsam wissenschaftliche Kompositionstechnik der Zukunft hielt, sondern auch, weil sie von den Nazis als »kulturbolschewistisch« verfemt wurde. Schon die Wahl der Kompositionstechnik war also ein Ausdruck des Antifaschismus, sie war Bestandteil einer Ästhetik des Widerstands. So wie die avantgardistische Technik einerseits eine Verwechslung mit faschistischer Kunst unmöglich machte und damit gegen die Gefahr eines Mißbrauchs feite, so stellte sie doch andererseits eine Verbindung zum Bürgertum her. Da die Arbeiterbewegung in ihrem antifaschistischen Kampf einstweilen erfolglos geblieben war, erwies es sich als notwendig, im Sinne der Volksfront Bündnispartner im fortschrittlichen Bürgertum zu finden.

Eislers Entscheidung, sich wieder größeren Orchesterwerken, also Musik für den Konzertsaal, zuzuwenden, wurde begünstigt durch den großen Erfolg seiner Kleinen Sinfonie op. 29 am 12. April 1935 bei der Uraufführung durch Ernest Ansermet im Londoner Rundfunk. Auch diese Komposition enthielt zwölftönige Sätze.[14] Wie er befriedigt in einem Brief vom 20. Juli 1935 aus Moskau an Brecht mitteilte, brachte ihm das Werk auch in der Sowjetunion, wo es später gedruckt wurde, viel Anerkennung: »Ich werde jetzt nicht nur als revolutionärer Komponist, sondern als großer ausländischer Spezialist gewertet (...) Da ich also zu meiner internationalen Popularität jetzt als symphonischer Techniker geschätzt werde, hat sich meine Position ungeheuer verbessert...«[15]

Eislers Hauptwerk des Exils: »Deutsche Symphonie«

> O Deutschland, bleiche Mutter!
> Wie sitzest du besudelt
> Unter den Völkern.

Die Nachricht vom Erfolg seiner Kleinen Sinfonie erhielt Eisler auf seiner ersten USA-Tournee. Hier faßte er den Plan, dem antifaschistischen Kampf ein sinfonisches Werk zu widmen. In dem zitierten Brief aus Moskau erwähnte er zum erstenmal sein neues Projekt: »Ich habe übrigens einen sehr interessanten Kompositionsplan und zwar will ich eine große Symphonie schreiben, die den Titel ›Konzentrationslagersymphonie‹ haben wird. Es wird auch an einigen Stellen Chor verwendet, obwohl es durchaus ein Orchesterwerk ist. Und zwar werde ich Deine beiden Gedichte: Begräbnis des Hetzers im Zinksarg (das wird der Mittelteil eines groß angelegten Trauermarschs) und An die Gefangenen in den Konzentrationslagern verwenden. Die ersten Skizzen, die ich dazu gemacht habe (in Detroit) sind äußerst vielversprechend. Ich hoffe, daß das etwas Großartiges wird. Allerdings brauche ich ein halbes Jahr intensiver Arbeit dazu.«[1] Die beiden erwähnten Brecht-Gedichte gehören zu dem Band *Lieder Gedichte Chöre,* der die Grundlage für die weitere Planung bildete. Das großangelegte Werk, das ab 1938 den Titel »Deutsche Symphonie« erhielt, sollte in einer repräsentativen künstlerischen Form die Weltöffentlichkeit auf die totgeschwiegenen deutschen Widerstandskämpfer hinweisen, sollte politische und musikalische Avantgarde in sich vereinen. Bis zu seiner endgültigen Fertigstellung vergingen 13 Jahre.

Die »Deutsche Symphonie« ist Eislers umfangreichste auf Brecht-Texten basierende Komposition. Wie Brecht, der bis dahin kein besonderer Freund von Symphonien war, auf das Projekt reagiert hat, ist nicht bekannt, jedoch scheint er dem Komponisten hier wie auch bei anderen orchestralen Werken freie Hand gelassen zu haben. Anders als die Bühnenmusiken entstanden die für Konzertaufführungen vorgesehenen Brecht-Vertonungen nicht als Kollektivarbeit, sondern in der alleinigen Verantwortung Eislers. Bei nichtdramatischen Musikprojekten setzte der Dichter volles Vertrauen in den Musikfachmann.

Eisler verstand seine Arbeiten damals zugleich als musikalische Experimente, als Erprobung eines neuen musikalischen Materials; für ihn war mit diesen Kompositionen auch immer der Anspruch verbunden, die Anwendbarkeit der Zwölftontechnik auf alle instrumentalen und vokalen Genres systematisch zu erproben.[2] Die Arbeit an der »Deutschen Symphonie« wie auch am »Lenin-Requiem« stellte ihn vor die Aufgabe, die Sangbarkeit von Zwölftonkompositionen zu überprüfen. Waren nicht der Tendenz zur Chromatik und damit zu schwierigen melodischen Intervallen durch das menschliche Intonationsvermögen, vor allem das Vermögen des Laien, Grenzen gesetzt?

Als Eislers früheste dodekaphone Komposition auf einen Text von Brecht gilt das 1934 geschriebene Lied *Ulm 1592* über die Herausforderung der Kirche durch einen einfachen Schneider. Dem Charakter eines Kinderlieds entsprechend bemühte er sich um größtmögliche Einfachheit. Er legte dem Lied eine aus einfachen Intervallen zusammengesetzte Zwölftonreihe zugrunde, die eher diatonisch als chromatisch wirkt:

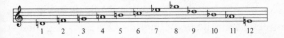

Schon im Tonhöhenverlauf dieser Reihe deutet sich bildlich der Inhalt des Liedes an, der sanfte Aufstieg des Fliegers, dem sein jäher Absturz folgt. Die Faßlichkeit der Melodie wird durch Wiederholung von Tönen und Reihensegmenten erhöht. (Notenbeispiel siehe nächste Seite oben.) Trotz großer Vereinfachung ist das Lied, dem man seinen Zwölfton-

„Herr Bi - schof, ich kann flie - gen", sag - te der Schnei - der zu dem Bi - schof, „Paß auf, wie ich's mach." Und er stieg mit sol - chen Din - gen, die aus - sahn wie Schwin - gen, auf das gro - ße, gro - ße Kir - chen - dach.

charakter beim ersten Hören nicht anmerkt, ein für Kinder doch eher schwieriges Lied, das sich wie sein Text nur einem mitdenkenden, kritisch fragenden Sänger erschließt.

Mit einfachen diatonischen Intervallen, nämlich einer Folge von Terz-schritten, beginnt auch die Zwölftonreihe zur Kantate *Gegen den Krieg* op. 51 für gemischten Chor a cappella.

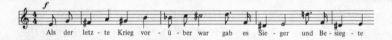

Aus dieser Reihe, die sich durch eine tonale Beziehung zum Grundton E auszeichnet, wird das unisono angestimmte Thema des Variationszyklus gewonnen:

Als der letz - te Krieg vor - ü - ber war gab es Sie - ger und Be - sieg - te

Die Komposition, die ebenfalls als eine Vorstudie zur »Deutschen Sym-phonie« anzusehen ist – als eine Studie nämlich zum dodekaphonen Chorsatz – und die aus Anlaß eines Preisausschreibens entstand, basiert auf Gedichten aus Brechts *Deutscher Kriegsfibel*.[3] Eisler wählte die Gedich-te auf eigene Weise aus, stellte sie um und gruppierte sie. Eine ähnlich se-lektive »Kunst zu erben«, wie er sie für die künstlerische Tradition gefor-dert hatte, praktizierte er auch gegenüber Brecht. Seine Zusammenstellung der Gedichte entspricht inhaltlich der musikalischen Form »Thema mit Variationen«. Aussage und Form bilden eine Einheit. Wesentlich für die Kantate ist die Erkenntnis, daß alle Kriege nur Kriege der Herrschenden sind, die in jedem Falle, auch im Falle eines Sieges, das Volk als Opfer zu-rücklassen. Diese schon in Brechts früher »Moderner Legende« angedeu-tete Aussage wird in 24 Variationen entfaltet. Die Variationen I bis X und XIV bis XXIV gruppieren sich dabei um ein subjektiv reflektierendes In-termezzo (XI bis XIII). Während in den Variationen I bis X, die vor den Lügen der »Oberen« warnen, das »gemeine Volk« das eher passive Opfer ist, und das Intermezzo von Kriegsangst spricht, fordern die Variationen XIV bis XXIV schon zum Widerstand auf. Zum Schluß bilden die Variationen XX bis XXIV eine großangelegte, im Unisono endende Fuge über den Satz »Dieser Krieg ist nicht unser Krieg«.

So didaktisch wie der Text entfaltet sich auch die Musik, die erst nach und nach Umkehrungs- und Krebsformen[4] der Reihe einführt. So basieren die Variationen I bis IV ausschließlich auf der Grundgestalt und der Umkehrung der Reihe. Erst die Variation V bringt als neue Elemente die Krebs- und Krebsumkehrungsform. Der inhaltlichen und reihenmäßigen Strukturierung entspricht eine Abstufung des Gestus. So wird etwa der bedrohlich anwachsenden Steigerung der Strophen VIII bis XI die verhaltene Zartheit des »Marie, weine nicht« im Intermezzo entgegengestellt. Eisler hat diese Zeilen einem anderen Zusammenhang, Brechts *Deutschem Lied*[5] entnommen, das er auch separat als *Deutsches Lied 1937*[6] vertonte. Diese Liedkomposition, der trotz ihrer tonalen Vorzeichen die Nähe zu kontrapunktischen Verfahren der Zwölftontechnik anzumerken ist, gehörte zu den Liedern, die Ernst Busch über den Moskauer Kominternsender in vielen Ländern der Welt bekanntmachte.

Eisler vollendete seine zwölftönige Antikriegskantate, die vor den gefährlichen Absichten der Nazis warnte, am 9. Juli 1936 in London. Auf das Titelblatt schrieb er »Krieg. Kantate in Variationsform für gemischten Chor a cappella und Film (oder Photos)«.[7] Er fügte hinzu: »Unter Film ist dokumentarische Filmmontage gemeint. Diese kann auch durch einfache

Brecht und Eisler im Sommer 1937 in Skovsbostrand, Dänemark.
(Quelle: Bertolt-Brecht-Archiv)

435

Photos oder Zeichnungen ersetzt werden. Auch kann diese Kantate konzertmäßig aufgeführt werden, ohne Schaden zu leiden.« Demnach wäre das Werk ein Vorläufer der erst 1957 komponierten »Bilder aus der Kriegsfibel«, die ebenfalls Projektionen erfordern. Am 22. November 1941 gab Eisler in einer »verbesserten Abschrift« den Chorvariationen die neue Überschrift »Vor dem Krieg«. Die Warnung hatte sich mittlerweile bestätigt; die Nazis hatten Europa in einen Krieg hineingerissen.

Während Eisler an »Gegen den Krieg« sowie an weiteren, bis heute wenig bekannten Liedkompositionen wie *Spanisches Liedchen 1937*[8] oder *Der Räuber und sein Knecht*[9] die Möglichkeiten einer sangbaren Zwölftonmelodik erprobte, führte er seine Arbeit am *Lenin-Requiem* sowie an der *Deutschen Symphonie* weiter. Die Erfahrungen, die er an den kleineren Arbeiten gesammelt hatte, flossen in das große Werk ein. Einem Moskauer Interview vom Juni 1935 zufolge sollte der erste Satz der neuen Symphonie ein großer Trauermarsch werden, während er dem zweiten Satz ein Lied der KZ-Häftlinge zugrunde legen wollte[10]; ein Artikel von S. Tretjakow in der »Prawda« vom 22. Juli präzisierte, daß mit diesem Lied »Die Moorsoldaten« gemeint sei. Wenn Eisler auch einige dieser Ideen, so die Verwendung der »Moorsoldaten«, später wieder hat fallenlassen, so schrieb er doch im Sommer 1936 parallel zu den Brotarbeiten am »Bajazzo«-Film die ersten drei Sätze der *Deutschen Symphonie: An die Kämpfer in den Konzentrationslagern, Begräbnis des Hetzers im Zinksarg* und *Sonnenburg*. Am 4. Januar 1937 konnte er in Paris die *Bauernkantate* auf einen eigenen Text vollenden. Als er, nach Auftritten bei den Internationalen Brigaden in Spanien, am 27. Januar wieder in Svendborg eintraf, setzte er unverzüglich seine Arbeit an dem schon damals auf zehn Sätze projektierten Werk fort.[11]

1937 war für Brecht und Eisler ein Jahr besonders enger Zusammenarbeit. Eisler nutzte sein letztes Jahr vor der Übersiedlung in die USA, wohin ihn wieder die New School for Social Research berufen hatte, zu einem langen und produktiven Arbeitsaufenthalt in Dänemark. Im Vordergrund stand zunächst die »Konzentrationslagersymphonie«, in der die Einheit von Arbeitermusikbewegung und kompositorischer Avantgarde, wie Eisler sie seit Strasbourg und Reichenberg verstärkt anstrebte, vorweggenommen wurde.

Besiegeln wollte Eisler diese Einigung auf einem internationalen Musikkongreß parallel zur Pariser Weltausstellung von 1937. Im Namen des Internationalen Musikbüros forderte er vor der Internationalen Gesellschaft für Neue Musik (IGNM) ein Zusammengehen der modernen Komponisten mit der breiten Masse der Musikliebhaber. Die mangelnde Verbindung untereinander sei ein schwerer Fehler, der auf der einen Seite zu Verflachung, auf der anderen zu Snobismus führe. Durch die politische Situation in Hitler-Deutschland würde seine Forderung, wie Eisler weiter ausführte, nur bestätigt. »Ich als deutscher Komponist kann Ihnen gar nicht genug sagen, was es bedeutet, daß man in Deutschland mit der politischen Freiheit auch die Freiheit der Musik verloren hat. Ich weiß, was das bedeutet. Und Sie werden mich verstehen, wenn ich sage, daß dieser Kampf für die Freiheit gegen die reaktionären Kräfte mit ein Grund für das Bündnis der Musikintellektuellen mit den breiten Volksmassen ist. Um diesen Gedanken zu verwirklichen, mache ich Ihnen folgende Vorschläge: Es bildet sich in Paris ein Initiativkomitee zur Einberufung eines internationalen Kongresses, der zur Zeit der Weltausstellung stattfinden soll. An diesem Kongreß sollen teilnehmen: die Delegierten der internationalen Arbeitermusikbewegung, die durch das Internationale Musikbureau vertreten werden, aber auch alle anderen Musikorganisationen, wie die Internationale der Arbeitersänger (IDAS) und die vorläufig noch isoliert stehenden Arbeitermusikgruppen.[12] Ferner sollen an diesem Kongreß teilnehmen die Delegierten der IGNM sowie anderer Komponistenorganisationen. Schließlich ladet das Initiativkomitee auch eine Reihe bedeutender Fachleute aus den verschiedensten musikalischen Gebieten ein (Komponisten, Kapellmeister, Musikwissenschaftler, Pädagogen etc.). Der Zweck dieses Kongresses ist: ein Internationales Musikbureau zu etablieren, das ständig die internationalen Erfahrungen vermittelt, Austauschkonzerte zwischen den einzelnen Ländern organisiert und sich bemüht, durch eine Reihe praktischer Vorschläge das Zusammenarbeiten zwischen Musikintellektuellen und den breiten Volksmassen zu fördern.«[13]

Dieser internationale Kongreß hätte zweifellos das ideale Podium für die Uraufführung einiger Sätze aus der »Deutschen Symphonie« dargestellt, die in diesem Rahmen einen beispielhaften Charakter für eine Synthese von Avantgarde und Volksfront gehabt hätten – ein deutsches Gegenstück zu dem ebenfalls für die Weltausstellung entstandenen Gemälde »Guernica« von Pablo Picasso. Eislers große Pläne konnten aber nicht realisiert werden. Unter anderem deshalb, weil die Einheitsverhandlungen zwischen dem kommunistisch gelenkten Internationalen Musikbureau und der reformistischen IDAS scheiterten, fand der geplante Kongreß nicht statt. Statt dessen gab es zum gleichen Zeitpunkt in Paris ein großes Fest der Zeitung »Humanité«, bei dem, so Eisler in einem Interview, »zehntausende von Zuhörern den neuen Kompositionen moderner Meister lauschten«.[14] Initiiert wurde diese Veranstaltung unter anderem von dem Webern-Schüler René Leibowitz, der zu einer ›Front musique populaire‹ gehörte.[15] Parallel dazu fand das XV. Fest der IGNM statt, zu dem Eisler, um überhaupt eine erste Aufführung zu ermöglichen, zwei Sätze seiner »Deutschen Symphonie« einreichte. Von einer internationalen Jury wurden sie als beste eingegangene Kompositionen bewertet und zur Aufführung vorgeschlagen. Das Pech verfolgte Eisler aber weiter. Da die Veranstalter wegen der kritischen Brecht-Texte eine Intervention der deutschen

Regierung befürchteten, schlugen sie kurz vor der Aufführung vor, statt der Singstimmen Saxophone zu verwenden. Auf eine Ausschaltung von Brechts Texten konnte Eisler allerdings nicht eingehen. Die Aufführung unterblieb. Da ihm beim Musikfestival der deutschen Ausstellung 1938 in London ähnliches passierte, mußte er die Hoffnung, in absehbarer Zeit Teile aus seinem großen antifaschistischen Werk aufführen lassen zu können, begraben. Die »Deutsche Symphonie« wurde zum Symbol eines gewaltigen kulturpolitischen Projekts, einer nie verwirklichten Utopie, nämlich der musikalischen Einheitsfront von Arbeitersängern und kompositorischer Avantgarde im Weltmaßstab.

Die von Eisler anvisierte Einheitsfront wird in der Einheit von Arbeiterlied und Zwölftonkomposition am Ende des ersten Satzes der Symphonie paradigmatisch deutlich. Der Schluß dieses »Präludiums« integriert zwei der international bekanntesten Arbeiterlieder in dichte Zwölftonpolyphonie. Eine solche Einbeziehung tonaler Zitate in einen dodekaphonen Zusammenhang war nur möglich, weil Eislers Zwölftonkomponieren die Abstufung der Zwölftonharmonik gemäß ihrem Dissonanz- und Konsonanzgrad einschloß. In den Zwölftonkompositionen der Wiener Schule hatte sonst das lineare Moment gegenüber dem harmonischen eindeutig im Vordergrund gestanden. Eisler jedoch begnügte sich nicht mit einer Harmonik, die nur ein Zufallsprodukt polyphoner Ereignisse war, und konnte so auch tonale Felder einbeziehen. Im Mittelteil des Präludiums bereitete er außerdem die Zitate schon motivisch vor, so im Pesante (Takt 38-40) vor dem Choreinsatz und an der Molto-pesante-Stelle (T. 79 ff.):

Durch raffinierte tonartliche Verfremdung verwandelt sich das Zitat der »Internationalen« (T. 81 ff.) fast unmerklich in den Trauermarsch »Unsterbliche Opfer«. Aus den beiden Arbeiterliedern »Internationale«

und »Unsterbliche Opfer«

konstruierte Eisler gleichsam eine Synthese: »Wacht auf, Verdammte dieser Erde, Unsterbliche!«: (Notenbeispiel siehe nächste Seite oben.)

Durch die Kombination der beiden Arbeiterlieder als bitonale Engführung (Des-Dur und as-moll) wird nicht nur tonale Eindeutigkeit vermieden, sondern auch die semantische Bedeutung der »Internationale« im Kontext des ganzen Werkes konkretisiert: Die internationale Arbeiterbewegung soll aufmerksam werden auf die Opfer der deutschen Konzentrationslager, auf die Gefangenen, von denen viele ein Teil dieser Arbeiterbewegung waren. Daß es sich dabei nicht um idealistische Weltanschauungssymphonik im Sinne Beethovens oder Mahlers handelt, darauf deutet der Satzschluß hin, der hier wie in den anderen Sätzen offen ist; er will keine Apotheose, sondern Denkanstoß sein, nicht utopischer Vorschein einer besseren Welt, sondern aktivierendes Ausrufezeichen. So endet der Satz, der den für eine Symphonie ungewöhnlichen, aus der Vorklassik stammenden Satztitel »Präludium« trägt, mit einem riesig anschwellenden dissonanten Crescendo. An die Stelle der grundlegenden Zwölftonreihe sind in dieser veränderten Reprise die beiden Liedzitate getreten. Der Austausch von Reihe und Kampflied zeigt an, daß musikalische Avantgarde und Arbeiterbewegung keine Gegensätze, sondern eine innere Einheit bilden. Gerade Eisler setzte sich wie kein anderer für diese Einheit ein.

Bei Brecht in Dänemark komponierte er auch die beiden Symphoniesätze, die die Vorgeschichte des Faschismus, seine Wurzeln in Militarismus und Kapitalismus, zum Thema haben: *Erinnerung (Potsdam)* und das *Lied vom Klassenfeind*. Schon der Satz *Sonnenburg* hatte sich mit der Brutalität des Staatsapparats, genauer: der der SA, auseinandergesetzt; das preußische Konzentrationslager Sonnenburg, zu dessen 414 politischen Häftlingen 1933 unter anderem Erich Mühsam, Carl von Ossietzky, der KPD-Reichstagsabgeordnete Erich Schneller, der Strafverteidiger Hans Litten und der Kommunist Willi Kasper vom Antifaschistischen Kartell Berlin gehörten, war im »Braunbuch über Reichstagsbrand und Hitlerterror« als schlimmstes Konzentrationslager der Nazis, als »Die Hölle von Sonnenburg« dargestellt worden. *Erinnerung (Potsdam)* zeigt, wie hart schon zuvor die preußische Polizei Kriegsgegner behandelt hat; darüber hinaus erinnert der Satz im Zusammenhang der »Deutschen Symphonie« an den Tag von Potsdam, den 21. März 1933, der in der Begegnung von Hindenburg und Hitler demonstrativ die preußisch-militärische Kontinuität von altem und neuem Deutschland aufgezeigt hatte. Das umfangreiche »Lied vom

Klassenfeind«, eine historisch-materialistische Negation des idealistischen Schiller-Spruchs »Alle Menschen werden Brüder« aus Beethovens 9. Symphonie, erzählt aus der Perspektive eines Arbeiters von den Versäumnissen der kompromißlerischen deutschen Arbeiterbewegung seit dem Ersten Weltkrieg; nachdrücklich warnt es davor, durch Begriffe wie »Volksgemeinschaft« oder »Nationalsozialismus« den grundlegenden Gegensatz zwischen den Klassen aus den Augen zu verlieren. Im dänischen Svendborg entstanden ferner die endgültigen symphonischen Fassungen des *Begräbnis des Hetzers im Zinksarg*[16], in dem der faschistische Justizausdruck »Volksverhetzung« aufgegriffen und entlarvt wird, sowie des Appells *An die Kämpfer in den Konzentrationslagern*.

Auch nach der Übersiedlung nach New York setzte Eisler trotz aller Hindernisse des Exils und trotz des Wegfalls von konkreten Aufführungsmöglichkeiten die Arbeit an seinem großen vokalsymphonischen Werk mit Energie und Beharrlichkeit fort. Im Dezember 1939 komponierte er den rein instrumentalen 6. Satz (Allegretto ma non troppo).

Erst nach Kriegsende, am 4. Februar 1947, wurde in Malibu bei Los Angeles mit dem bereits 1936 begonnenen Finale (Allegro für Orchester) nach mehrfacher Änderung der Satzfolge – wohl auch mitbedingt durch die Änderung der politischen Verhältnisse – die »Deutsche Symphonie«, die den Komponisten auf so vielen Stationen seines Exils begleitet hatte, abgeschlossen. In ihr befruchten und durchdringen sich eine Vielfalt »hoher« und »niederer« Instrumental- und Vokalformen: Präludium und Passacaglia, Trauermarsch (»Erinnerung« und »Begräbnis des Hetzers«) und karikierter Militärmarsch (»Lied vom Klassenfeind«), kunstvolle Orchesterpolyphonie von kammermusikalischem Duktus (in den drei Orchestersätzen, die laut David Drew eine »Symphonie in der Symphonie« darstellen) und wilde Geräuschhaftigkeit (im Nachspiel zu »Erinnerung«) sowie verschiedene vokale Ausdrucksformen vom Rufen über das Sprechen, Flüstern (»Flüstergespräche«), das Rezitativ, die federnde Kampfliedintonation (in den Forderungen des »Hetzers«) bis zum Summen mit geschlossenem Mund. Die Orchestersätze schließen jeweils als instrumentale Zusammenfassung resümierend an inhaltlich zusammengehörige Teile an und unterstreichen so die übergeordnete Dreiteiligkeit der Symphonie (A: Nr. 1–3; B: Nr. 4–6; C: Nr. 7–10).

Hanns Eisler: *Deutsche Symphonie* op. 50 für Mezzosopran-, Alt-, Bariton- und Baßsolo, zwei Sprecher, Chor und Orchester

1. Präludium (»Oh Deutschland, bleiche Mutter«)
   Largo (beendet 5. 8. 1936/London)
2. Passacaglia »An die Kämpfer in den Konzentrationslagern«
   Moderato/etwas belebter (20. 7. 1936/London)

3. Etüde für Orchester. Allegro energico (1930 für I. Suite entstanden)
4. Erinnerung (Potsdam) (»Zu Potsdam unter den Eichen«)
   Gehende Viertel (beendet 21. Februar 1937/Svendborg)
5. In Sonnenburg
   Andante con moto (4. 10. 1936/London)
6. Etüde für Orchester. Allegretto ma non troppo
   (beendet 9. Dezember 1939/New York)
7. Begräbnis des Hetzers im Zinksarg
   (beendet 2. Mai 1937/Svendborg)
8. Bauernkantate   Text: Eisler
   A. Mißernte
   B. Sicherheit
   C. Flüstergespräche (Melodram)
   D. Bauernliedchen (»Bauer, steh auf . . .« aus Julius Bittners Oper »Der
      Bergsee«) (beendet am 6. März 1937/Paris)
9. Das Lied vom Klassenfeind/Arbeiterkantate
   (6.-15. 3. 1937/Svendborg)
10. Allegro für Orchester (1936–1938 London und New York, beendet
    am 4. Februar 1947/Malibu)
11. Epilog »Seht unsre Söhne« (aus: Bilder aus der Kriegsfibel) (komponiert 1958)

Dem Allegro für Orchester kommt als symphonischem Finale eine besondere Bedeutung zu. Dieser Satz, in dem energisches Vorwärtsschreiten (Horn- und Trompetenthema) bald durch den Ausdruck der Verzweiflung und Klage verdrängt wird, entfaltet eine musikalisch-gestische Komplexität, die der Widersprüchlichkeit der deutschen Situation entspricht. Hatte hinter der Konzeption der »Deutschen Symphonie« wie auch hinter der Sammlung *Lieder Gedichte Chöre* noch die Hoffnung gestanden, daß der deutsche Faschismus allein durch den inneren Widerstand der Deutschen besiegt werden könne, so erwies sich diese Erwartung mehr und mehr als trügerisch. Hitler mußte mit immensem militärischen Aufwand von außen niedergekämpft werden.
Als Fehlschlag erwiesen sich auch Eislers Bemühungen, die Zwölftonmusik im sozialistischen Kunstleben zu verankern. In der stalinistischen Sowjetunion setzte sich eine Musikauffassung durch, die die Dodekaphonie als »formalistisch« verurteilte. Eislers kulturpolitische Anstrengungen waren auch auf dieser Ebene gescheitert. So kam es erst 1959 an der Deutschen Staatsoper Berlin zur Uraufführung seines großen, gelegentlich auch als »Deutsche Kantate«[17] bezeichneten vokalsymphonischen Werks. Aus diesem Anlaß hängte der Komponist seinem Werk einen Epilog an, einen zarten, aber eindringlichen Satz aus den 1957 geschriebenen »Bildern aus der Kriegsfibel«. Dieser nicht mehr dodekaphone, sondern

tonale Satz, der um Mitleid für die besiegten deutschen Soldaten bittet, ist eine Revision der betrogenen Hoffnungen, ein Rückblick auf ein Stück deutscher Misere.

Rückblick und Vorausschau:
Elegien und Kinderlieder

> Ihr aber, wenn es so weit sein wird
> Daß der Mensch dem Menschen ein Helfer ist
> Gedenkt unsrer
> Mit Nachsicht.

Das Goliath-Projekt

Neben der »Deutschen Symphonie« schrieb Eisler in Dänemark 1937 weitere Kompositionen auf Brecht-Texte. Während er noch die Partitur zum »Lied zum Klassenfeind« beendete, arbeitete er schon mit Brecht an einer neuen Oper, *Goliath*. »An dem dänischen Sund haben wir einen Akt geschrieben, sowohl Text als Musik ... Es ist nur ein Akt geblieben. Brecht hat noch eine Arie des zweiten Aktes skizziert. Die Handlung hatten wir ganz genau bestimmt.«[1] Die Oper wurde nie vollendet, jedoch hat sich im Brecht-Nachlaß umfangreiches Material erhalten. Danach waren vier Akte vorgesehen: 1. Die Goliathwahl, 2. David und Goliath, 3. Goliaths Herrschaft, 4. Sturz des Goliath. Aus der biblischen Vorlage machte Brecht dabei eine Parabel über das »Tausendjährige Reich« und den geplanten Sturz Hitlers. Eine Satire auf Hitlers Wahlfarce ist der erste Akt: Man wählt Goliaths Namen und die vermutliche Dauer seiner Regierung und einigt sich schließlich auf die Ewigkeit. Ein *Lied des Kriechers*, später als *Lied des Speichelleckers* veröffentlicht[2], und ein *Lied des Wahlzettelverteilers* unterstreichen die Wahlmanipulation. Goliath wird als schwerhöriger Vielfraß dargestellt, der mit riesigen Holzlöffeln immer mehr verschlingt, bis schließlich Raubkriege nötig werden. Wie in der »Mahagonny«-Oper sollte es auch in *Goliath* Momente von Opernparodie geben; so wird etwa die durchsichtige Wahl gerade des Wahlleiters mit den Worten »Oh schöner Augenblick! Oh tiefe Rührung!« heuchlerisch kommentiert[3], und eine Szene aus dem dritten Akt ist überschrieben »Die Meistersinger von Gad«. »Gad« steht dabei, wie das Land »Ga« in den *Horatiern und Kuriatiern*, für Deutschland. In Gad sollen, so bestimmt es Goliath, nur fröhliche Lieder gesungen werden – selbst wenn die Leute beim Singen vor Hunger zusammenbrechen. Obwohl im Januar 1938 auch die »New York Times« die »Goliath«-Oper erwähnte[4], führten Brecht und Eisler diese Arbeit zunächst nicht weiter, sondern griffen sie erst 1944 in Holly-wood, als die Niederlage Hitler-Goliaths näherrückte, wieder auf. Eisler plante damals, sein 1943 komponiertes Hölderlin-Fragment »An die Hoffnung« in die Sängerkriegsszene der Oper »als Einlage« zu überneh-men. Das so weit fortgeschrittene Opernprojekt wurde nie vollendet. Überhaupt kam es trotz mehrerer Pläne nie zur Fertigstellung einer Brecht-Eisler-Oper.

Klavierlieder

Andere gemeinsame Projekte wurden 1937 in Dänemark aber vollendet. Obwohl keine Aufführungen in Aussicht waren, arbeiteten Brecht und Eisler, überzeugt vom künftigen gesellschaftlichen Nutzen ihrer Produk-tion, mit größter Intensität. Ihr Glaube an eine geschichtliche Entwicklung im Sinne des Sozialismus gab ihnen Energie. Eisler erinnerte sich später »an gewisse Winterzeiten an der dänischen Küste auf der Insel Fünen, wo vormittags ich in meinem Haus – ›wie ein Wilder‹, sagt man in Wien – komponierte und der Brecht ›wie ein Wilder‹ Verse schrieb. Hoffnungs-los! Hätte ein Spießbürger uns gesehen, hätte er gesagt: die beiden Herren sind reine Wahnsinnige oder Schwachsinnige. Wir glaubten nicht nur an uns, wir glaubten an die Sache. Wir hatten nichts für uns, außer: die Ein-sicht in die Entwicklung der Zeit.«[5] Brecht konnte unproduktive Phasen nicht ertragen. Süßes Nichtstun war ihm ebenso fremd wie ziellose Buch-lektüre oder ein bloß genießerisches Musikhören. Eisler kannte Brechts Empfindlichkeit: »Langeweile machte ihn physisch krank.«[6] Überspitzt konnte er deshalb sagen, daß die Langeweile der eigentliche Antrieb zur Produktivität war. Nicht Unterhaltung und Konsum, sondern Produktion war ihnen ein Zeitvertreib.

Am 11. März 1937 erwähnte Brecht in einem Brief an Bernhard Reich das »Goliath«-Projekt: »Ich selber schreibe gerade mit Eisler eine Oper und noch einiges andere.«[7] Zu dem »anderen« gehörten Gedichte, die Eisler zu Klavierliedern verarbeitete. Wie bei den symphonischen Werken vertrau-te Brecht dabei, ohne dem Komponisten Vorschriften zu machen, ganz auf Eislers eigene Phantasie und künstlerische Intelligenz. Dieser erinnerte sich in den Bunge-Gesprächen: Brecht »gab mir so einen Umschlag mit ungefähr dreißig Gedichten und sagte: ›Schau doch mal nach, vielleicht ist etwas Brauchbares für dich drin.‹ Es war also als Kompositionsvorlage ge-dacht. Das waren diese gelben Schreibmaschinenzettel.«[8] Besonders be-rührt war er von zwei Gedichten, die damals noch »Asphalt« und »An die Überlebenden« überschrieben waren. »Ich schaute da nach und fand die-ses Gedicht – und ging zu Brecht und sagte: ›Du, Brecht, das ist kolossal!‹ Sagte er: ›Wirklich? Hältst du das für brauchbar?‹ Mehr hat er nie gesagt.«

Diese Gedichte hat Eisler unter der von Brecht übernommenen[9] Überschrift *Zwei Elegien*[10] vertont. Wohl wegen ihres bei Brecht so seltenen elegischen Charakters war er von diesen Gedichten beeindruckt; anders als bei Brecht war bei Eisler das Elegische und Melancholische eine dem Optimismus eng benachbarte Gefühlsregion. Die melancholischen Züge, die sich schon in seinen frühen Klavierliedern gezeigt hatten, sollten sich im amerikanischen Exil, wo er unter anderem die Hollywoodelegien komponierte, noch verstärken; aber auch die DDR-Jahre boten, wie die »Ernsten Gesänge«, seine letzten Kompositionen, zeigen, keinen Anlaß für blanken, ungetrübten Optimismus. Für die beiden Brecht-Gedichte »In die Städte kam ich zu der Zeit der Unordnung« und »Ihr, die ihr auftauchen werdet« ist der Begriff des Elegischen zutreffend, weil sie die Unvereinbarkeit von Ideal und Wirklichkeit beklagen.

> Die Kräfte waren gering. Das Ziel
> Lag in großer Ferne
> Es war deutlich sichtbar, wenn auch für mich
> Kaum zu erreichen.[11]

Meinten Brecht und Eisler in den dreißiger Jahren noch dicht vor dem Ziel einer proletarischen Revolution zu stehen, so mußten sie jetzt die weite Entfernung erkennen. Aus dem kurzfristigen war ein langfristiges Ziel geworden. Brecht bezweifelte, ob er es noch würde erleben können. Deshalb verbindet sich mit seiner Elegie auch die Klage über die Vergänglichkeit, über die Kürze des Lebens. Der wiederkehrende Refrain »So verging meine Zeit, die auf Erden mir gegeben war« ist eine niederdrückende Bilanz.

Eislers Vertonung behält den ernsten, konzentrierten Grundton zwar bei, leistet aber Widerstand gegen Bitterkeit und Resignation. Die Vortragsbezeichnungen »mit freundlichem Ausdruck« und »leicht«[12] verweisen vielmehr auf die Hoffnungen, die er und Brecht einmal mit der Zeit der Unordnung und des Aufruhrs – gemeint ist die Weimarer Republik – verbanden. Entsprechend wiederholt Eisler in der dritten Strophe die Worte »das hoffte ich« und läßt in der Schlußstrophe auf das dünnstimmig-zarte Bekenntnis der eigenen Schwäche einen um so energischer und heftiger protestierenden Einspruch folgen. Nicht allein durch den Kontrast in Dynamik und Bewegung, sondern auch durch die Verwendung der Reihengrundgestalt, die sonst nur den Refrains vorbehalten war, lenkt er die Aufmerksamkeit gerade auf diesen Schluß. Eisler macht schon aus dem rückschauenden ersten Gesang das, was bei Brecht erst das zweite Gedicht ist: einen Appell an die Nachwelt, an die bessere Zukunft.

Der zweite Gesang, der das Untergehen und Auftauchen der Menschen aus der zerstörerischen Flut der Geschichte im Auf und Ab der Melodik bildlich nachvollzieht, stellt seine Schwächen in einen geschichtlichen

Zusammenhang. Im Zentrum des Gedichts steht der Widerspruch, daß, wer gut und menschenfreundlich sein will, im Sinne des Klassenkampfs auch hassen und unfreundlich sein muß. Eisler hat diese Ambivalenz des Hasses musikalisch einleuchtend umgesetzt, indem er bei den Worten »Haß« und »Zorn« die konsonantesten Klänge verwendete, dagegen die dissonantesten bei »Niedrigkeit« und »Unrecht«.

Die Musik zeigt an, daß der Haß gegen die Niedrigkeit seine Wurzeln nicht in aggressiver Gehässigkeit, sondern in Freundlichkeit hat. Dieser Haß ist, wie auch aus dem Wechsel der Melodie von hoher zu tiefer Lage hervorgeht, der Niedrigkeit entgegengesetzt. Der »freundliche« »Haß«-Akkord ist Dominantseptakkord von A-Dur; eine tonale Auflösung deutet sich in den Baßtönen des Schlusses an: die Utopie einer vollkommenen, ungetrübten Freundlichkeit in einer freien Gesellschaft.

Lieder für Kinder

Da Brecht angesichts der Stärke des Faschismus bezweifelte, selbst noch den Sozialismus zu erleben, setzte er um so größere Hoffnungen auf die nachfolgende Generation, die Nachgeborenen – die Kinder. So schrieb er im dänischen Exil mehrere Kinderlieder, die sich vor allem an die eigenen Kinder Stefan und Barbara richteten. Wie schon das Lehrgedicht »Ein Fisch mit Namen Fasch«[13], das er 1930 dem damals 6jährigen Sohn Stefan widmete, oder wie das Kinderbuch *Die drei Soldaten*[14], so enthielten auch die dänischen Kinderlieder politische Lehren. Für Brecht war die Kinderwelt kein von der gesellschaftlichen Realität abgeschirmtes Reservat; sie war für ihn ebensowenig in einem idealisierenden oder verharmlosenden Sinne kindlich, wie für ihn das Volk »tümlich« war. Kinder behandelte er wie kleine Erwachsene, er ließ sie auch, worüber Gäste manchmal erstaunt waren, an den Diskussionen der Erwachsenen teilnehmen.[15] So mußte er es ertragen, wenn die Kinder auch ihn kritisierten und sich etwa über sein Musizieren abschätzig äußerten. Zwischen seinen Arbeiten griff Brecht zur Gitarre, die in seinem Arbeitszimmer neben dem Manuskriptschrank stand. Ein Spielkamerad seines Sohnes Stefan erinnert sich: »Bert Brecht hielt sich meist in seinem Studierzimmer an der Giebelwand auf. Hier schrieb und philosophierte er, wenn er nicht gerade auf seiner Gitarre spielte, so daß draußen auf dem Gesims die Vögel wegflogen, oder – was noch schlimmer war – auf seiner Mundharmonika.«[16] Wie seine übrigen Gedichte liefern auch die Kinderlieder Denkanstöße; sie fragen, warum die hungrigen Kleinbürger mit den satten Reichen gemeinsame Sachen machen *(Der Räuber und sein Knecht)*, wollen wissen, was der einfache Soldat im Krieg gewinnt *(Mein Bruder war ein Flieger)*, oder stellen die Unwissenheit des Bischofs bloß *(Der Schneider von Ulm (Ulm 1592))*. Auch Eislers Kinderlieder, die fast ausschließlich auf Zwölftonreihen basieren, rechnen mit der Aufgeschlossenheit und Lernfähigkeit der Jugend. Gerade im Mai 1937 komponierte er auf Brecht-Texte mehrere Kinderlieder, so am 9. Mai das *Kleine Bettellied* für Singstimme, Geige und Cello[17] und »Der Pflaumenbaum«, am 11. Mai die *Gottseibeiuns-Kantate* für Solo, Chor und Streichquartett, mit der er eine ganze Reihe von zwölftönigen Kammerkantaten einleitete, und am 12. Mai das Lied *Der Räuber und sein Knecht*. Da Eisler stets im Hinblick auf eine gesellschaftliche Nützlichkeit seiner Kunst komponierte – selbst wenn diese für die Exilanten in vager Ferne lag –, verschmähte er es auch nicht, unter dem Titel *Fünf Lieder für Kindergärten* die Brecht-Gedichte »Mutter Beimlein hat ein Holzbein«, »Großvater Stöffel«, »Die Mutter liegt im Krankenhaus«, »Vom Kind, das sich nicht waschen wollte« und »Hoppeldoppel Wopps Laus« zu vertonen. Diese unbegleiteten Gesänge, die wieder auf die Tonalität zurückgreifen, stellen ein Maximum an musikalischer Vereinfachung dar.

Die kritische Haltung, die Brecht seinen Kindern Stefan und Barbara anerzog, praktizierte er selbst gegenüber der klassischen Kunst. Als Gegenentwurf gegen einen bloß musealen Umgang mit der Vergangenheit schrieb er Sonette über Goethes Gedicht »Der Gott und die Bajadere« und über Schillers »Bürgschaft«, die er als kritische Kommentare verstand, als »Beispiel (...) wie die Dichter verschiedener Epochen einander beerben.«[18] Schon in Augsburg hatte er das Goethe-Gedicht besonders geschätzt, es auch einmal in einer Prostituiertenkneipe zur Gitarre vorgetragen.[19] Eisler vertonte beide Gedichte 1937 für Gesang und zwei Klarinetten (oder Klavier).[20] Von seinen Kinderliedern unterscheiden sich die Sonette durch stärker chromatische Reihenbildungen und einen höheren Dissonanzgrad.

Das große Vorbild: Lenin

> Er war unser Lehrer.
> Er hat mit uns gekämpft
> Er ist eingeschreint
> In dem großen Herzen der Arbeiterklasse.

Ebensowenig wie Brecht nur Gedichte für Eisler schrieb – zu seinen wichtigsten Arbeiten des Jahres 1937 gehörte der Roman *Die Geschäfte des Herrn Julius Cäsar* –, ebensowenig vertonte dieser nur Brecht-Texte. Sieben seiner zwölftönigen Kammerkantaten, die in den Monaten Mai und Juni entstanden, basieren auf Romanen von Ignazio Silone. Nach der Fertigstellung des symphonischen Satzes »An die Kämpfer in den Konzentrationslagern« setzte er aber in der zweiten Julihälfte die Arbeit am *Lenin-Requiem* fort. Brecht, der »Leninist der Schaubühne« (Ernst Bloch), hatte seinen Text »Kantate zu Lenins Todestag« offenbar für die New Yorker Feiern zu Lenins zwölftem Todestag geschrieben. Unmittelbarer Anlaß war ein »Lenin Memorial Meeting« am 20. Januar 1936 im New Yorker Madison Square Garden, das der »Daily Worker« am 17.1. unter der Überschrift »Eisler Songs Will Feature Lenin Meeting« ankündigte. Am 21.1. veröffentlichte dieselbe kommunistische Zeitung eine englische Übersetzung des Brecht-Gedichts »Wie die Teppichweber von Kujan-Bulak Lenin ehrten«.[1] Für die »Kantate zu Lenins Todestag«[2] verwendete Brecht eine Anekdote. Ein Soldat der Totenwache, der den Tod Lenins nicht glauben will, sagt der Leiche die Worte »Iljitsch, die Ausbeuter kommen!« ins Ohr. Erst als Lenin auf diesen Satz nicht reagiert, ist der Soldat vom Tod des Revolutionärs überzeugt. Denn Lenin hätte, würde er noch leben, sich erhoben und die Ausbeuter bekämpft.

In der maschinenschriftlichen Fassung des Kantatentexts heißt es nach der Erwähnung von Lenins Tod: »Seitdem vergingen zwölf Jahre.«[3] Handschriftlich hat Brecht die Zahl 12 dann in 13 abgeändert – offenbar war eine Aufführung im Jahre 1937 in Aussicht.[4] Lenin war am 21. Januar 1924 gestorben. Eisler übernahm die Zahl 13. Entweder war ihm allein das Jahr der Entstehung seines Werks maßgeblich, oder aber es war eine Aufführung noch im Jahre 1937, etwa zum 20. Todestag der Oktoberrevolution, vorgesehen. Obwohl es sich um einen Auftrag des Sowjetischen Staatsverlags handelte[5], der auch die »Kleine Sinfonie« in Druck nahm, kam eine Aufführung in der Sowjetunion nicht zustande. Die Uraufführung fand erst 1958 in der DDR statt.[6]

Während Eisler an der »Deutschen Symphonie« mehr als 13 Jahre arbeitete, entstand das im Dezember 1935 in New York konzipierte »Lenin-Requiem« innerhalb von nur 14 Tagen. Infolgedessen ist es, wie auch Brechts Text, stilistisch einheitlicher und formal geschlossener. Wesentlich beruht dieser Eindruck auf dem gemeinsamen Tonmaterial; alle Sätze, mit Ausnahme der Ballade »Lob des Kämpfers«, basieren auf einer einzigen nichttransportierten Reihe. Diese besteht aus vier Dreitonsegmenten, deren Rahmenintervall jeweils eine kleine Terz ist; dadurch konstituiert sich innerhalb der Reihe eine Art von motivischem Zusammenhang.

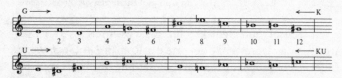

Eisler hält sich aber nicht nur an diesen Zusammenhang der Segmente, den er gelegentlich durch Permutation, das heißt durch Vertauschung der Töne innerhalb eines Segments, noch verstärkt; vielmehr arbeitet er auch die implizierten tonalen Anklänge heraus, so den d-moll-Dreiklang der Grundgestalt und das H-Dur der Umkehrung.[7] In der akkordisch komplexen Introduktion ist die Reihe dagegen noch nicht zu erkennen; diese massive siebentaktige Einleitung stellt ein Rätsel dar, dessen Lösung erst im Schlußsatz eindrucksvoll auftaucht. Vorgestellt wird die Grundgestalt (G) der Reihe ab Takt 8 in der Oboe, wobei jedem Takt ein Dreitonsegment vorbehalten ist – der »motivische« Zusammenhang der Reihe wird so schon beim ersten Erklingen deutlich. Für die Vokalparts spielt diese Reihengrundgestalt jedoch nur eine periphere Rolle; um so wichtiger sind, wie gleich der erste Satz zeigt, Umkehrung (U) und Krebsumkehrung (KU).

Wichtig sind vor allem signalhafte Intervalle. So kehrt das Intervall der kleinen Terz, mit dem zu Beginn der Alt den Namen »Lenin« singt, wieder, wenn der Bariton den Toten bei seinem Vornamen anruft.

(Notenbeispiel siehe nächste Seite oben.)

Auch in den übrigen Sätzen verwendet Eisler das Terzintervall immer dann, wenn von Lenin die Rede ist. Im langsamen zweiten Satz kommentiert der Bariton, nachdem in den tiefen Streichern die Töne E-Dis-Fis aus der choralartig vergrößerten Umkehrungsform verklungen sind: »Jetzt

weiß ich, daß er gestorben ist.« »Er« – das ist, wie die Terz Dis-Fis ausweist, Lenin. Mit den gleichen Tönen sind in der Altarie aus Nr. 3 die
Worte »guter Mann« (T. 51) verknüpft. Einige Takte später (T. 77 ff.) wird
die Frage »Was konnte Lenin halten?« durch ein zweimaliges Terzintervall
vom Horn begleitet. Auch im Rezitativ (Nr. 5) ist die Terz Dis-Fis dem
Namen Lenin zugeordnet:

In eben diesem Sinne heißt es im Finale:

Die Ruf- oder Kuckucksterz, die Eisler zum Tonsymbol für Lenin aus-
wählte, ist das in der europäischen Kunst- und Volksmusik wohl ge-

449

bräuchlichste melodische Intervall. Anders als die Quinte oder die emphatische Sexte erweckt die Terz den Eindruck von Nähe und Vertrautheit. Nichts anderes hatte Brecht im Sinn, als er den Soldaten Lenin bei seinem Vornamen rufen ließ. Ein Personenkult, wie er sich in Deutschland um Hitler und in der Sowjetunion um Stalin rankte, lag ihm wie auch Eisler fern.

Gegenpole zu Lenin sind im »Lenin-Requiem« die Worte »Ausbeuter« und »Ausbeutung«. Auch hierfür verwendete Eisler ein Tonsymbol. So wie er für »Lenin« vor allem das Terzintervall und die Umkehrungsform (U) der Reihe[8] einsetzte, so für »Ausbeutung« die Krebsumkehrung (KU). Die Ausbeutung wird repräsentiert durch die rückwärts gespielte »Lenin-Reihe« (K), oder: Lenin ist das Gegenteil von Ausbeutung. Die Kompositionstechnik erhält so neben der strukturellen auch inhaltliche Bedeutsamkeit, das Material wird semantisiert. Besonders deutlich ist der zugleich musikalische wie inhaltliche Zusammenhang zwischen 1. und 4. Satz: Die akkordische und melodische Substanz, die im rezitativischen Baritonsolo in einen Takt zusammengedrängt war, wird im 4. Satz songartig repetiert und auseinandergezogen:

Auf diesen Akkorden aus der KU-Form basiert auch die folgende Passage zur Ausbeutung: (Notenbeispiel siehe nächste Seite oben.)

Am Schluß dieses Rezitativs stehen sich beide Pole gegenüber; der Septakkord auf B, der für »Ausbeutung« steht, löst sich in eine Terz (a–c) auf. Diese lydische Kadenz bringt das Lebenswerk Lenins – seinen Kampf gegen Ausbeutung – auf eine knappe Akkordformel. Der Schluß des Requiems greift diese Formel auf; auch wenn die gesungenen Worte fehlen, so klingt doch der Appell »Solange es noch Ausbeutung gibt, mußt du da-

gegen kämpfen« musikalisch in ihm nach. Die Offenheit des Schlusses, der auf dem B-Dur-Septakkord stehenbleibt, verweist auf die noch existierende Ausbeutung; der Kampf ist noch nicht beendet.

Daß die Arbeiter dabei dem Beispiel Lenins folgen sollten, hatte Eisler schon zuvor musikalisch verdeutlicht, als er bei dem Chorsatz »Die Massen waren aufgebrochen«[9] eine Lenin betreffende Stelle[10] zitierte.

Das Finale, von Eisler mit Passacaglia überschrieben, bringt die Lösung der rätselhaften Orchestereinleitung, der hier, gleichsam als Quintessenz, die Worte unterlegt sind: »Lenin ist eingeschreint in dem großen Herzen der Arbeiterklasse.« Brecht zitierte damit den Schlußsatz aus der Schrift »Der Bürgerkrieg in Frankreich«; Karl Marx hatte dort über die Pariser Commune geschrieben, ihre Märtyrer seien »eingeschreint in dem großen Herzen der Arbeiterklasse«. Mit der Vertonung dieses Textes hatte Eisler im Dezember 1935 in New York seine Kompositionsarbeiten begonnen. Er griff dabei auf sein Lied »Zu Lenins Todestag« zurück, das bereits im Januar 1932 in der »Illustrierten Roten Post« erschienen war.[11] In einer einstimmigen Neufassung wurde nun die Vertonung des gleichen Textes (»Lenin ist eingeschreint«) am 18. Januar 1936 in der New Yorker Zeitung »Der Arbeiter« als Faksimile veröffentlicht; eine Anmerkung wies darauf hin, daß es sich dabei um ein Zitat aus Brecht/Eislers neuer Kantate handelte. In der endgültigen Form des *Lenin-Requiems* wurde dieses Zitat in ein polyphones Geflecht eingebettet. Kunstvoll zusammengesetzt wie ein schön verzierter Schrein, bestehen die Akkorde dieses musikalischen Mottos aus mehreren ineinander verschlungenen Reihenformen, darunter auch die Lenin zugeordnete Umkehrungsform.

Je mehr man sich in das Werk vertieft, um so mehr inhaltliche und musikalische Querverbindungen werden deutlich. So sind die Sätze 2, 6 und 9 in ihrem getragenen choralhaften Charakter eng miteinander verwandt, während die federnden Bässe der Nummern 3 und 4 schon zum motorischen Kampfliedcharakter der Ballade »Lob des Kämpfers« hinleiten. Das »Lob des Kämpfers« entspricht Ton für Ton dem »Lob des Revolutionärs« aus der *Mutter*.[12] Obwohl diesem Satz keine Zwölftonreihe zugrunde liegt, fällt er dank Eislers konsonanter Reihenbehandlung stilistisch aus dem Ganzen nicht heraus. Nicht allein harmonisch, sondern auch motivisch hat Eisler, der auch sonst besondere Sorgfalt auf die Satzübergänge verwendete, die Ballade vorbereitet. So wie sich das Intervall Fis-H (oder Ges-H) zwanglos in einen f-moll-Dreiklang auflösen läßt, so nimmt auch ein von Horn und Fagott wiederholtes Motiv in seinem Duktus schon melodische Elemente des Baritonsolos vorweg:

Mit ihrem Lenin-Requiem entwarfen Brecht und Eisler gegen das kirchliche Requiem die Alternative eines weltlichen Requiems; sie zeigten, wie Marxisten mit Tod und Trauer umgehen: ohne Weihrauch, Pathos und lähmende Schicksalsergebenheit – Haltungen, die Brecht und Eisler beim Musiker wie beim Hörer in jedem Fall vermeiden wollten. Brecht war überzeugt, daß an den Haltungen, die eine Musik dem Sänger abverlangte – er sprach deshalb von »gestischer Musik« –, sich der politische Wert der Komposition ablesen lasse. »Es ist ein vorzügliches Kriterium gegenüber einem Musikstück mit Text, vorzuführen, in welcher Haltung, mit welchem Gestus der Vortragende die einzelnen Partien bringen muß, höflich oder zornig, demütig oder verächtlich, zustimmend oder ablehnend, listig oder ohne Berechnung.«[13] Brecht hat Eislers »Lenin-Requiem« nie hören können, es sei denn, dieser hätte ihm Partien daraus vorgesungen und -gespielt; in seinem Aufsatz *Über gestische Musik* gab er jedoch einige Kriterien an, wie er selbst eine Vertonung beurteilen würde: »Angenommen, in einer Kantate über den Tod Lenins soll der Musiker seine Haltung im Klassenkampf wiedergeben. Der Bericht über den Tod Lenins kann, was den Gestus betrifft, natürlich sehr verschieden gebracht werden. Ein gewisses feierliches Auftreten besagt noch wenig, da dies auch gegenüber dem Feind im Falle des Todes für schicklich gelten kann. Zorn über die ›blindwütige Natur‹, die den Besten der Gemeinschaft zur ungünstigen Zeit entreißt, wäre kein kommunistischer Gestus, auch weise Ergebenheit in dieses ›Walten des Fatums‹ wäre keiner, der Gestus der kommunistischen Trauer um einen Kommunisten ist ein ganz besonderer Gestus.«[14]

In den zwölf Abschnitten aus Brechts Kantatentext steht nicht die Trauer, sondern die Bilanz von Lenins Lebensleistung, sein Kampf für eine menschlichere, von Ausbeutung freie Gesellschaft, im Vordergrund. Die Person Lenins wird dabei nicht heroisiert, nicht aus respektvoller Distanz, sondern aus liebevoller Nähe betrachtet. Vorgeführt wird seine Freundlichkeit gegenüber seinen Kampfgefährten, die auch diese ihm entgegenbrachten. Gezeigt wird, daß sie nicht mit lähmender Trauer, sondern mit dem Vorsatz, seinen Kampf weiterzuführen, auf seinen Tod reagieren. Mit Ausnahme des hymnischen Schlußteils mied Eisler ebenso wie Brecht das Pathos; in den Gesangsstimmen fehlen emphatische Intervalle. Den Ruf »Iljitsch, die Ausbeuter kommen!« hat der Bariton leise, fast vorsichtig zu singen. Nach diesem Rezitativ, das den Eintritt des Todes feststellt, folgt kein machtvoller Chorsatz, sondern – als eigentliche Trauermusik des Requiems – ein polyphon gesetzter instrumentaler Choral.

Brecht hatte erst den 9. Abschnitt seines Kantatentextes als Trauermusik angelegt. Indem Eisler, der durch veränderte Gliederung Brechts Zwölfteiligkeit zur Neunteiligkeit reduzierte, die Trauermusik bereits an die zweite Stelle setzte, verschob er die Akzente. Während bei Brecht der kämpferische Gestus stark im Vordergrund steht, suchte Eisler nach einem Ausgleich zwischen motorisch vorwärtstreibenden und reflektierenden Sätzen.

Lyrik als Flaschenpost

Allem, was du empfindest, gib
Die kleinste Größe.

Brecht ohne Eisler

Nachdem Eisler im Spätsommer 1937 aus Skovsbostrand abgereist war,
um im Januar 1938 nach New York überzusiedeln, trat für Brecht die
Beschäftigung mit musikalischen Projekten – mit Ausnahme nur der
französischen Neueinstudierung der *Dreigroschenoper* im September 1937
in Paris – schlagartig in den Hintergrund. Statt dessen war er mit einem
Roman und einem Stück über Julius Cäsar beschäftigt; 1938, als der
»gänzlich unmusikalische« Walter Benjamin[1] den Sommer über zu Be-
such war, kamen außerdem die Realismus-Debatte und schließlich das
»Galilei«-Stück hinzu.
Den Beginn des Zweiten Weltkrieges, den am 1. September 1939 Hitlers
Überfall auf Polen auslöste, erlebte Brecht in Schweden. Im deutschen
Rundfunk hörte er Hitler-Reden, »dazwischen die melancholische
Marschmusik, mit der die deutschen Militaristen ihre Schlächtereien ein-
leiten ... die Militärmärsche, die Stimmung für das Sterben machen«.[2]
Wieder einmal sah Brecht, wie Musik als Verführerin, als Rattenfängerin
fungierte. Beunruhigt war er, daß die Sowjetunion nicht eingriff, da sie im
August einen Nichtangriffspakt mit Hitler-Deutschland geschlossen hatte.
Brecht reagierte zwar nicht so verzweifelt wie viele andere Antifaschisten,
da er sah, daß die Sowjetunion damit ihr Territorium gegenüber deutschen Angriffen sichern wollte. Er sah aber auch mit Besorgnis, daß dadurch die internationale Arbeiterbewegung »ohne Losungen, Hoffnungen und Beistand« blieb.[3] Es wurde schwieriger, politisch zu argumentieren und politische Kunst zu machen. Brecht fühlte sich wieder stärker auf
sein Ich und die Lyrik zurückgeworfen. Wie konnte er lehren und was,
wenn ihm die Schüler fehlten, wenn außerdem die Situation für den
Widerstand immer komplizierter und aussichtsloser wurde?
In seinen skandinavischen Gedichten nimmt die Exilsituation, die mehr

und mehr zu einem Dauerzustand wurde, einen großen Stellenwert ein. Aus vielen Gedichten dieser Zeit spricht ein Gefühl der Isolation, des Fatalismus, sogar der Todesbereitschaft und des Rückzugs aus der Politik. Im Frühjahr 1940 fielen die Hitler-Truppen in Dänemark und Norwegen ein. Da auch Schweden nicht mehr sicher war, floh Brecht mit seiner Familie und Margarete Steffin am 17. April 1940 nach Finnland. Als die Kriegsmeldungen immer ungünstiger wurden, als in Paris »die letzten Darbietungen der Marseillaise ... von den deutschen Stukas zum ewigen Schweigen gebracht« wurden[4], erwog er, auf das gewohnte Radiohören zu verzichten, da »alles und jedes die wachsende Macht des Dritten Reichs« bestätigte.

In dieser deprimierenden Situation entdeckte er als Gegengewicht gegen die politische Düsternis die Schönheit der finnischen Natur, ihre Geräusche und Gerüche, den »Wind in den Bäumen, das Rascheln des Grases, das Gezwitscher und was vom Wasser herkommt«.[5] Hatte er angesichts drängender politischer Aktivitäten die ländliche Umgebung seines Hauses im dänischen Skovsbostrand fast übersehen, so widmete er der finnischen Landschaft jetzt Gedichte und Bemerkungen von einer musikalisch-lyrischen Sensivität, wie man sie sonst nur aus seiner Augsburger Frühzeit kannte. »Welch eine Musik füllt diesen heitern Himmel! Beinahe unaufhörlich geht der Wind, und da er auf verschiedene Pflanzen trifft, Gräser, Korn, Gesträuche und Wälder, entsteht ein sanfter, an- und abschwellender Wohlklang, der kaum mehr wahrgenommen wird und dennoch immer da ist.«[6] Brecht fing diese Stimmungen in kleinen, auf altgriechische Vorbilder zurückgehenden Epigrammen auf. Die Notwendigkeit der kleinen Form erklärte er aus seiner »Isolierung, was die Produktion betrifft«.

Gerade in Finnland beschäftigte er sich, da die Gegenwart so bedrückend war, wieder mit der Kunst des Altertums und der Antike. In ihm wuchs die Überzeugung, daß die eigentlichen künstlerischen Neuerungen aus dem Alten hervorgehen. So beobachtete er mit Sympathie, daß sich sein Sohn Stefan mehr noch als für Jazz für alte Kirchenmusik interessierte. »Im letzten Jahr saß Steff stundenlang am Radio, wenn Jazzmusik gespielt wurde. Dann nahm ich ihn mit zu einem deutschen Musiker, der uns ein Mozartquartett vorspielte. Es gefiel ihm, und jetzt geht er jeden Samstag in eine kleine Kirche, wo alte Kirchenmusik gespielt wird.«[7] Die Abkehr von der Tagesaktualität, die Hinwendung zum Alten war anscheinend im Sinn des Vaters, selbst wenn das eine Jazz, das andere Kirchenmusik war.

Als Musikerzieher seines Sohnes war Brecht erfolgreich, jedoch scheiterten seine Bemühungen, Komponisten für seine neuen Bühnenstücke zu finden. Anscheinend hatte er zunächst versucht, bereits vorliegende Lieder und Songs zu verwenden. So waren für die *Mutter Courage* ursprüng-

lich »Surabaya-Johnny« und »Salomon-Song« von Weill sowie die
»Ballade vom Weib und dem Soldaten« und die »Ballade vom Wasserrad«
von Eisler vorgesehen.[8] Dann aber suchte er doch wieder nach Musikern.
Ohne Konsequenzen blieb ein Brief, den er am 23. März 1939 an Weill
schrieb und in dem er das Ende der Zusammenarbeit bedauerte.[9] Daß der
schwedische Komponist Hilding Rosenberg 1939 nicht die geplante Arbeit an dem Hörspiel *Das Verhör des Lukullus* aufnahm, lag freilich an der
ablehnenden Haltung des Stockholmer Rundfunks.

In Finnland traf Brecht den Komponisten Simon Parmet. Ihn regte er an,
die Musik zur *Courage* und zum Lehrstück *Die Horatier und die Kuriatier* zu
komponieren. Für die *Courage* stellte sich Brecht eine mechanische Musik
vor, »etwas darin von dem plötzlichen Aufschallen jener Butiken-Appara-
te, in die man einen Groschen wirft«.[10] Parmet zögerte jedoch; er befürchtete, automatisch in den Stil Weills zu verfallen. Er komponierte drei
Stücke zur *Mutter Courage* und gab dann die Arbeit auf. »Umsonst, daß ich
ihm erklärte, nur das Prinzip sei von ihm beibehalten, ein Prinzip, das
nicht Weill gefunden hat.«[11] Er selbst, Brecht, habe Weill zu diesem Prinzip hingeführt. »Ich erzählte ihm, wie ich seinerzeit Weill als Busoni- und
Schrekerschüler antraf, als Verfasser atonaler, psychologischer Opern, und
ihm Takt für Takt vorpfiff und vor allem vortrug usw.« Mit dem »Prinzip«
meinte Brecht zweifellos das epische Theater. Aber offensichtlich wollte
Parmet ebensowenig ein Weill- wie ein Brecht-Epigone sein.

Brecht ließ nicht locker. Als er Parmet im Januar 1941 auf die Orchestrie-
rung seiner drei vorliegenden »Courage«-Stücke ansprach, ermutigte er
ihn zu einer eigenständigen Umarbeitung in größerer Besetzung. Ein ganzes Orchester könne die Bühnenvorgänge besser kommentieren als nur
ein einzelnes Instrument. Das Orchester diene nicht nur dem Texttrans-
port, der Vermittlung der Dichtung, sondern nehme gegenüber der Bühne eine selbständige Position ein. Im Arbeitsjournal rekapitulierte Brecht
seine Argumentation: »›Darf ich Sie aufhetzen?‹ sage ich. ›Im Orchester,
klein wie es sein mag, liegt Ihre Chance als Musiker. Die Melodie mußten
Sie dem Unmusiker, dem Schauspieler ausliefern, was können Sie sich
von diesem Menschen erwarten? Ihr Orchester ist Ihre Truppe, Ihr Gang,
Ihr fester Punkt. Es ist wahr, es muß dem Unmusiker oben auch noch die
Stützpunkte geben, sonst fällt er um, aber jedes Instrument, das Sie frei-
kriegen von diesem Dienst, ist für Sie gewonnen, für die Musik, Herr!
Bedenken Sie, die Instrumente sprechen nicht per ›ich‹, sondern per ›er‹
oder ›sie‹. Was zwingt Sie, die Gefühle des ›ich‹ auf der Bühne zu teilen?
Sie sind berechtigt, Ihre eigene Stellung zu dem Thema des Liedes einzu-
nehmen. Selbst die Unterstützung, die Sie leihen, kann sich anderer Argu-
mente bedienen. Emanzipieren Sie Ihr Orchester!‹«[12] Die Freiheit, die
Brecht dem Musiker einräumte, beruhte nicht allein auf seiner hohen
Achtung der Musik, sondern auch auf der Voraussetzung, daß die Künste

einander selbständig gegenüberzutreten hätten. Dieses Plädoyer für die Kommentarfunktion der Musik ist fast schon eine Kurzfassung seiner Musikästhetik.

Die für das Schwedische Theater in Helsinki vorgesehene »Courage«-Uraufführung entfiel aus Rücksicht auf die zunehmende deutsche Präsenz. Dann aber erfuhr Brecht, daß das Schauspielhaus Zürich, die einzige deutschsprachige Bühne in Europa, die noch antifaschistische Stücke aufführte[13], die *Mutter Courage* herausbringen wollte. Die Uraufführung der *Mutter Courage* fand am 19. April 1941 im Zürcher Schauspielhaus statt. Die Bühnenmusik schrieb allerdings nicht Parmet, sondern der Schweizer Komponist Paul Burkhard (1911–1977). Brechts Vorschlag folgend verwendete er die »Ballade vom Weib und dem Soldaten« in Eislers Vertonung und zitierte im »Lied der Mutter Courage« die Melodie der »Ballade von den Seeräubern«.[14] Burkhard, der in den vierziger Jahren mehrere Bühnenmusiken für das Zürcher Schauspielhaus schrieb und später mit dem Schlager »O mein Papa« Weltruhm erlangte, hatte bei Volkmar Andreae Komposition studiert. Seine »Courage«-Musik wurde von Publikum und Presse viel gelobt. So schrieb der Kritiker Bernhard Diebold: »Mit bewundernswerter Einfühlung hatte Paul Burkhard als Bühnenmusiker die Weise des Autors der ›Dreigroschenoper‹ erfaßt und in ein paar packenden Melodien neu geprägt, die er durch harmonische und instrumentale Färbung sowie durch rhythmische Wechsel vor banaler Wirkung schützte. Man könnte sich denken, daß der eine oder andere dieser aus Heiterkeit und Klage gemischten Songs bald allgemein nachgesungen würde.«[15]

Oft gesungen wurde in Zürich das »Courage«-Lied, bei dem sich Burkhard dem Wunsch Brechts folgend an die alte Melodie anlehnte, dabei jedoch das Tonartenverhältnis von Strophe und Refrain änderte. Indem er statt des Wechsels von Moll zur parallelen Dur-Tonart zur gleichnamigen Dur-Tonart überging, wächst der Refrain musikalisch noch konsequenter aus der Strophe heraus. Der Refrain, der bei Burkhard stärker als später bei Dessau von der Brechtschen Vorlage abweicht, wirkt – dem Text durchaus entsprechend – wie eine merkwürdige Mischung von Triumph- und Trauermarsch. (Notenbeispiel siehe nächste Seite oben.)

Ein anderer Andreae-Schüler namens Huldreich Früh (1903–1945) schrieb 1943 die Musik zur Zürcher Uraufführung des *Guten Menschen von Sezuan*. Auch diese Bühnenmusik wurde später durch die Paul Dessaus verdrängt.

Nr. 2. Auftritt der Mutter Courage.
Paul Burkhard
Con sforza
cresc.

459

Eisler ohne Brecht

In den finsteren Zeiten
Wird da auch gesungen werden?
Da wird auch gesungen werden.
Von den finsteren Zeiten.

Eisler befand sich in den Jahren 1938 bis 1941 nicht·in einer ähnlichen
künstlerischen Isolation wie Brecht. Gleich nach seiner Ankunft in New
York hatte seine Lehrtätigkeit an der New School for Social Research begonnen; im Unterschied zu Brecht blieb er fast seine ganze amerikanische
Zeit über als Lehrer tätig. Im Unterschied zu Brecht konnte er auch immer
wieder Aufführungen eigener Werke erleben. Zu seiner Ankunft organisierte Mordecai Bauman in Zusammenarbeit mit der American Music
League, der Nachfolgeorganisation der 1936 nach kulturpolitischen Auseinandersetzungen aufgelösten Workers' Music League[1] ein Begrüßungskonzert, das am 27. Februar 1938 in der New School stattfand; neben Eisler wirkten die New Singers und Marc Blitzstein mit.[2] Eislers Kammerkantaten »Auf den Tod eines Genossen« und »Römische Kantate« erlebten dabei ihre amerikanische Erstaufführung. Über die Prager Uraufführung im Jahr zuvor hatte Ernst Bloch, der 1938 auf Eislers Rat von Prag
in die USA übersiedelte, geschrieben: »Sauberstes Handwerk verbindet
sich in diesen Gebilden mit Kühnheit und Invention, präziseste Klarheit
mit menschlichem Gefühl, modernste Zwölftontechnik aus Schönbergs
Schule mit Verständlichkeit und politisch-konkreter Wirkung. Der Beifall
war echt und lebhaft, obwohl nicht die geringste Konzession an bequeme
Hörgewohnheiten vorlag: die Zwölftontechnik begann, in dieser ihrer
Verwendung, nicht mehr esoterisch zu sein. (...) Daß die Musik, welche
so ergreift, fast im selben Akt politisch und künstlerisch revolutionär sein
kann, ja sein muß, das hat Eisler gezeigt. Seine Kunst ist kühn, ohne esoterisch zu sein, und sie unterliegt nicht, wie die unvergeßliche Dreigro-
schenopermusik, der Gefahr, von einem Publikum bejubelt zu werden,
für das sie nicht gebaut ist.«[3]
Bei seinem New Yorker Begrüßungskonzert hielt Eisler einen Vortrag,
den Marc Blitzstein so kommentierte: »Als Eisler geendet hatte, wurde es
den Komponisten und Musikern plötzlich klar, daß hier ein Weg für die
Musik im gegenwärtigen sozialen Konflikt sichtbar wurde.«[4] Eisler-Lieder mit Mordecai Bauman, Marc Blitzstein und den Lehman Engel Singers waren schon am 6. Februar 1938 bei einem New-Masses-Konzert im
46th Street Theatre zu hören gewesen; die Ansagen übernahm dabei der
Schauspieler Orson Welles, der schon bei *The Cradle Will Rock* mit Blitzstein zusammengearbeitet hatte.
Im April 1938 fanden zwei weitere Eisler-Konzerte im Composers' Forum Laboratory statt, bei denen der Komponist selbst dirigierte. Es waren

dies keine Konzerte im traditionellen Sinn, sondern Gesprächskonzerte, an denen sich das Publikum beteiligen konnte. Das Composers' Forum Laboratory New York gehörte zu den interessantesten Ergebnissen des staatlich geförderten Federal Music Projects (FMP) innerhalb der Works Progress Administration (WPA), die im Mai 1935 von der Roosevelt-Regierung als Arbeitsbeschaffungsmaßnahme gegründet worden war.[5] Im Rahmen dieses Federal Music Project wurden viele modellhafte Versuche mit angewandter Musik, auch mit Musikerziehung, unternommen. Nicht zuletzt spielten dabei kollektive Arbeitsformen eine Rolle. Blitzsteins *The Cradle Will Rock* war als Teil des von John Houseman geleiteten New Yorker Federal Theatre Projects erarbeitet worden.[6] Das Composers' Forum Laboratory wurde von dem Pianisten Ashley Pettis eingerichtet, der zuvor Musikredakteur der Zeitschrift »New Masses« und Mitglied des New Yorker Composers' Collective gewesen war und 1935 zum New York City FMP Director of Social Music Education ernannt wurde. Nach dem Vorbild des Composers' Collective sowie Anregungen aus der Sowjetunion[7] gab es seitdem in New York wöchentlich Aufführungen und Diskussionen neuer Werke, wobei keine wesentliche Stilrichtung ausgeschlossen blieb.[8] Forderungen Brechts und Eislers zur Aktivierung des Konzerthörers wurden mit diesem Composers' Forum Laboratory verwirklicht. Nach dem Konzert beantwortete der jeweils anwesende Komponist die vom Publikum schriftlich eingereichten Fragen. Die anschließenden Diskussionen wurden schriftlich aufgezeichnet und sind noch heute in den US-amerikanischen National Archives nachzulesen.[9] Soziale Fragen spielten bei diesen Diskussionen eine große Rolle. Es ist anzunehmen, daß gerade Eisler diese Fragen besonders gern beantwortet hat.

Obwohl Eisler als Ausländer Zurückhaltung üben mußte, konnte er sogar politische Musik schreiben. Unter dem Pseudonym John Garden komponierte er Musikstücke zu Hofman R. Hays sozialkritischem Bühnenwerk *A Song about America* (Regie: Jules Dassin), das am 23.1.1939 bei einem Lenin-Memorial der kommunistischen Partei im New Yorker Madison Square Garden zur Uraufführung kam. Das Auftrittslied »Sweet Liberty Land« verbreitete sich schnell und wurde fast zu einer Nationalhymne der amerikanischen KP.[10] Ferner wirkte Eisler 1938 im politischen Kabarett Joseph Loseys, des späteren Filmregisseurs, mit und schrieb im November die Musik zu dem Chinadokumentarfilm »Vierhundert Millionen« von Joris Ivens; obwohl er von Ivens hörte, daß auch in China seine Massenlieder bekannt waren und selbst von Tschou En-lai gesungen wurden[11], verwendete er in seiner Filmmusik keine Massenlieder, sondern avantgardistische Zwölftonkompositionen. Zwischendurch arbeitete er an der *Deutschen Symphonie* weiter.

Neue Texte von Brecht vertonte Eisler aber erst wieder, als er von April bis September 1939 nach Mexico-City übersiedeln mußte, da ihm seine

Aufenthaltsgenehmigung für die USA nicht verlängert wurde. In Mexiko stellte sich bei ihm jenes Gefühl der Isolation des Flüchtlings ein, das Brecht schon früher beschrieben hatte. Zur Isolation kam die Trauer und Bitterkeit hinzu, die er bei der Begegnung mit ehemaligen Spanienkämpfern empfand.[12] Die Republik war von der faschistischen Übermacht unter General Franco besiegt worden; trotz aller dringenden Hilferufe, nicht zuletzt vom weltberühmten Cellisten Pablo Casals[13], hatten die westlichen Staaten tatenlos zugesehen. Mordecai Bauman wohnte während eines Mexiko-Gastspiels bei Eisler, der sich im riesigen Haus des türkischen Botschafters niedergelassen hatte. »Es war das größte, üppigste und scheußlichste Haus der Welt, das falsche Haus für fast jeden – außer für Hanns Eisler. Er lachte in einem fort über die scheußlichen Ornamente, über den – wie er mir sagte – türkischen Barock.«[14] Eislers Lachen war nicht ungebrochen; in dieser überdimensionalen Zufluchtsstätte machte er sich Gedanken über die Dauer des Exils – um so mehr, als er hier vom Stalin-Hitler-Pakt und vom hinterhältigen und brutalen Angriff Hitler-Deutschlands auf das kleine Polen erfuhr. Eisler gehörte zu denen, die den deutsch-russischen Pakt nicht billigen konnten. Dies führte zu weiterer Isolation, zur Distanzierung der in Mexico-City anwesenden KP-Mitglieder, die ihn seitdem nicht mehr grüßten.[15] In dieser schwierigen, politisch scheinbar hoffnungslosen Situation vertonte er Elegien aus Brechts soeben veröffentlichten Svendborger Gedichten. Es handelt sich dabei ausschließlich um Kompositionen in der Zwölftontechnik, die er – vielleicht wegen ihrer Avanciertheit und Rationalität – in auffallender Weise für Brecht-Vertonungen bevorzugte.[16]

Die beiden Gedichte *Über die Dauer des Exils* bezeichnen den Zwiespalt des politischen Flüchtlings: Soll er alle seine Gedanken und Hoffnungen auf die Zukunft, auf die Rückkehr in die Heimat konzentrieren oder sich an seinem neuen Zufluchtsort häuslich einrichten? Eine eindeutige Entscheidung konnte es einstweilen nicht geben. Aus dem Nebeneinander der einander entgegengesetzten Gedichte geht ihr dialektischer Zusammenhang hervor. Eisler verdeutlichte ihn durch die Verwendung einer einzigen Zwölftonreihe für beide Lieder; in ihrer ersten Hälfte besteht sie aus sich stufenweise verkleinernden Intervallen (große Sexte, reine Quinte, Tritonus, große Terz, große Sekunde), in der zweiten aus einer Sekund-Skala:

Aus dem Krebs dieser Reihe – also ihrer Rückwärtsform – ist die »alphabetisch« aufsteigende Tonfolge ABCDE gewonnen, die wie ein Motto das erste Lied einleitet. Aufsteigende Tonskalen kehren immer dann wieder, wenn von der Rückkehr in die Heimat die Rede ist (Takt 9–10, T.18–19) – sie sind gleichsam das Tonsymbol jener vorsichtigen Hoffnung, von der das laut Vortragsbezeichnung frisch und leicht zu singende erste Lied getragen wird. Um den hoffnungsfrohen Grundcharakter zu unterstreichen, wiederholte Eisler gerade die Worte »du kehrst morgen zurück« und »gehst du froh weg von hier«. Im zweiten Lied hat sich der Flüchtling auf ein längeres Exil eingestellt. Er arbeitet, jedoch ebenfalls für den Tag seiner Rückkehr.

Wenige Tage nach den beiden Gedichten über die Dauer des Exils vertonte Eisler am 29. August 1939 das thematisch verwandte Gedicht *Zufluchtsstätte*.[17] Er konnte das Gedicht, mit dem Brecht sein Haus am dänischen Sund gemeint hatte, auf seine vorübergehende mexikanische Behausung beziehen. Die inhaltliche Dialektik von Geborgenheit und Aufbruch kehrt musikalisch wieder im Gegenüber von auf- und absteigenden Skalen. Während die Skala zu Beginn bis zur None aufsteigt, weitet sie sich bei den Worten »kommen die Fähren« bis zum Umfang zweier ganzer Oktaven (Es–e') aus.

Dagegen spielen skalenartige Linien in dem Lied, das Eisler am 2. September komponierte, kaum noch eine Rolle. Es dominiert statt dessen der Sekundfall, das traditionelle Seufzer- und Klagemotiv. Eisler nannte sein Lied *Elegie 1939*[17]; die Überschrift »Elegie«, die er ursprünglich auch für die drei übrigen Brecht-Vertonungen dieses Sommers verwenden wollte, behielt er sich für dieses eine Lied vor. Das Entstehungsdatum läßt keinen Zweifel daran, daß mit den »finsteren Zeiten«, mit der »furchtbaren Nachricht« der Beginn des Zweiten Weltkrieges gemeint war. Die Komposition, die Brechts Gedicht in rhythmisch freie Prosa auflöst, gehört nicht nur zu Eislers längsten, sondern auch zu seinen dissonantesten zwölftönigen Liedern. Das Motto »Wirklich, ich lebe in finsteren Zeiten«, das sich in Takt 18 ff. in rhythmischer Vergrößerung ankündigt, kehrt zum Schluß wieder. Dennoch ist das Lied nicht nur eine Klage. Wenn der Sänger den weisen Rückzug von der Welt von sich weist (»alles das kann ich nicht«) und dabei die Bewegung in sich verlangsamenden Tonrepetitionen zum Stillstand kommt (wie schon vorher beim sehnsuchtsvollen »Ich wäre auch gern weise«), hat er »mit freundlichem Ausdruck« zu singen. Als dialektischer Kommentator weist Eisler damit darauf hin, daß auch die Verweigerung eines ruhigen Lebens seine Wurzeln in Menschenliebe hat, daß die Negation hier in Wahrheit das Positive ist.

Der ebenfalls streng zwölftönige *Spruch 1939*[19], den Eisler nach seiner Rückkehr in die USA am 26. Oktober in New York komponierte, greift noch einmal das Wort von den »finsteren Zeiten« auf. Wo ein Gespräch über Bäume fast ein Verbrechen ist, scheint überhaupt jeglicher Gesang in Frage gestellt. Hinter der Frage steht die radikale Auffassung, daß die Schlechtigkeit der Welt Kunst nicht mehr zulasse. Brechts Antwort lautet: Kunst ist sinnvoll, sofern sie sich mit den finsteren Zeiten auseinandersetzt. Diese Antwort hob Eisler in seinem Lied hervor und differenzierte sie zugleich. Er hat sie gleich zweimal vertont: das erste Mal als energisch bekennenden Ausruf, das zweite Mal als zarte Kantilene. Die verschiedenen Formen der künstlerischen Auseinandersetzung mit den finsteren Zeiten, als kämpferische Anklage oder als lyrische Klage, sind damit angedeutet.

In einem Liederheft, das Eisler Anfang der vierziger Jahre zusammenstellte, nahmen die beiden mit Jahreszahlen versehenen Kompositionen »Spruch 1939« und »Elegie 1939« herausragende Stellen ein; sie umrahmten die Exil-Lieder »Zufluchtsstätte« und »Dauer des Exils« (I und II), während die Vertonung von Shakespeares Sonett Nr. 66 die Einleitung bildete. Der Gesang »Lateinischer Spruch. Über den Zweck der Musik« und das Mörike-Lied »An den Schlaf« – mit dem Shakespeare-Sonett die einzigen Zwölftonlieder Eislers, die nicht auf Brecht-Texten basieren – sollten zu einem Anhang gehören. Insgesamt enthält das Liederheft, das in dieser Form freilich nie publiziert wurde, Eislers gesanglich schwierigste und klanglich dissonanteste Lieder. Die musikalische Sprache ist ein Resultat des Inhalts, ist Konsequenz der finsteren Zeiten. Für diese Gesänge gab es damals keine Aufführungschance. Sie dienten primär der Selbstverständigung des Komponisten. »Warum fügst du zur traurigen Arbeit so viele Gesänge?« fragte er sich selbst. Die Antwort lautet: »Damit sie das elende Geschick und die täglichen Arbeiten erleichtern.«

Als Exilant durfte Eisler in der Öffentlichkeit nicht politisch hervortreten. Seine Situation war seit 1939 noch unsicherer geworden, da ihm die amerikanischen Behörden nur ein begrenztes Besuchervisum ausgestellt hatten und so ständig mit der Abschiebung drohen konnten. In seinen Anfang 1940 geschriebenen Variationen für Klavier verarbeitete er diesen Zwang zum Schweigen in verschlüsselter Form, indem er das Papageno-Motiv aus dem Quintett des 1. Akts der *Zauberflöte,* wo der Vogelfänger durch ein Schloß vor dem Mund am Reden gehindert wird, als Thema benutzt. Bei Mozart summt der zum Schweigen Verurteilte:

Hm! hm! hm! hm! hm! hm! hm!

Eisler übernahm dieses Motiv in transponierter Form:

In ihrem ernsten Charakter sind seine Variationen mehr am traurigen Kern der Aussage, am erzwungenen Verzicht auf politische Wirksamkeit, als am Witz der Vorlage orientiert.[20]

Möglicherweise aus dem Zwang zu politischer Zurückhaltung erklärt sich auch Eislers Abkehr von einem neuen Theaterprojekt. Im August 1939 hatte er dem mittlerweile in New York als Schauspiellehrer tätigen Piscator brieflich mitgeteilt: »Ich habe hier mit einem sehr begabten jungen Amerikaner, Hofman Hays, ein Stück geschrieben, ›Das Leben des Daniel Drew‹ – das war einer der großen Spekulanten des vorigen Jahrhunderts … Es sind selbstverständlich eine Menge Lieder und Musik drinnen.«[21] Demselben Stoff hatte Brecht schon 1925/26 ein Dramenfragment gewidmet. Wenn Eisler das Projekt mit Hofman Hays auch schließlich aufgab, so sorgte er doch dafür, daß der junge Amerikaner, mit dem er schon bei dem Bühnenwerk *A Song about America* zusammengearbeitet hatte, Brechts neue Stücke *Mutter Courage* und *Das Verhör des Lukullus* ins Amerikanische übersetzte. In Hays' Übersetzungen erschienen 1941 beide Werke als erste Brecht-Dramen in den USA. Hofman Hays, den schon 1935 in New York *Die Mutter* beeindruckt hatte, wurde später einer der vertrautesten Freunde des Stückeschreibers; er bemühte sich auch, allerdings ohne Erfolg, um eine New Yorker Produktion der *Mutter Courage*.[22]

Eislers Loslösung von der Zwölftontechnik

Ab 1934 hatte Eisler systematisch versucht, die Zwölftontechnik als universelle Kompositionstechnik in allen Genres der Instrumental- und Vokalmusik anzuwenden. In den Jahren 1940/41, in denen er im New Yorker Dramatic Workshop Erwin Piscators einen Kurs für Bühnenmusik leitete[1] und sich im Rahmen eines Forschungsprojekts mit Problemen der Filmmusik befaßte, gab er jedoch seine Vorstellung von der Allgemeingültigkeit der Dodekaphonie preis. Es war dies ein ebenso bewußter Akt wie zuvor die Entscheidung für die Zwölftontechnik.[2] Neben zwölftönigen Werken wie der Kammersinfonie op. 69 und dem Quintett »Vierzehn Arten den Regen zu beschreiben« op. 70 komponierte er nun auch wieder mehrere nichtdodekaphone Werke. Einen wohl nicht unwichtigen Anstoß zu dieser Wende gab der ebenfalls aus Europa in die USA geflohene Theodor W. Adorno, mit dem Eisler bei seinem Filmmusikprojekt zusammenarbeitete. In dem 1940/41 verfaßten Schönberg-Kapitel seiner »Philosophie der Neuen Musik« warnte Adorno vor einer normativen Verwendung der Zwölftontechnik: »Aufs Überwintern ist nur zu hoffen, wenn die Musik auch von der Zwölftontechnik noch sich emanzipiert.«[3] Am späten Schönberg, der neben dodekaphonen auch wieder tonale Werke komponierte, hob Adorno durchaus zustimmend die »Vergleichgültigung des Materials« hervor. »Für den letzten Schönberg ist es nicht durchaus entscheidend mehr, womit er komponiert. Wem einmal die Verfahrungsweise alles bedeutet und der Stoff nichts, vermag auch dessen sich zu bedienen, was verging und was darum selbst dem gefesselten Bewußtsein der Konsumenten offen ist.«[4] Entscheidend für die Gültigkeit einer Komposition sei nicht das verwendete Tonmaterial, sondern der übergreifende Zusammenhang der Töne, die »Verfahrungsweise«, mit der das Material zu einem Ganzen zusammengesetzt wird. Wer einmal zwölftönig komponiert habe, könne wieder auf Reihen verzichten, indem er die Strenge des Reihendenkens auch auf dem Hörer vertrauteres tonales Material anwende. Ähnliche Gedanken finden sich in dem Buch »Komposition für den Film« wieder, das Eisler 1942 zusammen mit Adorno verfaßte. So warnt hier Eisler vor dem »verantwortungslosen Draufloskomponieren mit den neuen Mitteln ... Insbesondere ist zu warnen vor einer leichtfertigen Übernahme der Zwölftontechnik, die zur Fleißaufgabe entarten kann, in der das arithmetische ›Stimmen‹ der Reihe das echte Stimmen des musikalischen Zusammenhangs ersetzen soll und in Wahrheit verhindert.«[5]

Erste Demonstrationen des Gedankens, daß nicht das Material, sondern die Verfahrensweise das künstlerisch Entscheidende sei, waren Eislers Filmmusikkompositionen zu den Joseph-Losey-Filmen »Pete Roleum and his Cousins« und »Kinderszenen«. Der farbige Puppentrickfilm »Pete Roleum« – Loseys erster Film überhaupt – entstand im Auftrag des Dachverbands der US-Ölkonzerne für die New Yorker Weltausstellung 1939, wo er wegen seiner technischen Neuerungen, darunter auch schon stereophoner Effekte, von Publikum und Kritik als Ereignis gefeiert wurde[6]; Eislers Musik mit Chören und Soli auf Texte des amerikanischen Pianisten und Komponisten, Schönberg-Schülers und Entertainers Oscar Levant[7] war hier wieder tonal. Von einfachem musikalischen Material, nämlich von amerikanischen Kinderliedern, ging er auch im Film »Kinderszenen« aus: »Ihre Einfachheit und ihr Assoziationshof entsprechen dem Sujet. Zugleich sollte gezeigt werden, daß auch mit dem einfachsten Material, ohne daß es anspruchsvoll verkleidet würde, durch konstruktives Verfahren differenziert, unkonventionell und frei musiziert werden kann.«[8]

Einfachstes Tonmaterial liegt ebenso dem »Woodbury-Liederbüchlein« für dreistimmigen Kinder- oder Frauenchor zugrunde, das er im Sommer 1941 für ein Mädchenpensionat in Woodbury (Connecticut) komponierte. Aus den sonst kindgemäßen Texten, die Eisler einer weitverbreiteten amerikanischen Sammlung von »Nursery rhymes« entnahm, fallen die Chöre »An den Schlaf« nach Eduard Mörike, zwei Sprüche »Für Lou« (Eislers Frau) und die »Ode an die Langeweile« heraus. Im zweiten Spruch »Für Lou« taucht das Bild des Regens als politische Metapher auf, als Inbegriff einer bedrohlichen Situation. Gemeint war damit der deutsche Angriff auf die Sowjetunion am 22. Juni 1941; auch der Stalin-Hitler-Pakt hatte dem Land nicht den Frieden garantieren können. Die »Ode an die Langeweile« mit dem Untertitel »Goethe und Schubert benutzend« – Eisler kombinierte das 27. Venezianische Epigramm von Goethe mit dem Schubert-Lied »An die Musik« – nennt einen Grund für die verstärkte Beschäftigung mit deutschen Bildungsgütern: die Langeweile des fast vollkommen isoliert lebenden und voll Wehmut an Deutschland, die »bleiche Mutter«, zurückdenkenden Flüchtlings.[9]

An die Stelle des bisher eher kritischen Bezugs auf klassische deutsche Traditionen traten bei Eisler Formen von Wahlverwandtschaft, teilweise sogar von Identifikation. Schon in einem Aufsatz »Mit Musik kämpfen«, der 1938 in einer Tarnschrift in Hitler-Deutschland verbreitet wurde[10], hatte Eisler auf aktuelle Deutungsmöglichkeiten klassischer Meisterwerke hingewiesen. Besonders eng war seine persönliche Affinität zu Mozart[11] und zum späten Schubert. Über Mozart schrieb er noch in seinen letzten

Jahren: »Er ist durchaus das, was man heute einen kühnen Neuerer nennen würde. Ein Musiksoziologe müßte den Geist der Aufklärung bei Mozart nicht nur in seinen Briefen, in seiner praktischen Lebensführung, in seinem politischen Verhalten suchen, sondern in der Eigentümlichkeit seiner neuen musikalischen Sprache.«[12] »Mit Erschütterung« – einer für Eisler ungewöhnlichen, gefühlsbetonten Wendung – dachte er an den frühen Tod des Komponisten: »Dieser kleine, muntere Mann Mozart, immer zu derbsten Späßen bereit, der gerne seinen Wein trank, Billard spielte, ein guter Ehemann, aber nicht unempfindlich gegen hübsche Mädchen, war für mich immer ein seltsamer, unheimlicher Mensch. So ist er auch gestorben. Er war nicht mehr beliebt, er war scheinbar am Ende seines Ruhms.«[13]

Auf ähnlichen Interessen beruhte seine im Sommer 1941 besonders intensive Beschäftigung mit Schubert, vor allem mit dessen Klavierfantasie f-moll sowie den späten Liedern. Dazu sein Gastgeber, der Philosoph, Musik- und Kunsthistoriker Joachim Schumacher, mit dem Eisler schon 1938 ein Buch über Beethoven konzipiert hatte: »Das leidenschaftliche Moll bei Schubert, das Trotzige in der dissonanten Trauer, die plötzlichen Erweiterungen des Klaviersatzes zu eigentlichem Kommentar schienen Hanns als Kennzeichen, daß hier das bürgerliche Wohlbehagen am ›Schwammerl‹ gründlich in die Brüche gehe.«[14] Je mehr Eisler gegen herkömmliche Klischeebilder vom Biedermeierkomponisten den problematischen Menschen und Künstler Schubert ernstnahm, desto mehr wuchs der Grad seiner Identifikation und das Bedürfnis, in seine eigenen Werke stilisierte Schubert-Anklänge aufzunehmen und gerade in den Liedern autobiographische Momente zu verstärken. Alles dies, die Exilsituation, die schlimmen Nachrichten aus Europa, die Preisgabe der Zwölftontechnik als universale Kompositionstechnik, die »Neuentdeckung« der Komponisten Mozart und Schubert sowie die Annäherung an den subjektiven Ausdruckscharakter von Kunst, waren Voraussetzung für das große Liederprojekt, das »Hollywooder Liederbuch«, das er bald darauf komponieren sollte.

Gegen falsche Tonfülle: Das Hollywooder Liederbuch

> Solche Lyrik ist Flaschenpost, die Schlacht um Smolensk geht auch um die Lyrik.

Am 20. April 1942 trafen Brecht und Eisler nach mehr als vierjähriger Trennung wieder zusammen. Bereits im Juli 1941 war der Stückeschreiber, der auf der Flucht vor den Hitler-Truppen Europa verlassen hatte, in Kalifornien angekommen. Da Brecht nicht nach New York kam, wie Eisler und Piscator es sich gewünscht hatten[1], übersiedelte Eisler nach Hollywood; die Verlagerung seiner Arbeit an dem bereits erwähnten Filmmusikprojekt der Rockefeller-Foundation von der Ost- an die Westküste konnte er auch mit der Nähe der Hollywood-Studios begründen. »Eisler ganz der alte in Witz und Weisheit«, notierte sich Brecht am Tag der Wiederbegegnung in sein Arbeitsjournal. Er selbst spürte an sich, daß er sich verändert hatte. Die überstürzte Flucht aus Europa, der Tod seiner geliebten Mitarbeiterin Margarete Steffin, die er mit einer schweren Lungenkrankheit in Moskau hatte zurücklassen müssen, sowie die Fremdheit der neuen Umgebung hatten auf ihn wie lähmende Schocks gewirkt. Die Ankunft Eislers ließ diese Veränderungen noch einmal bewußt werden, ihn dann aber auch wieder zu sich selbst finden. Eisler war gleichsam ein Symbol besserer, produktiver Zeiten. »Ein wenig ist es, als würde ich, in irgendeiner Menge stolpernd, mit unklarem Kopf, plötzlich angerufen mit meinem alten Namen, wenn ich Eisler sehe. Tatsächlich habe ich allerlei seit Juni 41 nicht verwunden, nicht Gretes Ausscheiden, nicht das neue Milieu, nicht einmal das weiche Klima hier. Und das Roulettespiel mit den Stories, die Konfrontierung mit den Erfolglosen und den Erfolgreichen, die Geldlosigkeit. Zum erstenmal seit 10 Jahren arbeite ich nichts Ordentliches, als Resultat von alldem und mit den zu erwartenden Folgen. Ich erinnere mich nicht eines frischen Atemzugs in all diesen Monaten.«[2] In Hollywood, dem Zentrum der kapitalistischen Unterhaltungsindustrie, fühlte sich Brecht so fremd und unwohl wie sonst nie zuvor. »Hier kommt man sich vor wie Franz von Assisi im Aquarium, Lenin im Prater (oder Oktoberfest), eine Chrysantheme im Bergwerk oder eine Wurst im Treibhaus.«[3] Die Ankunft Eislers war in dieser Situation ein befreiender Anstoß zu neuer Produktivität.

»Ich komme mir vor wie aus dem Zeitalter herausgenommen«, hatte Brecht kurz nach seiner Ankunft in Santa Monica in sein Arbeitsjournal notiert. Zu diesem Gefühl ahistorischer Zeitlosigkeit trug nicht nur die Künstlichkeit der neuen Umgebung, sondern auch die Fortdauer des Krieges bei. Der Friede wurde für Brecht zu einer in weiter Ferne liegenden Utopie: »Mit jeder Woche verlängert sich der Krieg um ein Jahr. Die Zukunft wird nur noch von den Astrologen behandelt.«[4] Brecht, wie Eisler an einer nützlichen, zweckgebundenen Kunst interessiert, besaß ein angeborenes Mißtrauen gegen eine Kunst ohne Publikum. »Hier Lyrik zu schreiben, selbst aktuelle, bedeutet: sich in den Elfenbeinturm zurückzuziehen. Es ist, als betreibe man Goldschmiedekunst. Das hat etwas Schrulliges, Kauzhaftes, Borniertes.«[5] Die Fortsetzung der Tagebucheintragung gibt aber auch der Lyrik ihr Recht. »Solche Lyrik ist Flaschenpost, die Schlacht um Smolensk geht auch um die Lyrik.« Die Formel von Lyrik als Flaschenpost meint, daß es ungewiß sei, ob sie ihre Adressaten jemals erreiche; jedoch transportiere sie eine notwendige Botschaft. Üblicherweise beinhaltet Flaschenpost den Hilferuf, das Notsignal eines Untergehenden. In dem Satz, daß die Schlacht von Smolensk auch um die Lyrik gehe, steckt der weiterreichende Gedanke, daß die Lyrik nicht nur ein Mittel, sondern in einer entwickelten sozialistischen Gesellschaft auch Zweck sein könne.

Die Forderung künstlerischer Autonomie, wenn auch nicht Autarkie, erhielt bei Brecht und Eisler während ihres Hollywood-Exils einen höheren Stellenwert als je zuvor.[6] Sie entwickelte sich nicht zuletzt im Protest gegen die kapitalistische Kulturindustrie und gegen den Zwang zur Anpassung, wie ihn die »Apostel des großen Schmelztiegels« predigten. Erstaunt, aber auch amüsiert registrierte Brecht, daß Weill seine Briefe auf englisch schrieb und dazu als Begründung angab: »It's easier for me and I like it better.«[7] Ernst Bloch hat den Typus des deutschen Emigranten, den Weill verkörperte, als »Schnellamerikaner« charakterisiert. Diese übereilte Abkehr von Deutschland sei zwar gerade bei Juden psychologisch verständlich, nähre jedoch auch eine antisemitische Stimmung. »Zu alledem reagieren diese Typen, als trauten sie Hitler tausend Jahre ohne weiteres zu.«[8] Aufschlußreich ist die Beschreibung, die der Regisseur Harold Clurman, Mitbegründer des Group Theatre, von Weill gab. Da er sowohl mit Eisler wie mit Weill in den USA zusammengearbeitet hatte, konnte er beide Komponisten miteinander vergleichen: »Weill – klein, dünn, fast mäuseähnlich, mit einem gespitzten Mund, als würde er ein besonderes Geheimnis zurückhalten – könnte auf einer großen Versammlung leicht unbemerkt bleiben. Er wollte niemals Aufmerksamkeit. Dagegen konnte Eisler nie übersehen werden. Während Weill mit leiser, fast piepsender Stimme sprach, krächzte oder brummte Eisler stets. Aaron Copland bemerkte einmal, daß der hochbegabte Weill ihn immer an einen Klassenprimus erinnerte, an den unauffälligen Zwerg, der die besten Noten davonträgt ... Weill verstand es, aus jeder Umgebung seinen Vorteil zu ziehen. Seine Anpassungsfähigkeit war enorm: in jedem Land konnte er Musik so schreiben, daß es aussah, er wäre ein Einheimischer. So schrieb er gute ›englische‹ und ›französische‹ Musik nach nur kurzen Aufenthalten in Paris und London.«[9] Diese erstaunliche Anpassungsfähigkeit hatte Weill auch seinen Kontakt zu Brecht sehr erleichtert und ihm ermöglicht, dessen musikalische Vorstellungen zu assimilieren. Brechts musikalische Einfälle konnte er aufgreifen, als wären sie seine eigenen.

Eisler war unabhängiger. Er hat nur selten den Versuch gemacht, sich Brecht anzupassen.[10] Umgekehrt hat es anscheinend Brecht bei Eisler, anders als bei Weill und Dessau, nicht gewagt, konkrete musikalische Anregungen zu geben. Eisler erklärte dies mit Brechts »Überlastung«: »Selbstverständlich konnte Brecht bei allen seinen Arbeiten nicht mir vormachen, wie ich meine Werke komponieren soll. Ich hätte das mit Begeisterung mir gefallen lassen. Aber leider kam es nicht dazu.«[11]

Während Weill seine großen Publikumserfolge nicht zuletzt seiner Anpassungsfähigkeit verdankte, verstörte Eisler ein bürgerliches Publikum durch seine oft »taktlose« Offenheit. Dazu Harold Clurman: »Eisler fehlte Weills Sinn für Diplomatie. Er knurrte auf deutsch wie auf englisch. Sein Ton war oft der spöttischer Verbitterung. Seine Meinung sagte er mit Deutlichkeit. Auch er war verschmitzt, aber mit einem weniger raffinierten Humor als Weill. Er war in einem überwältigenden Maß belesen; er erinnerte sich an alles, was er gelesen hatte, und er hatte alles gelesen ... Er schrieb die Musik von mehreren Brecht-Lehrstücken, wovon das bekannteste ›Die Maßnahme‹ ist. Wenn er diese Gesänge auf weniger riskante Verse komponiert hätte, wären sie so allgemein erwünscht wie die Songs von Weill. Aber Eislers Lieder sind stärker, aufregender.«[12]
Solche Einschätzungen, wie sie hier einer der prominentesten Regisseure der USA gab, sind selten. Meist zog die bürgerliche Presse Weill dem schwerer konsumierbaren Eisler und auch dem unbequem gewordenen Brecht vor.
Der Gedanke, daß man Weill zu seiner Fähigkeit, in die amerikanische Mentalität einzutauchen, auch hätte beglückwünschen können, kam Brecht nicht. Er hatte kein Verständnis dafür, daß sich Weill derart in das Land, das ihn aufgenommen hatte, integrierte. Für viele Flüchtlinge gab es außerdem weitere Motive, auf die deutsche Sprache zu verzichten: Ihre Liebe zu Deutschland, zu deutscher Sprache, Literatur, Musik oder Philosophie war umgeschlagen in flammenden Haß auf Hitler und in Verzweiflung über die Deutschen, die ihm folgten oder ihre Augen vor den Verbrechen verschlossen; ihnen war es nicht möglich, die einst geliebte Sprache weiter zu verwenden.
Eisler war, obgleich wie Weill jüdischer Herkunft und in seinem musikalischen Schaffen wahrlich international, durchaus Brechts Meinung. Beide hielten an Deutschland fest, das heißt, sie glaubten an ein neues Deutschland, das kommen würde, frei von profitorientiertem Denken und Handeln. Mit Genugtuung stellte Brecht fest, daß Eisler ganz der alte geblieben war. »Ein Vorteil ist, daß Eisler hier ist«, berichtete er Karl Korsch.[13]
Schon wenige Tage nach Eislers Ankunft hörte Brecht von der Schallplatte dessen zwölftönige Kammermusikkomposition »Vierzehn Arten den Regen zu beschreiben«; auf der heute leider verschollenen Aufnahme spielte eine Gruppe von Kammermusikern unter der Leitung des renommierten Geigers Rudolf Kolisch, ebenfalls eines Schönberg-Schülers, der in die USA emigriert war. Brechts Reaktion war ähnlich widersprüchlich wie zuvor seine Tagebucheintragung zur Lyrik: Einerseits fand er die Regen-Thematik esoterisch[14], andererseits bewunderte er den Kunstcharakter dieser Komposition, die anstelle von überhitzter Expressivität eine kühle, spielerische, von Mozart inspirierte Eleganz besitzt. Ihm sonst problematische Musik akzeptierte Brecht vor dem Lautsprecher offenbar leichter als

im Konzertsaal, denn er resümierte über Eislers Komposition: »Sie ist sehr schön, hat etwas von chinesischer Tuschzeichnung.«[15] Für den mit Lob zurückhaltenden Stückeschreiber bedeutete dies höchste Anerkennung, kulminierte für ihn doch die europäische Musikgeschichte in einem »chinesischen« Stil: »Während die Platten gespielt werden, denke ich: die europäische Musik wird sich entwickelt haben in großartigen Werken durch drei Jahrhunderte, und eines Tages werden die Chinesen sagen: jetzt ist es Musik.« Er war von Eislers Komposition so sehr angetan, daß er sogar anregte, »wir könnten versuchen, neue Volkslieder zu schreiben, komponiert in der neuen Art. Warum sollte das Volk nicht so singen, natürlich mit 37 Grad.«[16]

Brechts Anregung zur Herstellung zwölftöniger Volkslieder zeugt von seiner riesigen Distanz zu seiner tatsächlichen Umgebung in Hollywood, von seinem Denken in Kategorien der Zukunft. Dies gilt auch für Eisler, der am 3. Juni 1943 in einem Entwurf für das Vorwort zum »Hollywooder Liederbuch« schrieb: »In einer Gesellschaft, die ein solches Liederbuch versteht und liebt, wird es sich gut und gefahrlos leben lassen. Im Vertrauen auf eine solche sind diese Stücke geschrieben. P. S. Was kann die Musik, nebst vielem anderem für die Zukunft tun? Sie kann helfen, falsche Tonfülle zu vermeiden.«[17]

Falsche Tonfülle und Überfütterung mit Musik waren gerade für Hollywood charakteristisch. Auch in den Notizen über Filmmusik, die Brecht im April/Mai 1942 als Beitrag zu Eislers Forschungsprojekt schrieb[18], spielt das Problem der Musikinflation eine große Rolle. Die Filmkomponisten forderte er darin auf, so wenig Rauschmittel wie nur möglich einzusetzen. »Sie dürfen nicht Spekulationen anstellen, wieviel Kunst das Publikum entgegenzunehmen bereit ist. Sie müssen herausfinden, mit wie wenig Betäubung das Publikum bei seiner Unterhaltung auskommt. Dieses Minimum wird zugleich jenes Maximum sein.«[19] Während die Kulturindustrie ihre Kunden an ihren schwächsten Stellen packt und an einem geschwächten, nach weiteren Betäubungsmitteln süchtigen Publikum sogar interessiert sein muß, legte Brecht es auf die Stärkung des Publikums, auf seine Selbständigkeit und Eigenaktivität an.

Bedenkenswert ist sein Schlußsatz: »Die Musik wird um so wichtiger sein können, in je kleinerer Quantität sie verwendet wird.«[20] Um die Vermeidung falscher Tonfülle, um eine »Sprachwaschung« hatte sich Brecht schon in seinen finnischen Epigrammen bemüht. Auch unter diesem Aspekt war es sinnvoll, daß Eisler im Mai 1942 sein »Hollywooder Liederbuch« – eine lyrisch-musikalische Flaschenpost für künftige Generationen – gerade mit den finnischen Gedichten der sogenannten »Steffinischen Sammlung« begann.

Mit dem Titel *Steffinische Sammlung* ehrte Brecht seine verstorbene Mitarbeiterin Margarete Steffin. Eislers Lieder sind damit auch Erinnerungsblätter, Flaschenpost für eine Verstorbene. Daß Brecht eine Gedichtsammlung nach einer Mitarbeiterin benannte, ist ungewöhnlich für ihn. Der Tod Margarete Steffins hatte ihn emotional so stark getroffen wie kaum ein anderes Ereignis in seinem Leben; möglicherweise konfrontierte ihn dieser Todesfall auch wieder mit dem frühen Tod seiner Mutter. Noch im Frühsommer 1942 wanderten, wie das Arbeitsjournal zeigt, Brechts Gedanken immer wieder zu der Verstorbenen zurück, zu ihren ärmlichen Besitztümern, zu ihrem Todestag. Selbst das Streicheln seines Hundes verband er mit der Toten: »Man müßte die Freundlichkeit, die man zu Gestorbenen gefühlt hat, auf Lebende übertragen, sei es auf bestimmte Menschen oder auch Tiere. Damit würde man – für eine Zeit – denen, die gegangen sind, noch gute Handlungen verdanken.«[21] Er litt unter einem Schuldgefühl: »Bei meinem Versuch, sie zu retten, bin ich geschlagen worden, und es ihr leicht zu machen, habe ich nicht vermocht.«[22] Deshalb tat er nichts, »den Verlust Gretes zu ›verwinden‹. Sich mit Geschehenem aussöhnen – wozu sollte das gut sein?« Brecht überließ sich, wie sonst fast nie, ungehemmt seinen Gefühlen; er, der sonst Privates zurückdrängte, lebte in Hollywood in einer Welt der Erinnerung. Wenn er sich auch der finnischen Hungersnot erinnerte, der Schwierigkeit, der lungenkranken Grete eine Orange oder ein Ei zu verschaffen, so verklärte sich doch im Vergleich zu Hollywood selbst noch die »halbfeudale Armut Finnlands«. »Der Mangel hatte die Stetigkeit von Jahrhunderten, so hatte die Notdurft etwas Klassisches an sich, denn die Bewegungen der Menschen vereinfachen und veredeln sich im Elend wie in einer lange ausgeübten schweren Arbeit.«[23]

Auch Eisler bewunderte Margarete Steffin, die er bereits seit der Berliner Uraufführung der *Mutter* kannte, als tapfere, hochbegabte Frau.[24] So wie Brecht der verstorbenen Mitarbeiterin mehrere Gedichte und die Steffinische Sammlung widmete und zu ihrer Erinnerung den Orion in Steffinisches Sternbild umbenannte, so gab Eisler dem ersten Finale seiner 1940 komponierten Klaviervariationen im Autograph die Überschrift »Trauermarsch (für Grete)«.[25] Als Akt des Gedenkens wie des Mitgefühls für Brecht ist es auch zu werten, daß er die ersten Lieder, die er in Hollywood komponierte, ausschließlich der »Steffinischen Sammlung« entnahm. Eisler benutzte dabei vermutlich das frühere Manuskript »Gedichte, gesammelt von meiner Mitarbeiterin Margarete Steffin, etwa von 1937 an in Dänemark, Schweden und Finnland«.[26] Den größten Teil der 22 Gedichte dieser Sammlung hat er vertont.

Da für Eisler kleinere Formen wie das Lied immer auch von der Inspiration, von Laune und Zufall abhingen, folgte er bei der Vertonung der Gedichte nicht streng der Reihenfolge in Brechts Sammlung. Vielmehr suchte er vor allem solche Gedichte aus, die er aktualisierend auf seine eigene Situation übertragen konnte. Von den vier Brecht-Gedichten *Der Sohn*

(I/II), *An den kleinen Radioapparat* und *In den Weiden,* die er im Mai
1942 komponierte, bot vor allem das zweite Sohn-Gedicht Eisler eine
Möglichkeit der Identifikation. Er konnte es auf seinen Sohn Georg, der
1928 als Sohn seiner ersten Frau Charlotte in Wien geboren worden war,
beziehen. Wie Brechts Sohn Stefan nacheinander in einer deutschen, dänischen, schwedischen, finnischen und schließlich amerikanischen Umgebung aufwuchs, so mußte auch Georg Eisler immer wieder umlernen:
1936 in Moskau, 1938 in Prag, 1939 in Birmingham und Manchester. Aus
diesem englischen Hintergrund erklärt es sich wohl, daß Eisler die Gedichtzeile »Soll ich Französisch lernen?« umänderte in »Soll ich Englisch
lernen?« Das erste Gedicht über den »Sohn auf der grimmigen See«, das
Brecht in einem anderen Zusammenhang drucken ließ[27], mochte Eisler
auf den Plan Charlotte Eislers bezogen haben, den Sohn zum Vater nach
Hollywood zu schicken; die Atlantik-Überfahrt war allerdings damals
durch deutsche U-Boote gefährdet.

Ein Strophenlied wie die beiden Lieder »Der Sohn« ist auch *An den kleinen Radioapparat.*[28] Ansonsten unterscheidet es sich von den frei atonalen
Liedern durch Tonalitätsvorzeichen und einen ungewöhnlich leichten,
freundlichen Dur-Ton – es ist eine Hymne auf einen wichtigen, von
Brecht besonders geschätzten Gebrauchsgegenstand. Eisler, der sich vom
Universalitätsanspruch der Zwölftontechnik gelöst hatte, da sie wichtige
musikalische Ausdrucksbereiche ausschloß, ohne doch Zusammenhang
und Verständlichkeit zu garantieren, bemühte sich hier, auch unter dem
Einfluß von Mozart und Schubert, um eine neue Form liedhafter Einfachheit.

Auch das Lied *In den Weiden,* das er auf einem gemeinsamen Notenblatt
mit »Der Sohn II« und »An den kleinen Radioapparat« notierte, war zunächst harmonisch sehr einfach konzipiert; der in der Erstfassung für die
linke Hand allein komponierte Klavierpart bestand aus chromatisch ver-
schobenen konsonanten Dreiklängen sowie einem dem vorigen Lied
ähnelnden auf- und absteigenden Begleitmotiv, das hier den Ruf des
Käuzchens nachahmt:

Eisler, der zu dieser Erstfassung »elegant« als Vortragsbezeichnung notierte, schwebte offensichtlich ein musikalischer Kontrast zu dem von Todesahnungen sprechenden Text vor. Er gab dieser ersten Fassung die Überschrift »Frühling 1942«, als bezöge sich das Lied nicht auf Skovsbostrand, sondern auf Hollywood. In der zweiten und endgültigen Fassung mit dem neutraleren Titel »Frühling I« hat er im Klavierpart die Harmonik klanglich verschärft und teilweise eine rechte Hand ergänzt. Aufschlußreich sind die Vortragsbezeichnungen, die Vortragsweise und Gestus angeben. So sollte der Satz »Nach dem Aberglauben der Bauern setzt das Käuzlein die Menschen davon in Kenntnis, daß sie nicht lang leben« gesungen werden mit einer Haltung, die Eisler charakterisierte als »eine langweilige, bekannte Sache erzählend«. Geheimnisvoll-romantisches Raunen wird damit ausgeschlossen. Gegen das Bedrohliche der Todesahnung leistet die Musik auch im folgenden Widerstand, indem die Schlußwendung vom Totenvogel im Staccato »mit Humor« zu singen ist. Eisler signalisierte damit erneut eine dialektische Haltung: Das lyrische Ich kann einerseits das Gefühl der Todesnähe nicht leugnen, andererseits wehrt es dieses Gefühl als Aberglauben ab.

Eislers Vertonungen, die neben dem Text immer auch ihrer eigenen innermusikalischen Logik folgen – dieser wichtige Aspekt wäre in einem anderen Zusammenhang ausführlicher darzustellen –, sind gleichsam Inszenierungen, sie machen aus den Gedichten kleine Szenen. Brecht schrieb über den Komponisten: »Für mich ist seine Vertonung, was für Stücke eine Aufführung ist: der Test.«[29] Da seine Dramen in den USA kaum aufgeführt wurden, waren ihm Eislers Lyrikvertonungen um so wichtiger. Eisler übernahm nicht blind jeden Text, sondern prüfte kritisch. »Er liest mit enormer Genauigkeit«, meinte Brecht anerkennend.

Wenn es ihm notwendig erschien, griff Eisler in die Textvorlagen ein. Er nannte selbst ein Beispiel: Im Gedicht »In den Weiden« war ihm die Wendung, der Dichter sei bedroht, weil er »die Wahrheit über die Herrschenden gesagt« habe, als zu abstrakt erschienen. »Es herrschen verschiedene Leute zu verschiedenen Zwecken und zu verschiedenen Perioden.«[30] Er strich deshalb in seiner Vertonung die Worte »über die Herrschenden« und ließ nur »die Wahrheit« stehen. Brecht akzeptierte Eislers Eingriff. Jedoch merkte er an: »Ich bin da nicht sicher, ob nicht eine Reinheit entstünde, die anfechtbar wäre. Unter Umständen verlöre das Gedicht die historische Autarkie.«[31] Dagegen übernahm er einen Vorschlag Eislers, als er in dem Gedicht »Heute, Ostersonntag früh«[32] das Wort »Werk« durch »Vers« ersetzte.

Mehrfach änderte Eisler für sein *Hollywooder Liederbuch* die Überschriften der Brecht-Gedichte. Er machte damit – was der Dichter dem Komponisten durchaus zugestand – seine Vertonungen als eigenständige Interpretationen kenntlich. Dem Gedicht »Finnische Landschaft«, von dem er nur acht Verse vertonte, gab er den weniger regionalspezifischen Titel »Frühling«; dieser Titel ist glücklich gewählt, weil er über das bloß Landschaftliche hinausgeht und die innere Einheit von Mensch und Natur, von politischer Hoffnung und jahreszeitlicher Entwicklung bezeichnet – ein Gedanke, der in dieser Deutlichkeit bei Brecht nicht enthalten war. Aus Gründen der Aktualisierung änderte Eisler auch den Titel »Finnische Gutspeisekammer 1940« um in »Speisekammer 1942«. Das Gedicht »Vor der weißgetünchten Wand« erhielt die Überschrift *Hotelzimmer 1942*[33]; immerhin lebte auch der Komponist bei der Entstehung seines Liedes in Hollywood noch ohne feste Wohnung in einem Hotel.[34] Interessant sind dabei die Klänge, die Eisler aus seinem Radioapparat ertönen läßt: Es ist der Schluß seines Lenin-Requiems.

Die Änderung der Überschrift »Auf der Flucht« statt »Die Pfeifen« wirkt ebenfalls verdeutlichend; Eisler vermerkte dazu im Autograph: »Auch ich habe meine Brahms-Ausgabe in Berlin 1933 lassen müssen«. Wenig sinnvoll ist dagegen die Änderung des Titels »Gedenktafel für im Krieg des Hitler gegen Frankreich Gefallene« in »Epitaph auf einen in der Flandernschlacht Gefallenen«, wird so doch kaum verständlich, daß sich das Gedicht auf Hitler bezieht.

In allen Liedern des »Hollywooder Liederbuchs« steht die Singstimme im Vordergrund. Die meist sparsame Klavierbegleitung verzichtet oft auf Vor- und Nachspiel. Auffallend ist die Bevorzugung einzelner Tonlagen des Klaviers in bestimmten Liedern. Diese satztechnische Besonderheit hat wohl auch eine inhaltliche Bedeutung. Während »Speisekammer 1942« und »Die Flucht« über größere Strecken auf die Baßlage verzichten – auch um die Haltlosigkeit des Flüchtlings zu unterstreichen –, beschränkt sich der Klavierpart in »Über den Selbstmord« (als Blues) und in der *Gedenktafel für 4000 Soldaten, die im Krieg gegen Norwegen versenkt wurden* auf die linke Hand – die tiefe Lage ist bildlicher Verweis auf den Tod. Kein Zufall ist es auch, wenn in der »Gedenktafel« die Worte »Gedenke unser« auf die Töne B-A-C-H gesungen werden. Das von Eisler gerne verwendete Tonsignet, ein klangliches Symbol nicht nur für den Leipziger Thomaskantor, sondern auch für die deutsche Kultur überhaupt, kennzeichnet die am Grunde des Meeres liegenden toten Soldaten als Deutsche. In der Gesangsstimme ist das Tonsymbol motivisch vorbereitet:

Die Töne B-A-C-H erinnern daran, daß diese Soldaten nicht nur Täter, sondern auch Opfer, nicht nur Hitler-Anhänger, sondern auch Vertreter eines anderen, besseren Deutschland waren.

Auch im *Epitaph auf einen in der Flandernschlacht Gefallenen* kehrt das B-A-C-H-Motiv wieder. Die Deutung ist hier kompliziert, mehrbödig. Mit dem Appell »Daß er verrecke, ist mein letzter Wille« wendet sich der tote Soldat an die Überlebenden. Wie aus der ursprünglichen Überschrift hervorgeht, kann der Gefallene damit nur den Tod Hitlers meinen; dieser ist der »Erzfeind«, nicht die immer wieder als Erbfeind titulierten Franzosen. Daß gerade die Worte »Daß er verrecke« mit den Tönen B-A-C-H verbunden sind, könnte – in schon etwas verzwickter Dialektik – auf die humanen Intentionen verweisen, die hinter seinem scheinbar brutalen Ausruf stehen. Die Haltung des Soldaten entspräche dann Brechts Klage »Wir, die wir den Boden bereiten wollten für Freundlichkeit, konnten selbst nicht freundlich sein«. Von der Härte, die notwendig ist, um die Tyrannei zu beseitigen, spricht nur der Text, nicht aber die Musik. Sie ist zart auch deswegen, weil sie einem Toten ihre Stimme verleiht.

Am 26. Juni 1942 heißt es in Brechts Arbeitsjournal: »Eisler sagt, er habe jetzt die ganzen Finnischen Gedichte auskomponiert. Zuletzt, als nichts mehr übriggeblieben sei, den ›Kirschdieb‹ und ›Heute, Ostersonntag früh‹. Er erzählt, wie die Gedichte bei längerer Beschäftigung mit ihnen gewonnen hätten.« Eislers Lieder sind mehr als bloß Vertonungen, es sind Interpretationen, Analysen, dialektische Kommentare. Wenn etwa im Lied *Frühling* Melodik und Harmonik miteinander verschmelzen,

wenn bei den Terzenketten, die für seine frühen Hollywooder Lieder so charakteristisch sind[35], Horizontale und Vertikale eins werden, so ist damit nicht nur bildlich das Schaukeln des Windes, sondern auch die in sich stimmige Einheit der Natur wiedergegeben, in der »Geruch und Ton und Bild und Sinn verschwimmt«. In dieser Landschaft ist der Flüchtling einerseits ein Fremdkörper, dessen Auftreten (»mit Brutalität, pesante«) hart zum piano-pianissimo dolcissimo der Natur-Tongirlanden kontrastiert. Andererseits wird der Fremde aber auch ein Teil der Landschaft und nimmt Anteil an ihrem Entwicklungsprinzip, an Frühling und Hoffnung. Natur und Mensch, Statik und Dynamik bilden in diesem Lied eine dialektische Einheit. Das Nachspiel zeigt in der Repetition der Terz as-f (bzw. gis-f) die Permanenz des Hoffens, im aufwärtsstrebenden Baß das Moment der Entwicklung.

Brechts und Eislers dialektisches Denken geht auch aus anderen Liedern hervor, so aus »Der Sohn I«, wo der Gedanke an die See die Mutter beunruhigt, während der Sohn bei eben diesem Gedanken ruhig einschläft;

was die Mutter verängstigt, ist für ihn das Vertraute. Eisler hob diese widersprüchliche Doppeldeutigkeit derselben Sache durch widersprüchliche Dynamik hervor: Die beunruhigten Gedanken der Mutter komponierte er im ppp, den Schlaf des Sohnes dagegen im forte. Da sonst in den Liedern leise Töne dominieren, fallen solche lauten Stellen besonders auf, so auch am Schluß von »Über den Selbstmord«, wo der Tod wie ein Knall in die gespannte Ruhe einbricht, oder am Ende von »Die Flucht«. Gerade aus den Schlüssen, die nie bloß abkadenzierende Bestätigungen sind, ist Eislers dialektisches Verfahren, das das Moment der Entwicklung, der Veränderung betont, zu erkennen. Die Schlüsse ziehen den Hörer in diesen Veränderungsprozeß hinein, indem sie ihn zum Weiterdenken auffordern. Nur dem dialektisch Denkenden erschließt sich auch ein Lied wie *Der Kirschdieb*, in dem der Besitzer des Kirschbaums, anstatt gegen den Dieb einzuschreiten, sich freut, weil er an den geflickten Hosen dessen Armut erkennt; ihm gönnt er den Mundraub, die Befriedigung der Bedürfnisse.

Stilistisch klingen in der fröhlichen Leichtigkeit des Liedes vom Kirschdieb die Mörike-Lieder Hugo Wolfs nach. Vor möglichen tonalen Abkadenzierungen bricht Eisler jedoch immer wieder ab und setzt einen tonal entfernten Abschnitt dagegen. Auf ähnliche Weise hatte er schon vor 1930 Montageprinzipien eingesetzt, besonders eindrucksvoll in dem Chorstück »Kurfürstendamm«, in dem auch der Text Gesprächsfetzen von Passanten einander gegenüberstellte. Eine durchgängige Tonalität ist hier wie in den meisten Hollywooder Liedern trotz tonaler Anklänge nicht mehr zu erkennen. Oft werden die einzelnen Formteile aber durch übergreifende Stufengänge zusammengehalten, zum Beispiel im »Ostersonntag« im Klavierbaß T. 9–20, im »Kirschdieb« im Klavierbaß T. 16–21, in »Hotelzimmer 1942« im Klavierdiskant T. 46–52. Am frappierendsten geschieht dies im Lied »Die Maske des Bösen«, das fast zur Gänze aus einem über drei Oktaven (mit Unterbrechung) chromatisch absteigenden Stufengang von e″ bis Fis besteht.

Die Hollywood-Elegien

Unter den grünen Pfefferbäumen
Gehen die Musiker auf den Strich, zwei und zwei mit
den Schreibern.

Nach Eislers Ankunft fand Brecht wieder zu seiner alten Produktivität zurück. Einen wichtigen Anteil hatte daran auch das Haus, das er im August 1942 bezog. »Eigentlich zum erstenmal fühle ich mich halbwegs wohl hier heute«, notierte er am 14. August in sein Arbeitsjournal. Und drei Tage später:»Das Haus ist sehr schön. In diesem Garten ist der Lukrez wieder lesbar.« Haus und Garten waren Rückzugsgebiete gegenüber Hollywood. Seine Distanz zu dieser Stadt bewies Brecht exemplarisch in den *Hollywood-Elegien,* die er im September 1942 für Eislers »Hollywooder Liederbuch« schrieb. Der Komponist hatte die Anregung gegeben; Hollywood war für ihn »der klassische Ort, wo man Elegien schreiben muß«.[1]

In den *Hollywood-Elegien* sind Brechts Beobachtungen zu diesem Zentrum der kapitalistischen Kulturindustrie epigrammatisch konzentriert zusammengefaßt. »Hier handelt es sich lediglich um den Verkauf von Abendunterhaltung. Man muß den Begriff ›to sell‹ kennen, wenn man vom Verkauf spricht. Man ›verkauft‹ jemandem zum Beispiel einen Witz, dabei kommt Geld noch nicht herein, verkauft ist der Witz, wenn er belacht ist.«[2] Einen Monat später heißt es im Arbeitsjournal: »Die Sitte hier verlangt, daß man alles, von einem Achselzucken bis zu einer Idee, zu ›verkaufen‹ sucht, d.h., man hat sich ständig um einen Abnehmer zu bemühen, und so ist man unaufhörlich Käufer oder Verkäufer.«[3] Wollen Künstler in Hollywood mit Erfolg Ideen verkaufen, so dürfen sie jedoch nicht die Wahrheit sagen, dürfen nicht etwa Gesellschaftskritik äußern. Als Eisler einmal bei einer Party durch Alkohol berauscht war, geriet er, wie Brecht mit Schrecken und Amüsement zugleich beobachtete, »in die größte Gefahr, alle jene Wahrheiten zu sagen, die er seit Monaten verschweigt, um einen Job zu kriegen.«[4] Um in Hollywood Erfolg zu haben, mußte man Träume erfinden, Klischees erfüllen, lügen.

Das Gesetz des »Markts, wo Lügen verkauft werden«, machte auch vor den großen Künstlern nicht halt. In Hollywood, wo Brecht kaum dem Namen nach bekannt war, mußten selbst Genies sich »prostituieren«, die Musiker, die zu Filmkomponisten, mit den Schreibern, die zu Scriptwritern wurden: »Bach hat ein Strichquartett im Täschchen. Dante schwenkt den dürren Hintern.«[5] Kein Zweifel besteht, daß sich Brecht in diesen Zeilen mit dem einst ebenfalls ins Exil gejagten Dante, Eisler dagegen mit Bach identifizierte. Mit besonderem Vergnügen machte Brecht darauf aufmerksam, daß die Stadt Los Angeles, dieser Ort der körperlichen und geistigen Prostitution, einst von den spanischen Gründern nach den Engeln benannt wurde.

Eisler hat die *Hollywood-Elegien* sofort komponiert. Ihm lagen dabei von der späteren Druckfassung teilweise abweichende Gedichte vor. Während in Brechts Druckfassung die Gegenüberstellung von Himmel und Hölle, von richtigen und falschen Engeln, dann die Aufzählung der Gerüche – der Gerüche des Öls, des Geschlechts, des Elends – die gemeinsamen Elemente des Zyklus bilden, sind die von Eisler vertonten Gedichte auf den Warenaspekt konzentriert. Eislers Hollywood-Elegien 1 und 2 entsprechen unverändert den Brechtschen Elegien IV und III, während Eislers Nr. 3 identisch ist mit dem von Brecht separat veröffentlichten Gedicht

»Hollywood«.[6] Den Vertonungen Nr. 4 und 5 liegen unveröffentlichte Typoskripte[7] zugrunde; offensichtlich handelte es sich dabei um Frühfassungen der Brecht-Elegien I und II.

Der endgültige zyklische Charakter der *Hollywood-Elegien* entwickelte sich bei Brecht in mehreren Stufen.[8] Zunächst waren unter diesem Titel nur vier Gedichte, zusammengefaßt.[9] Das Schlußgedicht stand aber anscheinend schon sehr früh als solches fest. Eisler hat dieses Gedicht (»Über die vier Städte kreisen die Jagdflieger der Verteidigung«) als erstes Lied des Zyklus bereits am 15. September vertont; er gab seiner Vertonung den Titel *Letzte Elegie*. In dem Liederheft *Die Hollywood-Elegien*[10], das er Mitte der vierziger Jahre zusammenstellte und das neben Brecht-Vertonungen auch zwei Lieder nach Hölderlin enthielt, bildete die »Letzte Elegie« tatsächlich die sechzehnte und damit die letzte Elegie. Die Distanz zu Hollywood ist hier im Bild der Jagdflieger besonders deutlich ausgedrückt; die Flugzeuge – es sind Flugzeuge der Verteidigung! – fliegen in großer Höhe, um dem »Gestank der Gier und des Elends«, dem Zwang der Vermarktung und der Ausbeutung zu entgehen. Im großen Abstand zwischen Klavierdiskant und -baß bringt Eisler den Höhenunterschied zwischen Flugzeugen und dem Städtekonglomerat von Los Angeles bildlich zum Ausdruck. Im Unterschied zu der in tiefste Oktaven hinabsteigenden einstimmigen Baßlinie blinken im Diskant gleich fünfmal die Terzen c–e auf – als diatonische Bestandteile des C-Dur-Dreiklangs in einem ansonsten chromatischen Zusammenhang möglicherweise Sinnbilder der in dieser Höhe erreichten Reinheit.

Wenige Tage nach der »Letzten Elegie« komponierte Eisler »Unter den grünen Pfefferbäumen«, »Die Stadt ist nach den Engeln benannt« (20. September), »Jeden Morgen, mein Brot zu verdienen« (25. September), »Diese Stadt hat mich belehrt« und »In den Hügeln wird Gold gefunden«. Schon am 3. Oktober 1942 konnte er Brecht die fertigen Hollywood-Elegien, dazu auch einige der finnischen Epigramme vorspielen. Als er dabei von »nicht sehr bedeutenden Gelegenheitsarbeiten in der Art eines Tagebuchnotierens« sprach, protestierte dieser: »In der Tat haben die Kompositionen wirkliche Bedeutung wahrscheinlich auch als Musik, sicher aber für die Epigramme, indem sie zu einem studierenden Lesen anhalten, zu einem nachgrabenden Studium.«[11] Von der Nützlichkeit der Vertonungen für die Gedichte war Brecht überzeugt. Wenn er sich ein Urteil über die musikalische Qualität auch nicht anmaßte – gegenüber Eisler fühlte er sich als musikalischer Laie –, so ahnte er doch diese Qualität. Tatsächlich gehören gerade die Elegien zu Eislers bedeutendsten, von ihm immer besonders geschätzten und von den Sängern besonders häufig aufgeführten Liedkompositionen.

Die erste Elegie (*Unter den grünen Pfefferbäumen*) schlägt einen lockeren Scherzoton an, wie es dem beißenden Witz des von Brecht gewählten

Bildes entspricht. Als chaplinesk-groteske, zugleich lächerliche wie bestürzende Übertreibung wirkt die Vorstellung, Bach und Dante müßten, als Frauen verkleidet, hinternwackelnd und täschchenschwenkend auf den Strich gehen, um so ihren Lebensunterhalt zu verdienen. Es trifft allerdings zu, und das ist der realistische Kern des Bildes, daß viele einst in Europa berühmte Künstler im Hollywood-Exil mit erniedrigenden Brotarbeiten ein kümmerliches Leben fristeten. Durch Brechts Witz und Eislers musikalische Eleganz, die im Widerspruch stehen zum Charakter einer Elegie, wird die kritische Aussage keineswegs gemildert. Elegisch wirkt gerade die Tragikomik des Bildes. Musikalisch basiert das Lied auf einer bereits früher entstandenen Komposition mit Violinsolo. Der motivische Kern, bestehend aus den ersten fünf Tönen des Klaviers, kehrt beim Einsatz der Singstimme wieder und wird sogleich variiert.

Dieses »Prostitutionsmotiv« dominiert dann vor allem im Klavierbaß (T. 16–19) und geht in T. 20, wo Bach sein »Strichquartett« schwenkt, in das B-A-C-H-Zitat über. Versteckter ist ein zweites zusammenhangbildendes Moment: der chromatisch fallende Stufengang von h nach f beziehungsweise von h nach e, der die Unterstimme der Takte 1 bis 3, die Oberstimme der Takte 3 (drittes Viertel) bis 5 und die Baßstimme der Takte 7 bis 11 verklammert.

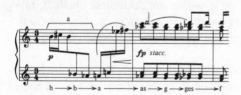

Die meisten Töne dieser Tonfolge ballen sich zum Schluß zu einem mahnend repetierten Cluster zusammen – der in Hollywood mit lächelndem Gesicht vollzogene Abstieg wird zum alarmierenden Signal.

Die beiden folgenden Hollywood-Elegien *Die Stadt ist nach den Engeln benannt* und *Jeden Morgen, mein Brot zu verdienen* beginnen ohne Vorspiel. Dem Klagemotiv der fallenden Sekunde, das ihnen gemeinsam ist, steht in »Die Stadt« noch ostentativ das verlogene Glück der emphatischen Sexte (bei »goldene Pessare«, »füttern sie« und »in ihren Schwimmpfühlen«) gegenüber – die Filmstars an den Swimming-pools tun gegenüber den Klatschkolumnisten so, als wären sie glücklich. In »Jeden Morgen« hingegen dominiert die Verzweiflung. Selbst im kontrastierenden Mittelteil (T. 9–11) läßt der »hoffnungsvolle« Aufschwung schnell nach. Im Nachspiel mit seinem chromatisch absteigenden Fugato sinkt der Baß ab Takt 14 stufenweise vom G bis zum Kontra-E hinab, in eine Tiefe, die sonst nur die »Letzte Elegie« erreicht. Die Verkäufer versinken im Schmutz; die Paradiesstadt Hollywood wird, wie es der folgende bluesartige Gesang verkündet, zur Hölle wie einst schon die Stadt Mahagonny.

Zwei englischsprachige Lieder, die sich ebenfalls mit der Kulturindustrie von Hollywood befassen, hat Eisler später hinzugefügt. Sie stellen einander entgegengesetzte Verhaltensweisen vor. Das eine, *Nightmare* auf einen Eisler-Text, schildert die Schwierigkeiten, die dem entstehen können, der sich den Anpassungszwang der Kulturindustrie widersetzt; das zweite *(I saw many friends)* thematisiert dagegen die Schwierigkeiten, in die auch ein Anpassungswilliger geraten kann. Zur Wahl steht die bedrückende Alternative, entweder als Außenseiter gebrandmarkt zu werden oder aber seinen Charakter zu verlieren. Eislers *Nightmare* (Alptraum) beruht auf seinem Textentwurf »Rat Man's Press Conference«; die Rattenmenschen klagen, daß nicht alle Dreck fressen wollen wie sie. Die hetzenden Sekundrepetitionen, der zugleich piepsende und schreiende Gesang dienen zur Charakterisierung der »Rattenmenschen«, die im langsamen Mittelteil nur zum Schein argumentieren, um dann doch ihre blinden Angriffe zu wiederholen. Auf ähnliche Weise charakterisierte Eisler in seiner Filmmusik zu dem Fritz-Lang-Film *Hangmen Also Die* den Tod des Nazireichsprotektors Heydrich als Tod eines Rattenmenschen.[12] Die Hollywood-Elegie Nr. 7 *(I saw many friends)* bezieht sich, wie mittlerweile bekannt wurde, auf den Fall des Filmschauspielers Peter Lorre. Als der in Hollywood sehr erfolgreiche Schauspieler 1946/47 mit Drogenproblemen zu kämpfen hatte, widmete Brecht ihm das Gedicht, um seinen Freund auf die drohende Gefahr, das Versinken im Schlamm der Kulturindustrie, hinzuweisen.[13] Auch dieses Lied besitzt einen kontrastierenden Mittelteil. Er erinnert an die 5. Elegie (»In den Hügeln«). Wie dort ist auch hier die Dehnung des Sprechtempos ein Ausdruck der Irrealität. Wurde in der 5. Elegie das Wort »Träume«, das für die Traumwelt der Hollywood-Filme stand, besonders in die Länge gezogen, so hier das »ghastly blissful smile«, wodurch das »gräßlich wonnige Lächeln«, das Lorre selbst im Unglück noch beibehielt, noch unwirklicher, noch alarmierender wirkt. Brecht hätte seine Elegie auch George Grosz widmen können, der in den USA zu einem Bewunderer der Reichen wurde, mit denen er geschäftliche Kontakte suchte. Dazu merkte er in seiner Autobiographie an: »Dem empfindsamen Leser mag dies wie das Bekenntnis eines Parasiten erscheinen – aber was kann ein reiner Künstler in einer Gesellschaft wie der heutigen anderes sein?«[14]

Am 28. November 1943 schloß Eisler mit einer Rimbaud-Vertonung sein *Hollywooder Liederbuch* ab. In jenem Jahr 1943 hatte er nur noch wenige Brecht-Gedichte, hingegen vor allem ältere Texte, etwa von Anakreon und Hölderlin, komponiert. Er wußte zwar, daß Brecht, den er weiterhin für den bedeutendsten Dichter des 20. Jahrhunderts hielt, sich möglichst viele Vertonungen seiner Gedichte wünschte, damit sie »wie eine Fliege im Bernstein« eine längere Lebensdauer erhielten; jedoch wollte er sich nicht auf die Rolle des Brecht-Komponisten einengen lassen. Trotz aller politischen Übereinstimmung mit dem Dichter pochte er auf seine intellektuelle Unabhängigkeit. Brechts durchgehaltenen plebejischen Standpunkt, der gegen bürgerliche Kunst nur größte Skepsis zuließ, empfand er, so sehr er ihn wegen seiner Konsequenz bewunderte, als Verkürzung und Einengung.[15] Ohnehin mußte er sich als Komponist stärker auf Traditionen beziehen als ein Dichter; weniger als die Sprache ließ sich die begriffslose Musik von ihrer eigenen Geschichte lösen. Aber auch Eislers literarischer Geschmack war, wie Ernst Fischer bezeugt, breiter und umfassender. So ließ er sich durch Brecht nicht davon abhalten, in freundschaftlichen Kontakt zu Thomas Mann zu treten; seine Versuche, die beiden Schriftsteller gemeinsam an einen Tisch zu bringen, scheiterten allerdings.

Dagegen führten seine »Hölderlin-Fragmente« dazu, daß sich Brecht intensiver mit diesem Dichter befaßte.[16] Bewundernd notierte er am 25. Juni 1943: »Eisler hat für sein Hollywooder Liederbüchlein 2 großartige Zyklen geschrieben, Anakreongedichte und Hölderlingedichte. Hier wird eine Möglichkeit sichtbar, zu dramatischen Chören zu gelangen, da die Vertonungen nunmehr ganz und gar gestisch sind.« Vergeblich waren dagegen Eislers Versuche, Brecht für Beethoven zu interessieren. Als der bedeutende Pianist Eduard Steuermann, auch er ein Schönberg-Schüler, im August 1944 im privaten Kreis mehrere klassische Klavierwerke, ein Mozart-Rondo, eine der Englischen Suiten von Bach, Schubert-Variationen und Beethovens Hammerklaviersonate – sicher nicht gerade dessen einfachstes Werk – vorspielte, empfand Brecht dies als einen Test für sein musikalisches Aufnahmevermögen: »Bach kann ich jetzt, wie ich denke, ungestraft hören, aber den Beethoven mag ich noch immer nicht, dieses Drängen zum Unter- und Überirdischen, mit den oft (für mich) kitschigen Effekten und der ›Gefühlsverwirrung‹. Das ›sprengt alle Bande‹ wie der Merkantilismus, da ist diese innige Pöbelhaftigkeit, dieses ›Seid umschlungen, Millionen‹, wo die Millionen den Doppelsinn haben (als ginge es weiter, ›dieses Coca Cola der ganzen Welt!‹).«[17] Mit diesen Bemerkungen wird Brecht, der nie auch nur andeutungsweise die bürgerliche Revolution von 1789 würdigte, der historischen und musikalischen Bedeutung Beethovens nicht gerecht. Sein plebejisches Mißtrauen gegen bürgerliche Musik erwies sich bei Konzertmusik, die sich doch erst im Bürgertum voll entfaltete, als besonders hemmend.

Brecht und Schönberg

> Die Bewegung führt nicht fort,
> die Logik genügt sich selbst.

Erfolgreicher als sein Werben für Beethoven war Eislers Plädoyer für Arnold Schönberg, seinen Lehrer, der ebenfalls im Hollywood-Exil sein Leben fristete. Eigentlich stand das subjektive Espressivo von Schönbergs Musik im Gegensatz zu Brechts Musikauffassung. Noch am 24. April 1942 griff er gegenüber Adorno und Eisler Schönbergs Musik, wovon er Aufnahmen gehört haben muß, wegen ihrer Überhitztheit an; er ahnte, daß er dabei auf Widerspruch stoßen würde. Immerhin gefiel es ihm aber, wie vehement Eisler für seinen alten Lehrer eintrat. Anfang 1942 kam in einer Diskussion das Gespräch erneut auf Schönberg. »Als ich die unnatürliche Deklamation der Texte durch die Schönbergschule verspottete, verteidigt Adorno sie als veranlaßt von der ›Entwicklung der Musik«.[1] Für Brecht war es unverständlich, daß »ausschließlich bautechnische, beinahe mathematische Erwägungen und Postulate der Logik bei der Anordnung des tonalen Materials« eine Rolle spielen sollen. Angesichts aus dem Radio tönender Coca-Cola-Reklame rief er jedoch am gleichen Tag »verzweifelt nach l'art pour l'art«. Sein Horror vor der durchorganisierten, verführerischen Kulturindustrie Hollywoods ließ ihn nun auch in »reiner« Kunst ein Moment des Widerstands entdecken; gegenüber Hollywood nahm er selbst einen Ästheten wie Gabriele d'Annunzio in Schutz.[2]

Maßgeblich für Brechts Respekt gegenüber Schönberg war nicht dessen Musik, sondern die Persönlichkeit des Komponisten. Eine Universitätsvorlesung Schönbergs, zu der ihn Eisler mitgenommen hatte, beeindruckte ihn. Er hatte nicht erwartet, daß Eislers Lehrer eine derart polemische Haltung einnehmen würde; ihm gefiel dessen »angenehme Trockenheit und Schärfe«, die auf Nichtanpassung beruhte, sowie die Klarheit seines Denkens. Im Arbeitsjournal findet sich der Stoßseufzer: »Ein Jammer, daß wir nicht einmal so in Musik gebildet wurden, daß wir wenigstens verstehen, *was* wir da nicht verstehen.«[3] Die Begegnung mit Schönberg zeigte ihm die Begrenztheit seines eigenen Musikverständnisses. Brecht, der sonst an Musik vor allem ihren gestischen Charakter, ihre dramaturgische Funktion und ihre gesellschaftliche Wirkung wahrnahm, entdeckte etwas an Musik, was er bisher unterschätzt hatte: die Existenz einer eigenen musikalischen Logik. Nun, da er die Breite dieser Wissenslücke erst wirklich erkannte, da er bemerkte, was Musikverstehen auch bedeuten kann, bedauerte er die Mängel in seiner musikalischen Erziehung.

Um so mehr versuchte er, das Musikverständnis seines Sohnes durch Unterricht zu fördern.[4] Zufrieden registrierte er am 4.8.1942 dessen bescheidene Ansätze zu einem analytischen Musikhören: »Steff führt mir einen alten St. Louis Blues vor, auf der ein Klarinettensolo vorkommt. Zuerst spielt die Klarinette allein, dann tauchen andere Stimmen auf. ›Jetzt ist schon Antwort da‹ sagt er.« Es ist denkbar, daß sich nun auch Brecht selbst mehr als zuvor um das Erkennen musikalischer Formen bemühte.

Bevor sie zum ersten Mal zu Schönberg gingen, hatte Eisler seinen Freund vor unhöflichen Äußerungen gegenüber dem alten, genialen, aber politisch äußerst konservativen Mann, der bis zuletzt der Habsburger Monarchie nachtrauerte, gewarnt. Anders als Brecht hat Schönberg die Bedeutung seines Gegenübers nicht erkannt, aber doch immerhin – so Eisler – »diesen seltsam aussehenden Mann – er schaut doch aus wie eine Mischung zwischen Ignatius von Loyola und einem römischen Konsul in Bayern, nicht wahr? – mit Interesse betrachtet.«[5] Zu seinem 68. Geburtstag am 13. September 1942 lud er diesen »seltsam aussehenden Mann« sogar ein. Brecht mußte absagen: »Leider hindert mich eine geschwollene Backe, Ihrer so freundlichen Einladung zu folgen. Ich muß Ihnen meine herzlichsten Glückwünsche also schriftlich übermitteln.«[6] Dem Brief legte er sein Svendborger Gedicht »Und in eurem Lande?«, das er 1935 für Lion Feuchtwanger geschrieben hatte, mit der Widmung bei »Arnold Schönberg in Bewunderung«. Zu einem späteren Schönberg-Geburtstag schrieben Brecht und Eisler ihre auf einer Schönberg-Anekdote beruhende Kantate »Ich habe von einem Esel gelernt«, die allerdings bis heute nicht aufgefunden wurde.[7]

Die Bewunderung, die Brecht dem greisen Meister gegenüber zum Ausdruck brachte, änderte nichts daran, daß ihm das Weltfremde, Isolierte in Schönbergs Musik und Denken mißfiel. Paradigmatisch wurde ihm dies deutlich, als er beim Hören gerade einer Schönberg-Komposition von einer Bettlerin gestört wurde – abrupt brach die soziale Wirklichkeit in die allzu reine Welt der Musik ein. »Ich höre im Radio Schönbergs ›Thema mit 7 Variationen‹, als es läutet. Eine blutlose Frau steht vor der Tür: ›Can I ask you for a busfare?‹ Ich gebe ihr schnell 10 Cent und höre weiter das romantische Werk mit seiner prästabilierten Harmonie.«[8] Bei der Komposition muß es sich um Thema und Variationen für Blasorchester op. 43 A gehandelt haben, die im Jahr zuvor entstanden war. An dieser für Schönberg ungewöhnlich konsonanten und tonalen Musik vermißte Brecht das weiterweisende Moment: »Schönberg verrettet die klassische Musik. (...) Für mich hat diese Musik etwas Kreisendes, die Bewegung führt nicht fort, die Logik genügt sich selbst.« Obwohl Brecht die Subjektivität seines Urteils erkannte, meinte er doch die Logik von Schönbergs Komposition erkannt zu haben. Zuvor hatte Brecht noch gehofft, daß ihm Schönberg ein neues Beethoven-Verständnis erschlösse: »Die Schönbergsche Musik macht die Beethovensche verständlich.«[9] Nun allerdings empfand er die Beschränkung auf die innermusikalische Logik als unzulässige Einengung. Schönberg hatte diese Einengung bewußt vorgenommen, da er das Ausdrucksprinzip, dem er weiterhin folgte, für seine Privatangelegenheit hielt.[10] Er mußte jedoch zugeben, daß die Etablierung der Musik als Sonderwelt ihre Grenzen hatte. Als Brecht zusammen mit Hanns und Lou Eisler sowie Paul Dessau im Oktober 1944 bei Schönberg zum Essen eingeladen war, hörte er mit besonderem Interesse die Klage seines Gastgebers, daß es für die Musik kein rein musikalisches Begriffsmaterial gebe. »Bei mir klingt eine Saite mit«, notierte sich Brecht in sein Journal. Er dürfte diese Klage freilich anders interpretiert haben als Schönberg. Während dieser die Musik am liebsten auf ihre eigene Logik eingeengt hätte, wollte Brecht das Musikverständnis ausweiten: Die formale Logik sollte nicht Selbstzweck bleiben, sondern mit Ausdruck, Sprache und Gestus in Verbindung treten.

Ein verschwiegenes Vorwort

Das »Hollywooder Liederbuch« ist, obwohl es zum größten Teil Brecht-Vertonungen enthält, ein genuin Eislersches Werk. Es rettet die Kunstliedgattung, zu der Brecht nach seiner Trennung von Marianne Zoff kaum noch Zugang fand, für eine künftige, nachbürgerliche Gesellschaft. In seinem aktualisierenden Aufgreifen von verschiedenen musikalischen Stilen und von Gedichten aus sehr verschiedenen Epochen ist es in der Geschichte des Liedes ohne Beispiel. Waren Eislers »Zeitungsausschnitte« ein provozierendes Durchbrechen der Subjektivität bürgerlicher Konzertlyrik, so knüpft sein »Hollywooder Liederbuch« wieder an die subjektive Intimität der Liedtradition an, macht den subjektiven Ausdruck aber zugleich zum Ausdruck der Epoche. Brechts Gedichte erhalten eine zusätzliche geschichtliche Dimension, indem sie neben Texte von Anakreon, Pascal und Hölderlin gestellt werden. Eislers besonderes literarisches Gespür, seine »Kunst zu erben«, sein politisches Bewußtsein und seine auffallende Begabung für die pointierte, kurze Form treffen in diesem Liederbuch auf glückliche Weise zusammen. Erwin Ratz, der österreichische Musikforscher und langjährige Freund Eislers, schrieb über das Werk: »Diese Sammlung von ungefähr 200 Gesängen[1] stellt einen Markstein in der Geschichte des Liedes dar, ähnlich wie einst die großen Zyklen Schuberts, Schumanns, Brahms' und Hugo Wolfs. Die Originalität der musikalischen Erfindung, der Reichtum an Charakteren, treten hier vielleicht am eindringlichsten in Erscheinung. Das charakteristische Merkmal im Schaffen Eislers ist, daß wir in ihm nichts Konventionelles und Schablonenhaftes finden. Alles ist von einer unglaublichen Lebendigkeit.«[2] Der englische Komponist Alexander Goehr, ein Sohn des Schönberg-Schülers Walther Goehr[3], vertrat 1964 die Auffassung, daß in der Gegenwart allein Hanns Eisler und Benjamin Britten als Liedkomponisten von Bedeutung zu nennen seien. »Als die Bände mit Eislers Liedern erschienen, waren wir erstaunt; nicht allein über die Quantität – natürlich ist nicht alles von gleichem Wert –, sondern weit mehr über die Intensität des Ausdrucks, die Vielfalt der technischen Mittel und die Weite der Inspiration. (...) In seinen Liedern hebt er die gesamte Tradition des Liedes auf; er erfand neue Mittel und Ausdrucksmöglichkeiten für dessen scheinbar abgenutztes Material; überall gibt es Leichtigkeit des Stils, Reinheit des Ausdrucks und Intelligenz – eine Qualität, die Eisler selbst über alles schätzte.«[4]

Eigentlich hatte Theodor W. Adorno das Vorwort zum »Hollywooder Liederbuch« schreiben wollen. Nicht aus ästhetischen, sondern aus politischen Gründen gab er diese Absicht auf, als Eisler 1947 vor die antikommunistischen McCarthy-Ausschüsse zitiert wurde; der nicht eben mutige Adorno befürchtete berufliche Nachteile. In den frühen vierziger Jahren muß die bis 1925 zurückdatierende Freundschaft aber eng und herzlich gewesen sein – so eng, daß Brecht, der den linksbürgerlichen Philosophen als »Tui« abtat, darüber verstimmt war.[5] Für die enge Verbindung zwischen Adorno und Eisler spricht nicht nur Adornos Vorwortplan, die gemeinsame musikalische Beratung Thomas Manns bei dessen Doktor-Faustus-Roman und die Zusammenarbeit am Filmbuch, sondern auch eine Idee, die Eisler auf der Rückseite des »Hollywooder Liederbuchs« notierte: »Symphonie. Th. W. Adorno gewidmet/ein großer Wissenschaftler u.

Komponist.«[6] Demnach schätzte Eisler Adorno nicht nur als Wissenschaftler, sondern auch als Komponisten. Mit der Symphonie war Eislers zwölftönige Kammersymphonie gemeint, die 1940 aus einer Filmmusik hervorging und 1950 beim Brüsseler IGNM-Fest uraufgeführt wurde.[7] Zu diesem Zeitpunkt allerdings wagte Adorno nicht mehr, die Huldigung eines DDR-Bürgers entgegenzunehmen. Vor 1947 hatte Eisler dagegen mit seinen Widmungen mehr Glück. Am 10. Juni 1944 übereignete er Adornos Frau Gretel, die nach dem mündlichen Diktat der beiden Autoren das Manuskript zum Filmbuch aufgeschrieben hatte, »mit besonders herzlichen Wünschen und Grüßen« sein Lied »Die Maske des Bösen« zum Geburtstag. Gemeinsam war Adorno und Eisler neben dem Wohnort Malibu die Bewunderung für Schönberg, für Hegels Ästhetik und Marcel Prousts *Suche nach der verlorenen Zeit*, nicht zuletzt auch die Vorliebe für pointierte Gedanken. Bald nach Eislers »Hollywooder Liederbuch« entstand ab 1944 ebenfalls in Malibu Adornos Aphorismen-Sammlung »Minima Moralia«, die wie Eislers Werk Reflexionen über Exil, Krieg und Kulturindustrie enthält. Möglicherweise hätte Adorno in seinem Vorwort zum »Hollywooder Liederbuch« nicht nur die seiner Theorie so genau entsprechende Trennung von Material und Verfahrensweise, sondern auch das dem Aphoristischen anhaftende Moment der Askese – für Brecht ein »Gegengift« zur geisttötenden Milde des Hollywood-Klimas[8] – hervorgehoben. Einen Ansatz dazu formulierte er in seinen »Minima Moralia«: »Fortschritt und Barbarei sind heute als Massenkultur so verfilzt, daß einzig barbarische Askese gegen diese und den Fortschritt der Mittel das Unbarbarische wieder herzustellen vermöchte. Kein Kunstwerk, kein Gedanke hat eine Chance zu überleben, dem nicht die Absage an den falschen Reichtum und die erstklassige Produktion, an Farbfilm und Fernsehen, an Millionärmagazine und Toscanini innewohnte. Die älteren, nicht auf Massenproduktion berechneten Medien gewinnen neue Aktualität . . .«[9]

Eislers »Hollywooder Liederbuch«, das vom Interpreten wie vom Hörer ein hohes Maß an geistiger Beweglichkeit erfordert, ist bis heute nur wenigen Spezialisten bekannt. Erst 1982 fand in Leipzig mit Roswitha Trexler (Gesang) und Josef Christof (Klavier) eine erste Gesamtaufführung statt.[10]

An die deutschen Soldaten im Osten

Neue Hoffnung auf den Rundfunk

Je mehr sich in Europa, vor allem an der Ostfront, Hitlers Niederlage abzeichnete, um so weniger konnte sich Brecht mit einer »Flaschenpost-Kunst« zufriedengeben. Er glaubte an die Nützlichkeit der Kunst und brauchte den Kontakt zum Publikum. Da er sich auch weiterhin als Flüchtling und nicht als Emigrant verstand, blieben auch in den USA die Deutschen seine eigentliche Zielgruppe. Die einzige Möglichkeit, diese Menschen im fernen Europa direkt zu erreichen, bot der Rundfunk mit seinen die Kontinente überbrückenden Kurzwellensendungen. Schon wenige Monate nach seiner Ankunft in den USA, im Dezember 1941, hatte sich Brecht an den Dichter und Dramatiker Archibald MacLeish in Washington gewandt: Er brenne darauf, gegen die Nazis zu kämpfen. »Ich bin fest überzeugt«, heißt es in seinem Brief, »daß der psychologische Moment gekommen ist, um direkt von hier über Rundfunk die Wahrheit, die leicht als Aufforderung zum Widerstand wirken könnte, nach Deutschland hineinzustrahlen.«[1] Brecht, selbst ein regelmäßiger Radiohörer, erhoffte sich vom Rundfunk wieder den Kontakt zu einem Massenpublikum. Wahrscheinlich hatte er von der Resonanz gehört, auf die seit Oktober 1940 Thomas Manns regelmäßige BBC-Sendungen »Deutsche Hörer!« stießen. Von dem mit Thomas Mann befreundeten MacLeish erhielt Brecht jedoch nie eine Antwort.

Neue Wirkungsmöglichkeiten über den Rundfunk schienen sich anzubieten, als im Winter 1941/42 die deutsche Offensive in Rußland zum Halten kam und im Dezember 1941 über einen ersten Appell deutscher Kriegsgefangener an die deutsche Bevölkerung, Hitler zu stürzen, berichtet wurde.[2] Die politische Situation hatte sich auch insofern verbessert, als seit Dezember 1941 die USA die Sowjetunion gegen die Achsenmächte unterstützten. Am 9. Januar 1942 notierte Brecht in sein Arbeitsjournal:

»Schrieb ›An die Hitlersoldaten in Rußland‹, nachdem viel über eine Belieferung des Moskauer Radios gesprochen wurde.« Das Gedicht soll angeblich schon Neujahr 1942 in Eislers Vertonung in einem jüdischen Klub in Los Angeles aufgeführt worden sein[3]; seine eigentliche Zielgruppe waren jedoch die deutschen Soldaten.

Als erster Sender der Welt hatte der Moskauer Rundfunk schon 1929 mit einem fremdsprachigen Auslandsdienst begonnen. Ab 1. Mai 1933, drei Monate nach Hitlers Machtantritt, nahm der leistungsstarke Kominternsender seinen Betrieb auf. Damit hätten auch die deutschsprachigen Sendungen noch besser in Deutschland empfangen werden können, wären sie nicht häufig gestört worden. Einige von Brechts *Deutschen Satiren* wurden ab Juli 1937 über den Deutschen Freiheitssender ausgestrahlt.[4] Dieser zweitstärkste Kurzwellensender in Europa mit Reichweiten bis Übersee war in Spanien lokalisiert; ab April 1937 stand er der deutschen Volksfront zur Verfügung. Über ihn sprachen unter anderen die Schriftsteller Heinrich Mann, Lion Feuchtwanger, Gustav Regler, Alfred Kerr, Hans Marchwitza, Ernest Hemingway, Ramon Sender und Stephan Hermlin, der Filmregisseur Jean Renoir und der Maler Frans Masereel. Die Resonanz, auf die die Sendungen stießen, wurde in Hitler-Deutschland mit Sorge registriert. So heißt es in einem Gestapobericht vom April 1937, »daß das Abhören dieses Senders Schule macht«.[5] Der Berichterstatter fährt fort, daß der Deutsche Freiheitssender auch antifaschistische Witze und Kampflieder verbreite. »Seit ungefähr einer Woche bringt der KPD-Sender ein sogenanntes *Einheitsfrontlied* (Foxtrott-Melodie – jüdisch). Das Lied hat folgenden Text:

> Weil der Mensch ein Mensch ist, darum
> braucht er Kleider und Schuh.
> Es macht ihn kein Geschwätz innerlich warm
> und auch nicht ein frommes dazu.
> Refrain: Drum links zwei drei, drum
>   links zwei drei, Genosse
>   reihe Dich ein in die Arbeit
>   Der Einheitsfront' usw.«

Trotz der eigenwilligen Transkription und trotz der falschen Charakterisierung von Eislers Musik beweist dieser Bericht, daß das Einheitsfrontlied selbst in Hitler-Deutschland gehört werden konnte. Politische Lieder, gesungen vor allem von Ernst Busch und Paul Robeson, bildeten einen wichtigen Bestandteil der Programme des Deutschen Freiheitssenders.

Zwischen 1939 und 1941 mußten sich die Moskauer Sendungen den Bedingungen des deutsch-russischen Nichtangriffspakts anpassen. Das änderte sich natürlich sofort nach dem deutschen Angriff auf die Sowjetunion im Juli 1941. Die Sendezeit der deutschen Redaktion wurde auf durchschnittlich sechs Stunden täglich erhöht; im September 1941 wurde zusätzlich ein Deutscher Volkssender, im Juli 1943 eine Station des Nationalkomitees Freies Deutschland begründet. Zu den Dichtern, die sich regelmäßig über den Rundfunk an die deutsche Bevölkerung und die Soldaten wandten, gehörten vor allem Erich Weinert und Johannes R.Becher.[6] Ob während des Krieges auch Brecht-Gedichte über die Moskauer Sender verlesen wurden, ob also Brechts Pläne vom Januar 1942 realisiert werden konnten, ist nicht bekannt.

Am 19.März 1942 veröffentlichte der »Los Angeles Examiner« ein Photo von Brecht und Feuchtwanger mit der Bildunterschrift, daß sie zusammen mit Heinrich Mann ein Manifest an das deutsche Volk verfaßt hätten; dieses Manifest, eine Aufforderung zum Sturz Hitlers, sollte, so die Zeitung weiter, über Kurzwelle ausgestrahlt und mit Flugzeugen über Deutschland abgeworfen werden.[7] Die Hoffnung, über den Rundfunk den deutschen Widerstand zu stärken, gab Brecht nicht auf. Wohl für diesen Zweck schrieb er nach *An die Soldaten im Osten* auch die inhaltlich verwandten Gedichte *Und was bekam des Soldaten Weib?*, *In Sturmesnacht* (unter Verwendung eines Stalin-Zitats), *Lied einer deutschen Mutter* und *Das deutsche Miserere*. Als er im Mai 1942 mit Eisler über das Gedicht »Und was bekam des Soldaten Weib?« diskutierte, wandte dieser ein: »Und was, wenn ich meiner Mutter 1917 aus Italien ein Stück Salami heimgeschickt hab'? Die Generäl' nahmen sich die Klaviere und Teppiche, und der gemeine Mann hält sich ein bissel schadlos, indem er seiner Frau Schuh' kauft. Das ist, was er vom Krieg hat, wenig.«[8] Brecht, der Eislers Kritik ernst nahm, war verunsichert und erwog, den Titel in »Und was bekam des SA-Manns Weib« umzuändern.

Ein neuer Kontakt zum Rundfunk ergab sich, als im Mai 1942 Brechts Freundin und Mitarbeiterin Ruth Berlau eine Stellung beim Office of War Information (OWI) in New York erhielt. In zahlreichen Briefen forderte sie ihn auf, ebenfalls nach New York zu kommen.[9] Aber erst nachdem er sein Honorar für die Drehbuchmitarbeit am antifaschistischen Fritz-Lang-Film »Hangmen Also Die«, Musik: Hanns Eisler, bekommen hatte, konnte Brecht von Februar bis Mai 1943 ihrer Einladung Folge leisten. Während seines New-York-Aufenthalts fragte John Houseman, der Leiter der Radio-Programmabteilung für Überseesendung des OWI, bei ihm an, ob er an Sendungen nach Deutschland mitwirken wolle. Brecht wollte.

Aufgeschlossen für Brechts Ziele: Paul Dessau

In New York begegnete Brecht dem Komponisten Paul Dessau, dessen Kampflied »Die Thälmannkolonne« er schon in seinem Spanienstück *Die Gewehre der Frau Carrar* verwendet hatte. Dessau stammte wie Weill aus einer jüdischen Kantorenfamilie, zwar nicht aus Dessau, sondern aus Hamburg; dort hatte sein Großvater, der Synagogenkantor Moses B. Dessau, einiges Ansehen genossen. Paul Dessaus Vater brachte es nur zum Tabakladenbesitzer, aber auch er war ein leidenschaftlicher Sänger; mit Vorliebe stimmte er den »Abendstern« aus dem *Tannhäuser* oder den »Prolog« aus dem *Bajazzo* an. Er förderte die musikalische Begabung seines Sohnes, der zunächst ebenfalls Sänger werden wollte, dann aber zur Geige überwechselte. Als Paul Dessau 1908 vierzehnjährig sein erstes Konzert gab, spielte er bereits sämtliche Mozart-Violinkonzerte.

In die Welt der bürgerlichen Musik, nicht allein der Geigenmusik, sondern auch der hochromantischen Oper, die Brecht mit so tiefem Mißtrauen betrachtete, war Dessau schon früh tief eingedrungen. Stark beeindruckt von den Dirigenten Arthur Nikisch, Felix von Weingartner, Gustav Brecher und Otto Klemperer, die er am Hamburger Stadttheater erlebte, war er bald von der Geiger- zur Kapellmeisterlaufbahn übergewechselt und kam hier rasch auf angesehene Positionen. Nach Anfängertätigkeit als Korrepetitor am Hamburger Stadttheater und als Operettenkapellmeister in Bremen wurde er 1918 Schauspielkapellmeister an den Hamburger Kammerspielen, wo er unter anderem eine Bühnenmusik für Erich Engels erste Inszenierung schrieb; 1919 hatte er es bereits zum Korrepetitor, dann zum Kapellmeister bei Otto Klemperer in Köln gebracht, 1923 wurde er Erster Kapellmeister in Mainz, 1925 bis 1927 Erster Kapellmeister bei Bruno Walter an der Städtischen Oper Berlin. In seiner vierzehnjährigen Kapellmeistertätigkeit lernte Dessau die ganze Breite des Opernrepertoires kennen, ein weiterer Aufstieg in dirigentische Spitzenpositionen schien bevorzustehen.

1927 jedoch brach Dessau diese Laufbahn ab, da er sich dem devoten Umgangston des Theaterbetriebs nicht länger anpassen wollte. Er wollte seine Meinung offen sagen, ihm mißfielen bürgerliche Formalitäten und Sentimentalitäten; so verzichtete er bei den Proben nicht nur auf die üblichen Schmeicheleien, sondern wurde gelegentlich sogar grob. In dieser trotzigen Haltung, von der 1926 auch seine erste Symphonie geprägt war, glich Dessau Hindemith und Brecht. Beiden begegnete er 1927 in Baden-Baden.

An eine Zusammenarbeit mit Brecht, die sich Dessau schon damals erträumte, war vorerst allerdings noch nicht zu denken. Dessau hatte zwar bereits einen Preis für ein »Concertino« bekommen, einen Namen als Komponist wie Weill, Hindemith oder Eisler besaß er jedoch noch nicht.

Anders als diese hat er nie bei einem berühmten Kompositionslehrer studiert, was er später immer wieder bedauerte. Dessaus wichtigste musikalische Lehrer waren nicht Komponisten, sondern Interpreten.

Nachdem Dessau dem Opernbetrieb den Rücken gekehrt hatte, verdiente er sein Leben als Dirigent und Komponist von Filmmusik; so schrieb er die Musik zu Bergfilmen von Dr. Arnold Fanck, zu Musikfilmen mit Richard Tauber und zu Trickfilmen von Walt Disney. Seine Liebe galt jedoch einem anderen Gebiet. Ihn interessierten nicht mehr die Riesenpartituren von Wagner und Strauss, die er früher dirigiert hatte, sondern einfache, lehrhafte Kompositionen. Er veranstaltete Kammerkonzerte, bei denen auch Paul Hindemith mitwirkte, und schrieb Musik für Kinder; auf Hindemiths Veranlassung komponierte er auf Texte von Robert Seitz das »Eisenbahnspiel« für 2 Violinen, Kinderchor und Soli und die Kantate »Tadel der Unzuverlässigkeit«. Die Abkehr vom Opernbetrieb hatte bei Dessau Tendenzen zur Askese, zum Lehrhaften, auch zur jüdischen Religion, gefördert. Als er Weills *Lindberghflug,* dirigiert von Otto Klemperer, in Berlin erlebte sowie vor allem in der Karl-Marx-Schule Neukölln den *Jasager,* war er davon so stark beeindruckt, daß er Text und Musik zu einem eigenen Lehrstück mit dem Titel *Kinderkantate* schrieb.

1933 floh Dessau aus Deutschland, nachdem er aus seinem Filmorchester einen Hornisten entlassen hatte, der, wie er erst danach erfuhr, ein Nazi war. Zu einem intensiveren politischen Engagement kam es erst 1936 in Paris. Voll Bewunderung hatte Dessau zwar schon in Berlin Auftritte von Busch und Eisler erlebt, jedoch erst die vom spanischen Bürgerkrieg eintreffenden Nachrichten brachten ihn dazu, selbst Kampflieder zu schreiben. So entstanden auf einen eigenen Text »No pasaran!« sowie auf einen Text seiner Frau »Die Thälmannkolonne«. Im gleichen Jahr 1936 vertonte Dessau als seinen ersten Brecht-Text das »Kampflied der schwarzen Strohhüte« aus *Die heilige Johanna der Schlachthöfe.*

Als Slatan Dudow am 21. Mai 1938 in Paris einige Szenen aus *Furcht und Elend des Dritten Reiches* aufführte, holte er sich Dessau für die Bühnenmusik. Dieser vertonte unter dem Pseudonym Peter Sturm die Vorsprüche zu den einzelnen Szenen, die in einer »Heerschau« die verschiedenen sozialen Gruppierungen Hitler-Deutschlands vorführen. Dudow nannte die Szenenfolge »99%«, um damit auf die 99 Prozent der Bevölkerung zu verweisen, die sich 1936 bei einer Abstimmung für die Remilitarisierung des Rheinlands ausgesprochen haben sollen. Ursprünglich sollte Ernst Busch bei der Pariser Aufführung mitwirken, für ihn hatte Brecht die Folge der Vorstrophen die er als »Ballade« bezeichnete, vorgesehen.[1] Ohne Zweifel wurde Brecht zu den balladenhaften Vorstrophen durch Shelleys Ballade »Maskenzug der Anarchie« inspiriert, die er im gleichen Jahr 1938 als Inbegriff realistischer Schreibweise herausstellte.[2] Wohl auch Erinnerungen an kirchliche Prozessionen und militärische Aufmärsche in

Augsburg geben eine Erklärung dafür, daß Brecht seit seiner »Legende vom toten Soldaten« immer wieder solche Aufzüge verwendet hat, um soziologische Schichtungen und soziale Gegensätze sichtbar zu machen. Negativen Aufzügen: der »Heerschau« aus *Furcht und Elend*, dem Totenzug aus dem *Verhör des Lukullus* oder dem »Anachronistischen Zug« aus seinen Gedichten, stehen positive Aufzüge: Arbeiterdemonstrationen aus der *Mutter*, die »Kantate Erster Mai« oder die Internationalen Brigaden gegenüber.

Dessau hat die einzelnen Balladen-Strophen aus der »Furcht und Elend«-Heerschau nach einer martialisch-marschmäßigen Einleitung als zunehmend dissonanter werdenden Variationenzyklus über eine schlichte a-moll-Melodie komponiert. Er nahm damit schon seine spätere Vertonung des »Anachronistischen Zugs« (»Freiheit und Democracy«) vorweg. Der späteren Komposition gleicht auch die für Paris gewählte einfache Instrumentalbesetzung aus solistischer Singstimme, Klavier und Schlagzeug, die es erlaubte, daß bei der Uraufführung der Komponist sich selbst begleitete.[3]

Dessau war es 1939 gelungen, von Paris in die USA zu kommen, wo er sein Leben zunächst mit untergeordneten Arbeiten in einem jüdischen Kinderheim, schließlich auf einer Hühnerfarm fristete. Erst nachdem 1941 auf dem IGNM-Fest New York sein Orchesterlied »Les Voix« nach Verlaine mit Erfolg uraufgeführt worden war, bekam er eine Stelle für Kompositionslehre und Musiktheorie. Ende 1942 erfuhr er von seinem Freund, dem Kunsthistoriker Friedrich Alexan, von Brechts bevorstehendem New-York-Besuch. Als Sekretär der »Tribüne für freie deutsche Literatur und Kunst in Amerika« bereitete Alexan einen Brecht-Abend vor und konnte so das von Dessau schon lange gewünschte Zusammentreffen mit dem Dichter vermitteln.

Bei dieser Begegnung im Februar 1943 spielte Dessau sein *Kampflied der schwarzen Strohhüte* vor, das er im August 1936 in Boulogne als seine erste Brecht-Vertonung komponiert hatte. Herausgelöst aus dem Heilsarmeekontext der *Heiligen Johanna der Schlachthöfe* sind die »Schwarzen Strohhüte« ein echtes Kampflied im Marschcharakter. Trotz stilistischer Uneinheitlichkeit und melodischer Anlehnung an den Anfang des »Einheitsfrontliedes«[4] gefiel Brecht das durchkomponierte Strophenlied so gut, daß er es für den Autorenabend der »Tribüne« übernahm und den Komponisten bei seinen Proben mit einer italienischen Sängerin unterstützte. Dazu Dessau: »Damals hatten wir noch nicht viel Ahnung von gestischem Singen; eine Altistin, die hätte ebensogut die Amneris in der ›Aida‹ singen können. Brecht sagte: Gut, ich probiere mit euch; er kam dann in die Proben und probierte jeden Satz und jedes Wort mit uns.«[5] Als die Sängerin kurzfristig absagte, ermutigte Brecht den Komponisten, sein Lied selbst vorzutragen; auch Eisler singe manchmal seine Lieder. Dessau besaß im

Unterschied zum krächzenden Eisler, der nur in kleinerem Rahmen sang, und zum sängerisch noch zurückhaltenderen Weill eine volltönende Stimme; er sagte gerne zu. Sein selbstbegleiteter Vortrag des ursprünglich für Ernst Busch komponierten »Kampflieds der schwarzen Strohhüte« beim Brecht-Abend der »Tribüne« im Studiotheater der New School für Social Research konnte sich dann auch durchaus erfolgreich neben den Beiträgen der Schauspieler Elisabeth Bergner und Peter Lorre sowie des Komponisten Stefan Wolpe behaupten. Dieser Abend bedeutete eine Wende in Dessaus Leben. Von nun an prägte Brecht seine Musikauffassung.

Während seines New-York-Aufenthalts in diesem Jahr galt Brechts Interesse vor allem der politischen Zukunft Deutschlands. Auch die beginnende Zusammenarbeit mit Dessau war ganz von dieser Thematik geprägt. Dessau hatte schon kurz vor seiner Zusammenkunft mit Brecht dessen Gedicht *Deutschland (In Sturmes Nacht)* komponiert; am 16. April vollendete er eine neue Fassung, die er auch für Flöte, Baßklarinette, Akkordeon und Klavier instrumentierte. Brecht gab ihm schon bald weitere für den Rundfunk verwendbare Gedichte. Bei einem der ersten Treffen griff er »verstohlen in seine Rocktasche und zog ein Manuskript heraus. Das war das ›Lied einer deutschen Mutter‹[6], er gab mir das auf dem Broadway und sagte: Dessau, eine Zeile habe ich schon komponiert. Wenn Sie das vervollständigen könnten, das wäre sehr schön«[7]. Während sich Brecht bei Eisler mit musikalischen Vorschlägen zurückhielt, zeigte er gegenüber Dessau weniger Scheu. So sang er ihm gleich die Zeile vor, die er »komponiert« hatte:

Hätt' ich ge-wußt, was ich heut weiß...

Die Aufgabe, aus einer kurzen Melodiephrase ein ganzes Lied zu machen, war für Dessau ungewohnt. Da ihm jedoch die beiden Takte, die ihm Brecht vorgeschlagen hatte, gefielen, bemühte er sich darum, daran anzuknüpfen; schon bald darauf konnte er dem Dichter das ganze Lied vorspielen.

Etwa gleichzeitig komponierte er auch das *Horst Dussel-Lied* (Kälbermarsch), in dessen Refrain er die Melodie des faschistischen Horst Wessel-Lieds parodierte. Ob auch diese Lieder, die sich ebenfalls an die Deutschen unter Hitler richteten, in New York Verwendung fanden, ist nicht bekannt. Überliefert ist aber, daß am 16. April 1943 Dessaus Vertonung des »Liedes einer deutschen Mutter« in mehreren Fassungen für das Office of War Information aufgenommen wurde.[8] Es sang Lotte Lenya. In eben dem Moment, in dem die Zusammenarbeit Brecht-Dessau begann, erneuerte sich auch wieder die Verbindung zu Kurt Weill.

Eine neue musikalische Anti-Hitler-Koalition

Der Hitler wird verjaget sein
Wenn wir uns nur bemühen.
Und unser liebes Deutschland
Wird wieder blühen.

Brecht wollte nicht als Emigrant bezeichnet werden, sondern als Vertriebener, als Flüchtling.[1] Kurt Weill dagegen protestierte, wenn man von ihm als einem deutschen Komponisten sprach. Deutschland hatte er innerlich hinter sich gelassen, auf Aufführungen seiner in Berlin entstandenen Werke legte er keinen Wert mehr.[2] Selbst wenn Kenner wie Marc Blitzstein und Virgil Thomson die in Zusammenarbeit im Brecht entstandenen Werke den amerikanischen Werken Weills vorzogen[3], versuchte dieser einen wirklichen Neuanfang als amerikanischer Komponist. Auch den Kontakt zu anderen deutschen Flüchtlingen brach er ab, die Vergangenheit war für ihn begraben und vergessen. Dies änderte sich, nachdem der japanische Überfall auf Pearl Harbour im Dezember 1941 dem amerikanischen Isolationismus ein Ende machte. Da sich nun der Antifaschismus von einem Emigrantenthema zu einer amerikanischen Aufgabe verwandelte, beteiligte sich auch der Amerikaner Kurt Weill daran.

Hatte schon die Große Depression, die Weltwirtschaftskrise, in den dreißiger Jahren zu verstärktem politischen Bewußtsein der amerikanischen Komponisten geführt, so bedeutete der Kriegsbeitritt der USA eine Steigerung.[4] Musikzeitschriften öffneten dem Thema ihre Spalten, mehr und mehr entstanden Kompositionen, die sich der amerikanischen Geschichte, dem Freiheitsbegriff, den amerikanischen Streitkräften und dem Kampf gegen Hitler widmeten. Zahlreiche Komponisten traten der Armee bei, wo sie meistens in der Militärmusik eingesetzt wurden, so etwa auch Marc Blitzstein und Samuel Barber, die in der Luftwaffe dienten. Nachdem Blitzstein 1943 zum Musikdirektor der amerikanischen Rundfunkstation für Europa ernannt worden war, schrieb er 1943/44 mitten im deutschen Bombenhagel in London seine »Airborne Symphony«, die sich in ihrer Kantatenform an Brecht-Weills *Lindberghflug* anlehnt. Wenn auch Weill ab 1942 patriotische Songs über die amerikanische Freiheit komponierte und bei Unterhaltungsprogrammen für Arbeiter in der Rüstungsproduktion mitwirkte, handelte er wie viele amerikanische Komponisten. Allenthalben versuchten die Künstler, mit ihrer Kunst zum »war effort« beizutragen. An der Universität von Kalifornien (UCLA) fand beispielsweise vom 1.–3. Oktober 1943 ein Schriftstellerkongreß statt, bei dem mögliche Beiträge der Kommunikationsindustrie zur psychologischen Kriegführung diskutiert wurden; im Rahmen der Arbeitsgruppe »Music in the War« sprachen dort Hanns Eisler und Darius Milhaud.[5] Unter diesen Umständen konnte 1942/43 auch die Zusammenarbeit zwischen Brecht und Weill wieder erneuert werden. Am 1. Oktober 1942 trafen beide in Los Angeles zusammen[6], wenig später vertonte Weill Brechts Gedicht *Und was bekam des Soldaten Weib?* Nach mehrjähriger Pause komponierte er damit wieder einen deutschsprachigen Text. Anlaß der Komposition waren Rundfunkprogramme, die Ernst Josef Aufricht, der ebenfalls in New York Zuflucht gefunden hatte, im Auftrag des Office of Strategic Services (OSS) für Deutschamerikaner zusammenstellte; neben einer Hörspielserie »Die Schulzes in Yorkville« gab es eine Sendung »We Fight Back« mit musikalischen Beiträgen verschiedener Komponisten und politischen Kommentaren. Gerade die Deutschamerikaner hatten sich als besonders nazifreundlich erwiesen. Oft unterstützten sie profaschistische Aktivitäten, so vor allem die Tätigkeit des »German American Bund« und die einflußreiche Bewegung »America First«, die sich gegen eine amerikanische Beteiligung am Krieg und damit für eine Begünstigung der Nazis aussprach; Sprecher von »America First« war der von Brecht einst verherrlichte Flieger Charles A. Lindbergh.[7] Am 3. April 1943 fand eine öffentliche Veranstaltung der Sendung »We Fight Back« im New Yorker Hunter College statt; in dem vierstündigen Programm trat auch Lotte Lenya auf, die, begleitet von Kurt Weill, neben Songs aus der *Dreigroschenoper* und aus *Happy End* Weills Vertonung von »Und was bekam des Soldaten Weib?« sang.[8] Brecht sah und hörte sich die Vorstellung an, mit ihm viele deutsche Exilanten.

Für kurze Zeit gab es eine Gemeinsamkeit, die antifaschistische Überzeugung, die Brechts wichtigste Komponisten miteinander verband. So wie sich 1929 aus der Lehrstückidee kurzfristig eine Gemeinsamkeit zwischen Eisler, Hindemith und Weill hergestellt hatte, so verband 1943 im amerikanischen Exil der Haß auf Hitler die Komponisten Dessau, Eisler und Weill; alle drei komponierten in diesem Jahr auf Brecht-Texte Lieder, die sich über den Rundfunk an die Deutschen in den USA und in Hitler-Deutschland, auf den Schlachtfeldern und in den Kriegsgefangenenlagern richten sollten, einfache Strophenlieder mit volksliedhafter Melodik, die bei einem Massenpublikum eine politische Wirkung zu erzielen versuchten.

Einige von Brechts amerikanischen Deutschland-Gedichten wurden mehrfach vertont, so »Deutschland« (»In Sturmesnacht«) von Dessau, Eisler und Adorno, der »Kälbermarsch«, »Das deutsche Miserere« und »Lied einer deutschen Mutter« von Dessau und Eisler, »Und was bekam des Soldaten Weib?« von Weill und Eisler, später auch von Dessau. Brecht schätzte es, wenn seine Gedichte möglichst oft komponiert wurden. Tatsächlich vermittelt jede der Vertonungen eine andere Textinterpretation.

Aufschlußreich ist schon der Vergleich der drei Vertonungen von *Deutschland (»In Sturmesnacht«)*.[9] Während Dessaus Vertonung von »Deutsch-

land« in ihrer am 16. April 1943 fertiggestellten Neufassung mit einem durch nichtaufgelöste Septakkorde dissonantisch gestörten g-moll auf die Schwierigkeiten der deutschen Befreiung verweist, ist Eislers Lied »In Sturmesnacht«, datiert mit 4. Juni 1943, ein sanftes Wiegenlied im Dreivierteltakt und freundlichem Dur, von ruhiger Zuversicht geprägt. Stellte Dessau Pessimismus und Optimismus nebeneinander, so gestaltete Eisler entsprechend dem poetischen Bild vom blühenden Reisig eine ungebrochen positive Vision. Er gab dem Lied eine sozialistische Perspektive, indem er Brechts Schlußzeilen »Unser liebes Deutschland wird wieder blühen« umänderte in »wird endlich allen blühen«; zugleich bedeutet diese Änderung eine Korrektur des Versmaßes, eine rhythmische Angleichung an die übrigen Schlußzeilen. Theodor W. Adorno, der einstige Kompositionsschüler Alban Bergs, hatte in seinen früheren Liedern esoterische Gedichte von Stefan George bevorzugt. In einem anderen Liedzyklus hatte er aber bereits Kinderreime aus der gleichen Quelle verwendet, die auch Eisler seinen »Zeitungsausschnitten« zugrunde legte.[10] Daß Adorno im Jahre 1943 die zwei Brecht-Gedichte, »In Sturmesnacht« und »Lied von der Stange«[11] zur Vertonung wählte, leitet sich nicht etwa, wie zunächst vermutet wurde, aus parodistischem Interesse, sondern, wie bei den gleichzeitigen, bisher unveröffentlichten Brecht-Vertonungen des Pianisten Eduard Steuermann, aus einer Annäherung an die Positionen Brechts und Eislers her. Auf eine besondere Affinität zu Eislers »Hollywooder Liederbuch« deutet die auffallende Verwendung konsonanter, jedoch nicht eindeutig tonal definierbarer Dreiklänge hin. Während sich die beiden Brecht-Vertonungen Dessaus und Eislers am Volkslied orientieren, ist Adornos »Sturmesnacht« trotz der Überschrift »Zwei Propagandagedichte von Brecht für Singstimme und Klavier«, die auf die Zweckbestimmung für den Rundfunk verweist, stärker der Kunstliedtradition verhaftet. Merkmal dafür sind die rasch wechselnde Harmonik und eine nicht leicht auffaßbare Melodik. Dem Volksliedcharakter widerspricht auch die Genauigkeit, mit der Adorno Textdetails auskomponierte. Hatten Dessau und Eisler in ihren Vertonungen des Brecht-Gedichts einen einzigen Ausdruck beibehalten – Dessau den der vorsichtigen Hoffnung, Eisler den der ruhigen Zuversicht –, so kontrastierte Adorno einander entgegengesetzte Charaktere. Der Gegensatz von Bedrohung und Hoffnung, den Eisler in seiner Musik überging, während Dessau ihn durch die simultane Übereinanderlagerung von Konsonanzen und Dissonanzen zum Ausdruck brachte, folgt bei Adorno im zeitlichen Nacheinander.
Hanns Eisler:
(Notenbeispiel siehe nächste Seite oben.)

Paul Dessau:

Theodor W. Adorno:

Trotz der auffallend konsonanten Klanglichkeit ist Adornos Lied für ein Massenpublikum wenig geeignet. Zwar gelang Adorno eine detaillierte Textausdeutung, so wenn er die Worte »Ängste« und »Hitler« mit dem gleichen düsteren es-moll-Akkord begleitete und damit in einen inneren Zusammenhang brachte; er versenkte sich mit Genauigkeit in Brechts Gedicht, ohne jedoch eine deutlich erkennbare Haltung zu vermitteln. Dagegen besitzt das »Lied von der Stange« nach einem in der Gesamtausgabe nicht enthaltenen Brecht-Gedicht mit seinen wuchtigen Eisler-Bässen durchaus den massenwirksamen Charakter eines Kampflieds.

Wenige Tage nach dem Gedicht »Deutschland« vertonte Dessau am 22. April 1943 das *Deutsche Miserere*. Jede Strophe dieses Klagegesangs der Hitler-Soldaten, die auf ihre Heimkehr aus Rußland hoffen, endet mit der Gebetsformel »Gott bewahr uns«. Dessau ließ sich dadurch zu einer choralartigen Vertonung verleiten, als habe Brecht mit seinem Gedicht wirklich eine Anrufung Gottes gemeint. Eisler hingegen erfaßte in seiner Komposition das Wesentliche, indem er die Strophen 1 bis 3 als flotten

Marsch komponierte und hier – abweichend von Brechts Vorlage – das
»Gott bewahr uns« aussparte. Erst in der letzten Strophe taucht die Gebetsformel als Ausdruck der Hilflosigkeit auf. In dieser bei Eisler keineswegs
liturgisch-religiös wirkenden Coda hat sich der punktierte Marschrhythmus in weit fließendes Melos verwandelt; die Siegesgewißheit ist bitterer
Ernüchterung gewichen, die Soldaten singen jedoch keinen Choral, sondern ein sehnsuchtsvolles Volkslied. Hatte der mit der jüdischen Liturgie
vertraute Dessau die Gebetsformel »Gott bewahr uns« gleich mehrfach
wiederholt, so hob der gänzlich unreligiöse Eisler statt dessen die welt-
lich-diesseitige Bitte »Führ uns wieder nach Haus« durch Wiederholung
hervor.

Eislers größere Treffsicherheit zeigt sich auch beim *Lied einer deutschen
Mutter*[12], der Klage einer Mutter um ihren im Krieg gefallenen Sohn.
Dessau orientierte sich in seiner schlichten Komposition an der von
Brecht selbst entworfenen Melodiezeile, an dem Seufzer »Hätt' ich ge-
wußt, was ich heut weiß«; zu spät erkennt die Mutter, daß sie ihren Sohn
vom Krieg hätte zurückhalten sollen. Diese 3. Zeile, die mit dem Spitzenton beginnt, bildet das melodische Zentrum von Dessaus Vertonung.

Wenn auch in den übrigen Liedzeilen in fallenden Skalenausschnitten der
klagende Gestus wiederkehrt, so fällt doch die 3., auch für Brecht zentrale
Zeile heraus wegen ihres Spitzentons, ihrer einheitlichen Bewegungsrichtung und ihrer Harmonik, die sich durch subdominantischen Charakter
von dem sonst gleichförmigen Pendeln zwischen Tonika und Dominante
abhebt. Durch den Einbau versteckter Taktwechsel in den Zeilen zwei
und vier hat Dessau den Charakter eines regulären Marschliedes vermieden; da die Hörer die Worte »braune« und »lieber« trotz ihrer nachgeord-
neten Position im Takt als betont empfinden, gerät ihr Taktgefühl ins
Stolpern. Dennoch hat Dessau in der Abfolge der sechs Strophen den Eindruck leiernder Gleichförmigkeit nicht ganz verhindern können.

Brecht hat seinen Melodieentwurf Dessau ohne Zögern vorgesungen. Es
ist unwahrscheinlich, daß er dies auch bei Eisler getan hat. Dessen Vertonung ist jedenfalls von der Dessaus völlig verschieden. Im Zentrum seiner

Komposition steht nicht die 3., sondern jeweils die 4. Zeile einer Strophe. Sie ist durch neues motivisches Material, durch Textwiederholung und großen Ambitus hervorgehoben. Diese Hervorhebung läßt sich inhaltlich begründen. Tatsächlich enthält nur in der 1. Strophe die 3. Zeile Wichtiges; in den übrigen Strophen bringt jedoch die jeweilige Schlußzeile die zentralen Aussagen. Eisler, der die Strophen 1, 2, 4 und 6 vertonte, hat ferner berücksichtigt, daß alle Strophen des Gedichts einem klaren logischen Schema folgen. In jeder Strophe blickt die Mutter in den Zeilen 1 und 2 auf ihr angepaßtes Verhalten in der Nazizeit zurück, während sie sich in der 3. Zeile im nachhinein ihre Ahnungslosigkeit bewußt macht und in der 4. Zeile die bitteren Konsequenzen dieses blinden Mitläufertums benennt. Verkörpern demnach die Zeilen 1 und 2 die Vergangenheit und die Zeile 3 die Kritik an der Vergangenheit, so die 4. Zeile die Beschreibung der Gegenwart. Diesem inneren Zusammenhang der Zeilen 1–3 entsprechend hat Eisler den Zeilen 1 und 2 ein gemeinsames melodisches Motiv unterlegt, das in der 3. Zeile auf einer höheren Stufe sequenziert wird. So wie die Zeilen 1 bis 3 noch die optimistische Ahnungslosigkeit von Mutter und Sohn repräsentieren, die Zeile 4 aber den Umschlag in die bittere Realität, so steht der gemeinsamen Motivik in den Zeilen 1 bis 3 in der 4. Zeile ein neues Motiv gegenüber. Damit ist Eislers Vertonung nicht nur motivisch dichter als die Dessaus, sondern auch enger an der Logik des Gedichts orientiert. Ein »Ersatz« für die metrischen Irregularitäten Dessaus ist bei Eisler das reflektierende Innehalten auf dem zweigestrichenen Des, dem Spitzenton der 3. Zeile – ein rhythmischer Effekt von inhaltlicher Bedeutung. Im Sinne eines reflektierenden Verhaltens, als Verarbeitung von etwas Vergangenem, wäre auch das Schwanken der Tonalität zwischen F-Dur und C-phrygisch zu deuten.

(Notenbeispiel siehe nächste Seite oben.)

Eislers »Deutsches Miserere« gehört mit »In Sturmesnacht« und dem »Kälbermarsch« zu seinen *Vier Liedern für Kurzwellensendung nach Deutschland 1943.*[13] Brecht lernte diese Kompositionen kennen, nachdem er Ende Mai 1943 aus New York nach Santa Monica zurückkehrte. Er fand, daß Eisler seine Intentionen gut getroffen habe. Im bissigen *Kälbermarsch*[14], der im Bilde des Schlachtviehs, das, verführt durch die Trommel, hinter dem Metzger einhertrottet, das blinde Vertrauen der Deutschen auf Hitler verhöhnt, ist wie beim vielzitierten Rattenfänger von Hameln wieder die Musik ein Mittel der Verführung, ein Mittel, das selbst dem Unsinnigen noch den Anschein des Sinnvollen gibt, ein Mittel, das Zweifel beseitigt und gefühlvolle »Einigkeit« herstellt. Der Refrain macht diese Kritik deutlich in der Parodie des Horst-Wessel-Lieds, jenes SA-Lieds, das neben dem Deutschlandlied als zweite Nationalhymne des »Dritten Reichs« verwendet wurde. Der Weihecharakter, den das Lied bei den Nazis erhielt, stand im Gegensatz zum trivialen Ursprung der Melodie:

Horst Wessel hatte sie auf einem Jahrmarkt dicht bei seiner Wohnung gehört, wo sie auf der Drehorgel eines bescheidenen Karussells gespielt
wurde.[15] Da den Nazis die Nähe ihrer Hymne zur Jahrmarktssphäre peinlich war, untersagte Propagandaminister Goebbels in einem vertraulichen
Rundschreiben vom 27. Mai 1937 Nachforschungen zum Horst-Wessel-
Lied. Für Brecht, der den Text zum »Kälbermarsch« wahrscheinlich schon
1933 in Paris geschrieben hatte[16], bestand kein Anlaß, die feierliche Aura
des Naziliedes zu wahren. Seine parodistische Umtextierung, die etwa die
Parole »Die Reihen fest geschlossen« in den bedrohlichen Ruf »Die
Augen fest geschlossen« verwandelt, kritisiert die bewußtseinstrübende
Wirkung des Liedes.
Wie Brecht, so lehnten sich auch Dessau und Eisler im Refrain melodisch
an das Horst-Wessel-Lied an. Während Dessau in seinem wenig verbreiteten *Horst Dussel-Lied* das blanke C-Dur der Melodie durch einen Ges-
Dur-Baß verfremdete und das Lied damit als »falsch« denunzierte,
(Notenbeispiel siehe nächste Seite oben.)
erinnert Eisler in seinem berühmt gewordenen »Kälbermarsch« durch die
harmonisch viel simplere Begleitung an die Herkunft der Melodie von
der Jahrmarktsdrehorgel. Seine Vertonung entkleidet das Lied seines
hymnischen Charakters und gibt es vollends der Lächerlichkeit preis. Die

Der Metz-ger ruft. Die Au - gen fest ge - schlos - sen

Unerbittlichkeit der mechanischen Drehbewegungen wirkt, wie die SA-Schlägertrupps, primitiv und bedrohlich zugleich.

Der Metz - ger ruft. Die Au - gen fest ge - schlos - sen

das Kalb mar - schiert mit ru - hig fe - stem Tritt.

Aufschlußreich sind auch die Unterschiede bei Eislers und Weills Vertonungen von »Und was bekam des Soldaten Weib?«.[17] Weills Komposition im typisch Weillschen Songstil ist in ihrer Textdeutung die Komposition eines Amerikaners. Denn von den Geschenken, die der Nazisoldat seiner Frau aus den besetzten Gebieten mitbringt, wird musikalisch nicht mit freudiger Begeisterung, sondern in einem trägen, fast schwermütigen Ton berichtet; zum gemäßigten Tempo tritt die Moll-Tonart. Erst in der letzten Strophe, in der der Tod des Soldaten in Rußland den Geschenksendungen an seine Frau ein Ende macht, wechselt Weill von Moll nach Dur und gibt der Erwähnung des Witwenschleiers fast triumphale Züge. Die Vertonung vollzieht nicht die Gefühle der Nazifrau mit, sondern die des Emigranten – sie ist Kommentar. Für Weill waren die Erfolge der Nazitruppen Anlaß zur Trauer, ihre Niederlagen dagegen Auslöser von Hoffnung auf ein baldiges Kriegsende.
Eine andere Interpretation wäre denkbar. So könnte sich der Komponist mit seinem triumphalen Schluß auch auf die Formel »In stolzer Trauer« bezogen haben, die regelmäßig in Todesanzeigen gefallener Nazis wiederkehrte. Es ist jedoch wenig wahrscheinlich, daß Weill und sein amerikanisches Publikum diese Formulierung kannten.

Ganz anders Eisler; seine Vertonung[18] orientiert sich an den Gefühlen des Soldatenweibes und ist damit wohl für ein deutsches Publikum besser geeignet. Dem hellen C-Dur im munteren Allegrettotempo der ersten Strophen ist in der Rußland-Strophe ein düsterer c-moll-Kontrast gegenübergestellt. Eisler wollte die moritatenhaft einfache und von volkstümlichen Polkarhythmen begleitete Melodie, wie sich Gisela May erinnert, möglichst gemein gesungen haben.[19] Gegen diese ordinäre Einfachheit der Melodie und des Klavierbasses sticht das zunehmend brillantere, schließlich geradezu luxuriös üppige Figurenwerk im Klavierdiskant als kulinarische Orgie ab; die Musik wird, so die Sängerin Sonja Kehler, »immer hektischer, immer kaputter, immer verkrampfter«[20], um in der letzten Strophe vom Glücks- und Siegestaumel in den bitteren Ernst der Realität umzuschlagen. Für Eisler war diese Rußland-Strophe nicht nur, wie bei Weill, höhnischer Triumph, sondern auch Totenklage. Anders als Weill sah Eisler die Deutschen nicht nur als Kriegsgegner, als Feinde, sondern auch als Kriegsopfer.

Zerschlagene Hoffnungen

Die erwähnten Lieder richteten sich direkt an die Deutschen, an die Soldaten, an die in zerstörten Städten lebenden Familien, an die Kriegsgefangenen, aber auch an die noch immer blind an den »Endsieg« Glaubenden, denen die nüchterne Wahrheit zu einem Umdenken verhelfen sollte. Es waren keine »Arbeitermärsche«, keine Kampflieder, wie sie Brecht und Eisler 1934 in London für die Saar-Kampagne geschrieben hatten, sondern volksliedartige Gesänge, die für Menschlichkeit und ein Ende der Kämpfe plädierten. Diese Lieder hätten der antifaschistischen Arbeit zur Verfügung gestanden; sie wurden aber nicht genutzt. Die drei oder vier Sendungen mit Brecht-Liedern, die John Houseman für das Office of War Information produzierte, wurden nie verwendet. Die BBC hatte Anfang 1943 das »Lied vom Weib des Nazisoldaten« (»Und was bekam des Soldaten Weib?«) in einer Vertonung Mischa Spolianskys ausgestrahlt[1]; der amerikanische Sender folgte diesem Beispiel jedoch nicht. Brecht notierte den Vorgang nur kurz in seinem Arbeitsjournal: »Lenya hilft mir bei einer Aufnahme des ›Liedes einer deutschen Mutter‹ für das Office of War Information, Komposition von Dessau. Die Deutsche Desk sabotiert.« Die deutsche Abteilung des State Department und der britische Geheimdienst waren der Auffassung, daß weitere Sendungen exilierter Deutscher wegen der Aggressionen, die sie angeblich bei deutschen Hörern auslösten, gestoppt werden sollten. Thomas Mann durfte weiterhin über BBC nach Deutschland hineinsprechen; Brecht jedoch wurde trotz wiederholter Versuche[2] die Möglichkeit, mit Liedern und Gedichten ein deutsches Massenpublikum zu erreichen, verwehrt.

Auch die antifaschistischen Sendungen, die Ernst Josef Aufricht im Auftrag des Office of Strategic Services betreute, wurden nach einem Jahr eingestellt; auch hier war die Begründung die nazifreundliche Einstellung der Hörer – diesmal allerdings von deutschstämmigen Hörern in den USA. Wegen dieser niederschmetternden Argumentation resignierte Aufricht: »Als die Sendung monatelang lief, erfuhr ich durch eine Rundfrage, daß die Deutschamerikaner das Radio abstellten, wenn unsere Sendung ›We Fight Back‹ von unserem Sprecher angesagt wurde. Unser vermeintliches Publikum bewunderte die Erfolge Hitlers und wollte keine Defätisten hören. Es war das letzte Mal, daß ich mich als Aufklärer versuchte.«[3]

Auch das antifaschistische Engagement der deutschen Exilanten wurde von den amerikanischen Behörden mit Mißtrauen beobachtet, und das, obwohl sich die USA im Kriegszustand mit Hitler-Deutschland befanden. Um die Deutschen pauschal als Nazis verurteilen zu können, wurde die Existenz eines innerdeutschen Widerstands so weit wie möglich heruntergespielt. Als auch Thomas Mann sich diese Auffassung zu eigen machte, wandte sich Brecht beschwörend an ihn: Zwar seien die geistigen und moralischen Verkrüppelungen der dem Naziregime ausgesetzten Menschen groß, »jedoch opferten auch über 300 000 Menschen in Deutschland ihr Leben in den meistens unsichtbaren Kämpfen mit dem Regime allein bis zum Jahre 42, und nicht weniger als 200 000 aktive Hitlergegner saßen zu Beginn des Krieges in Hitlers Konzentrationslagern. Noch heute binden die Hitlergegner in Deutschland mehr als 50 Divisionen Hitlerscher Elitetruppen, die sog. SS. Das ist kein kleiner Beitrag zur Niederringung Hitlers. Diesen Kämpfen gegenüber tragen wir, die soviel weniger beitragen können, eine schwere Verantwortung, wie mir scheint.«[4] Brecht hätte auch auf den sogenannten »Volksgerichtshof« verweisen können; dieses für »Hoch- und Landesverrat«, also für Widerstand zuständige Nazisondergericht verhängte Tausende von Todesurteilen.

Da die amerikanische Regierung das deutsche Volk insgesamt als faschistisch hinstellen wollte, paßte ihr nicht nur der Widerstand schlecht ins Konzept, sondern auch daß sich im Nationalkomitee Freies Deutschland und im Council for a Democratic Germany Ansätze zu einer deutschen Exilregierung heranbildeten. Wegen seiner Mitarbeit beim Council wurde Brecht ab 1943 vom FBI beschattet. Ihre Verbindungen zu emigrierten Sozialdemokraten und Kommunisten machten Brecht und Eisler für das FBI zu Feinden der inneren Sicherheit der USA; unter der Rubrik »Internal Security« wurden über sie umfangreiche Akten geführt, wurden Kontaktpersonen registriert und zeitweilig auch Telefon und Post überwacht.

In einem Bericht vom 10. Juli 1943 erwog das lokale FBI-Büro von Los Angeles sogar, Brecht als »alien enemy« arretieren zu lassen.[5]

Obwohl Thomas Mann am 13. Oktober 1943 in seiner berühmten Rede »Schicksal und Aufgabe« in der Library of Congress den Antikommunismus als »Grundtorheit unserer Epoche« bezeichnet hatte[6], blieb sogar Kurt Weill von ihm nicht ganz unbeeinflußt. Dabei hatte es im Frühjahr 1943 noch so ausgesehen, als begänne eine neue Ära der Zusammenarbeit mit Brecht. Ernst Josef Aufricht, der sich gern der Erfolge der von ihm produzierten *Dreigroschenoper* erinnerte, hatte die beiden wieder zusammengebracht und vorgeschlagen, Hašeks Geschichten vom braven Soldaten Schwejk als Vorlage für ein Musical zu benutzen. Weill, der schon 1928, wahrscheinlich unter dem Eindruck von Piscators Schwejk-Inszenierung, eine Schwejk-Oper hatte schreiben wollen[7], war von dieser Idee sofort begeistert. Auch Brecht, der 1927 an Piscators Hašek-Bearbeitung mitgearbeitet, 1932 eine Schwejk-Oper mit Eisler geplant und im Juli 1942 ein eigenes Schwejk-Stück erwogen hatte[8], war bald einverstanden, zumal da sich Weill gleichzeitig bereit erklärte, das Stück *Der gute Mensch von Sezuan* als »Halboper« zu produzieren und das Gedicht »Der Kinderkreuzzug« zu komponieren. Außerdem hatte sich Brecht am 3. April 1943 in New York bei der Veranstaltung »We Fight Back« von der Aktualität des Stoffs überzeugen können; zwei aus Prag geflohene Schauspieler hatten bei dieser Gelegenheit einen Sketch »Schwejks Geist lebt weiter« aufgeführt, der Sabotageakte des Widerstands zum Thema hatte.[9]

Schon im Mai 1943 verbrachte Brecht eine Woche in Weills Landhaus in New City am Hudson-River, wo die beiden sowohl vom »Sezuan«-Stück wie auch vom *Schwejk* »amerikanische Versionen« herzustellen begannen. Brecht schrieb den Prosaentwurf zu einem »Schweyk«-Stück[10], und Weill soll, Lotte Lenya zufolge, sogar bereits einige Songs komponiert haben. Man beeilte sich, da Weill eine Broadway-Produktion im Herbst 1943 in Aussicht stellte. Schon Anfang Juli hatte Brecht, mittlerweile nach Santa Monica zurückgekehrt, eine Rohfassung seines Stücks *Schweyk im Zweiten Weltkrieg* vollendet.

Nachdem Weill jedoch das Manuskript erhalten hatte, kamen die Arbeiten im Juli/August merkwürdigerweise zum Stillstand. Nicht Unstimmigkeiten über den Vertrag, die schon im Juni beigelegt werden konnten[11], waren die Ursache. Vielmehr äußerte Weill Anfang August plötzlich Bedenken, ob sich der Schwejk-Stoff überhaupt für den Broadway eigne, ob er für Amerikaner interessant sei.[12] Auch Aufricht, der Brechts Bearbeitung für schlecht hielt, hatte mittlerweile das Interesse verloren.[13]

Daß sich Weill nach seiner Annäherung so schnell wieder von Brecht zurückzog und kein einziges der im Mai 1943 verabredeten Projekte verwirklichte, hatte mehrere Gründe. Einer von ihnen war der Protest Erwin Piscators, der sich durch Brecht, Weill und Aufricht übergangen fühlte.

Seit seiner legendären Berliner Schwejk-Aufführung erhob er Ansprüche auf diesen Stoff. Schon 1933 hatte er dies in einem Brief an Brecht klargestellt: »Schwejk. Ich will ihn hier verfilmen (hörte von Deiner Absicht, das in Paris zu tun) und wenn ich Dich auch zu gut kenne und trotzdem schätze, so mißfällt mir die Art, mich zu übergehn, doch ein wenig!«[14] Geärgert hatte sich Piscator auch über Weills Alleingang beim Musical *Johnny Johnson*, dem ebenfalls das Hašek-Stück zugrunde lag.[15] Als Piscator im Juli 1943 von Brecht-Weills »Schweyk«-Projekt erfuhr, hatte er soeben erst, am 22. Juni, in der New York Times eine eigene Broadway-Produktion des *Schwejk* ankündigen lassen.[16] Da Piscator seinerseits Brecht immer in seine Pläne eingeweiht hatte, mußte er das unabhängig von ihm geplante »Schweyk«-Musical als Verrat empfinden. Es konnte ihn auch nicht versöhnlich stimmen, als Brecht ihm alsbald die Regie bei dem Weill-Musical antrug.

Für Weills Verzicht kann Piscators Streit mit Brecht nur eine sekundäre Bedeutung gehabt haben, denn noch im Dezember 1943 nannte er als Haupteinwand gegen Brechts Hašek-Bearbeitung, daß sie der Musik zu wenig Raum biete; er forderte außerdem eine Übersetzung durch einen führenden amerikanischen Autor, um den spezifischen Humor des Stücks besser zum Tragen zu bringen. Erst in einem Brief vom 30. Januar 1944 an Brecht verwies Weill indirekt auf Piscator: Potentielle Finanzleute hätten sich zurückgezogen, weil man ein ungeschriebenes Gesetz des Broadway, fremde Ansprüche nicht zu verletzen, übergangen habe.[17] Da Weill zur Text-Musik-Relation und zu den Ansprüchen Piscators erst relativ spät Stellung nahm, muß das sprunghafte Nachlassen seines Interesses an einem »Schweyk«-Musical auch noch andere Gründe gehabt haben.

Einer der amerikanischen Autoren, die gegenüber Weill den *Schweyk* als »unamerikanisch« bezeichnet hatten, war Maxwell Anderson. Er hatte sich im Mai bei Weill mit Brecht gestritten und bezeichnete seinen deutschen Kollegen seitdem als »big Communist«.[18] Obwohl die USA damals im Krieg gegen Hitler-Deutschland mit der Sowjetunion verbündet waren, galt »Kommunist« in diesem Land schon als Schimpfwort. Wie stark der Antikommunismus in den USA schon verbreitet war, mit welchem Mißtrauen die Behörden deshalb seine Kontakte zu Brecht beobachteten, erfuhr Weill bei seiner Einbürgerung zum amerikanischen Staatsbürger, die eben zu diesem Zeitpunkt stattfand. Als der Komponist am 17. August 1943 seinen Eid auf die amerikanische Verfassung leistete, wurde er zu seinem Erstaunen gefragt: »Würden Sie, falls wir gegen Rußland kämpften, die Waffen in die Hand nehmen?« Weill war überzeugt, daß ihm diese provozierende Frage nur wegen seiner Beziehung zu Brecht gestellt wurde.[19] Er mußte annehmen, ebenfalls vom FBI überwacht zu werden. Es ist unbekannt, wie sehr ihn, den frischgebackenen Amerikaner, die Furcht, als »unamerikanisch« eingestuft zu werden, beeinflußt hat. Nach der vielversprechenden gemeinsamen Arbeitswoche mit Brecht in New City im Mai 1943 hat Weill nie wieder eine Zeile von Brecht vertont. Die Komposition der »Schweyk«-Musik übernahm kurz vor dem Tod des Dichters Hanns Eisler.

Für Brecht und Eisler war es wichtig, nicht nur ein deutsches, sondern auch ein amerikanisches Publikum über die Verhältnisse in Hitler-Deutschland aufzuklären. Dies geschah mit dem Fritz-Lang-Film *Hangmen Also Die*. Er ist das einzige gemeinsame antifaschistische Werk, mit dem Brecht und Eisler im Krieg ein größeres Publikum erreichten. Brecht lieferte zusammen mit John Wexley das Drehbuch, Eisler die Musik. Wenn auch bei den Dreharbeiten viele von Brechts Intentionen abgeschwächt oder verfälscht wurden[20], so gelang doch einer der besten antifaschistischen Filme, die je in Hollywood produziert wurden. Es war das einzige von vielen Brecht-Drehbüchern, das in Hollywood wenigstens ansatzweise realisiert wurde. Eisler gelang es, dem abschließenden Widerstandslied »No Surrender« die Melodie des Kominternliedes zu unterlegen, ohne daß dies von den Produzenten bemerkt wurde. Er wollte damit an den Anteil der Kommunistischen Internationale am antifaschistischen Widerstand erinnern. Die Musik behielt, wenigstens für die Linken, die das Kominternlied kannten, eine politische Eindeutigkeit, die zuvor Fritz Lang aus dem Brecht-Gedicht, bekannt als *Lidice-Lied*[21], hatte entfernen lassen; für diese Aufgabe hatte er für 500 Dollar den Songwriter Sam Coslow engagiert, der zum Beispiel das Wort »Genosse« durch »Bruder« ersetzte. Trotz dieser Abschwächungen erwies sich das Lied als wirkungsvoll. Der »Hollywood Reporter« vom 23.1.1943 berichtete: »Eislers Musik ist kraftvoll. Er komponierte den ›No Surrender‹-Song, nach einem Text von Sam Coslow. Bereits dieser Song am Ende des Vorspanns versetzt das Publikum in Bewegung.« Von einer Mitarbeit Brechts hatte der Berichterstatter anscheinend nichts erfahren.

Der Film »Hangmen Also Die« sollte den Amerikanern an einem Beispiel den europäischen Widerstand gegen den Hitler-Faschismus zeigen. Das FBI sah in ihm allerdings den Versuch, ein amerikanisches Publikum zum Sturz auch ihrer Regierung aufzufordern.[22] Dennoch konnte das FBI nicht verhindern, daß Eislers Filmmusik, an der er zwischen Dezember 1942 und März 1943 arbeitete, 1944 für den »Oscar« der Academy of Motion Picture Arts and Sciences vorgeschlagen wurde. Leider hat sich die Partitur der Filmmusik nicht erhalten.[23] Zudem ist in der heute in Europa kursierenden Filmfassung, die von 131 auf 97 Minuten gekürzt wurde, Eislers Musik sehr verstümmelt. Auch die antifaschistische Kunst, die nicht als Flaschenpost, sondern als direktes Wirkungsmittel konzipiert war, konnte ihre Wirkung nur in einem eingeschränkten Maße ausüben.

Eisler als Komponist von Bühnenmusik

»Die Gesichte der Simone Machard«

Je mehr sich die endgültige Niederlage der Hitler-Truppen und damit die Möglichkeit einer Rückkehr nach Deutschland abzeichnete, um so mehr beschäftigte sich Brecht mit dem zukünftigen europäischen Nachkriegstheater. Ungewiß ist jedoch, für welches Publikum sein Drama *Die Gesichte der Simone Machard* vorgesehen war, das erste Drama, das er, nach mißlungenen Versuchen mit dem Henri-Dunant-Stoff, in den USA schrieb. Der Film »Hangmen Also Die« machte das amerikanische Kinopublikum mit den Schwierigkeiten des tschechischen Widerstands bekannt. Demgegenüber bezog sich das Theaterstück auf die französische Résistance, von deren Schwäche Brecht enttäuscht war. Wie schon in der *Heiligen Johanna der Schlachthöfe* nahm er auch hier wieder den Jeanne-d'Arc-Stoff zum Ausgangspunkt. Die erste Idee zu einer auf Frankreich bezogenen Aktualisierung des Stoffes hatte er sich schon im finnischen Exil in sein Arbeitsjournal notiert: »Eine junge Französin in Orléans, in Abwesenheit ihres Bruders eine Tankstation bedienend, träumt im Wachen und Schlafen, sie sei die Jeanne d'Arc und erlebe ihr Schicksal. Denn die Deutschen rücken auf Orléans vor. Die Stimmen, die Jeanne hört, sind Stimmen des Volkes, was der Hufschmid sagt und der Bauer. Sie gehorcht diesen Stimmen und rettet Frankreich vor dem äußeren Feind, jedoch wird sie besiegt von dem inneren.«[1] Der innere Feind – das waren die französischen Faschisten, die ihr Land kampflos den Deutschen auslieferten und in der »Vichy-Regierung« mit den Besatzern zusammenarbeiteten.

Im Februar 1943, kurz vor seiner Abreise nach New York, hatte Brecht zusammen mit Lion Feuchtwanger das Stück fertiggestellt. Eisler, der die Konzeption teilweise als zu heroisch kritisierte[2], schrieb ab Mai 1943 eine Bühnenmusik, die zu seinen gelungensten Werken für das Theater zählt.

Ruth Berlau erinnert sich: »Selten habe ich Brecht so froh gesehen wie über diese Musik.«[3] Auch für Dessau gehörte die »geniale, bislang völlig unerkannte und noch nicht entdeckte Musik zur ›Simone Machard‹« zu den »Krönungen« in Eislers Schaffen.[4]

Anders als Dessau und Weill, die schon früh als Opernkapellmeister tätig waren, besaß Eisler zunächst keine besondere Affinität zur Bühne. Unter den mit Brecht zusammenarbeitenden Komponisten glich er darin am ehesten Paul Hindemith; wie dessen eigentliche Domäne die Instrumentalmusik war, so lagen auch Eislers Schwerpunkte außerhalb des musikalischen Theaters. Auch die Mitarbeit an Piscators Dramatic Workshop blieb Episode. Obwohl für seine Ästhetik das Nebeneinander aller musikalischen Gattungen, gerade auch der Mischgattungen der »angewandten Musik«, im Oeuvre eines Komponisten wesentlich war, war Eisler durch Naturell und Begabung mehr für das Lied, für Kammer- und Chormusik als für größere Bühnenwerke prädestiniert. Auch in der Literatur lag sein Interesse mehr bei Lyrik, Romanen, Essays und Aphorismen als bei Dramen. Während sich in den Schriften Kurt Weills schon früh umfangreiche Auseinandersetzungen mit Theaterproblemen finden, widmete sich Eisler Bühnenfragen erst in den fünfziger Jahren, als er an seiner Faustus-Oper arbeitete. Daß Brecht die Musik fast nur vom Standpunkt des epischen Theaters aus beurteilte, hielt er für eine beträchtliche Einengung. »Die Musik ist ja ein großes Gebiet.«[5] Anders als für Brecht war für Eisler die Bühne nicht der zentrale Ort musikalischer Produktion.

Ausgangspunkte für Eislers Bühnenmusiken waren weniger theatralische Impulse, weniger Auseinandersetzungen mit der Szene oder auch der Opernpraxis, sondern vielmehr Erfahrungen mit den verschiedenen Formen des Liedes, mit dem Agitprop und dem Film. Nachzuweisen wäre dies an seinen zahlreichen Bühnenmusiken, so zu Franz Jungs *Heimweh* (1927), zu Feuchtwangers *Kalkutta, 4. Mai* (1928), zu Walter Mehrings *Kaufmann von Berlin* (1929), zu Büchners *Dantons Tod* (1929), zu Anna Wiesner-Gmeyners *Heer ohne Helden* (1930), Charles Munros *Das Gerücht* (1930), Paul Schureks *Kamrad Kasper* (1932), zu Ernst Tollers *Feuer aus den Kesseln* (1934) und an der Musik zu Brechts *Die Rundköpfe und die Spitzköpfe* (1934–36).

Nach dem Abbruch seines »Dan Drew«-Projekts komponierte Eisler zwischen Dezember 1939 und April 1940 für den Broadway zwei Bühnenmusiken, bei denen er erneut auf seine Agitproperfahrung zurückgreifen konnte. Die erste Produktion war *Night Music*, Clifford Odets *Chronik der verwirrten Jugend in New York*[6], die am 22. Februar 1940 am Broadhurst-Theater als zweiundzwanzigste Produktion des Group Theatre in der Regie von Harold Clurman und mit einem Bühnenbild von Mordecai Gorelik Premiere hatte. Es folgte als seine zweite Broadway-Produktion einige Monate später die Musik zur *Medicine Show*, einem »living-newspaper play«, das am 12. April 1940 im New Yorker Theatre zum erstenmal gegeben wurde.[7] Im Unterschied zu diesen beiden Bühnenmusiken für den Broadway scheint die Musik zur *Simone Machard* nicht für eine unmittelbar bevorstehende Aufführung entstanden zu sein. Für Eisler, der gerade bei dramatischen Arbeiten einen Ansporn durch die Praxis brauchte, war das untypisch. Zur Komposition muß ihn die poetische Irrealität, die lyrische Leichtigkeit der Traumszenen bewogen haben. Am 3. Juni 1943 schrieb Brecht an Ruth Berlau, er überarbeite das Stück, »da Eisler zu den Träumen Musik macht, sehr schöne«.[8]

Die Träume der Simone Machard stellen innerhalb des Stücks ebenso das Unrealistische wie das eigentlich Vernünftige dar. Unrealistisch ist in den Träumen das Erscheinen des Engels und die Ernennung der kleinen Simone zur Jeanne d'Arc, vernünftig dagegen der Protest gegen die Auslieferung Frankreichs an die Deutschen. Brecht, der in seinem frühen Text »Aus der Musiklehre« die Musik als Einheit von Disziplin und Unvernunft gekennzeichnet hatte, brauchte die Musik, um solche Visionen wie die Traumszenen auf der Bühne möglich zu machen. Die Traumszenen sind nicht in die realistische Handlung integriert, sondern ihr als eigene Spielebene, als eine Ebene des Kommentars gegenübergestellt. Da es sich dabei noch um keine Erkenntnisse, sondern um Wachträume und Ahnungen handelt, in denen sich die »große Politik« immer wieder mit dem banalen Dorfalltag vermischt, verlangte Brecht in seinen Regieanweisungen meist eine »verworrene Musik«.[9]

Beim ersten Traum fordert der Engel Simone auf, die Franzosen aus ihrem Tagestrott und ihren Geschäften aufzuwecken und ihnen die fatale Situation ihres Landes bewußt zu machen. Dazu solle sie eine von Gott geschickte Trommel so auf den Boden legen, als ob sie die französische Erde schlage, als sei Frankreich selbst die Trommel. In Brechts Werk spielen Trommeln häufig eine zentrale Bedeutung. In starrem, gleichmäßigem Rhythmus geschlagen können sie entweder ein Ausdruck der Unterdrückung oder Disziplinierung sein, so beim Militär, bei der Heilsarmee oder bei »Hitler dem Trommler«[10]; sie können aber auch – bei wechselnden oder freien Rhythmen – als Nachrichtenträger wie im Projekt »History of Jazz« die afrikanischen Buschtrommeln,[11] als Instrumente des Alarms, als Warnsignal, als Aufforderung zum Widerstand wie die Trommel der Simone und die Trommel der stummen Kattrin in der *Mutter Courage,* fungieren. In den *Gesichten der Simone Machard* besitzt die Trommel eine irreale, überhöhte heroische Bedeutung. Die Irrealität unterstrich Brecht durch goldfarbene Beleuchtung des auf dem Garagendach erscheinenden Engels sowie durch eine eigene Traumsprache (»Latter huckte den Weck« usw.).

Eislers Musik markiert den Eintritt in die Sphäre des Traums durch ein Dreitonsignal der Trompete, das nach einem raschen Flötenlauf und verklingenden Vibraphontönen vom Kontrabaß aufgegriffen wird und am Schluß sowie bei den übrigen Traumszenen leitmotivisch wiederkehrt.

593

Die Musik besitzt einen freundlichen Grundton und vermeidet dadurch übertriebenen Heroismus. In ihrer vom Film übernommenen Schnitt- und Montagetechnik vollzieht sie den Wechsel der Realitätsebenen nach und verstärkt und verdeutlicht seine inhaltliche Strukturierung. Musikalisches Formprinzip ist nicht die organische thematisch-motivische Entwicklung, sondern die Reihung selbständiger Teile. Die einzelnen Formteile stehen dabei aber nicht beliebig nebeneinander, vielmehr ist die Großform nach erkennbaren Prinzipien zusammengestellt. So fällt die paarige Anordnung der Teile auf. Auf das zweitaktige »Traumsignal« der Trompete folgen zwei nahezu identische Sechstaktgruppen (a und a'), die jeweils mit einer Kadenz abschließen. Die nächsten Formteile, (b und b') und (c und c'), bestehen aus Zweitaktgruppen, worauf sich, in weiterer Verkürzung der Formteile, mit (d und d') zwei eintaktige Gebilde anschließen. Der Schluß dieses Abschnitts, der als Abschnitt A zu bezeichnen wäre, greift wieder den Anfang auf, so daß die folgende Strukturierung erkennbar ist:

Formteile: a – a'   – b – b' – c – c' –   d – d' – – a'' – a''
Takte: (6 + 6) (2 + 2) (2 + 2)   (1 + 1)   (2 + 3)

Die formale Gestaltung von A zielt auf den Schluß des Abschnitts hin, auf den Wunsch des Engels, »daß Frankreichs Sohn sich Frankreichs erbarm«. Ähnlich wirken auch die sich verkürzenden Formteile im mittleren Abschnitt B im Sinne einer Pointierung:

e – e' –   f – f' –   g – g'
(5 + 4)   (3 + 3)   (2 + 2)

Durch die Zuspitzung richtet sich auch hier die Aufmerksamkeit auf den Schluß, auf die wiederholte Aufforderung »Sag ihnen, sag ihnen, sag ihnen«. Danach ist der dritte Teil eine verkürzte Reprise des Anfangs, die in einen rezitativisch freien Dialog zwischen Simone und Engel übergeht. Durch das Prinzip der Reihung verhindert Eisler ein Übergewicht der musikalischen Entwicklungslogik gegenüber der inneren Logik des Texts; der musikalische Fluß schwemmt den Fluß der Gedanken nicht mit sich fort, die Musik stellt sich nicht ungebührlich in den Vordergrund. Statt dessen verdeutlicht sie die Aussage des Texts – nicht nur durch die pointierende Verkürzung der Einzelabschnitte, sondern auch durch die von der Gedichtform unabhängige musikalische Großform ABA. Während der motorische Mittelteil (B) – in dem über federnd repetierten Eisler-Bässen Signale der Flöte, Klarinette, Trompete, zuletzt auch der Trommel (!) wiederkehren – das Motiv des Alarms in den Vordergrund stellt, dominiert in den freundlich-ruhigen Eckteilen das Motiv der Liebe zu Frankreich. Die inhaltliche Gliederung, die aus der Form von Brechts Text nicht hervorgeht, wird durch die Form der Musik erst deutlich gemacht.

Für Brecht und Eisler war angesichts der deutschen Verbrechen, auch angesichts der Kollaboration führender französischer Kreise, der Begriff der Nation zum Problem geworden. Mit seinem Stück bekennt sich Brecht, für den bis dahin das Prinzip des proletarischen Internationalismus Vorrang hatte, zu einem legitimen Patriotismus. Er fordert das Volk Frankreichs auf, im Namen Frankreichs gegen die deutschen Besetzer wie auch gegen die Kollaborateure vorzugehen. Eisler stellte deshalb in seiner Bühnenmusik, die trotz der Prägnanz der einzelnen Teile erstaunlich geschlossen wirkt, neben den freundlichen Balladenton auch den auffordernden Gestus des Kampflieds.

Brechts größter Theatererfolg in den USA: »Leben des Galilei«

Wie in *Simone Machard* so dient auch in Eislers Bühnenmusik zu *Leben des Galilei* die Diatonik in Melodik und Harmonik der stilistischen Vereinheitlichung und der Historisierung. Führen die Traumszenen der Simone Machard jeweils aus der Gegenwart in die Zeit der Jeanne d'Arc zurück, so ist das »Galilei«-Stück als Ganzes in der geschichtlichen Vergangenheit, in der Renaissance, angesiedelt. Obwohl Eisler seine Bühnenmusik für die zweite Fassung des Stücks schrieb, bevorzugte er stets die erste Fassung, die er schon 1939 in Mexico City bekommen hatte. Für ihn war der *Galilei* wesentlich ein historisches Stück. Das eigentliche Thema sei hierbei jedoch nicht die Physik, sondern »der neue Mensch in einer alten Gesellschaft«.[1] An der Erarbeitung der zweiten Fassung, in die Brecht aktualisierend die Hiroshima-Erfahrung einbezog, nahm er nur wenig Anteil. Diese Arbeit überließ er dem Stückeschreiber und dem Schauspieler Charles Laughton. Eislers Bühnenmusik wirkt in ihrer reduzierten Besetzung mit Flöte, Klarinette, Cembalo und Frauenstimmen sowie ihrer Palestrina-Harmonik auch klanglich eher historisierend als aktualisierend, als sei sie für die erste Fassung des Stücks geschrieben.

Waren die Traumszenen der Simone trotz ihres irrealen Charakters Teil der Handlung, so stehen die Galilei-Musiken als meist epische Kommentare, als Überschriften, die die einzelnen Szenen einleiten, außerhalb. Eine Ausnahme bildet der Auftritt des Balladensängers, der in der zehnten Szene auf einem Marktplatz von Galileis »erschröcklichen« Entdeckungen berichtet. Brecht griff hier die Tradition der Zeitungssänger auf, die als Vorläufer der Zeitungen beim Volk Nachrichten verbreiteten und dazu, obwohl durch Zensurvorschriften eingeschränkt, auch ihre eigenen Kommentare mitlieferten. Während Brecht im Bänkelsang noch Ausläufer dieser Tradition kennengelernt hatte, war Eisler mit ihr anscheinend weniger vertraut. Er vertonte das Lied des Balladensängers auf seine eigene, mehr liedhafte Weise, wobei ihm ein richtiger Sänger, nicht ein Schauspieler vorschwebte. Darüber kam es mit Brecht zu einem Konflikt. Eislers Schüler Serge Hovey, der bei der Uraufführung 1947 in Beverly Hills die musikalische Leitung übernommen hatte, erinnert sich daran: »Eisler bestand auf einem Tenor und fand, daß der engagierte Sänger eine schauderhafte Stimme hatte; Brecht forderte, daß die Rolle von einem Schauspieler gespielt werden müsse, der den Text mehr oder weniger im Sprechgesang bringen sollte. So gerieten die beiden in großen Streit. Als ich eines Abends zur Arbeit zu ihm ging, wurde Eisler immer ärgerlicher auf mich, weil ich angeblich in diesem Streit nicht genügend für ihn kämpfte. Er sagte: ›Morgen gehe ich in dieses Theater und werde auf der Probe einen ungeheuren Skandal machen.‹ Ich hatte ihn noch nie so erregt gesehen.« Zu diesem Skandal kam es nicht, obwohl Brecht alles tat, um den Tenor zu verunsichern.

Daß sich Brechts Vorstellung schließlich durchsetzte, wurde durch eine Episode beschleunigt, die in Abwesenheit Eislers geschah. »Dieser Tenor war nicht sehr intelligent, aber er hatte eine mächtige Stimme. Er fragte Brecht: ›Wie möchten Sie, daß ich stehe?‹ Brecht faßte sich ans Kinn, alle Leute im Theater warteten eine lange Zeit – fast eine Minute lang. Schließlich blickte Brecht auf und sagte: ›Wie ein Apparat.‹«[2] Der Sänger kehrte nicht wieder und wurde bei der Aufführung durch einen Schauspieler ersetzt.

Brechts Anweisung, die jeden Sänger verschrecken mußte, entsprang nicht nur seinem Widerwillen gegen subjektives Expressivo sowie seinem überhaupt problematischen Verhältnis zu Musikern, sondern auch seiner epischen Vorstellung vom Balladensänger. Gerade in bezug auf den Balladenvortrag hatte er sehr genaue Vorstellungen, die Eisler nicht berücksichtigt hatte.

In seiner Komposition fehlte der mechanisch leiernde Bänkelsängerton. Wenn es Eislers Fehler war, diesen Ton nicht getroffen und die Ballade statt für einen Schauspieler für einen Sänger komponiert zu haben, so war es Brechts Fehler, bei der Aufführung dennoch auf einem Schauspieler zu bestehen. Die Bereitschaft Eislers, Bühnenmusiken zu Brecht-Stücken zu komponieren, hat er dadurch nicht gefördert.

Eislers Balladenvertonung besitzt musikalische Qualitäten, die der Bedeutung dieser Szene für das Stück durchaus entsprechen. Ein besonderer Vorzug seiner Komposition ist die Genauigkeit, mit der sie verschiedene Aussageebenen in Brechts Vorlage deutlich macht und so den Text sinngemäß gliedert. Den Bänkelsängerton hat Eisler zwar kaum erfaßt, um so genauer aber den Wechsel der Haltungen. So wird die göttliche Ordnung der alten Zeit von konsonanter, von Palestrina entlehnter, teilweise noch organaler Harmonik begleitet:

Zur formelhaft rezitierten alten Lehre, der »ordo ordinum, wie die Theologen sagen«, steht das neue Weltbild des Galilei, in dem sich die Neuzeit ankündigt, auch musikalisch im Gegensatz; die dürre Harmonik wird reicher. (Notenbeispiel siehe nächste Seite oben.)

Nicht ohne Bedeutung ist es auch, daß die göttliche Ordnung melodisch von oben nach unten verläuft, die menschliche Rebellion dagegen aber umgekehrt.

Der Balladensänger, der – abhängig vom Markt – es allen Teilen seines Publikums recht machen möchte, kommentiert die revolutionären Folgen von Galileis Entdeckung zugleich mit zur Schau getragener Abscheu wie auch mit stiller Zustimmung. Sein Lavieren zwischen entgegengesetzten Meinungen hat Eisler auskomponiert. Dem polternd vorgetragenen Protest gegen die allenthalben aufflammende Rebellion des Volkes gegen seine Oberen setzt er den Wunsch, daß der Mensch sein eigener Herr und Meister sein solle, zunächst nur vorsichtig mit leisen Tönen entgegen. Von Strophe zu Strophe aber läßt die ängstliche Distanzierung nach und artikuliert sich der Emanzipationswille, der schließlich auch die Frau des Balladensängers erfaßt, immer deutlicher. Im Schlußchoral fordert die

ganze Balladensängerfamilie, die Kinder eingeschlossen, die Zuhörer auf, »vom guten Doktor Galile' des Erdenglückes großes ABC« zu lernen.

Streit um die Priorität zwischen Musik und Dichtung hat es zwischen Brecht und Eisler nie gegeben; dazu schätzte Eisler die Literatur allgemein und speziell die Werke Brechts zu sehr. Auch finanzielle Auseinandersetzungen wie mit Weill führte Brecht mit Eisler anscheinend nicht. Das lag nicht nur daran, daß es bei der *Dreigroschenoper* und bei *Mahagonny* um höhere Geldbeträge ging als bei den meisten Eisler-Kompositionen; es lag auch an Eislers geringeren finanziellen Bedürfnissen. Er fand sogar, daß Brecht ihn immer überbezahlt habe: »Bedenken Sie, wenn ich zum Beispiel einen bestimmten Tantiemensatz von ›Galilei‹ bekomme – eine Musik, die ich in zwei Wochen geschrieben habe, und der Brecht hat drei Jahre an dem Stück gearbeitet oder fünf Jahre –, muß ich sagen, ich bekomme noch viel zu viel Geld davon.«[3]

Eislers Bühnenmusik zu *Simone Machard* und zu *Galilei* erlebten unterschiedliche Schicksale. Da *Simone Machard* erst 1957 an den Städtischen Bühnen Frankfurt am Main uraufgeführt (Regie: Harry Buckwitz) und trotz des Uraufführungserfolgs nur selten wiederholt wurde, blieb die bedeutende Bühnenmusik Eislers fast unbekannt. Dagegen setzte sich die »Galilei«-Musik mit dem Stück durch. Die von Joseph Losey zusammen mit Brecht inszenierte Aufführung, die mit Charles Laughton in der Titelrolle am 31. Juli 1947 im Coronet Theatre in Beverly Hills ihre Premiere erlebte, war Brechts einzige wirklich erfolgreiche Aufführung in den USA. Igor Strawinsky, bei der Premiere anwesend, war vom Stück wie auch von Eislers Musik beeindruckt, was er dem Komponisten eigens in einem Brief mitteilte.[4] Brecht jedoch hat sich zur «Galilei»-Musik nie schriftlich geäußert. Es mißfiel ihm wohl, daß der Komponist auch bei der Bühnenmusik eigene Wege ging. Während er Eisler bei Liedern und oratorischen Werken stets alle Freiheiten zugestand, suchte er bei den Bühnenmusiken ein Mitspracherecht. Eisler hingegen war im Hollywood-Exil nicht mehr bereit, sich der Theatermusikvorstellung seines Freundes bedingungslos zu unterwerfen. Daß er 1945 Brechts Aufforderung, die Musik zum *Kaukasischen Kreidekreis* zu schreiben, nur mit einigen wenigen Kompositionsskizzen beantwortete, hing wesentlich mit unterschiedlichen Vorstellungen von einer »Kreidekreis«-Musik zusammen. Überhaupt fällt auf, daß Eisler in seiner langen Zusammenarbeit mit Brecht nur verhältnismäßig wenige Bühnenmusiken zu Brecht-Stücken komponierte. Die meisten seiner Bühnenmusiken basieren auf Stücken anderer Autoren und entstanden relativ unabhängig von diesen. Eisler hat zwar an vielen Brecht-Stücken dramaturgisch und textlich mitgearbeitet, das kollektive Arbeitsprinzip in der Musik selber jedoch weniger geschätzt. Darin glich er seinem Lehrer Arnold Schönberg und den übrigen Mitgliedern der Wiener Schule. Die Komposition vieler Brecht-Stücke, um die ihn der Stückeschreiber zunächst angegangen war, überließ er deshalb dem lernbegierigen und in der Komposition von Vokalmusik weniger erfahrenen Paul Dessau, der allerdings nicht nur dem Prinzip der kollektiven musikalischen Produktion, sondern auch Brechts von chinesischer Musik geprägten Theatermusikvorstellungen mit größerer Aufgeschlossenheit entgegenkam.

Vernünftiges Ziel oder Phantom:
Dessau und das chinesische Modell

> Die Kunst, Epen zu musizieren, ist ganz
> und gar verlorengegangen.

Hatte Brecht 1942 selbst Eislers Zwölftonkomposition »Vierzehn Arten
den Regen zu beschreiben« als »chinesisch« empfunden, so lernte er ab
1943 auch echte chinesische Musik kennen. Dies geschah, wie sich Ernst
Josef Aufricht erinnert, im New Yorker Chinesenviertel. »Fährt man
durch die Bowery und biegt kurz vor Chinatown – dem Chinesenviertel
– in eine Seitenstraße ab, kommt man an ein altes Theater. Es ist ein großes Theater, es faßt über 1200 Plätze. Dort wurde chinesisch gespielt. Die
Akteure begannen um 7 Uhr abends und spielten bis 12 Uhr mitternachts.
Der Zuschauerraum blieb erleuchtet, der Vorhang wurde nicht benutzt.
Während der fünfstündigen pausenlosen Vorstellung wurde auf der Bühne umgebaut. Der Einheitspreis betrug 35 Cents. Das Publikum, meist
Chinesen, kam und ging. Das Vier- und Fünf-Mann-Orchester saß sichtbar links auf der Bühne. Wir gingen einige Male hin, manchmal hatten
wir Glück und wir sahen faszinierende Tänze und hörten Gesänge mit ei-
genartiger Musik. (...) Brecht, den wir einmal mitnahmen, war so interessiert, daß er eine Zeitlang täglich hinging. Im Office of War Information
fand er durch Ruth Berlau einen Chinesen, der ihm dolmetschte. Er muß
auch seinen späteren Hauskomponisten Paul Dessau dorthin mitgenommen haben.«[1] Die sichtbaren Umbauten, das Fehlen von Vorhängen, die
niedrigen Eintrittspreise, die Ungezwungenheit des Publikums und die
Sichtbarkeit der Musiker – alles dies waren Elemente des epischen Theaters, wie Brecht und Dessau sie dann auch in ihrer eigenen Praxis verwendeten. Schon zu Beginn ihrer gemeinsamen Produktion hatten Brecht und
Dessau auf diese Weise ein Modell kennengelernt, das für sie später eine
große Rolle spielen sollte.
Nachdem Dessau im Juli 1944 auf Brechts Wunsch nach Hollywood
übergesiedelt war, begann er zunächst mit Vertonungen aktueller Brecht-
Texte, die sich auf den europäischen Kriegsschauplatz bezogen. Aus Dessaus Anregung, ein deutsches Requiem zu komponieren, entwickelte sich

das abendfüllende Oratorium *Deutsches Miserere* (das allerdings mit dem gleichnamigen Chorlied nicht zu verwechseln ist). Es besteht in seinem Hauptteil aus Kriegsphotos kommentierenden Vierzeilern, die Brecht später unter dem Titel *Kriegsfibel* herausgab, teilweise aber auch aus schon von Eisler vertonten Texten.

Deutsches Miserere
Oratorium für Sopran-, Alt-, Tenor- und Baß-Solo, gemischten Chor, Kinderchor und großes Orchester von Paul Dessau nach Texten von Bertolt Brecht

Teil I
1. Deutschland
2. a) »Sie tragen ein Kreuz voran«
   b) »Die Oberen sagen«
3. »Der Anstreicher spricht von kommenden großen Zeiten«
4. a) »Auf der Mauer stand mit Kreide«
   b) Bericht über den Tod eines Genossen
5. »Sieben Jahre aßen wir das Brot des Schlächters«

Teil II (mit Projektionen)
1. Hitler am Mikrophon
2. Eisenplatten und Arbeiter
3. Norwegische Hafenstadt
4. Panzerzug
5. Stahlhelme
6. Englische Stadt
7. Deutsche Bombenflieger
8. Straße in Nordfrankreich
9. Exekution in Frankreich
10. Werkspolizei in Essen
11. Hitler spricht in den Kruppwerken
12. Goebbels mit Göring
13. Reichskanzlei
14. Moabit
15. Generäle
16. Einmarsch in Frankreich
17. Kattegatt
18. Am Nordkap
19. Nordafrika
20. Kaukasus
21. Cherbourg
22. Amerikanischer General verhört sizilianische Bauern
23. Vor Moskau

24. Sowjetbauern kehren in ihre Heimstätte zurück
25. Gefangene
26. Europäische Kinder
27. Deutsche Soldaten
28. Hitler

Teil III
Wiegenlied für Arbeitermütter (»Als ich dich in meinem Leib trug«)

Daneben begann Dessau mit der Komposition der *Internationalen Kriegsfibel,* die erst 1970 instrumentiert wurde.

Internationale Kriegsfibel
13 Stücke mit Projektionen für Sopran-, Alt-, Tenor-, Baß-Solo, gemischten Chor und großes Orchester von Paul Dessau auf Texte von Bertolt Brecht

1. »Die ihr hier liegen seht, bedeckt vom Kot«
2. »Nicht Städte mehr. Nicht See. Nicht Sternefunkeln«
3. »Als sie mich blutig vor das Stadthaus brachten«
4. »Als nun für mich die lange Schlacht vorbei«
5. »Den kleinen Bruder deines Feindes trag«
6. »Und alles Mitleid, Frau, ist nur gelogen«
7. »O Stimme aus dem Doppeljammerchore«
8. »Es hatte sich ein Strand von Blut zu röten«
9. »Daß es entdeckt nicht und getötet werde«
10. »Und viele von uns sanken nah den Küsten«
11. »Hört ihr den Dicken betteln um den Posten«
12. »Da wird ein Tag sein, wo ihr dies bereut«
13. »Heimkehrer ihr, aus der Unmenschlichkeit«

Auch ein im Oktober 1944 diskutiertes Opernprojekt *Die Judenhure Marie Sanders* bezog sich auf die aktuelle Zeitgeschichte, auf die Verfolgung der Juden, die während des Krieges immer grausamere Formen angenommen hatte. Visionäre Gegenpole der Menschlichkeit bildeten die 1944 begonnenen *Vier Lieder des Glücksgotts* für Tenor und Gitarre; erstmals wird in ihnen der Einfluß chinesischer Musik spürbar. Zwei der Gedichte hatte Brecht bereits 1939 während der Arbeit am *Guten Menschen von Sezuan* geschrieben. Nachdem er im November 1941 im Chinesenviertel von Los Angeles für 40 Cents die kleine Holzfigur eines chinesischen Glücksgotts erstanden hatte, konzipierte er ein Stück *Die Reisen des Glücksgotts.* In einem unveröffentlichten Entwurf zu diesem Stück ist der Glücksgott nacheinander Bäcker, der den Leuten den guten Brotgeschmack vermittelt, »Vögler«, der ihnen die Wollust zeigt, und »Salesman mit der Trompete für das Kind«.[2] Fast scheint es, als habe sich Brecht dabei an das Augsburger Kinderphoto des königl. bayr. Hofphotographen Ressler erinnert, das ihn mit einer Trompete in der Hand zeigte. Eine eigene Szene »Trompete« sollte »das Glück des Musikalischen und Das Geberglück der Eltern«, »Salestalk und Musikunterricht« behandeln.[3] Der Glücksgott sollte als »Agitator, Schmutzaufwirbler[4], Hetzer«[5], der die Menschen zum Glück auf Erden ermutigt, über den amerikanischen Kontinent reisen; als er verhaftet und zum Tode verurteilt wird, erweist er sich als unsterblich. »Lachend sitzt er gemütlich zurückgelehnt im elektrischen Stuhl, schmatzt, wenn er Gift trinkt usw. Völlig erschöpft ziehen die verstörten Henker, Richter, Pfaffen usw. ab, während die Menge vor dem Totenhaus, die von Furcht erfüllt zur Exekution gekommen war, von neuer Hoffnung erfüllt, weggeht.«[6] Damit ähnelt die Aussage dem von Eisler wie auch von Dessau vertonten Lied von der *Haltbaren Graugans*[7], jener Parabel von der Unzerstörbarkeit des revolutionären Proletariats, zu der Brecht durch die amerikanische Ballade »The Gray Goose« angeregt wurde.[8]

Nachdem er im Juli 1943 durch den von Piscator empfohlenen chinesischen Autor und Schauspieler Tsiang detaillierter in die chinesische Theaterpraxis eingeführt worden war und sich wieder intensiver mit dem Theatermittel der Verfremdung, dem sogenannten V-Effekt, befaßt hatte, notierte Brecht am 20. Juli in sein Arbeitsjournal: »Mitunter denke ich nach über einen Zyklus ›Lieder des Glücksgotts‹, ein ganz und gar materialistisches Werk, preisend ›das gute Leben‹ (in doppelter Bedeutung). Essen, Trinken, Wohnen, Schlafen, Lieben, Arbeiten, Denken, die großen Genüsse.« Vier dieser Lieder gab er Dessau, der sie »als eine Art Hausmusik« für Tenor und Gitarre setzte.[9] Das erste Lied (»Freunde, wenn ihr euch mir verschreibt«) komponierte Dessau am 31. Oktober 1944, das vierte (»Als die Frau schrie«) am 9. Februar 1945 zu Brechts Geburtstag, während die beiden übrigen Lieder erst im Herbst 1945 folgten. Daß die Komposition nicht nur exotisch, sondern auch gleichförmig und mechanisch wirkt, liegt an der großen Zahl unverändert wiederholter Strophen sowie an der Beschränkung der einstimmigen Gitarrenbegleitung auf einige wenige Töne, meist Quartintervalle. Der Eindruck der Fremdartigkeit rührt her von den ständigen Taktwechseln, dem Verzicht auf die Unterscheidung von Konsonanz und Dissonanz, am meisten vielleicht aber von der melismenreichen Gesangsstimme. Die Melismatik, die Dessau in seiner Vokalmusik so auffallend häufig verwendete, war ein Element nicht nur der chinesischen Musik, sondern auch der jüdischen Synagogaltradition.[10] Brechts Orientierung an China bewirkte bei Dessau den verstärkten Rückgriff auf die Traditionen der jüdischen Musik, mit der er, Enkel eines bekannten jüdischen Kantors, sich ab 1933 ohnehin einge-

hender befaßte. Hinzu kommt in den »Glücksgott«-Liedern das der per-
sisch-arabischen Tradition entstammende Maquam-Prinzip, die Verwendung eines gleichen Melodiemodells auch für gänzlich verschiedene Texte und Rhythmen. Diesem Prinzip entsprechend sind die beiden ersten
Lieder durch gleiche Melodieformen miteinander verbunden.[11]

Von Eislers »Hollywooder Liederbuch«, überhaupt von der Tradition des
europäischen Liedes sind diese pentatonischen Gesänge mit ihrer asketisch
dünnstimmigen Gitarrenbegleitung so weit wie nur möglich entfernt. Die
üppige Melismatik und der Verzicht auf jeden musikalischen Textaus-
druck kann einen europäischen Hörer leicht dazu verleiten, vom Text
überhaupt abzusehen. Bei dieser kühlen Musik läuft der Hörer zwar nicht
Gefahr, über eine Körpertemperatur von 37 Grad erhitzt zu werden; es ist
aber denkbar, daß sich bei ihm überhaupt ein Desinteresse einstellt. Heute
besitzen diese fast unbekannt gebliebenen Gesänge möglicherweise eine
gewisse Aktualität durch ihre ästhetische Nähe zur Minimal music eines
Steve Reich oder Terry Riley[12]; wie diese Musikrichtung sind Dessaus
»Glücksgott«-Lieder amerikanische Westcoast-Musik.
Während der Schlußarbeiten am *Kaukasischen Kreidekreis* beschäftigte sich
Brecht in der ersten Hälfte des Jahres 1944, dabei wohl von Eisler[13] und
Tsiang unterstützt, erneut mit chinesischer Musik. Zwar hatte zunächst
Eisler den *Kaukasischen Kreidekreis* als Oper komponieren wollen. Brecht
suchte aber in chinesischer und arabischer Musik das Vorbild für die Gestaltung des die Geschichte erzählenden Sängers. »Im Kaukasischen Kreidekreis wird die Fiktion benutzt, daß der Sänger das Ganze zum Vortrag
bringt, d. h. er kommt ohne Theatertruppe; die Szenen sind nur Verkörpe-
rungen der Hauptvorgänge in seiner Erzählung.«[14] Im *Kreidekreis* wollte
Brecht die alte Kunst, Epen zu musizieren, wiederbeleben. Im April 1944
schrieb er an Ruth Berlau: »Ich habe arabische und chinesische Platten gehört mit epischen Vorträgen, und so verschieden diese Musiken sind – alle passen sie zu den Sänger-Texten.«[15] Könnte man aus dieser Briefstelle
eine gewisse »neutrale« Beliebigkeit der Musik gegenüber den Texten
herauslesen, so hat Brecht in seinen Anmerkungen »Über eine Kreidekreis-Musik« Spezifischeres über seine musikalischen Vorstellungen mitgeteilt. »Im Gegensatz zu den paar Liedern, die persönlichen Ausdruck
haben können, sollte die Erzählermusik lediglich eine kalte Schönheit

haben, dabei nicht zu schwierig sein.«[16] Die anderen Musikstücke und Gesänge charakterisierte er als »barbarisch«, »kalt«, »dünn und delikat«, und »verlumpt«.

Dessau stand solchen Anregungen aufgeschlossen gegenüber. Seit er 1927 die Kapellmeistertätigkeit aufgegeben hatte, waren für ihn Askese und Disziplinierung immer wichtiger geworden. Zu kulinarischer Fülle luden allerdings auch seine nun bescheidener gewordenen Lebensverhältnisse nicht ein. Mit peinlicher Sorgfalt achtete er auf die Einhaltung des täglichen Arbeitsprogramms, mit großer Sorgfalt schrieb er – hierin Webern vergleichbar – seine Partituren, wobei ihm das Prinzip der Ökonomie, des Verzichts auf überflüssige Noten, wesentlich war. Für überflüssig hielt er auch das Einfließen von Privatem in die Kunst – Spinoza-Lektüre hatte ihn darin bestärkt.[17] Da er außerdem Originalität gering achtete, hat er, anders als Eisler und Weill, Kollektivkompositionen immer befürwortet.[18] Einen musikalischen Mitarbeiter von größerer Hilfsbereitschaft, Kollegialität, Bescheidenheit und Treue als Dessau hat Brecht nie gehabt.

Unpersönliche, kalte Schönheit und auch für Schauspieler leichte Singbarkeit – das war es vor allem, was sich Brecht von chinesischer Musik – diesem asketisch-nüchternen Gegenpol zur berauschenden Klangfülle Hitler-Deutschlands und Hollywoods – erhoffte. »Brecht träumte von einer echt chinesischen Musik«, kommentierte Eisler diese Vorstellungen. »Der Brecht sagte, er wünschte sich eine Musik, wo man lange Epen erzählen kann. Homer wurde ja gesungen. Es sagte immer: ›Kann man nicht eine Musik schreiben oder einen Tonfall notieren, wo man zwei Stunden ein Epos bringen kann?‹ Das war sein Ideal.«[19] Schon 1935 hatte Brecht in seinem Aufsatz »Über die Verwendung von Musik für ein episches Theater« das Fehlen einer solchen Musik bedauert: »Die Kunst, Epen zu musizieren, ist (...) ganz und gar verlorengegangen. Wir wissen nicht, wie die ›Odyssee‹ und das ›Nibelungenlied‹ musiziert wurden. Den Vortrag erzählender Dichtungen von einiger Länge können unsere Musiker nicht mehr ermöglichen.«[20] Eisler spielte Brecht zwar chinesische Musik vor[21], war aber in seiner eigenen Produktion sonst daran wenig interessiert. Für den China-Dokumentarfilm »400 Millionen« hatte er keine chinesische Volksmusik, sondern Zwölftonmusik verwendet. Er bezweifelte auch, ob chinesische Musik dazu beitragen könnte, das Ideal epischen Musizierens wiederzubeleben. »Der Industriekapitalismus hat leider – auch schon vorher der Feudalismus – die Fähigkeit, große Epen als Volkskunst zu pflegen, vernichtet. Brecht lief einem Phantom nach. Nämlich als ob das große Epos mit Tausenden von Versen eine volkstümliche Sache so wäre, wie heute in Algerien die Märchenerzähler, die auf den Marktplätzen sitzen, oder in China die großen Opern, die ungeheure Erzählungen haben, die ja alle gesungen werden. Das brauchte Brecht für seine Dramen. (...) Ich muß sagen, daß Brecht hier sehr in die Zukunft gesehen hat und einfach kühn alte Volkssitten – auch aus dem Orient – neu umfunktionieren wollte. Das war sein großer Wunsch.«[22] Eisler, dessen besondere Fähigkeiten in der pointierten kleinen Form lagen, hielt seine eigene musikalische Sprache für ein mehrstündiges Epos für weniger geeignet. »Mir geht meistens schon nach einigen Minuten die Puste aus, wenn ich an ein Epos denke.« Er hatte eine andere Zeit- und Musikvorstellung. Das Prinzip der Wiederholung, das mit Epen notwendigerweise verbunden war, tendierte zur Gleichförmigkeit und war dem auf Entwicklung und Wechsel orientierten musikalischen Denken der Wiener Schule direkt entgegengesetzt.

Eisler bezweifelte aber auch, ob in Dessaus Musik Brechts Ideal einer epischen Musik schon verwirklicht war. »Dessau hat sie gemacht, so gut er es konnte. (. . .) Wir müssen mal sehen, ob das einmal in zwanzig oder dreißig oder fünfzig Jahren vielleicht besser komponiert wird.« Brechts Idee einer epischen Musik, wie dieser sie aus der chinesischen Kultur und der Antike herleitete, hielt Eisler zwar für »völlig richtig«, jedoch für eine Utopie. »Völlig richtig« war Brechts Idee als logische Konsequenz seiner Theatertheorie, utopisch dagegen, weil sie von den realen Hörgewohnheiten eines westlichen Publikums im 20. Jahrhundert abstrahierte.

Nach Gesprächen mit Eisler und Dessau über Musik des 20. Jahrhunderts resümierte Brecht: »Die moderne Musik verwandelt Texte in Prosa, auch wenn es Verse sind, und lyrisiert dann diese Prosa. Die Lyrisierung ist zugleich eine Psychologisierung. Der Rhythmus ist aufgelöst (außer bei Strawinsky und Bartók). Für das epische Theater ist das unbrauchbar.«[23] Die von Brecht gewünschte Musik für das epische Theater sollte demnach einen durchgehenden Rhythmus besitzen und durfte nicht lyrisieren oder psychologisieren. Eisler muß dieses Urteil über »die moderne Musik«, das härter und ablehnender war als verwandte Gedanken in Brechts Aufsatz *Über Bühnenmusik*[24], als eine Einschränkung empfunden haben. Als Schönberg-Schüler konnte und wollte er sich vom Prinzip des subjektiven Ausdrucks, das Brecht hier »Psychologisierung« nennt, nicht ganz lösen. Für Brecht hingegen war eine psychologisierende Musik gefährlich, »da sie den Hörer emotional sogleich ansteckt und gleichstimmt.«[25] Gegen ihre »ansteckende« Wirkung konnte er selbst – als wäre Musik eine Seuche – sich kaum erwehren, er war ihr hilfloser ausgeliefert als viele andere Hörer. Deshalb seine Forderung: Musik soll wirken, jedoch nicht auf das Unbewußte, sie soll keine triebhaften Wirkungen auslösen. So willkommen ihm medizinische oder politische Wirkungsanalysen von Musik waren, so auffallend mißtrauisch war er gegenüber psychologischen Erklärungsversuchen. Ihn interessierte weder die Psyche des Hörers noch die des Komponisten. Zu Adornos Wagner-Buch merkte er deshalb an: »Nicht uninteressant, aber ausschließlich nach Verdrängungen, Komplexen, Hemmungen im Bewußtsein des alten Mythenschmiedes stöbernd, in dieser Routine der Lukács, Bloch, Stern[26], die alle nur eine alte Psycho-analyse verdrängen.«[27] Brechts Vorliebe für die chinesische Musik rührte wohl auch daher, daß sie gänzlich frei war von psychologisierenden Tendenzen. Man konnte sie unbeschwert hören, wie eine neutral wirkende musique d'ameublement; daß sie an der Oberfläche blieb und nicht tiefer berührte, war gerade ihr Vorteil. Für einen Eisler, der Musik nicht als dekorative Klangfläche, nicht als einen Teil des im Hintergrund bleibenden Bühnenbilds, sondern als eine eigene Sprache empfand, mußte ein solches Musikideal unbefriedigend sein. Er war kein Komponist repetitiver Modelle wie etwa Erik Satie oder Philip Glass.

In der zitierten Brecht-Notiz vom November 1944 heißt es über Dessau, er sei »viel weniger entwickelt und festgefahren« als Eisler. Dessen große musikalische Erfahrung wertete Brecht in bezug auf das epische Theater als einen Nachteil, da sie gleichzeitig eine stilistische Fixierung bedeutete. Die Notiz deutet an, daß zwischen Eisler und Brecht bei der gleichzeitigen Arbeit an der Goliath-Oper Meinungsverschiedenheiten über den musikalischen Stil entstanden waren. Dessau dagegen war eher zu einer Anpassung und Veränderung seines Kompositionsstils und zur Preisgabe wichtiger Elemente der abendländischen Musik bereit. Während sich Eisler auch bei Brecht-Vertonungen im wesentlichen auf sein eigenes musikalisches Urteil verließ, war für Dessau Brecht die oberste Kontrollinstanz: »Sobald ich etwas geschrieben hatte, wollte ich gern auf Nummer Sicher gehen und sein Urteil, das mich ja auch angeregt hat, hören. Brecht war sehr musikalisch. Er gab mir zahlreiche Anregungen, ich habe mir die Sachen aufgeschrieben und mich gar nicht geniert. Da kenne ich keinen Stolz. Wenn ein Genie mir etwas Gutes sagt, dann halte ich mich dran. Das verarbeite ich sofort als mein Eigentum.«[28] Auch die Anregung, sich stärker als an Schönberg an Strawinsky und Bartók zu orientieren, griff Dessau auf; in seinen Brecht-Vertonungen besitzt der Rhythmus, überhaupt das Schlagwerk, großes Gewicht. Meist lassen sich schon durch die Dominanz des Schlagzeugs die Kompositionen Dessaus von denen Eislers und Weills unterscheiden.

Nachdem Dessau die »Vier Lieder des Glücksgotts« fertiggestellt hatte, fühlte Brecht sich im Januar 1945 inspiriert, aus seiner Stückidee *Die Reisen des Glücksgotts* eine Oper zu machen. Über das Vorspiel und die erste Szene kam er jedoch nicht hinaus. Dessau komponierte drei Stücke des Opernfragments in Klavierskizze; eine Arie des Glücksgotts (»Bruder, du machst meine Augen naß«), eine Arie des Bauern (»Wir blöden Bauersleut«) und ein Duett Glücksgott-Bauer (»Es tagt«). Was schon in der Arie des Glücksgotts in die Augen fällt, ist eine maniert wirkende und sängerisch schwer ausführbare Melismatik: (Notenbeispiel siehe nächste Seite oben.)

Auch beiläufige Wörter sind durch Melismen verziert. Dem Dessau-Ken-

ner Fritz Hennenberg zufolge wollte der Komponist damit den Text verfremden.[29]

Durch Verfremdung eine neue Wirkung erzielen wollte Brecht auch, als er im Februar 1945 das Kommunistische Manifest in der Art des Lukrezischen Lehrgedichts über die Natur zu versifizieren begann. Auch dieses Projekt entsprang seinem Wunsch, die alte Tradition des epischen Erzählens wiederzubeleben. Eisler war skeptisch; er sah nicht nur wie Feuchtwanger die Unvollkommenheit von Brechts Hexametern, sondern auch »die Gefahr des echten Formalismus«.[30] »Wird die moderne Sprache des Kommunismus sich den Hexametern einfügen?« Brecht brach seine Arbeit bald ab. Dessau bedauerte dies: »Leider haben allzuviele Brecht von den Hexametern abgeraten, Feuchtwanger und auch Eisler, ich war viel zu zurückhaltend, noch nicht so weit, sonst hätte ich gesagt: ›Mensch, das ist gut so, um die Hexameter geht es gar nicht.‹ Aber was hätte ich denn gegen diese Koryphäen machen sollen, gegen die kam man ja nicht an.«[31]

Wartend auf den Tag der Rückkehr

Rivalitäten

Eisler und Dessau

Während Eisler die Filmmusikarbeiten nur noch begrenzte Zeit für die Zusammenarbeit mit Brecht ließen, wurde Dessau, der sein bescheidenes Leben in Hollywood durch die Tätigkeit als Gärtner, gelegentlich auch als Filmmusikinstrumentator, verdiente, durch keine weiteren künstlerischen Projekte »eingeengt«. Für den stets geselligen Eisler war die Freundschaft mit Brecht nur ein Teil seiner künstlerischen und menschlichen Existenz. Dessau hingegen, der nur Brechts wegen nach Hollywood übergesiedelt war, bedeutete die Zusammenarbeit mit dem Stückeschreiber und Dichter alles. 1946 heiratete er Brechts frühere Mitarbeiterin Elisabeth Hauptmann. Anders als Eisler machte sich Dessau, dessen frühere Dirigenten- und Komponistenlaufbahn in Hollywood vergessen war, einen Namen erst als Mitarbeiter Brechts. Aber auch als solcher wurde er zunächst wenig bekannt. Die *Internationale Kriegsfibel* blieb ein Fragment, jedoch auch die noch in Amerika vollendeten Brecht-Vertonungen, das große Oratorium *Deutsches Miserere* für Soli, gemischten Chor, Kinderchor und Orchester, die »Glücksgott«-Lieder, die Musik zur *Mutter Courage,* das Chorwerk *Grabschrift für Gorki* und die Lieder »Die Graugans« und »Wiegenlied« kamen erst nach der Rückkehr nach Deutschland zur Aufführung, das *Deutsche Miserere* sogar erst 1966. Eine Ausnahme bildete die »Sezuan«-Musik, die 1948 der Busoni-Schüler Dmitri Mitropoulos, ab 1949 Chef der New Yorker Philharmoniker, im Hamline-Universitätstheater in St. Paul/Minnesota dirigierte.

Auf der sozialen Stufenleiter stand Dessau weit unter Eisler, der nach dem Auslaufen seines Filmmusikforschungsprojekts ab 1944 eine Gastprofessur für Komposition an der University of California (UCLA) übernahm.

Dieser war für Brecht zwar der renommiertere und erfolgreichere Komponist, durch seine eigenen Auffassungen von Musik aber unbequem; in Dessau sah er den kooperationswilligeren Komponisten. Dessau fügte sich bruchloser in die utopischen Seiten seiner Theatertheorie ein, während Eisler der Musikpraxis näher war. Brecht nahm deswegen tendenziell eine »Arbeitsteilung« vor: Während er für noch in Amerika bevorstehende Aufführungen Eisler als Komponisten bevorzugte, zog er Dessau mehr zu solchen Projekten heran, die für die fernere Zukunft, für die Zeit nach der Rückkehr nach Europa konzipiert waren.

Die unterschiedlichen Positionen beider Komponisten zeigten sich, als am 19. Mai 1945 Brecht und Eisler gemeinsam mit dem Zug nach New York reisten, um dort die englischsprachige Erstaufführung von *Furcht und Elend des dritten Reiches* oder *The Private Life of the Master Race,* wie es im amerikanischen Titel heißt, vorzubereiten. Eisler, der schon in Dänemark an dem Stück mitgearbeitet hatte, sollte die Bühnenmusik schreiben und einstudieren. Dessau blieb in Hollywood zurück. Bei seiner Ankunft in New York erhielt Eisler gleich drei dringende Telegramme seiner Frau, er solle sofort zurückkehren, um die Musik zum Film »Spanish Main« (»Der Seeteufel von Cartagena«) zu komponieren; falls er nicht sofort zurückkehre, würde er seinen Job verlieren. Eisler wollte seinen Job nicht riskieren und schrieb in größter Eile innerhalb von wenigen Stunden die auf Verfremdung des Horst-Wessel-Liedes basierende Bühnenmusik. Brecht war über die »etwas unziemliche Hast« entsetzt und notierte ärgerlich: »Die Musik schrieb er wartend auf die Fahrkarte. Sie war Filmkitsch, und auf mein Drängen schrieb er sie noch einmal. Dann war sie glänzende Theatermusik.«[1] Eisler schätzte die Angelegenheit anders ein: »Wenn man das heute nachliest, würde man sagen, der Eisler ist ein geldgieriger Mensch, er fährt zu dem großen Studio zurück, und zwar kommt er in der Früh an und fliegt am Abend zurück nach Hollywood. Den ganzen Tag sitzt er allerdings wie in Klausur in seinem Zimmer und schreibt sich die Pfoten wund; es ist immerhin eine ganze hübsche Partitur für die kurze Achtstunden-Arbeitszeit.«[2] Weder dem Vorwurf des Filmkitschs noch der Geldgier konnte er zustimmen. Da er entgegen seiner Verabredung die Bühnenmusik nicht mehr einstudieren konnte, gab er das ganze ihm zustehende Honorar von 500 Dollar zurück. Nicht aus Geldgier, sondern aus Sorge um seine Weiterexistenz fuhr er nach Hollywood zurück. Brecht konnte ihn nicht zurückhalten. Daß der Zwang zum Überleben im kapitalistischen Konkurrenzmechanismus das Prinzip der kollektiven Arbeit, das Brecht immer wieder durchzusetzen suchte, behinderte und sogar zerstörte, hatte er schon bei anderer Gelegenheit, so etwa beim »Hangmen«-Film, erfahren müssen.

Angesichts des Zwangs zur sofortigen Rückreise war es kaum möglich, daß Eisler die Bühnenmusikpartitur auf Brechts Wunsch noch einmal umschrieb. Der Stückeschreiber, der seinem Einfluß die Verbesserung der Partitur zuschrieb, gab sich dieser Illusion hin. Eisler bekannte jedoch, daß die »zweite Fassung« sich von der ersten nur in winzigen Details unterschied. Ausschlaggebend dafür, daß Brecht die »erste Fassung« so schlecht empfand, war etwas anderes: »Ich habe sie wahrscheinlich ihm etwas zu ausdrucksvoll vorgespielt. Solche Sachen kamen bei Brecht oft vor.«[3] Wenn die Vortragsweise Brechts Beurteilung von Musik so entscheidend beeinflussen konnte, wenn er bei ausdrucksvollen Interpretationen gleich die ganze Musik als kitschig abtat, so ist das ein Beleg dafür, daß sein Musikhören mehr gestisch-einfühlend als analytisch war. Da für ihn die Vortragsweise im Zentrum stand, kritisierte Brecht grundsätzlich die Ungenauigkeit der Notenschrift, die Tonhöhe und Rhythmus festlegt, bei der Vokalinterpretation jedoch nicht das Stimmtimbre oder den Duktus.[4] Eine vollständige Notation im Sinne Brechts hätte, wie dies Eisler bei einigen Liedern des »Hollywooder Liederbuchs« tat, auch die Vortragsweise einzubeziehen. Die richtige Vortragsweise, der richtige Gestus ist in der Tat entscheidend für adäquate Interpretationen von Brecht-Vertonungen.

Eislers im Schnellverfahren komponierte und von Josef Schmid einstudierte und dirigierte Bühnenmusik zu *Furcht und Elend des dritten Reiches* wurde von der Kritik gelobt. Die Inszenierung selbst – Brechts erste größere New Yorker Theateraufführung seit seiner Ankunft in den USA – war dagegen ein Mißerfolg. Vielleicht auch deshalb nahm Brecht nach seiner Rückkehr nach Hollywood immer noch keine versöhnliche Haltung gegenüber Eisler an, sondern ergriff bei einem Geldstreit zwischen beiden Komponisten – es ging um die Bezahlung einer von Eisler in Auftrag gegebenen Filmarbeit – die Partei Dessaus. Nicht ohne Häme notierte er in sein Arbeitsjournal, daß Dessau an materiellen Schwierigkeiten leide, Eisler dagegen an ästhetischen Problemen. Um die Drastik der sozialen Differenz noch zu unterstreichen, plazierte er Eisler bei seinem Vermittlungsversuch ins Arbeitszimmer, Dessau dagegen, als wäre er ein Domestik, in die Küche. »Dessau war in miserablen Umständen, brauchte das Geld, Eisler wußte das. In meinem Arbeitszimmer sitzend, mit Dessau in der Küche, beschwerte sich Eisler, daß die Hollywoodmusik seine Ohren ruiniere.«[5] Was aber sind, so suggeriert Brecht, ruinierte Ohren gegen einen leeren Magen?

Brecht, Eisler und Strawinsky

Als provozierend mußte Eisler Brechts Interesse ausgerechnet für Strawinsky, Schönbergs Antipoden, empfinden. Dem in Hollywood lebenden Weißrussen, der für Eisler ein Repräsentant der »überkandidelten Oberklasse« war[6], ließ Brecht durch Dessau sein Hörspiel *Das Verhör des Lukullus* zur Vertonung anbieten. Strawinsky lehnte höflich ab. Wenn auch nicht in den politischen Anschauungen, so doch in Einzelheiten der Ästhetik und der künstlerischen Verfahrensweise gab es allerdings Gemeinsamkeiten zwischen Brecht und Strawinsky. So hatte dieser schon 1917/18 in der *Geschichte vom Soldaten,* um 1920 in *Les Noces* die Trennung der Elemente eingeführt. Wohl von dieser Ähnlichkeit mancher Verfahrensweisen ging Pierre Boulez aus, als er 1967 äußerte: »Man kann nur davon träumen, daß Strawinsky und Brecht in den zwanziger Jahren zusammengearbeitet hätten.«[7] Brecht muß zumindest flüchtige Einblicke in Strawinsky-Partituren genommen haben, denn 1939 verglich er in seinem Aufsatz »Über experimentelles Theater« die Komplexität der Bühnentechnik Piscators mit der Kompliziertheit einer Strawinskyschen Opernpartitur.[8] Offensichtlich war Brecht daran interessiert, wie Eisler im Wettbewerb mit Strawinsky abschneiden würde. So befindet sich in seinem Nachlaß ein undatierter Zeitungsausschnitt mit dem Bericht eines Harry F. Torvins über einen Vortrag Eislers im Woman's Club von Denver.[9] Am Schluß seines Artikels geht der Referent auf eine Polemik Eislers gegen den mondänen Strawinsky ein und meint: »It would be a great show – a veritable battle of the century – if Strawinsky and Eisler could be hemmed in the same room and permitted to fight out their differences.« Brecht hat sich diesen Schlußsatz unterstrichen. Den Wettbewerb hat er mehrfach geradezu herausgefordert, indem er mehreren Komponisten die gleichen Texte zur Vertonung übergab – häufig auch, ohne die Komponisten von der Mehrfachvertonung zu unterrichten. Dessau etwa war erschreckt, als er bemerkte, daß einige der Texte, die Brecht ihm für sein *Deutsches Miserere* gegeben hatte, schon von Eisler vertont waren.[10] Zwischen Eisler und Strawinsky kam es jedoch nie zu einer ästhetischen Auseinandersetzung, geschweige denn zu einer »Battle of the Century«. Im Gegenteil: Strawinsky sprach sich voll Anerkennung über Eislers »Galilei«-Musik aus und förderte ein Solidaritätskonzert für Eisler am 14. Dezember 1947 in Los Angeles.

Mozart statt Wagner

Wenn auch Eisler ab 1943 nicht mehr mit solcher Ausschließlichkeit wie die zehn Jahre zuvor Brechts musikalischer Mitarbeiter war und in den USA neben ihm Dessau, Weill, Roger Sessions – dessen »Lukullus«-Oper am 18. 4. 1947 am University Theatre von Berkeley/Kalifornien uraufgeführt wurde – und Benjamin Britten[1] Brecht-Texte vertonten, so gab es weiterhin doch viele Gemeinsamkeiten der Musikauffassung, die Eisler mit Brecht und Dessau teilte. So dachten sie ähnlich kritisch über Werk und Wirkung Richard Wagners. Über Wagners Wirkung schrieb Brecht in seinem wahrscheinlich in Hollywood entstandenen Aufsatz *Über Bühnenmusik*[2]: »Bismarck hatte das Reich, Wagner das Gesamtkunstwert gegründet, die beiden Schmiede hatten geschmiedet und verschmolzen, und Paris war von beiden erobert worden. Die unglücklichen Wallstreet-Bankiers waren von Wagner gezwungen worden, sich mit den konfusen und nichts Gutes verkündenden Angelegenheiten Wotans zu befassen. Der Wink, daß der Retter unter keinen Umständen nach seiner Herkunft befragt werden sollte, fand in diesen Kreisen Verständnis. Für eine Erlösung (ohne Herabsetzung der Eintrittspreise) wurden die höchsten Preise bezahlt. Die alten wie die neuen Meistersinger von Nürnberg flößten Achtung und Sympathie ein. Die Musik gebärdete sich als der tyrannische Lakai der Bourgeoisie: es war ein ›Typ im Kommen‹.« Brecht deutete Wagners Musik als künstlerische Parallele zum deutschen Imperialismus, auch als Vorahnung der Weltwirtschaftskrise, der die Kapitalistengötter mit diversen Rettungsversuchen begegnen. Als deutschen Retter, als Lohengrin, nach dessen Herkunft man lieber nicht fragen solle, fanden sie Hitler. Hatte Brecht in seinen Anmerkungen zu *Mahagonny* noch vom absterbenden Sinn in Wagners Musikdramen, von der Weltanschauung als Kulinarik gesprochen, so belehrte ihn die Geschichte, daß Wagners Werke durch den deutschen Faschismus wieder neue inhaltliche Aktualität bekommen haben. Schon 1937 hatte er in seiner Satire »Verbot der Theaterkritik«[3] auf Parallelen zwischen Hitler und Lohengrin hingewiesen; über »die Festspiele, die unter dem Titel REICHSPARTEITAG in der Nähe Bayreuths stattfinden«, heißt es dort:

> Der Kanzler selber
> Tritt hier als reiner Tor auf und singt
> Zweimal am Tage die berühmte Arie
> NIE SOLLST DU MICH BEFRAGEN.

Im Juli 1944, als Fritz Kortner und Otto Klemperer bei ihm zu Besuch waren, griff Brecht seine politische Lohengrin-Analyse wieder auf; er war der Auffassung, Klemperer sei dafür »nicht ganz taub«[4] gewesen. Beim selben Treffen bat er Klemperer, in Berlin eine »Oper der Gewerkschaften« aufzubauen, dort aber zunächst die Musikdramen Wagners auszusparen. Ähnlich äußerte Dessau 1958 in einem Interview, »daß das Genie Wagner für uns heute nicht wichtig ist.«[5] Eisler, der wiederholt, sehr zum Ärger Brechts, mit Thomas Mann über Wagner debattierte[6], verhielt sich trotz aller Kritik zurückhaltender. In seinem Aufsatz »Was kann der Opernkomponist von Richard Wagner lernen?« wies er 1952 auf die historische Bedeutung der Wagnerschen Opernreform hin.[7] Kurz vor seinem Tode sprach er noch von »diesem entsetzlichen Wagner, der wahrscheinlich ein großer Meister war«.[8]

Während Brecht die starke Wirkung, die Wagners Werk auf ihn ausübte, vor Dessau und Eisler verschwieg, konnte er seine Liebe zu Mozart offen bekennen. In Mozart sah er, hierin mit Dessau, Eisler und Weill einig, einen Komponisten, der das Ideal einer musikalisch bedeutenden, einem breiten Publikum verständlichen, gestisch wirkenden und deshalb auch auf dem Theater verwendbaren Musik verwirklicht hatte. Am 8. Juni 1943 notierte er sich in sein Arbeitsjournal: »Höre nachts den letzten Akt von ›Don Giovanni‹ übers Radio. Dieser Gipfel ist nie wieder erreicht worden, und er erhob sich gleich am Beginn!« Wie Weill, der 1925 in einem Artikel Mozarts Zauberflöte als »Ideal einer Opernmusik« bezeichnet hatte[9], so berief sich auch Brecht in seinem Aufsatz »Über Bühnenmusik« in bewußter Abkehr von Wagner auf das Mozartsche Vorbild. »Wir hatten wenig Verwendung für psychologisierte Musik. Wir zogen es vor, zurück-zugehen zu den Funktionen, die etwa Mozart in seinem ›Don Juan‹ der Musik zuerteilt hatte. Diese Musik drückte sozusagen die Manieren der Menschen aus – wenn man darunter genug versteht. Mozart drückte die gesellschaftlich belangvollen Haltungen der Menschen aus, Produktionen wie Kühnheit, Grazie, Bösartigkeit, Zärtlichkeit, Übermut, Höflichkeit, Trauer, Servilität, Geilheit und so weiter.«[10] Wenn sich auch Dessau und Eisler in ihrem Mozart-Verständnis nicht auf diesen Aspekt beschränk-ten[11], so konnten sie doch Brechts Lob auf Mozarts gestische Deutlichkeit nur zustimmen.

Der Ausschuß oder Die kalte Hinrichtung

> ... daß das große amerikanische Volk viel verlieren und viel riskieren würde, wenn es irgend jemandem erlaub-te, den freien Wettbewerb der Ideen auf kulturellem Gebiet einzuschränken.

Nicht musikalische oder theatralische, sondern vor allem politische Dis-kussionen über die Zukunft Deutschlands standen für Brecht in Holly-wood im Vordergrund. Daß er nicht schon 1945 zurückkehrte, wie es etwa Ruth Berlau und Günther Weisenborn von ihm erwarteten[1], son-dern zunächst noch in den USA blieb, hing mit der Ungewißheit der po-litischen Entwicklung Nachkriegsdeutschlands zusammen. Brecht hatte sich eine nicht von den Alliierten, sondern von der deutschen Bevölke-rung ausgehende Demokratisierung erhofft und dabei besondere Hoff-nungen auf die Arbeiter gesetzt. Als eine solche Entwicklung ausblieb, sich aber in der amerikanischen Innen- und Außenpolitik offener Anti-kommunismus und Antisowjetismus durchsetzte, plante Brecht Anfang 1947 die Ausreise in die neutrale Schweiz; Ende März bekam er ein exit-

und reenter-permit. Wegen noch fehlender Transitvisas durch Frankreich und wegen der »Galilei«-Premiere im Juli verschob er jedoch die Abreise auf den Herbst und erwog zusätzlich noch eine »realistische« Verfilmung der Oper *Hoffmanns Erzählungen* von Jacques Offenbach; Musik sollte dabei nur an solchen Stellen eingesetzt werden, wo sie auch real erklärt werden konnte. Diese Pläne wurden durch die Vorladung vor den »Ausschuß für unamerikanisches Verhalten« nach Washington durchkreuzt.

Der 1934 gegründete Ausschuß zur Untersuchung subversiver Tätigkeiten (Special Committee to Investigate Un-American Activities) war 1938 von dem texanischen republikanischen Abgeordneten Martin Dies unter anderem deshalb wiederbelebt worden, um so effektiver gegen ultrarechte Aktivitäten des »German American Bund« vorgehen zu können. 1947, zwei Jahre nach dem Tod des liberalen Präsidenten Roosevelt, hatte der Ausschuß dagegen die Funktion übernommen, kommunistische Infiltration nachzuweisen. Indem die sozial engagierten Künstler verfolgt wurden, deren Zahl seit den dreißiger Jahren ständig gewachsen war, sollte nicht zuletzt die New-Deal-Politik der Roosevelt-Regierung diskreditiert werden. Vor allem Hanns Eisler, den die amerikanischen Behörden als »Karl Marx des Kommunismus auf dem Gebiet der Musik« bezeichneten, wurde als abschreckendes Beispiel herausgegriffen. Die Verhöre Eislers, die am 12. Mai 1947 in Los Angeles, am 16. Juni sowie am 24. bis 26. September 1947 in Washington D.C. stattfanden, bildeten die Grundlage einer großen, mit viel publizistischem Aufwand betriebenen antikommunistischen Kampagne. In einem Statement vor dem Ausschuß erklärte Eisler, »daß das Komitee hofft, durch die Verfolgung meiner Person viele andere Künstler in Amerika einschüchtern zu können, gegen die es aus den verschiedensten Gründen, aber ganz zu Unrecht, eine Abneigung hat. Das Komitee will einen Feldzug gegen jeden liberalen, progressiven und sozial denkenden Künstler entfesseln und es will die Arbeiten dieser Künstler einer verfassungsfeindlichen und hysterischen politischen Zensur aussetzen.«[2]

Um den subversiven Charakter von Eislers künstlerischer Arbeit nachzuweisen, hatte das FBI umfangreiche Dossiers vorbereitet, die sich zu einem großen Teil mit den Werken befaßten, die Eisler zusammen mit Brecht vor 1933 in Deutschland geschrieben hatte. Da ihm gefährliche Tätigkeiten in den USA nicht nachgewiesen werden konnten, bildete die zusammen mit Brecht geschriebene *Maßnahme* einen wesentlichen Teil des Verhörs.[3] Eisler vermied es dabei, den Namen seines Freundes zu nennen, um ihn zu schützen. »Ich habe den Namen Brechts nicht genannt, ich tat so, als ob ich das auch alles gedichtet hätte, was Brecht ungeheuer amüsiert hat.« Als die Gedichte »Ballade vom Paragraph 218« und »Lied von Angebot und Nachfrage« als »obszön« bezeichnet wurden, verteidigte sie Eisler – wieder ohne den Namen Brechts zu erwähnen – als große

Dichtung. Dennoch wurde Brecht wegen seiner Zusammenarbeit mit Eisler am 30. 10. vor dem Ausschuß verhört. Der Vorsitzende Stripling fragte besonders ausführlich nach den Texten von »Lob des Lernens« aus der *Mutter* sowie nach dem »Solidaritätslied«.[4] Die Anwälte weiterer betroffener prominenter Hollywood-Künstler, der »Hollywood Ten«, hatten zunächst vorgesehen, daß Brecht in den USA bliebe, um so wirkungsvoller gegen die weiteren Verhöre Stellung beziehen zu können.[5] Auf Eislers Rat verließ Brecht jedoch schon am Tage nach dem Verhör die USA.[6] Zuvor aber wandte sich der Stückeschreiber noch einmal an den Ausschuß: »Zurückschauend auf meine Erfahrungen als Stückeschreiber und Dichter in dem Europa der beiden letzten Jahrzehnte, möchte ich sagen, daß das große amerikanische Volk viel verlieren und viel risikieren würde, wenn es irgend jemandem erlaubte, den freien Wettbewerb der Ideen auf kulturellem Gebiet einzuschränken oder gegen die Kunst einzuschreiten, die frei sein muß, um Kunst zu sein.«[7]

Drei Tage vor dem Brecht-Verhör, am 27. Oktober 1947, erschien in der »New York Herald Tribune« eine Anzeige, in der prominente Broadway-Künstler gegen die diskriminierenden Verhöre, diese neue Form von Hexenjagd, protestierten. Zu den Unterzeichnern gehörte auch Kurt Weill.[8] Er mochte sich zwar nicht offen zu Brecht und Eisler bekennen, lehnte diese Form politischer Verfolgung jedoch ab. Lion Feuchtwanger fühlte sich durch die Verhöre an die spanische Inquisition erinnert, der er deshalb aus aktuellem Anlaß in seinem »Goya«-Roman breiten Raum gab.

Als die amerikanischen Behörden gegen Eisler ein Deportationsverfahren einleiteten, lösten sie damit eine breite Solidaritätswelle aus. Unter dem Vorsitz von Aaron Copland, Leonard Bernstein und Roger Sessions wurde ein »Committee for Justice for Hanns Eisler« gebildet, das Meetings, Konzerte und Solidaritätsaktionen veranstaltete. So fand am 14. Dezember 1947 im Coronet Theatre in Beverly Hills, dem Schauplatz der erfolgreichen »Galilei«-Uraufführung, ein Solidaritätskonzert statt; die Schirmherrschaft hatten Igor Strawinsky und Ernst Toch übernommen, Unterstützung kam ferner von Charlie Chaplin und Thomas Mann. Immer neue Proteste gegen Eislers Deportation trafen ein, so von der Composers' Guild of Great Britain, von Louis Aragon, George Antheil, Georges Auric, Jean Cocteau, Albert Einstein, Paul Eluard, Roy Harris, Heinrich Mann, Henri Matisse, Dmitri Mitropoulos, Pierre Monteux, Linus Pauling, Pablo Picasso, Walter Piston, Max Weber und anderen. Der Fall Eisler forderte den Protest der besten Künstler und Gelehrten heraus, er machte die Weltöffentlichkeit auf die innenpolitische Wende in den USA und auf den Beginn des kalten Krieges aufmerksam.

Kurz bevor Eisler am 26. März 1948 die USA verließ, gab er eine letzte Erklärung ab, in der er unter anderem auf den Ausschuß für unamerikanische Tätigkeit einging: »Ich hörte die Gespräche und Fragen dieser Leute und sah mir dabei ihre Gesichter an. Als alter Antifaschist wurde mir klar, daß diese Leute den Faschismus in seiner nacktesten Form, daß sie Dummheit und Barbarei repräsentieren, die zu einem neuen Krieg führen können.«[9] Ein Mitglied des Ausschusses, der Eisler verhört hatte, hieß Richard M. Nixon. »Ich verlasse dieses Land nicht ohne Bitterkeit und Zorn«, sagte Eisler weiter. »Ich kann gut verstehen, daß die Hitler-Banditen 1933 einen Preis auf meinen Kopf gesetzt hatten und mich vertrieben haben. Sie waren das Böse in dieser Zeit, und ich war stolz darauf, daß ich vertrieben wurde. Aber ich bin untröstlich, daß ich aus diesem schönen Land auf so lächerliche Weise vertrieben werde. ... Aber mit mir nehme ich das Bild des wahren amerikanischen Volkes, dem meine Liebe gilt.«[10]

Trotz der breiten Solidarität für Eisler erreichte die Kampagne ihr Ziel, nämlich die Verdrängung der engagierten Kunst der Roosevelt-Ära – eleganter als die Bücherverbrennung der Nazis, jedoch nicht minder wirkungsvoll. Viele Künstler wurden boykottiert – so etwa der Folksänger Pete Seeger –, andere paßten sich an, die konsequentesten, wie Charlie Chaplin, wanderten aus. Die praktischen Folgen der Verhöre analysierte Brecht in seinem Artikel »Wir Neunzehn«: »Während der Staat dabei nicht in Erscheinung tritt, kommt es doch zur Hinrichtung, man könnte es eine kalte Hinrichtung nennen, in der Weise, in der man eine besondere Form des Friedens dort einen kalten Krieg nennt. Diese kalte Hinrichtung wird von der Industrie vollzogen; der Delinquent wird nicht des Lebens, nur der Mittel zum Leben beraubt; er kommt nicht in die Todesanzeigen, nur auf die schwarzen Listen.«[11] Während Brecht mit der *Dreigroschenoper* trotz aller Proteste von rechts ab 1954 auf amerikanischen Bühnen wieder Erfolge errang, blieb Eisler bis heute auf der schwarzen Liste. Seine Werke sind seit 1947 in den USA tabu, als hätte es einen Komponisten dieses Namens nie gegeben.[12]

Bei ihrer Abreise aus den USA hatten Brecht, Dessau und Eisler Stapel unaufgeführter Werke in ihren Koffern, Werke, die sich an ein deutsches Publikum richteten, so Brecht unter anderem *Puntila und sein Knecht Matti*, *Simone Machard* und *Schweyk im Zweiten Weltkrieg*, Dessau das *Deutsche Miserere* und die *Internationale Kriegsfibel* und Eisler neben seinem *Hollywooder Liederbuch* das *Lenin-Requiem* und die *Deutsche Symphonie*. Nun endlich, so hofften sie, würden die lange erwarteten Aufführungen vor deutschem Publikum stattfinden.

Teil IV

Musik im Übergang

Zwischenstationen

Es ist klar, man muß eine Residence außerhalb Deutschlands haben.

Krieg und Frieden, Freiheit und Democracy

Im Berlin der zwanziger Jahre hatte Brecht demonstrativ seine Unempfindlichkeit hervorgekehrt und sich als stets Gleichmut wahrender »Wasser-Feuer-Mensch« gegeben. Unter dem Eindruck des Zweiten Weltkrieges, der allein in Deutschland 6,5 Millionen, in der Sowjetunion sogar
20 Millionen Todesopfer forderte, der Städte und ganze Landstriche ver-
wüstete und in Europa 35 Millionen Kriegsversehrte, dazu viele Witwen
und Waisen zurückließ, hatte sich dies geändert, Brecht war verletzlich
geworden. »Der Wasser-Feuer-Mensch unserer Jugend/Unempfindlich
gegen Wasser wie Feuer/Hat sich schlecht bewährt«, schrieb er in einem
Caspar Neher gewidmeten Gedicht. »Selbst die Wohnungswand/Auf die
du ihn mir maltest, fiel/Ihm zum Opfer.«[1] Gegen das maschinenhafte
Funktionieren des Menschen, in der neusachlichen Phase einst gepriesen,
stellte der Stückeschreiber nun die einfachen menschlichen Bedürfnisse:
»Es ist so wichtig, jetzt zu überleben (vollends), und das heißt: Essen,
Wärme, Medizin. Auch der Wasserfeuermensch braucht das.«[2] Als Caspar
Neher im November 1947 in Zürich nach 14 Jahren wieder seinem alten
Jugendfreund begegnete, fiel ihm dessen verändertes Wesen auf. »Seine
Fassade der Härte war vollkommen von ihm abgefallen. Seine angebore-
ne Güte kam zum Vorschein.«[3]
Brechts Empfindlichkeit erstreckte sich nicht nur auf ihn selbst und seine
Freunde. Er war besorgt um die Menschheit, da das militärische Aggres-
sionspotential ins Unvorstellbare angewachsen war. Am 6. und 9. August
1945 hatten die Amerikaner in einer militärisch sinnlosen Aktion die
Wirkung von Atombomben »getestet«; Opfer dieses verheerenden
»Tests« war die Zivilbevölkerung der beiden japanischen Städte Hiro-
shima und Nagasaki. Die Bewahrung des Friedens gehörte seitdem zu
Brechts vorrangigen politischen Zielen. Schon am 9. November 1947, nur

vier Tage nach seiner Ankunft in seinem neuen Aufenthaltsort Zürich, entwarf er zusammen mit den Autoren Carl Zuckmayer, Horst Lange, Erich Kästner, Alexander Lernet-Holenia, Werner Bergengruen und Max Frisch einen Friedensaufruf, in dem es heißt: »Die Erwartung eines neuen Krieges paralysiert den Wiederaufbau der Welt. Wir stehen heute nicht mehr vor der Wahl zwischen Frieden oder Krieg, sondern vor der Wahl zwischen Frieden oder Untergang. Den Politikern, die das noch nicht wissen, erklären wir mit Entschiedenheit, daß die Völker den Frieden wollen.« Hintergrund dieser Erklärung war der Beginn des sogenannten kalten Krieges; ausgelöst wurde er 1946 durch Churchills Fulton-Rede und 1947 durch die »Truman-Doktrin« des neuen amerikanischen Präsidenten. In ihrer Erklärung wehrten sich die in Zürich versammelten Autoren dagegen, »daß die Existenz zweier verschiedener ökonomischer Systeme in Europa für eine neue Kriegspropaganda ausgenutzt wird.«[4] Im Sinne dieser Erklärung wirkte Brecht unermüdlich bis zu seinem Tod, so mit einem Revueprojekt »behandelnd die Rückkehr des Kriegsgottes aus einem fehlgegangenen Krieg in ein ruiniertes Land«, das er im März 1947 Piscator vorgeschlagen hatte.[5]

Mit Besorgnis beobachtete Brecht die Entwicklung in Deutschland, die nur halbherzige Durchführung der Nürnberger Kriegsverbrecherprozesse; eine echte Entnazifizierung blieb aus, die unter Hitler wirtschaftlich und politisch Mächtigen blieben es auch unter Adenauer.[6] In seiner Ballade *Der Anachronistische Zug oder Freiheit und Democracy...*[7] warnte Brecht vor den Gefahren dieser unseligen Kontinuität. Das umfangreiche Gedicht hatte er schon im März 1947 in den USA geschrieben, wobei ihm Shelleys Ballade »The Masque of Anarchy« als Vorlage diente. Brecht sah im Nachkriegsdeutschland eine neue Allianz von Altnazis, Industriellen und westalliierten Besatzungsmächten erstehen, vereint durch gemeinsame wirtschaftliche Interessen. So marschiert an der Spitze des Zuges »ein Sattelkopf«, der aus voller Kehle – Brecht schreibt »aus vollem Kropf« – singt: »Allons enfants, God save the King/Und den Dollar, kling, kling, kling.«

Die Freiheit, die diese finsteren Herren fordern, ist die Freiheit für die Industrie; die Demokratie, die sie verlangen, die Demokratie nach amerikanischem Muster. Der gemeinsame Feind steht im Osten, ernstzunehmende Gegner im eigenen Lande gibt es nicht mehr: Das hungernde Bürgertum ist »verstört«, »informiert von den Gazetten«, also desinformiert; da die Breite des Widerstands von den Nazis streng geheimgehalten wurde, läßt es sich zum Glauben an eine »Kollektivschuld« verführen. Große Teile des einfachen Volkes sind dem Krieg zum Opfer gefallen. Die Arbeiterbewegung ist zerschlagen. Sie wird, ähnlich wie in der »Parade des alten Neuen«, als ausgestorbenes Fossil vorgeführt:

Holpernd hinter den sechs Plagen
Fährt ein Riesentotenwagen
Drinnen liegt, man sieht's nicht recht:
's ist ein unbekannt Geschlecht.

Die Geschichte vom Rattenfänger von Hameln klingt an, wenn dem Zug zum Schluß die Ratten folgen: »Hoch die Freiheit, Piepsen sie/Freiheit und Democracy!«

Brecht hat sich von George Grosz die bildliche Ausgestaltung, von Hanns Eisler eine Vertonung seiner gespenstisch-realistischen Ballade gewünscht. Möglicherweise hat der Umfang von 41 Strophen Eisler von einer Komposition abgehalten. Erst 1958 vertonte er das Gedicht für Ernst Busch.[8] Dessau hat die Ballade im Jahre 1956 für Gesang, Klavier und Schlagzeug komponiert. Für seine Komposition wählte er, ähnlich wie schon bei der Ballade zu »99%«, die Variationenform. Da in den Schlußvariationen der Anfang wiederkehrt, besitzt die Komposition Züge einer Sonatensatzform.[9] Die Ballade vom Anachronistischen Zug hat Dessau gelegentlich selbst gesungen; es gibt davon eine Plattenaufnahme.[10]

Wie anachronistisch die politischen Verhältnisse 1948 wieder geworden waren, mußte Brecht erfahren, als ihm trotz Fürsprache des amerikanischen Theateroffiziers Benno Frank die Einreise in die Westzonen Deutschlands verweigert wurde und so der Versuch, in München mit Erich Engel eine neue Theaterarbeit zu beginnen, scheitern mußte. Benno Frank gab daraufhin aus Protest seine Stellung auf. Brecht wußte sehr wohl, daß ihm die Einreise wegen seiner politischen Anschauung verweigert worden war. In einem Brief an einen amerikanischen General stellte er – ganz im Sinne seines »Anachronistischen Zuges« – fest, daß in den Westzonen zwar Kommunisten verfolgt würden, nicht jedoch die alten Nazis. »Keiner Ihrer Berichterstatter wird es wagen, Ihnen zu sagen, daß der Nazismus heute in Ihrem Okkupationsgebiet gebannt sei. Der Grund hierfür ist, daß seine ökonomischen Positionen noch nicht zerstört und seinen Hintermännern im Namen der Demokratie ein neuerliches Mitsprecherecht gegeben wird.«[11] Brecht konnte damals noch nicht wissen, daß amerikanische Dienststellen zum Zweck der Kommunistenverfolgung sogar im geheimen mit Männern wie Klaus Barbie, dem einstigen Gestapochef von Lyon, zusammenarbeiteten.

Unter solchen politischen Bedingungen hielt Brecht es für notwendig, auch die *Dreigroschenoper* zu aktualisieren. Da das Werk bei Berliner Aufführungen von 1945 als anarchistisch mißverstanden worden war[12], schrieb er 1948 zu den Songs einige neue Strophen. Dies entsprach seiner Auffassung von der geschichtlichen Veränderbarkeit der Kunst. Die neuen Schlußstrophen zur Moritat von Mackie Messer nahmen die Erfahrungen mit den Nürnberger Prozessen auf:

Und er kann sich nicht erinnern
Und man kann nicht an ihn ran
Denn ein Haifisch ist kein Haifisch
Wenn man's nicht beweisen kann.[13]

Den »Kanonensong« verlegte er von seinem exotischen fernöstlichen Schauplatz auf die Schlachtfelder des Zweiten Weltkrieges und nahm in die Schlußstrophe schon eine Warnung vor einem dritten Weltkrieg auf.[14] Aus der »Ballade vom angenehmen Leben« machte er die »Ballade vom angenehmen Leben der Hitlersatrapen«.[15] Die Gangsterbande der *Dreigroschenoper* wurde so, Motive aus *Arturo Ui* aufgreifend, als Clique um Hitler gedeutet. Dabei unterschied Brecht in der »Neufassung der Ballade, in der Macheath um Verzeihung bittet«[16], deutlicher als zuvor zwischen großen und kleinen Räubern. Verzeihen solle man den kleinen Räubern, den Obdachlosen, die sich illegal eine Wohnung suchen, den Hungrigen, die Brot stehlen, nicht jedoch »den großen Dieben/die Euch in Krieg und Schande trieben«. Forderte der »Schlußchoral« noch 1928, man solle das Unrecht nicht zu sehr verfolgen, so wollte Brecht 1948 Milde nur gegenüber dem »kleinen Unrecht« walten lassen. Als neue Schlußstrophe fügte er hinzu:

Zieht gegen die großen Räuber jetzt zu Felde
Und fällt sie allesamt und fällt sie bald:
Von ihnen rührt das Dunkel und die große Kälte
Sie machen, daß das Tal von Jammer schallt.

Mit dieser sich aktuell auf die Frage der Kriegsschuld beziehenden Neufassung der *Dreigroschenoper* wollte Brecht eine Tournee durchführen, wobei der vor allem durch seine Filme und Seemannslieder populäre Hans Albers den Mackie Messer spielen sollte. Im Dezember 1948 informierte er Weill von diesem Tourneeplan, bei dem auch szenisch kleinere Änderungen vorgesehen waren: »Die Krüppelkopien des Herrn Peachum sind im Augenblick in Deutschland nicht attraktiv, da im Zuschauerraum selbst zu viele echte (Kriegs-)Krüppel oder Anverwandte von Krüppeln sitzen.«[17] Anscheinend erhob Weill Einwände gegen die Ergänzungen; Brecht versicherte ihm jedenfalls in einem zweiten Brief, die Zusatzstrophen seien nur für begrenzte Zeit gültig.[18] Schon in der Aufführung in den Münchner Kammerspielen, die am 27. April 1949 Premiere hatte, wurden wieder die alten Songtexte der *Dreigroschenoper* verwendet. Der Regisseur Harry Buckwitz hatte zunächst in den Proben die neuen Textfassungen ausprobiert, verzichtete dann aber mit Zustimmung Brechts auf sie.[19]

Salzburg – ein Weimar des 20. Jahrhunderts?

Da Brecht 1947/48 die weitere politische Entwicklung in den deutschen Besatzungszonen noch abwarten wollte, hielt er sich offen für eine Tätigkeit außerhalb von Deutschland. So kam es ihm gelegen, als ihm in Zürich sein alter Jugendfreund Caspar Neher von Salzburger Projekten erzählte. Neher hatte zuletzt Bühnenbilder für Gottfried von Einems Oper *Dantons Tod* nach Büchner entworfen. Nach der erfolgreichen und international beachteten Salzburger Premiere am 6. August 1947 war das Ansehen des jungen Komponisten, auch sein Einfluß im Direktorium der Salzburger Festspiele, beträchtlich gewachsen. Neher kam nun die Idee zu einem Dreigespann Brecht-Einem-Neher, das Salzburg zu einem Weimar des 20. Jahrhunderts machen könnte[1]; nur ein Dirigent fehlte noch – an Herbert von Karajan war dabei allerdings nicht gedacht. Neher wußte außerdem, daß Einem schon seit 1946 eine Zusammenarbeit mit den Opernkomponisten Boris Blacher, Carl Orff und Rudolf Wagner-Régeny vorschwebte. Diese Gruppe sollte der modernen Oper gemeinsam eine Bresche schlagen. Lag es nicht nahe, Brecht hinzuzuziehen? Neher erzählte Einem also von Brechts Schwierigkeiten, eine dauerhafte Arbeitsmöglichkeit zu finden, und wirklich trafen die drei schon im Februar 1948, wenige Tage nach Brechts »Antigone«-Premiere in Chur, in Zürich zusammen. Man diskutierte Salzburger Pläne. Dabei zeigte sich Brecht interessiert, ein Team mit Berthold Viertel, Erich Engel und Caspar Neher zu bilden, das jährlich für die Salzburger Festspiele ein Stück vorbereiten sollte.

Zu den künstlerischen Plänen, an denen Brecht ernsthaft interessiert schien, gehörte eine Kafka-Oper zusammen mit Einem. Er begann mit einer eigenen Texteinrichtung des *Prozeß,* wobei er die Handlung in das berüchtigte amerikanische Gefängnis Sing-Sing verlegte. Als er außerdem Einem seinen »Lukullus-Text« zur Vertonung anbot, sah dieser anscheinend im Bühnenmittel der Gerichtsverhandlung Parallelen zu Kafka. Jedenfalls kam ihm, wie er im März an Brecht zurückschrieb, eine kühne Idee: »Der Lucullus Text gefällt mir gut; eine Aufkreuzung mit Kafkas Text müßte den rechten Text für eine Oper abgeben! Was meinen Sie?«[2] Er fügte hinzu, daß er die Oper mit Brechts Text bereits seinem Verlag, der Wiener Universal Edition, angeboten habe. Diesem in greifbare Nähe gerückten Projekt gegenüber verhielt sich Brecht sehr abwartend. Vielleicht war er von der Idee einer Fusion seines Hörspieltexts mit Kafka wenig begeistert. Als er mit einiger Verspätung im Mai antwortete, ging er mit keinem Wort auf das Opernprojekt ein. Einem verzichtete daraufhin auf eine Verknüpfung von Kafkas *Prozeß* mit Brechts *Lukullus* und arbeitete ohne Brecht an seiner Kafka-Oper weiter. In der Texteinrichtung Boris Blachers und Heinz von Cramers wurde das Werk 1953 in Salzburg uraufgeführt.

Selbst wenn sein erster Vorstoß ohne positive Resonanz geblieben war, so blieb Gottfried von Einem doch weiterhin am »Lukullus«-Text interessiert. Mit einer reinen »Lukullus«-Oper war auch Brecht einverstanden; im September 1948 jedenfalls bestätigte er dies gegenüber Hans Curjel, dem früheren Dramaturgen der Berliner Krolloper, der mittlerweile Intendant des Churer Stadttheaters geworden war. Das Projekt wurde jedoch schließlich fallengelassen, da sich Brecht und Einem nicht über den musikalischen Stil einigen konnten. Während der Stückeschreiber durchgängig auf absoluter Textverständlichkeit bestand, wollte der Komponist dies nur für die zentralen Stellen gelten lassen. Den abweichenden Auffassungen fiel auch das Projekt *Von den Freuden und Leiden der kleineren und größeren Seeräuber* zum Opfer. Statt dessen schrieb Brecht für Einem den Passionstext *Das Stundenlied*.

Brechts eigentliches Interesse galt bald weniger der künstlerischen Zusammenarbeit als vielmehr einem österreichischen Paß; er hoffte, daß Einem mit seinen guten Beziehungen zu Wiener Ministerien ihm diesen würde verschaffen können. Wohl vor allem zur Förderung der Paßangelegenheit entwickelte er im Oktober bei Einem in Salzburg umfangreiche Pläne; er sprach von Salzburger Aufführungen des *Kaukasischen Kreidekreises* oder der *Mutter Courage* in Verbindung mit dem Wiener Burgtheater und schlug für das Goethe-Jahr 1949 den *Faust* vor, zu dem Eisler, Dessau oder Blacher die Musik schreiben sollten. In seinem Arbeitsjournal erwähnte Brecht allerdings nur ein Gespräch mit Einem über die russische Antiformalismuskampagne. Es lag im wesentlichen an Brecht, daß die vor allem von Caspar Neher ersehnte Clique Brecht-Einem-Neher nicht wirklich »zusammengeschmiedet« werden konnte.[3] Auch das Projekt eines »Salzburger Totentanzes«, das bei den Salzburger Festspielen an die Stelle von Hofmannsthals *Jedermann* treten sollte, kam später trotz ständiger Mahnungen Nehers nicht von der Stelle. Neher soll Brecht deswegen die Freundschaft gekündigt haben.[4]

In Operndiskussionen der »Clique« blieb Brecht jedoch zunächst noch einbezogen. Im April 1950 half er Wagner-Régeny und Neher bei der Vollendung ihrer komischen Oper *Die Darmwäscher* und steuerte dazu auch eigene Arientexte bei. Im gleichen Monat – mittlerweile hatte er den begehrten österreichischen Paß erhalten – diskutierte er mit Boris Blacher und von Einem über die Zukunft der Oper.[5] Dabei bestätigte er Blachers pessimistische Einschätzung, merkwürdigerweise Bergs *Wozzeck* und seine eigene »Mahagonny«-Oper übersehend: »Die Opern des revolutionären Bürgertums (Don Juan, Zauberflöte, Figaro, Fidelio) waren aufrührerisch; es gibt keine Anstrengung der Oper in solcher Richtung nach 1912.«[6]

Wenn Caspar Neher so lebhaft die neue Opernclique verfocht, dachte er wohl auch an die Augsburger Erfahrungen zurück; Freundschaft war damals ein wesentliches Element künstlerischer Produktivität gewesen. Zwischen Blacher und Wagner-Régeny gab es freundschaftliche Beziehungen, die auf das gemeinsame Berliner Kompositionsstudium bei Friedrich E. Koch zurückgingen; Einem wiederum war ein Schüler Blachers. Die Verbindungen Nehers zu dieser locker miteinander verbundenen Komponistengruppe, zu der auch Werner Egk und Wolfgang Fortner zu rechnen wären, datieren von 1929, als er in Essen Wagner-Régenys Kurzoper *Sganarelle* inszeniert hatte. Nach Weills Emigration schrieb Neher die Libretti für Wagner-Régenys Opern *Der Günstling, Die Bürger von Calais* und *Johanna Balk. Der Günstling* erregte 1935 in Dresden großes Aufsehen.[7] 1941 hatte in Wien Wagner-Régenys Oper *Johanna Balk,* zu der Neher Libretto und Bühnenbild beigesteuert hatte, Premiere. *Die Darmwäscher* war das nächste gemeinsame Projekt.

Wie schon bei seiner Zusammenarbeit mit Weill blieb Neher auch bei seinen späteren Opernprojekten Brechts Prinzip des epischen Theaters treu. Einem versuchte er ebenfalls in dieser Richtung zu beeinflussen. 1950 regte er ihn an, in seiner Oper *Der Prozeß* neben Sängern auch Sprecher zu verwenden und die Musik kontrapunktisch zur Handlung zu setzen.[8] Einem jedoch war anderer Auffassung. 1951 schrieb er an seinen Freund und Mitarbeiter, den Regisseur Oscar Fritz Schuh: »Ich rate Dir, nicht auf Caspars Steckenpferd brechtscher Provenienz vom epischen Theater einzugehen. Es stimmt nicht. Wir müssen einen humanistischen, völlig konkreten Nenner bringen, dann haben wir gesiegt. Wärme gegen V-Effekt. Versteh mich recht. Nicht Rührseligkeit, wohl aber Eros, Teilnahme und vor allem dramatische Wahrhaftigkeit.«[9]

Trotz abweichender ästhetischer und politischer Anschauungen wollte Einem die Verbindung zu Brecht aufrechterhalten, auch als er ab Herbst 1951 wegen seiner Vermittlung in Brechts Paßangelegenheit in der Öffentlichkeit heftig angegriffen wurde und seinen Sitz im Salzburger Direktorium verlor. Um so enttäuschter war er über Brechts andauerndes Desinteresse. Nichtsdestoweniger hat Einem später noch zwei größere auf Brecht-Texten beruhende Werke komponiert: 1958 das *Stundenlied* für gemischten Chor und Orchester und 1972/73 zum dreißigsten Jubiläum der Vereinten Nationen die Kantate für Mezzosopran, Bariton, Chor und Orchester *An die Nachgeborenen,* die im Oktober 1975 mit den Vokalsolisten Dietrich Fischer-Dieskau und Julia Hamari und den Wiener Symphonikern unter Carlo Maria Giulini im großen Sitzungssaal des UNO-Hauptquartiers in New York zur Uraufführung kam; fast alle Rundfunksender der Welt waren angeschlossen, dazu in den USA 260 Fernsehstationen. Brechts Friedensaufruf erhielt auf diese Weise breiteste Publizität.[10]

Einer aus der »Clique«: Rudolf Wagner-Régeny

Von 1948 an nahm Brecht die bewährte Zusammenarbeit mit Eisler und Dessau wieder auf. Infolgedessen war ihm an Nehers »Clique« weniger gelegen. Allerdings hielt er den Kontakt zu einzelnen Komponisten, so zu Orff und Wagner-Régeny, aufrecht. Orff hatte um 1930, wohl auch unter dem Einfluß von Weills *Jasager,* den er in München einstudierte, sechs Chorsätze nach Brecht-Texten komponiert. Über den hierbei verwendeten rhythmisch distanzierten Sprechstil schrieb der Komponist im Vorwort zu seinen Chören »Vom Frühjahr, Öltank und vom Fliegen«: »Die Texte dieser Chöre müssen vor allem mit großer Prägnanz und Schärfe, oft sich dem Sprechen nähernd, vorgetragen werden.« In der Dominanz der Sprache, des Rhythmus und der überreichen Schlagzeugbesetzung bildet Orffs Musik einen Gegenpol zu der Lyrisierung und Psychologisierung, die Brecht in Hollywood der modernen Musik zum Vorwurf gemacht hatte. Ähnlich wie in Dessaus Brecht-Vertonungen ist die musikalische Tradition des 18. und 19. Jahrhunderts weitgehend getilgt. Da Orff diese Stilmerkmale auch in seinen Bühnenwerken *Carmina Burana, Der Mond, Die Kluge* und *Die Bernauerin* beibehielt, wurden gelegentlich innere Verwandtschaften mit Brecht festgestellt, so in einer Zeitungskritik 1948 zur Züricher »Puntila«-Uraufführung: Brecht leiste mit seinem Prinzip der Musterinszenierungen »dasselbe für das Schauspiel, was Carl Orff für die Oper anstrebt. Beide verfolgen das Ziel, die Bühne vom Rausch- und Klangtheater zu säubern.«[1] Trotz Kritik an Orffs *Antigonae*[2] bat Brecht, der wohl ähnliche Gemeinsamkeiten erkannte, 1952 den bayrischen Komponisten um eine Musik zum *Kaukasischen Kreidekreis.*[3] Orff, der mit anderen Arbeiten beschäftigt war, ging auf Brechts Angebot allerdings nicht ein.

Fruchtbarer war Brechts Verbindung zu Rudolf Wagner-Régeny, den er schon Ende der zwanziger Jahre kennengelernt hatte; 1930 war Wagner-Régeny musikalischer Berater beim »Dreigroschenoper«-Film G. W. Pabsts gewesen. Nachdem Brecht an der Oper *Die Darmwäscher* mitgearbeitet hatte, vertonte Wagner-Régeny im selben Jahr mehrere Brecht-Gedichte aus verschiedenen Schaffensperioden des Dichters, so aus der Augsburger Zeit »Von der Freundlichkeit der Welt«[4], »Gegen Verführung«[5], »Großer Dankchoral« und »Lied von der verderbten Unschuld beim Wäschefalten«[6], aus dem Exil »Einst schien dies in Kälte leben wunderbar«, »Der Rattenfänger von Hameln«, »Ulm 1592« und »Räuberlied«[7] sowie aus dem Nachkriegsdeutschland »Vom Glück des Gebens«[8] und »Drachenlied«. Alle diese Kompositionen sind tonal und auch von Laien ausführbar. Der sparsam eingesetzte Klavierpart hat harmonische Stützfunktion, dient gelegentlich aber auch als Kommentar. So greift Wagner-Régeny in *Gegen Verführung* zunächst den Charakter eines alten

religiösen Gesangs auf und lenkt durch reiche Melismatik beim Wort
»verführen« die Aufmerksamkeit auf den verführerischen Charakter auch
der kirchlichen Rituale:

Die Schlußzeile »Es kommt kein Morgen mehr« im Tangorhythmus bildet dazu einen stilistischen Kontrast. In ihr deutet sich, ganz zurückgenommen im pianissimo, ein Glück schon auf dieser Erde, und nicht erst
im Jenseits, an:

Brecht hat diese Vertonung geschätzt. Auf seinen besonderen Wunsch hin
fügte Wagner-Régeny das Lied in die Oper *Die Darmwäscher,* die dann in
»Persische Episode« umbenannt wurde, ein.
1955 gab es noch einmal eine Zusammenarbeit zwischen Brecht und
Wagner-Régeny, als dieser die Bühnenmusik zu Brechts Farquhar-Bearbeitung *Pauken und Trompeten* schrieb. Der Komponist erinnert sich, daß
der Stückeschreiber mit unerschütterlicher Geduld auf dieser Musik bestand: »Brecht quälte mich bis aufs Blut. Ich wollte nicht, ich traute es mir
nicht zu, ich war müde, ich hatte auch keine Lust mehr, mit Theaterproben
etwas zu tun zu haben. Aber er war so hartnäckig, daß ich schließlich meinem lieben Freund den Gefallen tat.«[9] Die erbetene Musik gehört zu seinen besten Kompositionen; wieder einmal bewies sich Brechts Fähigkeit,
anderen künstlerisch etwas abzuverlangen – wie der Zöllner dem Laotse
in der berühmten Legende[10] – und musikalisch inspirierend zu wirken.
In der ironischen Militärkomödie soll die Musik die Rekrutierungsversu-
che englischer Werbeoffiziere unterstützen, sie soll etwas »Heroismus in
die blutleeren Herzen der Bürger gießen«. Daß die Werbeoffiziere
schließlich jedoch erfolglos bleiben, kommt auch in Wagner-Régenys

Musik zum Ausdruck. Sie gibt sich zwar militärisch, indem sie im Sinne des Stücktitels Es-Trompete und Pauke als Hauptinstrumente benutzt; das Militärwesen wird aber der Lächerlichkeit preisgegeben, wenn Intonationen preußischer Marschmusik abrupt in Unterhaltungsmusikelemente wie Tango und Foxtrott hineinrutschen und der militärische Pomp in seine floskelhaften Einzelteile zerbricht. Auch in den kleinen Sololiedern und Duetten[11] dominiert ironische Distanz. Diese Ironie schlägt in der Schlußszene, in der die schließlich zwangsrekrutierten jungen Männer zum Heeresdienst abgeführt werden, in bitteren Ernst um. Hier verliert die Militärmusik jede werbewirksame Frische; sie klingt nur noch trostlos und gewaltsam.

Brecht hatte die Farquhar-Bearbeitung anläßlich des Nato-Beitritts der BRD am 8. Mai 1955 geschrieben; möglicherweise reagierte er damit aber auch auf die Einführung einer kasernierten Volkspolizei in der DDR[12] und das Aufgreifen preußischer Militärtraditionen dort – einschließlich der Militärmärsche und des Stechschritts. Durch Wagner-Régenys Bühnenmusik wurde die Wirkung des Stücks beträchtlich erhöht, obwohl bei der Uraufführung nur eine kleine Instrumentalbesetzung aus Flöte, Fagott und Bratsche zur Verfügung stand.[13] Es blieb Wagner-Régenys letzte Komposition für Brecht. Auf den Vorschlag des Stückeschreibers, eine Bauernkriegsoper zu schreiben – möglicherweise als Fortführung von Eislers »Faustus«-Projekt –, ging er nicht mehr ein.[14]

Die Mühen der Ebenen

> Die Mühen der Gebirge liegen hinter uns
> Vor uns liegen die Mühen der Ebenen.

Eislers Widerwille gegen Marschlieder

Was sich Brecht im Exil von der Zeit nach seiner Rückkehr erhofft hatte, waren nicht Theaterinszenierungen vor einem Bürgerpublikum im schweizerischen Chur oder vor Touristen in Salzburg. Vielmehr war es sein Ziel, an den künstlerisch-politischen Erfahrungen mit dem deutschen Arbeiterpublikum anzuknüpfen, die 1933 abrupt abgebrochen waren. Es zog ihn deshalb trotz der immer noch ungeklärten politischen Situation nach Berlin. Er entschied sich für den sowjetischen Sektor, weil sich allein die östliche Seite für Sozialisierung, Bodenreform und für die deutsche Einheit einsetzte.[1] Von Salzburg nach Prag kommend betrat Brecht am 22. Oktober 1948 nach fünfzehnjähriger Abwesenheit wieder die ehemalige deutsche Hauptstadt, wo er auch Eisler wiederbegegnete.

Eisler war am 26. März 1948 von New York über London nach Prag geflogen, wo eine Aufführung des Stückes *Die Gesichte der Simone Machard* vorgesehen war. Brecht hatte ihm noch von Zürich aus geschrieben: »Bitte, schick mir gleich Deine Musik (Du hattest schon einiges von Engel). Es ist sehr wichtig, daß Du das tust, vielleicht könntest Du die Musik dort einstudieren.«[2] Die Aufführung kam nicht zustande, jedoch hielt Eisler im Mai in Prag vor dem Internationalen Komponistenkongreß sein vielbeachtetes Referat »Gesellschaftliche Grundfragen der modernen Musik«.[3] Daß sich Eisler zunächst um eine Professur in Wien bemühte und nicht sofort von Prag nach Berlin übersiedelte, geschah in Übereinstimmung mit Brecht. Dieser hatte in seinem zitierten Brief unter Berufung auf Anna Seghers die Berliner Verhältnisse als kompliziert beschrieben: »Berlin scheint sich Schanghai anzugleichen. (Großer Unterschied anscheinend zwischen den Pinschern und den verantwortlichen Leuten.)« Für Brecht hieß die Konsequenz: »Es ist klar, man muß eine Residence außerhalb Deutschlands haben.«[4]

Während Brecht entschlossen war, sich zu orientieren, sich jedoch nicht öffentlich zu äußern, hielt Eisler Reden und gab Interviews. Schon am 6. Juni hatte er der Zeitung »Neues Deutschland« erklärt, er freue sich auf Berlin; offen ließ er aber, ob er auch dorthin übersiedeln wolle. In jenem Oktober 1948 nahm er zusammen mit Brecht an einer Friedenskundgebung des Kulturbundes für die demokratische Erneuerung Deutschlands teil.[5] Der »Berliner Zeitung« berichtete Eisler von seinen Projekten, so einem Oratorium »Der kaukasische Kreidekreis«; schon 1944 hatte er das Stück als Oper komponieren wollen.[6] In Arbeit sei auch eine Kantate über den 1934 hingerichteten österreichischen Antifaschisten Koloman Wallisch, zu der ihm Brecht schon in Hollywood den Text geliefert habe. Ferner hoffe er, an zwei Abenden in Berlin seine *Deutsche Symphonie* aufführen zu können.[7]

Aus politischen und kulturpolitischen Gründen ließen sich diese Projekte 1948 allerdings weder in Berlin noch in Wien realisieren. In Wien winkten kommunistische Kulturpolitiker ab, als Eisler ihnen von seiner Kantate über den Sozialdemokraten Koloman Wallisch erzählte; in Berlin dagegen war Eisler wegen seines musikalischen Avantgardismus, seiner Nähe zur Schönberg-Schule umstritten. Die Kulturpolitik Shdanows begann sich auszuwirken. Schon Eislers Verteidigung seines Lehrers Schönberg beim Komponistenkongreß in Prag war von sowjetischer Seite skeptisch beurteilt worden. So hieß es in einem offiziösen Kongreßbericht in bezug auf Francis Poulenc, Georges Auric, Alan Bush und Hanns Eisler: »Sogar diese Komponisten, die bewußt die Demokratisierung ihrer Kunst anstreben, sind noch längst nicht frei vom Druck der formalistischen Einflüsse. In ihrer Musik ist die modernistische Neigung noch kräftig zu spüren, die in der gewollten Kompliziertheit der Form und der Abstraktheit der Sprache deutlich zum Ausdruck kommt.«[8] Unter diesen kulturpolitischen Voraussetzungen bestanden für Eislers zwölftönige Exilwerke wenig Aufführungschancen – kaum mehr Chancen als in den westlichen Besatzungszonen Deutschlands.

Da Eisler 1948 noch immer mit einer Professur in Wien rechnete, kehrte er im November wieder in die österreichische Hauptstadt zurück. Eine kontinuierliche Zusammenarbeit mit Brecht wurde dadurch erschwert. Allerdings gab es auch keine Übereinstimmung darüber, wieweit noch an die Arbeiterkultur der Weimarer Republik anzuknüpfen sei. Während Brecht diese Traditionen fortsetzen wollte, sah Eisler sie durch die Nazipraxis teilweise entwertet. In seinen Gesprächen mit Hans Bunge hat Eisler dies so erklärt: »Als wir nach Berlin zurückkamen – wir hatten doch übers Radio diese scheußlichen Hitlerlieder gehört (die teilweise auch von der Arbeiterbewegung geklaut waren; es gibt da einige Melodien, die man anfangs mit faschistischen Texten gesungen hat) –, da hatte ich einen solchen Ekel gegen das Marschieren überhaupt (das ist eine ziemlich un-

dialektische Haltung, eine Geschmackshaltung), daß ich eher Sachen suchte wie die Ode von Mao Tsetung. Brecht hat das einerseits verstanden, andererseits vermißte er auch unsere plebejischen Vulgarismen, die ja sehr
notwendig sind. Aber es hat sich irgendwie ein Reif über dieses Genre gelegt durch Mißbrauch der Barbaren. Man mußte einige Jahre lang sehr
achtgeben. Man brauchte eine Entwöhnungszeit.«[9]
Brecht hat Eislers Bedenken mit etwas Ironie aufgenommen. Am 29. Dezember 1948 notierte er in sein Arbeitsjournal: »Eisler hier für vier Wochen. Seinen Widerwillen gegen die Vulgarität und Primitivität der
Marschlieder hat er jetzt sublimiert, indem er etwa das Einheitsfrontlied
symphonisch auflöst, d. h. als Volkslied in strengen musikalischen Stücken
verwendet.« Brecht nahm nicht zur Kenntnis, daß es Eisler nicht um die
Primitivität der Lieder, sondern um den Mißbrauch des Marschcharakters
ging. Die Orchesterfassung deutete er als Sublimierung des Primitiven,
kurz: als Verbürgerlichung des Proletarischen, anstatt als Humanisierung
eines möglicherweise hart und brutal Wirkenden. Richtig erfaßte er dagegen, daß die Kampflieder durch Eislers symphonische Neufassungen
Volksliedern angenähert wurden. Eine zusätzliche historische Dimension,
so der Eisler-Forscher Manfred Grabs, kam noch hinzu: »Das Einheitsfrontlied erhielt außerdem ein Vor- bzw. Zwischenspiel, in dem gleichsam die Trauer um die Opfer, die der revolutionäre Kampf gerade in den
Jahren seit der Komposition des Liedes, zur Zeit des Faschismus, in
besonders schmerzlicher Weise gefordert hatte, mitzuschwingen
scheint.«[10]
In einem klassisch-konzertanten Sinn bearbeitete Eisler auch die *Mutter-
Kantate*, die in erweiterter Fassung am 29. Mai 1949 in der Russischen
Stunde des Österreichischen Rundfunks uraufgeführt wurde. *Wie die
Krähe* leitete er mit einem musikalisch und gesangstechnisch anspruchsvollen Mezzosopransolo ein, bei dem er fast wörtlich Johann Sebastian
Bach zitierte. Dies geschah nicht nur wegen des 200. Todestages des Tho-
maskantors. Vielmehr sollte die Nummer 8 aus Bachs *Magnificat* den ent-
sprechenden Brecht-Text kommentieren. In Eislers Unterlegung singt Pelagea Wlassowa die Worte »Arbeite, arbeite, arbeite mehr, spare, teile besser ein, rechne, rechne, rechne genauer!« auf eine Melodie, zu der bei
Bach die Worte gehören »Deposuit potentes de sede et exaltavit humiles«:
Er – Gott – hat die Mächtigen vom Thron gestoßen und die Niedrigen
erhöht.

Während bei Bach in kirchlich-geistlichem Rahmen von Gottes gerechtem Walten berichtet wird, singt bei Brecht eine Arbeiterfrau in ihrer ärmlichen Küche. Einerseits charakterisiert das Bach-Zitat die konservative, angepaßte Haltung der Pelagea Wlassowa; andererseits enthält das Zitat aber auch schon eine revolutionäre Botschaft, indem es von der Erhöhung der Niedrigen spricht. Es spricht damit zugleich vom Status quo und von der Zukunft, ist zugleich Kontrast zum kämpferischen Refrain und dessen Vorbereitung.[11]

Neu komponierte Eisler 1949 auch das *Lob der dritten Sache.* Er stützte sich dabei auf seine noch in Hollywood geschriebene Musik zum Film »Deadline at Dawn«. Es ist gleichsam der langsame Satz der »Mutter«-Kantate, eine polyphon gearbeitete, nie den Pianobereich überschreitende, zarte, kammermusikalische Reflexion, eine meditative Trauermusik mit verhaltenen Emotionen. Vor allem in den imitatorisch gearbeiteten atonalen Anfang sind Erfahrungen mit der Zwölftontechnik eingegangen.

Bei Erwähnung der »Dritten Sache« – gemeint ist die politische Arbeit, die die Mutter mit ihrem Sohn gemeinsam hat – gewinnt die bis dahin atonale Musik durch einen Orgelpunkt wieder eine Grundtonorientierung, ohne jedoch hymnisch zu werden. Die Vortragsvorschrift für die Gesangsstimme lautet vielmehr »dolcissimo, freundlich, ohne Sentimentalität!« Damit kommt eine politische Utopie zum Ausdruck, die Eisler mit Brecht gemeinsam war, die allerdings 1948 noch in einiger Ferne lag.

In die Wiener Kantatenfassung der *Mutter,* einer gelungenen Synthese aus Fugen im Bach-Stil, aus Jazzelementen, schlagkräftigen Kampfliedern und atonalen Partien, sind mehrere Jahrzehnte musikalischer Erfahrung eingeflossen. In dieser Form, in der Kampf- und Bildungscharakter fast gleiches Gewicht besitzen, gehört die Kantate zu Eislers besten und meistaufgeführten Werken.

Erster großer Erfolg im Nachkriegsdeutschland: »Mutter Courage und ihre Kinder« (1949)

Es gelang Brecht im Dezember 1948 nicht, Eisler zu »neuen vulgären Exzessen«, zur Komposition neuer Massenlieder, die er für notwendig hielt, zu bewegen.[1] Sein »Zukunftslied«, das er damals Eisler zur Vertonung übergab, hat schließlich Dessau komponiert[2], ebenso das »Aufbaulied der FDJ«.[3] Während der österreichische Staatsbürger Eisler noch an Wien gebunden war, wohin er auch später immer wieder zurückkehrte, kam Dessau nach Zwischenaufenthalten in Braunschweig und Stuttgart schon 1948 zu ständigem Aufenthalt nach Berlin. Im Unterschied zu Eisler, der zwischen Berlin und Wien, oft auch Paris hin- und herpendelte, befand sich Dessau fast ständig in Brechts Nähe, was die Zusammenarbeit sehr begünstigte. Gleich nach seiner Ankunft konnte er an Brechts erstem großen Theaterprojekt im Nachkriegs-Berlin, an der Inszenierung von *Mutter Courage und ihre Kinder* am Deutschen Theater, mitwirken. Dessau nahm auch an den Proben teil und übte tagelang, dazu laut am Klavier hämmernd, mit den Schauspielern ihre Lieder ein, so daß er schon bald als »verrückter Kerl« apostrophiert wurde, so von der Schauspielerin Gisela May, später eine der wichtigsten Sängerinnen von Brecht-Liedern.

Die Musik zur *Mutter Courage* hatte Dessau 1946 in engem Kontakt mit Brecht komponiert. Bald nach der Übersiedlung des Komponisten nach Santa Monica war Brecht auf ihn zugekommen. »›Hier habe ich ein Stück, das Sie mal lesen sollten, weil auch Musik darin vorkommen muß. ›Mutter Courage und ihre Kinder‹. Es sind da einige Lieder zu komponieren.‹ Und schon begann er, mir die Gedichte vorzulesen, ruhig, zart und ganz auf Sinn, so musikalisch, wie kaum ein Dichter wohl je vorgelesen hat.«[4] Als Melodie für das Hauptlied, das *Geschäftslied der Courage*[5], wollte Brecht die Melodie der alten französischen Romanze »L'Étendard de la Pitié« verwendet haben, die er einst seinem »Lied der Rosen vom Schipkapaß« und der »Ballade von den Seeräubern« zugrunde gelegt hatte. Schon den finnischen Komponisten Simon Parmet[6], dann auch den Schweizer Paul Burkhard[7] hatte er mit dieser Forderung überrascht. Auch Dessau bekannte: »Ich war damals recht verblüfft über die Banalität dieser Melodie und auch über Brechts zwar höflichen Hinweis, daß er sie gern für sein Lied verwendet haben wollte.« Brecht hatte diese Melodie »als Vorlage« für das Auftrittslied der Courage benutzt; ihm hatte demnach die Melodie schon beim Dichten als rhythmisch-metrische Folie vorgeschwebt. Dies entsprach seiner alten Augsburger Praxis, Text und Melodie seiner Lieder stets zusammen zu entwerfen, woraus sich die so oft zwingende und organische Einheit von Melodie und Text erklärt. Wie bei den Bänkelsängern kehren bei Brecht einige wenige Melodien immer wieder. Dabei bevorzugte er nicht besonders charakteristische, sondern eher »neutrale« Melodien, die sich gerade deshalb für Umtextierungen eignen.

Mit ihrem Auftrittslied preist die Mutter Courage, die zwischen den Fronten des Dreißigjährigen Krieges als Marketenderin Geschäfte macht, ihre Waren an. Entsprechend singt sie das Lied viermal im Stück mit jeweils wechselnden Texten bei ihrer Geschäftstätigkeit; die sieben Strophen sind auf das erste, siebte, achte Bild und das Finale verteilt. Mit ihrem zynischen Gesang, dessen Melodie sich durch die Wiederholung dem Zuhörer einprägt, fordert die Courage die Soldaten auf, sich mit Wurst und Schuhen einzudecken, bevor sie in die Schlacht ziehen. Für die Marketenderin ist der Krieg nur der Hintergrund, die Grundlage ihrer Geschäfte. Sie braucht den Krieg, da sie von ihm lebt und die Soldaten ihre Kunden sind. Bewußt macht sie Profit mit dem Tod.

Da die Zuschauer sich mit dieser egoistischen Schmarotzer-Haltung nicht identifizieren, sondern sie kritisieren sollen, mußte Dessau durch seine Musik nicht Einfühlung, sondern Distanz ermöglichen. Eine verfremdende Wirkung erreichte er durch Abweichungen von der regulären metrischen Struktur. Im Unterschied zur durchgehenden Taktart in der von Brecht vorgeschlagenen Melodievorlage ließ Dessau das Geschäftslied der Courage unregelmäßig zwischen Dreiviertel- und Zweivierteltakt wechseln, die Phrasen dabei teils verkürzend, teils verlängernd. Durch Verwandlung der Achtel- in Viertelnoten, der Auftaktigkeit in Volltaktigkeit und durch Gliederung der Melodie in irreguläre Fünftaktgruppen erhielt das Lied etwas schwerfällig Polterndes.

(Notenbeispiel siehe nächste Seite oben.)

Hinzu kommt eine Begleitung, die dadurch, daß sie der durch die Melodie implizierten Harmonik nicht entspricht, fremdartig klingt.[8]

Dessaus Bühnenmusik zur *Mutter Courage* enthält insgesamt zehn Lieder, darunter das *Lied von der großen Kapitulation*[9], in der die Courage allmählich ihre Ansprüche herunterschraubt: Meinte sie zunächst noch, »was ganz Besonderes« zu sein, so muß sie schließlich mit fortdauerndem Krieg erkennen, daß ihr nichts anderes übrigbleibt, als mit den anderen Kriegsleuten im Gleichschritt mitzumarschieren. Diesen Zwang zur Anpassung hat Dessau plastisch auskomponiert. Nicht immer ist jedoch in seinen Liedern das Verhältnis von Norm und Normabweichung so deutlich und bedeutsam wie gerade hier. Vielmehr tendierte Dessau dazu, rhythmische Irregularitäten so zu häufen, daß sie ihren verfremdenden Charakter verlieren und zu einem bloßen Stilmerkmal werden.

Der Komponist selbst hat seine Vorliebe für die Verlagerung der rhythmischen Schwerpunkte nicht mit einem beabsichtigten Verfremdungstext, sondern anders erklärt: Den sogenannten »guten« Taktteil meide er »einerseits wegen der Abgebrauchtheit dieses Mittels« und zum anderen wegen eines »unversieglichen Abscheus gegen das, was ›Drill‹ heißt«.[10] Ähnlich wie Eisler war auch Dessau mit einem Widerwillen gegen Marschlieder aus den USA zurückgekommen. Beim »Aufbaulied der FDJ« ließ sich der Marschcharakter freilich nicht umgehen, jedoch bemühte sich Dessau, um »›Schwere‹ und Plumpheit des gewohnten ›Drill‹-Liedes« zu vermeiden, um eine Art Geschwindmarsch.[11] Dem »Zukunftslied« gab er den Charakter eines Tanzliedes. In den 1952 geschriebenen Erläuterungen zur »Courage«-Musik[12] fehlt jeder Hinweis auf eine beabsichtigte Distanzierung und Verfremdung. Vielmehr schreibt Dessau, er habe versucht, »Musikstücke zu erfinden, die, ausgehend vom Volkslied, das Volkslied erweitern, indem sie es durch rhythmische und harmonische Mannigfaltigkeit bereichern.« Der Komponist erklärt also seine Eingriffe als »Bereicherung« der Mittel, als zusätzliche ästhetische, nicht aber wirkungsbezogene Elemente. Mag die Vermeidung der Terminologie des epischen Theaters 1952 auch noch taktisch bedingt gewesen sein, so hätte Dessau doch später die fehlenden Gedanken nachtragen können. Dies war allerdings nicht der Fall; der Text von 1952 wurde unverändert in den 1974 erschienenen »Gespräche«-Band übernommen. Nach einem Hinweis auf das aus sieben Musikern bestehende Begleitensemble (2 große Flöten, Trompete, Gitarre, Akkordeon, Gitarrenklavier, Schlagzeug) schließt dieser Text: »Bei der Wiedergabe der ›Courage‹-Musik soll man den Eindruck haben, als hörte man altbekannte Weisen in neuer Form, ein Volksgut, dessen Eigenart mehr in seinen Charakteren und Phrasenabwandlungen liegt als in einzel-

554

nen Tonfolgen oder gar in ›landläufigen‹ Harmonien. Denn die echte Volksmusik erhält wohl erst durch ihre weitläufige Variabilität einen erzieherischen und fortschrittlichen Wert.«[13] Es hat den Anschein, als habe das Publikum an Dessaus Liedern immer mehr die »altbekannten Weisen« als die neue Form wahrgenommen.

Die »Mutter Courage«-Inszenierung Brechts und Erich Engels, die am 11. Januar 1949 im Deutschen Theater in Berlin ihre Premiere erlebte, gehört zu den größten Theatererfolgen der Nachkriegszeit. Über Monate hinweg waren die Vorstellungen, bei denen der Komponist Heinz Friedrich Hartig (1907–1969) die musikalische Leitung übernommen hatte, ausverkauft.[14] Herbert Jhering verglich die theatergeschichtliche Bedeutung dieser Aufführung mit der von Gerhart Hauptmanns *Vor Sonnenaufgang* im Jahre 1889.[15] Die Publikumsresonanz war riesig, so daß es nicht nur bei Berliner Aufführungen, sondern auch bei Gastspielreisen in den Westen durchschnittlich 40 bis 50 Vorhänge pro Abend gab. Schon die Uraufführung 1941 am Züricher Schauspielhaus war unter der Regie Leopold Lindtbergs mit Therese Giehse in der Titelrolle und einer Bühnenmusik von Paul Burkhard ein großer Erfolg gewesen, der sich auch bei einem Gastspiel 1946 in Wien wiederholte. Brecht, entsetzt darüber, daß in Zürich die Mutter Courage vom Publikum mitfühlend als eine Art Niobe-Figur mißverstanden wurde, hatte für Berlin einige Sätze eingebaut, die eine Distanzierung ermöglichen sollten. Dennoch konnte er nicht verhindern, daß die Zuschauer sich weiterhin mit der Titelfigur identifizierten – wie einst bei der *Dreigroschenoper*. Seine größten Erfolge beruhten auf Mißverständnissen.

Schon im Januar 1948 hatte ein Journalist Brecht gefragt, ob in seinen Stücken die Mißverständlichkeit nicht schon angelegt sei. Der Stückeschreiber war verunsichert: »In der Tat wurde der Galilei als eine Ehrenrettung des Opportunismus aufgefaßt; das Sezuanstück als religiöse ... Verurteilung der Zweiseelenkonstruktion; die Courage als Loblied auf die unerschöpfliche Vitalität des Muttertiers.«[16] Auch bei der Berliner »Courage«-Aufführung mußte Brecht trotz seiner Freude über das Berliner Publikum, vor allem das Arbeiterpublikum[17], schließlich erkennen, daß die Mißverständnisse überwogen. Nach einer Diskussion mit Arbeitern im Januar 1949 resümierte er enttäuscht: »Daß die Courage nicht lernt im äußersten Elend, erregt diesen Zuschauern nur Mitleid!«[18] Immer noch verhielt sich das Publikum einfühlend statt kritisch; es war unfähig, die Fehler der Titelfigur zu erkennen und aus Fehlern zu lernen. Es begriff das Theater nicht als einen Ort sozialer Erfahrung und sozialen Lernens. Nicht ohne Bitterkeit notierte Brecht rückblickend im Jahre 1954: »Der Erfolg des Stücks, das heißt der Eindruck, den das Stück machte, war zweifellos groß. Leute zeigten auf der Straße auf die Weigel und sagten: ›Die Courage!‹ Aber ich glaube nicht und glaubte damals nicht, daß Berlin – und alle anderen Städte, die das Stück sahen – das Stück begriffen. Sie waren alle überzeugt, sie hätten gelernt aus dem Krieg; sie verstanden nicht, daß die Courage aus ihrem Krieg nichts gelernt haben sollte, nach der Meinung des Stückeschreibers. Sie sahen nicht, was der Stückeschreiber meinte: daß die Menschen aus dem Krieg nichts lernen. (. . .) Die Zuschauer des Jahres 1949 und der folgenden Jahre sahen nicht die Verbrechen der Courage, ihr Mitmachen, ihr Am-Kriegsgeschäft-mitverdienen-Wollen; sie sahen nur ihren Mißerfolg, ihre Leiden. (. . .) Kurz, es war so, wie der Stückeschreiber ihnen prophezeit hatte. Der Krieg würde ihnen nicht nur Leiden bringen, sondern auch die Unfähigkeit, daraus zu lernen.«[19] Weder die epische Darstellungsweise noch die metrischen Verschiebungen in Dessaus Musik konnten verhindern, daß das Publikum seine gewohnte Haltung beibehielt, sich mit den Hauptfiguren auf der politischen wie der künstlerischen Bühne zu identifizieren. Es hatte verlernt, Einspruch zu erheben, zu protestieren. Für Brecht mußte es sehr zwiespältig wirken, daß selbst Fritz Kortner seine »Courage«-Inszenierung als den »geglücktesten Verrat an seiner einstigen Theorie« lobte.[20]

Einen wesentlichen Grund für die unbeabsichtigt positive Wirkung der Courage-Figur benannte Eisler in einem Gespräch mit Brecht: »Als ich einmal sagte, er möge sich nicht einbilden, daß er die Courage jetzt als Scheusal dargestellt hätte, da sagte er: ›Wieso?‹ Ich sagte: ›Das geht nicht durch die Länge der Darstellung. Durch die Länge der Darstellung wird die Courage sympathisch.‹ Brecht war außer sich. Ich führte eine Kategorie ein, mit der er gar nicht gerechnet hatte.«[21] Ähnlich wird auch das Geschäftslied der Courage durch seine mehrfache Wiederkehr im Stück dem Zuschauer sympathisch, es wird zum »Ohrwurm«. Brecht hatte zwar darauf hingewiesen, daß »die Musik Paul Dessaus zur Courage nicht hauptsächlich eingängig« sei.[22] Und doch scheint die wesentliche Wirkung gerade des Geschäftslieds nicht in seiner Verfremdung, sondern in seiner Eingängigkeit bestanden zu haben. Darin ähnelt zumindest dieses Lied dem, was der Kritiker Bernhard Diebold 1941 über die Züricher Bühnenmusik geschrieben hatte.

Burkhards Musik war schon von mehreren Theatern gespielt worden – so 1941 und 1945/46 in Zürich sowie 1946 und 1947 in Wien –, bevor Dessau seine Bühnenmusik komponierte. Leopold Lindtberg, der Regisseur der Zürcher Uraufführung, schätzte Burkhards Musik sehr und war deshalb enttäuscht, daß Brecht ab 1949 auf Dessau bestand. Er unterstützte Burkhards Vorhaben, Brecht bei seinem Zürich-Besuch 1949 seine eigene Musik vorzustellen. »Damals hat Burkhard ihn und seine Frau, Helene Weigel, zu sich eingeladen, um seine Courage-Musik vorzuspielen. Damit er wisse, mit wem er es zu tun habe, sagte Burkhard, wolle er ihnen zuerst ein paar andere Sachen vorspielen, die er komponiert habe. Er spielte ›O mein Papa‹, ›Das Lied vom Nigger Jim‹, ›3mal Georges‹ und solche

Mit Paul Dessau 1951.
(Quelle: Bildarchiv Preußischer Kulturbesitz, Berlin/W.)

Sachen. Brecht wurde immer kälter und verbissener, denn was er hörte, war für ihn mit Gedanken an die ›Mutter Courage‹ geradezu Antimusik. Dann klingelte es und Hans Albers, der mit Burkhard sehr befreundet war, erschien in fröhlichster Stimmung. Nun begann Burkhard – unter diesen denkbar ungünstigen Umständen – seine Musik zur ›Courage‹ vorzutragen, die von Brecht ziemlich herb aufgenommen wurde.«[23] Anläßlich der Mißverständnisse um die *Mutter Courage* befürchtete Brecht wohl nicht ganz zu Unrecht, daß sein Stück mit Burkhards Musik eingängiger statt befremdender wirken würde. Lindtberg jedoch war überzeugt: »Wenn man Brecht diese Musik unter anderen Umständen vorgespielt hätte, hätte er ganz anders reagiert. Brecht war allerdings damals schon festgelegt auf Dessau und hatte urheberrechtlich bestimmt, daß seine ›Courage‹ nur mit Dessaus Musik gespielt werden darf ... Die Musik von Dessau ist ja sehr gut, aber mir ist sie fast etwas zu raffiniert.« Allerdings konnte auch Dessaus raffinierte Musik falsche Publikums-Reaktionen nicht verhindern.

Gegen deutschen Untertanengeist: »Puntila« und »Hofmeister«

> Besser als gerührt sein, ist: sich rühren
> Denn kein Führer führt aus *dem* Salat!
> Selber werden wir uns endlich führen:
> Weg der alte, her der neue Staat!

Wie die »Courage«-Aufführungen gezeigt hatten, war allen schlechten Erfahrungen zum Trotz bei den Deutschen die Obrigkeits- und Schicksalsgläubigkeit noch weit verbreitet. Zwölf Jahre Hitler-Diktatur hatten bei großen Teilen der Bevölkerung nicht zu kritischem Oppositionsgeist, sondern zu apathischer Gleichgültigkeit und Fatalismus geführt. Dem trat Brecht entgegen. Seine Werke sind in ihrer Gesamtheit Plädoyers für die Selbstbestimmung des Menschen, für die Entwicklung seiner Kritik- und Entscheidungsfähigkeit. Dem deutschen Untertanengeist, der nach dem Kaiserreich vor allem im »Dritten Reich« böse Blüten getrieben und in maßlosem Führerkult die Menschen blind und hilflos gemacht hatte, war etwa schon die »Ballade vom Wasserrad« entgegengetreten mit der Forderung, »daß wir keine anderen Herren brauchen, sondern keine!«. Mindestens von der deutschen Nachkriegsjugend erhoffte sich Brecht ein Lernen aus der Geschichte und eine Entwicklung hin zur Selbstbestimmung. So heißt es im »Aufbaulied« der »Freien Deutschen Jugend«: »Um uns selber müssen wir uns selber kümmern / Und heraus gegen uns, wer sich traut.«[1] Auch andere Verse heben die »eigene Sache« hervor: Der Aufbau des Sozialismus solle nicht im fremden Auftrag, sondern aus eigenem

Willen, nicht von oben, sondern von unten erfolgen; auch in einem sozialistischen Staat dürfe es keine neuen »Führer« geben. Als gerade diese Strophe kritisiert wurde, verteidigte sie Brecht mit Entschiedenheit. »Bei einem Aufbaulied der FDJ (Freien Deutschen Jugend) bat mich der Berliner Gruppenleiter, die Zeile ›Und kein Führer führt aus dem Salat‹ zu überprüfen, denn Hitler interessiere niemand mehr, da er olle Kamellen sei (aber olle Kamellen verwandeln sich, wenn unbeobachtet, leicht in olle Lorbeern), und dann gebe es eine Führung durch die Partei. Ich kann aber nicht entsprechen, die Strophe ist auf das Motiv des Sich-Selbst-Führens aufgebaut, und das ganze Lied dazu.«[2]

Wie Brecht die Jargonformulierung von den »ollen Kamellen« sofort aufgriff, so enthält sein »Aufbaulied« auch weitere Alltagswendungen: »sich plagen« und »Handanlegen« für arbeiten, »parat stehen« für bereit sein, »was Neues« für Ziel, »das Haus ist hin« für »das Haus ist zerstört«, »Klumpatsch« für Haufen, »Salat« für schwierige Situation. Durch die Verwendung einer alltäglichen und jugendgemäßen Sprache anstatt pathetischer Floskeln baute er die Distanz zwischen Künstler und Adressaten ab. Um die Distanz noch weiter zu verringern und den Volksliedcharakter zu unterstreichen, schrieb er auf einige Manuskripte anstelle seines Autorennamens den Hinweis »anonym«.[3] Am liebsten hätte er wohl gesehen, wenn Mitglieder der Freien Deutschen Jugend so frei gewesen wären, sich ihr Lied selbst zu dichten.

Das *Aufbaulied der FDJ*[4] ruft die Jugend zur Aktivität, zu eigenem Handeln auf. Der Aufbau des Neuen kann jedoch nur gelingen, so Brecht, wenn zuvor das Alte, »das Schieberpack ... Junker, Unternehmer, Potentat« vertrieben worden ist. Am 21. Dezember 1948 notierte er in sein Arbeitsjournal: »Arbeite mit Dessau an der Vertonung und bestehe auf dem schnellen Tempo und der ›Entmelodisierung‹ des Refrains. Möchte gern das schnellere Marschtempo der Franzosen erzielen.« Tatsächlich gilt in Dessaus Vertonung das schnelle Tempo der Strophen ($\downarrow = 126$) auch für den Refrain; der eher rezitativische Sprechstil der Strophen wird ebenfalls im Refrain durchgehalten. Darin unterscheidet sich der Refrain des »Aufbaulieds« grundlegend von den Refrains beispielsweise des »Alabama-Songs« oder der »Seeräuber-Jenny«. Bei allzu großer melodischer Schönheit und Tempoverzögerung im Refrain hätte die Gefahr bestanden, daß der Aufbau des Sozialismus für den Sänger und Zuhörer in utopische Fernen entschwindet. Dessau unterstrich den aktivierenden Charakter des Lieds zusätzlich durch dissonante Septakkorde in der Begleitung, durch kräftige rhythmische Gegenakzente auf den Zählzeiten 2 und 4 des Viervierteltakts und durch einen weiterweisenden Schluß auf dem Dominantakkord. Zur Bedeutung der Akzente merkte der Komponist an: »Der Akzent auf ›fort‹ ist mit Schwung zu singen. Hat doch gerade dieses Wort politischen Charakter.«[5] (Notenbeispiel siehe nächste Seite oben.)

Fort mit den Trüm-mern und was Neu-es hin-ge-baut!

Als erste Produktion des Berliner Ensembles hatte Brecht zunächst sein neues Stück *Die Tage der Commune* vorgesehen, das die Emanzipation der Arbeiterschaft in der Pariser Commune von 1871 vorführt. Die Bühnenmusik sollte Eisler komponieren. Im April 1949 wandte sich Brecht aus Zürich deswegen an Helene Weigel: »Mit Eisler muß für August etwas ausgemacht werden, daß er nach Berlin kommt (über DEFA, den Dudowfilm? oder von uns), ich brauche ihn für die K. (= Kommune)-Musik, da Lieder wie ›Sklave, wer wird dich befreien‹ und ›Resolution‹ darin verwendet werden, d.h. er muß auch das übrige machen.«[6]

Aus politischen Gründen durften 1949 *Die Tage der Commune* noch nicht gespielt werden; die laufenden Proben wurden gestoppt. Brecht war enttäuscht darüber, daß auch der junge sozialistische Staat ängstlich auf den Mittelstand Rücksicht nahm. Erst 1957 kam es zur »Commune«-Uraufführung. Statt dessen eröffnete Brecht sein Berliner Ensemble mit *Puntila und sein Knecht Matti,* dem er bald darauf seine »Hofmeister«-Bearbeitung (nach Jakob Michael Lenz) folgen ließ. Diese Stücke führen zwar nicht – wie *Die Tage der Commune* – Modelle politischer Emanzipation vor, jedoch kritisieren sie das traditionelle Herr-Knecht-Verhältnis. Für beide Bühnenmusiken zeichnete Dessau verantwortlich. Er erhielt ein eigenes Arbeitszimmer im Deutschen Theater, in dem das Berliner Ensemble zunächst beheimatet war, und avancierte so zum Spezialisten für Brechtsche Theatermusik.

Die Berliner Premiere von *Puntila und sein Knecht Matti* fand am 12. November 1949 statt. Brecht schrieb aus diesem Anlaß das *Puntila-Lied*[7], das in diesem Stück noch mehr im Mittelpunkt steht als in *Mutter Courage* das »Geschäftslied«.[8] Das Puntila-Lied wird nicht vom Gutsherrn Puntila gesungen, sondern von der bei ihm angestellten Köchin Laina, die aus der Küchenperspektive die Handlung kommentiert. Seit der *Mutter* war für Brecht, vermittelt vor allem durch Margarete Steffin, die Küche der typisch proletarische Raum – der Gegenpol zum bürgerlichen Wohnzimmer oder Salon. Der für den Salon charakteristischen bürgerlichen Haus- und Kammermusik auf Klavier oder Geige standen in der Küche die Küchenlieder gegenüber, die, sofern überhaupt von Instrumenten, von Gitarre oder Akkordeon begleitet wurden. Eben diese beiden Instrumente verwendete auch Dessau für das Puntila-Lied, dessen einzelne Strophen Laina jeweils zwischen den Szenen vor geschlossenem Vorhang vorträgt. Dramaturgisch ist das Lied als Kommentar angelegt, es ersetzt die Szenentitel.[9] Schon im Jahr 1938, in seiner Pariser Musik zu *99%*, hatte Dessau ähnliche Szenenprologe komponiert. Wie dort legte er auch dem Puntila-Lied eine einzige Melodie zugrunde, deren Begleitung er in den acht Strophen variierte.[10] Die polyrhythmischen Verschiebungen in einigen Strophen haben nach Aussage des Komponisten lediglich die Funktion, den Satz pikanter zu machen und den musikalischen Reiz zu erhöhen. Eine Verfremdung ist nicht beabsichtigt. Zur Distanzierung besteht auch kein Anlaß, da, im Unterschied zu *Mutter Courage,* nicht die zu kritisierende Hauptfigur, sondern eine weniger problematische Nebenfigur singt. Eine Identifikation des Publikums mit ihr braucht nicht verhindert zu werden. Ein Mitsingen des Publikums wäre hier ohne Gefahr. Im Gegenteil: Brecht und Dessau forderten mit dem Puntila-Lied die Zuhörer geradezu dazu auf, ihren Unmut zu artikulieren und gegen ihre Herren aufzubegehren.

Mit komödiantischen Mitteln arbeitete Brecht auch in seiner »Hofmeister«-Bearbeitung. Am 15. April 1950 erlebte sie nach neunwöchiger intensiver Probenarbeit eine sehr erfolgreiche Premiere. Wie das Stück ist auch die ausschließlich aus klassischen Originalzitaten zusammengestellte, von Dessau nur teilweise neuarrangierte Bühnenmusik eine Auseinandersetzung mit der Frühklassik und dem Konflikt zwischen Adel und Bürgertum. Anders als im »Puntila«-Stück gehört im *Hofmeister* die Musik zur Sphäre der Herrschenden, zur Familie des Majors von Berg, bei der der Pastorensohn Läuffer, die Hauptfigur, als Hauslehrer, als »Hofmeister«, angestellt ist. Während Brecht bei seinen meisten Stücken sonst bevorzugt Straßenmusik, im Freien zu singende Musik, als Bühnenmusik verwendete – so auch noch in den Gesängen und Märschen der *Mutter Courage* –, ist die Musik zum *Hofmeister* eine Musik für geschlossene Räume: Kammermusik des Adels, genauer der Frau Majorin von Berg. Ihre französischen Schäferlieder, ihre galanten Rameau-Menuette und ihre Gluck-Arien sind Teil des aristokratischen Herrschaftsbereichs, dem sich der Bürger Läuffer zu fügen hat. In der 3. Szene wird dieser Zwang zur Anpassung besonders deutlich, als Läuffer bei seiner Bewerbung um die Hofmeisterstelle nachweisen muß, daß er Klavier und Geige spielen und Menuett tanzen kann. Daß er in untertäniger Unterwerfung seine einzige Chance sieht, demonstrierte schon der Prolog, bei dem sich Läuffer puppenhaft mechanisch zu Spieldosenmusik bewegte. Die Spieldose und die Menuette zeigen an, wie sehr die Bürger der frühklassischen Epoche sich noch der Macht und Etikette des Adels unterwarfen, wie unfähig sie waren, sich selbst zu führen. In den Händen des Adels fungierte die frühklassische Musik, wenn sie auch den Anspruch von Humanität erhob, als Mittel der Disziplinierung.

Daß der freundliche Ton der Menschlichkeit im Munde des Adels nur äußerer Schein, nur »Etikettenschwindel« ist, kann man aus einer Episode der 11. Szene ablesen, in der die Majorin ihren Mann grob anfährt, während sie gleichzeitig auf dem Spinett Händels Largo spielt. Die Haltung der Musik hat keinen Einfluß auf die Haltung der Musizierenden. Den Gedanken, daß schon die Beschäftigung mit den schönen Künsten eine ethisch und moralisch bessernde Wirkung habe – eine der klassischen Erziehungsmaximen des Bildungsbürgertums –, weist Brecht damit zurück. In seinen Anmerkungen zum Stück heißt es: »Die Gesangswut der Frau von Berg zeigt, daß die schönen Gefühle sich mit häßlichen durchaus vertragen – liebte doch auch der Gestapometzger Heydrich seinen Bach.«[11]

Den idealistischen Charakter der deutschen Klassik, ihren weitgehenden Verzicht auf Praxis deutete Brecht als Selbstentmannung der deutschen Intelligenz, die zwar in der Kunst die Herrschaft übernahm, aber auf ein politisches Mitspracherecht verzichtete. Paradigmatisch und drastisch wird diese Selbstentmannung in der 14. Szene vorgeführt, in der Läuffer sich kastriert, um hinfort ein rein geistiger, von allen körperlich-erotischen Anfechtungen freier Hauslehrer zu sein. Daß diese symbolträchtige Kastrationsszene ausgerechnet vom türkischen Marsch aus Mozarts Klaviersonate A-Dur KV 331 begleitet wird, geht höchstwahrscheinlich auf eine Idee Brechts zurück, dem die sexuelle Nebenbedeutung des Jargonausdrucks »türkische Musik« durchaus vertraut war.[12] Mit Mozarts »Türkischem Marsch« spielte er auf die Kastration an, der sich auch die Haremswächter in den türkischen Serails zu unterziehen hatten. Brecht, der an Mozart schon immer dessen Aufgeschlossenheit für das Sinnlich-Erotische hervorgehoben hatte[13], rezipierte damit dessen Musik nicht nur ästhetisch wie ein wohlerzogener Bildungsbürger, sondern auch unter inhaltlichen, realistischen Aspekten. Für ihn war dieser türkische Marsch, dessen Lokalkolorit Dessau durch seine Bearbeitung für Piccoloflöte, Tschinellen und Cembalo noch verstärkte[14], Inbegriff für die Selbstkastration der deutschen Klassik: eine Musik, die ihr selbstzerstörerisches Moment schon im Titel trägt.

Nach dem mit großem Aufwand in beiden Teilen Deutschlands gefeierten Goethe-Jahr 1949 führte Brecht Anfang 1950 im *Hofmeister* vor, daß auch die künstlerisch so glanzvolle deutsche Klassik politisch ein Teil der »deutschen Misere« war. Einer zur Verbürgerlichung neigenden Kulturpolitik, die sich, unterstützt durch Theoretiker wie Lukács, wieder am Vorbild der Klassik orientierte, hielt er »das Moment des ›Versagens‹ der deutschen Klassik« entgegen, zeigte er die Selbstentmannung »der großen bürgerlichen Karyatiden« an, »die angesichts des revolutionären Sodoms zu Salzsäulen erstarren«.[15] Sein Rat an die Jugend war, nicht in blinder Ehrfurcht vor dem »Höheren« zu verharren. Er formulierte dies in einem

Satz, der grundlegend ist auch für seine Musikauffassung: »Besser als gerührt sein, ist: sich rühren.«

Indem *Der Hofmeister* den Untertanengeist deutscher Pädagogen satirisch vorführt, ist das Stück auch ein Plädoyer für eine antiautoritäre Erziehung. Schon mit der Verwendung von mehr zwiespältigen als positiven Hauptfiguren in seinen Theaterstücken forderte Brecht sein Publikum anstatt zur Identifikation zur Kritik heraus – zu einer Kritik, die sich von der Kunst auf die politischen Verhältnisse ausweiten sollte. Er wußte: »Weder politische noch geschmackliche Urteile können gebildet werden an nur Gutem. Warum nicht«, so fragte er die für den Deutschunterricht Verantwortlichen, »warum nicht Tolstoischer Prosa Ganghofersche gegenüberstellen? Wo bleibt der ›Trompeter an der Katzbach‹ als Beispiel von ideenlosem Chauvinismus?«[16] Brecht konnte sich dabei auf seine eigene Entwicklung berufen. Erst durch die Kritik des Alten würde es möglich sein, das Neue aufzubauen.

Auseinandersetzungen um kritische Opern

»Die Verurteilung des Lukullus« (Brecht/Dessau)

Aus einer eher beiläufigen Anregung Brechts entstand 1949/50 Dessaus Haupt- und Meisterwerk, die Oper *Das Verhör des Lukullus,* dann umbenannt in *Die Verurteilung des Lukullus.* Für Herbert Jhering war es gar der Höhepunkt von Brechts musiktheatralischer Arbeit. Die Antikriegsoper, deren Bühnenwirksamkeit sich bis heute in zahlreichen Inszenierungen bewiesen hat, basiert auf einem Hörspiel, das Brecht im November 1939 auf dem vor Stockholm gelegenen Inselchen Lidingö unmittelbar nach Vollendung seines Stücks *Mutter Courage und ihre Kinder* geschrieben hatte. Aus politischen Gründen entfiel die beim schwedischen Rundfunk vorgesehene Produktion und damit auch die bei dem Komponisten Hilding Rosenberg in Auftrag gegebene Musik. Da die Verurteilung von Raubkriegen, vorgeführt am Beispiel des römischen Feldherrn Lukullus, durch die weitere Eskalation des Zweiten Weltkrieges noch an Aktualität gewann, bot Brecht das Hörspiel in Hollywood Paul Dessau zur Vertonung an. Er dachte an eine Oper, ohne sich dabei über die Frage, ob sich ein Radiotext unverändert auch für die Bühne verwenden lasse, größere Gedanken zu machen; immerhin besteht zwischen Radio und Oper der wesentliche Unterschied, daß dem einen Medium nur die akustische, dem anderen dagegen auch die visuelle Ebene zur Verfügung steht. Anders als für Brecht war für Dessau die Gattungsfrage ein Problem, so daß er die Erweiterung des Hörspiels zur Oper ablehnte. »Brecht hat mir das Stück in den USA vorgelesen; es war allerdings ein Hörspieltext. Was die Oper angeht, hatte ich damals doch mehr Theaterinstinkt als Brecht und habe das ganz richtig erkannt. Ich fand das Stück nicht operngerecht, was ja auch, wie seine spätere Umarbeitung beweist, stimmte.«[1] Bestätigt fühlte sich Dessau durch die im April 1947 in San Francisco aufgeführte »Lukullus«-Oper von Roger Sessions; deren Mißerfolg konnte man auch auf die unveränderte Übernahme des Brecht-Textes zurückführen. Brecht hingegen sah im *Lukullus* weiterhin Opernmöglichkeiten und fragte nach der Absage Dessaus, wie schon berichtet, bei Igor Strawinsky und Gottfried von Einem an.

Eine Lösung der Gattungsproblematik schien sich anzubahnen, als nach 1945 als neue musikalisch-dramatische Form die Funkoper, eine Synthese von Hörspiel und Oper, aufzublühen begann. Vorläufer der Funkoper hatte es schon in den zwanziger Jahren gegeben, aber erst in den dreißiger Jahren hatte sich in Werken wie *Columbus* von Werner Egk (Sender München 1933) und *Das kalte Herz* von Mark Lothar (Deutschlandsender 1935) die Gattung voll entwickelt. Durch die kriegsbedingte Zerstörung der Opernhäuser sowie durch die Entwicklung der elektronischen Musik und der musique concrète wurde eine neue Blüte der Funkoper gefördert, die sich in Werken wie *Ein Landarzt* von Hans Werner Henze (NWDR 1951) nach Kafka oder *Die Brücke von San Luis Rey* von Hermann Reutter (Hessischer Rundfunk 1954) nach Thornton Wilder niederschlug. Auch Brechts Hörspiel schien sich zunächst auf eine Funkoper zuzubewegen. Schon im Mai 1940 war *Lukullus* als Hörspiel über Radio Beromünster ausgestrahlt worden. Am 18. März 1949 folgte eine Hörspielproduktion des Bayerischen Rundfunks mit einer Musik von Bernhard Eichhorn.[2] Auf eine Produktion des Nordwestdeutschen Rundfunks bezog sich die Anregung, die Brecht im Januar 1949 im Berliner Künstlerklub »Die Möwe« gab: »Dessau, Sie können einen Opernauftrag bekommen. S. (= ein Regisseur) will ›Das Verhör des Lukullus‹ für den Nordwestdeutschen Rundfunk als Funkoper haben. Es gibt einen großen Vorschuß ... Der Vertrag wird in Kürze abgeschlossen werden.«[3] Dessau, der ohne Geld und Auftrag in Berlin lebte – erst 1953 bekam er eine Dozentur an der Staatlichen Schauspielschule Berlin –, sagte zu. Seine früheren Bedenken stellte er zurück, da es sich ja um keine reguläre Oper, sondern um eine Funkoper handeln sollte.

Die Versprechungen Brechts realisierten sich nicht; weder kam ein Vertrag zustande, noch kam ein Vorschuß. Dessau erfuhr dies erst, nachdem er seine Arbeiten schon begonnen hatte. Auf dem Umweg über eine Funkoper schrieb er schließlich doch, entgegen seinen ursprünglichen Intentionen, eine Oper. In einer Anmerkung zum *Lukullus* hob Brecht diesen Zusammenhang, der sich eher zufällig ergeben hatte, hervor: »Sollten die Opernhäuser sie aufnehmen, gelangten dorthin zum ersten Male Erfahrungen der Massenarbeit des modernen Radios.«[4] Anders als die »Mahagonny«-Oper war die »Lukullus«-Oper nicht eigens auf ein traditionelles Opernpublikum zugeschnitten.

Als Dessau unmittelbar nach Brechts Aufforderung mit der Arbeit begann, war noch die Idee einer Funkoper aktuell. »Von den vierzehn Szenen, die das Hörspiel enthielt, komponierte ich zwölf innerhalb von drei

Wochen.«[5] Speziell auf den Rundfunk zugeschnitten war die relativ kleine Instrumentalbesetzung, in der Bläser und Schlagzeug dominieren. Rundfunkgemäß, da der Hörspielpraxis nahe, war auch die starke Einbeziehung von Geräuschen und räumlichen Klangeffekten, so etwa die Aufteilung nach Stimmen aus dem Vorder- und Hintergrund; auch schon vor der Einführung der Stereophonie konnte sich auf diese Weise beim Radiohörer eine Raumempfindung einstellen. Da eine westdeutsche Rundfunkanstalt der Auftraggeber war, brauchte Dessau weder auf die DDR-Kulturpolitik noch auf das Brecht-Theater Rücksicht nehmen. Er konnte ungehindert seinen eigenen Vorstellungen nachgehen und verwendete eine sehr viel avanciertere und dissonantere Musiksprache, als sie sonst auf DDR-Bühnen üblich war.

Die zunächst rasch vorwärtsschreitenden Kompositionsarbeiten gerieten ins Stocken, als Dessau aus aktuell politischen Gründen Bedenken kamen hinsichtlich der letzten Szene »Das Gericht zieht sich zur Beratung zurück«. Angesichts der in Nürnberg tagenden Kriegsverbrecherprozesse wollte er anstelle des offenen Schlusses eine eindeutige Verurteilung des Kriegsverbrechers Lukullus aussprechen. Brecht, der sich gerade in der Schweiz aufhielt, antwortete umgehend und schrieb noch in Zürich, wo er das Scheitern der »Lukullus«-Opernpläne mit Einem konstatierte, eine neue Schlußszene. »Es dauerte nicht lange«, erinnert sich Dessau, »und Brecht übergab mir die Neudichtung der groß angelegten, großartigen Schlußszene ›Ins Nichts mit ihm, mit allen wie er‹, die mir Gelegenheit gab, den ›großen Eroberer‹ mit meiner Musik zu verdammen, zu vernichten.«[6]

Die Neudichtung der Schlußszene blieb nicht die einzige Änderung. Umarbeitungen und Ergänzungen waren zwar bei Brechtschen Bühnenwerken üblich, jedoch beim *Lukullus* besonders zahlreich. Es gab dafür nicht allein gattungsbezogene Gründe – die Verwandlung eines Hörspiels zuerst in eine Funkoper und dann in ein Werk für die Opernbühne –, sondern auch Gründe der politischen Wirkung und der Deutlichkeit der Aussage. Aus dem Mißverständnis der *Mutter Courage* zog Brecht die Konsequenz, neben der negativen Hauptfigur die positiven Gegenfiguren, vor allem die Mitglieder des Schöffengerichts, ausführlicher zu Wort kommen zu lassen. Um eine Identifikation mit dem römischen Feldherrn auszuschließen, ließ er Teile aus den Berichten der Entlastungszeugen, vor allem über die gastronomischen Errungenschaften des Lukullus, wegfallen. Der Feldherr wurde dadurch mit noch größerer Eindeutigkeit zur kriegerischen Negativfigur.

Die Verwandlung der Funkoper in ein Bühnenwerk war übrigens nicht zuletzt der Initiative Caspar Nehers zu verdanken, der damals stärker als Brecht an neuen musiktheatralischen Werken, auch an neuen Brecht-Opern interessiert war. Als sich sowohl Einems »Lukullus«-Opernprojekt als auch Dessaus Vertrag mit dem Nordwestdeutschen Rundfunk zerschlug, sah er die Chance, die Funkoper in eine reguläre Oper umzuarbeiten. Er verhandelte deswegen mit der Berliner Staatsoper und deren Intendant Ernst Legal, der schon seit 1926, seit der Darmstädter Uraufführung von *Mann ist Mann,* mit Brecht und Neher verbunden war.[7] Mitte 1950 erinnerte Brecht seinen Freund Neher an dessen Verantwortung: »Vergiß nicht ganz den ›Lukullus‹ an der Staatsoper, das hast Du selber gemanaged (und Legal hat auf Deinen Rat den Dirigenten aus Göttingen engagiert); ich bin sicher, daß Legal mit Dir keinen Vertrag besprochen hat, sie verlassen sich einfach darauf, daß es schon gehen wird.«[8] Es muß einige Überredungskünste erfordert haben, Dessau zu einer Umarbeitung für die Opernbühne zu bewegen. Auch noch in der Opernfassung ist dem Text seine ursprüngliche Bestimmung für den Rundfunk anzumerken, so etwa, wenn der Ausrufer zu Beginn den Trauerzug für Lukullus wie ein Radioreporter bei Nazipropagandasendungen kommentiert und auch noch dem Bedeutungslosen voll Pathos die Aura weltgeschichtlicher Größe verleiht.

Auch nach der Einfügung von Arien war nicht allen Beteiligten klar, ob es sich hier wirklich um eine Oper handle. Auf Anraten von Hermann Scherchen, der die musikalische Leitung übernommen hatte[8], nannten Brecht und Dessau ihr Werk bei der Uraufführung nicht »Oper« sondern »musikalisches Schauspiel«.[9] Erst später bezeichnete Dessau es wieder als Oper.[10]

Im Unterschied zum bewußten Kulinarismus der »Mahagonny«-Oper verwendet die »Lukullus«-Oper eine herbe musikalische Sprache, die deutlich anzeigt, daß es hier nicht um den Feinschmecker, sondern um den Kriegsverbrecher Lukullus geht. Um so fremder wirkt in diesem dissonant-geräuschhaften musikalischen Kontext die prahlerisch-eitle Heldentenorpartie der Titelfigur. Dazu der Komponist: »Der Lukullus muß ›schön‹ singen; dann kommt der Widerspruch noch stärker heraus. Die hohe Stimmlage ist eher geeignet für Verzerrungen und Übertreibungen als die mittlere oder tiefe. Besonders in der Szene ›ich beschwere mich!‹ hat die ungeheuer exponierte Lage dramaturgische Bedeutung.«[11]

Ich be-schwe-re mich, be-schwe-re mich   ich be - schwe - - - - re mich,

Für Brecht waren Tenöre, wie schon seine Einschätzung Richard Taubers bewiesen hatte, lächerliche Figuren. Eben deshalb wurde die Partie des Händlers in der *Maßnahme* von einem Tenor gesungen. Brecht empfand Geiger und Tenöre als Inbegriff musikalischer Dummheit und Sentimentalität. Dessau läßt die Lukullus-Partie in formelhaften Wiederholungen sogar oft ins Hysterische umkippen.

Ganz anders charakterisiert er die Schöffen des Totengerichts. Diese, ehemalige Sklaven und Proletarier, werden nicht von Pauken und Trompeten, sondern meist von wenigen solistischen, im Klang zarteren Instrumenten wie Flöten oder Celli begleitet. Die engstufige Melodik der Schöffenpartien vermeidet ariose Höhenflüge und wirkt eher volksliedhaft. In der 8. Szene wird beim Plädoyer des Bäckers in der Begleitung das Lied »Ännchen von Tharau« tonal verfremdet zitiert.

Indem die Musik die Nähe beziehungsweise Ferne zu unterschiedlichen sozialen Gruppen aufzeigt, wird sie zum Kommentar. Der Komponist nannte selbst als Beispiel für die kommentierende Funktion seiner Musik die musikalische Antwort auf das stolze Bekenntnis des Lukullus: »Ich bin aus einem berühmten Geschlecht.«

»Also während Brecht von der Berühmtheit des Generals und seiner hohen Abstammung spricht, sagt meine Musik (und ich muß hier die Worte Brechts wörtlich zitieren): ›Siehe Götz von Berlichingen‹.«[12]

Auch der Trauerzug zu Beginn wird kommentiert. Zu den pathetischen Lobeshymnen der Ausrufer und zu dem übertriebenen Jubel gleich dreier Koloratursoprane stehen die mit zarten Stimmen gesungenen Rufe an die Sargträger, nicht zu stolpern, in auffallendem Gegensatz. Skeptisch sind auch die Stimmen aus dem Volk, das sich durch den Begräbnispomp nicht beeindrucken und nicht von seiner kritischen Meinung über den Feldherrn abbringen läßt.

Ausschließlich aus Kommentaren besteht die Gerichtsverhandlung, in der der soziale Nutzen der Taten des Feldherrn zur Debatte steht. Wie schon in der *Maßnahme* wird das Publikum in die Entscheidung einbezogen. Wenn Brecht den Totenfries zum Sprechen bringt, nimmt er damit nicht nur die eindrucksvolle Darstellung des Parthenonfrieses in der *Ästhetik des Widerstands* von Peter Weiss vorweg, sondern er greift auch auf die Diskussion von Heldendenkmälern im *Berliner Requiem* zurück.

Die Verurteilung des Lukullus ist eine Nummernoper, die aus zwölf in sich geschlossenen Szenen besteht. Dem Reihungsprinzip des Textes folgend besteht jede Szene aus mehreren Teilen, die sich jeweils in Instrumentierung und Form voneinander abheben. Tonale und nichttonale, rhythmische und melodische, gesprochene und gesungene Abschnitte wechseln dabei einander ab. Eigenständige musikalische Mittel wie Variationsprinzipien, Orgelpunktwirkungen und rhythmische Ostinati stützen und gliedern den stets verständlich deklamierten Text. So selbständig diese Musik dem Text gegenübertritt, so ist sie diesem doch immer untergeordnet. Ouvertüren fehlen, jedoch werden einige Szenen (Nr. 1, 5, 6 und 10) durch kurze instrumentale Vorspiele eingeleitet. Demgegenüber kommt es jeweils in Verbindung mit dem Text zu spezifisch musikalischen Wirkungen, so im Sprechchor der römischen Arbeiter.

In engstem Zusammenhang stehen Textaussage und musikalische Gestaltung auch in der bewegenden Klage des Fischweibs um ihren gefallenen Sohn Faber und nicht zuletzt in der Schlußszene, der Urteilsverkündigung; die ganze Szene ist als großes musikalisches Rondo angelegt, wobei die Verdammung »Ins Nichts mit ihm« den wiederkehrenden, musikalisch allerdings variierten Refrain bildet. Meist ist Dessaus Musik über die Textaussage und den Rhythmus unmittelbar zugänglich. Eine esoterische, nur dem Eingeweihten verständliche Botschaft enthält dagegen das instrumentale Nachspiel, das in verschlüsselter Form den Kommentar des Komponisten zur Verurteilung des Kriegsverbrechers enthält. Dessau hat hier in einem dichten, kontrapunktisch kunstvollen fünfstimmigen Satz das Dreitonmotiv Es-E-D verarbeitet. Er schrieb dazu in die Partitur: »Seid einig, Deutsche!«[13]

Diskussionen über »Lukullus« in Ost und West

Nach der Änderung des Finales war am 12. Dezember 1949 die erste Musikfassung der Oper vollendet; am 27. Juni 1950 lag mit dem Klavierauszug die zweite Musikfassung vor; am 14. Januar 1951 war, nach weiteren Änderungen, die dritte Opernfassung fertig, so daß im gleichen Monat die Chorproben beginnen konnten. Als aber im Januar das Volksbildungsministerium die Partitur anforderte, plädierte Dessau, der eine Auseinandersetzung über die Musik befürchtete, für Verschiebung der Uraufführung auf den Herbst. Tatsächlich hatte sich 1951 die kulturpolitische wie auch die politische Situation in der DDR verschlechtert. Es gab Säuberungskampagnen, die sich vor allem gegen Westemigranten richteten. Auch Freunde Brechts waren davon betroffen, so Jakob Walcher und Gerhart Eisler; sie verloren ihre sämtlichen Positionen. Gerhart Eisler, nach seiner Flucht aus den USA Leiter des Informationsamts der DDR, mußte im Februar 1951 öffentlich Selbstkritik üben wegen seiner politischen Tätigkeit in den zwanziger Jahren (!). Auch der spätere Kulturminister Alexander Abusch, der während der Hitler-Diktatur in Mexiko Zuflucht gefunden hatte, wurde 1952 aus seinen politischen Funktionen entlassen.[14] Sowjetischem Vorbild wie die Säuberungskampagne folgte eine Kampagne »Kampf gegen Formalismus in Kunst und Literatur, für eine fortschrittliche deutsche Literatur«, die in eben jenem Jahr einsetzte. Sie entzündete sich vor allem an der »Lukullus«-Oper.

Brecht wehrte sich gegen die von Dessau vorgeschlagene Verschiebung der Aufführung. Für ihn war die Oper weniger künstlerisches Experiment als vor allem notwendige politische Aussage. Die Auffassung vom Primat des Inhalts war eine Grundprämisse seiner künstlerischen Produktion. Besonders aktuell erschien ihm die Oper angesichts des Koreakrieges. »Der Stoff ist eben jetzt wichtig, wo die amerikanischen Drohungen so hysterisch sind. Natürlich fürchtet Dessau Angriffe auf die Form, aber selbst die werden, sollten sie beabsichtigt sein, weniger drastisch sein, solange der Inhalt so wichtig ist. Schließlich ist sowohl Dessau als auch ich überzeugt, daß die Form der Oper die Form ihres Inhalts ist. Außerdem muß man die Kritik nie fürchten; man wird ihr begegnen oder sie verwerten, das ist alles.«[15] Wenn sich die Form eines Kunstwerks aus dem Inhalt ergebe und dieser Inhalt politisch wichtig sei, dann – so meinte Brecht, der sich historisch im Recht sah, selbstbewußt und optimistisch – sei neue Kunst gut zu verteidigen. Den Bedenken Dessaus, die er offenbar für ein generelles Problem der Musiker einschätzte, hielt er entgegen: »Die Lähmung, welche der Kontakt mit den neuen Schichten von Hörern bei den Musikern ausgelöst hat, muß überwunden werden. Man muß sich engagieren, und man wird sehen.«

Ohne Brechts Engagement wäre die Oper kaum schon 1951 aufgeführt worden. Um zunächst wenigstens eine Probeaufführung vor einem ausgewählten Publikum zu ermöglichen, schrieb er am 12. März 1951 sogar an Walter Ulbricht, mit dem ihn sonst wenig verband. Wie schon in seiner Arbeitsjournalnotiz legte er den Hauptakzent wieder auf die inhaltliche Aussage: »Die Oper ist eine einzige Verurteilung der Raubkriege, und angesichts des schamlosen Herbeiholens der alten Generäle zum Zweck eines neuen Angriffskriegs in Westdeutschland ist ein solches Werk, in dem ein Eroberer des Altertums von einem Gericht der Nachwelt verdammt wird, in einer Stadt wie Berlin, in der eine starke Ausstrahlung nach dem Westen erfolgen kann, doch wohl aufführungswert.«[16]

Wenn Brecht als den primären Adressaten der »Lukullus«-Oper nicht das ostdeutsche, sondern das westdeutsche Publikum anvisierte, so argumentierte er damit nicht nur taktisch. Nicht ohne Grund hatte sich die ursprünglich geplante Funkoper an ein westliches Publikum richten sollen, ging doch die Initiative zur bedrohlichen Wiederaufrüstung nicht vom Osten aus, sondern vom Westen. Am 26. Oktober 1950 hatte im Auftrag der Adenauer-Regierung das ›Amt Blank‹ die Organisation der Wiederaufrüstung übernommen; aus Protest gegen diese Pläne trat der damalige Bundesinnenminister Gustav Heinemann zurück. Da Adenauer sehr wohl wußte, daß die Mehrheit der deutschen Bevölkerung sein Rüstungsprogramm ablehnte, verbot er am 24. April 1951 eine Volksbefragung zu diesem Thema. Brecht jedoch griff auch künstlerisch in diese Debatte ein; er verstand ebenso wie Dessau und Eisler seine Kunst nie als DDR-spezifisch, sondern stets als gesamtdeutsch. Auf einem gesamtdeutschen Kulturkongreß im Mai 1951 in Leipzig postulierte er: »Die Losung der Klassik gilt noch immer: Wir werden ein nationales Theater haben oder keines.«[17] Oft ergriff er das Wort zu gesamtdeutschen Fragen; so unterstützte er die entsprechenden Initiativen der Regierung der DDR und der Sowjetunion, die allerdings von Adenauer, dem »Pflegevater der deutschen Desintegration«[18], regelmäßig abgelehnt wurden.

In seinem Brief an Walter Ulbricht kam Brecht auch auf Dessaus Musik zu sprechen, verteidigte sie jedoch nur vorsichtig. Vor allem überrascht, daß er die Entstehung der Musik auf das Jahr 1944 zurückdatierte, als wollte er die dissonante Musiksprache aus der Situation der Emigration erklären. »Ich bin nicht für Gleichgültigkeit in der Frage der Form. Ich glaube, daß wir uns besonders um die *Verständlichkeit* bemühen müssen. Der Text der Oper wurde 1937, die Musik 1944 geschrieben, und das Werk kann also kaum *das* Werk sein, das das lange erwartete Vorbild einer *Form* gibt.«[19] Es überrascht nicht nur die wohl taktische Umdatierung, sondern auch die vorsichtige Distanzierung von der Musik, die Brecht vom Begriff der Oper unterschied – als wäre eine Oper ein gesprochenes Bühnenwerk: »Ich weiß nicht, ob die Musik ohne weiteres verständlich ist, aber die *Oper*, ihre Tendenz und ihr Inhalt, ist ohne weiteres verständlich, und nach meiner Meinung sollten wir uns, bis die schwierigen Formfragen gelöst sind, zunächst am *Inhalt* orientieren. Schließlich können ja die Künstler die Frage der Form nur vom Inhalt her lösen.«

Brechts Befürchtung, daß die künstlerischen Mittel, vor allem die musikalischen Mittel, das Publikum überfordern könnten, erwies sich bei der von Hermann Scherchen dirigierten erfolgreichen Probeaufführung am 17. März 1951 als wenig begründet. Überfordert waren nur die Kritiker und einige Kulturpolitiker, vor allem Hans Lauter, der Leiter der Abteilung Kultur im ZK der SED, der in einer Kritik für das »Neue Deutschland« die Oper als »mißlungenes Experiment« bezeichnete. In Dessaus

»dünner und bruchstückhafter« Musik erkannte er den als formalistisch verpönten Stil Strawinskys wieder. »Dessau beraubt sich auf diese Weise selbst der Möglichkeit, die Massen durch seine Komposition zum Kampf gegen einen neuen Eroberungskrieg zu begeistern. Eine Musik, die ihre Hörer mit Mißtönen und intellektualistischen Klügeleien überschüttet, bestärkt den rückständigen Teil des Publikums und stößt den fortschrittlichen Teil des Publikums vor den Kopf.«[20] Auf aufschlußreiche Weise, die freilich den Erfahrungen Brechts völlig zuwiderlief, identifizierte der Kritiker künstlerische Experimente mit einem politisch konservativen Publikum, die politisch Fortschrittlichen dagegen mit künstlerischem Traditionalismus. Obwohl Brecht der »Lukullus«-Oper jeden Modellcharakter abstritt, wurde das Werk zu einem der Schlüsselwerke in der von einem verengten Volkstümlichkeitsbegriff ausgehenden Formalismuskampagne. Am 17. März 1951, eben am Tag der Voraufführung, verabschiedete das Zentralkomitee der Sozialistischen Einheitspartei Deutschlands den Beschluß »Der Kampf gegen Formalismus in Kunst und Literatur, für eine fortschrittliche deutsche Kultur«. Verfasser dieses Beschlusses war Hans Lauter.

Daß Brecht auch nach der erfolgreichen Probeaufführung noch Verständnis für Kritik an der Musik äußerte, könnte damit begründet sein, daß ihm selbst einiges an der Musik fremd war. So schrieb er in einem Dankesbrief an Paul Wandel, den ZK-Sekretär der SED: »Der Beifall, welcher offensichtlich der Friedenstendenz des Werks und der exemplarischen Aufführung galt, täuscht uns natürlich nicht über den Ernst der Einwände hinsichtlich der Musiksprache hinweg.«[21] Mit einer pauschalen Verurteilung von Dessaus Kompositionen wollte er sich allerdings nicht identifizieren. So kritisierte er den SED-Politiker Anton Ackermann: »In der Frage der Musik kann ich mich mit Deiner Haltung nicht einverstanden erklären, schon weil Du da keine *Argumente* vorbrachtest wie in der Frage des Textes, sondern nur eine generelle Verwerfung, die dem Musiker zu keinen Einsichten verhelfen kann.«[22]

Brecht und Dessau waren bereit, über ihre Oper zu diskutieren und auf Einwände einzugehen; nach den Jahren der Isolation im Exil waren sie an einer Auseinandersetzung mit dem Publikum sogar interessiert. Sie forderten allerdings eine Kritik, die die Künstler nicht hemmt, sondern fördert und anregt: eine produktive, konstruktive Kritik. »Wir müssen unsere Musikfachleute dahin beeinflussen«, notierte Brecht, »daß sie kameradschaftliche Kritik üben. Kameradschaftlichkeit bedeutet nicht einen ›herzlichen‹ Ton, der übrigens immer nur gönnerhaft wird, sondern konstruktive Kritik, bedeutet Vorschläge, bedeutet konkrete Mitarbeit, bedeutet also letzthin Fleiß.«[23] Als produktive Kritik in diesem Sinne werteten die beiden Autoren ein dreistündiges Gespräch über die Oper mit Staatspräsident Wilhelm Pieck und Ministerpräsident Otto Grotewohl.[24] Dessau war von diesem Gespräch sehr beeindruckt, zeigte es ihm doch den hohen Stellenwert, der in der DDR der Kunst eingeräumt wurde. Über Wilhelm Pieck schrieb er: »Ich hätte mir keinen besseren Mittler wünschen können. Wie sich der Genosse Pieck damals väterlich um mich sorgte und auf meine Empfindlichkeit einging, wird mir unvergeßlich bleiben. In der Hauptsache ging es um musikalische Dinge, um einige Szenen, die ihrer Ungewohntheit und Schärfe wegen zur Diskussion Anlaß gaben. Brecht und ich, gewohnt, bei allen unseren Arbeiten viele Male Verbesserungen und Neufassungen zu machen, nahmen aus diesem Gespräch wertvolle Ratschläge mit nach Haus.«[25] Zu den Ratschlägen gehörte nicht zuletzt die Änderung des Titels in *Die Verurteilung des Lukullus*. Auch Brecht resümierte in einem Brief an Berthold Viertel, daß der Disput im ganzen »erfrischend und lehrreich« gewesen sei.[26]

Im Westen konnte man sich nicht vorstellen, daß eine Regierung sich anders mit Kunstfragen befassen würde als mit Zensurmaßnahmen. Von einer kommunistischen Regierung erwartete man sich erst recht nichts Gutes. Ein »Kongreß für kulturelle Freiheit«, der mit US-amerikanischer Hilfe im Juni 1950 in West-Berlin durchgeführt worden war, hatte für eine Sprachregelung gesorgt; gestützt auf die Totalitarismusthese war hier die kommunistische Kulturpolitik mit der faschistischen verglichen worden. Auch frühere Freunde Eislers, so Theodor W. Adorno und Wladimir Vogel, ließen sich damals zu ähnlichen Äußerungen bewegen.[27] Interessanter als das Werk selbst war für westliche Berichterstatter der kulturpolitische Konflikt, in dem sie Brecht und Dessau fälschlich in die Rolle von Dissidenten drängten.

Als entgegen aller Unkenrufe das zunächst abgesetzte Werk am 12. Oktober 1952 zur öffentlichen DDR-Uraufführung kam, wurde dies im Westen nicht als erfreuliche Entwicklung begrüßt. Da Brecht, der mittlerweile sogar den Nationalpreis 1. Klasse erhalten hatte, kaum noch als Regimekritiker reklamiert werden konnte, machten die besorgten westlichen Freiheitshüter aus dem »Fall Lukullus« schnell den »Fall Brecht«. Offensichtlich stand ihnen nur die schematische Alternative »Fundamentalopposition oder opportunistische Anpassung« zur Verfügung. Jedenfalls schmähten sie den eben noch wegen seiner abweichenden Haltung Gepriesenen nun als angepaßten Parteidichter. In der »Frankfurter Allgemeinen Zeitung« vom 22. Oktober 1951 bezeichnete Sabina Lietzmann Brecht als den »prominentesten Zögling« der neugeschaffenen Kommission für Kunstangelegenheiten. In Wahrheit gehörte er zu den schärfsten Kritikern dieser Institution.[28] Grotesker hätte die Fehldeutung nicht sein können.[29]

Am 30. Janur 1951 fand in Frankfurt am Main – unter dem Intendanten Harry Buckwitz wurde die Stadt zur westlichen Brecht-Metropole – die westdeutsche Erstaufführung der »Lukullus«-Oper statt. Auf verblüffende Weise änderten sich nun die Maßstäbe der westlichen Kritiker. Hatte man bei der DDR-Vor- und Uraufführung die Einwände der östlichen Seite als ungerechtfertigte Schikanen abgetan, so wurde nun das in greifbare Nähe gerückte und ein BRD-Publikum erreichende Werk nicht mehr einhellig positiv beurteilt. Anerkennend war es gemeint, wenn Hermann Scherchen in seinem Frankfurter Einführungsvortrag die Musik Dessaus mit der von Gustav Mahler verglich[30] und andere Kritiker sich an Honeggers *Johanna auf dem Scheiterhaufen* oder an Orffs *Antigonae* erinnert fühlten. Wenn aber Günther Engler in der in München erscheinenden »Neuen Zeitung« vom 1. 2. 1952 schrieb: »Die Worte klirren – aber es ist Bruchmetall« und er Dessaus Musik einen »aphoristischen Scherbenhaufen« nannte, wenn Thomas Halbe in der »Frankfurter Neuen Presse« resümierte: »Die Musik von Paul Dessau belastet den Text mehr als sie ihn trägt«, dann wurden damit ästhetisch konservative Einwände geäußert, die denen der DDR-Presse auf erstaunliche Weise ähnelten. Hatten die DDR-Kritiker aber wenigstens die für Brecht zentrale inhaltliche Aussage der Oper, ihre Warnung vor weiteren Kriegen, in ihre Argumentation einbezogen, so scheuten westliche Kritiker vor solchen aktualisierenden Deutungen zurück. Von wenigen Ausnahmen abgesehen, unterließen sie es, Beziehungen zu den Nürnberger Prozessen, zum Koreakrieg und zur Wiederaufrüstung herzustellen. Den unmittelbaren Zusammenhang zwischen der Oper und Brechts »Offenem Brief an die deutschen Künstler und Schriftsteller« vom 26. September 1951 vermochten diese Kritiker nicht wahrzunehmen. In seinem mittlerweile oft zitierten Brief hatte Brecht vor einem dritten Weltkrieg gewarnt: »Das große Carthago führte drei Kriege. Es war noch mächtig nach dem ersten, noch bewohnbar nach dem zweiten. Es war nicht mehr auffindbar nach dem dritten.«[31]

Trotz der Bemühungen von Brecht wurde in beiden Teilen Deutschlands auf jeweils unterschiedliche Weise die künstlerische Freiheit eingeschränkt und gerade die Verbindung von politischem mit künstlerischem Fortschritt behindert. Während sich im Osten in Anknüpfung an die Realismusdebatte der dreißiger Jahre die Ästhetik des sozialistischen Realismus ausbreitete, gewann im Westen die Lehre von der »reinen Kunst« an Einfluß: Als Antwort auf den Mißbrauch der Kunst unter Hitler entwickelte man nicht eine konsequent antifaschistische, sondern eine »unpolitische« Kunst. Den warnenden Stimmen bedeutender Künstler zum Trotz[32] verbreitete sich die Illusion, das Jahr 1945 habe als »Stunde Null« einen völligen Neubeginn im Sinne einer tabula rasa markiert. Als »frei« galt die Kunst dann, wenn sie sich jeder politischen Aussage enthielt. Der gängigen westlichen Ästhetik entsprechend war es ein Kompliment, wenn Fritz Brust in der »Frankfurter Allgemeinen Zeitung« vom 1. 2. 1951 die in Frankfurt gespielte erste Fassung der »Lukullus«-Oper als »reines, untendenziöses Kunstwerk« lobte. Am Schluß seiner Kritik forderte er das Publikum zur »reinen ›interesselosen Betrachtung‹ des Kunstwerks« auf. Zu hoffen und wohl auch zu vermuten ist allerdings, daß das breite Publikum diese »interesselose« ästhetische Betrachtungsweise nicht teilte, sondern – den Intentionen Brechts und Dessaus folgend – Beziehungen zwischen Werk und politischer Realität herstellte.

Eislers »Johann Faustus«-Libretto

Weniger glücklich als die »Lukullus«-Debatte verlief 1953 in der DDR die Diskussion um Eislers Libretto zur Oper *Johann Faustus,* und dies, obwohl Brecht hier entschiedener für Eisler eintrat als zuvor für Dessau. Da die Musik erst in Ansätzen vorlag, bezog sich die Kritik auf das von Eisler verfaßte Libretto, das als Revision des Goetheschen *Faust* mißverstanden wurde. Man übersah dabei, daß Eisler nicht an Goethes *Faust,* sondern an das Puppenspiel sowie an den »Doktor Faustus«–Roman von Thomas Mann[1] angeknüpft hatte. Mit seiner Faustgestalt, einer Figur aus den Bauernkriegen, stellte Eisler ein Stück »deutscher Misere« dar, zeigte er – ähnlich wie Brecht in seiner »Hofmeister«-Bearbeitung – die Selbstentmannung der deutschen Intelligenz, ihren Rückzug in Kunst und Wissenschaft. Zugleich thematisierte die Oper – hierin den *Tagen der Commune* vergleichbar – das Scheitern einer Revolution.

Im Juni 1949 war Eisler nach Berlin übergesiedelt; in Wien waren die Verhandlungen über eine Professur erfolglos geblieben, da man in der Personalunion von Schönberg-Schüler und Sozialist die Potenzierung des Gefährlichen sah. In Ost-Berlin war Eisler als Schönberg-Schüler zwar auch nicht geschätzt, jedoch achtete man ihn als den Komponisten von proletarischen Massenliedern. Ausschlaggebend für Eislers Übersiedlung war nicht zuletzt die Entscheidung Brechts, sich nunmehr endgültig in Berlin niederzulassen. Im Juni 1949 trafen sie, beide österreichische Staatsbürger, im sowjetischen Sektor der ehemaligen deutschen Hauptstadt ein, Brecht aus Zürich, Eisler aus Wien kommend. Da mittlerweile zwei deutsche Staaten gegründet worden waren, bedeutete dies eine eindeutige Entscheidung für die DDR. Beide Künstler konnten Auseinandersetzungen über ihre ästhetische Position schon absehen; die politische Gemeinsamkeit mit dem neuen Staat, der konsequente Antifaschismus wie auch der Aufbau des Sozialismus, war ihnen aber wichtiger.

In Berlin gehörten Eisler wie Brecht zur künstlerischen Prominenz. Eislers Exilwerke blieben zwar unbekannt – auch die gewünschte Aufführung der *Deutschen Symphonie* fand nicht statt –, Verbreitung fanden jedoch die – vom Komponisten selbst mittlerweile distanziert beurteilten – Massenlieder der zwanziger und dreißiger Jahre, ab 1947 (teilweise neuinstrumentiert von Boris Blacher) in Ernst Buschs Schallplattenreihe »Lied der Zeit«, ab 1949 auch in Notendrucken. Massenwirksame Kompositionen standen auch am Beginn von Eislers musikalischer Arbeit in der DDR; neben den Filmmusiken zu den DEFA-Filmen »Unser täglich Brot« und »Der Rat der Götter« ist vor allem die Nationalhymne der DDR, Text: Johannes R.Becher, zu nennen, die am 7.November 1949 zum ersten Mal öffentlich gesungen wurde. Für die Wertschätzung, die der neue Staat dem Komponisten entgegenbrachte, spricht die Mitgliedschaft in der neugegründeten Deutschen Akademie der Künste ebenso wie die ihm ebenfalls 1950 übertragene Professur am Staatlichen Konservatorium Berlin und eine Meisterklasse für Komposition an der Deutschen Akademie der Künste. Am 7.Oktober 1950 wurde Eisler, bereits ein Jahr vor Brecht, mit dem Nationalpreis 1.Klasse ausgezeichnet.

Hatte sich *Die Verurteilung des Lukullus* gegen den ursprünglichen Willen Dessaus zur Oper entwickelt, so steuerte Eisler mit seinem *Johann Faustus* ganz bewußt die Opernform an, die er als »die demokratischste unter den großen Musikformen« einschätzte. Seine Begründung: »Sie (die Oper) ist Hörern des verschiedensten musikalischen Bildungsgrades eher zugänglich als das Konzert.«[2]

Auch wenn Brecht nicht selbst der Autor des Textbuches war und er kaum glücklich darüber sein konnte, daß Eisler neben dem Opernprojekt kaum noch zu Vertonungen seiner eigenen Gedichte und Texte kam, so gab er seinem Freund doch jede Unterstützung. Als Eisler befürchtete, die von Brecht angeregte »Urfaust«-Inszenierung des Berliner Ensembles in Potsdam (Regie: Egon Monk; Musik: Paul Dessau; Kostüme: Caspar Neher/ Kurt Palm) könne einige seiner Opernideen vorwegnehmen, beruhigte ihn der Stückeschreiber: »Keine Deiner Ideen, so gut sie sind, es ist ein herrlicher Griff von Dir, hat da Platz, und Du kannst Dir ja alles anschauen, wenn es soweit ist, das ist doch keine Konkurrenz ... Was die Oper betrifft, die wirklich von großer Bedeutung sein wird, von der größten, so kannst Du sicher sein, daß ich Dir zuschanze, was da nur ist, von Neher, wenn Du ihn brauchen kannst, bis zu jedem meiner Schauspieler.«[3] Aus Brechts Brief spricht nicht nur der Ton neidloser Bewunderung, sondern auch freundschaftlicher Wärme – die beiden Künstler, die sich bis dahin »Brecht« oder »Eisler« tituliert hatten, begannen sich damals bei ihren Vornamen anzureden. Über der »Faustus«-Oper kam es wieder zu einer sich wechselseitig befruchtenden Zusammenarbeit. Während Eisler dem Stückeschreiber Vorschläge zu einem Fridericus-Rex-Stück machte[4], regte dieser den Komponisten an, in seiner Oper wirkliche Volkslieder zu verwenden; das würde nicht zuletzt auch in der Formalismusdiskussion nützlich sein.[5] Eisler griff Brechts Anregung mit Vergnügen auf: »In der Oper wird es von Volksliedern, Versen von Hans Sachs und ähnlichem Volksgut nur so wimmeln. Das ist, wie Du sehr richtig bemerkst, unbedingt notwendig. Ich bin nicht ein Gymnasialprofessor in Pension, der ein Drama – spät aber doch – der staunenden Mitwelt offerieren will, sondern ein Komponist, der sich einen Text baut und dazu Vorlagen nimmt.«[6] Im Anspruch, Kunst für beide Teile Deutschlands zu schreiben, glich Eisler Brecht. Daß die von ihm komponierte Nationalhymne der DDR im Westen als ›Spalterhymne‹ abqualifiziert wurde, ist nur aus dem westdeutschen Alleinvertretungsanspruch, nicht jedoch aus den gesamtdeutschen Intentionen der Hymne zu verstehen.[7] Wie Brecht wandte sich auch Eisler in Erklärungen an die westdeutschen Künstler, so, als er im September 1951 einen Aufruf der Volkskammer der DDR »An alle Deutschen« unterstützte, in dem für ganz Deutschland freie, gleiche und geheime Wahlen für eine Nationalversammlung gefordert wurden. In Eislers Erklärung heißt es: »Mit Kummer empfinde ich täglich die Trennung von meinen westdeutschen Kollegen und vom westdeutschen Musikleben. Eine solche Spaltung ist widersinnig, denn eine gespaltene deutsche Musik gibt es nicht, hat es nicht gegeben und darf es nicht geben.«[8] In einem »Brief nach Westdeutschland«, der im Dezember 1951 in der von Peter Huchel herausgegebenen Zeitschrift »Sinn und Form« erschien, forderte er die westdeutschen Komponisten auf, sich an der Diskussion über Möglichkeiten musikalischer Volkstümlichkeit zu beteiligen.[9] Wenn es überhaupt ein Echo gab, wurde Eislers Brief jedoch nur mit Hohn beantwortet, da für die Wortführer der sich alljährlich in Darmstadt versammelnden seriellen Komponisten der Begriff der Volkstümlichkeit fast schon den Makel des Faschistoiden besaß. Dem zum Trotz wollte Eisler mit seinem *Johann Faustus* eine wirklich volkstümliche Nationaloper schreiben.

Am 1. August 1951 fragte Brecht bei Eisler an, ob er »den ›Faustus‹ jetzt unter Fach« habe; »hoffentlich können wir im August hier Richtfest halten und dann an die Feinarbeit gehen«.[10] Wirklich kam Eisler vom 25. bis 30. August 1952 zu Brecht nach Buckow, um dem Freund das mittlerweile fertiggestellte Textbuch zu zeigen. Über die Zusammenarbeit resümierte dieser: »Wir gehen das Ganze durch, straffen, bringen alles so gut wie möglich in Fokus, oft keine Kleinigkeit bei der Eigenwilligkeit des Werks, das ohne Eislers Kunstverstand ein Sammelsurium von Stilelementen wäre.«[11] Noch im gleichen Jahr wurde das Libretto im Aufbau-Verlag veröffentlicht. Thomas Mann und Lion Feuchtwanger, die Eisler um ihr Urteil gebeten hatte, äußerten sich positiv. So schrieb Feuchtwanger: »Die Wirkung ist sehr stark. Die neue Ausdeutung der einzelnen Situationen der Faust-Geschichte ist schlagend, gescheit, grimmig, witzig. (...) Das ist ein Buch, das sowohl dem Professor wie der Köchin Fleisch gibt.«[12] Thomas Mann nannte Eislers *Faustus* »eine wunderlich-merkwürdige Arbeit ... sehr neu, sehr kühn, sehr eigentümlich« und lobte nicht zuletzt den »guten, derben, deutschen Humor, besonders in der Figur des Hanswurst«.[13]

Trotz solch kompetenten Lobs, auf das Eisler nicht wenig stolz war, erwies sich die Veröffentlichung des Librettos noch vor der Komposition der Musik als Fehler. Denn in der DDR wurde das Textbuch zum Anlaß einer heftigen kulturpolitischen Debatte, in der Brecht zu den wenigen Verteidigern Eislers gehörte. Zwar gab es zwischen beiden bei anderer Gelegenheit Meinungsverschiedenheiten, die sie auch in der Öffentlichkeit austrugen; so verteidigte Eisler bei einer Musikdiskussion im Musiksaal der Deutschen Akademie der Künste am 22. April 1953 gegen Brechts ausdrückliches Votum die Aufführungen von Wagner-Opern in der DDR.[13]

Bei der »Faustus«-Diskussion, bei der es nicht um musikalische, sondern um grundlegende literarische und historische Fragen ging, stimmten sie jedoch völlig überein. In die Debatte, die heute auch in der DDR als »Faustus-Polemik« bezeichnet wird[14], war Brecht nicht nur deshalb einbezogen, weil es ein Werk eines Freundes betraf; betroffen war er auch, weil in diesem Zusammenhang die »Urfaust«-Inszenierung des Berliner Ensembles, die von ähnlichen Intentionen ausging, heftig angegriffen worden war. Nachdem Eislers Textbuch am 14. Mai 1953 in einem Artikel des »Neuen Deutschland« mit dem Titel »Das Faust-Problem und die deutsche Geschichte, Bemerkungen aus Anlaß des Erscheinens des Operntextes Johann Faustus von Hanns Eisler« als »pessimistisch, volksfremd, ausweglos antinational« abgekanzelt worden war, folgte am 27. Mai ebenfalls im »Neuen Deutschland« ein kritischer Artikel »Weitere Bemerkungen zum Faust-Problem, zur Aufführung von Goethes ›Urfaust‹ durch das Berliner Ensemble«. Hintergrund der Auseinandersetzungen waren Probleme der Bündnispolitik der SED mit den bürgerlichen und kleinbürgerlichen Schichten.[16] Durch die vermeintlichen Angriffe Brechts und Eislers auf das bürgerliche Erbe der Klassik sahen führende Funktionäre diese Bündnispolitik gefährdet.

In den Diskussionen der sogenannten »Mittwoch-Gesellschaft« der Deutschen Akademie der Künste war Brecht Eislers wichtigster Verteidiger. Bei der ersten Diskussion am 13. Mai 1953 sprachen gegen Eislers Konzeption Alexander Abusch, Wilhelm Girnus, Günther Rühle, Heinz Kamnitzer und Hans Rodenberg – Eisler zufolge »sehr scharf und wuchtig«[17] –, während sich nur Brecht und Arnold Zweig positiv äußerten. Auch bei der zweiten »Faustus«-Diskussion am 27. Mai standen einer größeren Zahl ablehnender Voten, darunter auch die von Eislers einstigem Schüler Ernst Hermann Meyer, nur drei positive, die von Walter Felsenstein, Brecht und Eisler selbst, gegenüber. In seinen »Thesen zur Faustus-Diskussion«[18] verteidigte Brecht bei dieser Gelegenheit ausdrücklich Eislers Textbuch als bedeutendes literarisches Werk; bedeutend sei es »durch sein großes nationales Thema, durch die Verknüpfung der Faust-Figur mit dem Bauernkrieg, durch seine großartige Konzeption, durch seine Sprache, durch seinen Ideenreichtum«.

Durch Brechts Thesen ließ sich die »Mittwoch-Gesellschaft« von ihrer überwiegend ablehnenden Haltung nicht abbringen. Eisler berichtete am 28. Mai seiner Frau: »Gestern antwortete ich den Kritikern. Es gab wieder einen heftigen Abend mit viel Deklamation. Brecht brachte prachtvolle Thesen über und für den Faustus, den er nicht weniger schätzt als Ernst Fischer.[19] Kein Ergebnis. Es wird in 14 Tagen ›weiterdiskutiert‹. ...«[20] Trotz aller Skepsis war Eisler nicht entmutigt: »Noch bin ich guter Laune, was das betrifft. Denn wenn man so gegen ein Stück tobt, wachsen einem die Kräfte und man bekommt Appetit, sich zu halten.«[21]

Bei der dritten Sitzung zur »Faustus«-Diskussion am 10. Juni 1953 sprachen neben Arnold Zweig und Brecht auch Hermann Duncker und Helene Weigel für Eisler. Gleichzeitig war aber die Front der Ablehnung gewachsen. Besonders enttäuscht mußte Eisler über das negative Votum Johannes R. Bechers sein, hatte er doch mit Becher zusammen nicht nur die Nationalhymne, sondern auch die »Neuen Deutschen Volkslieder« und die Kantate »Mitte des Jahrhunderts« geschrieben.[22] Da die mit maßgeblichen Kulturpolitikern der DDR besetzte »Mittwoch-Gesellschaft« am 10. Juni die »Faustus«-Diskussion oder -Polemik abbrach, war damit das Verdammungsurteil über die Oper gesprochen. Tief deprimiert fuhr Eisler bald darauf nach Wien. In einem Brief an das ZK der SED schrieb er am 30. Oktober: »Genossen, ... viele meiner Werke liegen in der Schreibtischlade, darunter mehr als 500 Lieder, Kantaten, Orchester- und Kammermusik. Ich fühlte, daß keinerlei Bereitschaft bestand, diese Werke, die in einem immerhin kampferfüllten Leben von drei Jahrzehnten entstanden sind, zu akzeptieren. ... Ihr mögt es für Schwäche halten, aber ich brauche eine Atmosphäre des Wohlwollens, des Vertrauens und der freundlichen Kritik, um künstlerisch arbeitsfähig zu sein. Selbstverständlich ist Kritik notwendig, um die Kunst an den gesellschaftlichen Forderungen zu prüfen, aber nicht Kritik, die jeden Enthusiasmus bricht, das Ansehen des Künstlers herabsetzt und sein menschliches Selbstbewußtsein untergräbt. Nach der Faustus-Attacke merkte ich, daß mir jeder Impuls, noch Musik zu schreiben, abhanden gekommen war. So kam ich in einen Zustand tiefster Depression, wie ich sie kaum jemals erfahren habe.«[23] Der Widerspruch, einerseits als Nationalpreisträger hoch anerkannt, als Künstler und denkender Mensch aber nicht wirklich ernstgenommen zu werden, verletzte ihn tief.

Brecht, der angesichts der Ereignisse des 17. Juni 1953 wieder begonnen hatte, Elegien zu schreiben, fuhr im Oktober nach Wien, wo er nicht nur eine »Mutter«-Inszenierung überwachte, sondern sich auch mit Eisler traf. In sein Arbeitsjournal notierte er: »Viel mit Eisler zusammen. Seine Produktionskrise dauert an. Er lebt von Filmmusik und Theatermusik. Verspricht, einen Akt seines ›Faustus‹ zu komponieren; ich verspreche ihn aufzuführen.« Mit Ausnahme von Skizzen und Entwürfen hat Eisler an seiner Oper allerdings nicht mehr weitergearbeitet. Das Libretto, heute längst als eines der wichtigsten literarischen Werke des deutschen Theaters der fünfziger Jahre anerkannt, blieb ein Textbuch ohne Musik.[24] Wenn Eisler in seinem Brief an das ZK der SED auch versichert hatte, daß er seinen Platz weiterhin in der DDR sehe, kehrte er erst im Februar 1954 dorthin zurück. Oft hielt er sich danach nur einzelne Monate im Jahr in Berlin auf, so daß die Möglichkeiten einer weiteren Zusammenarbeit mit Brecht sehr eingeschränkt waren.

Während Dessau für sich unter Berufung auf Spinoza die »Ausklammerung allen Ichs« aus der Musik postulierte[25], scheute Eisler vor subjektivem Ausdruck nicht zurück.[26] Seine subjektivsten und zugleich düstersten Lieder komponierte er in jenem Herbst 1953 in Wien. Der Monolog »Faustus' Verzweiflung« nach Giacomo Leopardi beginnt mit den Worten »Nichts gibts, was würdig wäre deiner Bemühungen«. Den Liedern »Verfehlte Liebe« nach Heinrich Heine, »Und endlich« nach Peter Altenberg und »Chanson allemande« nach Berthold Viertel ist nicht nur die Tonart E-Dur, die hier schmerzlicher wirkt als bei anderen Komponisten ein Moll, sondern auch der inhaltliche Bezug auf die Liebesthematik gemeinsam. Heißt es in »Verfehlte Liebe« noch »Zuweilen dünkt es mich, als trübe geheime Sehnsucht deinen Blick«, so beginnt das Lied »Und endlich« mit der Zeile »Und endlich stirbt die Sehnsucht doch«. »Chanson allemande«, den Blick von Österreich nach Deutschland lenkend, spricht von den »Jahrestagen meiner Traurigkeiten«. Ähnlich privaten Charakter besitzt auch das im gleichen Zeitraum entstandene Goethe-Fragment »Von Wolken streifenhaft befangen«, in dem Eisler »mit äußerster Diskretion« singen läßt »Laß mich nicht so in Nacht ... du Allerliebste, du, mein Mondgesicht«. Wie die anderen Lieder des Herbstes dürfte sich auch dieses nicht nur auf politisch-künstlerische, sondern auch auf private Enttäuschungen beziehen: Seine Frau Lou löste sich damals von ihm; sie blieb in Wien und heiratete später den österreichischen Literaturtheoretiker und Kulturpolitiker Ernst Fischer. Eisler wollte solche autobiographischen Bezüge wohl verdecken, als er seinem Goethe-Fragment eine irreführende Widmung gab, indem er auf die Titelseite des Manuskripts schrieb: »Dem Hund eines Freundes gewidmet, den ich sehr liebe«. Obwohl ausgestrichen ist der Name des Hundes noch zu lesen: Rolphi. Dies war der Name von Brechts Schäferhund.[27]

Während seines Besuchs bei Eisler hatte sich Brecht gewundert, daß der Freund bei der »Mutter«-Aufführung im Wiener Scala-Theater bereitwillig auf eine Trompete verzichten wollte. Ihm schien es, als sei der Komponist sogar »froh, daß der aufrührerische Jazz-Charakter seiner Musik etwas gemildert wurde.« Dem hielt Brecht entgegen: »Aber dann ist die

Musik Trauer statt Anklage.«[28] In der Tat tendierte der früher so lebhafte und kritische Eisler 1953 zu Trauer und Melancholie. Zwei seiner Lieder aus jenem Herbst hat er später in seine letzte Komposition, die in ihrem Titel, teilweise auch in ihrem musikalischen Stil auf Brahms bezogenen »Ernsten Gesänge« aufgenommen. Brecht dagegen wollte Eislers Trauer in Anklage, in produktive Kritik und kritische Produktivität überführen.

Er selbst hatte die »Faustus«-Diskussion mit den führenden Kulturpolitikern der DDR, aber auch die unbeholfenen Reaktionen auf die Ausschreitungen des 17. Juni 1953 nicht nur in seinen »Buckower Elegien«, sondern auch in seinem Stück *Turandot oder Der Kongreß der Weißwäscher* verarbeitet. Nun regte er noch in Wien Eisler zu einem aktuellen Lehrstück »im Stil der ›Maßnahme‹ oder ›Mutter‹« an, »mit einem vollen Akt über den 17. Juni«. Es war dies nicht Brechts erster Versuch, wieder an die gemeinsame künstlerisch-politische Arbeit vor 1933 anzuknüpfen.

Auf der Suche nach dem Arbeiterpublikum

Wie soll die große Ordnung aufgebaut werden
Ohne die Weisheit der Massen?

Auf die Straße geht und seht:
Wie der Wind weht.

Arbeiter als Zaungäste

Brecht hatte 1948 gehofft, in Berlin wieder ein Arbeiterpublikum vorzu-
finden, das ähnlich lebhaft, kritisch und politisch auf seine Kunst reagieren würde wie das Berliner Arbeiterpublikum vor 1933. Zunächst schienen sich diese Erwartungen zu erfüllen. Von der ersten Vorstellung der
Mutter Courage in einer geschlossenen Gewerkschaftsveranstaltung war er
beeindruckt: »Die Arbeiter aus den Hennigsdorfer Stahlwerken zeigten
sich als wunderbare Zuschauer... Welche Bestimmtheit und welche Höflichkeit!«[1] In einem Brief an Berthold Viertel in Wien schrieb er: »Das
Publikum hier (wir eröffneten die ›Courage‹ vor einem Arbeiterpublikum) ist so gut wie je.«[2] Auch Erwin Piscator, den er ebenfalls für die
Rückkehr nach Berlin gewinnen wollte, berichtete er nach New York:
»Das Publikum, d. h. das Arbeiterpublikum, ist ausgezeichnet.«[3] So große
Hoffnungen Brecht in die Arbeiter setzte, so geringe in die deutschen
Bürger. »Das deutsche Bürgertum ›entnazen‹ heißt, es entbürgern«, hatte
er schon am 1. Januar 1948 in sein Arbeitsjournal notiert. Bei den Arbeitern aber galt es, ihr Klassenbewußtsein, ihre Verbundenheit mit der Tradition der Arbeiterbewegung zu stärken. Stücke wie *Die Tage der Commune* und neue Massenlieder sollten dazu beitragen.
Die Enttäuschung kam schon bald. Brecht bemerkte, daß die Erfahrung
des Faschismus und des Krieges den kleinen Mann in Deutschland nicht
kritisch, wachsam und aktiv, sondern fatalistisch, geduldig und passiv gemacht hatte; man war gewohnt, Befehle von oben auszuführen und sich
führen zu lassen. Schon bei den Hennigsdorfer Stahlarbeitern war ihm
während und nach der »Mutter Courage«-Aufführung ihre Passivität aufgefallen: »Sie saßen freilich lange wie Zaungäste, von denen weder Zustimmung noch Ablehnung erwartet wird.«[4] Was die Erfahrung des Faschismus und des Krieges bei der breiten Bevölkerung allenfalls bewirkt

hatte, war ein nachlassendes Interesse an Politik, an politischen Liedern und Fahnen, selbst an roten Fahnen.[5] Von Klassenbewußtsein war nicht mehr viel zu spüren. Daß der 15. Januar 1949 der 30. Jahrestag der Ermordung Rosa Luxemburgs war, schien außer Brecht nur wenige zu bewegen. Dessau komponierte aus diesem Anlaß noch im Dezember 1948 Brechts Gedichte »Grabschrift für Rosa Luxemburg« und »Grabschrift für Karl Liebknecht« für gemischten Chor und Orchester.[6] Ob diese Kompositionen, die für Lenin-Luxemburg-Liebknecht-Feiern des Berliner Rundfunks vorgesehen waren, jedoch aufgeführt wurden, ist ungewiß.[7] Brecht vermerkte nur sarkastisch: »Im Berliner Rundfunk soll in meiner ›Grabschrift für Rosa‹, die von Dessau komponiert wird, die Zeile ›Eine Jüdin aus Polen‹ kritisiert worden sein. (Wahrscheinlich um die ›Empfindlichkeit weiter Kreise in diesem Punkt‹ zu schonen.)«[8] Von seinem Freund Jakob Walcher, mit dem er 1952 ein Stück über Rosa Luxemburg entwarf, erfuhr Brecht außerdem, daß das von Mies van der Rohe entworfene und von den Nazis zerstörte Grabmal für Karl Liebknecht und Rosa Luxemburg nicht wieder aufgebaut werden würde, obwohl es im russischen Sektor Berlins lag.[9] Statt offensiv politisch vorzugehen, nahm man auf die verbliebene Nazimentalität Rücksicht.

Gegen den endgültigen Verlust der durch die Nazis abgeschnittenen politischen und kulturellen Traditionen der Arbeiterbewegung, gegen die drohende Verbürgerlichung der Arbeiterklasse setzte Brecht vielfältige künstlerische und kulturpolitische Aktivitäten, die in ihrer inneren Stringenz bis heute nur wenig beachtet wurden. Der Ästhetik der frühen DDR zum Trotz, propagierte er eine Kunst, die die Klassenfrage nicht ausklammert, sondern sie bewußt stellt, eine Kunst, die auf die Aktivierung und Veränderung des Zuschauers zielt und die den Abstand zwischen gesellschaftlichem Sein und gesellschaftlichem Bewußtsein in dem jungen Staat abbauen sollte.[10] Während die offizielle Kulturpolitik der DDR ihre Hauptaktivität zunächst in die Wiederbelebung der bürgerlichen Kultur setzte (was sich 1949 und 1950 in den Feiern zum Goethe- und Bach-Jahr manifestierte), knüpfte Brecht an die Traditionen der proletarischen Kultur der Weimarer Republik an.

1948 schlug er, noch von Zürich aus, Dessau vor, zum Lehrstück *Die Ausnahme und die Regel* für ein deutsch-französisches Tourneetheater die Musik zu komponieren.[11] Die für Singstimmen, Fagott, Schlagwerk und »Wanzenklavier«, ein präpariertes und deshalb dünn und zirpend klingendes Klavier, gesetzte Partitur[12] trägt das Schlußdatum »Stuttgart 15. Oktober 1948«.[13] Lehrstückelemente enthielt auch das an die Clownsszene des »Badener Lehrstücks vom Einverständnis« angelehnte aktuell-politische Clownspiel *Der deutsche Michel,* das am 12. Dezember 1949 im Kabelwerk Oberspree aufgeführt wurde. Es handelte sich dabei um eine Werbeveranstaltung des Berliner Ensembles. Offenbar war beabsichtigt, aus Anlaß der geplanten Aufführung der *Tage der Commune* vermehrt Arbeiter anzusprechen, denn zum Volksbühnenpublikum, das die Hauptmasse der Zuschauer des Berliner Ensembles ausmachte, gehörten nur kümmerliche 0,3 Prozent Arbeiter.[14] Die Hoffnung auf ein überwiegend proletarisches Publikum erfüllte sich jedoch auch im Kabelwerk Oberspree nicht. Unter den etwa 300 Zuschauern der Veranstaltung befanden sich nur etwa 20 Arbeiter, »sonst Funktionäre und geladene Gäste«.[15] Immerhin wurde das Clownspiel diskutiert und einer der 20 Arbeiter zeigte sich einverstanden, daß man ihm »nicht schon alles vorgekaut serviere« solle. Über die von Dessau komponierte Musik zum Clownspiel, darunter auch eine Parodie der »Bonner Bundeshymne« (»Deutschland, Deutschland über alles, nur nicht über unser Geld«)[16] war nicht viel mehr zu hören, als daß sie fremdartig wirke.

Ein verschmähtes Geschenk: Die Koloman-Wallisch-Kantate

An ein Arbeiterpublikum hatte sich auch die *Koloman-Wallisch-Kantate* richten sollen, die Eisler 1948 für Wien plante. Auch er setzte wie Brecht große Hoffnungen in das Selbstbewußtsein der Arbeiter und erklärte in seinem wichtigen und mehrfach wiederholten Vortrag »Hörer und Komponist«: »Volkstümlich sein heißt . . ., sich vor allem an die Arbeiter wenden.«[1] Schon am 4. April 1948, unmittelbar nach seiner Rückkehr aus den USA, hatte die Wiener »Volksstimme«, die Zeitung der KPÖ, gemeldet: »Übrigens hat Hanns Eisler der Jugend seiner Stadt ein Geschenk mitgebracht, eine Koloman Wallisch-Kantate, die dem Gedächtnis des 12. Februar 1934 gewidmet ist für Sprecher, zwei Klaviere, Chor und Ziehharmonika, die in jeder Schule aufgeführt werden kann. Wir wollen hoffen, daß das bald in recht vielen Schulen der Fall sein wird.« Wenn Eisler die Kantate damals auch noch nicht vollendet hatte, so zeigen die Besetzungsangaben doch, wie genau seine musikalischen Vorstellungen bereits waren; mit Ausnahme der Woodbury-Chöre hatte er bis dahin noch nie für Schulzwecke komponiert.

Koloman Wallisch, der sozialdemokratische Landesparteisekretär der Steiermark, hatte sich im Februar 1934 spontan an die Spitze der Arbeiter gestellt, die bewaffneten Widerstand gegen die Machtübernahme der Austrofaschisten leisten wollten. Die rechte »Heimwehr« setzte jedoch Haubitzen gegen die Gewehre der Widerstandskämpfer ein, Wallisch wurde mit allen Mitteln, auch mit Flugzeugen, gesucht, gefangengenommen und schließlich in Klagenfurt gehängt. Insgesamt verkündeten Österreichs Faschisten im Jahr 1934 22 Todesurteile, von denen sie neun vollstreckten; die Februarkämpfer selbst schätzten die Zahl der Opfer auf

1 200 Tote und 5 000 Verletzte.[2] Schon Ilja Ehrenburg hatte in seinem Bericht »Der Bürgerkrieg in Österreich« Wallisch als Vorbild hingestellt; Anna Seghers hatte ihre reportagehafte Novelle *Der letzte Weg des Koloman Wallisch*[3] und ihr Buch *Der Weg durch den Februar*[4] diesem revolutionären Ereignis in Österreich gewidmet. Mit dem Februaraufstand 1934, der für die deutschen Emigranten ein Signal bedeutete, befaßten sich literarisch außerdem Friedrich Wolf, Johannes R. Becher, Jura Soyfer und Oskar Maria Graf.[5]

Im Juni 1948[6] schickte Brecht aus Zürich den für Eisler zum Zweck der Vertonung geschriebenen Kantatentext, der wesentlich das Problem der Volksbewaffnung umkreist, teilweise den Passionston anschlägt (»Koloman Wallisch Zimmermannssohn«) und zum Schluß, wie schon beim Film »Hangmen Also Die«, in das »Lidice-Lied« (»Bruder, es ist Zeit«) als Aufforderung zu gemeinsamem Widerstand einmündet. Dem Komponisten gestand Brecht weitgehende Selbständigkeit zu: »Selbstverständlich wirst Du streichen, umstellen, wie es Dir richtig erscheint; solltest Du Neues dazwischen brauchen, formulier es selber und laß es mich dann überarbeiten, wenn möglich.«[7] Nur sehr vorsichtig ließ er eigene musikalische Überlegungen einfließen: »Gespannt bin ich, was Du mit der langen Ballade machen wirst; ich kann mir vorstellen, daß Du mehrere Melodien verwendest und die Begleitung nicht zu simpel hältst. But, it's up to you.«

Daß die *Koloman-Wallisch-Kantate* nie vollendet wurde, hatte nicht künstlerische, sondern politische Gründe. Sowohl von den Kommunisten als auch von den Sozialdemokraten Österreichs wurden nach 1945 die Ereignisse des Februar 1934 totgeschwiegen, da der bewaffnete Widerstand eine spontane, von den Parteiführungen unabhängige Aktion der Arbeiter gewesen war; Koloman Wallisch stellte unter den Parteifunktionären eine Ausnahme dar. Die KPÖ-Funktionäre, denen Eisler 1948 in Wien sein Projekt vorstellte, winkten ab.[8] Über Jahre blieb der Kantatentext Brechts unbekannt; er wurde erst im Supplementband seiner Werke herausgegeben.[9]

Angst vor Proletkult

Es ist anzunehmen, daß Eisler in seiner Musik zur Koloman-Wallisch-Kantate an den Stil seiner »Mutter«-Kantate angeknüpft hätte. *Die Mutter* blieb auch nach 1945 für Brecht und Eisler das zentrale Stück, wenn es galt, Arbeiter zu erreichen; für Wiederaufführungen setzten sich deshalb beide nach ihrer Rückkehr ein. Nachdem am 29. Mai 1949 in der Russischen Stunde in Wien die Rundfunkuraufführung der neugefaßten »Mutter«-Kantate stattgefunden hatte, folgte am 12. Januar 1951 die »Mutter«-Premiere im Berliner Ensemble. Zum erstenmal nach 1933 wurde damit in Berlin wieder ein Brechtsches Theaterstück mit Musik von Eisler inszeniert, und da auch Ernst Busch mitwirkte, trat dabei sogar das alte Dreigespann Brecht-Busch-Eisler in Erscheinung. Für Busch war der Mechaniker Semjon Lapkin die erste Brecht-Rolle, die er nach mehrjähriger Pause spielte. In Buschs Gestaltung dieser Rolle sah Brecht »die erste große Darstellung eines klassenbewußten Proletariers auf der deutschen Bühne«.[1]

Ausgerechnet diese hervorragende und vom Publikum begeistert aufgenommene »Mutter«-Aufführung[2] wurde auf dem 5. Plenum des ZK der SED Mitte März 1951 als Beispiel für Formalismus herangezogen, da es »irgendeine Kreuzung oder Synthese von Meyerhold und Proletkult« sei; das Didaktische werde zum Selbstzweck, und das sei Formalismus.[3] Brecht, der gleichzeitig auch bei der »Lukullus«-Oper Formalismusvorwürfe abzuwehren hatte, konnte das Stück nur mit dem Hinweis auf seine frühe Entstehungszeit und seine klassischen Bezüge verteidigen. Dennoch lehnte die Staatliche Kommission für Kunstangelegenheiten anläßlich einer Polentournee des Berliner Ensembles »Mutter«-Aufführungen ab. Brecht protestierte: »Es ist ... – mit Weigel und Busch – eine der schönsten Aufführungen des Ensembles, das Gegenstück zu ›Mutter Courage‹, positiv und sozialistisch. (...) Auf den ersten Blick scheint das Stück vielleicht beeinflußt vom Agitprop-Theater, seiner Musikelemente wegen, aber in Wirklichkeit folgt es der klassischen Bauweise (vom ›Götz‹ bis zum ›Wozzek‹).«[4]

Nähe zum Agitpropstil und zum Proletkult galten damals als schwere Vorwürfe. Vor allem Ernst Busch war davon betroffen. Manfred Wekwerth, damals Assistent Brechts und heute Intendant des Berliner Ensembles, berichtet: »Eines Tages erging die Order, von einem Musikwissenschaftler in Weimar ausgedacht, Busch sei Proletkult. Alles, was nach politischer Agitation aussah und nicht die Verbrämung etwa über ›Freude schöner Götterfunken‹, also – wenn auch mißbräuchlich – über die Klassik fand, ging in die Linie des Proletkults. Dies sind Erscheinungen, wie sie in der einen oder anderen Form in jeder Umwälzung auftreten. Wir ›veredelten‹ damals gerade unsere Volkskunst zu jener etwas akademischen Suche nach einer deutschen Volkskunst, die es nicht gibt. Dafür gab es ganze Institutionen, wie etwa die ›Staatliche Kommission für Kunstangelegenheiten‹ oder das ›Haus für Volkskunst‹, die Busch schließlich mit der Behauptung eliminierten, er mache Proletkult und würde mit dem klassischen Erbe brechen. Im Rundfunk wurden seine Lieder nicht mehr gespielt.«[5] Busch, das wußte man, hatte immer auf der Seite der Arbeiter gestanden und war von ihnen geliebt worden, während ihn die Bürger mit Mißtrauen beobachteten. In eine Zeit aber, in der man nur auf

Ruhe, Ordnung und künstliche Klassenharmonie bedacht war, paßte er nicht hinein. Sein respektloser Umgang mit seinen Liedern, die er der eigenen Vortragsweise anpaßte und gelegentlich auch textlich aktualisierte, stand ebenfalls im Gegensatz zu den konservativen Auffassungen der neuen Kulturhüter.

1943 hatten die Nazis Busch angeklagt, »durch Gesangsvorträge den Kommunismus in Europa verbreitet« zu haben.[6] Jetzt, 1951, war zwar nicht sein Leben bedroht, jedoch seine Tätigkeit als Sänger. Es half wenig, daß Brecht Busch immer wieder an sein Berliner Ensemble engagierte, daß er einen Aufsatz »Der Volksschauspieler Busch« schrieb und ihn noch 1956 für den Nationalpreis vorschlug – planmäßig wurde Busch als Sänger ausgeschaltet, seine Gesangsaufnahmen in den Rundfunkanstalten wurden vernichtet.[7] Den Schallplattenverlag »Lied der Zeit«, den Busch 1947 auf Drängen sowjetischer Kulturoffiziere gegründet hatte und der wesentlich zur Verbreitung und Wiederentdeckung proletarischer Kampf- und Massenlieder beitrug, mußte er im Mai 1953 aufgeben, da ihm Unterschlagung vorgeworfen wurde. Als Vorwürfe, er habe Buntmetall gestohlen, Aufsehen erregten, sprach Brecht verteidigend von der »hervorragenden Tat eines Robin Hood, der auszieht, Buntmetall zu klauen, um revolutionäre Gesänge zu verbreiten.«[8] Alle Anschuldigungen erwiesen sich als haltlos.

Der Schlag gegen den Sänger war ein Schlag auch gegen Brechts Bemühungen um das Arbeiterpublikum. Es war eine bittere Ironie der Geschichte, daß Brecht, Busch und Eisler, die sich selbst unter den schwierigen Bedingungen der Emigration zeitweise zu kreativem Schaffen zusammengefunden hatten, ausgerechnet jetzt, da sie wieder in der gleichen Stadt Berlin lebten, so wenige künstlerische Pläne zusammen verwirklichen konnten. In der Vergangenheit hatte das Trio Brecht-Busch-Eisler große politische Wirksamkeit bewiesen; diese wurde nun, beim Aufbau des Sozialismus, verworfen.

Aktuelle Stellungnahme mit dokumentarischer Kunst: »Der Herrnburger Bericht« (1951)

Allen Schwierigkeiten zum Trotz gab Brecht sein Ziel nicht auf, ein Arbeiterpublikum anzusprechen und es zu aktivieren. Massenlieder schrieb er nicht mehr, er versuchte jedoch, die Lehrstück- und Agitproptradition wiederzubeleben. Davon zeugt der *Herrnburger Bericht*, eine semiszenische Chorkantate, die sich auf einen aktuellen Vorfall aus dem Jahre 1950 bezieht: An dem von der Freien Deutschen Jugend veranstalteten Deutschlandtreffen Pfingsten 1950 in Ost-Berlin hatten trotz Behinderung durch die Adenauer-Regierung 30 000 Jugendliche aus der Bundesrepublik teilgenommen. Brecht war nicht nur von der gesamtdeutschen und antimilitaristischen Zielsetzung des Treffens[1], sondern auch von den spontanen und lockeren Formen, in denen es sich abspielte, beeindruckt: »Das Pfingsttreffen der FDJ verändert die Stadt ganz und gar. Wie eine enthaltsame Krämerin, die sich betrinkt, wird sie lustig und versteht sich nicht. Abends, auf den Plätzen, bricht eine Art Neapel aus. Man hört überall ihre Kapellen. Sie hocken auf dem Rasen und sehen im Freien Filme.«[2] Ihm imponierte auch, daß die westdeutschen Jugendlichen bei ihrer Heimreise in die BRD sich gegen Kontrollen durch die westdeutsche Polizei zur Wehr setzten; ungefähr 10 000 Jugendliche verweigerten die Registrierung ihrer Namen und wurden deswegen zwei Tage lang in Herrnburg bei Lübeck interniert. Diese Jugendlichen hatten gelernt, »sich selbst zu führen«, wie Brecht es in seinem »Aufbaulied der FDJ« formuliert hatte.

Brecht schrieb seinen »Herrnburger Bericht«[3] aus Anlaß der Weltjugendfestspiele, die vom 5. bis 19. August 1951 in Ost-Berlin stattfanden[4]; ein weiterer Anlaß für Brecht dürfte das Verbot der westdeutschen FDJ, der Jugendorganisation der KPD, durch die Bundesregierung am 26. Juni 1951 gewesen sein. Bei seiner Arbeit stützte sich Brecht auf mündliche Berichte von Teilnehmern im »Herrnburger Kessel« sowie auf Zeitungsmeldungen.[5] Als wörtliches Zitat übernahm er gleich zu Beginn den Sprechchor »Deutsche werden von Deutschen gefangen, weil sie von Deutschland nach Deutschland gegangen«, den die internierten Jugendlichen gegenüber der Polizei angestimmt hatten. Dem schließt sich eine durch zwei Filme ergänzte dokumentarische Szenenfolge an; nach Erläuterungen durch einen Sprecher werden die eigentlichen Berichte und Kommentare vom Chor gesungen. Das Stück ist – hierin auch dem Lehrstück verwandt – als Selbstdarstellung Beteiligter angelegt; unterstrichen wird dies durch die FDJ-Kleidung des Chors. Die Andeutung szenischer Vorgänge durch einfachste Bühnenmittel, so durch zwei Garderobenständer, an denen FDJ-Fahnen beziehungsweise Polizeihelme und -knüppel hängen, erinnert an die Praxis der Agitproptruppen.

Brecht verfaßte den Text Anfang Juli 1951 für Dessau, »nicht zuletzt, um ihm Gelegenheit zu geben, verhältnismäßig einfache Musik beizusteuern«.[6] Der Komponist sollte damit seine Eignung für volkstümliche Genres erneut unter Beweis stellen können. Die öffentliche Uraufführung der »Lukullus«-Oper stand noch bevor, und die Vorwürfe des »mißtönenden Avantgardismus« gegenüber Dessau waren noch lange nicht verklungen. Brecht verfolgte mit der neuen Kantate also auch eine kulturpolitische Absicht: Er wollte dem Komponisten beistehen. Tatsächlich unterscheidet sich Dessaus Musik zum »Herrnburger Bericht« wesentlich von der »Lukullus«-Musik. Mit relativ einfachen tonalen Mitteln unterstreicht sie das lockere Selbstbewußtsein der Jugendlichen, das auch Brechts Text hervorhebt. Als Walzer im Dreivierteltakt ist das »Tanzlied« komponiert, mit dem die Jugendlichen sich über die westdeutsche Polizei lustig machen. Auch im »Lübecklied« kommentiert die Musik die Ermahnungen der Polizei, ohne blaue Fahnen durch Lübeck zu ziehen, weil sonst bei den Lübeckern »ein Schrecken ausbrechen« könnte, mit fröhlicher Ironie.[7]

Als der »Herrnburger Bericht« am 9. August 1951 im Rahmen der Weltjugendfestspiele vom Rundfunkjugendchor und dem Rundfunkkinderchor Leipzig unter der musikalischen Leitung Hans Sandigs und in der Regie Egon Monks uraufgeführt wurde[8], waren die Reaktionen zunächst überwiegend positiv. Im »Neuen Deutschland« hieß es: »Mit diesem Beitrag für die Einheit Deutschlands im Kampf gegen die Remilitarisierung hat Brecht die im Augenblick zentrale Frage in unserem Friedenskampf künstlerisch behandelt und die Feinde des deutschen Volkes beim Namen genannt. Das ist ein bedeutendes Verdienst, und die Begeisterung der Jugend bei der Uraufführung zeigte, wie stark es gelang, die Menschen zu packen.«[9] Zu den vorgesehenen täglichen Aufführungen während der Weltjugendfestspiele kam es jedoch nicht mehr. Das Stück wurde »unterdrückt, am Ende auf Beschluß abgesetzt«.[10] Es half auch nichts, als führende Regierungsmitglieder, denen Brecht und Dessau das Werk daraufhin noch einmal vorführten, sich »im allgemeinen befriedigt« zeigten[11]; denn mittlerweile waren die Weltjugendfestspiele beendet und die jungen Menschen, die erreicht werden sollten, abgereist. Der »Herrnburger Bericht« verschwand in den Schubladen, zumal wenige Jahre später die Gründung der NATO, als Reaktion darauf des Warschauer Pakts, alle gesamtdeutschen Visionen zunichte machte. Nur der Chor »Bitten der Kinder«, eine Bitte um Frieden, wurde auch später noch separat aufgeführt.[12] Brechts Gegner in der DDR hatten sich durchgesetzt. Sie bekamen argumentative Unterstützung von westlichen Journalisten, die anläßlich des »Herrnburger Berichts« vom »Ende von Bert Brecht« sprachen.[13] Auf beiden Seiten galt ein Künstler, der die Höhe seines Olymps verläßt, um sich in aktuelle Fragen einzumischen, als nicht geheuer.

Künstler in die Betriebe und aufs Land!

Weder durch östliche noch durch westliche Einwände ließ sich Brecht zu einem Rückzug auf die Position des »reinen Künstlers« bewegen, trotz aller administrativen Schwierigkeiten gab er seine Versuche nicht auf, in unmittelbaren Kontakt mit einem proletarischen Massenpublikum zu kommen. Zusammen mit Eisler veröffentlichte er am 4. Juli 1952 im »Neuen Deutschland« einen Beitrag, in dem es heißt: »Die Unterzeichneten schlagen die Schaffung kultureller Schwerpunkte in einer Anzahl von Großbetrieben vor. Die Betreuung dieser kulturellen Schwerpunkte würde bestehen:

1. Aus speziellen Schauspiel- und Opernaufführungen in den Theatern oder den Kulturhäusern der Betriebe, sowohl politischer als auch rein unterhaltender Art.

2. Aus der Aufführung speziell verfertigter Programme mit Liedern, Chören, Szenen, Kabarettnummern usw.

3. Aus der Mitarbeit an den kulturellen Veranstaltungen der Betriebe.

Von den üblichen Veranstaltungen müßten sich diese durch eine besonders hohe Qualität und ihre Orientierung auf die spezifischen Bedürfnisse der Betriebsarbeiterschaft unterscheiden.«[1]

Die Aktion blieb ohne großes Echo oder wurde mißverstanden, als wollten Brecht und Eisler »junge lebensfrohe Laienkünstler« heranbilden, wie es sich der in Berlin-Lichtenberg gelegene Großbetrieb Siemens-Plania in einem Brief an Eisler erhoffte.[2] Brechts Kommentar dazu: »Sie haben die Sache genauso mißverstanden, wie wir es erwarteten.«[3] Anders als in den zwanziger Jahren galt Kultur wieder als angenehme Freizeitbeschäftigung. Eisler und Brecht aber wollten das sozialistische Bewußtsein der Arbeiter schärfen, sie suchten eine Kunst, die auch den Alltag prägen und verändern konnte.

Um die Vorschläge zu unterstreichen, komponierte Eisler einen »Kanon für die II. Parteikonferenz«; die Worte »Aber das Neue muß das Alte bezwingen« übernahm er dabei aus dem »Herrnburger Bericht«.[4] Jedoch auch auf dieser Parteikonferenz wurden die Vorschläge Brechts und Eislers so wenig beachtet, daß Brecht sie vier Jahre später anläßlich der III. Parteikonferenz im März 1956 wiederholen mußte.[5]

Bei Brecht fanden die Anregungen und Beschlüsse der SED größere und positivere Resonanz als umgekehrt. Um die angestrebte Bildung landwirtschaftlicher Produktionsgenossenschaften zu unterstützen, regte er Dessau an, sein Epos »Die Erziehung der Hirse« zu komponieren; Eisler sollte aus dem gleichen Anlaß die Bühnenmusik zu dem von ihm betreuten Theaterstück *Katzgraben* von Erich Strittmatter übernehmen. Da Brecht keinen Kontakt zu den Industriearbeitern finden konnte, bemühte er sich nun um die Bauern.

Den Text zum Lehrgedicht *Die Erziehung der Hirse* hatte er schon 1949/50 in Anlehnung an einen Tatsachenbericht des russischen Publizisten Gennadi Fisch geschrieben und ihn zunächst Eisler zur Vertonung übergeben.[6] Erzählt wird die Geschichte des Nomaden Bersijew, der an sich die verschiedenen Stufen der landwirtschaftlichen Entwicklung und Rationalisierung erlebt. Nachdem Eisler das Musikepos nicht wie geplant 1951 vollendet hatte, übergab Brecht das Projekt 1952 Dessau, dem er auch konkrete musikalische Vorschläge machte. »Ich fragte ihn«, erinnert sich der Komponist, »wie ich das bloß komponieren solle. Da setzte er sich hin und sang

Tscha - ga - nak   Ber - si - jew   der   No - ma - de

Ich fand es großartig, bin sofort nach Hause gegangen und fing an. Das war so ein richtiger Anstoß.«[7] Brechts Melodievorschlag, dem er noch einen zweiten leitmotivischen Gedanken gegenüberstellte, machte Dessau zur musikalischen Grundlage des ganzen Epos.[8] Den beiden »Leitmotiven« gab er eine inhaltliche Bedeutung: »Das eine, orientalisch getönte, verbindet sich mit der Person des kasachischen Kolchosbauern; das andere, tänzerisch beschwingte, mit den Siegen sozialistischer Arbeit.«[9] Für Dessau war es »nicht leicht, das Epos formal in den Griff zu kriegen. Ich habe viele kleine Inventionen gebildet, und dann gibt es die wiederkehrenden Refrains, die das Stück – eine Kette von Inventionen – zusammenhalten.«[10] Am 7. November 1952, dem 35. Jahrestag der Oktoberrevolution, hatte der Komponist laut Schlußvermerk seine mit Bariton, Sprecher, gemischtem Chor, Jugendchor und großem Orchester recht umfangreich besetzte Partitur[11] vollendet. Etwas verspätet ermahnte ihn Brecht noch am 15. November, »die ihm vorgestellten Beispiele Meyerscher Oratorienmusik mit ihrem Schmalzersatz und Kunsthonig zu mißachten und lediglich daran zu denken, wie er Kindern – eventuell nach einiger Belehrung – Spaß bereiten kann.«[12] Ernst Hermann Meyers »Mansfelder Oratorium«, das der Stückeschreiber mit seinen spöttischen Worten wohl gemeint hatte, galt damals als Vorbild eines sozialistischen Realismus in der Musik. Diesem Vorbild hat Dessau nicht nachgeeifert. Jedoch wurde sein Musikepos auch nicht das leicht ausführbare und für Kinder geeignete Stück, das Brecht sich gewünscht hatte. Der Stückeschreiber nahm deshalb an der Uraufführung, die am 29. Oktober 1954 unter der musikalischen Leitung Herbert Kegels im Klubhaus der Gewerkschaften in Halle (Saale) stattfand, nicht teil. Diesmal war er nicht von den Kulturpolitikern, die das Werk sogar lobten, sondern von seinem Komponisten enttäuscht. Trotz des offiziellen Lobs wurde das Werk, wohl wegen seiner übergroßen Besetzung, nur selten aufgeführt.[13]

Für die Rehabilitierung von Agitpropkultur und Lehrstück

Es gibt bekanntlich nicht nur hohe Probleme.

Für Brecht, der die Aktivierung der Arbeiter als ein vorrangiges Ziel betrachtete, bedeutete der 17. Juni 1953 nicht nur eine negative Erfahrung. In den Protesten gegen die Normenerhöhung sah er vielmehr auch den Ausbruch der Arbeiter aus ihrer bisherigen Passivität. »In aller Richtungslosigkeit und jämmerlicher Hilflosigkeit zeigen die Demonstrationen der Arbeiterschaft immer noch, daß hier die aufsteigende Klasse ist. Nicht die Kleinbürger handeln, sondern die Arbeiter. Ihre Losungen sind verworren und kraftlos, eingeschleust durch den Klassenfeind, und es zeigt sich keinerlei Kraft der Organisation, es entstehen keine Räte, es formt sich kein Plan. Und doch hatten wir hier die Klasse vor uns, in ihrem depraviertesten Zustand, aber die Klasse. Alles kam darauf an, die erste Begegnung voll auszuwerten. Das war der Kontakt.«[1] Für Brecht bedeutete der 17. Juni eine Chance, zu dem lange gesuchten Kontakt zur Arbeiterklasse zu kommen; in dieser Situation würden, so hoffte er, Massenlieder eine wichtige mobilisierende und bewußtseinsprägende Aufgabe erhalten. Gleich am 17. Juni schrieb Brecht an den Ministerpräsidenten Otto Grotewohl: »Werden Sie im Rundfunk sprechen? Es wäre gut. Wir würden gern als Einleitung und Abschluß Lieder und Rezitationen von Ernst Busch und anderen Künstlern bringen.«[2] Schon früher einmal hatte Brecht wöchentliche Rundfunksendungen, ein »Deutsches Gespräch«, angeboten, bei dem auch Busch und Eisler mitwirken sollten.[3] Wieder warf er nun das mit politischen Massenliedern erfahrene Team Brecht-Busch-Eisler in die Waagschale. Den »anfeuernden Reden« des Rundfunks im amerikanischen Sektor (Rias), bei denen »das Wort Freiheit von eleganten Stimmen gesprochen«[4] wurde, wollte er eine klassenbewußte Gegenposition, massenwirksam, aber frei von Phrasen und »Kaderwelsch«, entgegensetzen. Sein Vorschlag wurde jedoch von den DDR-Sendern, die beruhigen und ablenken wollten, als »zu politisch«[5] abgelehnt.
Immer wieder ist in Brechts Anregungen das Vorbild der Agitproptruppen erkennbar, so, wenn er wenig später Otto Grotewohl, dem er vertraute, »kleine fliegende Kommissionen« empfahl; sie sollten »überall den neuen Stil« einbringen.[6] Im August 1953 versicherte er, daß er gegen Proletkult »nichts habe, im Gegenteil«.[7] Auch der Vorschlag, den er im Herbst 1953 Eisler in Wien machte, nämlich gemeinsam ein Garbe-Stück im Stil der *Maßnahme* oder der *Mutter* zu schreiben[8], »mit einem vollen Akt über den 17. Juni«, deutet darauf hin, wie wichtig es ihm war, daß die Arbeiter aus ihren Protesten die richtigen Lehren zögen. Was ihn an dem Ofenmaurer Hans Garbe interessierte, war die Diskrepanz zwischen hoher Arbeitsleistung und mangelndem politischen Bewußtsein; gerade weil Hans

Garbe kein ausschließlich positiver Held war, schien er ihm als Hauptfigur eines Lehrstücks geeignet. Gegenüber dem Lernen durch Identifikation und Nachahmung hielt Brecht das Lernen durch Kritik für produktiver. Kein Zweifel, daß Brecht mit den bloß defensiven Reaktionen der DDR-Regierung auf die Arbeiterdemonstrationen nicht zufrieden war. »Brecht hatte, gleich Johannes R. Becher und anderen, mit einem sehr weitgehenden politischen Kurswechsel gerechnet, wie er in den Wochen um den 17. Juni von führenden Funktionären der SED (Gruppe Herrnstadt/Zaisser) durchzusetzen versucht wurde, hatte auf Änderungen im Sinne verstärkter politischer Einflußnahme von der Produktionsbasis her gehofft.«[9]

Nachdem der erwartete Kurswechsel ausblieb, ergriff Brecht künstlerische Initiativen, um wenigstens auf diese Weise mitzuwirken an der Wandlung der Arbeiter vom Objekt der Geschichte zu ihrem Subjekt. Zusätzliche Wirkungsmöglichkeiten erhielt er, als er im Januar 1954 in den künstlerischen Beirat des neugegründeten Ministeriums für Kultur berufen wurde; Johannes R. Becher, der neue Minister, hatte ihm diese Chance gegeben. Brecht nutzte seine Position aus, um sich stärker noch als zuvor für die Rehabilitierung des immer noch als »primitiv« geltenden kommunistischen Agitproptheaters einzusetzen. Dazu Manfred Wekwerth: »Brecht begann zu Anfang des Jahres mit seiner Neuentdeckung und Wiederbelebung des Agitprop. Er beauftragte einige Gruppen, im ganzen drei, Bereiche des Agitprop, des Laienspiels, der Clownerie, der Posse zu durchforschen, um diese ›edlen plebejischen Elemente‹ für die ›große Volksaussprache‹ nutzbar zu machen.«[10] Weshalb Brecht sich zu diesen einfachen Formen bekannte, erläuterte er im Februar 1955 vor bildenden Künstlern: »Wir hatten zum Beispiel eine Agitpropkunst in der Weimarer Republik. Über die Qualität werde ich mich jetzt nicht unterhalten. Eine gewisse Wirksamkeit konnte man ihr nicht absprechen. Wenn wir eine solche Wirksamkeit heute erzielen könnten, wären wir sehr froh. Man könnte hier ohne weiteres anknüpfen.«[11] Weiterhin war für Brecht die soziale Funktion von Kunst wesentlicher als ihr immanenter Werkcharakter. Auch die Musik beurteilte er unter dem Aspekt der Wirkung. Im selben Monat begann er mit dem Komponisten Kurt Schwaen Arbeitsgespräche über die Schuloper *Die Horatier und die Kuriatier*.[12]

Brechts Auseinandersetzung mit dem Lehrstück und der Agitpropkunst scheint im Jahr 1956 ihren Höhepunkt erreicht zu haben. Auf dem IV. Deutschen Schriftstellerkongreß im Januar 1956 empfahl er der Sektion Dramatik die »kleinen, wendigen Kampfformen« aus der Agitpropbewegung. Man solle ernsthaft die Frage studieren, »wie wir wieder die kleinen, wendigen Truppen und Trüpplein auf die Beine bringen, wie wir sie mit Texten, Sketchen, Songs, Kampfliedern, die sie brauchen können, versorgen.«[13] Solche Truppen seien gerade jetzt notwendig, denn, so meinte er gegenüber den Dramatikern: »Sie können sich Ihre Revolutionen nicht von Ihren Ministerien allein machen lassen.«[14] Alltagsfragen sollten bei dieser Form des Theaters, das nicht auf Bildung, sondern auf Umbildung zielt, im Vordergrund stehen. »Denn es gibt bekanntlich nicht nur hohe Probleme. Wir müssen nicht unbedingt von der Bourgeoisie auch das übernehmen, daß man konstant die hohen Gefühle und die niedrigen Gefühle hat, was immer nur die Gefühle der Hohen und die Gefühle der Niedrigen waren. Wir können hier tatsächlich ganz ›niedrig‹ verfahren.«[15]

Wie ernst es Brecht mit seinen Anregungen war, wie sehr er auf eine direkte Umsetzung in die Praxis zielte, geht daraus hervor, daß er schon am 20. Februar in seiner Wohnung etwa 50 Mitglieder des Berliner Ensembles und politisch-satirischer Kabaretts versammelte, um mit ihnen über politische Programme kleiner mobiler Gruppen zu sprechen. Laien sollten dabei mit Fachleuten zusammenwirken. Kontroverse Themen sollten nicht ausgespart bleiben: »Es muß die Möglichkeit bestehen, daß man das Publikum trennt, daß man die vorhandenen Klassenströmungen tatsächlich zutage treten läßt.«[16] Auf die Trennung des Publikums hatte Brecht schon bei den ersten Aufführungen der *Mutter* gezielt: Das Publikum sollte nicht bloß konsumieren, sondern aktiv Stellung beziehen. Kunst sollte nicht harmonisieren, sondern im Gegenteil Widersprüche provozieren und hervortreten lassen. »Die Bewußtseinsumformung dauert lange Zeit ... Man muß wagen, zu erzürnen.«[17]

In seinen Gesprächen über ein neues Agitproptheater verwies Brecht immer wieder auf die Erfahrungen vor 1933. Brechts Intentionen dürften auch Eisler mit veranlaßt haben, gerade zu diesem Zeitpunkt, im April 1956, der Zeitung »Sonntag« ein Interview über seine Tätigkeit als Komponist und Klavierspieler beim »Roten Sprachrohr« zu geben, wobei er die Agitpropkunst gegen immer noch existierende Vorurteile verteidigte: »Meine bürgerlichen Kollegen sahen darin eine primitive Beschäftigung und für mich eine ›Erniedrigung‹, aber ich wußte, daß ich so etwas Neues lernen könnte. In den vielen Versammlungen, in denen ich mit dem ›Roten Sprachrohr‹ auftrat, lernte ich die Berliner Arbeiter kennen, lernte für sie zu komponieren (...) Es war eine kämpferische Zeit, und wir alle waren inspiriert von der Intelligenz und Kraft der deutschen Arbeiterschaft.«[18] Das war es, was sich Brecht wieder herbeisehnte: die Intelligenz und Kraft der deutschen Arbeiterschaft; er hoffte auf die »Weisheit des Volkes«.

Bei seinen Vorschlägen berief sich Brecht auch auf sowjetische Vorbilder. »In der Sowjetunion habe ich 1932 solche große Agitprop gesehen, die wunderbare Sachen gebracht haben. Einzelne Nummern wären für uns noch heute interessant, in der Sowjetunion sind sie schon längst überholt. Man könnte davon lernen, umdichten, wegnehmen.«[19] Er hatte sogar schon einen Terminvorschlag: »Im Herbst sollte man auf breiterer Grundlage mit der Arbeit beginnen und sofort einsetzen auf einer schmalen. Einige Schriftsteller müßten zusammenkommen, die direkt über Stoffe sprechen, daß wir Grundtypen herstellen. Dazu können wir Komponisten bitten.«[20] Im Herbst 1956 hätten die Agitproppläne Brechts endlich auf breiterer Basis in die Tat umgesetzt werden sollen. Zur Verwirklichung dieser speziell auf DDR-Verhältnisse bezogenen Pläne kam es nicht mehr, die Wiederbelebung der 1933 zerstörten Arbeiterkultur, an der Eisler und Dessau hätten mitwirken sollen, blieb aus. Brechts Wirkung erstreckte sich damit kaum, wie er es sich erhofft hatte, auf Betriebe, Straßen und Plätze, sondern blieb weitgehend auf das Theater beschränkt.

Musik für das Brecht-Theater

Dessau: Vom »Guten Menschen von Sezuan« zum »Kaukasischen Kreidekreis«

Weniger bekannt als die »Courage«-Musik, jedoch umfangreicher und aufwendiger als diese sind Dessaus Theatermusiken zu den Brecht-Stücken *Der gute Mensch von Sezuan* und *Der kaukasische Kreidekreis*. Beide Stücke entstanden schon im Exil, wurden dem deutschen Publikum aber erst in den fünfziger Jahren in Inszenierungen des Berliner Ensembles vorgestellt. Wie im Fall von *Mutter Courage,* wo Dessau zur Bühnenmusik herangezogen wurde, nachdem Brechts Bemühungen um Simon Parmet in Finnland sowie um Eisler fruchtlos geblieben waren, erhielt Dessau den Kompositionsauftrag erst dann, als für Brecht andere Möglichkeiten ausgefallen waren. Anders als die wichtigsten Brecht-Weill- oder Brecht-Eisler-Arbeiten basieren die wichtigsten Brecht-Dessau-Produktionen auf Texten, die ursprünglich für andere Komponisten konzipiert waren.

Brecht hat sein Stück *Der gute Mensch von Sezuan,* das auf einen dramatischen Entwurf »Die Ware Liebe« von 1926 zurückgeht, zwischen März 1939 und Januar 1941 im skandinavischen Exil verfaßt und der Musik dabei keine zentrale Rolle zugedacht. So fügte er die Texte zu den großen Gesängen erst im letzten Moment ein. »Da das Stück sehr lang ist«, notierte Brecht am 25. Januar 1941 in sein Arbeitsjournal, »will ich es noch mit Poetischem versehen, einigen Versen und Liedern. Es mag leichter und kurzweiliger werden dadurch, wenn es schon nicht kürzer werden kann.« Ganz anders als später beim *Kreidekreis* hat er zum »Sezuan«-Stück keine konkreten musikalischen Anregungen beigetragen, vielleicht deshalb, weil ihm in Finnland, abgesehen vom widerspenstigen Parmet, die Kontakte zu Musikern fehlten, vielleicht auch, weil er für das »Sezuan«-Stück, das wieder an das China der *Maßnahme* und Konfutses anknüpfte, in Finnland wenig Aufführungschancen sah.

Den *Guten Menschen von Sezuan* wollte Brecht auf einer großen, repräsentativen Bühne aufführen lassen. Wohl deshalb verhielt er sich so zurückhaltend gegenüber den Angeboten Piscators, die ab 1941 aus New York kamen[1]; Piscator hatte damals keinen Zugang zu größeren Theatern. Dagegen wehrte sich Brecht nicht dagegen, daß die Uraufführung seines Stücks am 4. Februar 1943 in seiner Abwesenheit im angesehenen Zürcher Schauspielhaus unter der Regie von Leonard Steckel stattfand. Hoffnungen setzte er daneben aber auf den Broadway. Tatsächlich rückten die Broadway-Chancen, die er erstmals im Juni 1942 für sein »Sezuan«-Stück witterte[2], im Mai 1943 in greifbare Nähe, als Kurt Weill nämlich nicht nur Interesse am *Schweyk,* sondern auch an einer Broadway-Fassung des *Guten Menschen* zeigte.

In einem im Januar 1944 geschlossenen Vertrag erhielt Weill das Recht, für die Broadway-Adaption des »Sezuan«-Stücks selbst einen Autor zu suchen. Lotte Lenya, für die schon die Wirtin Kopecka im *Schweyk* konzipiert war, sollte beim »musical drama« *Sezuan* die Hauptrolle der Shen Te/Shui Ta übernehmen. Ferner durfte Weill für die Dauer von 30 Monaten exklusiv Produktionsverträge schließen. Trotz dieser weitreichenden Vollmachten, die Brecht ihm einräumte, hat Weill nie eine »Sezuan«-Musik komponiert. Die Gründe für seine negative Entscheidung sind bisher unbekannt. Schon im Januar 1945, noch vor Ablaufen des Vertrages, schrieb Brecht in einem Brief an Leo Kerz, das Stück sei wieder frei von Weill.[3] Damit ergaben sich Chancen für andere Komponisten.

Weill hätte das »Sezuan«-Stück, wäre es zu einem »musical drama« gekommen, vermutlich wesentlich gekürzt, um der Musik um so breiteren Raum geben zu können. Eine reguläre Bühnenmusik schrieb dagegen der schweizerische Komponist Huldreich Georg Früh für die Züricher Uraufführung des vollständigen Stücks in enger Zusammenarbeit mit dem Regisseur.[4] Brecht hat diese ebensowenig kennengelernt wie die Musik, die der Webern-Schüler Ludwig Zenk zur österreichischen Erstaufführung im Wiener Theater in der Josefstadt am 19. 3. 1946 beisteuerte.[5] Weil Brecht nun anscheinend auf die musikalische Gestaltung stärker Einfluß nehmen wollte, gab er 1947 in Santa Monica bei Paul Dessau eine neue »Sezuan«-Musik in Auftrag. Dessau war durch sein Interesse für chinesische und exotische Musik sowie durch seine räumliche Nähe dafür prädestiniert. Außerdem fiel Eisler damals durch seine Auseinandersetzungen mit den McCarthy-Ausschüssen aus.

Die Hauptfunktion der »Sezuan«-Musik ist es, das lange Stück aufzulokkern. Anders als etwa in *Die Mutter* oder *Mutter Courage* sind die musikbegleiteten Teile hier nicht notwendiger Bestandteil der Handlung, sondern Einschübe, die sich ans Publikum richten. Brecht wünschte sich dabei auch die Komposition von Sprechtexten. 24 der insgesamt 36 Musikstücke aus Dessaus Bühnenmusik sind Melodramen. »Zum ersten Male komponierte ich hier lyrische Passagen, die man sonst allgemein spricht.«[6] Anders als in den üblichen Melodramen, so etwa auch in den melodramatischen Abschnitten aus Eislers Erstfassung der »Mutter«-Musik, läßt Dessau in seinen »Sezuan«-Melodramen den Text meist unbegleitet sprechen; nicht einmal der Deklamationsrhythmus ist immer festgelegt. Sparsame Einwürfe von Instrumentalmusik haben lediglich die Aufgabe, die einzelnen Verszeilen zu trennen und zu kommentieren.[7]

Größere Bedeutung erhält die Musik in den sechs Gesängen, so dem »Lied vom Rauch«, einem Gleichnis über die Vergänglichkeit, im »Lied vom Sankt Nimmerleinstag« über das Ausbleiben des jüngsten Gerichts, oder im *Lied vom achten Elefanten*[8], bei dem sich Brecht an Erzählungen Rudyard Kiplings anlehnte.[9] Dieses Lied, ebenfalls eine Parabel, die sich an das Publikum richtet, münzen die Arbeiter aus der Tabakfabrik des Herrn Shu Fu kritisch auf ihren Vorarbeiter Yang Sun, der sie zu immer größerem Tempo antreibt. Einst war er arm wie sie; nun ist er zur rechten Hand des Chefs aufgestiegen. Die Gegenüberstellung der sieben wilden mit dem zahmen achten Elefanten, der die anderen im Auftrag seines Herrn in Schach hält, ist ein Gleichnis über die Spaltung der Arbeiterschaft, von der allein die Herrschenden profitieren, eine Parabel über den Gegensatz zwischen einfachen Arbeitern und leitenden Angestellten. Dessaus Komposition, mit Klarinette, Trompete, Schlagzeug und Gitarrenklavier jazzig-aggressiv instrumentiert, basiert hinsichtlich ihres robusten Gestus auf Vorschlägen von Brecht.[10] So wie das Lied zunächst nur von einem Arbeiter angestimmt und dann von den anderen aufgegriffen wird, so steigert sich auch in Dessaus Vertonung die Lautstärke von Strophe zu Strophe; der zunächst vorsichtige Protest wird allmählich deutlicher vernehmbar. Da er jedoch insgesamt schwach bleibt, fühlt sich Yang Sun, der Vorarbeiter, nicht bedroht. Unbesorgt hört er sich das Lied an, singt lachend den Refrain der dritten Strophe mit und beschleunigt sogar in der letzten Strophe das Tempo; seine von den Untergebenen grollend zitierten Befehle »Trabt schneller! Grabt schneller!« greift er zustimmend auf. Zynisch funktioniert er den Protest in ein Mittel zu weiterer Ausbeutung, zu weiterer Steigerung des Arbeitstempos um. Das Aufmucken erscheint ihm so schwach und ungefährlich, daß er es in seinem Sinne verwerten kann. Den Arbeitern werden ihre Worte im Munde verdreht. Ehe sie es bemerken, hat Yang Sun ihren Einspruch in Zustimmung umgedeutet, ehe das Lied wirksam werden konnte, hat sich seine Bedeutung verkehrt. Brecht merkte deshalb an: »Man muß da auf eine billige revolutionäre Wirkung unbedingt verzichten gegenüber der etwas bitteren Wahrheit. Das Lied wird von den Tabakarbeitern zwar als Spottlied auf den Aufseher gesungen, der Sinn der Szene besteht aber darin, daß der Aufseher schlauerweise die Tabakarbeiter zur schnelleren Arbeit anpeitscht, indem er den Rhythmus des Gesangs beschleunigt: die Singenden müssen also sozusagen geradezu ins Japsen kommen, während der Aufseher, bequem sitzend, lacht. Die Szene zeigt eher die Schwäche des Widerstandes als seine Stärke und soll dadurch tragisch wirken.«[11]

Ohne daß dies ausdrücklich von Brecht beabsichtigt war, kann sein »Lied vom achten Elefanten« auch als Parabel über die kapitalistische Verwertung von Protestliedern interpretiert werden. Fast alle Varianten der kommerziellen populären Musikunterhaltung entstanden ursprünglich bei unterdrückten Bevölkerungsschichten: der Jazz als Musizierform der unterprivilegierten afro-amerikanischen Bevölkerung[12], der Beat als Ergebnis der Rassenmischung in der englischen Hafenstadt Liverpool[13], der Soul als Musik der Schwarzen in der trostlosen Industriestadt Detroit. Diese Linie setzt sich bis heute fort. Es gibt keine populäre Musikform, die in Mittelstand oder Oberschicht wurzelt. Reggae kam als Ausdruck des Protests in Jamaica auf, Punk-Musik entstand bei arbeitslosen Jugendlichen, Breakdance in den Farbigenghettos amerikanischer Großstädte. Antriebskraft vieler populärer Musikformen ist die Unzufriedenheit mit den Lebensverhältnissen und der Wille, sich dagegen zu behaupten. Stets jedoch ist es der kapitalistischen Unterhaltungsindustrie bisher gelungen, selbst noch den Protest aufzugreifen, ihn zu verwässern und in unverbindlichen Kommerz zu verwandeln. Es genügt, die ästhetische Hülle, den »Sound«, beizubehalten und allzu »krasse« Texte abzumildern. Die einstige Auflehnung ist dann nicht mehr Auflehnung, sondern Freizeitvergnügen. Bis heute werden Lieder, die sich eigentlich gegen eine Gesellschaft der Ungerechtigkeit und der Ausbeutung richten, zu ihrer Bestätigung mißbraucht. Brecht formulierte es einmal in einem anderen Zusammenhang so: »Das gegen ihn gespritzte Gift verwandelt der Kapitalismus sogleich und laufend in Rauschgift und genießt dieses.«[14]

Im »Lied vom achten Elefanten«, das ebenfalls die Vereinnahmung von Protest beschreibt, sind Strophe und Refrain jeweils deutlich voneinander unterschieden. Während die Strophen vom Gegensatz zwischen Arbeitern und Aufseher handeln, gibt der Refrain die Kommandos, das Antreiben zu schnellerem Arbeitstempo, wieder. Entsprechend stehen bei Brecht den rhythmisch freien Strophen streng auf jambischen Trimetern basierende Refrains gegenüber. Dessau hat in seiner Vertonung diesen rhythmischen Kontrast aufgegriffen. Den synkopischen Gegenakzenten der Strophe – gleichsam die Male des Einspruchs und Widerspruchs – ließ er im Refrain eine mechanisch gleichmäßige Achtelbewegung folgen. Ist es in den Strophen noch unentschieden, ob nicht die sieben Elefanten die Oberhand gewinnen, so steht im Refrain die Befehlsgewalt des achten Elefanten außer Frage. Am Rhythmus ist erkennbar, daß sich gegen den Geist der Freiheit und Rebellion die hergebrachte Ordnung durchsetzt. Die »wilden« Jazzelemente der Strophen sind im Refrain zu glattem und flottem Dixieland gezähmt, zu einer Musik ohne Stachel.

Wegen ihrer kunstvollen motivischen Arbeit ist Dessaus Vertonung auch unter dem Aspekt des kompositorischen Handwerks interessant. Ein fünftöniges Motiv, bestehend aus einer skalenartigen Auftaktgruppe und einem betonten fallenden Terzintervall

wird schon im Klaviervorspiel imitiert und variiert:

In der Strophe kehrt das Motiv auf vielfältigste Weise verändert in Singstimme und Klavierbaß wieder, bald erweitert, bald verkürzt.

Von den Gesängen aus Dessaus Bühnenmusik zum *Guten Menschen von Sezuan* hat das »Lied vom achten Elefanten« mit vollem Recht die größte Bekanntheit erlangt. Wie die anderen »Sezuan«-Gesänge beschreibt auch dieses Lied eine Niederlage. Brecht will sein Publikum damit aber nicht zur Resignation verleiten, sondern im Gegenteil zum Widerspruch herausfordern.

Der Musik zu seinem Stück *Der kaukasische Kreidekreis* hat Brecht, anders als beim *Guten Menschen von Sezuan,* von Beginn an große Bedeutung zugemessen. Dieses wichtigste Bühnenwerk aus seiner amerikanischen Exilzeit ging auf einen Auftrag der Hollywood-Schauspielerin Luise Rainer zurück. Die gebürtige Österreicherin war verheiratet mit dem Dramatiker Clifford Odets, den Brecht im Mai 1942 durch Eisler kennenlernte. Schon bald kam es zu einem Treffen mit Luise Rainer. Als sie dabei erwähnte, wie gerne sie Klabunds *Kreidekreis* spielen würde, versprach

Brecht, für sie einen eigenen »Kreidekreis« zu schreiben, der für den Broadway geeignet sein sollte. Am 4. und 5. Februar 1944, einen Monat also nach der »Sezuan«-Vereinbarung mit Weill, schloß er in New York mit dem Finanzmann Jules J. Leventhal einen Vertrag über ein Stück *Der kaukasische Kreidekreis*. Es war Brechts erster Broadway-Vertrag. Mit Feuereifer machte er sich an die Arbeit und hatte mit Unterstützung Ruth Berlaus, Lion Feuchtwangers, Hans Winges und Hanns Eislers sein Stück schon nach wenigen Monaten vollendet.

Obwohl der *Kaukasische Kreidekreis* für den Broadway entstand, war er diesem jedoch in vielen Punkten fremd. Wenn Brecht auch durch »gewisse Elemente des älteren amerikanischen Theaters«[15] dem amerikanischen Publikumsgeschmack entgegenkommen wollte, so fiel schon die Länge des Stücks aus dem Rahmen. Für Brecht war die Länge freilich nicht nur inhaltlich notwendig, sondern auch ein Politikum; darin glich er Richard Wagner, der mit seiner »Ring«-Tetralogie ebenfalls Normen der Aufführungspraxis und des Verhältnisses von Kunst und Alltag sprengen wollte. Schon aus Anlaß seines *Guten Menschen von Sezuan* hatte Brecht geschrieben: »Das Stück beweist, daß die neuere Dramatik eine Kürzung der Arbeitszeit verlangt. Es kann leicht sein, daß sogar Mittagsstunden für sie frei gehalten werden müssen.«[16] Damit überschätzte er die unmittelbare Wirkung von Kunst beträchtlich. Bislang wurde weder die Dauer von Kunstereignissen noch die von Sportveranstaltungen oder Fernsehprogrammen als Argument für eine Verkürzung der Arbeitszeit benutzt.

Nicht nur die Länge des »Kreidekreis«-Stücks, sondern auch die dazugehörigen musikalischen Ideen Brechts wichen von Broadway-Normen ab. Dem Broadway entspricht zwar der hohe Musikanteil – in keinem anderen Brecht-Stück wird mehr gesungen –, jedoch sind ihm die arabischen und chinesischen Traditionen, an die sich Brecht dabei anlehnte, fremd.[17] Ein Sänger, vergleichbar dem Erzähler aus »Tausendundeine Nacht«, bringt das Ganze zum Vortrag; in die Ziegenkolchose der Rahmenhandlung hat er Schauspieler mitgebracht, die seine Erzählung illustrieren. In keinem anderen Stück ist Brecht seinem Ideal eines epischen Sängers, bei dem sich Vorstellungen vom antiken Rhapsoden mit der Erfahrung des Bänkelsangs mischen, so nahegekommen wie im *Kaukasischen Kreidekreis*. In der *Dreigroschenoper*, im *Leben Eduard des II. von England* oder im *Galileo Galilei* waren Balladen- und Moritatensänger nur Randfiguren gewesen; bei *Furcht und Elend des dritten Reiches* wurde immerhin jede Szene durch eine Balladenstrophe eingeleitet. Aber erst im *Kaukasischen Kreidekreis* steht die Gestalt des Sängers ganz im Vordergrund. Er erzählt und inszeniert die beiden Geschichten von Grusche, der wahren Mutter, und von Azdak, dem wahren Volksrichter; er vermittelt zwischen Szene und Publikum, darin einem modernen Conférencier vergleichbar.

Brecht scheint zunächst Eisler, der ohnehin mit den Odets gut befreundet war, für die Bühnenmusik vorgesehen zu haben. Als er im Januar 1945 den Dichter Wystan Hugh Auden um die Adaption der englischsprachigen »Kreidekreis«-Übersetzung bat, fügte er hinzu, die Gedichte sollten zuerst fertiggestellt werden, da Eisler sie so schnell wie möglich benötige.[18] Dieser machte damals jedoch lediglich ein paar Skizzen. »Ich kann keine Theatermusik komponieren, wenn es nicht zur Aufführung kommt.«[19] Warum es trotz eines existierenden Vertrages zu keiner Broadway-Aufführung kam, ist beim *Kreidekreis* ebenso rätselhaft wie beim »Sezuan«-Stück. Zwar hatte sich Brecht, der durch Arroganz Menschen verletzen konnte, sich schon bald mit Luise Rainer zerstritten[20]; der Vertrag besaß jedoch auch unabhängig von der Schauspielerin Gültigkeit. Bei Eisler entstand der Plan, seine begonnene »Kreidekreis«-Musik von Theateraufführungen unabhängig zu machen; er entwarf das Projekt einer »Kreidekreis«-Oper.[21] Bei seiner Ankunft 1948 in Berlin kündigte er, wie bereits erwähnt, ein »Kreidekreis«-Oratorium an. Verwirklicht wurden diese Projekte nicht. Etwa gleichzeitig, am 4. Mai 1948, fand jedoch in den USA die Uraufführung des »Kreidekreis«-Stücks statt – nicht, wie vorgesehen, am Broadway, sondern weit entfernt davon in einem amerikanischen College im Mittleren Westen.[22] Die Musik, an die Brecht so besonders hohe Erwartungen gestellt hatte, schrieb anläßlich dieser Aufführung eine ansonsten unbekannte Komponistin namens Katherine Griffith. Brechts erstes vertraglich vollkommen fixiertes Broadway-Projekt endete in der Provinz.

Auch in Europa sollte es noch mehrere Jahre dauern, bis sich der *Kaukasische Kreidekreis* die Bühnen eroberte. Die Musikfrage blieb zunächst ungelöst; noch führte der Weg nicht zu Dessau. 1950 schlug Brecht sein Stück Gottfried von Einem für Salzburg vor. Als er 1952 eine Inszenierung am Berliner Ensemble plante, wandte er sich wegen der Musik an Carl Orff.[23] Dieser war gerade mit der Oper *Ödipus der Tyrann* beschäftigt, hoffte Brecht allerdings bei der Frankfurter »Sezuan«-Premiere zu treffen. Aus Termingründen konnte dieser nicht nach Frankfurt reisen, versprach aber: »Wenn die geringste Möglichkeit wäre, daß Sie eine Musik zum ›Kreidekreis‹ schreiben, würde ich Ihnen meine Gedanken darüber zumindest schriftlich mitteilen, und ich würde auch versuchen, nach München zu kommen, sobald ich das könnte.«[24] Nach der endgültigen Absage Orffs überlegte Brecht sich Alternativen; er dachte dabei an Wagner-Régeny, Blacher und Einem.[25]

Anscheinend stand 1953 auch Eisler wieder zur Debatte. Brechts Verleger Peter Suhrkamp riet jedoch ab. Am 4. August 1953 schrieb er an Brecht: »Ich möchte Sie doch sehr bitten, die Musik zum ›Kaukasischen Kreidekreis‹ wie für den ›Guten Menschen von Sezuan‹ von Dessau schreiben zu lassen. Hintergrund meiner Bitte ist nicht etwa, daß ich Dessau Eisler vorziehen würde. Mir scheint aber, daß wir in der gegenwärtigen Situa-

tion genötigt sind, in erster Linie praktische Gesichtspunkte sprechen zu lassen. Sie wissen, daß Wuppertal und Mannheim kürzlich Stücke von Ihnen vom Spielplan absetzten. Ob Hannover den ›Guten Menschen von Sezuan‹ spielen wird, weiß ich nicht bestimmt. Die Hintergründe (die Zeitungsnotizen aus der letzten Zeit) sind Ihnen bekannt. Buckwitz ist im Moment der einzige, der an einer Aufführung vom ›Kaukasischen Kreidekreis‹ in der nächsten Spielzeit festhält. Er legt größten Wert darauf, darin wieder mit Dessau arbeiten zu können, weil er mit der Arbeit am ›Guten Menschen von Sezuan‹ Erfahrungen hat. Ich glaube, wir dürfen im Moment den Bogen bei Buckwitz nicht überspannen. Sie sollten also die Musik für den ›Kaukasischen Kreidekreis‹ von Dessau schreiben lassen.«[26] Zu den Hintergründen dieses Schreibens gehört der Boykott, den mehrere westdeutsche Bühnen nach dem 17. Juni 1953 gegen Brecht verhängten. Schon im Dezember 1952 hatte Hanna Reuter, die Frau des damaligen Regierenden Bürgermeisters von West-Berlin, den Frankfurter Oberbürgermeister aufgefordert, alles zu tun, um die Aufführung von Brechts *Gutem Menschen von Sezuan* »von dem Spielplan des Frankfurter Theaters verschwinden zu lassen«.[27] Harry Buckwitz, der Generalintendant des Frankfurter Schauspiels, leistete gegen alle Angriffe mutig Widerstand. Suhrkamps Annahme, daß Buckwitz für die »Kreidekreis«-Bühnenmusik Eisler ablehnte und Dessau vorzog, war unzutreffend.[28] Allerdings galt Eisler wegen seiner DDR-Nationalhymne in der Bundesrepublik als politisch kontroverse Figur, woraus sich Suhrkamps Einsetzen für Dessau möglicherweise erklärt. In einem Brief an Brecht vom 16. 11. 1952 hatte der Verleger Dessaus Musik zwar als »eher zu zahm« charakterisiert, jedoch hinzugefügt: »Es war gut mit ihm zu arbeiten . . .«[29]
Brecht, dem es wichtig war, daß sein »Kreidekreis«-Stück nicht allein in der DDR, sondern auch in der BRD gespielt wurde, fügte sich Suhrkamps Wunsch und vergab den Kompositionsauftrag an Dessau. Schon 1944 hatte er ihm einmal eben diesen Auftrag gegeben. Dessau hatte sich damals zurückgezogen, als er erfuhr, daß Brecht auch an Eisler die gleiche Bitte gerichtet hatte. Nicht selten vergab Brecht einen Auftrag mehrfach, um sich dann das beste Ergebnis heraussuchen zu können. Den Beauftragten gegenüber, die von der Existenz eines Konkurrenten nichts ahnten, war dies höchst unfair. So dürfte sich Dessau 1954 noch einmal vergewissert haben, daß er der einzige Komponist war, der mit der »Kreidekreis«-Musik betraut wurde. Dann allerdings machte er sich sofort an die Arbeit.
Noch im Sommer 1953 begannen »lange und ausführliche Vorbesprechungen«, die, wie sich der Komponist erinnert, »oft recht hartnäckig verliefen«.[30] Brecht, der seine Vorstellungen von einer »Kreidekreis«-Musik sogar schriftlich fixiert hatte und nun auf den Broadway nicht mehr Rücksicht nehmen mußte, erhoffte sich von den Gesängen des Erzählers eine »kalte Schönheit«. »Es scheint mir möglich, aus einer gewissen Monoto-

nie besondere Wirkung zu holen; jedoch sollte die Grundmusik für die fünf Akte deutlich variieren. Der Eröffnungsgesang des ersten Aktes sollte etwas Barbarisches haben, und der unterliegende Rhythmus sollte den Aufmarsch der Gouverneursfamilie und der die Menge zurückpeitschenden Soldaten vorbereiten und begleiten.«[31] Am Aktende wünschte er sich einen »kalten« Pantomimengesang; dadurch sollte dem Mädchen Grusche ein Gegenspielen ermöglicht werden, sie sollte sich gegen die Kälte zur Wehr setzen. Nicht selten forderte Brecht eine Musik, die nicht Einfühlung sondern im Gegenteil Distanzierung bewirkt.

Dessau hatte mit der »Kreidekreis«-Musik große Schwierigkeiten; Brecht machte es ihm nicht leicht. Mit der ersten Musikfassung, die noch 1953 in Brechts Sommerhaus in Buckow entstand, war der Stückeschreiber unzufrieden. Auch der Komponist meinte: »Sie war viel zu knapp, viel zu kühl, viel zu unsinnlich; sie war einfach nicht geglückt.«[32] Oft fühlte sich Dessau bei seiner Arbeit durch Brechts Temperament und auch seinen Gesang irritiert, griff jedoch auch einzelne seiner melodischen Vorschläge auf, so im Dezember 1953 ein fünftöniges Motiv von Brecht, das er – in Anspielung auf J. S. Bach – als »Musikalisches Opfer« variierte. Am 4. März 1954 endlich wurde die zweite Fassung der umfangreichen »Kreidekreis«-Bühnenmusik beendet. Sie umfaßte insgesamt 48 Nummern, im wesentlichen keine Melodramen wie beim »Sezuan«-Stück, sondern Gesänge.

Die von Brecht gewünschte »kalte Schönheit« der »Kreidekreis«-Musik erzielte Dessau durch weitgehendes Abweichen vom klassisch-abendländischen Musik- und Harmonie-Ideal, durch dissonante Akkorde, sperrige Rhythmen und eine aus der jüdischen Synagogalmusik übernommene Ornamentik und Melismatik.[33] Wie schon in seinen »Glücksgott-Liedern« verzierte er dabei selbst Nebensilben des Textes. Fremdartig wirkt Dessaus Musik ferner durch Melodiezitate aus der aserbaidschanischen Folklore[34] sowie durch das Instrumentarium, das neben Volksmusikinstrumenten wie Akkordeon, Mandoline und Gitarre auch exotische Schlaginstrumente umfaßt. Eigens für die »Kreidekreis«-Musik erfand der Komponist ein neues Instrument, das »Gongspiel«.[35]

Bei den Proben bereitete die Musik wieder Schwierigkeiten. So viele Proben wurden notwendig, daß Brecht Reduzierungen vorschlug. Als Dessau den Eindruck hatte, daß sich der Stückeschreiber nicht genügend für die Musik einsetzte, resignierte er und zog sich aus Protest zurück. Da die musikalische Einstudierung dadurch erst recht ins Stocken geriet, entwarf Brecht ein Schreiben, mit dem er den verärgerten und enttäuschten Komponisten wieder aufmuntern und zur Rückkehr bewegen wollte: »Großer Entschwundener, Herr der hinteren Wolkengebirge! Deine schimpfenden Sklaven sitzen über Deiner Oper und entziffern die dünnen Hieroglyphen, die Du geruht hast zu hinterlassen. In Schweiß gesetzt durch die Begierde, es Dir recht zu machen, o Herr der flüchtigen Hinweise, begrüßen sie Dich knurrend.«[36]

Am 7. Oktober 1954 konnte nach langen Vorbereitungen die »Kreidekreis«-Premiere endlich stattfinden. Es war für das Berliner Ensemble die erste Aufführung eines Brecht-Stücks in jenem Theater am Schiffbauerdamm, in dem der Stückeschreiber Jahrzehnte zuvor seinen »Dreigroschenoper«-Triumph erlebt hatte; bis 1954 war das Ensemble im Deutschen Theater aufgetreten. Die Wiedergabe der schwierigen Musik war immer noch nicht perfekt; außerdem wurden für die beiden Nebensänger nicht, wie vorgeschrieben, Männerstimmen, sondern Frauenstimmen verwendet. Dessau hatte aber das Glück, daß Ernst Busch die wichtige Rolle des Sängers übernahm und damit den größten Teil der insgesamt 41 Gesänge vortrug. Als Sänger hatte Busch, der in einer Seitenloge zwischen Bühne und Publikum plaziert war, die Szenen anzukündigen, die Handlung zu kommentieren und zu lenken, das Publikum einzubeziehen und auch Gedanken der Akteure wiederzugeben.[37]

Buschs Auftritte wurden von der Kritik zu den Höhepunkten der Aufführung gezählt.[38] Ernst Busch, so war im Ost-Berliner »Sonntag« zu lesen, »hatte die wandlungsfähige, melodische Stimme, die dem balladesken Sprechgesang, den Paul Dessau komponierte, Kraft und Glanz verlieh.« Zusätzlich spielte Busch auch noch den Volksrichter Azdak. Dazu hieß es in der gleichen Zeitung: »Busch gab dem Azdak Schläue, Wendigkeit, die Unverfrorenheit des Mundwerks, die Hintergründigkeit seines Witzes und die pure Alltäglichkeit seiner Weisheit.« Brechts Kommentar lautete: »Das ganze Leben Buschs, von der Kindheit im proletarischen Hamburg über die Kämpfe in der Weimarer Republik und im spanischen Bürgerkrieg zu den bitteren Erfahrungen nach 45 waren nötig, diesen Azdak hervorzubringen.«[39]

Von offizieller Seite in der DDR wurde die Aufführung damals jedoch nicht anerkannt; im maßgeblichen »Neuen Deutschland« erschien keine Kritik. Noch immer galt das epische Theater als formalistisch und der Sänger Ernst Busch als ein Vertreter des Proletkults.

Zur musikalischen Vorbereitung der Frankfurter Aufführung schickte Buckwitz seine Mitarbeiterin, die Komponistin Aleida Montijn, nach Berlin, wo sie mit Brecht und Dessau zusammentraf. Anscheinend äußerte Brecht bei diesem Gespräch einige Vorbehalte gegen Dessaus Musik, die er bald darauf in einem Brief an Buckwitz präzisierte: »Die Musik scheint mir hauptsächlich deswegen für das Publikum schwer, weil sie für die Musiker und Sänger schwer ist und man dies fortgesetzt merkt. Es entsteht kein Augenblick das Gefühl der präzisen Lässigkeit des lustigen Beitrages, ohne das alles eben todernst wird. Im Augenblick könnte die Musik viel davon gewinnen, wenn sie weise reduziert und vereinfacht würde. Die Musik müßte eben helfen und nicht Hilfe benötigen. Dabei halte ich sie für wirklich bedeutend und bahnbrechend. Es ist eine reine Zeitfrage, daß sie richtig wirken wird. Bahnbrechen ist eben eine Tätigkeit, die Weisheit verlangt.«[40]

Brecht schrieb diesen Brief, eine Aufforderung zu musikalischer Vereinfachung, am 1. März 1955 unter dem Eindruck eines erneuten Streits mit dem Komponisten. Dieser hatte dem Berliner Ensemble vorgeworfen, nicht genügend für die »Kreidekreis«-Musik getan zu haben. Brecht antwortete Dessau am 2. März, der Musiketat sei tatsächlich beträchtlich überzogen worden, so daß eine vereinfachende Bearbeitung notwendig sei. Die Musik »macht einen angestrengten Eindruck und strengt dadurch an. Ich bin also für den Versuch, vorläufig Vereinfachungen und Reduzierungen auszuprobieren, auch hier.«[41]

Auch weiterhin hatte Dessau Schwierigkeiten mit der »Kreidekreis«-Musik. Wegen einer Krankheit konnte er bei den musikalischen Einstudierungen in Frankfurt nicht anwesend sein. Zuversichtlich schrieb er jedoch am 2. April an Harry Buckwitz: »Nun kommt der Dichterfürst ja + der kennt meine Muse ja aus erster Hand + ist mit einem guten Ohr begabt. Warum sollte eigentlich nicht alles klappen!!!«[42] Tatsächlich reiste Brecht vom 22. bis 27. April nach Frankfurt, um dort die letzten Proben zu überwachen; schon bei der Frankfurter »Sezuan«-Aufführung hatte er mit der Hauptdarstellerin die Art der musikalischen Rezitation besprochen.[43] In Frankfurt wurden die Rollen des Sängers und des Volksrichters wieder voneinander getrennt. Otto Rouvel war der Sänger, von dem sich Dessau vor allem Lockerheit, Leichtigkeit und Verständlichkeit erhoffte, und Hanns Ernst Jäger der Azdak.[44]

Nach der Frankfurter Premiere am 28. April 1955 erschienen gerade zu Otto Rouvel und Hanns Ernst Jäger positive Kritiken[45], die Dessau auf seinem Krankenlager mit Zufriedenheit registrierte. Die Einwände, die er dennoch am 6. Mai brieflich gegenüber Buckwitz äußerte, bezogen sich nicht auf die Zeitungskritiken, sondern auf einen Bericht Brechts. Dieser hatte bei seinem Frankfurtbesuch festgestellt, daß die dortigen Musiker besser seien als die Berliner; es seien außerdem für die beiden Nebensängerparts, wie von Dessau gewünscht, Männerstimmen gewählt worden. Diese positiven Nachrichten trübte Brecht aber durch den Hinweis, daß die beiden Sänger kaum die Höhe erreichten und so alles scheußlich klänge. Dessau ärgerte dies nicht nur, weil er sich von dem Frankfurter Chefdirigenten Christoph von Dohnanyi eine Besetzung mit akzeptablen Sängern erwartet hatte. Vielmehr wurmte es ihn auch deshalb, weil Brecht – »der alte Türke!«, wie Dessau in seinem Brief grimmig hinzufügte – im Unterschied zu ihm selbst immer für eine Besetzung mit Frauenstimmen plädiert hatte. Brecht konnte den Mißerfolg der beiden Frankfurter Sänger als Bestätigung seiner eigenen Auffassung verbuchen, Dessau dagegen als eine Niederlage. »Die Kreidekreis-Musik ist ein Kreuz!« lautete sein

Stoßseufzer gegenüber Harry Buckwitz. »Dabei versichere ich Ihnen, daß es eine gute Musik ist, die bislang unter der unzureichenden Wiedergabe leidet.«

Obwohl Brechts Inszenierung des *Kaukasischen Kreidekreises* spätestens seit dem erfolgreichen Paris-Gastspiel des Berliner Ensembles im Juni 1955 zu den europäischen Theaterereignissen gezählt wurde, stieß Dessaus Musik auch weiterhin auf herbe Kritik. Erwin Piscator, der sich vergeblich um die Rückkehr nach Ost-Berlin bemühte[46], notierte sich im Oktober 1955 nach einem Besuch der »Kreidekreis«-Inszenierung des Berliner Ensembles in sein Tagebuch: »Die Musik ist epigonenhafte Oper à la Eisler und Weill – aber ganz gegen den Stil der Gebrauchsmusik, sie macht nicht klar, erklärend, sondern unklar, verwirrend, verwischend.«[47] Dessau hat seine schwierige und umfangreiche »Kreidekreis«-Musik, die auch bei anderen Aufführungen nicht immer auf Gegenliebe stieß[48], später vereinfacht. 1971 bearbeitete er die Lieder aus dem Stück als «Der kaukasische Kreidekreis, für Schulen eingerichtet« für die beträchtlich reduzierte Besetzung von Sopran, Streichquartett und Conga.

Eisler: Von Bechers »Winterschlacht« zu »Schweyk im Zweiten Weltkrieg«

Nachdem Eisler, tief verbittert über die Ablehnung seines »Faustus«-Librettos, im Sommer 1953 nach Wien abgereist war, kam nicht nur seine Zusammenarbeit mit Brecht, sondern sein ganzes künstlerisches Schaffen ins Stocken; er geriet in eine schwere Produktionskrise. In dieser Situation war es Brecht, der ihn immer wieder aufzumuntern versuchte, indem er ihn zu neuer Arbeit anregte. Aus eigener Erfahrung wußte Brecht, daß Künstler Anregungen, Aufträge, Ermutigungen brauchen – Produktivität als beste Medizin gegen Depression. Auf seinen Vorschlag, ein aktuell-zeitkritisches »Garbe«-Lehrstück im Stil der *Maßnahme* zu schreiben, ging Eisler aber nicht ein. Zu den wenigen Brecht-Vertonungen, zu denen er sich 1953/54 aufraffte, gehören düstere Lieder wie »Und ich werde nicht mehr sehen das Land, aus dem ich gekommen bin« aus »An die deutschen Soldaten im Osten«[1] und »Von der Freundlichkeit der Welt«[2]. Beiden Texten gab er dabei wohl eine persönliche Neudeutung. Aus Wiener Tagebuchaufzeichnungen geht Eislers damalige trübe Grundstimmung hervor: »Keine Perspektive. Erschlaffung aller Fähigkeiten. Gleichgültigkeit. Einzige Zerstreuung: Lesen.«[3]

Aus dieser Resignation riß Eisler im Juli 1954 ein ermutigender Brief Brechts mit der Aufforderung, die Bühnenmusik zu Johannes R. Bechers Drama *Die Winterschlacht* zu komponieren. Nach einer allzu pathetischen

Aufführung in Leipzig[4] wollte Brecht das Stück durch den auch von Eisler geschätzten tschechischen Regisseur Emil Frantisek Burian[5] neu inszenieren lassen. Wenn er mit Becher künstlerisch auch nicht immer übereinstimmte und einige seiner Gedichte wegen ihres hymnisch-schwärmenden Tons kritisierte, so hielt er *Die Winterschlacht* doch für politisch aktuell, »weil das Stück in einem Augenblick kommt, wo die westdeutsche Bourgeoisie alles an eine militärische Aufrüstung setzt, um ihre Anschläge gegen uns und die Sowjetunion ausführen zu können – wobei sie mehr und mehr auf die Nazis zurückgreifen muß.«[6] Brecht verstand die Inszenierung als eine künstlerische Antwort auf die Unterzeichnung der Pariser Verträge durch Konrad Adenauer am 23. Oktober 1954. Eislers Musik würde, so versicherte er seinem Komponistenfreund, der Inszenierung zusätzliches Gewicht verleihen. »Becher hätte es natürlich gern. Für das Ensemble wäre es eine große Sache. Die Musik könnte völlig konzessionslos sein, Du könntest eine kleine Ouvertüre ganz nach Deinem Geschmack schreiben usw. Du siehst, ich zähle Dir die Vorteile als guter Makler auf.« Brecht schloß seinen Brief: »Ich vermisse jetzt sehr das Schach und die Gespräche. Hoffentlich kommst Du bald.« Einer so herzlichen und freundschaftlichen Aufforderung konnte Eisler nicht länger widerstehen. Schon am 30. Juli gab er seine Zusage und kehrte im November wieder nach Berlin zurück, wo bereits im Oktober die Proben begonnen hatten.

Brecht hatte in der Tat als Freund und guter Makler gehandelt; er hatte bei Eisler eine Bühnenmusik in Auftrag gegeben, obwohl es weder ein eigenes Stück noch eine eigene Inszenierung betraf. Die Regie übernahmen Brecht und Manfred Wekwerth erst, als Burian wegen einiger Verzögerungen in Terminschwierigkeiten geriet. Die Premiere fand am 12. Januar 1955 statt.

Wie Manfred Wekwerth berichtet[7], hat Eisler neben der Musik auch wichtige Anregungen für die Inszenierung geliefert. Vor allem in die Schlußszene griff er wesentlich ein. Brecht hatte gegenüber Burian die aktuelle Bedeutung dieser Szene herausgestellt: »Es tut unserm Publikum gut, das Versacken (in geistiger wie materieller Bedeutung) der Wehrmacht auf ihrem Rußlandfeldzug warnend vor Augen geführt zu sehen. Das wird die einen abschrecken und die anderen bestärken. Das ist das hereinbrechende Gericht für das Abenteuer! Eisler war gerade von dieser Szene hell begeistert und stellte sich sogleich eine Musik dafür vor.«[8] Offenbar haben sich Brecht und Eisler ihre genauen Vorstellungen von dieser Szene aber nicht gegenseitig erläutert. Als Eisler jedenfalls die Rückzugsszene zum erstenmal auf der Bühne sah, die Menge der sich durch Schnee und Dunkelheit schleppenden Nazisoldaten mit ihren Kochgeschirren, fragte er, was das bedeute – er hatte die Szene nicht einmal erkannt. Nachdem Brecht und Wekwerth es ihm erklärt hatten, meinte er, ihn erinnere das Ganze an seine Soldatenzeit beim alten Kaiser Franz Joseph. Wenn er dazu eine Musik schreiben solle, wäre wohl das »Fiakerlied« passend; er spielte es auch gleich am Klavier vor. Brecht war sehr verärgert, man ging im Streit auseinander. Am folgenden Tag jedoch erkannten Brecht und Wekwerth, daß Eisler mit seiner Kritik so unrecht nicht hatte. Was die Szene lächerlich machte, war gerade der Realismus der Darstellung, die große Zahl der Mitwirkenden, die Genauigkeit auch in militärischen Details.

Schon zur nächsten Probe brachte Eisler einen musikalisch-dramaturgischen Gegenvorschlag mit, der szenisch eine Vereinfachung, in der Aussage jedoch eine Intensivierung bedeutete. Statt einer ganzen Truppe sollten nur einzelne Soldaten zu sehen sein; sie sollten sich bewegen, jedoch nicht sprechen. Eisler hatte aus der Schlußszene, die er als »dünne Rückzugspantomime, erinnernd an den Rückzug Napoleons aus Rußland« begriff, alle Texte gestrichen. Dazu hatte er eine Musik komponiert, die sowohl die fehlenden Menschenmassen wie auch den Text ersetzte. Nicht Worte, sondern allein die Musik sollten den Rückzug kommentieren, wobei sich durch die Verwendung eines Streichorchesters anstelle der sonst üblichen kleinen kammermusikalischen Theatermusik schon von selbst der Eindruck eines ganzen Heeres ergeben würde.

Brecht war über das Einschmuggeln von Geigen in sein Theater empört und lehnte zunächst ab. Er hatte jedoch seinem Freund eine »völlig konzessionslose Musik« versprochen, und so stimmte er schließlich zu. Verwundert war er aber, daß in Eislers Musik zur Rückzugsszene sich Triumph und Trauer eigenartig mischten. Erstaunt wandte er sich an Eisler: »Was soll denn das nun, entweder – oder. Wieso ist denn da so viel Triumph in der Musik?« Eisler antwortete lächelnd: »Haben wir vor Moskau gesiegt oder nicht?« Brecht mußte zugeben: »Wir«, das konnten in diesem Fall auch die russischen Soldaten sein. Mit ihnen mußte sich vor allem das antifaschistische Publikum identifizieren. Als Brecht nach dem Ausdruck von Trauer in der Schlußmusik fragte, reagierte Eisler mit einer Gegenfrage: »Gehen da deutsche Soldaten zugrunde oder nicht?« Für Wekwerth war dies eine der klassischen dialektischen Antworten, »und ich glaube, es hat tiefen Eindruck auf uns alle gemacht«. Wohl auch deshalb bezeichnete der spätere Leiter des Berliner Ensembles Eisler als einen »sehr großen Theatermann«, als seinen Lehrmeister auch in Bühnenfragen.[9]

Brecht war von Eislers Lösung beeindruckt, weil hier Musik doppeldeutig war, ohne doch unklar zu sein; die Ambivalenz der Gefühle, das Nebeneinander von Triumph und Trauer gehörte vielmehr zur Sache selbst, es war, wie Brecht zusammenfaßte, »Triumph über die Besiegung Hitlers durch die Sowjetarmee und Trauer über die Leiden der deutschen Soldaten und die Schmach ihres Einfalls in die Sowjetunion«.[10]

Seine Musik zu Bechers *Winterschlacht,* die aus fünf motivisch miteinander verklammerten sinfonischen Instrumentalsätzen und drei Melodramen besteht, hat Eisler später zu einer Orchestersuite umgearbeitet. Es war dies erst seine zweite Musik für das Berliner Ensemble nach der 1952 entstandenen Bühnenmusik für Erwin Strittmatters *Katzgraben*. Eine größere Zahl von Bühnenmusiken schrieb er unabhängig von Brecht für die Wiener »Scala«: 1948 zu Nestroys *Höllenangst*[11], 1952 zu Nestroys *Eulenspiegel*, 1953 zu Ben Jonsons *Volpone* und zur Aristophanes-Bearbeitung *Lysistrata* von Leo Greiner sowie 1954 zu Shakespeares *Hamlet*. Schon unmittelbar nach der »Winterschlacht«-Musik komponierte Eisler wieder für Wien die Musik zu Nestroys *Theaterg'schichten*.

Brecht, der seinen Freund Eisler in Berlin halten wollte, beauftragte ihn nach dem Erfolg der »Winterschlacht«-Aufführung mit der Fertigstellung der in Hollywood begonnenen Musik zu *Die Gesichte der Simone Machard*. Schon kurz darauf aber änderte er seine Pläne und meinte, die Musik zum *Schweyk* sei jetzt wichtiger.[12] Eisler schwenkte um und begann, seine »Schweyk«-Musik zu komponieren. Er konnte dabei seine Stücke »Und was bekam des Soldaten Weib«, »Das deutsche Miserere« und »Kälbermarsch«, die schon in Kalifornien entstanden waren, übernehmen.

Da Brecht *Schweyk im Zweiten Weltkrieg* 1943 für Weill geschrieben hatte, hatte er seinen Freund Eisler damals zu den Vorarbeiten kaum herangezogen. »Im Gegenteil«, so Eisler, »er hat sich, wenn er mich was gefragt hat, fast immer geniert, daß er mich damit auch noch belästigt.«[13] So beschränkte sich Eislers literarischer Beitrag zum »Schweyk«-Stück vor allem darauf, die allzu häufige Verwendung des Wortes »Scheißdreck« zu monieren. Für Brecht war anscheinend gerade dieses Wort Inbegriff plebejischer Respektlosigkeit und Aufmüpfigkeit, Ausdruck des »echt unpositiven Standpunkts des Volkes ..., das eben das einzige Positive selbst ist und daher zu nichts anderem ›positiv‹ stehen kann.«[14]

Schon im September 1943, als Weills Desinteresse am *Schweyk* offensichtlich war, hatte Brecht die »Schweyk«-Musik Eisler angeboten und dessen grundsätzliche Zustimmung erhalten[15]; da aber ohne Hilfe Weills keine Aufführung in Aussicht war, war das Projekt zurückgestellt worden. 1955, mehr als ein Jahrzehnt später, kam es endlich zur Vorbereitung der Uraufführung, und Brecht konnte nun Eisler an seine frühere Zusage erinnern.

Die Musik spielt im *Schweyk* eine große Rolle, eine gänzlich andere jedoch als im *Guten Menschen von Sezuan* oder im *Kaukasischen Kreidekreis*. Sie ist hier nicht epischer Kommentar, sondern ein Teil der Handlung, meist verbunden mit jenem Prager Gasthaus »Zum Kelch«, welches das Zentrum des Stücks bildet. Dieses Gasthaus, das Brecht wohl auch an seine Augsburger Erfahrungen in Gablers Taverne und Fuhrmannskneipen erinnert haben mag, ist die Heimat der kleinen Leute. Hier werden sie von der Wirtin Kopecka geradezu mütterlich empfangen, hier können sie essen und trinken; hier ist ein Ort des vorsichtigen Widerstands gegen die deutsche Besatzung; hier steht auch das elektrische Klavier, das der »Schweyk«-Musik seinen besonderen Klang verleiht. Brecht wünschte sich »ein elektrisches Klavier, das einen transparenten Oberteil hat, in dem ein Mond und die fließende Moldau aufglühen können«.[16] Auffällig erinnert dieses Instrument an ein von ihm einst geliebtes Orchestrion in einem Augsburger Wirtshaus.[17]

Sonst betrafen Brechts Anregungen zur »Schweyk«-Musik vor allem die dramaturgische Integration der Lieder in die Szene, wo sie als Ausdruck des Volkswiderstands gegen die Besatzungsmacht erkenntlich werden. Wieder einmal wird damit die soziale Funktion der Musik zum Thema. So singt in der ersten Szene die Wirtin Kopecka das *Lied vom Weib des Nazisoldaten*[18] nicht zur bloßen Unterhaltung, sondern um damit ihren tschechischen Gast Baloun davor zu warnen, sich freiwillig zur deutschen Armee zu melden. Da im »Kelch« auch ein betrunkener SS-Mann sitzt, muß sie vorsichtig vorgehen und ihre Warnung verschleiern, indem sie – nachdem sie dem Deutschen noch einen Schnaps serviert hat – zuerst in mehreren Strophen ausführlich die Erfolge der Nazitruppen und die Vorteile der Siege für die Nazifrauen besingt.

Sie bringt damit den ohnehin schon angeheiterten SS-Mann in eine euphorische Stimmung, so daß er schließlich beseligt einschläft. Erst jetzt kann die Wirtin den vielen politisch unverdächtigen Strophen die entscheidende Schlußstrophe über die verheerende Niederlage der Deutschen beim Rußlandfeldzug anhängen.
(Notenbeispiel siehe nächste Seite oben.)
Im letzten Moment erhält damit das anscheinend nazifreundliche Lied eine kritische Wendung, die auch Baloun versteht – er meldet sich nicht als

Ruhiger

8. Und was be-kam des Sol-da-ten Weib aus dem wei-ten Ruß-land?

Aus Rußland bekam sie den Wit-wen-schlei-er. Zur To-ten-fei-er den Wit-wen-schlei-er,

das be-kam sie aus Ruß-land.

Kriegsfreiwilliger. Das Lied, das den SS-Mann eingelullt hat, hat ihn wachgerüttelt.

Auch scheinbar ganz unpolitische Lieder können in einer bestimmten Situation eine höchst politische Bedeutung bekommen. Ein Beispiel dafür ist das *Lied von der Zubereitung des schwarzen Rettichs.*[19] Vordergründig handelt es sich um ein Speiserezept: Man ziehe den Rettich aus der Erde, wasche ihn, schneide ihn in kleine Stücke und salze ihn dann kräftig ein. In Gegenwart eines SS-Mannes und eines Gestapoagenten gesungen, bekommt dieses Rezept aber eine andere Bedeutung: die einer Aufforderung zu aktivem Widerstand. Baloun, der auf Wunsch Schweyks das Lied anstimmt, rettet damit eine brenzlige Situation und bereitet gleichzeitig Schweyk einen höllischen Spaß. Dieser hatte nämlich gegenüber dem Gestapoagenten Brettschneider übermütig behauptet, er arbeite jetzt mit der SS zusammen. Baloun, der Schweyks Behauptung für bare Münze nahm, konnte daraufhin nur noch empört »Raus!« rufen. Den irritierten Nazis erklärt der gewitzte Schweyk, das »Raus!« bezöge sich selbstverständlich nicht auf sie; vielmehr gehöre das Wort zum Refrain eines volkstümlichen Liedes, das dem Herrn Baloun gerade eingefallen sei. Sie hätten nämlich vorher – wie kann es in einem Gasthaus auch anders sein? – vom Essen gesprochen. Den verdutzten Baloun fordert Schweyk auf, dieses als bekannt vorausgesetzte Lied zu singen; »es wird dich aufheitern«, fügt er verschmitzt hinzu. Den beiden Nazis aber erklärt er scheinheilig, gerade die schwarzen Rettiche von Mnischek seien berühmt, und außerdem habe Herr Baloun eine besonders schöne Stimme und singe sogar im Kirchenchor.

Das nun wirklich folgende »Lied von der Zubereitung des schwarzen Rettichs« ist allerdings alles andere als ein Kirchengesang. In Eislers Vertonung wird aus dem behaglichen Volkslied unversehens ein wildes Kampflied. Wenn Baloun in den Refrainschlüsseln das »Raus« und das »Salz ihn ein« geradezu herausschreit, meint er mit dem schwarzen Rettich nicht mehr das Nahrungsmittel, sondern die schwarz uniformierte SS. Der Gestapoagent Brettschneider, auf den sich während Balouns Gesang alle Blicke richten, scheint die neue Bedeutung zu ahnen; er kann jedoch nicht einschreiten, da es sich ja nach außen hin nur um ein harmloses Volkslied handelt.

Alle Lieder aus dem »Schweyk« werden als bereits bekannte Volkslieder angekündigt. Tatsächlich hat Brecht, der von allen seinen Liedern hoffte, sie würden sich einmal wie Volkslieder verbreiten, mehrfach Volksliedtexte wörtlich übernommen. So läßt er in der vierten Szene die beiden Dienstmädchen mit viel Gefühl die Moritat *Heinrich schlief bei seiner Neuvermählten* singen, die er schon in Augsburg gerne parodiert hatte.[20] Auch bei den Liedern *Mit dem Mitternachtsglockenschlag*[21], und *Tauser Tor und Türen*[22] dürfte es sich um Übernahmen aus der Tradition handeln. Der Gesang *Bei der Kanone dort*[23] wird ebenfalls als ein bereits bekanntes Lied aus dem Ersten Weltkrieg eingeführt; Schweyk singt dieses als Heldenlied verkleidete Antikriegslied mit fröhlicher Miene und macht es damit um so makabrer. Fast durchweg handelt es sich dabei um äußerlich »harmlose« Lieder, die jedoch durch den Kontext, in den sie gestellt werden, Brisanz erhalten. Brecht und Eisler brechen damit die Beschränkung der Volksmusik auf muntere Geselligkeit auf, sie geben ihr die Funktion des Selbstausdrucks und des Widerstands zurück.

Das Funktionieren auch von Instrumentalmusik als eine Form von Widerstand wird in der sechsten Szene des Stücks vorgeführt. Um neun Uhr abends läßt Frau Kopecka, um die SS-Leute aus ihrem Gasthaus zu vertreiben, die Beseda-Polka tanzen, »wo unser Volkstanz ist, was wir unter uns tanzen, und nicht jedem gefällt, aber uns.«[24] Der Tanz, ein Symbol der nationalen Zusammengehörigkeit, soll durch seine Wildheit Außenstehende verschrecken. Trotz ihres Namens ist die Polka ein tschechischer Tanz, der sich gerade in den Jahren ab 1838 in Böhmen verbreitete, als die Unabhängigkeitsbestrebungen gegenüber der Habsburger-Monarchie anwuchsen. In Böhmen gab es damals geradezu eine »Polka-Epidemie«, an der sich auch der junge Bedrich Smetana, der Vater der tschechischen Nationalmusik, lebhaft beteiligte.[25] Das Polka-Tanzen, das sich im 19. Jahrhundert gegen die Österreicher gerichtet hatte, macht Frau Kopecka im

Gasthof »Kelch« zu einem Protest gegen die deutschen Besatzer. Daneben hat die Tanzmusik für sie noch eine zweite Funktion: Durch ihre Lautstärke ermöglicht sie es der Wirtin, währenddessen unbemerkt im Nebenzimmer Radio Moskau zu hören. Nicht anders hatte zum Beispiel auch die deutsche antifaschistische Gruppe »Edelweißpiraten« laute Tanzmusik als Tarnungsmittel benutzt; ihre Treffen zogen sie als Tanznachmittage auf, bei denen die eine Hälfte der Gruppe wirklich tanzte, während die andere illegale Flugblätter herstellte.[26]

Wenn Brecht sein »Schweyk«-Stück 1943 auch weitgehend unabhängig von Eisler geschrieben hatte, so hatte er darin doch dessen Interessen berührt. Dies betraf ebenso allgemeine politische Fragen wie auch die Art des Humors und die Verwendung der Musik. Mit dem böhmischen Milieu Hašeks und den Bräuchen in der k. u. k.-Armee war der Wiener Eisler bestens vertraut. Schweyksche Formen des Widerstands hatte er in seiner Soldatenzeit beim österreichisch-ungarischen Militär selbst kennengelernt. Mit Vergnügen erinnerte er Brecht in Hollywood an die »Tachinierer«, jene Österreicher, die durch eine vorgetäuschte Krankheit oder durch besonderen Übereifer dem Militärdienst zu entgehen versucht hatten. Vor allem der simulierte patriotische Übereifer war die schweyksche Variante des Widerstands.[27] Mit welcher Sympathie Eisler dem listigen Witz eines Schweyk gegenüberstand, zeigt auch die Hans-Wurst-Figur seines »Johann Faustus«-Librettos sowie seine Vorliebe für Nestroy.
Mit der Schweyk-Figur hatten Brecht und Eisler das »Blödeln« gemeinsam, das unversehens vom Wortspiel in echte Kritik übergeht. Schweyk besitzt eben jene Respektlosigkeit vor Autoritäten, die Brecht schon früh gegenüber dem gedruckten Wort zeigte, wenn er etwa die Volksliedersammlung »Aus des Knaben Wunderhorn« in ein »Plunderhorn« verwandelte oder wenn er dem Schlager »Warum denn weinen, wenn man auseinandergeht« den neuen Text gab »Warum denn weinen, wenn man seinen Kopf verliert«.[28] Mehr als bloß der spielerischen Phantasie entsprang dagegen eine Liedparodie, die Brecht im dänischen Exil auf ein Gedicht des österreichischen Lyrikers Hermann von Gilm zu Rosenegg entwarf. Gilms Gedicht »Allerseelen« aus dessen Sammlung »Letzte Blätter«, das vor allem durch die vielgesungene Liedvertonung von Richard Strauss bekannt geworden war, beginnt mit der Zeile »Stell auf den Tisch die duftenden Reseden«. Brecht macht daraus, über das bloße Blödeln weit hinausgehend:

Legt auf den Tisch die funkelnden Granaten
Die letzten Giftgasformeln zieht aus eurer Brust
Und laßt uns wieder übers Öl beraten
Wie einstmals im August.[29]

Da die Parodie gerade aus ihrem Kontrast zur klanglichen Opulenz des Liedes und überhaupt zum musikalischen Kulinarismus eines Richard Strauss, der zeitweilig als Präsident der NS-Reichsmusikkammer fungierte, ihre besondere Schärfe bezieht, ist die Mitarbeit Eislers wahrscheinlich. Brecht, Eisler, der Schweyk-Figur, Nestroy, aber auch Karl Valentin und Charlie Chaplin war gemeinsam, daß bei ihnen spielerischer Humor, ein witziges Nachahmen bürgerlicher Charaktermasken, in höchst wirkungsvolle Kritik, in die Karl Kraussche Technik des entlarvenden Zitats[30] umschlagen konnte.

Die »Schweyk«-Musik zeigt, wie volkstümliche Musik nicht nur als abstumpfende Gaudi, sondern auch als bewußtseinsschärfendes Mittel der Kritik eingesetzt werden kann, wenn sie sich als Kommentator auf die jeweilige Situation beziehen läßt. Die Entwicklung einer in diesem Sinn volkstümlichen Kunst war für Eisler seit seiner Rückkehr in die DDR zu einer zentralen künstlerischen und kulturpolitischen Aufgabe geworden. Zusammen mit Johannes R. Becher schrieb er 1950 die in der DDR sehr erfolgreichen Neuen Deutschen Volkslieder[31], und sein *Johann Faustus* hätte eine Oper werden sollen, die »mit dem Volk auf Du und Du steht«.[32] Durch stilistische Rücknahmen wollte Eisler dabei die zunehmende Distanz zwischen Avantgardekunst und breitem Publikum abbauen. Schon auf dem Prager Kongreß von 1948 hatte er die Komponisten aufgefordert, die Musik vom Privaten zum Allgemeinen zurückzuführen, und in seinem Vortrag »Hörer und Komponist« regte er 1949 zur Entwicklung einer neuen Volkstümlichkeit an. »Ein neuer volkstümlicher Stil wäre der, der bei größter Kunsthöhe die breiten Massen ergreifen kann.«[33] Mit Sorge beobachtete er, wie die »Dummheit« der Unterhaltungsmusik über Schallplatten und vor allem den Rundfunk die überwiegende Mehrheit des Publikums überflutet, während Avantgardemusik nur eine Minderheit erreicht. Die in der Musikästhetik des Westens in den fünfziger Jahren maßgeblichen seriellen Komponisten verkörperten den Höhepunkt an komplexer Esoterik; die Frage nach dem Publikum war für sie uninteressant. Eisler dagegen beschäftigte sich in vielen Vorträgen und Gesprächen mit Fragen der Volkstümlichkeit, des Realismus und der »musikalischen Dummheit«.[34] Auch die Bühnenmusik zum *Schweyk* ist ein Beitrag zum Thema. Eisler konnte hier eingängige Lieder und Tänze vorführen, die unterhaltend, aber nicht dumm sind, Lieder und Tänze, die nicht bloß ablenken, sondern realistisch und witzig auf die Wirklichkeit reagieren. Er knüpfte dabei auch an die Formen von verborgenem Widerstand an, wie er sie 1935 in seinem Aufsatz »Einiges über das Verhalten der Arbeitersänger und -musiker in Deutschland« propagiert hatte.[35] So etwa entspricht das Beseda-Tanzen im »Kelch« seiner Anregung, wieder die freiheitlich-revolutionären Inhalte der bürgerlichen Musik aufzugreifen.

Gerade in der slawischen Tradition fand Eisler Vorbilder für eine Volks-
musik in seinem Sinne. Gerne verwies er auf Modest Mussorgski und
Leoš Janáček, vor allem aber auf Béla Bartók. »Er ist in hohem Maße originell und populär zugleich ... Bartóks Bearbeitung der Volkslieder ist ein
Vorbild für musikalischen Realismus.«[36] Brecht war schon 1943 auf Bartóks Volksliedsammlungen aufmerksam geworden und hatte damals Ruth
Berlau gefragt, ob sie ihm nicht aus dieser Quelle – Bartók lebte zu dieser
Zeit im Exil in New York – tschechische Volkslieder für den *Schweyk* be-
schaffen könne.[37] Eines dieser Lieder, von Bartók in seinen Fünf slowaki-
schen Volksliedern für Männerchor verwendet, hat Brecht dann in seinen
Kaukasischen Kreidekreis übernommen.[38] Auch Eisler war gerade von diesem Volksgesang über die Schlacht von Lublin begeistert: »Ich gäbe sämtliche Lyrik der Wiener Lyriker dafür her, Hofmannsthal mit eingeschlossen.«[39]

In seiner »Schweyk«-Musik lehnte sich Eisler an böhmische Vorbilder an.
Während die Lieder aus dem »Kelch« von zwei Klavieren begleitet werden, die ein elektrisches Klavier imitieren, erklingen die Tänze als ausge-
lassene und derbe Blasmusik. Durch die schnellen Tempi kommen hero-
isch-militärische oder weihevoll-hymnische Assoziationen gar nicht erst
auf. Wieweit Eisler dabei wörtlich auf bereits vorliegende Musik zurückgriff, wurde bisher noch nicht untersucht. Unverkennbar ein Zitat liegt
dagegen beim *Lied von der Moldau* vor, das in der Tonart e-moll und in
seinem melodischen Anfang an die symphonische Dichtung »Die Mol-

dau« aus Smetanas Orchesterzyklus *Mein Vaterland* anknüpft; schon in seiner Filmmusik zu »Hangmen Also Die« hatte Eisler auf diese berühmte Orchesterkomposition zurückgegriffen.

Als *Schweyk* noch für Weill bestimmt gewesen war, hatte Lotte Lenya als Wirtin Kopecka das Lied singen sollen. Brecht ließ sich dabei von ihrer Plattenaufnahme des alten französischen Chansons »Au fond de la Seine« inspirieren, das er damals oft »zur Aufmunterung« hörte.[40] Trotz dieser Anregung hatte er Schwierigkeiten mit dem Text. Noch am 31. August 1943, als das übrige Stück längst fertiggestellt war, schrieb er an Ruth Berlau in New York, sie solle nicht ungeduldig werden wegen des »Moldaulieds«; es komme in ein paar Tagen. Fünf Tage später jedoch notierte er in sein Arbeitsjournal: »Es fehlt noch das Moldaulied. Merkwürdigerweise kann ich es nicht schreiben. Ich habe den Inhalt und Verse, aber das Ganze wird nichts. Hin und wieder kriege ich einen Schimmer von der Agonie des Unbegabten.« Das »Lied von der Moldau« sollte den Schluß des »Schweyk«-Stücks bilden, die positive Utopie, mit der sich die Schauspieler ans Publikum wenden.

Schließlich jedoch gelang Brecht ein Gedicht, das auf versteckte Weise in scheinbar unverbundenen Bildern vom Wandel der Herrschaftsverhältnisse spricht:

> Am Grunde der Moldau wandern die Steine
> Es liegen drei Kaiser begraben in Prag.
> Das Große bleibt groß nicht und klein nicht das Kleine.
> Die Nacht hat zwölf Stunden, dann kommt schon der Tag.[41]

Die Bewegung des Flusses wird zum Sinnbild der geschichtlichen Bewegung. So stark ist die Moldau, daß sie sogar schwere Steine nicht an ihrem Platz läßt – das Wasser besiegt die Schwerkraft, es wird mächtiger als der Stein. Von der Vergänglichkeit der Macht spricht, wenn man sie auf die dritte Zeile bezieht, auch die so unscheinbare zweite Zeile über die drei begrabenen Kaiser. Die Schlußzeile über den Übergang von der Nacht zum Tag ist für sich genommen eine Banalität, besitzt jedoch im Zusammenhang des Ganzen eine politische Bedeutung. Brechts Praxis, dem Unscheinbaren und Harmlosen durch den Kontext brisante Bedeutung zu geben, läßt sich im »Lied von der Moldau« schon allein am Text ablesen.

Noch konkreter wird die Metaphorik des Liedes durch den szenischen Zusammenhang. Frau Kopecka singt es, nachdem die SS ihr Lokal durchsucht und verwüstet und sie selbst dabei geschlagen und als »tschechische Sau« beschimpft hat. In dieser Situation ist der Gesang des »Moldauliedes« ein patriotisches Bekenntnis. Auf ihre Moldau, in die sie gelegentlich erschossene SS-Leute werfen[42], vor der sie deutsche Soldaten jedoch nicht gern zum Fotografieren posieren lassen[43], sind die Prager stolz. So kann schon ein schlichtes Moldaulied ein Protest gegen die Besatzungsmacht sein. Als Reaktion auf die Behauptung des SS-Scharführers Bullinger, das Dritte Reich würde »vermutlich 10 000 Jahr« bestehen[44], ist der Satz, daß nach zwölf Stunden Nacht wieder der Tag komme, keineswegs harmlos.

Bei Brecht bestand das Gedicht ursprünglich nur aus zwei Strophen. Eisler erweiterte es mit Zustimmung des Dichters zur ABA-Form, indem er die erste Strophe wiederholte.[45] Damit konnte er nach dem kontrastierenden Mittelteil noch einmal die bekannte Moldau-Melodie erklingen lassen, die schon für Smetana den Charakter eines politischen Bekenntnisses besessen hatte.

In einem Interview nannte Eisler das »Moldaulied« einen Lichtstrahl in der Verzweiflung: »Dieses Lied ist das Leitmotiv des ganzen Stückes, die ›gesungene‹ Lehre von der lebendigen Dialektik ... Es ist ein Lied, das den Ausweg, die Lösung durchblicken läßt (denn in der wirklichen Geschichte war ja die Schlacht von Stalingrad, vor der das Stück endet, noch nicht der Abschluß). Und was besagt dieses Lied? Daß nach zwölf Stunden schon der Tag kommt, nichts weiter – nichts weiter als die einfachen Gesetze der Natur. Unmöglich in diesem Moment, mehr Hoffnung zu geben. Ein kleiner Trost nur, aber das notwendige Minimum. Es heißt: Unser Leben verändert sich, wie die Tage und Zeiten wechseln – nicht mehr, aber auch nicht weniger. Die Geschichte hat die Wahrheit dieses Liedes bestätigt.«[46]

Eisler hat die »Schweyk«-Musik seinem Freund Brecht noch wenige Wochen vor dessen Tod vorspielen können.[47] Die Uraufführung, die am 15. Januar 1957 in polnischer Sprache in Warschau stattfand, hat der Dichter jedoch nicht mehr erlebt.

Für die westdeutsche Erstaufführung 1959 in Frankfurt unter der Regie von Harry Buckwitz und die Pariser Erstaufführung 1961 unter Maurice Planchon hat Eisler seine Musik jeweils noch erweitert, so daß es »fast eine kleine Oper, wohlgemerkt in dem Sinne, den Brecht diesem Begriff gab«[48], wurde. Wenigstens teilweise konnte er dabei Ideen aus seiner Oper *Johann Faustus* verwirklichen. Für Frankfurt entstanden drei sinfonische Intermezzi, für Paris die Kompositionen zu den Szenen »In den höheren Regionen«.

Die grotesk übersteigerte Darstellung der Nazifiguren Hitler, Himmler und Göring in den »höheren Regionen«, denen die »niedere« Welt des einfachen Volkes gegenübersteht, hatte Brecht von Piscator übernommen. Vom Volk unterscheiden sich die Nazigrößen durch ihre formelhafte, pathetische Sprache. Der Fiktion einer »Volksgemeinschaft« wird damit widersprochen. Eisler baute musikalisch einen ähnlich großen Gegensatz auf zwischen der Musik der Herrscher und des Volkes. Die durch die Ballung tiefklingender Instrumente sehr ungewöhnliche Besetzung von Pauken, acht Violoncelli und acht Kontrabässen macht deutlich, daß die »höheren Regionen« der Nazigötter eigentlich eine Unterwelt sind; ebenso peinlich, angestrengt und gequält wie das einstudiert »staatsmännische« Auftreten von Hitler und Himmler klingt es, wenn die Celli ihre angestammte tiefe Lage verlassen und in höchste Tonregionen vorzudringen versuchen. Die übertriebene Deklamation Hitlers unterstrich Eisler durch große Intervallsprünge. Aus den sonst stets diatonischen Intervallen fallen die chromatischen Seufzerfiguren bei den Worten »Nerven«, »kleiner Mann«, »chronische Schlaflosigkeit« und »wie steht der kleine Mann zu mir« heraus, die auf die Ursache von Hitlers Verunsicherung verweisen. Nach peinlichem Schweigen in einer Generalpause gibt die Musik, noch bevor Himmler antworten kann, mit dem Liebes- und Todessehnsuchtsmotiv aus Wagners *Tristan und Isolde* die Antwort auf Hitlers Frage.

Im Schlußteil von Hitlers Frage (»... der kleine Mann zu mir?«) ist im Sextintervall und dem anschließenden Kleinsekundfall das folgende Wagner-Zitat schon angedeutet; von Bedeutung dürfte es sein, daß die Ecktöne dieses Melodieabschnitts A und H lauten: die Initialen Adolf Hitlers. Das Wagnerzitat weist, im Gegensatz zu Himmler, der nur von der Bewunderung des Volkes für den »Führer« zu berichten weiß, auf die in Wahrheit trüben Aussichten dieser unglücklichen »Liebe« hin; nur der »Liebestod«, eine grimmige Umdeutung des Kriegstods, kann in der Beziehung zwischen Hitler und Volk die Erlösung bringen. Die faschistische Volkstumsideologie wird damit auf ebenso komische wie erhellende Weise entlarvt.

War nach der Warschauer Uraufführung die Rede von einem »künstlerischen Irrtum«[49], so endeten die Aufführungen in Frankfurt/Main, Paris, Lyon und Mailand mit Ovationen.[50] Jedoch auch in Frankfurt, wo der *Schweyk* zu einer der erfolgreichsten Inszenierungen der Städtischen Bühnen wurde, gab es Diskussionen, ob es eigentlich zulässig sei, die Schweyk-Figur aus der k. u. k.-Monarchie in den Zweiten Weltkrieg zu versetzen, ob Komik dem Thema angemessen sei. An einer dieser Diskussionen nahmen am 5. Juni 1959 auf Einladung von Harry Buckwitz Helene Weigel, Hanns Eisler und Erich Engel teil. Engel, der 1962 am Berliner Ensemble das Stück ganz anders, nämlich kritischer inszenierte[51], war dabei der engagierteste und brillanteste Verteidiger des Stücks. »Hier wird nichts verharmlost, wie in der Diskussion gesagt und beklagt wurde. Hier wird etwas zutiefst verächtlich gemacht. Hier tötet das Lachen. Lächerlich gemacht von Schweyk, sind die Nazis tiefer verächtlich geworden, als sie es durch die Niederwerfung, durch die Macht ihrer Feinde geworden sind.«[52] Brecht und Eisler, die die große bewußtseinstrübende Macht der Naziideologie erfahren hatten, wußten, wie entwaffnend das Lachen wirken konnte. Wo Pathos und Glaube wichtige Herrschaftsmittel sind, wächst die Bedeutung von Humor und Skepsis. »Schweyk ist der Gipfel der Verschlagenheit unter einem undemokratischen Regime, einem System der Unterdrückung«, meinte Eisler. Er fügte hinzu: »Was Schweyk tut, reicht natürlich nicht aus; ein bewußterer, direkterer, ›kräftigerer‹ Widerstand ist notwendig, und es hat ihn auch gegeben.«[53]

Das für Weill und den Broadway konzipierte »Schweyk«-Stück ist gewiß kein revolutionäres Stück. Es zeigt keine proletarische Perspektive, sondern eine plebejische Sichtweise – die der Augsburger Vorstadt, die eines Hasek und eines Karl Valentin. Schweyk ist der geborene Skeptiker und damit »nichts Geringeres als der Angsttraum der Diktatoren, dieser ›niedrig‹ denkende, für Höheres taube, die wundervollen Pläne durch seine Unzulänglichkeit unterwühlende ›Dutzendmensch‹, das fehlerhafte Opfertier.«[54] Er ist der schlechte Untertan, der deshalb das den Nazis so heilige Horst-Wessel-Lied einfach zum »Kälbermarsch« umfunktioniert.[55]

Anläßlich der Inszenierung am Berliner Ensemble fand Eisler zu den »Schweyk«-Liedern auch kritische Töne, wenn er sie als den »dünnen Trost der Unterdrückten, die vom ›Wechsel der Zeiten‹ träumen«, charakterisiert.[56] Jedoch hoffte er, daß die populäre und populär gewordene »Schweyk«-Musik, die er einmal sogar als die wichtigste Bühnenmusik zu einem Brecht-Stück bezeichnete[57], den Boden für bewußtere Haltungen bereiten könnte.

Produktivität und Denken als Genuß

> Diese Musik entwickelt bei Hörer und Ausübenden die
> mächtigen Impulse eines Zeitalters, in dem die Produk-
> tivität jeder Art die Quelle aller Vergnügungen und Sitt-
> lichkeit ist.
>
> *Brecht über Eisler*

In seinen letzten Lebensjahren entwickelte Brecht angesichts des näher-
rückenden Sozialismus eine neue Einstellung zum Genuß und damit auch
zur Musik. Seit der Loslösung von seiner prall-sinnlichen Baal-Phase war
er zum Asketen geworden, zu einem Menschen mit mönchischen Zügen,
und hatte, etwa in seinem »Mahagonny«-Aufsatz, die Auffassung vertreten, daß Genuß und gefühlshafte Kulinarik ein Kennzeichen der Wirk-
lichkeitsflucht des Bürgertums sei. Dieser Position trat er in den fünfziger
Jahren entgegen, wenn er in seinen Thesen »Über Kunstgenuß« schrieb:
»In der Kunst genießen die Menschen das Leben. ... Genuß bietet eine
Stärkung des Lebenswillens«[1] oder wenn er Anregungen gab, wie Schulklassen zum »wirklichen Genuß von Lyrik« gebracht werden können.[2] In
einem sozialistischen Staat konnten auch die Kategorien der künstlerischen Autonomie und der Kunst-Schönheit wieder zu ihrem Recht kommen, die Brecht zuvor den Erfordernissen des Klassenkampfs untergeordnet hatte. Gerade solchen Faktoren der Dichtung wie Klang, Rhythmik
und Tonfall maß er beim Kunstgenuß besondere Bedeutung zu, weshalb
er empfahl, die aussterbende Kunst der Rezitation, wie sie ihm im Hollywood-Exil in Gestalt des Rezitators Ludwig Hardt noch einmal begegnet
war, wiederzubeleben; nur beim lauten Lesen von Lyrik konnten etwa die
synkopischen Abweichungen vom regulären Versmaß zu der Wirkung
kommen, wie Brecht sie beispielsweise bei einer Klopstock-Rezitation
beobachtete, wo »die zarte atemlose Leidenschaft des Mädchens, das stok-
kend und beschwingt rezitierte, bezaubernde Synkopen« ergab.[3] Er dachte
auch daran, Gedichtlesungen von musikalischen Improvisationen begleiten zu lassen, und unternahm zusammen mit dem Komponisten Kurt
Schwaen entsprechende Versuche.[4]
In seinem Gedicht »Vergnügungen« von 1954 reihte Brecht alte Musik,
neue Musik und Singen in die Liste der Genüsse ein. Zwischen großen
und kleinen, »hohen« und »niedrigen« Genüssen machte er dabei keinen

Unterschied, sondern stellte die bequemen Schuhe, das Duschen und den Blick aus dem Fenster am Morgen in eine Reihe mit Kunst und Philosophie. Damit durchbrach er die offizielle bürgerliche Hierarchie, nach der das Geistige dem Materiellen übergeordnet ist – wenn auch die Lebenspraxis dem widerspricht. Im Unterschied zu seiner Jugendzeit, in der Brecht nicht nur die bürgerliche Kunsthierarchie, sondern auch die Kunstmetaphysik mitvollzogen und in ihrem Sinne die Musik als göttliche Schicksalsmacht verstanden hatte, fand er in den fünfziger Jahren ein unbefangeneres Verhältnis zur Musik. Angesichts des Aufbaus des Sozialismus in der DDR – so sehr dieser auch mit beträchtlichen Schwierigkeiten und Rückschlägen verbunden war – nahm die Abwehr bürgerlicher Positionen in seinem Musikverständnis nun eine geringere Rolle ein. Dennoch bleibt offen, ob Brecht für seine Person jemals die Musik des 19. Jahrhunderts zu den Vergnügungen zählte. Denn wenn er in seinem Gedicht die Begriffe »Alte Musik« und »Neue Musik« nicht im umgangssprachlichen, sondern im musikhistorischen Sinn verstanden hat, dann wäre damit die barocke und vorbarocke sowie die Musik des zwanzigsten Jahrhunderts gemeint, nicht aber die Musik aus dem Zeitalter der Klassik und Romantik.

Da Brecht immer noch die Gefühlsverwirrung fürchtete, erfand er eine besondere Form von Musik, die »Misuk«, die es jedoch nur in seinem Kopf gab. Seinen vagen Andeutungen nach sollte »Misuk« auf die Gesetze und Regeln der klassischen Musik verzichten.[5] Brecht argwöhnte wohl, daß die traditionelle Musik aus ihrer Regel- und Gesetzhaftigkeit ihre überwältigende und damit gefährliche Wirkung bezöge; er fürchtete die Macht der Musik um so mehr, als er selbst ihre Formprinzipien so wenig durchschaute. Als »Misuk« scheint er dagegen spielerisch und improvisatorisch locker gefügte Klangfolgen verstanden zu haben, dem Gesang der Vögel, den er gerade in seinen letzten Lebensjahren aufmerksam registrierte[6], verwandt. Kurt Schwaen hat sich mit einigen Liedern Brechts Misuk-Ideal angenähert, während Eisler ihm skeptisch gegenüberstand – er wollte auf die Regeln und Gesetze der abendländischen Musik und auf ihre im Verlauf der Geschichte herausgebildete Sprachlichkeit nicht so schnell verzichten.[7]

Trotz seiner Distanz gegenüber der Misuk-Idee spielte Eisler bei Brechts Wieder- und Neuentdeckung der Genußfähigkeit eine große Rolle. Asketische Neigungen hatten Eisler immer fern gelegen. Er kannte die Gefahren des genießerischen Rausches, hatte aber anders als Brecht keine Angst davor. Wenn er Musikdramen von Richard Wagner oder Romane von Thomas Mann genoß – für Brecht waren diese Bereiche tabu –, dann gab es für ihn keine Verselbständigung des Rauschhaft-Dionysischen. Künstlerischer Genuß war bei ihm immer mit der Lust am Denken, auch mit der Lust am Widerspruch verbunden. Es gab wohl wenige Menschen, für die das Denken so lustvoll war wie für Eisler. Begeistert erzählte er Brecht immer wieder von seiner Lektüre, wobei er Hegel ebenso genießen konnte wie Proust oder Stendhal. Als er Ernst Bloch zu dessen 70. Geburtstag ein besonderes Kompliment machen wollte, lobte er dessen Werk als »Spaß für Leute, denen Denken Genuß bereitet«.[8] Wohl deshalb gehörte das Schachspiel zu Eislers Lieblingsbeschäftigungen; auch Brecht, der schon als Schüler einem Schachklub angehört hatte, ließ sich von dieser Begeisterung anstecken. Ruth Berlau hat die beiden oft dabei beobachten können. »Die zwei Freunde spielten nicht Schach, wie ich andere Leute gesehen habe. Nein, wenn Brecht in Schwierigkeiten geraten war, drehte Eisler einfach das Brett um und nahm Brechts Stellung ein. Hier wurde nicht Schach gespielt, um zu gewinnen. Es machte einen unvergeßlichen Eindruck auf mich: Hatten die zwei Meister jemals etwas unternommen, um für sich selber etwas zu gewinnen? Wie im Werk, so im Spiel – und darum ›alles mit Spaß‹, Arbeit wie Spiel … Beide lachten und machten Witze. Über das Schachspiel gebeugt, sah ich Brecht zum erstenmal Tränen lachen …«[9] Wie im Schachspiel funktionierte auch ihre Zusammenarbeit. »Es war wie ein Pingpongspiel mit Gedanken, wenn sie arbeiteten.«[10] Für Brecht und Eisler gab es keinen Gegensatz zwischen Spiel und Ernst, zwischen Arbeit und Unterhaltung, zwischen Alltag und Erholung. Sie erholten sich durch Arbeit, sie vergnügten sich durch Produktivität. Ebenso wie Brecht in seinem Gedicht von 1954 nicht zwischen »hohen« und »niederen« Vergnügungen unterschied, wollte Eisler auch keinen Rangunterschied zwischen »ernster« und »unterhaltender« Musik gelten lassen.

Manfred Wekwerth, der bis zu dessen Tod mit dem Stückeschreiber zusammenarbeitete, hat den Einfluß Eislers auf Brecht in der Frage des Genusses hoch eingeschätzt: »Eisler arbeitete … das Denken im Moment des Denkens sofort in Genuß um. Es gab bei ihm keine Trennung zwischen der Emotion und Ratio.« Deshalb war für ihn Eisler »einer der großen Lehrer des praktischen, elementaren Denkens und des Genusses am Denken. Und damit, glaube ich, war er auch eine notwendige Ergänzung für Brecht.«[11]

Daß Genuß und Denken eine Einheit bilden können, erfuhr Brecht nicht zuletzt an Eislers Musik, der er 1955 einen seiner bedeutendsten musikästhetischen Texte widmete. Sein Vorwort zu Eislers »Liedern und Kantaten« stellt eine Summe seines Musikdenkens dar.[12] Brecht schreibt, daß Eislers Vokalmusik »den Singenden wie den Hörenden beglückend« verändert; damit bringt er eine Grundprämisse seiner Arbeit zum Ausdruck: Kunst soll an ihrer Wirkung gemessen werden, sie soll nicht bloß folgenlos konsumiert werden, sondern ins Leben eingreifen. An Eislers Musik hat Brecht, obwohl er zu ihrer inneren Logik nur wenig Zugang fand, diese eingreifende, verändernde Wirkung beobachten können. Der Bil-

Busch, Brecht, Eisler und Helene Weigel bei der Revolutionsfeier des Berliner Ensembles im November 1954.
(Quelle: Hanns Eisler-Archiv)

dungsprozeß war dabei keine Qual, sondern ein Genuß – nicht nur für die Hörer allein, sondern auch für die Musiker.

Die verändernde Wirkung von Eislers Musik erklärte Brecht damit, daß sie »weniger mimische (Ausdrucks-) Wirkungen hervorruft als ganz bestimmte Haltungen«. Diese Unterscheidung war ihm wichtig. Denn Mimik und Ausdruck verstand Brecht als gefühlsmäßige, oberflächliche und vorübergehende Faktoren, während ihm der Begriff der Haltung die höherstehende und tiefergehende Einheit von Emotion und Ratio verkörperte. Wenn Brecht die Gesamthaltung von Eislers Musik als »revolutionär im höchsten Sinne« charakterisierte, meinte er damit keine bloß revolutionäre Pose. Dem Begriff des Revolutionären gab er vielmehr eine umfassendere, komplexere, eine neben der praktischen auch philosophische Bedeutung.

»Diese Musik entwickelt bei Hörer und Ausübenden die mächtigen Impulse und Einblicke eines Zeitalters, in dem die Produktivität jeder Art die Quelle aller Vergnügungen und Sittlichkeit ist: Sie erzeugt neue Zartheit und Kraft, Ausdauer und Wendigkeit, Ungeduld und Vorsicht, Anspruchsfülle und Selbstaufopferung.« Ein Zeitalter, in dem die Produktivität aller Art die Quelle aller Vergnügungen und Sittlichkeit ist, kennt keine Hierarchie der Tätigkeiten mehr. In dieser sozialistischen Gesellschaft, die Brecht hier skizziert, ist die Arbeit jeder Art Basis, Sinn und Inhalt des gesamten Lebens. Sie ist nicht mehr Qual, Maloche und Plackerei, sondern die Möglichkeit von Selbstverwirklichung, keine von der Freizeit getrennte Sondersituation, sondern die Totalität der menschlichen Existenz. Damit ist sie auch Quelle aller Vergnügungen.

Schon für Marx war die Tätigkeit des Komponisten Modell einer nichtentfremdeten Tätigkeit. Für Brecht ging Eislers Produktivität und Produktion aber noch darüber hinaus, indem sie auch den Weg zum Sozialismus aufzeigt. »In sein Werk eintretend, übergebt Ihr Euch den Antrieben und Aussichten einer neuen Welt, die sich eben bildet.« Für Brecht war Eislers Musik ebenso vergnüglich wie sittlich, ebenso naiv wie konstruktiv. Ihr wesentliches Merkmal sei jedoch die Produktivität, die sich nicht im Werk erschöpft, sondern auf Hörer und Musizierende erstreckt, indem sie auf sie verändernd einwirkt. Verändernd wirkt Eislers Musik gerade durch ihre Widersprüchlichkeit. Erst aus dem Wachrufen einander entgegengesetzter Eigenschaften wie Zartheit und Kraft, Ausdauer und Wendigkeit kommt eine nicht eindimensionale, sondern dialektische Bewegung zustande. Wo es nur Zartheit und keine Kraft, nur Ausdauer und keine Wendigkeit, nur Ungeduld und keine Vorsicht, nur Anspruchsfülle und keine Selbstaufopferung gibt, kann es auch keinen wirklichen Sozialismus geben.

Auf Eislers Textbehandlung eingehend schrieb Brecht: »Er schöpft seine Texte nicht einfach aus, er behandelt sie und gibt ihnen, was des Eislers ist.« Damit gestand er dem Freund zu, bearbeitend in seine Texte einzugreifen. Die Musik erhielt ein eigenes Recht; sie braucht sich nicht nur an das zu halten, was im Text ohnehin angelegt ist, sondern kann eigene Bedeutungsebenen schaffen. Brecht gestattete dem Komponisten, Texte auf durchaus subjektive Weise zu behandeln, auch eigenwillig, unverkennbar, überraschend. Nicht nur aus Freundschaft zu Eisler war er so konziliant; vielmehr wußte er, daß dessen Anliegen, eine neue Welt zu schaffen, mit den seinen übereinstimmte.

Nach der Überwindung des Faschismus hatte für Brecht die Kunstschönheit wieder einen größeren Stellenwert bekommen. So lobte er an den Plastiken Ernst Barlachs die Schönheit ohne Beschönigung, die Harmonie ohne Glätte[13] und an dem von Eisler vertonten Gedicht »Deutschland« von Johannes R. Becher die Neuheit der Bilder, Worte und Wendungen, so etwa »du, mein Fröhlichsein.«[14] Die an Eisler hervorgehobene Einheit von Zartheit und Kraft findet sich auch in seiner eigenen Kinderhymne[15], einem seiner schönsten Gedichte, dessen erste Strophe lautet:

Anmut sparet nicht noch Mühe
Leidenschaft nicht noch Verstand
Daß ein gutes Deutschland blühe
Wie ein andres gutes Land.

In diesem Gedicht, das Brecht zusammen mit anderen Kinderliedern 1950 für Eisler schrieb, steht das Wort »Anmut« gleich an erster Stelle, noch vor Mühe, Leidenschaft und Verstand. Dieser Begriff aus der deutschen Klassik ist in Brechts Oeuvre neu. Er charakterisiert ein klassisches Humanitätsideal und, was für Brecht ebenso wichtig war, eine Haltung. Mit den vier Worten Anmut, Mühe, Leidenschaft und Verstand entwirft der Dichter ein Bild individueller menschlicher Ganzheit und Selbstverwirklichung, das er wiederum zur Keimzelle werden läßt für die Selbstverwirklichung Deutschlands.

Die »Kinderhymne« ist ein Gegenentwurf zum Deutschlandlied des August Heinrich Hoffmann von Fallersleben; möglicherweise reagiert sie auf Konrad Adenauers Überrumpelungsmanöver vom 15. April 1950 im Berliner Titania-Palast, mit dem er überraschend und gegen das Votum des Bundespräsidenten Theodor Heuss das Deutschlandlied als Nationalhymne der Bundesrepublik durchsetzte.[16] Gegen die imperialistische Parole »Deutschland, Deutschland über alles«, die unter Hitler grausige Wirklichkeit wurde, setzte Brecht die Tugend der Bescheidenheit und Gleichberechtigung:

> Und nicht über und nicht unter
> Andern Völkern wolln wir sein
> Von der See bis zu den Alpen
> Von der Oder bis zum Rhein.

Eislers Vertonung orientierte sich an der Idee von Anmut und Freundlichkeit und läßt Kampfliedassoziationen ganz fehlen. Schon Joseph Haydns Melodie zur »Kaiserhymne«, die 1797 beim Anrücken der französischen Armee unter Napoleon auf Wien entstand, verstand sich als Gegenhymne zur Marseillaise und reduzierte entsprechend deren zackig punktierte Rhythmen zu einem mehr getragenen Gesang. Dennoch enthält auch Haydns Melodie, die 1922 für die deutsche Nationalhymne übernommen wurde, in einigen punktierten Rhythmen noch Marschanklänge. In Eislers »Kinderhymne« dagegen gibt es überhaupt nichts Marschmäßiges mehr. Dies liegt wesentlich an der Statik der oft orgelpunktartig ruhenden Bässe. Beweglich ist dagegen die Gesangsstimme; auch die synkopisch einsetzenden Begleitfigurationen verleihen dem Lied Leichtigkeit und Eleganz. Das musikalische Gegenüber von Bewegung und Ruhe entspricht der dialektischen Einheit der Gegensätze in Brechts Gedicht. Das Lied fordert zum Bewahren, zur Zügelung militaristischer und expansionistischer Kräfte, gleichzeitig aber auch zur Aktivität, zum Aufbau auf. Nicht Triebhaftes wird damit angesprochen, sondern der Für und Wider abwägende Verstand.

Musikalisch basiert Eislers Komposition auf einfachsten Elementen: auf den Dreiklängen der klassischen Dur-Kadenz und auf Ausschnitten aus der Es-Dur-Tonleiter. Der Anfang ist ein Abrollen des Es-Dur-Dreiklangs, wobei die Singstimme die Linie des Klaviervorspiels fortführt:

Bei »Mühe« findet ein Akkordwechsel von der Tonika zur Dominante statt; die Mühe wird damit dem Bereich der Anmut als neues Element gegenübergestellt. Dennoch sind beide Sphären keine Gegensätze, was Eisler durch das Aushalten des Tonika-Grundtons Es zum Ausdruck bringt. Die funktionalen Gegensätze Dominante und Tonika überlagern sich ebenso harmonisch, wie sich in Brechts Gedicht die Forderungen Anmut und Mühe nicht ausschließen, sondern einander ergänzen.

Bei den Worten »gutes Deutschland blühe« kehrt diese melodische Wendung in der Umkehrungsform wieder. Die Umkehrungsform bringt ebenso Identität wie Anderssein zum Ausdruck: Das »gute Deutschland« ist ein Anderes, nämlich erst das Ziel der Arbeit; es ist aber auch ein Gleiches, nämlich mit Anmut und Mühe seiner Bewohner identisch.

Neben der Umkehrung der melodischen Bewegungsrichtung hat Eisler unauffällig, aber doch bedeutsam auch in den Rhythmus eingegriffen, indem er die Punktierung von der Mitte an den Anfang des Taktes verschob. Die Betonung liegt damit nicht auf »Deutschland«, sondern auf dem Adjektiv »gut«. Eben dies ist der wesentliche Unterschied zwischen dem Gedicht von Brecht und dem von Hoffmann von Fallersleben. Zugleich lockert Eisler mit diesem rhythmischen Wechsel die schematische Starrheit des Viervierteltakts auf.

Der musikalische Grundimpuls des Liedes besteht jedoch nicht im Rhythmus, sondern in der Melodie, die sich ohne Pause über ganze 18 Takte erstreckt und damit zwei Gedichtstrophen zu einer Liedstrophe zusammenfaßt. Verknüpft wird diese lange Melodie durch übergeordnete Sekundbrücken, die zusammen Skalenausschnitte ergeben, und durch Montageprinzipien. Bis zur Mitte der Strophe steigt die Melodie über diese Sekundbrücken stufenweise bis zur Oktave hoch – damit den Aufbau des Landes charakterisierend –, um in der zweiten Strophenhälfte wieder stufenweise abzusinken. Dabei kehren Formabschnitte der ersten Strophenhälfte wieder, jedoch in einer anderen Reihenfolge. So entspricht die Melodie bei »einer Räuberin« der Zeile »gutes Deutschland blühe«, die Melodie bei »sondern ihre Hände reiche« der Anfangszeile »Anmut sparet nicht noch Mühe« und der skalenartige Anstieg bei »uns wie andern Völkern hin« der Zeile »wie ein andres gutes Land«. Diese vertauschte Wiederkehr der Elemente macht den Montagecharakter des Ganzen aus.

Neben ihrer inneren konstruktiven Einheit steckt Eislers Melodie zu »Anmut sparet nicht noch Mühe« voller Anspielungen auf Haydns Melodie zum Deutschlandlied.[17] So verweist etwa die Passage

auf den Schluß des Deutschlandlieds:

Eislers Melodie erinnert noch einmal an den Entstehungszusammenhang des Liedes, an seine inhaltliche Gegenposition zum gefährlichen Herrschaftsanspruch des Deutschlandliedes. Daneben enthält seine Komposition auch mehrere melodische Anspielungen auf die DDR-Nationalhymne, besonders deutlich in der Begleitung zu »Von der See bis zu den Alpen«. 1950, als Brecht und Eisler ihr Lied schrieben, war die Spaltung Deutschlands noch nicht besiegelt; die Remilitarisierung beider Seiten und die Schaffung von einander entgegengesetzten Militärblöcken hatte damals noch nicht eingesetzt. Mittlerweile jedoch hat die »Kinderhymne« ebenso wie die DDR-Hymne utopischen Charakter angenommen, weshalb das Lied kaum noch gesungen wird – mit Ausnahme etwa von Wolf Biermann, dem ehemaligen Regieassistenten am Berliner Ensemble, der als Sänger erste Förderung durch Eisler erhielt und in seinen eigenen Liedern sowie in seiner Vortragsweise Impulse Brechts und Eislers fruchtbar weiterentwickelte.[18] So zärtlich, ja liebevoll wie Hanns Eisler selbst hat allerdings niemand das Lied »Anmut sparet nicht noch Mühe« gesungen. Auf einer Dokumentaraufnahme, bei der er von seinem Schüler André Asriel am Klavier begleitet wird, besitzt seine sonst so krächzende Stimme ein unnachahmliches dolcissimo, ein Zu-sich-selbst-Singen von doch drängender Intensität.[19] Man muß diesen Gesang gehört haben, um Eisler, aber auch die Ästhetik des späten Brecht wirklich verstehen zu können.

So zart und freundlich dieses Lied daherkommt, so sperrt es sich doch gegen falsche Vereinnahmung. Es ist eine Schönheit, die sich nicht unterschiedslos an alle Menschen richtet, sondern an die, die eine friedliche Welt aufbauen wollen, eine Schönheit, die unmittelbar eingängig ist und trotzdem aufhorchen macht — dafür sorgt auch der offene Schluß des Liedes mit seiner ungewohnten Plagalkadenz und dem Ende auf der Quinte statt dem Grundton. Es ist keine abstrakte, sondern eine konkret gefüllte Schönheit — in diesem Fall musikalisch geprägt durch die Auseinandersetzung mit Deutschlandlied und DDR-Nationalhymne —, eine Musik, in der Klangschönheit und politische Intelligenz[20], Leidenschaft und Verstand eins sind. Für dieses Lied kann gelten, was sich der späte Brecht in seinem Gedicht »Auf einen chinesischen Theewurzellöwen«[21] von seiner Kunst erhoffte:

> Die Schlechten fürchten deine Klaue
> Die Guten freuen sich deiner Grazie.

Von Kunst und damit auch von Musik verlangte Brecht beides: die Klaue und die Grazie. Gerade auf schönfärberische Musik, die auf kritische Momente ganz verzichtete, reagierte er höchst allergisch. Als während der Debatte um Dessaus dissonanzenreiche »Lukullus«-Musik jemand sagte »Wir Deutschen lieben eine harmonische Musik«, kommentierte Brecht diesen Satz:»›Wir Deutschen‹ — ich höre: drei Jahre KZ; ›lieben‹ — ich höre: acht Jahre KZ; ›eine harmonische Musik‹ — ich höre lebenslänglich.«[22] Gerade die Deutschen brauchten in ihrer Musik Stacheln, hatten sie sich doch in ihrer Geschichte als besonders anfällig gegen Verführung erwiesen. Brecht hatte erfahren, daß das »Volk der Denker und Dichter« mit einem Marschlied auf den Lippen und dem *Faust* im Tornister blind werden konnte gegen jedes Verbrechen.

Musik sollte endlich aufhören, eine Schicksalsmacht zu sein. Brecht erhoffte sich eine sozialistische Gesellschaft, in der die Distanz zwischen Kunst und Leben beseitigt und auch die Musik begriffen werden kann als Teil der menschlichen Produktivität, durchdacht und lustvoll wie diese.

Brechts Werk zielt auf Veränderung, auf die Ablösung des Kapitalismus durch den Sozialismus. Je mehr das Thema des Klassenkampfes dabei durch die Themen Sozialismus und Frieden abgelöst wurde, um so mehr gestattete er sich Genuß und Gefühle; das hatte sich schon beim Übergang von der *Maßnahme* zur *Mutter* gezeigt. Während er innerhalb des Kapitalismus künstlerische Utopien als Realitätsflucht, als verfrühte idealistische Vertröstung bekämpfte – deshalb seine Ablehnung der Parole »Alle Menschen werden Brüder« bei Schiller und Beethoven –, hielt er innerhalb einer sozialistischen Gesellschaft utopische Zukunftsvisionen wieder für sinnvoll. Brechts zentrale Zukunftsvision war der Weltfrieden. Sichtbar zeigte er dies, indem er Picassos Friedenstaube zum Emblem des Berliner Ensembles wählte. 1950 schrieb er nach Pablo Nerudas Gedicht »Der große Gesang« sein *Friedenslied*, das er zusammen mit anderen Kinderliedern, darunter auch »Die Pappel vom Karlsplatz«, Eisler zur Vertonung übergab.

Brechts Gedicht besteht aus sehr einfachen Vierzeilern, die immer wieder neu den Friedenswunsch artikulieren. Trotz der einfachen Wortwahl und trotz des gleichbleibenden Satzbaues bleibt die Aussage nicht allgemein, sondern wird konkret. »Friede« wird dabei nicht bloß als Abwesenheit von Krieg verstanden, sondern in erster Linie als sozialer Frieden, wobei Brecht von der unmittelbaren Umgebung ausgeht, vom Land, von der Stadt und schließlich den Nachbarn. Erst in den Strophen 4 bis 6 kommen auch weltpolitische Aspekte hinzu; die Hauptstädte Moskau, Washington und Berlin werden dabei durch ihre Symbole gekennzeichnet. Gerade die 5. Strophe zeigt deutlich, daß mit Friede nicht allein die Abwendung von Krieg gemeint ist. Friede können die New Yorker Chauffeure und die Kulis von Singapur nur haben, wenn sie nicht mehr unterdrückt und ausgebeutet werden.

Nicht allein durch diese umfassende Deutung des Wortes »Friede«, sondern auch durch die Verwendung des Possessivpronomens »unser« wird das Gedicht als ein sozialistisches Gedicht erkenntlich. »Friede auf unserem Felde« und »Friede in unserer Stadt« meint, daß Stadt und Land nicht Privatbesitz sind, sondern allen gehören. Die Bauern, die die Felder bestellen, die Arbeiter, die die Häuser bauen, sollen selbst die Früchte ihrer Arbeit genießen; Produktion und Konsumtion sind nicht voneinander getrennt. Mit einfachsten Worten charakterisiert Brecht damit die Grundbedingungen des Sozialismus, unter Verzicht auf Phrasen zeichnet er das Bild einer sozialistischen Welt – ein Kinderlied, das zugleich Lehrgedicht ist.

Eisler und Dessau haben dieses Gedicht auf sehr unterschiedliche Weise vertont. Dessaus Komposition wirkt wie ein gedehntes Rezitativ, wie ein sehr ernstes weltliches Gebet; »die Rezitationsformeln ähneln Gebetsformeln, womit sie den Gestus des Bittens unterstreichen«.[23] Durch das sehr langsame Tempo, durch die gleichförmige Betonung von Haupt- und Nebensilben, durch die dissonante Zweistimmigkeit, die Vermeidung des

Grundtons e' in der Melodie, und nicht zuletzt dadurch, daß er diesen ernsten Gesang von Kindern anstimmen läßt, erzielt Dessau eine verfremdende Wirkung. Der Friede wird damit als das durchaus nicht Selbstverständliche, als das erst noch zu Erringende charakterisiert. Mit seinem spröden Satz zeigt Dessau eher die Ferne als die Nähe des Friedens.

Eislers Vertonung dagegen ist nicht sperrig-rezitativisch, sondern volksliedhaft eingängig. Schon den Rhythmus hat Eisler, indem er ihn direkt aus der Deklamation des Gedichts ableitet, eingängiger gestaltet. Wie von selbst ergibt sich dadurch der Wechsel von langen Haupt- und kurzen Nebensilben, dazu von langen und kurzen Takten. Dabei verfährt Eisler keineswegs schematisch, sondern hebt das Prinzip des Volkseigentums durch Dehnung (»ge - hö -- re«) hervor. Schon rhythmisch wird dadurch in den Strophen 1 bis 3 eine Entwicklung angezeigt. Unterstrichen wird sie durch den allmählichen melodischen Anstieg vom Grundton f' zur Quinte c''; nur bei diesem Takt ist der Ton c'' betont.

Wie Dessau hat auch Eisler die sieben Strophen des Gedichts zu einer musikalischen ABA-Form geordnet. Diese Gliederung hat nicht nur die

Funktion, musikalische Gleichförmigkeit zu verhindern, vielmehr dient sie auch der inhaltlichen Strukturierung. Dessau erzielte eine symmetrische Form, indem er die Strophen 1–2, 3–5 und 6–7 zusammenfaßte. Eislers Gliederung (A: 1–3; B: 4–6; C: 7) ist unsymmetrisch, jedoch stärker am Inhalt orientiert; außerdem hebt sie so stärker die Schlußstrophe heraus.

Dem Prozeßcharakter der Rahmenteile stellt Eisler im statischen Mittelteil die Vision eines bereits erreichten Friedenszustandes entgegen. Das pentatonische Motiv c–d–c–a, das dann auf einer anderen Stufe als g–a–g–e wiederkehrt, ähnelt nicht nur Kinderliedern (etwa »Backe, backe Kuchen« oder »Häschen in der Grube«), sondern auch dem Glockenläuten. In der Schlußstrophe kehrt dagegen das Entwicklungsprinzip des Anfangs in gesteigerter Form wieder. Die Steigerung liegt in dem sykopisch einsetzenden Spitzenton f″, der die Schlußzeile »daß sie uns günstig sind« heraushebt. »Günstig« – auch dieses Wort verwendet Brecht wie »Friede« in einem doppelten Sinne: Die Erde soll dem Menschen ihre Gunst zeigen, sie und ihre Schätze sollen ihm nicht zu teuer, sondern nützlich sein.

Mit dem »Friedenslied« von Eisler trat neben Ernst Busch vor allem Gisela May hervor; für sie war es das erste Lied, das sie zusammen mit Eisler einstudierte. Er legte, so erinnert sie sich, »großen Wert darauf, daß das Wort ›Friede‹ immer groß und bewußt herausgestellt wird, daß aber dabei dieses Lied mit großer Freundlichkeit gesungen wird, ohne Agitation, denn es agitiert durch seinen Inhalt und durch die Einfachheit.«[24]

Als Brecht im April 1956 wegen einer Virusgrippe die »Galilei«-Proben am Berliner Ensemble verlassen mußte und in die Charité, Berlins traditionsreiches Krankenhaus, eingeliefert wurde, komponierte Eisler für ihn einen kleinen »Charité-Kanon« mit den Worten »Die Krankheit vergehet, Brecht bestehet«[25]; neben dem Titel notierte er »repetitio ad infinitum«. Wie ein immerwährendes Glockenspiel sollte dieser Kanon als eine unbeschwerte Misuk den kranken Dichter erheitern. Brecht selber, der schon sein Ende spürte, deutete solche Klangschönheit anders: nicht als Aufforderung zur Genesung, sondern als Trost – die Schönheit der Musik würde auch seinen Tod überdauern. Auslöser solcher Überlegungen war der Amselgesang, den er am Morgen von seinem Krankenbett aus hörte. Dieser Gesang ließ ihn die Todesfurcht überwinden, ließ ihn von seiner eigenen Person abstrahieren: »Jetzt / Gelang es mir, mich zu freuen / Alles Amselgesangs nach mir auch.«[26] Tatsächlich hatte sich Brechts neue Genußfähigkeit, die sich nach dem Zeugnis Manfred Wekwerths gerade in den Diskussionen um die nun endlich bevorstehende Aufführung von *Die Tage der Commune* vertiefte, schon im Gedanken an die Nachwelt entwickelt. Mehr als sich selbst wünschte er diese Fähigkeit und Möglichkeit den Nachgeborenen.

Eisler hat, wie auch andere in Brechts Umgebung, mit dem frühen Tod des Dichters nicht gerechnet. Sein letzter Besuch bei Brecht an einem Sonntag verlief heiter, obwohl dem Kranken das Sprechen Mühe machte. Zum Abschied sagte Brecht: »Entschuldige, ich habe nicht genug getan für Deine große Musik.«[27] Eisler war überrascht. Erst im nachhinein begriff er, daß dies die letzten Worte Brechts für ihn waren. »Ich frage mich: wußte er, wie krank er schon an diesem Sonntag war? Warum sonst sein letzter Satz?« Im nachhinein bedauerte Eisler, auf das mehrfache Angebot Brechts, in die Nähe seiner Wohnung in der Chausseestraße zu ziehen, nicht eingegangen zu sein. Hätte er sich für das Werk des Freundes nicht noch mehr einsetzen sollen?

Durch Brechts Tod am 14. August 1956 fühlte sich Eisler »schwer angeknockt«. Er verarbeitete seine Trauer jedoch ganz im Sinne Brechts, indem er sie als Impuls für neues Schaffen begriff. Noch am Tag des Begräbnisses traf er sich mit Brechts Mitarbeiterin Käthe Rülicke zu einer »schottischen Trauerfeier«: einem reichlichen Essen in einem kleinen Berliner U-Bahn-Restaurant, bei dem sie sich gegenseitig lustige Brecht-Anekdoten erzählten.[28]

Für Eisler war Brecht eine Persönlichkeit vom Rang Lenins. So konnte er in Anlehnung an das »Lenin-Requiem« eine *Kantate auf den Tod Bertolt Brechts* formulieren.

> I
> Als Brecht gestorben war
> Da wollt ich es nicht glauben.
> Ich ging hinein
> Wo er lag
> Und sprach zu ihm:
> »Bert, die Ausbeuter kommen!«
> Da wußt ich, daß er gestorben war.

II
Der, dem diese Welt wenig gefiel
– er wollte sie ändern –
Ging zu rasch weg
Nach getaner Arbeit.
Trauer deckt ihn besser zu
Als Erde
Auf der er nicht immer gern herumging.

III
Auch die Frechheit der Unternehmer
Und der Übermut unserer Ämter
Freuten ihn wenig.

IV
Edler Freund
Wie soll ich dich rühmen?
Du hast dir doch selbst
Ein Denkmal gesetzt
Deine Verse
Dauerhafter als Erz.

V
Und du bist eingeschreint
In dem großen Herzen
Der Arbeiterklasse.

Erstmals gedruckt wurde dieser Text am 24. September 1956 im »Neuen Deutschland«. Schon am Tag des Begräbnisses hatte diese Zeitung einige Zeilen Eislers über Brecht veröffentlicht, in denen es hieß: »Ihn ehren, heißt seine Werke lebendig halten. Dafür will ich mich bemühen, so gut ich es kann und solange ich lebe.«[29] Eisler hat Wort gehalten. Obwohl er selbst nicht mehr gesund war, regte ihn Brechts Tod zu großer Aktivität, zu genußvoller Produktivität an. So kümmerte er sich um die musikalische Gestaltung der nun Schlag auf Schlag einsetzenden Brecht-Premieren: um die Musik zur Uraufführung von *Die Tage der Commune* am 17. November 1956 in Karl-Marx-Stadt, zur Uraufführung von *Schweyk im Zweiten Weltkrieg* am 15. Januar 1957 in Warschau, zur DDR-Erstaufführung von *Leben des Galilei* am gleichen Tag in Berlin und zur Uraufführung der *Gesichte der Simone Machard* am 6. März 1957 in Frankfurt/Main. Brechts letztes Stück *Turandot oder Der Kongreß der Weißwäscher* plante er zu einer Oper umzuarbeiten; obwohl er im Juni 1958 einen entsprechenden Auftrag der Deutschen Staatsoper erhielt[30] und ihm von

Harry Buckwitz auch bereits eine westdeutsche Aufführung in Aussicht gestellt wurde[31], hat er dieses Projekt nicht mehr in Angriff genommen.

Noch mehr als früher machte Eisler sich jetzt Brechts Forderungen zur Musik zu eigen und versuchte sie auch im Musikleben durchzusetzen, freilich nur mit sehr begrenztem Erfolg.[32] »Hätte Brecht auf dem Gebiet der Musik mehr Einfluß gehabt«, notierte er sich für einen Vortrag, »vielleicht würde heute anders musiziert werden. Geschmacklosigkeit, Gefühlsschwindel, alle Unarten der Sänger, der Dirigenten, des Orchesters würde man heute so unter die Lupe nehmen, daß vieles als lächerlich empfunden würde, was heute noch gemacht wird.«[33] Daß sich Brechts und Eislers Forderungen auf dem Gebiet der Musik weniger durchsetzten als auf dem Gebiet des Theaters, liegt wohl auch daran, daß Brecht und Eisler nur verhältnismäßig wenig Kontakt zu Interpreten und Dirigenten hatten. Im Unterschied zu den theatralischen gab es nur sehr wenige musikalische »Musterinszenierungen«. Zu den Ausnahmen gehören die Gesangsinterpretationen Ernst Buschs und Gisela Mays sowie die Dirigierleistungen Hermann Scherchens, Herbert Kegels und Paul Dessaus.

Auch in neuen Kompositionen versuchte Eisler die musikalischen Forderungen Brechts zu verwirklichen, so besonders in der Lenin-Kantate *Die Teppichweber von Kujan-Bulak* für Sopran und Orchester, die am 4. Juni 1957 vollendet war. Der Partitur stellte er ein Brecht-Motto voran: »Besonders nötig aber ist es, mit profunden Gegenständen heiter zu verfahren und Autoritäten mit freundlichem Wohlwollen zu begrüßen.« Wie die Teppichweber in Brechts Gedicht so setzte auch Eisler seine Hommage produktiv um.[34] Schon wenige Tage nach der Kujan-Bulak-Kantate hatte er eine neue Brecht-Kantate vollendet: die *Legende von der Entstehung des Buches Taoteking auf dem Weg des Laotse in die Emigration*, sein gelungenster Beitrag zur Forderung des Freundes, die Kunst des Musizierens von Epen wiederzubeleben. Im Herbst 1957 entstanden als eine weitere Brecht-Kantate die *Bilder aus der Kriegsfibel*, in denen Text und Musik projizierte Zeitungsphotos kommentieren. Als Vor- und Nachspiel war zunächst ein Lied »Zu Brechts Tod« (»Die Wälder atmen noch«) vorgesehen, das Eisler im August 1956 unter Verwendung eines Gedichts seines alten Freundes gedichtet und komponiert hatte.[35] Ganz im Sinne Brechts war es auch, daß sich Eisler für öffentliche Auftritte Buschs als Sänger einsetzte. Schon bei der Brecht-Trauerfeier am 18. August 1956 im Theater am Schiffbauerdamm hatte Busch das »Einheitsfrontlied« singen dürfen. Den Durchbruch bedeuteten aber die Kampflieder »Linker Marsch« und »Lied vom Subbotnik«, die Eisler auf Majakowski-Texte anläßlich der Premiere von Wladimir Bill-Belozerkowskis Revolutionsstück »Sturm« für Busch schrieb, und eine Tucholsky-Matinee in der Deutschen Akademie der Künste im Januar 1957.

Bis zu seinem Tod im September 1962 war Eisler immer dann zur Stelle, wenn es galt, seinem Freund Gerechtigkeit zu verschaffen, so etwa auch bei einem Streitgespräch im Juni 1961 in der Hamburger Universität, bei dem er sich dem Brecht-Kritiker Siegfried Melchinger argumentativ und in der Formulierungskunst weit überlegen zeigte.[36] »Fragen Sie mehr über Brecht«, forderte er den Dramaturgen Hans Bunge auf, als dieser ihn zu seinem eigenen Leben, Denken und Schaffen befragte.

Auch für Paul Dessau wurde Brechts Tod zum Schaffensimpuls. Im September 1956 begann er mit den ersten Skizzen zu einer »Puntila«-Oper, die er im März 1959 abschließen konnte. Brecht hatte mit Dessau auch sein Projekt einer »Einstein«-Oper besprochen und der Veroperung seines *Puntila* freudig zugestimmt.[37] Im Jahre 1957 komponierte Dessau sein bedeutendes Orchesterstück »In memoriam Bertolt Brecht«, das zu den klanglich kühnsten Beispielen der DDR-Sinfonik gehört.[38] Im Zentrum des dreiteiligen Werks steht ein ausgedehnter, grell instrumentierter Marsch, ein wildes Durcheinander der Stimmen, die einen beharrlich von den Bläsern vorgetragenen Cantus firmus, das Geschäftslied der Mutter Courage, übertönen und damit verhöhnen. »Der Krieg soll verflucht sein!« ist diese Marcia überschrieben. Dem Gedächtnis des Dichters konnte Dessau kaum besser dienen als dadurch, daß er ihn als einen Kämpfer für den Frieden hinstellte.

Im Jahre 1979, 29 Jahre nach Kurt Weill und 17 Jahre nach Hanns Eisler, starb Paul Dessau als der letzte bedeutende Komponist, der eng mit Brecht zusammengearbeitet hat. Brechts Wirkung auf Komponisten war damit allerdings noch lange nicht zu einem Ende gekommen.

Teil V

Er hat Vorschläge gemacht

Drei Komponisten der Gegenwart äußern sich zu Brecht.

639

»Vieles von Brechts Theaterdenken ist mir in Fleisch und Blut übergegangen.«

Ein Interview mit
Hans Werner Henze

Hans Werner Henze, 1926 in Gütersloh (Westfalen) geboren, studierte nach Arbeits-, Militärdienst und Kriegsgefangenschaft (1944/45) ab 1946 am kirchenmusikalischen Institut in Heidelberg und bei Wolfgang Fortner. 1948 war er musikalischer Mitarbeiter von Heinz Hilpert am Deutschen Theater Konstanz und nahm 1949 Kompositionsunterricht bei René Leibowitz in Darmstadt und Paris. Nach einer Tätigkeit als künstlerischer Leiter und Dirigent des Balletts des Hessischen Landestheaters Wiesbaden übersiedelte er 1953 nach Italien, wo er seitdem als einer der angesehensten, bedeutendsten und produktivsten deutschen Komponisten lebt. Er schuf Werke in allen musikalischen Gattungen: Sinfonien, Streichquartette, Opern, Oratorien, Konzerte für verschiedene Soloinstrumente, Lieder sowie Film- und Ballettmusiken. Seit 1962, als er eine Meisterklasse für Komponisten am Mozarteum Salzburg übernahm, ist Henze auch als Lehrer tätig. Neben einer ausgedehnten kompositorischen und dirigentischen Arbeit setzte in den sechziger Jahren ein verstärktes politisches Engagement ein. In West-Berlin beteiligte sich Henze 1967/68 an den Aktivitäten der studentischen Protestbewegung und an der Organisation und Durchführung des Vietnam-Kongresses. Die Uraufführung seines politischen Oratoriums *Das Floß der Medusa* löste 1968 in Hamburg einen Skandal aus. Aufenthalte in Kuba inspirierten ihn zu mehreren engagierten Kompositionen, darunter das Rezital für vier Spieler *El Cimarrón* und das Vaudeville *La Cubana*. 1973 schrieb er mit einem Komponistenkollektiv die szenische Kantate *Streik bei Mannesmann*. Die Vermittlung verschiedener musikalischer Formen an ein breites Publikum gestaltete er 1976–80 bei dem von ihm ins Leben gerufenen und geleiteten »Cantiere internazionale d'Arte« in Montepulciano. Probleme der Sprachlichkeit von Musik stehen im Mittelpunkt der Jahrbücher »Neue Aspekte der musikalischen Ästhetik«, die Henze seit 1979 herausgibt. 1980 übernahm er eine Professur für Komposition an der Musikhochschule Köln; 1981 gründete er, als österreichisches Pendant zu Montepulciano, in Mürzzuschlag (Steiermark) die Mürztaler Musikwerkstätten.

Henze: Die ersten Begegnungen mit Brecht und Weill, nämlich als Autoren der »Dreigroschen«-Songs, hatte ich schon während meiner Studienzeit in Braunschweig 1943/44, bevor ich zum Militärdienst eingezogen wurde. Dort sang das die Braunschweiger Bohème, die Schauspieler, heimlich abends zu Hause. Das war fast wie ein staatsgefährdendes Unternehmen; man tat es mit großer Wonne. Es hatte tatsächlich etwas Erregendes und sprach von einer Welt, die wiederkommen und sich grundsätzlich unterscheiden würde von dem damaligen stumpfsinnigen Faschismus. Sobald es dann nach dem Krieg möglich war, was ja ziemlich bald der Fall war, Brecht im Theater zu sehen, habe ich angefangen, mich intensiv mit ihm zu beschäftigen. Ich kaufte auch gleich mehrere Bände, später dann auch diese kleinen Bände der Sammelausgabe aus dem Aufbau-Verlag von 1955, aber auch einzeln Gedrucktes wie die *Hauspostille*.

Und dann hatte ich die große Freude und den unvergeßlichen Eindruck, Brecht kennenzulernen in Berlin im Winter 49/50, als er die Inszenierung seiner Lenz-Bearbeitung *Der Hofmeister* vorbereitete. Ich komponierte damals aus Mangel eines anderen Raums in Paul Dessaus Arbeitszimmer im Deutschen Theater. So wurde ich auch einmal Brecht vorgestellt. Aber es kam zu keinem Gespräch, denn er war viel zu sehr auf seine Dinge, seine Arbeit konzentriert. Ich hatte ihm ja auch gar nichts zu sagen, und er wußte auch nicht, was er mich fragen sollte. Ich war wahrscheinlich nichts als ein blasser Jüngling für ihn – nicht »brauchbar«. Trotzdem und gerade deswegen war ich beeindruckt. Ich durfte ein paar von diesen unbeschreiblich ergreifenden Proben miterleben, wo ich zum erstenmal gesehen habe, wie ein intelligenter Mensch mit Schauspielern arbeitet und was als Resultat aus den Schauspielern wird, wie weit man gehen kann und wie tief sich ein Einverständnis zwischen Autor und Darstellern herauskristallisieren kann. Diese Erfahrung war ein erster großer Impuls, mich für das Theater als Ausdrucksmittel, auch für die Komposition für das Theater, zu interessieren.

Dümling: Fiel Ihnen dabei auch die Bühnenmusik auf?

Henze: Im *Hofmeister* gab es einen genialen Musikeinfall. Wenn der Vorhang fällt und der Hofmeister Läuffer beschlossen hat, sich zu kastrieren, gibt es einen Umbau und es erklingt der türkische Marsch von Mozart. Dabei ergab sich die Assoziationskette türkische Musik – Entführung aus dem Serail – Eunuchen. Eine ungeheure Idee, von Brecht natürlich, sagenhaft und wirklich genial! Bei meiner letzten Arbeit für das Theater, der viktorianischen Sittenkomödie *Die englische Katze* (Edward Bond), hatte ich immer wieder diese besondere Art von bissigem und trockenem Humor vor Augen, der mich vor über 30 Jahren an der Brechtschen »Hofmeister«-Bearbeitung und -Inszenierung beeindruckt hatte; er hat auch den Stil meiner Inszenierung angeregt (Juni 1983). – Ich habe auch die »Courage«-Inszenierung gesehen, hatte auch eine kleine Schallplatte »Courage«-Musik mit der Weigel, vier Songs, zwei auf jeder Seite. Vielleicht habe ich sie noch.

Dümling: Der Zugang zu Brechts Schriften geschah wohl später?

Henze: Sehr viel später. Ich hatte aber immer einen direkten Draht zu Brecht durch meinen Freund Paul Dessau. Er erzählte mir von seiner Zusammenarbeit und von Brechts Bemerkungen zur Musik.

Brechts Einstellung zur Musik ist natürlich in erster Linie charakterisiert durch die Tatsache, daß er ganz zentriert war auf seine literarische Arbeit. Ihn interessierte primär seine literarische Produktion und die Fortsetzung davon auf dem Theater. Ein Komponist interessierte ihn soviel wie ein Beleuchter – also sehr, aber nur in Relation zu seinem eigenen Werk und zur Theaterproduktion. Das ist ja auch vollkommen richtig.

Die Vorstellung von Musik, die durch seine Werke, seine Gedichte, seine Prosa und durch seine Theaterarbeiten schimmert, ist meiner Meinung nach eine Musik von großer bäurischer Einfachheit und Eleganz, die am schönsten in der Phantasie ist. Die Wirklichkeit nämlich kann sie fast gar nicht hervorbringen: eine Einfachheit, die nicht maniriert sein darf. Er hatte ja einen guten Geschmack. Das vergißt man immer. Das ist fast eine Einschränkung von Brecht, sie reduziert ihn ein bißchen, diese Perfektion des guten Geschmacks.

Dümling: Wie kamen Sie eigentlich zu Dessau?

Henze: Durch gemeinsame Bekannte; um es genau zu sagen, durch seine damalige Frau, die Schauspielerin Antje Ruge. – Er hat sich immer fabelhaft zu mir verhalten. Zum Beispiel kann ich nicht vergessen: Ich war damals krank in Berlin, und er war praktisch der einzige Mensch, der sich um mich gekümmert hat, der jeden Morgen aus Zeuthen den ganzen Weg bis zum Westend mit der S-Bahn fuhr, der ins Westend-Krankenhaus kam, um mir Orangen zu bringen oder ein Buch und mit mir zu reden, um mir Mut zu machen und dann wieder wegzugehen, mitten in seine enorme Arbeit, die er ja hatte. Es war eine Loyalität und Solidarität von Anfang an, die mir viel Kraft gegeben hat, auch Mut gemacht hat. Damals arbeitete er gerade an seinem *Verhör des Lukullus*. Die Uraufführung selber habe ich nicht gehört, da war ich wohl schon in Italien. Ich habe es dann später gesehen in Frankfurt – da war er auch zugegen – in einer Inszenierung von Buckwitz, wenn ich nicht irre.

Dümling: Sehen Sie nicht einen stilistischen Kontrast zwischen dem, was Dessau schrieb, und Ihren eigenen, mehr lyrischen Werken?

Henze: Natürlich hat er anders geschrieben als ich. Aber es ist anregend, wenn Verschiedenheit existiert. Sonst hätten wir uns auch nicht viel zu sagen gehabt. Was ich ihm am meisten verdanke, ist die musikalische Flexibilität und Sensibilität und, wie man auf einen Text eingehen kann – das ist zweifellos etwas, das aus der Zusammenarbeit mit Brecht kommt. Dann wiederum müssen wir wohl annehmen, daß er auch meine Musik sehr mochte, und zwar selbst so lyrische Stücke wie »Being Beauteous«, das er zum Beispiel 18 oder 20 Takte lang in seinem Quattrodrama für 4 Celli und Klaviere zitiert und in seinem Stil weiterentwickelt als eine Art Brüderlichkeitsgeste. Ich wiederum habe ihm eines der Lieder aus *Voices* gewidmet und ihn sogar einmal zitiert: in *Wir erreichen den Fluß* bei einer ähnlichen dramatischen Situation – eine alte Frau und ihr Kind

– das »Lied der Fischfrau« (»Mein Sohn Faber ...«) aus dem *Lukullus*.
Auch für einen Mann wie Dessau und selbst Eisler ist es wohl nicht immer ganz leicht gewesen, alle Wünsche Brechts zu erfüllen. Denn im
Grunde neigt alle wissende und entwickelnde Musik zum Lyrismus. Es ist
eine der Haupteigenschaften der Musik, »lyrisch« im wahren Sinn des
Wortes zu sein. Diese Lyrik der Musik ständig abkneifen zu wollen, damit
sie gesellschaftlich gültiger und zuverlässiger wird und Brechts Forderungen genauer entspricht, ist eine Operation, die nicht immer funktionieren
kann.

Dümling: Welche Texte von Brecht haben Sie zunächst rezipiert?

Henze: Die Prosa habe ich wiederholt gelesen, die Theaterstücke auch –
sie lesen sich außerdem ja auch sehr schön. Die theoretischen Texte habe
ich erst Ende der sechziger, Anfang der siebziger Jahre gelesen. Nach Beendigung der *Bassariden* bekam ich den Eindruck, daß ich mich intensiver
mit marxistischer Ästhetik befassen müsse, um für mein Arbeiten eine
bessere Grundlage zu haben. Außer den Arbeiten Trotzkys über Literatur
ist eigentlich Brecht das, was mich am meisten beeindruckt hat. Vieles,
zum Beispiel seine Einstellung zur Aktivität der Musik im Theater, ist mir
in Fleisch und Blut übergegangen. Ich könnte mir vorstellen, daß man
meine Partitur von *Wir erreichen den Fluß* als ein neueres Beispiel für eine
epische Form des Musiktheaters nehmen könnte: die Sichtbarmachung
von Musik als Arbeit, gleichzeitig auch die größere Intensität des Spielens,
die dadurch entsteht, daß die Musiker in die Handlung verwoben sind
und entsprechend reagieren in ihrem künstlerischen Engagement, auch
daß man die musikalischen Vorgänge nicht nur hört, sondern auch sieht.
Der Hörer wird nicht in die Handlung hineinversetzt, sondern ihr gegenübergestellt. Er kann die musikalischen Prozesse verfolgen.

Dümling: In seinen Anmerkungen zur »Mahagonny«-Oper schreibt
Brecht, daß die Oper immer kulinarisch sei und man deshalb diesen
Kulinarismus offenlegen, denunzieren müsse.

Henze: Das tut man ja auch bis zu einem gewissen Grad. Niemandem
würde es einfallen, heute etwas von der politischen Unverbindlichkeit
und dem schmelzenden Schmalz von Partituren wie denen von Humperdinck oder Schreker zu schreiben. Vielleicht ist auch das dem generell sit-
tenverbessernden Einfluß Brechts zu verdanken. Andererseits entging seinem strengen Blick, seinem empfindlichen Ohr – oder wollte er es nicht
wahrhaben? war ihm der Gedanke peinlich? –, daß Musik ursprünglich
eine körperliche, physische Kunst ist, der das Sündhaft-»Kulinarische«,
eine starke erotisch-emotionale Komponente, etwas anscheinend Unkon-
trollierbares, allgemein für unnennbar Gehaltenes so natürlich und wesentlich ist wie die Farben in der Malerei oder die Geometrie in der
Architektur oder die klassischen Versmaße in der Dichtkunst.
Brecht ging natürlich ausschließlich vom Standpunkt des Stückeschreibers

und vielleicht auch des Regisseurs aus und sah nicht, daß das Sprechtheater und das Musiktheater zwei vollkommen unterschiedliche Dinge sind. Das Musiktheater existiert, weil es Musik gibt, und das Sprechtheater, weil es das gesprochene Wort gibt. Im Musiktheater sind andere Dinge Hauptgegenstand des Interesses als im Schauspiel. (Für den Ex-Stuttgarter Peymann war auch die Oper ein Greuel sondergleichen; vielleicht war es auch eine heimliche Liebe. So etwas gibt es. Ich glaube, Peter Stein hat auch solche Schwierigkeiten, weil auch die Sänger nicht so gut gestisch darstellen können, weil sie keine trainierten Schauspieler sind.) Manche Leute können sich gar nicht vorstellen, warum jemand auf der Bühne singen muß, anstatt zu reden. Alles ist in der Oper eben anders. Schon das Gebäude, die Bühne, der Orchestergraben ist anders. Alles ist für Musik gemacht.

Dümling: Es war Brechts Auffassung, daß der Opernproduzent durch diesen Apparat, den er zu beherrschen glaubt, in Wahrheit beherrscht wird. Haben diese Gedanken Sie beeindruckt?

Henze: Ja, das hat mich beeindruckt. Es hat mir geholfen, einiges zu verstehen. Natürlich ist man abhängig vom Apparat.

Dümling: Wäre dann nicht die Konsequenz, auch in Institutionen zu arbeiten, die nicht zu diesem bürgerlichen Apparat gehören?

Henze: Wo sind sie denn?

Dümling: Brecht spricht zum Beispiel von Arbeiterchören. Er hat natürlich auch für bürgerliche Theater geschrieben, dann aber diese Produktionsbedingungen reflektiert, von denen er beherrscht wird.

Henze: Na gut, dann werde ich eben beherrscht. Aber ich höre wenigstens mein Stück, und das Publikum auch. Ich übertreibe natürlich und weiß, was Brecht meint. Das liegt aber weder an der Musik noch an den Produzenten von Kunst, sondern an dem ökonomischen und gesellschaftlichen Herrschaftssystem im Kapitalismus. Natürlich kommt noch hinzu, daß unsere Musik von den Apparaten, die uns beherrschen, sehr ungern gespielt wird. Jüngere Komponisten, die sehr gute Musik schreiben, die überhaupt keine Aufführung kriegen, die kommen sich natürlich besonders beherrscht vor. Was soll ein zwanzigjähriger junger Mensch tun, dem Komponieren ungeheuren Spaß macht? Soll er das alles lassen? Mich würde es deprimieren, wenn ich bestimmte Dinge, die ich gerne schreibe, nicht mehr schreiben dürfte.

Dümling: Natürlich existieren heute, im Unterschied zur Weimarer Republik, außerhalb der bürgerlichen Institutionen kaum Aufführungsmöglichkeiten.

Henze: Damals gab es sogar Arbeiterorchester. Das gibt es heute auch nicht mehr.

Dümling: Sehen Sie keine Gefahr, daß zum Beispiel politische Intentionen von Künstlern durch den Apparat abgeschwächt werden?

Henze: Doch. Enorm. *Das Floß der Medusa* und die Geschichte der Aufführungen ist ein Beispiel. Sie werden praktisch negiert, annulliert. Da ist nichts zu machen.

Vielleicht ist es aber auch nicht ganz so arg, wie ich es sage. Vielleicht ist das, was man machen kann, und zwar besonders die didaktische Seite, doch recht wichtig für eine neue Generation von Komponisten, die am Scheitern oder Nichtscheitern eines Vorläufers sehen können, was möglich und was nicht möglich ist. Vielleicht sind die jungen Künstler auch tatsächlich in der Lage, die Gesellschaft dergestalt zu verändern, daß eine Beherrschung durch den Apparat nicht mehr erfolgen kann.

Kennen Sie eigentlich meinen Zyklus *Voices?* Der hat Dessau, glaube ich, nicht gefallen – er hat jedenfalls nur wenig dazu gesagt. Er hat nur bemerkt, daß er die Wahl der Instrumente für »Die Überlieferung des Buches Taoteking« falsch findet. Warum, hat er aber nicht gesagt. Ich habe es ja mit Volksinstrumenten (darunter allerdings auch eine Blockflöte) versucht.

Dümling: Anscheinend ging Dessau von der Vorstellung eines spezifischen Brecht-Stiles in der Musik aus.

Henze: Was wäre das, so viele Jahre später? Es ist ja schon mehr als ein Vierteljahrhundert seit Brechts Tod vergangen. Die Musik entwickelt sich ja weiter. In *Voices,* wenn ich mir erlauben darf, das zu sagen, habe ich ja versucht, in jedem dieser 22 oder 23 Lieder in aller Bescheidenheit einen Vorschlag zu machen zu der Frage des politischen Liedes oder der Musik, die sich mit Politik befaßt und die versucht, politisch wirksam zu sein.

Dümling: Kennen Sie eigentlich auch die Musik Hanns Eislers, etwa seine Kunstlieder?

Henze: Eisler, den ich persönlich allerdings nie kennengelernt habe, ist schon einer der Ahnen von *Voices,* einer der über die Schulter schauenden Komponisten.

Dümling: Wie steht es mit Kurt Weill? Haben Sie nicht in *La Cubana* Elemente seiner Musik aufgegriffen?

Henze: *La Cubana* ist viel realistischer. Bei Weill ist die Musik eine freie Komposition in einem bestimmten Genre, ein bestimmtes Genre reproduzierend, in fast expressionistischer Überzeichnung. Bei mir ist es der Versuch, eine existierende Musik, also Gesellschaftsmusik, Tanzmusik, Barmusik, Kabarettmusik und dergleichen, fotografisch genau auf die Seite der Musik des Theaters zu transportieren – wenn Sie wollen, ein bißchen im Sinne der Pop-art. Der Einfluß der *Dreigroschenoper* ist natürlich so stark, daß man es kaum zu erwähnen braucht. Und damit es auch jeder genau merkt, habe ich am Schluß der Zirkusszene den Haifisch-Song zitiert.

Dümling: Im Unterschied zu vielen anderen Komponisten ist für Sie, denke ich, die »Angewandte Musik« nicht zweitrangig.

Henze: Ich habe Bühnenmusik fürs Theater gemacht, auch politische Lieder zum Spielen auf Kundgebungen, und Filmmusik. Ich verspreche mir immer, eines Tages mir die Zeit zu nehmen für Jugendmusik, auch für Laienchöre wie den Hanns-Eisler-Chor Berlin. Ich denke immerfort daran. In absehbarer Zeit habe ich vor, die Lieder aus dem Lehrstück *Die Ausnahme und die Regel* zu komponieren. Dessau hat, glaube ich, einmal eine Gelegenheitsmusik dazu gemacht. Ich möchte eine Beatband dazu nehmen, will versuchen, mit diesem Instrumentarium, mit den rhythmischen patterns der Beatmusik, zu arbeiten und damit eine andere Antwort geben auf die Frage nach dem politischen Song und nach einer Musik, die im Schauspiel hilft, Brecht zu transportieren. Im Zusammenhang mit Musik sehe ich auch für das Lehrstück besondere Chancen.

Um 1968/69 erzählte mir einmal Leonard Bernstein von seinem Projekt *Die Ausnahme und die Regel* als Broadway-Show, mit Jerome Robbins (der auch *Westside Story* gemacht hat) als Producer. Die beiden hatten die Idee, daß die Beleuchter und Techniker allesamt Schwarze sein sollten. An einem bestimmten Punkt des Abends hätte dann einer von diesen Schwarzen gesagt: »Wie kommen wir eigentlich dazu, für diese Weißen hier zu arbeiten? Wir wollen höhere Löhne!«, und sie hätten die Arbeit niedergelegt. Eine inszenierte Streiksituation oder Rebellion. Da habe ich gesagt: »Und jeden Abend, lieber Lenny, drei oder fünf Jahre lang, werden nun die Schwarzen Abend für Abend den Aufstand spielen? Das ist doch wohl nicht zu glauben!« Er hat es dann auch gelassen. Wenn ein Schwarzer in New York sagt, daß es ihm beschissen geht, dann braucht er das nicht zu spielen, dann stimmt das. Dann braucht er das nicht jeden Abend wieder zu sagen für die gleiche niedrige Gage. Das ist es, was ich so grauenvoll an dieser Idee fand.

Dümling: Der Angewandten Musik gegenüber steht die sogenannte Absolute Musik, die Konzertmusik. Für Brecht war sie vor allem deshalb suspekt, da ihre Wirkung primär emotional und nicht kontrollierbar sei.

Henze: Aber Komponieren ist doch von Bach über Weber bis heute das Hervorbringen einer Wirkung, und zwar das künstliche, bewußte Herbeiführen von Wirkungen. Das Rauschelement ist allein schon aus handwerklichen Gründen minimal.

Dümling: Immerhin sprach Schönberg aber in seiner atonalen Phase vom »Triebleben der Klänge«.

Henze: Sicherlich ist der frühe Schönberg ein blumiger Jugendstilmann. Für Schönberg war sicherlich Brechts Dichtung ein Greuel, weil sie alles das nicht enthielt, was ihm lieb und teuer war. Da bekennt sich wirklich ein Bourgeois zu seinem Stand und wirft sich diesem Zustand, dieser kitschigen bürgerlichen Welt zwischen Stefan George und Max Blonda, geradezu berauscht in die Arme. Wenn ich die Wahl hätte zwischen Brecht und Schönberg, würde ich immer sagen: Brecht.

Alles, was Brecht machte, hatte auch einen didaktischen Zweck. Er wollte zum Beispiel dieser Hördummheit, Theaterdummheit des traditionellen Publikums entgegenarbeiten, indem er ihm einfach die ganzen Kissen unterm Arsch wegzog. Aus gutem Grund und mit guten Resultaten. Ich bin zum Beispiel überzeugt, daß das Niveau des heutigen Schauspieltheaters in der Bundesrepublik – ich spreche jetzt von Leuten wie Stein und Peymann – ohne diese ganze Brechtsche Arbeit überhaupt nicht denkbar wäre. Dagegen ist das Musikpublikum zum Beispiel in der Bundesrepublik sicherlich sehr viel weniger entwickelt als das Schauspielpublikum. Denken Sie an die Oper, an das Dämmerlicht, dann rauscht es im Orchester, und schließlich erscheinen irgendwelche Germanen auf der Bühne. Das ist zugleich eine Bestätigung des Klassenstatus, so als gehören Dirigent, Sänger und Orchester dem Hörer wie Leibeigene.

Das, was Brecht für die deutsche Sprache getan hat, was er in der deutschen Sprache bewirkt hat, könnte und sollte sich auch in der Musik vollziehen: dieser Reinigungsprozeß, diese Entelitarisierung, eine Vereinfachung des Vokabulars zugunsten einer größeren Klarheit und Mitteilbarkeit der Ideen. Wie Sie wissen, versuche ich seit ziemlich langer Zeit schon, solchen Forderungen entsprechend zu arbeiten.

Kein Handwerker wird allerdings gern auf das verzichten, was er kann. Man muß nur versuchen, sein handwerkliches Können brauchbar zu machen für einen solchen Kommunikationsprozeß. Es sollte dabei aber nichts von dem verlorengehen, was von Menschen im Sinne eines Fortschritts erreicht worden ist. Das heutige Niveau des Komponierens ist objektiv bemerkenswert hoch. Sollte man es nun deswegen einfach verlassen, weil es von den Reichen bezahlt wird oder weil Brecht es will?

Dümling: Brecht hatte vor allem eine Aversion gegen das 19. Jahrhundert, gegen die romantische Seite von Musik, auch gegen Geigen.

Henze: Das ist sein Pech. Denn das 19. Jahrhundert hat ja einiges hervorgebracht, was nicht gerade von der Hand zu weisen ist. Die symphonischen Bauten zwischen Beethoven und Mahler, die haben doch alle eine große redende Kraft, die sich nicht allein an die Bourgeoisie wendet, sondern an alle Menschen.

Dümling: Faktisch hat sie allerdings nur die Bürger erreicht.

Henze: Es gibt ja auch nur eine bourgeoise Kultur, vorläufig jedenfalls. Und die Musik des 19. Jahrhunderts hat mindestens so viel Bedeutung für die geistige Entwicklung der Musik wie sie zum Beispiel Karl Marx für die Ökonomie hatte.

Dümling: Brecht ging aus vom Vorrang des gesellschaftlichen Nutzens. Wie sehen Sie unter diesem Aspekt die Zukunft der Konzertmusik?

Henze: Das Schreiben von Instrumentalmusik für große Apparate, für Ensembles bis zum Symphonieorchester, ist ein Handwerk, das den Musiker interessiert und seine Phantasie in Bewegung setzt. Unter den jungen

Leuten, auch in der jungen Linken, schreibt man gern für Symphonieorchester. Warum eigentlich nicht? Diese Orchester existieren. Wenn wir verhindern wollen, daß sie zum Museum werden, wo man nur noch bis Mahler spielt und sonst nichts, dann muß ja auch komponiert werden für dieses Medium. Gerade die Orchestermusiker, die keine Idioten sind, wünschen sich ja auch, daß neue Stücke komponiert werden für sie.

Dümling: Das wäre der Nutzen für die Musiker. Wie aber steht es mit dem Nutzen für das Publikum?

Henze: Vielleicht schaden sich die Leute dauernd – sie schaden sich ja auch durch Rauchen und Alkohol. Vielleicht ist es schädlich, in ein Konzert zu gehen. Aber ich kenne viele Leute, die dort hingehen. Man sieht auch viele junge Leute, nicht nur »middle class«. Offenbar vergnügen sie sich; an diese Möglichkeit des musikalischen Vergnügens hat natürlich Brecht nicht gedacht, weil er sich bei Musik gelangweilt hat.

Dümling: Gelangweilt nicht. Eher schämte er sich darüber, daß Musik ihn emotional so stark berühren konnte. Für schädlich hielt er die unkontrollierbaren Emotionen, die Musik auslösen kann.

Henze: Vielleicht sind die Emotionen ja kontrollierbar. Vielleicht muß das Vermögen, Musik so bewußt und konzentriert zu hören, daß diese Bestürzung, diese Düpierung, wegfällt, gelernt werden. Wenn die Menschen einen musikalischen Prozeß tatsächlich verfolgen können, dann fängt Musik überhaupt erst an, Wichtigkeit zu bekommen. Natürlich gibt es viele Hörer, die im Zuschauerraum sitzen und überhaupt nichts verstehen, die sich von den Gesten des Dirigenten suggerieren lassen, worum es sich handelt, um etwas Trauriges, Lustiges oder Wildes – und das ist es dann auch schon. Das ist natürlich unzureichend und unzulänglich und kulinarisch.

Ich glaube aber, daß die Semiotik auf dem Wege ist, ein neues Terrain vorzubereiten, wo die Lehrbarkeit von Musikverständnis zu einer Disziplin ausgearbeitet werden kann. Sie müßte auf der Schule unterrichtet werden als ein Fach wie Grammatik oder Philologie.

»Brechts Sprachrhythmik beeinflußt musikalische Vorstellungen.«

Ein Gespräch mit
Friedrich Cerha

Friedrich Cerha wurde 1926 in Wien geboren, wo er nach dem Krieg Komposition, Violine und Musikerziehung sowie Philosophie, Germanistik und Musikwissenschaft studierte. Sein Studium schloß er mit der Promotion (Dr. phil.) ab. Charakteristisch für Cerha ist das Nebeneinander und die gegenseitige Durchdringung seiner Tätigkeiten als Instrumentalist, Dirigent und Komponist. 1958 gründete er in Wien zusammen mit Kurt Schwertsik das Ensemble »die reihe« für Neue Musik. Seit 1959 Lehrtätigkeit an der Hochschule für Musik in Wien, wo er seit 1976 ordentlicher Professor und Leiter einer Klasse für »Komposition, Notation und Interpretation neuer Musik« ist. Neben Instrumentalmusik schrieb er auch mehrere Bühnenwerke. Nach *Spiegel* für großes Orchester und Tonband, Bewegungsgruppe, Objekte und Licht (1960/61) entstand 1962–80 auf ein eigenes Libretto das Bühnenwerk *Netzwerk* für Bariton, 6 Sprecher, Kammerorchester, Bewegungsgruppe und Mimen. Internationale Erfolge errang Cerha, nachdem er 1979 den 3. Akt der Oper *Lulu* von Alban Berg nach den Skizzen des Komponisten vollendet hatte, mit dem Bühnenwerk *Baal* nach B. Brecht, das 1981 bei den Salzburger Festspielen uraufgeführt wurde. Die »Baal-Gesänge«, eine Suite aus der Oper, wurden mit Theo Adam als Solist mehrfach wiederholt, unter anderem auch mit dem Berliner Philharmonischen Orchester.

Cerha: Um 1948 habe ich begonnen, alle Stücke Brechts zu lesen. Ich habe sie verschlungen, zuerst die frühen Stücke. Die Gedichte kamen erst später. Ein mehr technisches Theaterinteresse galt dagegen dem Berliner Ensemble, dem ich viel später begegnet bin: im Jahre 1958. Mit Ernst Krenek war ich damals hier in Berlin und habe *Galilei* gesehen, 1960/61 auch noch vieles andere. Meine Anteilnahme an den frühen Stücken ist aber nie abgerissen. Bei allem Respekt für die späten Stücke gehört auch heute noch meine Liebe mehr dem früheren Werk. Ich glaube, ich habe schon bei der ersten Lektüre des *Baal* etwas Musikdramatisches vor mir gesehen, sah damals aber noch keine Möglichkeit, an eine solche Aufgabe heranzukommen.

Dümling: Was eigentlich hat Sie an der Figur des Baal so fasziniert?

Cerha: Eigentlich war es eine Art von Identifikation. Es ist gefährlich, das in diesem Zusammenhang zu sagen, weil man immer an das Baal-Bild denkt, das die Leute nach den ersten Aufführungen des Stücks entworfen haben und das mich sehr verwundert hat, als ich es kennenlernte. Damals hat man offensichtlich von den aktuellen Bezügen nur den allesfressenden Vitalisten, den sich Austobenden, über das Ufer Tretenden gesehen – das Polgar-Bild! Das hat mich nie so sehr interessiert, obwohl es auch zu Baal gehört. Vielmehr habe ich immer ganz stark einen anderen Aspekt gesehen, die Frage der Bereitschaft sich anzupassen, also einzusteigen, sich abzufinden mit seiner jeweiligen Situation, auch als Künstler. In der Situation der fünfziger Jahre war die aktuelle Musik, die serielle Richtung, zunächst ganz abgesondert und eigentlich nicht zur Entfaltung von »Publicity« prädestiniert. Trotzdem entwickelte sich um sie rasch ein enormer

Kulturkommerz, ein Handel mit Künstlern und ein Sklavenmarkt mit Karrieren.

Ich war einerseits durch die Wiener Schule erzogen, die jede Frage nach Karriere, Ruhm und Geld als völlig absurd und abwegig gesehen hat; andererseits wurde man aber mit allem, was man tat, sofort integriert in die Silhouette des kommerziellen Denkens und Handelns. Im Grunde genommen stand – und steht! – jeder vor der Situation, vor der Baal in der ersten Gesellschaftsszene steht.

Darüber hinaus gab es für mich eine heute noch viel brennender gewordene, weitreichendere Frage, die das Stück berührt, nämlich die Grundfrage: Wie *kann* man, wie *soll* man leben in dieser Welt? Ist das Nicht-Einsteigen eine Möglichkeit? Baal ist ja kein Aussteiger, sondern einer, der das Einsteigen verweigert und der die Frage des Gedichts »Von Sonne krank« stellt: Gibt es ein Land, in dem es besser zu leben ist? Ich weiß auch heute noch keine Fragen von größerer Aktualität, in einer so nichtakademischen Weise behandelt wie im *Baal*.

Dümling: Brecht selbst hat sich allerdings später vom *Baal* wegentwickelt und sein frühes Stück kritisiert.

Cerha: Bei allen distanzierenden Bemerkungen im Zusammenhang mit *Baal* ist es aber doch auffallend, daß er sich immer wieder mit diesem Stück auseinandergesetzt und immer wieder versucht hat, den »Baal«-Fragenkomplex auf den Stand seines jeweiligen Theaterdenkens zu bringen. Er hat selbst bekannt, daß ihm mit der Bearbeitung von 1926 alles Wesentliche abhanden gekommen ist, was ihn am *Baal* bewegt hat.

Hinzu kommt, daß ja *Baal* nicht ohne weiteres ideologisch einzuordnen ist, auch nicht als ein Dokument des Nihilismus. Nihilistisches gibt es nur in der Gougou-Szene in der Spitalschenke; Baal aber distanziert sich davon (»Komm, Eckart, wir wollen uns im Fluß waschen«), als wäre der Nihilismus etwas Schmutziges. Andererseits war das Stück immer des Nihilismus verdächtig. Ich bin nicht sicher, ob nicht Brechts Bemerkung bei der Publikation der frühen Stücke, daß dem Stück »Weisheit fehle« auch eine vorsichtig strategische Bemerkung war. Jedenfalls muß *Baal* bis zum Ende für ihn etwas bedeutet haben, was ihn veranlaßt hat, das Stück immer wieder hervorzuholen.

Dümling: Wie weit hat eigentlich auch die Brechtsche Ästhetik, die Theorie des epischen Theaters, Einfluß auf Sie ausgeübt?

Cerha: Das ist für mich eine komplizierte Frage. Die Idee des epischen Theaters, die für mich verknüpft war mit dem, was mich am Brecht-Ensemble fasziniert hat, war für mich Jüngeren eigentlich schon etwas Historisches. Ich habe es gesehen als Dokument einer Gesinnung, die in eine bestimmte Zeit, eine bestimmte Schule gehört, war davon fasziniert, habe es geliebt – immer jedoch sozusagen unter historischen Voraussetzungen. Ich habe niemals eine Möglichkeit gesehen, von hier aus schöpferisch eine

Entwicklung weiterzutreiben. Es hat fast den Anschein, als ob sich jetzt abzeichnete, daß das auch nicht weiterzutreiben war.

Dümling: Sie sind jetzt zum Opernkomponisten geworden. Ist eigentlich Brechts Auffassung zutreffend, daß der Opernapparat über den Opernkomponisten verfügt? Oder sehen Sie es umgekehrt?

Cerha: Darauf muß es immer zwei Antworten geben. Die eine kommt aus der Situation dessen, der in einer Arbeit sich selbst einbringt und hier sich selbst ausliefert. Die andere Sicht ist eben die aus der Perspektive des Apparats. Ich habe durch meine Konzerttätigkeit als Dirigent und mit meinem Ensemble eigentlich immer ziemlich realistisch gesehen, wie die Dinge laufen – obwohl es auch immer wieder bestürzende Erlebnisse für mich gab. Ich kannte von den »Mahagonny«-Aufführungen her, die ich selber machte, das Phänomen, daß gutbürgerliche Menschen ihrer entlarvenden Bloßstellung applaudieren und eigentlich das, was sie betreffen müßte, als opulente Kulisse nehmen. Doppelgleisigkeit wahrzunehmen ist im österreichischen Raum nicht überraschend, weil sie allgegenwärtig ist. Das hat es immer gegeben, in den Schnitzler-Stücken, im Wiener Barocktheater: ein Schielen auf eine Sache von zwei Seiten. Das alles war mir geläufig. Es war mir auch klar, daß in dem Moment, in dem man sich mit Oper beschäftigt, jedes dieser Produkte von seiten des Apparats gewogen wird: Wie kann man es brauchen? Ist es praktikabel? Wie kann man es, um mit Baal zu reden, für die eigenen Zwecke verwursten?

Vor *Baal* liegt mein Bühnenwerk *Netzwerk,* eine sehr entfernte Transformation von barockem Welttheater in unsere Sicht, ein Stück, das viele betroffen macht, das viele interessieren müßte, das aber den Apparat selber eigentlich nicht interessieren kann. Ich hänge an diesem Stück sehr; es ist mein wohl wichtigstes Stück für die Szene. Im *Baal* habe ich meine Erfahrungen mit *Netzwerk* verarbeitet. Ich muß gestehen, daß ich die für mich brennenden und mich bewegenden Fragen im *Baal* transportieren wollte, daß ich damit zu vielen Menschen kommen wollte. Ich war daher auch auf der Suche, für die festen liedhaften Formen des *Baal* eine Sprache zu finden, die etwas Eingängiges – nicht im billigen, banalen Sinn –, etwas Liedhaft-Gesungenes hat, was mit den Mitteln der gegenwärtigen Musik ja gar nicht einfach war.

Es stellt sich die Frage: Entweder versucht man mit den großen Mitteln der Opernbühne etwas zu transportieren, um es an Menschen heranzubringen, oder man entscheidet sich für das Schweigen. Da man das Metier der Musik und des Theaters liebt und kennt und damit umgeht, ist es doch vielleicht sinnvoller, wenigstens zu versuchen, an einige Menschen heranzukommen, als sich hinzusetzen, sich von der Welt zurückzuziehen, wie das heute ja Mode ist, und sein Gemüse anzubauen.

Ich muß aber gestehen, daß ich gerade nach dem Erfolg des *Baal* in Salzburg deprimiert war. Salzburg ist eigentlich der Ort, wo die Figur des Baal am wenigsten hinpaßt und am betroffensten machen müßte. Aber dort sahen auch viele intelligente und kritische Naturen in meiner Oper nichts anderes als ein brauchbares Stück, das möglicherweise geeignet ist, ins Repertoire zu kommen.

Dümling: Wollten Sie eigentlich mit *Baal* ein bestimmtes Publikum erreichen oder primär für sich etwas ausdrücken? Oder anders: Sitzt das Publikum, auf das Sie zielen, wirklich in den Opernhäusern?

Cerha: Das ist eine schiefe, letztlich unzulässige Frage.

Dümling: Für Brecht war aber die Frage nach der Zielgruppe entscheidend. Weil er zum Beispiel die Schüler erreichen wollte, hat er Schulopern und Lehrstücke geschrieben. *Mahagonny* andererseits war bewußt als Provokation des traditionellen Opernpublikums konzipiert.

Cerha: Man kann solche Schwerpunkte nennen, aber die Sache geht ja nie auf. Sie ging auch bei Brecht nie auf. *Mahagonny* hat wahrscheinlich immer für sehr viele Menschen sehr Verschiedenes bedeutet. Der Wirkungsgrad ändert sich. Was heißt es denn: Für ein Publikum schreiben? Erstens gibt es einen persönlichen Qualitätsanspruch, eine persönliche Bindung an ein Metier, an Aufgaben, die man sich stellt, und in diesem Sinn lebt jeder diesbezüglich in einem elfenbeinernen Turm. Man sollte das nicht übersehen! Andererseits schreibt niemand nur für seine Studierstube, sondern bei jeder Konzeption ist instinktiv und reflexiv – auf beiden Ebenen! – eine Konzeption des Du eingebaut.

Dieses angeblich Maßgeschneiderte für ein Publikum, von dem man oft spricht, gibt es ja gar nicht. Wenn Sie in einer Stadt in die Philharmonie oder die Funkkonzerte gehen, dann haben Sie schon dort ein völlig verschiedenes Publikum. Man kann auch auf den gegenwärtig wieder enormen Unterschied in den Reaktionen eines germanischen und romanischen Publikums auf die gleichen Werke hinweisen.

Dümling: Brecht hat Musik nach ihrer Wirkung beurteilt. Das Fieberthermometer war ihm ein Maßstab. Wieweit sollte der Komponist eigentlich auf die Wirkungsmöglichkeiten und die Wirkungen Rücksicht nehmen?

Cerha: Ich glaube nicht, daß die Temperatur das allein Ausschlaggebende ist. Es ist allerdings wichtig, daß das Publikum merkt, wie stark sich derjenige, der diese Musik geschaffen hat, dabei erhitzt hat, vor allem, ob die Temperatur des Produzierenden eine ehrliche Temperatur ist und nicht künstlich hinaufgetrieben oder künstlich tiefgehalten wurde. Eine solche Ehrlichkeit wird übrigens auf längere Sicht immer wirken. Dafür gibt es, glaube ich, auf seiten des Konsumenten eine ganz gute Ader. Natürlich konnte Brecht in seinen späteren Konzeptionen höhere Temperaturen grundsätzlich nicht brauchen. Das hängt mit seiner Gesinnung zusammen. Sicherlich gibt es aber auch in seiner eigenen Regiearbeit Szenen mit höheren Temperaturen, jedenfalls im *Galilei,* Temperaturen, die dann wieder zurückgenommen werden. Er braucht ja diese Temperatur, um sie dann wieder herunterdrücken zu können. Es zieht sich nicht immer die gleiche Temperatur durch ein Stück hindurch.

Dümling: Hohe Temperaturen haben sich bei ihm eingestellt durch Einfühlung. Die allerdings wollte er vermeiden.

Cerha: Darauf gibt es schwer eine Antwort; den enormen Eindruck der Brecht-Stücke in seiner eigenen Darstellung hätte es doch niemals gegeben, wenn es von keiner Seite zu einer Einfühlung gekommen wäre. Bei allem Respekt vor der Absicht, sie nicht entstehen zu lassen: Wenn es bei *Galilei kein* Mitgehen gegeben hätte, wäre die Wirkung nicht so gewesen, wie sie war.

Dümling: *Das Leben des Galilei* war für Brecht theatertheoretisch allerdings auch ein Rückschritt, ein Kompromiß, teilweise mit einem Rückgriff auf das alte aristotelische Theater.

Cerha: Ich bin mir nicht sicher, ob nicht spätere Zeiten das Auseinandergehen von reflektiertem Projektieren und der tatsächlichen, der realen Wirkung der Produkte als etwas für unsere Zeit sehr Spezifisches angesehen werden. Bei Brecht ist die Diskussion darüber allgemein. Bei vielen anderen Autoren wird sie nicht geführt; aber diese Konflikte gibt es auch bei Schönberg, im absurden Theater, bei Beckett, im Surrealismus. Es ist sicher wahnsinnig schwer, diese beiden Gesichtspunkte auseinanderzuhalten. Das hat wesentlich zu tun damit, daß mit der Verbalisierung von Absichten und Programmen, wozu heute jeder gezwungen ist in Malerei, Musik und Musiktheater, immer nur ein kleiner Bereich getroffen wird, der sich eben für verbale Darstellung eignet. Aber dabei bleiben ja immer viele Bereiche unerschlossen oder nicht durchleuchtet – Gott sei Dank, denn wenn die künstlerischen Medien beliebig austauschbar wären und das eine durch das andere ersetzbar, dann wären etliche ja überflüssig.

Dümling: Ich glaube, daß es Brecht nicht nur auf die Geschlossenheit einer Theorie ankam, sondern daß dahinter auch wirklich existentielle Erfahrungen standen, zum Beispiel auch seine Konzerterfahrungen. Er hat wirklich die Musikrezeption im Konzert als rauschhaft empfunden und deshalb das bürgerliche Konzertleben ganz abgelehnt.

Cerha: Ich glaube, das war eine charakteristische Reaktion in seiner Zeit. Sie ist ja nicht nur bei Brecht zu finden, sondern bei einer ganzen Generation, die sich gegen die spätromantischen Fieberkurven zur Wehr gesetzt hat, gegen die Vorliebe für den überhitzten Rauschzustand, für die Aufpeitschung der Emotionen im Konzertsaal und im Theater, auch in der politischen Szene. Allerdings glaube ich, daß in der besonders scharfen Reaktion Brechts auch mitschwingt, daß er im Grunde für Massenwirkungen anfällig war. Es gibt einige Berichte, daß ihm anfangs die organisierten Demonstrationen der Nazis, dieses präzise Ablaufen einer Massendemonstration, eine Art von Sympathie abgenötigt haben. Ich glaube, daß er für Massenpsychose wenigstens in seiner Jugend anfällig war und sich demonstrativ unter anderem mit Theorien dagegen abgeschirmt hat.

An Leuten, die lange gelebt und in ihrem Leben viele Umwege gemacht haben, weil sie für neu auftretende Tendenzen empfänglich waren, lassen sich Veränderungen in ihrem Verhalten gut ablesen, zum Beispiel bei Ernst Krenek, der eine Zeitlang geradezu eine brutal antiromantische Gesinnung einnahm, die vorher nicht da war und dann später ganz anderen Gesinnungen wich. Ein zeitbedingtes Aufnehmen von Tendenzen, eine diesbezügliche Sensibilität gilt auch für Weill: In der ersten Symphonie hat er noch eine Anknüpfung an die symphonische Tradition über die Spätromantik gesucht; im Gegensatz dazu war später die Vorliebe für die Geradlinigkeit der absoluten Musik, die klaren, einfachen Naturfarben der Instrumente, der Stimmen – als eine scharfe Grenzlinie zu allem Spätromantischen – natürlich auch ein bewußter Anschluß an klassizistische Vorbilder.

Dümling: Aber soziologisch bedeutete das doch auch bei Weill eine Abkehr vom traditionellen Konzertleben. Ähnlich bei Hindemith, der erst 1930 mit dem »Unaufhörlichen« wieder in den Konzertsaal zurückkehrte.

Cerha: Richtig. Hindemiths Amar-Quartett war ja das erste Ensemble, das ohne Frack öffentlich aufgetreten ist; selbst späte Beethoven-Streichquartette spielten sie mit dem Bierkrügel unter dem Notenpult und nahmen nach jedem Satz demonstrativ einen Schluck!

Dümling: Das paßt durchaus zu Brechts Ideal des Theaterpublikums: Die Zigarre sollte nicht ausgehen! Man sollte kritisch distanziert bleiben wie beim Sechstagerennen.

Cerha: Aber es gibt zum Glück keine kontinuierliche Ebene der Rezeption.

Dümling: Brecht hat die Zukunft des Musiklebens mehr in Gattungen der »Angewandten Musik« gesehen, in Musik für Theater, Lehrstück, Schule, Film. War das eine wichtige Anregung oder eine Fehleinschätzung?

Cerha: Ich habe in dieser Frage nie eine orthodoxe Haltung eingenommen. Jeder Ort kann irgendwann akademisch oder tot werden, ob das nun die Kirche ist, in der man Musik macht, oder die U-Bahn-Station oder der Konzertsaal. Umgekehrt kann jeder Ort lebendig sein durch Menschen. Ich glaube, daß man keine Orte ausschließen sollte, vor allem dann, wenn sich dort Leben abzeichnet.

Dümling: Wobei allerdings bestimmte Orte bestimmten Menschen mehr vorbehalten sind als andere. Wahrscheinlich wird man in der U-Bahn andere Leute treffen als in der Oper.

Cerha: Selbstverständlich. Ich mag nur keine Orthodoxie. Man sollte auch nicht vergessen, daß nicht alle Produkte für jeden Ort geeignet sind. Das spielt ja auch eine Rolle. Der heutige Konzertsaal ist seiner Anlage nach ein Ort der Konzentration. Man spielt dort Musik, die eine gewisse Konzentration erfordert. Ob sie dazu imstande sind oder nicht – die Leute gehen auch dorthin, um konzentriert etwas aufzunehmen. Wir haben in den späten vierziger, Anfang der fünfziger Jahre Konzerte gemacht auf Bahnhöfen, in den großen Kaufhäusern. Später, Ende der fünfziger Jahre ist das dann eine Mode geworden, eine Doktrin.

Dümling: Eigentlich könnte gegenüber dem heutigen gedankenlosen Musikkonsumieren der Konzertsaal, wo man zum konzentrierten Hören hingeht, sogar noch eine wichtigere Funktion haben als früher!

Cerha: Die Brechtsche Aversion gegen den Konzertsaal paßt natürlich wunderbar in das Sichabschließen gegen die Spätromantik hinein, weil ja Brecht im Konzertsaal sicherlich nicht die Reaktionen auf Haydn-Symphonien gestört haben, sondern die Bereitschaft der Menschen, im spätromantischen Klangrausch sich zu versenken. Diese Trance hat ihn gestört . . .

Gertraud Cerha: . . . die ja heute am allerstärksten ist in der Popszene!

Cerha: Die aggressive antiromantische Gesinnung, die für die Generation Brechts charakteristisch war, wurde von den Älteren auch noch der nächsten Generation, also meiner, automatisch unterstellt. Zu Unrecht. Wir hatten zwar große Freude daran, romantische Situationen zu sprengen, aber wir gehörten der typisch antiromantischen Generation nicht mehr an.

Unser Jahrhundert ist auch dadurch charakterisiert, daß die sogenannten »zeitgenössischen Tendenzen« nicht mehr allein von den schöpferischen Kräften geprägt werden, sondern von anderer Seite, von seiten der Kommentatoren, Musikologen, Theaterfachleute mit Hilfe der Medien. Zum Teil werden den Schaffenden Forderungen unterstellt, die in der dargestellten Form gar nicht da sind. Die Informationskraft der Medien ist aber so stark, daß die schaffenden Kräfte mitunter diesen Sachverhalt nicht sehen und meinen, es wären wirklich sie selbst, die diese Forderungen stellen. Und so gibt es in unserem Jahrhundert Tendenzen, die eigentlich viel stärker dokumentarisch nachzuweisen sind als in den künstlerischen Produktionen. In den sechziger Jahren ist man hinausgegangen in die Fabriken und auf die Plätze; aber eigentlich würde mir keine Komposition einfallen, die spezifisch die Fabrikshalle als Aufführungsort braucht. Die meisten Werke, die für solche Orte geschrieben sind, stellen schon akustisch einen Anspruch, der ideal nur im Konzertsaal erfüllt werden kann.

Dümling: Nur – kommt dann auch das Fabrikhallenpublikum in den Konzertsaal?

Cerha: Das ist ein ganz anderes Problem. Man hat ja laufend als Interpret das Gefühl, daß in der ganzen Kulturszene fortwährend die falschen Leute am falschen Ort sind. Das Vergnügen, das viele Menschen bei bestimmten

Stücken haben müßten, kommt gar nicht zustande, weil die Leute, die drinnensitzen, nicht imstande sind, sich zu amüsieren oder sich zu ergötzen. Das gilt vor allem für die stärker auf Ironie und Satire ausgehenden Dinge. Das ist eine Sache, über die Veranstalter und Kulturpolitiker immer noch zu wenig nachdenken.

Es gab in den sechziger Jahren den naiven Glauben, man müßte mit dem Orchester, dem Dirigenten und dem Solisten in die Vorstadt hinausgehen – und schon wäre alles geschehen. Das funktioniert aber überhaupt nicht. Man muß auf der Basis der lokalen Gegebenheiten und Konventionen, auch des Lokalkolorits, der Eigenständigkeit eines Orts versuchen, etwas auf die Beine zu stellen. Das geschieht jetzt an verschiedenen Orten. Hierher gehört auch die zunehmende Beschäftigung – unter ganz anderen Vorzeichen natürlich – mit dem, was man früher mit »Volksmusik« bezeichnet hat. Denken Sie etwa an Henze. Sicherlich liegt auch die Szene der sogenannten Liedermacher in der Linie der Vorstellungen Brechts.

Dümling: Haben Sie selbst eigentlich auch andere Brecht-Texte außer *Baal* vertont?

Cerha: Nein.

Dümling: Aber Sie kennen auch Brecht-Vertonungen anderer Komponisten?

Cerha: Ich kenne eigentlich genauer nur Weill, Dessau und Eisler. Bei Dessau gibt es ja ein zwiespältiges, unterschiedliches Verhältnis zu Brecht, zu verstehen auch aus seiner Entwicklung. Einerseits diente er dem Regisseur Brecht in den Theatermusiken; andererseits gibt es Vertonungen, in denen er Anschluß an allgemeinere Tendenzen sucht, wie etwa im *Lukullus*. Aber rein erlebnismäßig ist für mich die Identität Brecht–Weill immer am überzeugendsten gewesen.

Dümling: Wahrscheinlich auch deshalb, weil es eben die zeitliche Phase ist, die Sie auch an Brecht am meisten schätzen!?

Cerha: Das kann ich nicht sagen. Zur Zeit der frühen Stücke kannten sich die beiden ja noch gar nicht.

Dümling: Aber Weills Grunderlebnis mit Brecht war und blieb die *Hauspostille*.

Cerha: Das ist richtig. Aber die ideale Einheit von Text und Musik sehe ich eigentlich in den *Sieben Todsünden*. Natürlich liebe ich heiß *Mahagonny,* jedoch trägt dieses Stück die Spuren der verschiedenen Entstehungsphasen, auch der verschiedenen Herkunft der Elemente. Da gibt es Dinge, die auf Oper hinzielen und solche, die davorliegen. Auch musikalisch gibt es dort eine Fülle von Quellen. Es herrscht nicht die gleiche stilistische Einheitlichkeit.

Dümling: Gibt es denn keine Brecht-Vertonungen von Eisler, die auf Sie besonderen Eindruck gemacht haben?

Cerha: Nicht im Sinne des Aufgehens von Text und Musik, muß ich gestehen. Man hat mir diese Dinge zwar immer nahegebracht, weil man der Meinung war, daß mich bei meiner Beziehung zur Wiener Schule gerade das besonders interessieren müßte. Ich hatte aber immer Schwierigkeiten, das muß ich gestehen. Die Musik liegt entweder in einem artifiziellen Bereich, der viel »kunstvoller« ist als der der Brechtschen Texte, oder die ideologische Absicht ist so stark, daß das Agitatorische dominiert. Natürlich ist seine Absicht jeweils einzusehen, aber ich bin nicht imstande, den Eislerschen Vertonungen in bezug auf äquivalente Verhältnisse in Text und Musik vor den Produkten Weills den Vorzug zu geben.

Dümling: Implizieren eigentlich Brecht-Texte einen bestimmten musikalischen Brecht-Stil?

Cerha: Das glaube ich nicht. Die Schule Brecht-Weill-Eisler-Dessau war aber so stark, daß das viele abgehalten hat, sich unbeeinflußt, sozusagen naiv, mit Brechtschen Texten musikalisch auseinanderzusetzen, zumal wir durch den Historismus hindurchgegangen sind und immer ganze Entwicklungen sehen und nicht das einzelne Produkt. Im Falle des *Baal* habe ich jedoch versucht, mich von alldem zu befreien und so zu tun, als ob es das Stück eines anonymen Autors wäre – was natürlich nicht geht. Aber etwas davon war da, und ich denke, mit einem ähnlichen zeitlichen Abstand werden sich alle Voreingenommenheiten sicher lockern.

Dümling: Trotzdem hat Brecht unbestreitbar großen Einfluß ausgeübt auf Komponisten. Worin könnte dieser Einfluß auf Komponisten, aber auch auf das Musikleben, Ihrer Ansicht nach bestanden haben?

Cerha: Das ist sicher nicht einheitlich. Allen, die sich mit Brecht beschäftigt haben, ist natürlich gegenwärtig, wie er selber spricht und wie unglaublich melodisch er eigene Gedichte gelesen hat – melodisch nicht in einem deklamatorisch-romantischen Sinn, aber doch mit einer erheblichen Sprachmelodie ... Seine Sprechrhythmik hört man unwillkürlich, wenn man einen Text nimmt. Irgendwie beeinflußt das musikalische Vorstellungen. Da gibt es gewisse Grundstrukturen musikalischer Art, auch gewisse Übereinstimmungen zwischen Weill und Eisler. Wahrscheinlich gilt das, vor allem in rhythmischer Hinsicht, auch für mich. Aus der Sprache, verbunden mit der Vorstellung, wie Brecht gesprochen hat, kommen solche Gemeinsamkeiten ganz naturnotwendig.

Als junger Musiker, den Brecht fasziniert hat, habe ich immer alte Leute, die noch dabei gewesen waren, gefragt: Na, wie war das, wie sind die Stücke eigentlich entstanden? Und die Leute haben immer ungeheuer gelacht. Mir war zunächst nicht klar, warum. Dann hatte ich einmal ein langes Gespräch mit Ernst Bloch; der hat mir etliches zur Entstehung von *Happy End* erzählt: Das habe ja niemand »gemacht«, das hätten alle gemacht! Brecht hat improvisiert und dazu sofort gesungen, und Weill saß am Klavier. Die Leute haben Witze und Blödsinn gemacht, und es wurde gelacht und getrunken. Dann sind alle nach Hause gegangen. Der Weill

657

hat den Kopf voll gehabt und hat sich am nächsten Morgen hingesetzt und hat dann geschrieben. Auch Bloch, gewiß ein ernster Mensch, aber mit viel Humor, hat gelacht, wie er mir das erzählt hat.

Es gab also nicht den Arbeitsplatz eines ehrenwerten Künstlers mit Bleistiften, Spitzern und Radiergummi, sondern eine Art »Party-Atmosphäre«, in der diese Dinge entstanden sind. – Das hat mir eigentlich vieles verständlich gemacht und mir einen Zugang verschafft. Brecht hat sich in einer solchen Atmosphäre wohlgefühlt; da ist er aufgeblüht, war voller Ideen.

Dümling: Eine letzte Frage: Wo könnte man in Zukunft weiter an Brecht anknüpfen? Worin sehen Sie das musikalisch Weiterweisende bei Brecht?

Cerha: Dazu müßte man ein Prophet sein. Wir stecken in allen diesen Fragen noch zu sehr drinnen, so daß wir Brecht heute noch nicht historisch unbefangen sehen können. Vielleicht können die Jungen mit diesen Dingen unbefangener umgehen. Ich meine aber, daß – nicht stilistisch, aber der Intention nach – in der Tätigkeit und in manchen Arbeiten von Komponisten aus meiner Generation etliches steckt, das Brechts Absichten entspricht oder auch – wie zum Beispiel mein *Requiem für Hollensteiner* – seiner dialektischen Gesinnung nahekommt. Seine Apologeten könnten Brechts »Große Methode« in gewandelter Form darin wiederfinden. Meine Einsicht in das Funktionieren, in das Wesen von schöpferischen Vorgängen erklärt, daß für mich auch diesbezüglich meine Situation einen doppelten Boden hat.

»Brechts Erfahrungen – ein hilfreiches Erbe«

Ein Statement von
Nicolaus A. Huber

Nicolaus A. Huber, 1939 in Passau geboren, studierte Schulmusik und Komposition (bei F. X. Lehner und Günter Bialas) in München, wo er 1965/66 auch im Elektronischen Studio München mit Josef Anton Riedl zusammenarbeitete. Nach Kompositionsstudien bei Luigi Nono in Venedig (1967/68) erhielt er 1969 den Kulturpreis für Musik der Stadt München und 1970 für seinen »Versuch über Sprache« den Darmstädter Kompositionspreis. Seit 1974 ist Huber Professor für Komposition an der Folkwang-Hochschule Essen. 1974 bis 1981 arbeitete er mit der Theatergruppe »Dampfmaschine« zusammen, für die er vier Politrevuen schrieb. Huber komponiert vor allem Instrumentalwerke, die sich kritisch mit Problemen des musikalischen Materials und mit dem Vorgang des Musizierens und Hörens auseinandersetzen. Textgebunden sind dagegen seine

Paul-Celan-Chöre, »Schauplätze der Revolution« und »Sprechchor« aus *Banlieue* (1972/73) und *Gespenster* (1976) für großes Orchester, Tonband und Sprecher/Sänger (Texte von Brecht und Peter Maiwald).

Huber: Mit Brecht kam ich zum erstenmal als Schüler 1958 in Berührung, als ich den alten Film »Die Dreigroschenoper« mit Rudolf Forster als Mackie Messer sah. Einige Jahre später konnte ich dann auch die Beggar's Opera mit der Musik von Pepusch, die ja als Vorlage zur Brechtschen *Dreigroschenoper* gedient hat, ebenfalls als Film sehen. 1963/64 schrieb ich meine pädagogische Abschlußarbeit über Brecht-Weills *Dreigroschenoper*. Die genauen Beweggründe dazu sind mir entfallen; jedenfalls fand ich faszinierend, wie mit den Genres des Kabaretts und der Unterhaltungsmusik menschliche Verhaltensweisen verdeutlicht und interpretierbar gemacht wurden. Ich las damals alle wichtigen Stücke von Brecht, auch den Dreigroschenroman und die Schriften zum Theater.

Das epische Theater, der V-Effekt, die geforderte Raucherhaltung des Publikums, die Konstatierung und Ablehnung der Rauschgiftfunktion bürgerlicher Kulturapparate und der Darstellungstechnik des Gefangennehmens des Zuschauers, des Identifizierens von Zuschauer und Held, Brechts Art zu singen und vieles andere eröffneten mir neue Betätigungsfelder. In diesen Techniken sah ich die Möglichkeit zu größerem Reichtum der Verknüpfungen und zu menschenwürdigerer Kommunikation. Ich muß dazu sagen, daß ich damals völlig unpolitisch war und deshalb nur bestimmte Schlüsse gezogen habe. Meine kompositorische Beschäftigung mit langen Tönen oder langen musikalischen Ereignissen überhaupt hatten unter anderem auch die Funktion der ›Entreizung‹, wie ich es damals nannte, des Vermeidens der direkten Wirkung und des Nichtbedienens darauf gerichteter Erwartungshaltungen. Das kann man sehen in meinem Streichquartett »Informationen über die Töne e–f« von 1965/66 bis hin zu »Epigenesis III. Versuch über Sprache« und den Stücken der Phase des kritischen Komponierens wie »Aion«, »Anerkennung und Aufhebung« für 4 Filme und Klangquellen oder »Harakiri« für Orchester (etwa zwischen 1969 und 1972).

Brechts Lehrstückgedanke, der mehr vom Selbstmachen als vom Vorführren ausgeht, wird in meiner »Augenmusik« aufgegriffen, in der die Vorführung als Ergebnisprotokoll der Beweußtseinsarbeit der Ausführenden aufgrund des Stückes aufgefaßt wird und darüber hinaus Menschen nicht mehr nur als Musiker, sondern in umfassenden Beziehungen angesprochen werden.

Durch die Beschäftigung mit Marx, Engels, Lenin, aber auch mit Lukács und Kosik seit etwa 1969, durch das Studium der Werke Eislers etwa seit 1973 und der Geschichte des Proletariats und seiner Kultur sowie durch meine praktische Kulturarbeit hat Brecht eine neue Bedeutung bekommen. Erst diese Erfahrungen haben mir ein auf den Füßen stehendes Verhalten zur Außenwelt aufgebaut. Brechts Erfahrungen erhielten für mich als handelnden Komponisten einen neuen politischen Sinn als hilfreiches Erbe proletarischer Kultur von hohem Niveau und als Reservoir von für die musikalische Komposition auch heute noch fruchtbar anwendbaren Techniken.

Einige solcher Techniken sind:
– Äquivalent/Nichtäquivalent
– Aperiodizität
– spiralartige Gedankenführung
– Brechts Bemerkungen über den Rhythmus
– Kontrast als Verblüffung mit vorwärtstreibender Bedeutung
– das Gestische in der Musik
– Komplexes einfach auszudrücken, ohne zu entstellen und zu primitivisieren
– ungeschminkter Sprachgebrauch ohne ornamentalen Narzißmus.

Ich habe von diesen Techniken zum Beispiel in »Schauplätze der Revolution«, »Darabukka für Klavier«, »dasselbe ist nicht dasselbe« für kleine Trommel allein, »Gespenster« für Orchester und Tonband und den Orchesterstücken »Lernen von«, »Morgenlied« und »Sphärenmusik« Gebrauch gemacht. Ein spezielles Eingehen auf Art und Funktion kann nur eine Analyse leisten. Jedenfalls dienen diese Techniken einem parteilichen Standpunkt und sind meiner Meinung nach jetzt Brecht adäquater angewandt als vordem.
Dümling: Bei den genannten Werken handelt es sich fast ausschließlich um Instrumentalwerke. Hast du auch Brecht-Texte vertont? Wie kam die Textwahl zustande, und wie sehr ist man als Komponist dabei auf einen bestimmten »Brecht-Stil« fixiert?
Huber: Vertont habe ich die Brecht-Gedichte »Viele sind für die Ordnung«, »Wer zu Hause bleibt, wenn der Kampf beginnt«, »Gegen den Krieg«, »Wenn das bleibt, was ist, seid ihr verloren«. Die Textwahl ist beeinflußt worden durch die Themen der Kulturprogramme, die ich damals mit der Schauspielgruppe »Dampfmaschine« im Ruhrgebiet gemacht habe. Im Orchesterstück »Gespenster« habe ich dann die Vertonung des Liedes »Wer zu Hause bleibt, wenn der Kampf beginnt« als dritten Teil mit dem Titel »Lied« verwendet.
Musikalisch implizieren Brecht-Texte keinen bestimmten Brecht-Stil, jedoch eine sehr große Plastizität der Gedankenführung, die sich kompositorisch gut mit- oder gegenvollziehen läßt. Brecht hat viel von Rhythmus und dialektischer Montage verschiedener Gedankenspiralen verstanden; dies kommt der musikalischen Komposition sehr entgegen.

Dümling: Brecht hatte ein starkes Interesse für die Wirkungen von Musik. Wieweit soll ein Komponist sich überhaupt dafür interessieren?

Huber: Die Wirkung von Musik ist natürlich von starkem Interesse für den Komponisten. Dabei ist die Dialektik von folgenden Punkten zu beachten:

1. Es gibt verschiedene Höreinstellungsmöglichkeiten; ein Kunstwerk hat immer mehrere Hörschichten als Angebot.
2. Das Angebot kann nur funktionieren, wenn genügend Intonationsbildhaftigkeiten vorhanden sind.
3. Der Komponist kann solche Entscheidungen nur aus eigener Erfahrung treffen.
4. Die am deutlichsten angelegte Hörschicht sollte am deutlichsten die objektiven kollektiven Bedürfnisse widerspiegeln.
5. Die künstlerische Widerspiegelung ist selbst ein schöpferischer Akt der aktiven Beeinflussung, das heißt: Erwartung und Angebot fallen meist nicht zusammen.
6. Eine Ästhetik, die von der Wirkung ausgeht, ist als verfehlt, weil unkontrollierbar, abzulehnen. Komponisten müssen von Inhalten und deren adäquater Darstellung ausgehen. Ist beides objektiv einsehbar und zu rechtfertigen, stellt sich die Wirkung von selbst ein beziehungsweise die Wahrscheinlichkeit der Wirkung, natürlich subjektiv verschieden je nach Hörer und seinen Erfahrungen, ist sehr hoch.

Dümling: Wieweit war dabei Brechts Einstellung zu den Institutionen des bürgerlichen Musikbetriebs, vor allem seine Ansicht, daß der Kunstproduzent von den Apparaten beherrscht wird, von Bedeutung? Für Brecht war der eigentliche Qualitätsmaßstab von Kunst, wie er einmal schrieb, seine Angemessenheit an den Apparat. Ist das heute auch noch so?

Huber: Brechts Äußerungen zum Apparat sind insofern richtig, als der Kunstproduzent nicht über ihn verfügt und ihm dadurch in gewisser Weise ausgeliefert ist. Aber es wäre ein großer Fehler, den Apparat als einen monolithischen Fetisch zu sehen, ohne zu erkennen, daß auch in den Medien Klassenverhältnisse sich widerspiegeln, die sich je nach Situation in verschiedenen Machtgewichtungen zeigen. Die Gefahren des Apparates dürfen nicht dazu führen, den Kampf um die Medien aufzugeben. Man muß sich um die schwierige Beherrschung der Dialektik, daß das Neue im Schoß der alten Gesellschaft entsteht, unablässig bemühen, sonst ist die Gefahr der Isolation und der daraus resultierenden Unwirksamkeit groß.

Im übrigen ist unsere Kulturfront breitgefächert; verschiedene Apparate stehen uns zur Verfügung, nicht zuletzt die Gewißheit, daß der Kampf jedes fortschrittlichen Kollegen, nicht nur der Kulturschaffenden, auf den Apparat zurückwirkt. Sicherlich wird bei uns durch den gesellschaftlichen

Gebrauch der Apparate Fortschrittliches neutralisiert, ins Gegenteil verkehrt, unwirksam gemacht, als minderwertig beurteilt oder überhaupt unterdrückt. Das zeigt aber nur den Charakter des Kampfes und gibt keine Begründung, diese Auseinandersetzungen als unmöglich und verunreinigend hinzustellen. Das heißt, die Benützung des Apparates darf nicht als schädlich für die Werke hingestellt werden, denn durch diese Praxis oder eine bestimmte Seite der politischen Praxis können die Apparate nur verändert werden.

Zu allen diesen Antworten ist zu sagen, daß bis auf die speziellen Techniken Brechts, die ich vorhin schon aufgezählt habe, die also politisch gut anwendbar sind, die Beeinflussung durch Brecht sehr indirekt war. Es geschah also nicht in dem Sinne: man studiert etwas und wendet es dann in bestimmter Art und Weise an. Eigentlich sind mir erst durch die Rückbesinnung aufgrund der Fragen bestimmte Dinge aufgegangen, habe ich gesehen, daß viele Spuren meines Denkens schon vor meiner politischen Arbeit etwas mit der Brechtschen Ästhetik zu tun hatten.

Einen Nachtrag noch zu Brechts Kritik an der Institution Konzert und seinen primär kulinarischen Gefühlswirkungen: Ich glaube, daß in diesem Gedanken richtige Elemente sind, daß aber die Behandlung genauso sein muß wie bezüglich des Apparats, denn »kulinarische Gefühlswirkungen« als Begriff implizieren eine Art von Steckenbleiben. Man verharmlost damit die Existenz kritischer Elemente in den Werken des 19. und 20. Jahrhunderts, die doch auch als Stadien der Erarbeitung einer realistischen Kunst zu sehen sind. Das Konzert ist eine bestimmte Form der Rezeption, und diese sagt zunächst nichts aus über Möglichkeit oder Unmöglichkeit, praktische Schlüsse für das Handeln zu ziehen. Dies ist vielmehr eine Frage des inhaltlichen Angebotes der Stücke und des politischen und klassenmäßigen Umfeldes, in dem ein Rezipient im Alltag außerhalb des Konzertsaals lebt und tätig werden kann. Verabsolutierungen sind undialektisch. Selbst die kulinarische Gefühlwirkung könnte vorwärtstreibenden Charakter haben. Ich glaube, man darf das Schöpferische in den Zuhörern nicht unterschätzen. Und ich weiß auch nicht, ob man sich den Besuch eines Konzerts gleichsam in Parenthese oder in Gedankenstrichen vorstellen kann – als gäbe es keine Verbindung nach rückwärts oder vorwärts! Diese Vorstellungen entspringen unter anderem ja auch der Unsicherheit und Vagheit des Kommunikationsaktes. Der Komponist erarbeitet etwas und schreibt dann fast ins Leere oder wird ins Leere gespielt. Die Rückwirkungen oder Auswirkungen auf die Hörer sind kaum kontrollierbar. Vor allem bleiben sie den einzelnen Hörern selbst meist verborgen, weil es sehr feine, vielfältige und verzweigte Rückwirkungen sind – wahrscheinlich sehr häufig nur in kleinsten Spurenelementen. Deren Auffinden in Handlungen, Meinungen und Gefühlsäußerungen ist sehr schwierig.

Anhang

Chronik

1898: Eugen Berthold Brecht in Augsburg geboren. Sein Vater, der kaufmännische Angestellte Berthold Friedrich Brecht, ist Mitglied der Augsburger Liedertafel. (In Deutschland Blüte des bürgerlichen Musiklebens, des Kunstlieds, der sinfonischen Dichtung. 1904 Puccinis *Madame Butterfly*. 1908 Gründung des Deutschen Arbeitersängerbunds.)

1908: Wechsel von der Barfüßer-Schule (1904–08) zum Realgymnasium (1908–17). Gesangbuchlieder als Lernstoff. (1909: Liederbuch »Der Zupfgeigenhansl« leitet Wandervogel-Bewegung ein.)

1911: Konfirmandenunterricht. Begeisterung für die Bibel.

1912: Konfirmation in der Barfüßerkirche. »Das Lied vom Geierbaum«.

1913: Beitrag über Richard Wagner für Schülerzeitschrift. Sommerreise mit der Familie nach Bad Steben. Einzige Attraktion: die Kurkonzerte.

1914: (Beginn des Ersten Weltkriegs) Patriotische Kriegsgedichte, aber auch die »Moderne Legende«. Stadtgartenkonzerte.

1915: Novelle »Dankgottesdienst« veröffentlicht. Carl Ehrenberg wird Opernkapellmeister in Augsburg (bis 1918). (Erster großer deutscher Gasangriff an der Westfront. R. Rolland erhält Nobelpreis für seinen Musikerroman *Jean Christophe*. Arbeitersänger Joe Hill in den USA hingerichtet).

1916: Textentwurf »Oratorium«. Gedicht »Die Orgel« für Klemens Haindl. »Das Lied von der Eisenbahntruppe von Fort Donald«. Eugen Brecht nennt sich Bert Brecht. Beginnende Abkehr vom Bürgertum. (Schwere Kämpfe um Verdun, Karl Liebknecht als Kriegsgegner aus der SPD ausgeschlossen. Rosa Luxemburg »Die Krise der Sozialdemokratie«.)

1917: Notabitur. Nächtliche Streifzüge der Brecht-Clique durch Augsburg mit Gesang und Lampion. »Die Legende der Dirne Evlyn Roe«. (Pfitzner-Oper *Palestrina* in München. Bildung der USPD. Oktoberrevolution in Rußland.)

1918: Brecht erlebt in München Frank Wedekind mit Lautenliedern, schreibt danach u. a. »Lied der Galgenvögel«. Wedekind-Gesänge nachts am Lech. *Baal*. »Plärrerlied«. »Klampfenfibel«. Stadtgartenkonzerte, Brecht begeistert sich für Carl Ehrenberg. Dirigentische Ambitionen. Sept.: »Luzifers Abendlied« (später »Gegen Verführung«), »Lied für die Kavaliere der Station D«. Nov.: »Legende vom toten Soldaten«. (Novemberrevolution, Ausrufung der deutschen Republik. Strawinskys *Geschichte vom Soldaten*, Busonis *Arlecchino*. Gründung der KPD.)

1919: (Jan.: Spartakus-Aufstand in Berlin. Ermordung von R. Luxemburg und K. Liebknecht. Bayrischer Ministerpräsident Eisner/USPD erschossen. Gewaltsamer Sturz der Münchner Räteregierung.)
Brecht singt in Gablers Taverne »Legende vom toten Soldaten« und »Gesang der Soldaten der roten Armee«. Febr.: Brecht unterrichtet Caspar Neher im Gitarrespiel, übt sich im Tanzen. Mai: Bei Gabler »Larrys Ballade von der Mama Armee«. Konzertbesuch im Ludwigsbau. Stadtgartenkonzerte mit Freunden. Aug.: In Kimratshofen zur Orgel »Luzifers Abendlied« und Baals Choral. Sept.: Marianne Zoff ans Augsburger Stadttheater engagiert. Okt.: Opernplan *Prairie* nach Hamsun.

1920: Jan.: »Großer Dankchoral«. Febr.: Im Zug nach Berlin entsteht »Erinnerung an die Maria A.«. (Rechter Kapp-Putsch durch Gewerkschaften abgewehrt. Höhepunkt der deutschen Kirchenaustrittsbewegung.) Operette in Worten »Die Fleischbarke«. Mit Bi im »Orchideengarten«. »Ballade von der Freundschaft«. Stück *Saul und David*. Aug.: »Kinderlied vom Brot«, »Ballade von den Geheimnissen«. Hunger nach »Strolchenliedern«. Projekt einer »Lautenbibel«.

1921: März: »Franziskas Abendlied« und »Der Taler« von Wedekind für Marianne Zoff für Gitarre gesetzt. Marianne singt in *Così fan tutte* und »Feldeinsamkeit« von Brahms. »Ich hörte nie schöner singen.« Mai: Ludwig Prestel spielt Bach vor. Plan einer »Sommersinfonie« für Marianne. *Carmen* und *Rosenkavalier* mit Marianne studiert. Sept.: Gesänge »Seemannslos« und »Roter Sarafan«. Mit Pfanzelt Duette zur Gitarre gepfiffen. *Butterfly* und *Rheingold* mit Marianne in Wiesbaden. Nov.: Balladen in Berlin, u.a. bei Atelierfesten u. auf Trude Hesterbergs »Wilder Bühne«. (Amerikanische Jazzmusik breitet sich in Europa aus.)

1922: April: »Vom armen B.B.« 29.Sept.: *Trommeln in der Nacht* in den Münchner Kammerspielen. Anschl. »Die rote Zibebe« mit Karl Valentin u. Klabund. Nov.: Heirat von Brecht und Marianne Zoff in München

1923: 9.Mai: *Im Dickicht der Städte* im Residenztheater München. (Ruhrbesetzung. Inflation. Hitler-Putsch in München.) 8.Dez.: »Baal«-Uraufführung im Alten Theater Leipzig.
1924: Paul Hindemith wendet sich wegen eines Opernstoffs an Brecht; dieser reagiert nicht. 18.März: *Eduard II.* an den Münchner Kammerspielen. (Lenins Tod. Ruth Fischer u. A.Maslow KPD-Führer.) Juli: Projekt einer »Mahagonny-Oper« für Marianne. Übersiedlung nach Berlin.
1925: Mai: Mitwirkung bei einem Abend der »Novembergruppe«. Hindemith wendet sich erneut an Brecht. Nov.: Zusammen mit F.S.Bruinier »Ballade vom Weib und vom Soldaten« und »The Moon of Alabama« komponiert. (Bergs *Wozzeck* in Berlin. Gershwins *Rhapsodie in Blue*. Ausbreitung von Rundfunk und Schallplatte.)

1926: 14.Febr.: Bei Berliner »Baal«-Premiere singt Brecht den »Choral vom großen Baal«. *Taschenpostille* in Privatauflage erschienen. (Friedensnobelpreis an A.Briand u. G.Stresemann. Goebbels wird nationalsoz. Gauleiter von Berlin. Hitlerjugend gegründet. Dolchstoßlegende Erich Ludendorffs.)

1927: Erste Kontakte mit Kurt Weill und Hanns Eisler. *Hauspostille* erscheint. März: Rundfunkversion von *Mann ist Mann* mit Musik von Edmund Meisel. Mai: Arbeit am »Mahagonny«-Songspiel mit Weill. Juni: Mit Weill und K.Koch in Essen wegen *Ruhrepos*. Juli: Uraufführung des »Mahagonny«-Songspiels in Baden-Baden. (E.Kreneks Jazzoper *Jonny spielt auf*. Strawinskys *Oedipus Rex*, Weills *Protagonist* u. *Royal Palace*, Eislers »Zeitungsausschnitte«. Deutschland-Tournee der sowjet. Agitproptruppe »Blaue Blusen«. Lindbergh fliegt von Amerika nach Europa.) Herbst: Mit Weill Arbeit am Textbuch der »Mahagonny«-Oper. Scheidung von Marianne Zoff. Nov.: Weills Ballade »Vom Tod im Wald« op.23 durch das Berliner Philharm. Orchester uraufgeführt.

1928: E.J.Aufricht bestellt die *Dreigroschenoper*. April: *Konjunktur* (Text: Lania/Brecht, Musik: Weill). Juni: *Kalkutta 4.Mai* (Feuchtwanger/Brecht, Musik: Eisler; darin Eislers erste Brecht-Vertonung »Ballade vom Weib und vom Soldaten«). 31.August: Uraufführung der *Dreigroschenoper* im Berliner Theater am Schiffbauerdamm (Regie: Erich Engel, Bühnenbild: C.Neher, musikal. Leitg.: Theo Mackeben). Okt.: »Berlin im Licht«-Song. Nov./Dez.: Arbeit mit Weill am *Berliner Requiem*. (Ravels »Bolero«. Osthilfeskandal. Reichskanzler H.Müller/SPD unterstützt Panzerkreuzerbau. A.Hugenberg Vorsitzender der Deutschnational. Volkspartei.)

1929: 7.Febr.: »Kleine Dreigroschenmusik« unter Klemperer uraufgeführt. Im Kiepenheuer Verlag erscheinen »Die Songs der Dreigroschenoper«. Erste Chorkompositionen nach Brecht-Texten: Eislers Männerchor »Kohlen für Mike« op.35, Hindemiths Männerchor »Über das Frühjahr«. (Lehár *Das Land des Lächelns*. *Blutmai* in Berlin. Heinrich Himmler wird Reichsführer der SS.) 22.Mai: *Berliner Requiem* am Frankfurter Sender uraufgeführt. Arbeit mit Weill am *Lindberghflug* und *Happy End*. Juli: In Baden-Baden *Der Lindberghflug* (Hindemith/Weill) und *Lehrstück* (Hindemith) uraufgeführt. Tod von F.S.Bruinier. 2.Sept.: »Happy End«-Premiere in Berlin. (Finanzieller Zusammenbruch der Piscator-Bühne. Beginn der Weltwirtschaftskrise in New York. Gründung der Interessengemeinschaft für Arbeiterkultur (Ifa) in Berlin.) 30. Nov.: Konzert des Berliner Schubert-Chores (Ltg.: K. Rankl) mit mehreren Uraufführungen: u. a. von Eisler »Auf den Straßen zu singen«, von Weill »Zu Potsdam unter den Eichen«. 5. Dez.: Uraufführung von Weills »Lindberghflug-Kantate« durch O. Klemperer.

1930: Eislers Chor »Litanei vom Hauch« op. 21. 9. März: Uraufführung der Oper *Aufstieg und Fall der Stadt Mahagonny* (Weill) in Leipzig, Dirigent: Gustav Brecher. Zusammenarbeit mit Eisler an der *Maßnahme*. 12. Mai: Offener Brief von Brecht/Eisler an die »Neue Musik Berlin 1930«. Solidarität von Weill, Trennung von Hindemith. 2. Juni: Wiesbadener Tageblatt meldet, Brecht bearbeite *Schwejk* für die Oper; außerdem schreibe er für Weill das Opernlibretto »Der Brotladen«. 23. Juni: Uraufführung der Schuloper *Der Jasager* (Weill) im Berliner Zentralinstitut für Schule und Unterricht. Eisler komponiert in Berlin *Die Maßnahme*. In der Zeitschrift »Musik u. Gesellschaft« erscheinen die »Anmerkungen zur Oper Aufstieg und Fall der Stadt Mahagonny« von Brecht u. Suhrkamp (Milhauds Oper *Christophe Colombe*. 4,4 Mill. Arbeitslose in Deutschland. 15./16. Nov. Kulturkonferenz der Berliner Ifa. Tod E. Meisels.) 13. Dez.: Uraufführung der *Maßnahme* (Eisler) durch mehrere Arbeiterchöre unter K. Rankl in der Berliner Philharmonie. Anschl. lebhafte Diskussionen.

1931: Eislers Vortragsreihe »Die Musik vom Standpunkt des historischen Materialismus«. *Mann ist Mann* am Berliner Staatstheater (Musik: Weill). (Hitler erhält massive Unterstützung durch Schwerindustrie (Kirdorf, Thyssen). Harzburger Front zwischen Hitler, Hugenberg und Stahlhelm. Verbot aller Auftritte von Agitproptruppen in Berlin.) Aug.: Dreharbeiten zum Film »Kuhle Wampe«. Sept.: Arbeit mit Eisler und G. Weisenborn an *Die Mutter*. Gemeinsam mit Eisler und Weill Protest gegen die Schließung der Marxistischen Arbeiterschulen (MASCH). Nov. 16.: Auf Kundgebung der »Deutschen Liga für unabhängigen Film« sprechen Brecht u. Weill über den »Dreigroschenoper«-Film. 17.: Rote Revue »Wir sind ja sooo zufrieden«. Dez.: Bruch mit Weill während der Berliner »Mahagonny«-Inszenierung. 21.: Berliner *Mahagonny* (musikal. Ltg.: A. Zemlinsky).

1932: 12. Januar: Uraufführung *Die Mutter* (Musik von Eisler). Febr.: Polizeiaktionen gegen *Die Mutter*. März: Eisler und Brecht planen »Schweyk«-Oper. Lieder für Volksstück *Kamrad Kaspar* (Eisler). Mai: Das »Solidaritätslied« (Eisler) wird durch Berliner Schubert-Chor aufgeführt. 30.: Deutsche Filmpremiere »Kuhle Wampe« (Musik: Eisler). Sommer: Eisler komponiert für Helene Weigel »Vier Wiegenlieder für Arbeitermütter«. Opernplan »Aufbau des neuen Menschen« mit Eisler, nachdem das »Schweyk«-Projekt an Einspruch der Hašek-Erben scheiterte. Dez.: 10. Busch-Eisler-Matinee für entlassene BVG-Arbeiter. 11. Pariser Erfolge Weills mit Songspiel und *Jasager*. 25.: »Rote Fahne« kündigt Chorwerk von Brecht/Eisler zum Komm. Manifest an. 31.: Silvester-Programm Busch-Eisler am holländischen Rundfunk. (Schönbergs Oper *Moses und Aron*. Über 6 Mill. Arbeitslose. Kaffeevernichtung in Brasilien wegen Absatzkrise. KPD erhält 100 Sitze im Reichstag. Krise der NSDAP.)

1933: 30. Jan.: Hitler wird Reichskanzler. 28. Febr.: Nach Reichstagsbrand Brechts Flucht aus Berlin. Bis 1945 keine öffentlichen Aufführungen von Werken von Brecht, Eisler oder Weill in Deutschland. März: Zusammentreffen mit Eisler in Wien. »Das Lied vom Kampf« (Zu den zahlreichen Künstlern und Intellektuellen, die Hitler-Deutschland verlassen, gehören auch Adolf u. Fritz Busch, Otto Klemperer, Hermann Scherchen und Bruno Walter. Ausschaltung der Gewerkschaften und anderer politischer Parteien. Errichtung von Konzentrationslagern. Mai: Mit Weill in Paris Arbeit am Ballett *Die sieben Todsünden der Kleinbürger*. 7. Juni: Pariser Premiere der *Todsünden* (Choreographie: G. Balanchine, Bühnenbild: C. Neher, Dirigent: M. Abravanel). Aug./Sept.: Mit Eisler und M. Steffin Vorbereitung der Sammlung *Lieder Gedichte Chöre*. »Ballade vom Reichstagsbrand«. Eisler komponiert »Das Lied vom Anstreicher Hitler«. Übersiedlung nach Dänemark.

1934: Jan.: Eisler zu Vorträgen und Konzerten im Saargebiet. Febr.: 11.: Letztes Arbeitersymphoniekonzert in Wien, u. a. mit Eislers »Kuhle Wampe«-Musik. 12.: Aufstand der österr. Arbeiter gegen den Austrofaschismus wird blutig niedergeschlagen. Eisler arbeitet mit Brecht an den *Rundköpfen und Spitzköpfen*, komponiert die »Ballade von der Billigung der Welt« op. 42. April: *Lieder Gedichte Chöre* in Paris erschienen. *Dreigroschenoper* in New York ein Mißerfolg. Nach Fertigstellung von *Rundköpfe und Spitzköpfe* mit Eisler und Busch in London. Kampflieder für Saarkampagne, u. a. »Saarlied«, »Sklave, wer wird dich befrein«, »Resolution«, »Einheitsfrontlied«. (Massive Verfolgung der dt. Antifaschisten. Himmler Chef der Gestapo in Preußen. Gründung des Volksgerichtshofs. Entmachtung der SA.)

1935: 13. Jan.: Abstimmungssieg Hitlers an der Saar. Febr.: BBC-Aufführung der *Dreigroschenoper* (Dirigent: Edward Clark). Eislers erfolgreiche Vortragstournee durch die USA. Plan einer »Konzentrationslagersymphonie«. April: Brecht als Balladensänger in Moskau. Juni: Piraten-Operette von Brecht und Eisler angekündigt. Aug.: Eisler nach Rückkehr aus USA u. Moskau nur kurz bei Brecht in Dänemark. Gemeinsame Projekte kommen nicht zustande. 7. Okt.: Brecht folgt Eisler nach New York, um dort »Mutter«-Aufführung zu überwachen. Eisler komponiert »Der zerrissene Rock«. 19.: Erfolglose »Mutter«-Premiere. 23.: Theaterdiskussion Brecht, Eisler, Jerome. Dez.: Zusammentreffen mit Weill, der auch mittlerweile nach New York gekommen ist. Symposium »Poetry and Music in the Labor Theatre«. Eisler beginnt »Lenin-Requiem«.

1936: Vermutlich in New York schreibt Brecht »Über die Verwendung von Musik für episches Theater«. »Maßnahme«-Proben mit Lee Strasberg abgebrochen. 17. Jan.: Zusammen mit Eisler bei New Yorker Lenin-Feier. 1. Febr.: New Yorker Abschiedskonzert für Brecht und Eisler. (Chaplin »Modern Times«. Trotz starken konservativen Widerstands wird Präsident Roosevelt wiedergewählt. Naziausstellung »Entartete Kunst«. Verbot der Kunstkritik. Remilitarisierung des Rheinlands.) April/Mai: Brecht u. Eisler arbeiten in London am Tauber-Film »Der Bajazzo«. Juli: Eisler stellt Kantate »Gegen den Krieg« fertig. Arbeit an der »Deutschen Symphonie«. Paul Dessaus erste Brecht-Vertonung »Kampflied der schwarzen Strohhüte«. 4. Nov.: Uraufführung *Die Rundköpfe und die Spitzköpfe* in Kopenhagen. Musik von Eisler. Naziproteste.

1937: 27. Jan.: Eisler trifft bei Brecht in Dänemark ein. »Goliath«-Oper, 2 Elegien. Kinderlieder. Zwei Sonette. Die Gott-sei-bei-uns-Kantate. Vor allem aber Arbeit an der »Deutschen Symphonie«. 16. Juni: In New York aufsehenerregende Uraufführung von *The Cradle Will Rock* von Marc Blitzstein (Brecht gewidmet). Juli/August: Eislers »Lenin-Requiem«. (Stalinistische Säuberungen in der Sowjetunion. Spanische Republik von Faschisten eingekreist. Weltausstellung in Paris. Picassos »Guernica«.) Sept.: Brecht betreut Neueinstudierung der *Dreigroschenoper* in Paris. Okt.: *Die Gewehre der Frau Carrar* in Paris uraufgeführt.

1938: »Über gestische Musik«. Brecht verteidigt Eisler gegen Angriffe von Lukács. Eisler übersiedelt nach USA. Acht Szenen aus *Furcht und Elend des Dritten Reiches* unter dem Titel *99%* in Paris aufgeführt (Musik v. Dessau). Eisler arbeitet an »Deutscher Symponie« weiter. (Hitler besetzt Österreich. Judenpogrom in der »Kristallnacht«.)

1939: Brecht flieht vor den Nazis nach Schweden, schreibt an Weill und schickt Eisler *Mutter Courage* und *Verhör des Lukullus*. April: Weltausstellung in New York: *Pete Roleum and his Cousins* von Losey/Eisler, *Railroads on Parade* von Weill. In Mexico-City komponiert Eisler die Brecht-Lieder »Über die Dauer des Exils«, »Zufluchtsstätte«, »Elegie 1939«. (Niederlage der spanischen Republik. Hitler besetzt die Tschechoslowakei und beginnt am 1. Sept. mit Überfall auf Polen den Zweiten Weltkrieg. Dt.-sowj. Nichtangriffspakt. SS bildet Sicherheitshauptamt zur Verfolgung politischer Gegner. Mißglücktes Bombenattentat auf Hitler im Münchner Bürgerbräukeller.) Nov.: Hörspielprojekt *Verhör des Lukullus* mit dem schwedischen Komponisten H. Rosenberg. Dez.: Weill komponiert »Lied eines Freudenmädchens«.

1940: Beginn von Eislers Lehrtätigkeit an Piscators Dramatic Workshop in New York. Brecht übersiedelt auf der Flucht vor den Nazis nach Finnland. Okt.: Gespräche mit dem Komponisten Simon Parmet über Musik zu *Mutter Courage*. (Große militär. Erfolge der Nazis. Waffenstillstand mit Frankreich. Luftangriffe auf London und Coventry. Benjamin Britten: »Sinfonia da Requiem«. Chaplins »Der Diktator«.)

668

1941: Jan.: Mit Simon Parmet Musik zum Lehrstück *Die Horatier und die Kuriatier* geplant. 19. April: Am Zürcher Schauspielhaus Uraufführung von *Mutter Courage*, Musik: Paul Burkhard. 21. Juli: Nach beschwerlicher Reise Ankunft in Los Angeles. Unproduktive Phase. Dez.: Eisler überarbeitet in New York seine Chorvariationen »Vor dem Krieg«. (L. Dallapiccola »Canti di prigionia«. O. Messiaen »Quatuor pour la fin du temps«. Im belagerten Leningrad entsteht die 7. Symphonie von D. Schostakowitsch. Nach deutschem Überfall auf die Sowjetunion (22. Juni) wird Alfred Rosenberg Reichsminister für die besetzten Ostgebiete.)

1942: Jan.: »An die deutschen Soldaten im Osten« für Moskauer Sender. Gespräch mit Adorno über Wagner. März: Korrespondenz mit Weill über »Dreigroschenoper«-Produktion, Adorno soll vermitteln. April: Weill verweigert Aufführung. Eisler trifft bei Brecht ein. Brecht hört bei Adorno Eislers Kammermusikwerk »Vierzehn Arten den Regen zu beschreiben«. Filmmusiknotizen für Eislers Filmmusikprojekt. Mai: Eisler vertont Brechts »Steffinische Sammlung«. Juli: Mit Eisler zu einer Schönberg-Vorlesung über modernes Komponieren. Aug.: »Hollywood-Elegien«. Okt.: Treffen mit Weill. Brecht und Eisler bei Schönbergs Geburtstag eingeladen. Dez.: Eisler schreibt Filmmusik zu »Hangmen Also Die«, Regie: Fritz Lang. (Attentat auf den Reichsprotektor von Böhmen-Mähren Heydrich; Vergeltungsschlag gegen das Dorf Lidice. Beginn der massenhaften Vernichtung von Juden in Vernichtungslagern. Dt. Widerstandsorganisation »Rote Kapelle« aufgedeckt; zahlreiche Hinrichtungen. Tod von Carola Neher in einem sowjet. Straflager. Amerikan. Erstaufführung von Schostakowitschs 7. Sinf. unter Toscanini.)

1943: Febr.: Uraufführung von *Der gute Mensch von Sezuan* in Zürich. Brechts Abreise nach New York (Kapitulation der 6. Armee in Stalingrad bedeutet Wende des Krieges. Politik der »verbrannten Erde« bei Rückzug. Luftangriffe auf dt. Städte. Bartók komponiert im USA-Exil »Konzert für Orchester«.) März: Zusammentreffen mit Paul Dessau in New York. Gemeinsamer Besuch der Cantonese Players in Chinatown. Pläne mit Weill: »Schweyk«-Oper: *Sezuan* als Halboper. Mai: Rückkehr nach Santa Monica. Wiederaufgreifen des Opernprojekts *Goliath* mit Eisler. Juni: Eisler schreibt Lieder für deutsche Kriegsgefangene, beginnt Bühnenmusik für *Simone Machard*. Weill in Santa Monica. Arbeit am »Hollywooder Liederbuch«. Sept.: *Leben des Galilei* in Zürich, Musik: Huldreich Georg Früh. 1.–3. Oktober: Schriftstellerkongreß der University of California Los Angeles, Teilnahme u. a. von Th. Mann, Feuchtwanger, Brecht, Eisler, Milhaud. (Gründung des Nationalkomitees Freies Deutschland in Krasnogorsk. Aufstand im Warschauer Ghetto blutig niedergeschlagen. Weill wird US-Staatsbürger.)

1944: Jan.: Vertrag mit Weill über *Sezuan* als Halboper. Juli: Dessau übersiedelt auf Brechts Wunsch nach Santa Monica, komponiert Oratorium *Deutsches Miserere*. Klemperer zu Besuch. Brecht schlägt ihm für Berlin eine Oper der Gewerkschaften vor. (Ernst Busch in Berlin des Hochverrats angeklagt. Kurt Gerron, der Polizeichef Brown der »Dreigroschenoper«-Uraufführung, im KZ Theresienstadt ermordet. Mißglücktes Attentat gegen Hitler am 20. Juli. Ernst Thälmann (KPD) und Rudolf Breitscheid (SPD) im KZ Buchenwald erschossen. Mit Normandie-Invasion spätes Eingreifen der Alliierten an der Westfront.) Opernprojekt »Die Judenhure Marie Sanders« mit Dessau. Gespräche mit Eisler und Dessau über Musik im epischen Theater.

1945: Jan.: Opernprojekt »Die Reisen des Glücksgotts« mit Dessau. April: Filmprojekt über das Lied »Und was bekam des Soldaten Weib?« (April: Tod von Präsident Roosevelt, Nachfolger Truman. 8. Mai: Deutsche Kapitulation. Aufteilung Deutschlands gemäß Konferenz von Jalta.) Juni: Mit Eisler zur Vorbereitung der Inszenierung *Furcht und Elend des Dritten Reiches* in New York. Spannungen. (6. Aug.: Amerikaner werfen erste Atombombe auf Hiroshima.)

1946: Brecht zeigt Interesse für amerikan. Folksänger Burl Ives sowie für den farbigen Protestsänger »Leadbelly«. Duke Ellington und John LaTouche schreiben Swingversion der Dreigroschenoper. Aug.: 1. Ferienkurse in Darmstadt mit *Badener Lehrstück vom Einverständnis*. Dirigent: Hans Werner Henze. Dessau beendet »Courage«-Partitur. 13. Sept.: Für

669

Schönbergs 72. Geburtstag schreiben Brecht und Eisler die Kantate »Ich habe von einem Esel gelernt«. 15. Okt.: New Yorker Aufführung »Duchess of Malfi«, bearbeitet von Brecht, Musik: B. Britten. 19. Dez.: Ernst Busch gründet in Berlin Schallplattenverlag »Lied der Zeit«. (Nürnberger Kriegsverbrecherprozesse. Churchills Fulton-Rede.)
1947: Febr.: Eisler stellt seine *Deutsche Symphonie* fertig. (März: Präsident Truman proklamiert die sogen. »Truman-Doktrin«. Beginn des kalten Krieges. Zugleich Marshall-Plan zur Unterstützung von Westeuropa. Thomas Mann *Doktor Faustus*. Heinrich Mann *Ein Zeitalter wird besichtigt*. Arnold Schönberg *Ein Überlebender von Warschau*.) Mai: Erstes Verhör Eislers durch eine Abteilung des Ausschusses zur Untersuchung unamerikanischer Tätigkeit. Brecht schlägt dem Filmregisseur L. Milestone realistische Verfilmung von Offenbachs Oper *Hoffmanns Erzählungen* vor. 31. Juli: Premiere *Leben des Galilei* am Coronet Theatre in Beverly Hills. Musik: Eisler. Dessau komponiert Bühnenmusik zu *Der gute Mensch von Sezuan*. 24. Sept.: Verhör Eislers in Washington. 30. Okt.: Verhör Brechts. 31. Okt.: Abflug Brechts nach Paris. Eintreffen in Zürich. Nov.: »Kulturbund für die demokratische Erneuerung Deutschlands« wird im amerikan. u. brit. Sektor Berlins verboten. 14. Dez.: Solidaritätskonzert für Eisler in Beverly Hills unter Schirmherrschaft von Igor Strawinsky.
1948: 28. Febr.: Abschiedskonzert für Eisler in der New Yorker Town Hall; Schirmherr Leonard Bernstein. Salzburger Pläne Brechts mit C. Neher und Gottfried v. Einem. April: Ankunft Eislers in Wien, kündigt Koloman-Wallisch-Kantate an. Mai: Eislers Prager Vortrag »Gesellschaftliche Grundfragen der modernen Musik« als Antwort auf Moskauer Formalismus-Beschlüsse. (Separate Währungsreform in den drei Westzonen Deutschlands, dann auch in West-Berlin. Berlin-Blockade als sowjetische Antwort. Westl. Besatzungsmächte lehnen Sozialisierungen auf Länderbasis ab. Bodenreform in der SBZ. Otto Klemperer verläßt Los Angeles und geht nach Budapest.) Okt.: Dessau komponiert in Stuttgart Musik zum Lehrstück *Die Ausnahme und die Regel* für ein deutsch-französisches Tournee-Ensemble. Brecht und Eisler nehmen an Friedenskundgebung in der Berliner Staatsoper teil. Dez.: Dessaus »Grabschrift für Rosa Luxemburg« und »Grabschrift für Karl Liebknecht«.
1949: 11. Jan.: »Mutter Courage«-Premiere am Deutschen Theater Berlin. Regie: Brecht u. E. Engel. Musikal. Ltg.: H. F. Hartig. 21. Febr.: Brecht wendet sich brieflich an Marc Blitzstein. Anfrage bei Eisler wegen Bühnenmusik zu *Tage der Commune*. 27. April: *Dreigroschenoper* an den Münchner Kammerspielen mit Hans Albers. Regie: H. Buckwitz. 29. Mai: Kantatenfassung der *Mutter* im österr. Rundfunk in Wien. Okt.: Empfang des Kulturbunds zu Ehren von H. Eisler mit u. a. Joh. R. Becher, Brecht, H. Weigel, E. Busch. 12. Dez.: Diskussion über Clownspiel *Der deutsche Michel* (Musik: Dessau) im Kabelwerk Oberspree. (Bestätigung der dt. Teilung durch Gründung der westdeutschen Bundesrepublik, danach der Deutschen Demokrat. Rep. Amtliche Mitteilung der US-Regierung über Existenz sowjetischer Atombomben; danach Gründung des Nordatlantikpakts. Panamerikanischer Kongreß für Kultur und Frieden in den USA unter Teilnahme von D. Schostakowitsch, der nach Auftritt in New York zum sofortigen Verlassen des Landes aufgefordert wird. Goethe-Jahr in beiden Teilen Deutschlands. Adornos *Philosophie der Neuen Musik* ohne jede Erwähnung Eislers.)
1950: Jan.: Ruth Berlau inszeniert in Leipzig *Die Mutter*. Beratung: Hans Mayer. März: Eisler bezieht Haus in Berlin-Pankow, wird Ordentliches Mitglied der Dt. Akademie der Künste. April: 3.: Tod von Kurt Weill. 15.: *Der Hofmeister,* Musik: Dessau 28./29.: Operndiskussionen mit C. Neher, R. Wagner-Régeny, Boris Blacher und G. v. Einem. Juni: Kinderlieder für Eisler. »Anmut sparet nicht noch Mühe«. Neufassung der »Mutter«-Musik für Aufführung am Berliner Ensemble. Eisler erhält für DDR-Nationalhymne Nationalpreis erster Klasse. (Bach-Jahr. Ballett *Zeitalter der Angst* von Leonard Bernstein. Antikommunistischer »Kongreß für kulturelle Freiheit« in West-Berlin. Koreakrieg. Bundesinnenminister Gustav Heinemann (CDU) tritt aus Protest gegen Wiederaufrüstungspläne zurück.)
1951: Jan.: 12.: »Mutter«-Premiere am Berliner Ensemble. Formalismusvorwürfe. 15.: Gespräch mit Dessau über Oper *Das Verhör des Lukullus,* die an der Staatsoper vorbereitet

wird. 30.: DDR-Ministerpräsident Grotewohl schlägt Bildung eines Gesamtdeutschen Rates vor, von Brecht und Eisler unterstützt. Febr.: Öffentliche Selbstkritik Gerhart Eislers. März: 17.: Probeaufführung *Das Verhör des Lukullus* an der Staatsoper Unter den Linden, Ltg.: H. Scherchen. Am gleichen Tag veröffentlicht das ZK der SED Formalismusbeschluß. April: Bundesregierung verbietet Volksbefragung zur Wiederaufrüstung. Juni: Verbot der Jugendorganisation der KPD (FDJ) durch die Bundesregierung. Juli: Bundesregierung verbietet die »Vereinigung der Verfolgten des Naziregimes« (VVN). »Stahlhelm«-Bund der Frontsoldaten unter Generalfeldmarschall A. Kesselring neugegründet. Aug.: 4.: Uraufführung des »Herrnburger Berichts« (Musik: Dessau) bei den Weltjugendfestspielen in Ost-Berlin. 17.: Diskussion über »Herrnburger Bericht«. 27.: Eisler wendet sich wegen *Faustus* und *Fridericus Rex* an Brecht. 26. Sept.: Brechts Offener Brief an die deutschen Schriftsteller und Künstler. 12. Okt.: Öffentl. Uraufführung *Die Verurteilung des Lukullus* an der Staatsoper. Dessau komponiert Vier Liebeslieder für Gesang und Gitarre, »Friedenslied (nach Neruda) und Bühnenmusik zu *Mann ist Mann* sowie »Grabschrift für Lenin« für Chor und Orchester.

1952: 30. Jan.: Westdeutsche Erstaufführung *Das Verhör des Lukullus* in Frankfurt/Main. 10. März: Note der Sowjetunion mit dem Angebot einer dt. Wiedervereinigung. April: Brecht und Eisler nehmen am 1. Kolloquium über »Selbstverständigung zu künstlerischen Fragen« teil. Kontroverse über Eislers Thesen »Was kann der Opernkomponist von R. Wagner lernen?« 4. Juli: Brecht-Eislers Vorschlag für die 2. Parteikonferenz. 25.–30. Aug.: Mit Eisler Durcharbeitung des »Faustus«-Librettos. 20. Okt.: Anfrage bei C. Orff wegen einer Bühnenmusik zum *Kaukasischen Kreidekreis*. Nov.: Gespräch mit Dessau über *Die Erziehung der Hirse*. Dez.: Eisler schreibt Bühnenmusik zu Strittmatters Stück *Katzgraben*. (Chaplin wird aus pol. Gründen die Rückkehr in die USA verweigert. Nach Zahlung von 13 Mrd. Dollar endet die Marshall-Plan-Hilfe für Westeuropa. Neue Vorschläge zur Wiedervereinigung von Adenauer abgelehnt. Gustav Heinemann (früher CDU) u. a. gründen »Gesamtdeutsche Volkspartei«. Slansky-Prozeß in Prag. Kommunisten-Prozeß in USA.) Dessau komponiert Bühnenmusik für Brechts »Urfaust«-Inszenierung.

1953: Lehrtätigkeit Dessaus an der Staatl. Schauspielschule Berlin. Brecht plant Oper »Des Bäckers Weib«. Ernst Busch muß wegen Unterschlagungsvorwürfen seinen Schallplattenverlag »Lied der Zeit« aufgegeben. Mai: »Faustus«-Diskussion in der »Mittwoch-Gesellschaft« der Akademie der Künste der DDR. 17. Juni: Brecht bietet der DDR-Regierung Rundfunkbeiträge zu den Arbeiterprotesten an (abgelehnt). 4. Aug.: Peter Suhrkamp bittet Brecht, die »Kreidekreis«-Musik von Dessau komponieren zu lassen. Oktober: Brecht in Wien bei Eisler. Proben zur *Mutter*. Vorschlag eines »Garbe«-Projekts im Stil der *Maßnahme*. Nov.: Dessau erhält Nationalpreis der DDR. Akademie der Künste schlägt Eisler die Herausgabe seiner Werke vor. Dez.: Dessau komponiert »Musikalisches Opfer« für Brecht. (G. v. Einems Oper *Der Prozeß* nach Kafka. Tod von Josef Stalin. Deutscher Bundestag stimmt, gegen die SPD, Deutschlandvertrag und Europäischer Verteidigungsgemeinschaft zu. Ethel u. Julius Rosenberg werden – trotz Protesten u. a. von Brecht u. Eisler – wegen angeblicher Atomspionage für die UdSSR in den USA hingerichtet.)

1954: Dessau komponiert Bühnenmusik zum *Kaukasischen Kreidekreis*. Wachsendes Interesse Brechts für Agitproptheater. Febr.: Eisler komponiert in Wien »Von der Freundlichkeit der Welt«, »Und es sind die finstern Zeiten«, »ardens sed virens«. März: Sensationeller Erfolg von Blitzsteins Adaption der *Dreigroschenoper* in New York. Juli: Brecht bietet Eisler die Bühnenmusik zu Bechers *Winterschlacht* an. Aug.: Unterredung mit Hella Brock über Schulopern. Sept.: Premiere des Ivens-Films »Das Lied der Ströme«, darin ein Song von Brecht/Schostakowitsch. 7. Okt.: *Der kaukasische Kreidekreis* (Musik: Dessau) am Berliner Ensemble. 29. *Die Erziehung der Hirse* (Brecht/Dessau) in Halle/Saale. Nov.: Eisler arbeitet an der Bühnenmusik zu Bechers »Winterschlacht«. (Streikwelle in der BRD, vor allem bei bayr. Metallarbeitern. Sowjet. Außenminister Molotow schlägt Abzug aller Besatzungstruppen aus Deutschland vor. US-Vizepräsident Nixon fordert Truppeneinsatz in Indochina. Amerikan. Atombombenversuche im Pazifik. Mao Tse-tung zum Präsidenten der chines. Volksrepublik gewählt.)

1955: 12. Jan.: »Winterschlacht«-Premiere (Becher/Eisler) am Berliner Ensemble. Febr.: Zusammenarbeit mit Kurz Schwaen am Lehrstück *Die Horatier und die Kuriatier.* In Frankfurt/M. Auseinandersetzungen mit Dessau über die »Kreidekreis«-Musik. Mai: »Einstein«-Opernpläne mit Dessau. Stalin-Preis verliehen. Juli: Eisler komponiert in Berlin »Wie der Wind weht«, »Im Blumengarten«, »Die haltbare Graugans«. Aug.: Eisler schreibt in Wien Filmmusik zu *Puntila und sein Knecht Matti* (Regie: A. Cavalcanti) und stellt die Bühnenmusik zu *Die Gesichte der Simone Machard* fertig. 19. Sept.: Uraufführung von Brechts Farquhar-Bearbeitung *Pauken und Trompeten,* Musik: R. Wagner-Régeny. 24./25. Okt.: E. Piscator zum erstenmal seit 1933 wieder in Ost-Berlin. Dez.: Eisler regelmäßig abends bei Brecht.
(Dt. Bundestag billigt gegen die Stimmen der SPD Pariser Verträge (Nato-Beitritt); daraufhin Gründung des Warschauer Pakts. »Hallstein-Doktrin« soll Anerkennung der DDR verhindern. Ilja Ehrenburgs »Tauwetter« plädiert für liberalere Kulturpolitik in der Sowjetunion. Rock'n' Roll-Welle in USA und Westeuropa.)

1956: Jan.: »Galilei«-Probearbeiten am Berliner Ensemble. Brecht: »Eislers Musik klingt herrlich.« 11./12.: Auf dem IV. Dt. Schriftstellerkongreß setzt sich Brecht für die Wiederbelebung des Agitproptheaters ein. 6.–13. Febr.: Zur Strehler-Inszenierung der *Dreigroschenoper* nach Mailand. 14.–25.: XX. Parteitag der KPdSU, Entstalinisierung. 20.: Arbeitstreffen von »künstlerischen Agitationsgruppen« in Brechts Wohnung. 24. Mai: Brecht schlägt Ernst Busch für Nationalpreis der DDR vor. Eisler schreibt »Charité«-Kanon für Brecht. Juni: Eisler spielt Brecht die soeben fertiggestellte »Schweyk«-Musik vor. 8. Aug.: Mit Eisler, Wekwerth u. a. Diskussion über Theaterform der Zukunft: *Die Maßnahme!* 14. Aug.: Brechts Tod. 17.: Verbot der KPD in der BRD. 23. Sept.: »Neues Deutschland« veröffentlicht Eislers »Kantate auf den Tod Bertolt Brechts«. Eisler schreibt Bühnenmusik zu *Die Tage der Commune.*
(Hans Werner Henze *König Hirsch* nach Gozzi. Luigi Nono *Il Canto Sospeso* nach Texten zum Tode verurteilter Widerstandskämpfer. UdSSR vermindert ihre Streitkräfte um 640 000 Mann auf 4,1 Millionen. USA verkündet Politik der Stärke. Das Weltpotential an Atombomben wird auf 50 000 geschätzt, davon etwa 35 000 f. d. USA, 15 000 f. d. UdSSR. F. J. Strauß wird bundesdeutscher Verteidigungsminister. Einführung der »Nationalen Volksarmee« in der DDR.)

Anmerkungen

Einleitung

1 Bunge II S. 275
2 Thomas Mann: Deutschland und die Deutschen (1945). In: Politische Schriften und Reden. Bd. 3. Frankfurt/M. 1968. S. 165
3 Brecht GW 14, 1412
4 GW 12, 502
5 H. Mersmann: Die neue Musik und ihre Texte. In: Melos, 1931, S. 171 f.
6 Rolf Liebermann: Der Komponist als Intendant. In: Josef Müller-Marein u. Hannes Reinhardt (Hrsg.): Das musikalische Selbstporträt von Komponisten, Dirigenten, Instrumentalisten, Sängerinnen und Sängern unserer Zeit. Hamburg 1963. S. 268
7 R. Liebermann förderte das epische Musiktheater auch durch Kompositionsaufträge; so entstand für die Hamburgische Staatsoper z. B. Alexander Goehrs Oper *Arden muß sterben* (Libretto: Erich Fried; Regie: Egon Monk), die sich im Moritatenstil u. a. an die *Dreigroschenoper* anlehnte. Vgl. Melos 4/1969 S. 109 ff.
8 So berichtete Heinz Friedrich Hartig von einem Kompositionsauftrag des Senders Freies Berlin im Jahre 1960: »Ich hatte dem Sender das Gedicht von Brecht ›An die Nachgeborenen‹ vorgeschlagen. Es erscheint uns heute wie ein Witz: Der SFB lehnte die Textwahl mit der Begründung ab, Brecht dürfe bei uns nicht komponiert werden!« In Ursula Stürzbecher: Werkstattgespräche mit Komponisten. München 1973 S. 167
9 Anthony Scaduto: Bob Dylan. Eine indiskrete Biografie. Frankfurt/M. 1976 S. 180 ff. u. 240 f.
10 Vgl. die LP »Bertolt Brecht: Die Zeit wird knapp«. Heiner Goebbels & Alfred Harth mit Dagmar Krause & Ernst Stötzner. Zweitausendeins. Best. Nr. 280 22. Mehrere Platten des Duos Goebbels & Harth basieren auf Melodien Eislerscher Brecht-Vertonungen, so »Hommage. Vier Fäuste für Hanns Eisler« (1977) (Free Music Production FMP SAJ-08), »Vom Sprengen des Gartens« (FMP SAJ-20) und »Frankfurt–Peking« (1984) (riskant 4011). Bei FMP ist auch eine Free-Jazz-Version des »Einheitsfrontlieds« von Peter Brötzmann erschienen.

Von Augsburg nach Berlin – Der frühe Brecht und die Entwicklung seiner Musikauffassung

Die Bürgerwelt

Das Lied der Rosen vom Schipkapaß

1 Augsburger Liedertafel e. V. Vereinsgeschichte
2 Ib.
3 Frisch S. 21
4 Brecht Gedichte S. 116. Der Schipkapaß wurde 1877/78 während des russisch-türkischen Krieges von russischen Truppen und bulgarischen Freiwilligen erfolgreich gegen die Türken verteidigt.
5 Der jüngere Bruder Walter wurde am 29. Juni 1900 geboren. Vgl. W. Brecht: Unser Leben in Augsburg, damals.
6 Frisch S. 24
7 Laut Gespräch mit Walter Brecht am 5. April 1982 in Darmstadt.

Musik der Kirche

1 Rohse S. 51
2 Frisch S. 33
3 Rohse S. 355 f. Dort auch genaue Angaben über die in den jeweiligen Klassenstufen zu memorierenden Kirchenlieder.
4 Frisch S. 46
5 Rohse S. 373 ff.
6 Frisch S. 159
7 Beeindruckt vom Niveau der Augsburger Kirchenmusik war auch der junge Werner Egk, ein Klassenkamerad von Brechts Freund Müllereisert. Vgl. Egk S. 30
8 So Walter Brecht im Gespräch am 5. 4. 1982. Vgl. W. Brecht S. 266 f.
9 Brecht AJ 16. 8. 1944

Patriotismus in Schule und ersten
Veröffentlichungen

1 Frisch S. 48
2 Brecht GW 19,505
3 GW 19, Anm. 10
4 Frisch S. 37. Bert Brecht war nicht der einzige Dichter, den Dr. Ledermann beeinflußte; auch sein Enkel wurde als Schriftsteller bekannt: Hans Magnus Enzensberger.
5 a. a. O. S. 226
6 S. 235
7 S. 242
8 S. 243

»Gigantenseele« – Brecht als Tristan-Dirigent

1 Frisch S. 107 W. Brecht bekam immerhin 5 Jahre lang Klavierunterricht. Vgl. W. Brecht S. 40
2 Gespräch mit Paula (»Bi«) Banholzer am 11. 1. 1979
3 Frisch S. 131
4 Schumacher, Leben Brechts S. 31
5 Frisch S. 249
6 Telefoninterview mit Franziska Pfanzelt, Augsburg Januar 1979
7 Gespräch mit Ludwig Prestel, Nürnberg 12. 8. 1978
8 Brecht GW 17, 1220
9 Frisch S. 132
10 Frisch S. 133. Auch noch 1918 spielte Geyer seinem Freund gelegentlich Haydn-Klaviermusik vor. Vgl. Briefe S. 31 u. 33
11 E. Hauptmann, Romeo S. 195 f.
12 Heinrich Scheuffelhut
13 Frisch S. 50
14 Frisch S. 262
15 Zum Motiv des Schiffes vgl. P. P. Schwarz S. 120 ff.
16 Laut Gespräch mit Walter Brecht.
17 Hauber S. 70
18 Frisch S. 57
19 Brecht GW 15, 488
20 Brecht Briefe S. 9
21 Paula Banholzer im Gespräch am 11. 1. 1979
22 Münsterer S. 10
23 Laut Gespräch mit H. H. Stuckenschmidt am 4. 9. 1976 (Berlin)
24 Frisch S. 103
25 Frisch S. 271
26 Anläß des Gedichts »Dankgottesdienst« wie auch der gleichnamigen Novelle war möglicherweise die Schlacht von Belfort im August 1914. Vgl. Frisch S. 234 ff.
27 Brecht GW 18 Anm. 5
28 GW 18 Anm. 6 f.
29 Frisch S. 177
30 Der Theaterwissenschaftler und Wede-

kind-Spezialist Artur Kutscher war Dozent an der Universität München; Brecht besuchte regelmäßig seine Vorlesungen.
31 Frisch S. 282
32 Brecht Briefe S. 43
33 Vgl. dazu auch Th. Mann, Betrachtungen eines Unpolitischen
34 Frisch S. 177
35 Gespräch mit Armin Kroder Jan. 1979 (Augsburg)
36 Frisch S. 178

Opposition gegen die Bürgerwelt

Opposition gegen Augsburg –
Die angemaßte Fremdheit

1 Brecht Gedichte S. 263
2 Völker, Brecht-Chronik S. 28
3 Vgl. Brechts Vorliebe für Alliterationen bei Namensbildungen, so Mackie Messer, Galy Gay etc.
4 Völker, Brecht S. 100.
5 Frisch S. 47 Vgl. W. Brecht S. 75
6 Vgl. zu den verschiedenen Ausführungen der Kalliope-Spieldosen Bowers S. 108 ff.
7 Gespräch mit Walter Brecht am 5. 4. 1982
8 Brecht Gedichte S. 69
9 Gedichte S. 94

Volkslieder zur Gitarre.
Brecht und der deutsche Wandervogel

1 Höckner S. 1
2 Blüher Bd. II S. 76
3 Im Geleitwort zu diesem Lautenbuch schrieb Kurella: »Der Wandervogel hat ohne Zweifel viel für die Wiederaufnahme der Laute in die deutsche Hausmusik getan, nach den großen Führern Scharrer und Kothe vielleicht das meiste. Aber er hat auch eine Schuld auf sich geladen: ihm ist es zuzuschreiben, daß die Laute anfängt, Modeinstrument zu werden ...« Zitiert nach Höckner S. 54
4 Höckner S. 209 f.
5 Gespräch mit Walter Groos am 11. 1. 1979 (Augsburg)
6 Vgl. Vötterle. Zur Stellung des Bärenreiter-Verlages in der Jugendbewegung auch J. Hodek.
7 Gespräch mit Walter Brecht am 5. 4. 1982. Einige Lieder aus Th. Helms Repertoire sind bei W. Brecht S. 56 f. zitiert.
8 Frisch S. 135
9 Aus: Wandervogel. Monatsschrift des Wandervogel, deutschen Bundes für Jugendwanderungen. 1. Jgg. (1907) H. 3
10 Gespräch mit Paula Banholzer am 11. 1. 1979

11 Frisch S. 132
12 Brecht GW 18 Anm. 3
13 BBA Bertolt-Brecht-Archiv 673/37

Klaucke–Vorstadt und Plärrer.
Einflüsse echter Volksmusik

1 Frisch S. 27
2 Münsterer S. 12 ff.
3 Frisch S. 33
4 Frisch S. 29
5 Brecht Briefe S. 11
6 Brecht GW 19 Anm. 9. Möglicherweise um seine abweichende Position gegenüber Johannes R. Bechers »Neuen deutschen Volksliedern« zu verdeutlichen, strich er später diese Passage und schrieb statt dessen: »Volkslieder habe ich verhältnismäßig spät kennengelernt, wenn ich von einigen Goethe- und Heine-Liedern absehe, die da und dort gesungen wurden, von denen ich aber nicht recht weiß, ob man sie zu den Volksliedern rechnen soll, da die Bevölkerung an ihnen auch nicht durch die kleinste Veränderung mitdichtete.«
7 GW 19, 504
8 Vgl. Hinck S. 83 ff.
9 Brecht GW 19, 504
10 Vgl. dazu Haug
11 Brecht GW 19, 503 f.
12 Frisch S. 31
13 Frisch S. 103 f.
14 Frisch S. 105
15 Münsterer S. 68
16 Münsterer S. 89
17 Frisch S. 174
18 Brecht Gedichte S. 77
19 Gedichte S. 27
20 Frisch S. 175
21 Brecht GW 1, 93
22 GW 7, 2747
23 GW 13, 738. Ausführliche Informationen zur Geschichte der Drehorgel bei Zeraschi.
24 Münsterer S. 81. Auch Caspar Neher berichtet von einem ähnlichen Orchestrion in dem Tanzlokal »Karpfen«. Vgl. Völker, Chronik S. 13
25 Münsterer S. 108
26 Münsterer S. 47
27 Frisch S. 109
28 Zitiert nach Süddeutsche Zeitung vom 13./14. Aug. 1966
29 Brecht GW 19, 505
30 Frisch S. 102 f.
31 Brecht Tagebuch 1. Sept. 1920
32 Brecht GW 4, 1350 u. 1440. S. a. GW 8, 89
33 GW 6, 2522. Vgl. andere Bettlerinstrumente GW 13, 738, 745, 846 u. 859
34 Vgl. Heister, Theorie des Konzerts S. 47 f.

u. 516 ff. Zum Eindringen der »Straße« in den Konzertsaal S. 156 ff.

Angewandte Lyrik. Wedekind und der literarische Bänkelsang.

1 Frisch S. 175
2 Vgl. McLean
3 Brecht GW 16, 619
4 Vgl. dazu von linkssozialistischer Seite die Stellungnahme »Wir und die Kinos«. In: Volkswillen. Tageszeitung der USPD für Schwaben und Neuburg vom 30. September 1919. Brecht war ab Okt. 1919 Theaterkritiker bei dieser Zeitung.
5 Wedekind, Briefe I S. 92
6 Ib. S. 145
7 Ib. S. 124
8 Wedekind, Werke Bd. 2, S. 752
9 Wedekind, Briefe II, S. 181 f.
10 Ib. S. 207 f.
11 Ib. S. 63
12 Vgl. Jöde
13 Münsterer S. 30
14 Brecht GW 15, 3 f.
15 Brecht AJ 4. 4. 42

Brecht als Bürgerschreck, Baal und Klampfenbenke

1 Völker, Chronik S. 10 f. S. a. Briefe S. 29 ff.
2 Münsterer S. 36
3 Völker, Chronik S. 11
4 Walter Brecht gewährte dem Verfasser im April 1982 freundlicherweise Einblick in dieses in seinem Besitz befindliche Büchlein.
5 BBA 800/1–14
6 Brecht Briefe S. 16
7 Vgl. Briefe S. 18
8 Briefe S. 30
9 Hennenberg, Brecht-Liederbuch Nr. 4. Auf David Bowies Baal-Platte in einer Vertonung von Dominic Muldowney als »Dirty Song«. (RCA PG 45092)
10 Frisch S. 134
11 Münsterer S. 53
12 Hennenberg, Brecht-Liederbuch Nr. 2
13 Hennenberg Nr. 5
14 Hennenberg Nr. 6
15 Hennenberg Nr. 1
16 Frisch S. 140
17 Hennenberg Nr. 3
18 Münsterer S. 72
19 Brecht Tagebuch
20 Münsterer S. 56
21 Münsterer S. 83
22 Frisch S. 106
23 M. R. Aman im Fernsehfilm »Bi und Bidi in Augsburg« von H. Breloer. NDR 1975

24 Münsterer S. 52
25 Brecht GW 8, 80
26 Vgl. W. Brecht S. 59. 1907 hat auch A. Schönberg diese Ballade vertont (op. 12).
27 Münsterer S. 28
28 Münsterer S. 59
29 Brecht Tagebuch 14. 9. 1920
30 Münsterer S. 22
31 Münsterer S. 89
32 Brecht Gedichte S. 243
33 Brecht GW 1, 50
34 Münsterer S. 57. Die genüßlich antibürgerliche Haltung, mit der Baal seine Gedichte und seine Gitarre auf den Abort mitnimmt, erinnert an ein ähnliches Bildmotiv auf dem bekannten Plakat des Rockmusikers Frank Zappa, das in den 60er und 70er Jahren fast zu einem Symbol des anarchischen Protests wurde.
35 Vgl. Hanns Henny Jahnn im 2. Brecht-Sonderheft von »Sinn und Form«, 1957, S. 424 f.
36 Brecht GW 8, 46
37 Gedichte S. 50
38 Gedichte S. 75
39 Gemeint sind wohl Orchestrions.
40 Gedichte S. 81
41 W. Brecht S. 136 ff.
42 Tagebuch 24. 8. 1920
43 Frisch S. 158
44 Frisch S. 156 f.
45 Münsterer S. 60
46 Tagebuch 21. Juni 1920
47 Tagebuch 29. 4. 1921
48 Vgl. die Tagebucheintragung vom Oktober 1921: »Ich singe zur Gitarre trotz der miesen Effs, die ohne Zähne nicht gut herstellbar sind.«
49 Völker, Chronik S. 21
50 Feuchtwanger, Bertolt Brecht S. 558 f.
51 Zur Bedeutung von Feuchtwangers *Erfolg* als Schlüsselroman vgl. Brückner sowie Spalek S. 121 ff.
52 Feuchtwanger, Erfolg S. 145
53 Gemeint ist mit dem »Violetten« Pröckls Chef, Fabrikdirektor von Reindl. (Wohl nicht zufällig ähnelt dieser Name dem Augsburger Firmennamen Haindl.)
54 Feuchtwanger. a. a. O. S. 238
55 Gespräch mit Erwin Faber am 10. 1. 1979 (München)
56 Hollaender S. 224
57 Jhering, Bert Brecht hat ...
58 Zur fälschlichen Erwähnung von Brechts Lautenspiel in seinen Erinnerungen schrieb C. Zuckmayer dem Autor am 28. 7. 1976: »Natürlich nur *Gitarre,* nicht Laute – ich bin entsetzt, daß dieser Flüchtigkeitsfehler in dem Buch noch nicht verbessert ist.«
59 Zuckmayer, Als wär's ein Stück von mir. S. 389 f.

60 a. a. O. S. 393
61 a. a. O. S. 393 f.
62 Zuckmayer, Nach Brechts Tod. S. 239

Bertolt Brechts Hauspostille –
Zum Gebrauch des Lesers bestimmt

1 Münsterer S. 61 f.
2 Münsterer S. 37
3 K. Schuhmann S. 165
4 Vgl. Schuhmann S. 165, Völker, Brecht S. 115.
5 Berger S. 14
6 Der amerikanischen Ausgabe der *Hauspostille,* die 1966 als »Manual of Piety« in New York erschien, gab Eric Bentley außer den 1927 abgedruckten zwei weitere Melodien mit kurzen Kommentaren zu deren möglichen Vorbildern bei.
7 Brecht GW 19, 395
8 Hennenberg Nr. 10
9 Vgl. Münchner Neueste Nachrichten vom 18. Aug. 1919. Dazu Helmut Lethen, Apfelböck oder der Familienmord. In: Lehmann/Lethen S. 49 ff.
10 Ritter S. 214
11 Dennoch scheint es problematisch, daraus die »grundsätzliche Gleichgewichtigkeit der Wörter« in Brechts *Hauspostille* abzuleiten. Vgl. Birkenhauer S. 14 f.
12 Münsterer S. 132
13 Vgl. Worms
14 Die Ausnahme, die »Ballade von des Cortez Leuten«, besitzt dafür allerdings regelmäßigen Rhythmus.
15 Hennenberg Nr. 11
16 Brecht notierte ihn in der *Taschenpostille* im Viertel-, in der *Hauspostille* hingegen im wiegenden Dreivierteltakt.
17 Vgl. Wagenknecht S. 26
18 Hennenberg Nr. 9. Vgl. auch die Interpretation David Bowies auf RCA PG 45092. Eine mit dem Deutschen Schallplattenpreis ausgezeichnete Gesamtaufnahme der *Hauspostille* mit Therese Giehse, Hanne Hiob, Gisela May, Helene Weigel, Michael Altmann, Ernst Busch, Ekkehard Schall und Walter Schmidinger sowie The London Sinfonietta (Ltg.: D. Atherton) ist bei der Deutschen Grammophon Gesellschaft (DG 2755013) erschienen.
19 Frisch S. 183
20 Hennenberg Nr. 7. Vgl. Riha, Notizen
21 Brecht GW 19, 397
22 Vgl. Schultz S. 61 f.
23 Brecht GW 19, 403
24 Ib.
25 Laut Mitteilung von Helmut Kindler, der 1929 an Treffen mit Alfred Döblin, Peter Martin Lampel und Brecht teilnahm.
26 Münsterer S. 105

27 Benjamin, Versuche über Brecht S. 65 ff.

Der Wasser-Feuer-Mensch

Der Künstler – Genie oder Ingenieur?

1 Brecht GW 18, 23
2 GW 1, 30
3 Brecht Tagebuch 8. 9. 1920
4 Tagebuch 17. 6. 1921
5 Kasack S. 29
6 Tagebuch 7. Juli 1920
7 Tagebuch 29. 8. 1920
8 Brecht GW 17, 945. In einer späteren Fassung von *Trommeln in der Nacht* verstärkte Brecht die kleinbürgerlich-fatalistischen Züge durch den Einbau eben jenes »Liedes vom Hund«, das auch S. Beckett in seinem Stück *Warten auf Godot* zitiert. Vgl. Knopf, Lyrik S. 21
9 Tagebuch 14. 9. 1920
10 Tagebuch 7. 7. 1920
11 Ib.
12 Ib.
13 Ib.
14 Tagebuch Juli 1926

Kritik der Gefühlswirkung von Musik

1 Münsterer S. 101
2 Brecht GW 12, 388
3 Tagebuch 26. Juni 1920
4 Tagebuch 4. 9. 1920
5 Tagebuch 1935 (S. 205)
6 Ludwig Prestel, der Jugendfreund, bezeichnete 1978 im Gespräch mit dem Autor diese Tagebuchpassage als gelungenes Selbstporträt.
7 Tagebuch 1935 (S. 208)
8 Tagebuch 1938 (S. 216)
9 Canetti S. 254
10 a.a. O. S. 256
11 Tagebuch 19. 7. 1920
12 Tagebuch 25. 9. 1920
13 Über Brechts Auseinandersetzung mit Nietzsche vgl. R. Grimm
14 Münsterer S. 125
15 Tagebuch 30. 9. 1921
16 Vgl. Brechts Tagebuchnotiz vom 28. Mai: »Die Tragödie basiert auf bürgerlichen Tugenden, zieht daraus ihre Kraft und geht mit ihnen ein.« Walter Benjamin hat diesen Zusammenhang in seiner Schrift über das bürgerliche Trauerspiel ausgeführt.
17 Tagebuch 4. 7. 1920
18 Vgl. Seliger S. 53 ff.
19 Ähnlich verfuhr Brecht auch bei anderen Gedichten, denen er die Überschrift »Sentimentales Lied« gab. Vgl. Gedichte S. 97 und 107.

20 Tagebuch 10. 2. 1922
21 Vgl. Hennenberg, Brecht-Liederbuch, S. 373
22 Vgl. M. Schulte S. 297 f.
23 Tagebuch 7. 10. 1921
24 Brecht GW 6, 2631
25 GW 6, 2636
26 Münsterer S. 48
27 Brecht GW 7, 2753
28 BBA 440/152
29 Tagebuch 8. Sept. 1920
30 Zum passiv-romantischen Hören vgl. Heinrich Besselers grundlegenden Beitrag »Das musikalische Hören der Neuzeit«. In: Aufsätze zur Musikästhetik und Musikgeschichte. Leipzig 1978. S. 151 ff.
31 Brecht, Über die Verwendung von Musik für ein episches Theater. GW 15, 480.
32 Tagebuch 3. 5. 1921
33 Gespräch mit Paula Banholzer
34 Dessau: Aus Gesprächen S. 80

Brechts Ehe mit der Opernsängerin
Marianne Zoff

1 Die Unabhängige Sozialdemokratische Partei Deutschlands (USPD) wurde 1917 gegründet, nachdem die SPD 1914 im Reichstag den Kriegskrediten zugestimmt hatte.
2 Brecht GW 15, 13
3 GW 15, 16
4 GW 1, 163
5 GW 1, 94
6 GW 3, 1081
7 Brecht traf auch in der amerikanischen Emigration noch einige Male mit Otto Zoff zusammen. 1942 half dieser Benjamin Britten und Peter Pears, die er als Musiker schätzte, beim Entwurf eines Opernlibrettos. Vgl. O. Zoff, Tagebücher
8 Interview mit Marianne Zoff in Banholzer, So viel wie eine Liebe
9 BBA 455/1–25
10 Seliger S. 21 f.
11 Tagebuch 9. 2. 1921
12 Tagebuch 7. 9. 1921
13 Tagebuch 25. 2. 1921
14 Tagebuch 16. 3. 1921
15 München-Augsburger Abendzeitung 19. 3. 1921
16 Tagebuch 22. 3. 1921
17 Tagebuch Juli 1921
18 Tagebuch 25. Okt. 1921
19 Tagebuch 28. Okt. 1921
20 Tagebuch 22. 5. 1921
21 A. Bronnen, Tage mit Brecht. S. 27
22 Bronnen S. 115
23 Vgl. Gedichte S. 953
24 Reich S. 281
25 Briefe S. 107

Von der lyrisch-expressiven zur episch-dramatischen Musik

Demontage Baals

1 Vgl. Dieter Schmidt
2 Feuchtwanger, Erfolg S. 453
3 Feuchtwanger S. 684
4 Ib. S. 685
5 Ib. S. 582
6 Die hier erstmals bei Brecht erwähnten Begleitinstrumente Banjo und Klavier traten an die Stelle der Gitarre, die für die Augsburger Zeit charakteristisch war. Deutlich wird damit der wachsende Einfluß des Jazz.
7 Zitiert nach Völker, Brecht S. 114

Von der deutschen zur anglo-amerikanischen Musiktradition

1 Reich S. 268
2 D. Milhaud, Die Entwicklung der Jazzbands ... S. 200
3 P. Stefan, Anbruch 1925
4 E. Wellesz, S. 426
5 M. Bukofzer S. 390
6 Brecht GW 15, 69
7 Brecht Briefe S. 103
8 Brecht GW 15, 76
9 GW 19, 402
10 GW 8, 297 f. Als singende Maschinen betrachtete Brecht auch die Autos; ein zu Werbezwecken geschriebenes Autogedicht erhielt den Titel »Singende Steyrwägen«.
11 W. Mehring, Großes Ketzerbrevier S. 165
12 In einem Brief an den Autor vom Juli 1976 bezeichnete Walter Mehring Brechts *Hauspostille* als Nachahmung seines bereits 1921 veröffentlichten *Ketzerbreviers*. In einem weiteren Brief schrieb er am 28. Sept. 1976: »Daß Brechts 6 Jahre nach dem ›Ketzerbrevier‹ erschienene ›Hauspostille‹ sich an mein Versbuch ›anlehnte‹, – stilistisch – inhaltlich – stellten fest: Kurt Tucholsky, Willy Haas, Alfred Kerr – – v. Ossietzky –, u.a. Infolge meiner ›Skepsis‹ halte ich eine weitere Brecht-Forschung für notwendig.«
13 Vgl. Hennenberg, Brecht-Liederbuch S. 366. Es ist umstritten, ob für Brecht das Wort »Mahagonny« damals schon eine negative Bedeutung hatte. Vgl. Seliger S. 135 f.
14 Banholzer S. 173
15 Hennenberg Nr. 14
16 Ein nicht in die *Hauspostille* übernommener Mahagonnygesang Nr. 4 (vgl. Gedichte S. 136 ff.) nimmt schon die Boxer-Thematik des Songspiels vorweg.

17 Gespräch mit Erwin Faber im Januar 1979
18 Briefe S. 99
19 Reich S. 239
20 Reich S. 260
21 Zuckmayer, Als wär's ein Stück S. 394
22 Vgl. Canaris S. 155 f.
23 Vgl. Jhering S. 50
24 »Shakespeare – das war für den Dramatiker Brecht der künstlerische Orientierungspunkt seines Lebens.« Vgl. W. Mittenzwei, Brechts Verhältnis zur Tradition S. 125
25 Vgl. Schmidt-Garre

Berlin, Brecht, Bruinier

1 Bei der Leipziger Uraufführung war dieser Choral nur gesprochen worden. Der Kritiker der »Leipziger Neuesten Nachrichten« fühlte sich dadurch an »Hammerschläge auf einer erznen Glocke« erinnert.
2 Baal. Texte, Varianten, Materialien S. 183. Vgl. auch Fassmann S. 21 f.
3 Reich S. 297 f.
4 Reich S. 298 f.
5 E. Hauptmann, Romeo S. 193
6 Hennenberg Nr. 19
7 BBA 249/51
8 Brechts Textvorlage war ein Lied aus Rudyard Kiplings Kurzgeschichte »Love-O'-Women«. Auch musikalisch scheint Kiplings Vortragsbezeichnung (»shrill quick-step«) auf Brecht und Bruinier eingewirkt zu haben. Vgl. Hennenberg S. 375
9 Brecht GW 1, 335
10 Hennenberg Nr. 20
11 Hennenberg Nr. 18
12 BBA 249/59
13 BBA 249/60
14 Hennenberg Nr. 16
15 Laut Information von H. H. Stuckenschmidt.
16 Vgl. die melodische Ähnlichkeit von Puccinis »Streifchen Rauch am Horizont« und Brechts ». . . kann man sich doch nicht nur hinlegen«.
17 Vgl. Hennenberg S. 372. Hier auch der Hinweis, daß Brecht in der Melodie zum »Barbara-Song« jene alte französische Melodie zitiert, die er zuvor schon in der »Ballade von den Seeräubern« und später im »Geschäftslied der Mutter Courage« verwendet hat.
18 Hennenberg Nr. 17
19 BBA 249/53–58
20 Hennenberg Nr. 21
21 Vgl. Hennenberg S. 396 ff.
22 Hennenberg S. 398
23 M. A. = Montagabend
24 Laut Gespräch mit Frau Karl Bruinier, Berlin-Steglitz. Vgl. zu Bruiniers Biographie

auch die Aufsätze von Hennenberg und
Lucchesi.

Musikalische Experimente in der Weimarer Republik

Brecht und Weill – Auseinandersetzungen mit dem Kulinarismus in bürgerlicher Oper, in Operette und Tonfilm

»Mahagonny«: Vom Songspiel zur Oper (1927/28)

1 Zitiert nach Sanders S. 25
2 Nach Schebera, Weill S. 20
3 Sanders S. 53
4 Vorwort zu Drew (Hrsg.), Über Kurt Weill S. XXIII
5 Sanders S. 35
6 Sanders S. 66
7 Ib.
8 Zitiert nach Schebera S. 51
9 Weill, Schriften S. 132
10 Weill, Notiz zum Jazz. In: Schriften S. 197
11 Sanders S. 56
12 Gespräch mit Wladimir Vogel am 11.5. 1976 (Zürich)
13 Vgl. H. Kliemann, Die Novembergruppe. Berlin-W. 1969. Ferner M. Butting, Musikgeschichte, die ich miterlebte. Berlin/DDR 1955 S. 119 ff.
14 Hennenberg Nr. 15. Vgl. dort auch den Kommentar S. 370.
15 Weill, Schriften S. 176. Schon in der Ausgabe des »Deutschen Rundfunk« vom 22.8. 1926 hatte Weill auf den Balladendichter Brecht hingewiesen. Vgl. dazu D. Drews Kommentar in Weill, Schriften S. 225.
16 Kurt Weill zum Fall Brecht-Gilbricht, in: Der Montag-Morgen. Berlin 10. Juni 1930. Der Dramatiker Gilbricht hatte sich als Urheber der Opernidee zu »Mahagonny« bezeichnet und Brecht fälschlich des Plagiats beschuldigt.
17 Weill, Schriften S. 57
18 Briefwechsel Kurt Weill mit der Universal Edition (UE). Musiksammlung der Stadtbibliothek Wien.
19 BBA 214/38 ff.
20 Die Übersetzungen der amerikanischen Zeitungsartikel wurden wohl von Elisabeth Hauptmann für Brecht angefertigt.
21 »Vossische Zeitung« (Berlin) v. 20.9. 1926
22 BBA 214/55
23 Brecht erwähnte Herculaneum und Pompei. Vgl. BBA 214/23.
24 BBA 214/66 ff.
25 BBA 329/60

26 »1. Skizze zu Magahonny«, Eigentümer Dr. Erich Franzen. Abgedruckt in Das neue Forum. 7. Jgg. 1957/58, hgg. von G. R. Sellner. Verlag Stichnote, Darmstadt, S. 87
27 Vgl. Briefwechsel Weill-UE. Teilweise stützte sich Weill bei der Komposition auf die heute verschollene Partitur zur Revueoper »Na und?«. Vgl. Jarman S. 106.
28 Vgl. Köhn S. 70
29 Gottfried Wagner sieht (S. 164) im Mond eine Anspielung auf den Stern von Bethlehem, der auch für die Weisen aus dem Morgenland das gelobte Land repräsentierte.
30 Vgl. zum »Alabama-Song« den Kommentar bei Hennenberg sowie die Analyse bei Jarman S. 116.
31 Vgl. Ian Kemp
32 Für die Pariser Aufführung von 1932 schwächte Weill die kulinarische Wirkung dieser wesentlich auf Brecht zurückgehenden Melodie ab, indem er in den Refrain Sprechzeilen einfügte.
33 Nr. 3 »Wer in Mahagonny blieb«
34 Vgl. die Analyse bei Jarman S. 119 ff.
35 Vgl. Hennenberg Nr. 14
36 G. Wagner S. 181
37 Brecht Tagebücher S. 67
38 Schubert, Hindemith S. 27 f.
39 Der Fürst von Fürstenberg stellte damals seine bisherige Unterstützung für die Donaueschinger Kammermusiktage ein.
40 Der Autor verdankt Hinweise und Informationen zu diesem Thema Friedrich Hommel, Darmstadt.
41 Frécot/Geist/Kerbs S. 232 ff.
42 Zitiert nach Baser S. 165
43 Wyss S. 68
44 Vgl. J. F. Reichardt S. 230
45 Reichardt S. 234
46 Klavierauszug S. 7
47 So im »Salzburger Totentanz«, aber auch in der »Parade des alten Neuen« und im »Anachronistischen Zug«.
48 Auf Beziehungen des Songspiels zu Schönbergs »Pierrot lunaire«-Melodramen verweist D. Drew in Weill, Schriften S. 220, während H. Kahnt (S. 67) eine Verwandtschaft zum Filmschnitt hervorhebt.
49 Vgl. Sanders S. 95. Bereits 1926 hatte Brecht für Max Reinhardt eine Revue entworfen, die den Amerikanismus parodieren sollte. Vgl. Seliger S. 99 ff.
50 Brecht gehörte zu den regelmäßigen Lesern des »Querschnitts«, der Hauszeitschrift der Galerie Flechtheim mit dem Untertitel »Zeitschrift für Kunst und Boxsport«. Vgl. Seliger S. 53 f.
51 Beide Kritiken abgedruckt bei Wyss 67 ff.
52 Zitiert nach Drew, Über Weill S. 35
53 Auch an Helene Weigel und Therese

Giehse scheint Brecht den Wiener Tonfall geschätzt zu haben; auch Marianne Zoff war Wienerin.

54 Zitiert nach Wyss S. 72
55 Angesichts dieser Ensemblesätze könnte man auch von einer szenischen Kantate sprechen.
56 Curjel, Erinnerungen an Kurt Weill. S. 82
57 Brief Weill an Hertzka vom 16.8.1927
58 Brief Hertzka an Weill vom 15.8.1927
59 Weill an Hertzka am 25.8.1927
60 L. Lenya, Das waren Zeiten S. 221
61 E. Hauptmann, Das Tafelklavier. In: Romeo S. 192
62 Egk S. 165
63 E. Hauptmann S. 193 f.
64 A. Braun S. 42
65 Lenya S. 221 f.
66 Weill, Schriften S. 57
67 Brecht GW 18, 52
68 Seliger S. 105
69 Seliger S. 144
70 Weitere Übernahmen aus früheren Stükken und Fragmenten sind die Hurrikan-Szene aus dem »Miami«-Material, die Hinrichtungsszene aus dem »Fleischhakker«-Material. Ferner verwendete Brecht für *Aufstieg und Fall der Stadt Mahagonny* seine Gedichte »Über die Städte«, »Gegen Verführung« und »Tahiti« sowie Eindrükke aus dem Chaplin-Film »Goldrausch«, den er im Frühjahr 1926 gesehen hatte. Wenig Verständnis für Brechts Ästhetik zeigte U. Weisstein, der das »Mahagonny«-Textbuch seiner Selbstzitate wegen als »mageres Ergebnis« abtat (S. 290).
71 Der Anonymität der Großstadt hatte Brecht 1926 sein »Lesebuch für Städtebewohner« gewidmet; diese Gedichte, als Lesetexte für Schallplatten gedacht, waren ganz von der gesprochenen, gestischen Sprache her konzipiert.
72 Die Orchesterzwischenspiele wurden allerdings nicht wieder verwendet.
73 Curjel, Erinnerungen S. 82
74 Vgl. die Interpretation dieser Szene im Zusammenhang mit dem Tahiti-Gedicht bei Knopf, Lyrik S. 26 ff.
75 In der Berliner Aufführung von 1931 mußte der musikalisch so reizvolle Song aus dramaturgischen Gründen sogar ganz wegfallen.
76 Die kleine weiße Gardine, auf der auch die Bild- und Textprojektionen erscheinen, ersetzte den üblichen Opernvorhang.
77 Vgl. zur Großform den grundlegenden Beitrag von H. Kahnt (S. 79) sowie Elaine Padmore, die den 1. Takt als motivische Keimzelle des ganzen Werks untersuchte, ferner die Ausführungen zum Tonartenplan der Oper bei K. Kowalke S. 139 ff.
78 Adorno, Mahagonny. In: Drew, Über K. Weill S. 64. Das umfassendste Verzeichnis von »Mahagonny«-Rezensionen bei: Internationale Bibliographie zur Geschichte der deutschen Literatur, Teil II, 2, S. 162
79 Briefwechsel Weill-UE
80 Heinsheimer, Schöne Grüße
81 A. Heuß
82 A. Aber
83 H. Strobel, Krise der Oper – Krise der Kritik. In: Melos 1930 S. 191
84 E. Preussner, Mahagonny. In: Musik und Gesellschaft 1930. S. 33
85 Den beiden zu Unrecht des Mordes angeklagten revolutionären Arbeitern widmete Marc Blitzstein seine Choroper »The Condemned« sowie die unvollendete Oper »Sacco u. Vanzetti«.
86 In der bedeutenden »Mahagonny«-Inszenierung von Joachim Herz an der Komischen Oper Berlin (DDR) wurden die Demonstrationen als faschistische Umzüge interpretiert.
87 Pringsheim S. 433
88 Aufricht S. 108 f.
89 Vgl. zur Finanzierung des »Mahagonny«-Projekts auch die Darstellung von Franz Jung, Der Weg nach unten.
90 Adorno, Mahagonny in Berlin. In: Drew, Über Weill S. 76
91 Heinrich Strobel in Melos 1932, S. 28
92 In: Die Musik XXIV/5 (Febr. 1932), S. 361
93 Aufricht S. 112
94 Weill, Schriften S. 60
95 Drew, Über Kurt Weill S. 76

Die Dreigroschenoper (1928)

1 Zeitungsausschnitt ohne Quellenangabe. BBA 1851/67
2 Gespräch mit Erwin Faber am 10.1.1979 in München.
3 Die Londoner Unterwelt war gerade im 18. Jahrhundert für ihre gute Organisation bekannt; sie wurde auch mehrfach zum literarischen Stoff, beispielsweise im Roman *Moll Flanders* von Daniel Defoe.
4 Vgl. Dieter Schulz
5 Brecht, Dreigroschenbuch S. 178
6 Brecht GW 17, 999
7 GW 17, 990
8 GW 2, 402
9 E. Engel S. 62 f.
10 Dreigroschenbuch S. 223. Weisstein spricht in diesem Zusammenhang von einer durchaus eigenständigen Leistung Weills auch im dramaturgischen Bereich, ohne dies allerdings zu belegen. (S. 280)
11 W. Vogel S. 193
12 Medek I
13 Aufricht S. 59

14 Diese verharmlosende Deutung der *Drei-groschenoper* behielt Aufricht auch später noch bei. Vgl. Aufricht S. 57.

15 Vgl. zur Funktion von Jahrmarktsorgel, Serinette, engl. Barrel Organ und Drehorgel ausführlich H. Zeraschi.

16 Bekannt wurden in Hitler-Deutschland Mackebens Filmschlager »Die Nacht ist nicht allein zum Schlafen da«, »Eine Frau wird erst schön durch die Liebe«, »Nur nicht aus Liebe weinen« und »Du hast Glück bei den Frau'n, Bel ami«, die die Funktion von unterhaltsamer Ablenkung, von »Tanz auf dem Vulkan«, voll erfüllten.

17 Vgl. Guido v. Kaulla

18 Hennenberg Nr. 22

19 Sanders S. 113

20 Vgl. »Hitparade bis in den letzten Hinterhof«. In: Spandauer Volksblatt, Berlin, 24. 8. 1978. Noch 1972 schrieb Giovanni Bacigalupo für die Olympischen Spiele in München einen Olympiamarsch.

21 W. Egk S. 164. Egk berichtet dort auch vom »Dreigroschenfieber«, dem selbst der Sohn des konservativen Hans Pfitzner verfallen gewesen sei. Egk vertonte auch einige Gedichte von Brechts Freund Hanns Otto Münsterer, die dieser ihm gewidmet hatte. Vgl. Münsterer, Mancher Mann. Gedichte. Frankfurt/Main 1980. S. 180 f.

22 In späteren Aufführungen wurde der Leierkasten durch ein Harmonium ersetzt.

23 I. Kant, Die Metaphysik der Sitten. Paragraph 25, F. Meiner Ausgabe S. 92. Vgl. dazu Knopf, Drama S. 296. Zur Debatte stand die Institution der bürgerlichen Ehe nicht nur in der *Dreigroschenoper*, sondern auch in anderen Opern der zwanziger Jahre, so in *Neues vom Tage* von Paul Hindemith und *Von heute auf morgen* von Arnold Schönberg.

24 Hennenberg Nr. 23

25 Knopf, Drama S. 61 f.

26 Karasek S. 38

27 Vgl. Ernst Bloch in Drew: Über Weill S. 44 ff.

28 Hennenberg Nr. 24

29 Der »Kanonen-Song«, 1926 erstmals in der *Taschenpostille* als »Lied der drei Soldaten« veröffentlicht, greift in seinem Text Elemente aus Kiplings »Barrack-Room Ballads« auf.

30 Brecht GW 17, 996

31 Drew, Über K. Weill S. 40

32 Hennenberg Nr. 25. Vgl. Brechts eigene Komposition des »Barbara-Songs« Hennenberg Nr. 16.

33 Bei der Uraufführung wurde die »Ballade von der sexuellen Hörigkeit« (Nr. 12, vgl. Hennenberg Nr. 26), eine langgezogene, fast zäsurenlose langsame Walzermelodie

ohne Baß, weggelassen, weil Rosa Valetti den Text anstößig fand.

34 Hennenberg Nr. 27

35 Brecht GW 15, 474

36 Hennenberg Nr. 28

37 Eine ähnliche Szene hatte Brecht selbst einige Jahre zuvor in München mit »Bi« Banholzer und Marianne Zoff erlebt.

38 Hennenberg Nr. 29

39 Adorno, Zur Dreigroschenoper. In: Drew, Über K. Weill S. 55

40 K. Kowalke S. 65

41 H. Curjel

42 Die Weltbühne 1928, I, S. 532

43 E. Canetti S. 285 f.

44 Peter Panter, Proteste gegen die Dreigroschenoper. In: Die Weltbühne 3/4 1930.

45 Rote Fahne v. 4. 9. 1928. Abgedruckt bei Wyss S. 83

46 Zur Klärung seiner Position schrieb Brecht seine »Anmerkungen zur Dreigroschenoper«. GW 17, 991–1000.

47 GW 17, 990. Weissteins Behauptung (S. 283), Brecht habe die endgültige Form des Werks dem Zufall überlassen, ist deshalb fragwürdig.

48 Weill, Schriften S. 55. Den gattungsmäßigen Zusammenhang mit dem Singspiel diskutiert Weisstein S. 282.

49 Siebig S. 55. Ernst Busch wirkte dann allerdings im »Dreigroschenoper«-Film als Straßensänger mit.

50 Brecht schrieb für den Film auch einige neue Songtexte, so den später von H. Eisler vertonten »Song von der Tünche«.

51 BBA 461/93. Auch die Wirkung von *The Beggar's Opera* war im 18. Jahrhundert anders gewesen als ursprünglich beabsichtigt. Entgegen Gays Intentionen hatte nicht die Gesellschafts-, sondern die Opernkritik die unmittelbarste Wirkung; sie führte zur Schließung der Königlichen Musikakademie, der wichtigsten Pflegestätte italienischer Opern in England. In der Folge stützte sich die englische Oper stärker auf die eigenen volkstümlichen Traditionen.

»Happy End« (1929) ohne Happy-End?

1 E. Schumacher, Brecht-Kritiken S. 198

2 Aufricht S. 88

3 E. Hauptmann S. 246

4 Hauptmann S. 194

5 Hauptmann S. 244 f.

6 Seliger S. 155

7 Hauptmann S. 245

8 Berlin 1916. Die von Brecht benutzte Ausgabe von 1923 erschien 1979 in einem unveränderten Nachdruck bei Zweitausendeins, Frankfurt/M. Weitere Quellenangaben bei Seliger S. 153 ff.

9 Vgl. zum Thema Weizenspekulation die umfangreiche Materialsammlung bei Peter Krieg.

10 Hauptmann S. 67

11 Einige Lieder entstanden 1924 für das Stück *Petroleumsinseln*. In der Vertonung des Schönberg-Schülers Walther Goehr wurden sie 1929 in Baden-Baden uraufgeführt.

12 Das Finale »Hosianna Rockefeller« wurde zunächst gestrichen und erst 1980 in die von Alan Boustead herausgegebene Partitur (Universal Edition 17 243) aufgenommen.

13 Brecht, Tagebuch S. 39

14 Vgl. James K. Lyon, The Source

15 Vgl. Hennenberg S. 396 ff.

16 Das Motiv des vergessenen Texts hat Brecht schon in seiner *Kleinbürgerhochzeit* verwendet. Hier bleibt »der Mann« beim Vortrag des Liedes »Der Spuk zu Liebenau« stecken. GW 7, 2727.

17 Hauptmann S. 245

18 Hauptmann, Happy End S. 102

19 Hennenberg Nr. 31

20 Hauptmann, Happy End S. 89

21 Hauptmann, Happy End S. 80

22 Happy End S. 96

23 Ib. S. 97

24 Ib. S. 100

25 Ib. S. 93

26 Ib. S. 120 f. Angeregt wurde diese wichtige Szene von Erich Engel. Vgl. Hennenberg S. 399.

27 Die Bühnenmusik zu *Kalkutta, 4. Mai* schrieb Hanns Eisler.

28 Der Text, der in der Brecht- und der Hauptmann-Ausgabe fehlt, ist abgedruckt bei Seliger S. 159.

29 Laut Pressemeldungen gehörten im Krisenjahr 1982 in den USA religiöse Sekten, die längst über riesige Medienapparate verfügen, zu den wenigen »Wachstumsindustrien«.

30 Der Name spielt auf die große amerikanische Orgelfirma Wurlitzer an, die durch Kinoorgeln auch in Europa bekannt wurde. Eine der größten Wurlitzer-Orgeln in Privatbesitz befand sich in der Berliner Siemens-Villa; heute ist sie Prunkstück des Berliner Musikinstrumentenmuseums.

31 Hennenberg S. 393

32 Wyss S. 103

33 Hauptmann S. 245

34 B. Reich S. 306

35 Aufricht S. 89

36 B. Reich S. 302

37 Vgl. Brecht, Texte für Filme. Bd. 2. S. 19–28

38 Vgl. Gersch S. 188

39 Zitiert nach J. Knopf, Drama S. 88. In der britischen »Sunday Times« war anläßlich einer »Happy End«-Aufführung im Frühjahr 1965 sogar die Rede vom »fröhlichsten, muntersten, amüsantesten, lebendigsten und bestgelauntesten Werk, das Brecht je geschrieben hat«. Vgl. S. Schmidt-Joos S. 114

40 Brecht GW 8, 761

41 Wyss S. 457.

Wirkliche Erneuerung oder Neuerungen?
Zu den Operntheorien Weills und Brechts

1 Drew, Über Kurt Weill S. XVII

2 Busoni, Von der Macht der Töne S. 122

3 Busoni S. 59 Busoni forderte damit, wie Brecht, eine aktivere Kunstrezeption. »Denn das weiß das Publikum nicht und mag es nicht wissen, daß, um ein Kunstwerk zu empfangen, die halbe Arbeit an demselben vom Empfänger selbst verrichtet werden muß.« (S. 60).

4 Weill S. 41

5 Weill S. 50

6 Vgl. Rienäcker S. 123

7 Busoni S. 124

8 Weill S. 31

9 Weill S. 161

10 Weill S. 41

11 Busoni S. 133

12 Weill S. 39

13 Weill S. 59. Beim Abdruck des Vorworts im Januar 1930 wurde das Regiebuch noch als gemeinsamer Beitrag von Brecht, Neher und Weill angekündigt. Vgl. Weill S. 212

14 Weill S. 34

15 Drew, Über K. Weill S. XVII

16 Drew S. 56

17 Drew S. 57

18 Musik und Gesellschaft. Arbeitsblätter für soziale Musikpflege und Musikpolitik. 1. Jgg. Heft 4.

19 Vgl. Erwin Koppen, Dekadenter Wagnerismus. Studien zur europäischen Literatur des Fin de siècle. Berlin und New York 1973. Marianne Kesting leitete sogar die Idee des epischen Theaters von R. Wagner ab. Brechts Theorie gehe, vermittelt über Walter Benjamins sowjetische Freundin Asja Lacis, auf den Wagnerianer Meyerhold zurück.

20 Vgl. A. Dümling, Umwertung der Werte.

21 Th. Mann, Der Zauberberg. Frankfurt/M. 1963 S. 105 ff.

22 Brecht GW 17, 1012

23 GW 17, 1007. Die Irrealität des Gesangs hatte schon Busoni hervorgehoben: »Immer wird die gesungene Wort auf der Bühne eine Konvention bleiben und ein Hindernis für alle wahrhaftige Wirkung.« (S. 58) Er forderte deshalb von einem

Operntext übernatürliche, unrealistische
Inhalte.
24 A.Schönberg, »Stuckenschmidt – Brecht
Operngesetze«. Territet 3.7. 1931. Mikro-
film der Internationalen Schönberg-Ge-
sellschaft im Schönberg-Haus in Mödling
bei Wien. Vgl. auch Josef Rufer, Brechts
Anmerkungen zur Oper. In: Stimmen
(Berlin) 1948, S.193–198. Wie für Busoni
gab es für Schönberg, der damals gerade
an Moses und Aron arbeitete, eine Zukunft
der Oper nur in der Abkehr vom Realismus. Vgl. Alexander L.Ringer S.467.
25 Brecht GW 17, 1014
26 Ib.
27 Ib.
28 GW 15, 213
29 GW 15, 176
30 Nur konservative Bürger verteidigten
noch die Klassiker, während der größere
Teil des Bürgertums davor zurückschreckte, sich offen zu einer anachronistischen
Ideologie zu bekennen – aus Angst, damit
den Niedergang der eigenen Klasse einzu-
gestehen. Vgl. GW 15, 205
31 GW 17, 1013
32 H.H.Stuckenschmidt, Der Musikverbrau-
cher. In: Die Musik XXI/6, März 1929,
S.411 f.
33 H.Eisler, Man baut um. In: Die Rote Fahne (Berlin), 11.Jgg., Nr.106, 6.Mai 1928.
Zitiert nach Eisler, Musik und Politik I
S.77 f. In einem Beitrag für die Zeitschrift
»Die Szene« schrieb Eisler 1931: »Das
einzige Verwendbare der Oper ist der
Ort, wo sie aufgeführt wird, nämlich die
Opernhäuser. Es wird längere Zeit dauern,
bis man diese oft sehr unpraktischen Gebäude durch bessere ersetzen wird.« Eisler,
Musik und Politik III S.32
34 Brecht GW 17, 1014. Vgl. Weill S.37 ff.
35 GW 17, 1006. Wie aus dem Briefwechsel
mit seinem Verlag hervorgeht, plante
Weill im Juni 1929, die Oper Aufstieg und
Fall der Stadt Mahagonny »aus der Kroll-
Opern-Athmosphäre zu lösen und entweder am Gendarmplatz oder am Schiller-
theater« herauszubringen; im Juli 1929
führte er Verhandlungen mit den Theaterleuten Piscator und Aufricht. Tatsächlich
fand die Berliner »Mahagonny«-Premiere
1931 nicht in einem Opernhaus, sondern
in einem Theater statt.
36 Vgl. Brecht, Der Dreigroschenprozeß. Ein
soziologisches Experiment. In: GW 18,
139–209.
37 Weill S.61
38 Brecht GW 17, 1009 ff.
39 Vgl. J.Willett, Die Musik S.117 ff. S. a.
Jürgen Engelhardt u. Dietrich Stern, Verfremdung und Parodie bei Strawinsky. In:
NZ/Melos 2/1977 S.104–108

40 Milhaud S.161 f. Eine kritische Auseinandersetzung mit Milhauds Werk in Melos
1930, S.232 ff. Ernst Krenek stellte auch
seine Oper Karl V. in diese Linie: In diesen Opern »wird das Drama zugleich vorgestellt und diskutiert, und die Musik, in
der sich die Spannung zwischen der Realität der Diskussion und der Unwirklichkeit
der sogenannten ›Handlung‹ entlädt, hat
die Aufgabe, die Koexistenz der beiden
Sphären zu begründen.« Krenek, Zur Problematik des Librettos. In: Krenek S.62
41 Brecht, GW 17, 1010
42 GW 17, 1013
43 W.Benjamin, Versuche über Brecht.
Frankfurt/M. 1975, S.34. In einem Brief
vom April 1931 bezeichnete Benjamin
Brechts Opernaufsatz als hochbedeutend.
W.Benjamin, Briefe in 2 Bdn., Frankfurt/
M. 1978. S.529. Arno Schirokauer verglich die Bedeutung von Brechts Aufsatz
mit der von Lessings Hamburgischer Dramaturgie. Vgl. Schirokauer, Revolution des
Theaters. Brechts ›Versuche‹ über das
Lehrstück. In: Kulturwille. März 1931
(Sonderheft Arbeitertheater) S.52
44 Brecht GW 17, 1015 f.
45 GW 17, 1016
46 Weill S.38. Tatsächlich wurden in Leipzig
geschlossene »Mahagonny«-Vorstellun-
gen für Arbeiter eingerichtet. Vgl. Kulturwille. Monatsblätter für Kultur der Arbeiterschaft. Hgg. vom Arbeiterbildungs-Institut Leipzig. April 1930, S.73. Der
Schönberg-Schüler Paul Amadeus Pisk
schrieb daraufhin in einem Beitrag »Oper
und Arbeiter« für das Arbeitermusik-
Sonderheft des »Kulturwillen«: »Die Arbeiterschaft bildet bereits, wenn auch noch
nicht der Zahl nach, so doch der inneren
Anteilnahme nach den wesentlichsten Teil
des Opernpublikums. An der Weiterfüh-
rung der Opernbühnen wird dieses Publikum festhalten. (...) Die Veränderung des
Theaterpublikums wird deshalb früher
oder später auch eine Umgestaltung des
Spielplans bewirken.«
47 Weill S. 36, s. auch S. 40
48 Briefwechsel Weill-Universal Edition
49 Briefwechsel Brecht-Universal Edition
50 Weill S.49 f.
51 Auch Ernst Krenek setzte sich mit Brechts
Opernaufsatz auseinander, mißverstand
jedoch das Problem des Kulinarismus so,
als würde dadurch nicht das Denken, sondern die Einführung neuer Opernmittel
verhindert. Krenek S.39 f.
52 Vgl. Brecht AJ S.922
53 Weill S.90

683

Weill, Hindemith, Eisler.
**Das Lehrstück als neue musikalisch-
theatralische Gattung**

Vorformen der Lehrstücke

1 H. Jhering: Ruhrgebiet, Publikum, Theater. In: Jhering, Von Reinhardt bis Brecht.
Vier Jahrzehnte Theater und Film. Bd. II,
Berlin 1961, S. 240
2 Schulz-Dornburg, zitiert nach Köhn S. 70
3 Köhn S. 53
4 Brecht nach Köhn S. 60
5 Köhn S. 59
6 1923–1926 erarbeiteten Lotte Reininger,
Carl Koch, Bertold Bartosch und Walter
Ruttmann als ersten abendfüllenden
Trickfilm der Filmgeschichte – noch vor
Walt Disney! – »Die Abenteuer des Prinzen Achmet«.
7 Brecht nach Köhn S. 59
8 Koch nach Köhn S. 63
9 Weill S. 167
10 Weill nach Köhn S. 61
11 Köhn S. 62
12 Brecht, Gedichte S. 297 ff. Das zweite Gedicht wurde später von Eisler vertont.
Möglicherweise gehörten auch die im
Brecht-Supplementband 2 S. 238 f. abgedruckten Texte ursprünglich zum »Ruhrepos«. In einer Berlin-Revue »Die Nean-
dertaler« wollte Brecht seine Kranlieder
wiederverwenden. Vgl. BBA 424/105–
110.
13 Umtextierungen bekannter Lieder hat
Brecht – hierin den Moritatensängern und
der Volksliedumsingepraxis verwandt –
immer wieder vorgenommen, so 1927 in
seiner »Ballade vom Stahlhelm«, die auf
die Melodie »Prinz Eugen, der edle Ritter« zu singen ist, oder 1933 in seinen
»Hitler-Chorälen«. Selbstverständliche
Voraussetzung war ihm dabei, daß auch
Bekanntes nicht unveränderlich ist.
14 Möglicherweise war Brecht, wie oben erwähnt, von Mozarts F-Dur-Klaviersonate
KV 280 zu diesem Gedicht inspiriert worden. Die erste Fassung des Gedichts ist abgedruckt bei K. Schuhmann S. 40 f.
15 Vgl. Die Musik, Nov. 1928, S. 155
16 Gedichte S. 307 f.
17 Vgl. Briefe S. 130
18 In der »Weltbühne« erschien daraufhin ein
Artikel »Waffenstillstand und Rundfunk«
von Ernst Höfler (Nr. 47 vom 20. Nov.
1928, S. 772 ff.), in dem dieses Versäumnis
gerügt wurde. »Wozu gibt es eigentlich einen Kultur-Beirat für den Berliner Rundfunk«, schließt der Artikel, »wenn solches
Versagen in Fragen kultureller Gesinnung
und kulturellen Taktgefühls möglich ist?«
19 Vgl. Brecht-Briefe S. 128

20 Völker, Brecht S. 36 Die Ermordung Luxemburgs und Liebknechts geschah wenige Tage nachdem führende deutsche Indu-
strielle um Hugo Stinnes 500 Millionen
Reichsmark zur Bekämpfung des Bolsche-
wismus zugesagt hatten. Vgl. die SPIE-
GEL-Serie »Das große Schmieren« von
Jörg Mettke (Dez. 1984).
21 Erst in dem im Exil erschienenen Band
Lieder Gedichte Chöre hat Brecht durch den
Abdruck der »Grabschrift 1919« einen offenen Bezug zwischen Rosa Luxemburg
und dem *Berliner Requiem* hergestellt. Vgl.
Gedichte S. 425 ff.
22 Rolf-Peter Baacke, Michael Nungesser:
Ich bin, ich war, ich werde sein!
23 Ib. S. 287 f.
24 Im Januar 1949 wurde Brecht durch die
Auskunft erschreckt, daß »das Grabmal für
Karl und Rosa« nicht wiederaufgebaut
werden solle, obwohl es im russischen
Sektor Berlins lag. Brecht AJ S. 886
25 Im »Protokoll über die Sitzung des politischen Überwachungs-Ausschusses bei
dem Südwestdeutschen Rundfunk in
Frankfurt am Main« vom 23. April 1929
heißt es: »Grundsätzliche Bedenken werden gegen den Inhalt und die Aufführung
des Werks nicht erhoben, doch wird gewünscht, daß statt ›Berliner Requiem‹ eine
andere Überschrift gewählt wird.« Aus:
Bundesarchiv R 78/633. Übermittelt
durch Dr. Ansgar Diller vom Historischen
Archiv der ARD, Frankfurt/Main.
26 Während sich Brecht textlich in seinem
»Großen Dankchoral« eng an den protestantischen Choral »Lobet den Herren«
anlehnte, bezog sich Weill musikalisch nur
an der Stelle »Kommet zuhauf! Schaut in
den Himmel hinauf!« stärker auf diese
Vorlage. Auch Carl Orff hat in seiner um
1930 entstandenen, sehr schlichten Vertonung gerade diese Textstelle durch breitere Notenwerte und mottoartige Wiederholung hervorgehoben. Vgl. C. Orff, Dokumentation. Tutzing 1975. Bd. 1, S. 214 f.
27 Weill, Notiz zum Berliner Requiem. In:
Schriften S. 140
28 A. a. O.
29 Das Gedicht war schon im August 1927
unter dem Titel »Ballade vom Krieger-
heim« im satirischen Magazin »Der Knüp-
pel« veröffentlicht worden.
30 Weill, Schriften S. 140

1929 mit Weill und Hindemith in Baden-Baden.
»Lindberghflug« und »Lehrstück«

1 Brecht Briefe S. 130
2 Brecht GW 18, 212 f.
3 Weill, Schriften S. 127 ff.

4 Weill, Kompositionsaufträge. In: Schriften S.134 f.
5 Weill, Der Rundfunk und die neue Musik. Schriften S.137
6 Brecht Briefe S.149
7 Steinweg, Brechts Modell, S.39
8 Ib.
9 Steinweg S.38
10 Steinweg S.62
11 Ib.
12 Brecht/Peter Suhrkamp, Anmerkungen zum »Flug der Lindberghs«. GW 18, 125
13 Vgl. auch das Gedicht »Sang der Maschinen«. Gedichte S.297
14 Vgl. H.Rosenbauer sowie die Auseinandersetzung mit dieser unmarxistischen Position bei J.Knopf, Bertolt Brecht. Ein kritischer Forschungsbericht. Frankfurt/M. 1974, S.80–90
15 Brecht, Aus der Musiklehre. GW 18, 38
16 Ib.
17 Sowohl Ernst Kurth als auch Hans Mersmann waren wiederum geprägt durch die Formästhetik August Halms, der als Vorgänger Kurths als Musiklehrer an der Freien Schulgemeinde Wickersdorf wirkte. Vor allem Kurths Buch »Der lineare Kontrapunkt« (Bern 1917) stieß auf breite Resonanz.
18 Brecht, Aus der Musiklehre. A. a.O.
19 Zitiert nach Steinweg, Brechts Modell, S.63
20 Hindemith, Briefe. S.119
21 G.Schubert S.47
22 Zur Entstehungsgeschichte der Komposition vgl. R.Stephans gründliche Einleitung zu Bd.I,6 der Hindemith-Gesamtausgabe, in der – Jahrzehnte nach der Baden-Badener Uraufführung – das Werk erstmalig in der gemeinsam von Hindemith und Weill komponierten Form veröffentlicht wurde.
23 Der Text wurde auch in anderen Rundfunkprogrammzeitschriften abgedruckt, um so dem Radiohörer die von Brecht gewünschte Mitwirkung zu ermöglichen. »Der Flug der Lindberghs« war damit eine Pionierleistung im musikdidaktischen Medienverbund.
24 Vgl. Melos IX, 1930, S.186. Eine Schallplattenaufnahme der »Berliner Funkstunde« von 1930 hat sich erhalten. Vgl. R.Stephan XII.
25 Zu Scherchen vgl. H.Goldschmidt
26 Zu E.Schoen, der bei Edgar Varèse Komposition studiert hatte, vgl. W.Benjamin, Briefe S.19 u. 868.
27 Ernst Schoen, Rundfunkkompositionen für Baden-Baden. In: Melos VIII, Heft 6, S.313–15.
28 Zitiert nach Wyss S.91
29 Wyss S.94
30 Wohl auf Hindemith bezieht sich Brechts Notiz »Baden-Baden«: »Als ich merkte daß das hervorstechendste vor allem seine originalität war rückte ich sozusagen ab. dabei wäre es ungerecht, zu behaupten, daß mir nichts gefiel: die musik an sich gefiel mir. sie war unoriginell.« Zitiert nach R.Steinweg, Brechts Modell, S.60
31 Zitiert nach R.Stephan S.XII
32 Briefwechsel Weill-Universal Edition
33 Ib.
34 Vgl. Brecht GW 2 Anm.2
35 Im Partitur-Autograph ist die Nr.5 wesentlich umfangreicher; gestrichen wurde der Mittelteil.
36 Zitiert nach Wyss S.94
37 Vgl. Lyon, Brecht in America. S.6
38 Vgl. zur Interpretation R.Steinweg, Das Badener Lehrstück vom Einverständnis. In: Bertolt Brecht II. Sonderband Text und Kritik. München 1973. S.109–130. Vgl. auch Dieter Rexroth: Paul Hindemith und Brechts »Lehrstück«. Zu den theoretischen und praktischen Aspekten des gemeinsamen Stücks. In: Neue Zürcher Zeitung. 11./12.Febr. 1984, S.69.
39 R.Stephan S.XIII
40 G.Schubert S.41. Schon 1921 erschien in der UdSSR eine Hindemith-Monographie.
41 P.Hindemith, Forderungen an den Laien. In: Musik und Gesellschaft 1 (1930). Zitiert nach G.Schubert S.68
42 Zitiert nach R.Stephan S.XIII
43 Notiz Brechts BBA 529/14. Zitiert nach Steinweg S.62
44 Vgl. Andreas Lehmann in Hindemith-Jb. 1982
45 Brecht Briefe S.71
46 Theo Lingen S.43
47 H.Eisler, Brecht und die Musik. Zitiert nach: Materialien zu einer Dialektik der Musik S.249
48 Vgl. Brecht Briefe S.150
49 Stephan S.XIV
50 Ib.
51 Ib.
52 Vgl. Brecht u. P.Suhrkamp, Erläuterungen zum »Ozeanflug«. GW 18, 126
53 Anders als in Baden-Baden war die Publikumsmitwirkung bei einer »Lehrstück«-Aufführung in Dresden (Dirigent: Paul Aron, Regie: Josef Gielen) groß. Vgl. Melos 1930 S.196. Weitere Stimmen zur Rezeption bei Stephan S.XVI f.
54 Melos 1930, Heft 9. Zitiert bei Wyss S.98 ff. Kollektive Musikkritik, eine Absage an den sonst gerade in diesem Genre vorherrschenden Subjektivismus, wurde 1930 vor allem in der Musikzeitschrift »Melos« gepflegt.
55 E.Preussner: Gemeinschaftsmusik 1929 in Baden-Baden. In: Die Musik XXI/12

(Sept. 1929) S.899. Vgl. auch Mersmann, Die neue Musik und ihre Texte.
56 Stephan S. XVI
57 Steinweg S. 59
58 Steinweg S. 57. 1949 hat Brecht die Clownsszene im Hinblick auf den Marshallplan aktualisierend umgedeutet. Die beiden Clowns Adenauer und Marshall demontieren den Mittelstand, verkörpert durch den deutschen Michel, der dazu auch noch Beifall klatscht.

Ein neuer Typus der Schuloper: »Der Jasager«

1 Brecht GW 18, 124
2 Ib.
3 Vgl. E. Reiss u. a.
4 Vgl. Brecht, Der Rundfunk als Kommunikationsapparat. GW 18, 127–134. Zu berücksichtigen ist außerdem, daß 1930 sogar in Berlin nur jeder zweite Haushalt mit elektrischem Strom versorgt war; da Radiogeräte mit Netzanschluß 80% der Produktion ausmachten, blieb Radiohören weitgehend ein Privileg des Bürgertums. Vgl. Fuhr S. 232
5 Weill, Schriften S. 140 f.
6 Felix Stiemer, Geschichte eines Requiems. In: Der deutsche Rundfunk, Nr. 22 vom 31.5. 1929, S. 731. Vgl. dazu auch Winfried B. Lerg, Rundfunkpolitik in der Weimarer Republik S. 400 ff.
7 Weill S. 139
8 Am 30. Nov. 1929 waren wohl erstmalig in einem Arbeiterkonzert Chorkompositionen von Weill aufgeführt worden: Der Berliner Schubert-Chor unter der Leitung von Karl Rankl brachte die »Legende vom toten Soldaten« und »Zu Potsdam unter den Eichen«, beides ursprünglich für das Berliner Requiem vorgesehen, zur Uraufführung.
9 Weill S. 64 f.
10 Ib.
11 Heinrich Burkard, Vorschau auf die ›Neue Musik Berlin 1930‹. In: Musik und Gesellschaft 1930, Heft 2, S. 71.
12 Ib.
13 Zitiert nach R. Steinweg, Brechts Modell, S. 215
14 E. Hauptmann S. 137–166
15 Über meine Schuloper Der Jasager. In: Weill, Schriften S. 62
16 In der Zweiteilung der Bühne in Raum 1 und 2 kehrt die Versuchsanordnung beim Lindberghflug, die Gegenüberstellung von Sender und Empfänger, wieder.
17 Hans Mersmann, Hans Schultze-Ritter, Heinrich Strobel: Neue Musik Berlin 1930. In: Melos 1930, S. 307

18 Möglicherweise handelte es sich dabei um Brechts Opernentwurf »Eisbrecher Krassin«, der in einem seiner Notizbücher (BBA 826) vor den ersten Entwürfen zur Maßnahme steht. Vgl. Steinweg, Kritische Ausgabe der »Maßnahme«, S. 187. Der sowjetische Eisbrecher Krassin hatte 1928 durch eine Rettungsaktion für ein italienisches Schiff Aufsehen erregt. In der »Weltbühne« (1928, Bd. II, S. 119 f.) erschien daraufhin ein Aufsatz »Der Eisbrecher« von Emil Ludwig, der so begann: »Europa hat seit gestern ein neues Symbol.«
19 Laut Hindemiths Taschenkalender. Hindemith-Archiv Frankfurt/Main
20 Zitiert nach Steinweg, Kritische Ausgabe der »Maßnahme« S. 235 f.
21 Steinweg S. 320 f.
22 In »Melos«-Beiträgen von H. Mersmann und H. Strobel wurde dagegen die überragende Bedeutung der Brecht-Texte für die Entwicklung der neuen Musik hervorgehoben.
23 Vgl. Weill S. 191 ff.
24 Weill S. 193
25 Zitiert nach K. Weill, Aufstieg und Fall der Stadt Mahagonny. Klavierauszug von Norbert Gingold, Nach den Autographen und hinterlassenen Korrekturen des Komponisten sowie anderen Quellen revidiert von David Drew. Universal Edition Wien 1969.
26 Der Nachname Lettner spielt auf das Kirchenmusikinteresse von J. Haas an.
27 Vgl. F. Hommel
28 Heinsheimer S. 101
29 Vgl. Martens in Drew, Über K. Weill S. 68
30 Brecht-Weills Schuloper im Urteil der Schüler. In: Musik und Gesellschaft, 1930, Heft 4, S. 119.
31 Zitiert nach Drew S. 67. Ihren Zweck, Schüler zur neuen Musik und zum Musiktheater hinzuführen, hat die Schuloper auch bei späteren Aufführen erfüllt, so bei Aribert Reimann und Hans Neuenfels. Reimann sang als Zehnjähriger 1946 zwei Monate lang bei einer von Otto Heuser, dem Bühnenmusiker des Schiller-Theaters, geleiteten Aufführung im Berliner Hebbeltheater die Partie des Knaben; zu den Mitwirkenden gehörte damals auch Otto Hopf, der schon bei der Uraufführung 1930 mitgesungen hatt. (Laut frdl. Mitteilung von A. Reimann)
32 Im »Berliner Tageblatt«, zitiert nach einer Reklamebroschüre der Universal Edition für den Jasager. BBA 449/59–66
33 Frank Warschauer in: Die Weltbühne, 8.7. 1930. Zitiert nach Wyss S. 128
34 Alfred Heuß, Bert Brechts ›Schulstück vom Jasager‹. In: Zeitschrift für Musik, 1930, Heft 6, S. 449–454

35 Aufführungshinweis in »Musik und Gesellschaft«, 1930, Heft 5, S. 156. Vgl. auch
G. Glaeser, Lehrstück-Aufführungen. In:
Alternative, 91, 1973, S. 209 f.
36 Vgl. F. Karsen: Neue Schule, und G. Radde: Fritz Karsen.
37 Vgl. D. Keupp
38 Vgl. das Vorwort von D. Kolland zum Reprint von »Musik und Gesellschaft«
39 P. Suhrkamp, Munderloh, S. 21 ff.
40 Vgl. S. Unseld: Peter Suhrkamp.
41 Florian: Wickersdorf und Wyneken. In:
Die Weltbühne, 1928, Bd. 1, S. 439
42 Vgl. Brecht: Aus der Musiklehre. GW 18,
87
43 Gerade in den auf Gemeinschaftserzie-
hung angelegten Reformschulen stieß der
Typus des Lehrstücks auf besonderes Interesse. So schrieb etwa Erich Meissner, der
Leiter des thüringischen Landerziehungs-
heimes Haubinda, ein »Lehrstück vom
Beruf« (Musik: Hermann Heiß) und ein
»Lehrstück vom Krieg«.
44 Vgl. A. Lacis: Revolutionär im Beruf.
S. 41–44
45 A. a. O. S. 30–35
46 Vgl. die Diskussionsprotokolle bei Peter
Szondi (Hrsg.): Der Jasager und Der
Neinsager. S. 59 ff.
47 Schon bei der Uraufführung gab es unter
den Mitwirkenden vereinzelt eine ähnliche Kritik. Vgl. Brecht-Weills Schuloper
im Urteil der Schüler. In: Musik und Gesellschaft, 1930, Heft 4, S. 120.
48 Die Schüler aber waren anscheinend der
Meinung, Brecht habe auch die Musik
komponiert.
49 Der Musikpädagoge Siegfried Günther
sah deshalb nicht in Brechts Text, sondern
vor allem im rhythmischen Charakter von
Weills Musik das pädagogisch Bedeutsame
der Schuloper. Vgl. S. Günther: Neue pädagogische Musik. In: Die Musik XXIII/7
(April 1931) S. 490 ff. sowie S. Günther:
Lehrstück und Schuloper, in: Melos, 1931,
S. 410–413.
50 Jürgen Schebera: ›Der Jasager‹ 1930–32.
Vom Siegeszug einer Schuloper. In: Notate. Informations- und Mitteilungsblatt des
Brecht-Zentrums der DDR. 1/1984, S. 5.
Gefördert wurden die »Jasager«-Auffüh-
rungen nicht zuletzt durch den aufgeschlossenen Leo Kestenberg vom Preußischen Unterrichtsministerium.
51 New York World Telegram vom 31.12.
1935. Nach Schebera a. a. O. Mit »Down in
the Valley« knüpfte Weill in den USA an
seine Berliner Schulerfahrungen an.

Revolutionierung der Arbeitersänger:
»Die Maßnahme«

1 Erwin Ratz: Hanns Eisler S. 382
2 L. Lania S. 39 f.
3 A. Dümling: »Im Zeichen der Erkenntnis . . .«
4 Vgl. Dümling: Die fremden Klänge
5 W. Zobl: Einiges zur Arbeit
6 Vgl. Dümling: Eisler und Schönberg
7 Notowicz S. 41
8 Notowicz S. 226
9 Th. W. Adorno in »Musikblätter des Anbruch«, Wien 1925, S. 423 Zu den frühen Werken Eislers vgl. Csipák S. 10ff.
10 Notowicz S. 181f.
11 In diesem Zeitraum befand sich Brecht
nur vom 21. 2. bis 13. 3. 1920 sowie vom
8. 11. 1921 bis zum 26. 4. 1922 und
Nov./Dez. 1922 in Berlin.
12 Notowicz S. 182
13 Vgl. Grabs: Eislers Versuche um die
Oper. S. 624. S. a. Grabs-Handbuch 1.132
14 Gespräch mit H. H. Stuckenschmidt
15 Stuckenschmidt: Zum Hören geboren.
S. 93. U. a. kritisierte Brecht in Gesprächen mit Eisler und Stuckenschmidt,
»daß die Musikkritik sich durch die Ne-
bulosität ihrer Wendungen oft schlau gegen den Zugriff der Vernunft tarne. Was
als hohes Fachwissen auftrat und den
Normalleser einschüchterte, das sei doch
nur eine esoterische Maske, hinter der
sich ein Alltagswissen verberge.«
H. H. Stuckenschmidt: Was ist Musikkritik? In: Peter Hamm: Kritik/von wem/
für wen/wie. Eine Selbstdarstellung
deutscher Kritiker. München 1968. S. 318
16 Stuckenschmidt: Zum Hören geboren
S. 92
17 Zitiert nach M. Grabs: Hanns Eisler –
Werk und Edition. Dokument 47
18 Stuckenschmidt: Hanns Eisler. In: Musikblätter des Anbruch, Mai 1928. Einige
von Eislers Texten, so das »Kriegslied
eines Kindes« und »Mariechen«, sind
wirkliche Zeitungsausschnitte; Walter
Benjamin hatte die Texte innerhalb einer
Buchrezension in der Frankfurter Zeitung vom 16. 8. 1925 abgedruckt. Vgl.
W. Benjamin: Gesammelte Schriften IV
2. Frankfurt/M. 1972, S. 792 ff. Dazu
auch R. Stephan in Österreichische Musikzeitschrift 1984/1.
19 Vgl. E. Fischer: Hanns Eisler und die
Literatur.
20 Vgl. Zobl S. 87
21 Mitteilung von Horst Budjuhn, Locarno.
22 H. Arendt: Nachwort zu Robert Gilbert:
Mich hat kein Esel im Galopp verloren.
Gedichte aus Zeit und Unzeit. München
1972. S. 135. Gilberts letzter großer Er-

folg war die deutsche Textfassung von *My Fair Lady;* die Musik dazu hatte sein früherer Berliner Nachbar Frederick Loewe komponiert.

23 Vgl. Eisler: Von kleinbürgerlicher Satire. In: Musik und Politik I S. 58, sowie: Das Elend des Peter Panter (S. 87 f.)

24 Der Wiener Juliaufstand war Auslöser auch für die massenpsychologischen Schriften von Wilhelm Reich und Elias Canetti. Vgl. Canetti S. 230–244

25 Anscheinend hatten Eisler und Jung auch später noch gemeinsame Projekte. Der Zeitschrift »Kulturwille« vom März 1929 zufolge bemühte sich das Arbeiterbildungs-Institut Leipzig seit Monaten, im Alten Theater Franz Jungs neues Stück *Arbeiter Thomas* durchzusetzen: »Zu diesem Stück hat Hanns Eisler eine Reihe von Kompositionen geschrieben, die, als sie von dem Komponisten im Proberaum des Theaters vor einem kleinen Kreis gespielt wurden, trotz des verbeulten Klaviers außerordentlich stark wirkten.«

26 Vgl. L. Hoffmann, D. Hoffmann-Ostwald, Bd. I, S. 154 ff.

27 Jhering: Theaterkritiken. Bd. 2. S. 225. Im Januar 1925 wurde im Rahmen eines Arbeiterkonzerts die »Rote Sinfonie« von Edmund Meisel durch die Berliner Philharmoniker aufgeführt; wegen des Widerstands der Musiker kam es jedoch nur zu einer zweitklassigen Interpretation. Vgl. Fuhr S. 181.

28 Zitiert nach Werner Sudendorf: Aufstand im Orchestergraben. Zum 50. Todestag des Filmkomponisten Edmund Meisel. In: Der Tagesspiegel, Berlin-W. v. 16. 11. 1980. Vgl. Traude Ebert-Obermeier: Kunst im Dienst der Revolution. Zur Musik von Edmund Meisel für den Film ›Panzerkreuzer Potemkin‹. In: Musik und Gesellschaft, 1982, S. 648 ff.

29 Jhering S. 320

30 Jhering S. 552

31 Weill S. 176

32 Lania gehörte mit den Geschwistern Eisler, mit Arnolt Bronnen, Bruno Frei, Lotte Lenya, Edmund Meisel, Helene Weigel u. a. zu der auffallend großen Zahl österreichischer Linker, die aus Wien ins Berlin der zwanziger Jahre gekommen waren. Seit 1926 war Lania Lokalredakteur beim »Berliner Börsen-Courier«, ab 1927 Mitglied des dramaturgischen Piscator-Kollektivs, später arbeitete er in Brechts Auftrag an der Filmfassung der *Dreigroschenoper* mit. Vgl. Lania

33 Zu den verbliebenen Teilen der »Konjunktur«-Musik gehören Kompositionen für Filmszenen, u. a. ein maschinenhaft wirkender ›Arbeitsrhythmus‹ und ein ›Arbeiterlied‹.

34 Brecht Briefe S. 126 f. 1924 hatte auch Wolfgang Zeller (1893–1967), der Hauskomponist der Berliner Volksbühne, für Piscator gearbeitet. Er wurde später als Filmmusikkomponist bekannt und schrieb 1929 die Musik zu dem ersten abendfüllenden deutschen Tonfilm »Melodie der Welt« (Regie: Walter Ruttmann).

35 Vgl. Siebig S. 66 f. und Notowicz S. 178.

36 Vgl. L. Hoffmann/D. Hoffmann-Ostwald, Bd. I, S. 299. S. a. Fuhr S. 97 ff.

37 Hoffmann S. 309

38 Am gleichen Tag hatte Bruinier den English Song »O Moon of Alabama« geschrieben.

39 Eisler arrangierte für die gleiche Instrumentalbesetzung wie bei der »Ballade vom Weib und dem Soldaten« auf der melodischen Grundlage des populären »Oh Susanna« wohl ebenfalls für das Feuchtwanger-Stück ein Lied »Alabama«. Vgl. Hanns-Eisler-Archiv 131/25 ff.

40 L. Feuchtwanger in Sinn und Form-Sonderheft Eisler S. 30

41 Gloria Carl Lindström G. O. 78 = 10 451

42 E. Preussner: Gemeinschaftsmusik 1929 in Baden-Baden. In: Die Musik XX/12 (Sept. 1929) S. 900

43 Frankfurter Zeitung vom 31(?). 5. 1932

44 H. H. Stuckenschmidt: Musik und Musiker in der Novembergruppe. In: Anbruch, 10 (1928) S. 294.

45 Zu Schönberg vgl. Dümling: Im Zeichen

46 Fuhr S. 81

47 Eisler: Geschichte der deutschen Arbeitermusikbewegung von 1848. In: Musik und Politik I S. 217. Daneben entwickelte sich auch eine eigene Tradition der Arbeiterinstrumentalmusik, wobei Bandoneon, Mandolinen Schalmeien bevorzugte Instrumente waren. Vgl. Fuhr S. 111 f. u. 186 f. sowie Lammel.

48 »Eiserne Welt« von Wilhelm Knöchel und »Arbeitsauferstehung« von Israel Olman. Vgl. Fuhr S. 4

49 Vgl. Dümling: Der Philharmonische Chor . . .

50 Fuhr S. 5

51 Laut Statistik waren aber auch im »Deutschen Sängerbund« 70% der Mitglieder Arbeiter. Vgl. Fuhr S. 82

52 Eisler, a. a. O., S. 221

53 Eisler S. 223

54 Karl Rankl war später Chef der Covent Garden Opera in London.

55 Morgenpost v. 3. 2. 1928

56 Börsen-Courier v. 29. 1. 1929

57 Klaus Pringsheim (1883–1972), der Bru-

der Katja Manns, bis 1925 musikalischer Oberleiter der Reinhardt-Bühnen in Berlin, trat 1929 selbst als Komponist von Arbeiterliedern hervor. Vgl. Fuhr S. 206

58 Laut Deutsche Allgemeine Zeitung vom 15. Juni 1929. Vgl. Grabs: Wer war Eisler S. 50

59 Vgl. Dümling: Schönberg und sein Schüler Hanns Eisler. S. 458 ff. Zur Uraufführung von Schönbergs op. 35 durch den Hanauer Arbeiterchor »Vorwärts« vgl. Fuhr S. 117 f.

60 Bunge: Fragen Sie mehr ... S. 256 f.

61 Vossische Zeitung vom 7.12.1929. Als »durchaus originell, ursprünglich« lobte auch Anton Webern 1929 die Chorwerke seines einstigen Schülers Eisler. Vgl. Sinn und Form-Sonderheft Eisler S. 109, bzw. Grabs: Wer war Eisler S. 49. Weitere Stimmen zur Rezeption der Chöre bei Hubert Kolland in Argument-Sonderband Eisler S. 183 ff.

62 Vgl. M. Bukofzer: Revolutionäre Musik. In: Melos, 1930, S. 443. Abgedruckt in Grabs: Wer war Eisler S. 57

63 Der Uthmann-Chor Berlin sang dabei unter der Leitung von Josef Schmid neben Uthmann-Kompositionen Weills »Zu Potsdam unter den Eichen« und Eislers Männerchöre »Bauernrevolution«, »An Stelle einer Grabrede« und »In den Militärbaracken«. Vgl. Rote Fahne vom 10.7.1930.

64 1931, mitten in Weltwirtschaftskrise und Massenarbeitslosigkeit, sprach eine Notverordnung den Grundbesitzern im deutschen Osten eine Staatshilfe von vier Milliarden Mark zu.

65 Eisler: Reden und Aufsätze. Leipzig 1961. S. 130

66 Brecht Gedichte S. 330

67 Gedichte S. 382. Vgl. Knopf, Lyrik S. 69 f.

68 Zur Entstehung des Gedichts 1926 vgl. E. Hauptmann S. 170. Zu Eislers Komposition Csipák S. 79

69 Vgl. die Analyse von W. Molkow in Argument-Sonderband Eisler S. 202–207

70 In seiner Interpretation in Brecht-Handbuch Lyrik (S. 44–50) mißversteht Jan Knopf »Vöglein« als »Volk« und kommt dadurch zu einer Fehldeutung.

71 Ausführliche Dokumentation zur Rezeption bei R. Steinweg: Die Maßnahme. Neuere Quellen bei Knopf, Brecht-Handbuch Drama S. 94 ff.

72 Brecht GW 17, 1033

73 Brecht: Theorie des Lehrstücks. In: GW 17, 1024

74 Vgl. Eislers Kritik am bürgerlichen Konzertbetrieb in Musik und Politik I S. 39 ff. u. 74 ff.

75 Vgl. Brecht GW 17, 1016

76 Zur Wiederbelebung der Diskussion um Brechts Lehrstücke trugen wesentlich auch die Schriften R. Steinwegs bei.

77 Horst Fröhlich: Die kulturpolitische Arbeit der KPD. Zitiert nach Fuhr S. 125

78 1928 war in München von Alfred Rosenberg der nationalsozialistische »Kampfbund für deutsche Kultur« gegründet worden, dem in Berlin u. a. die Musiker Gustav Havemann, Fritz Heitmann, Paul Graener und Max Trapp angehörten. Vgl. Prieberg S. 36 ff. sowie Fuhr S. 244 ff.

79 Fröhlich a. a. O.

80 Vgl. E. Hauptmann S. 230 sowie Steinweg: Die Maßnahme S. 270

81 Notowicz S. 189 f. Nach der Arbeit fuhren Brecht und Eisler oft zum Mittagessen zu Helene Weigel. Vgl. Bunge II S. 113

82 Ib.

83 Vgl. W. Mittenzwei in Steinweg: Brechts Modell S. 232 f.

84 Vgl. Steinweg: Die Maßnahme S. 202 f.

85 Gerhart Eisler war als Sekretär beim Fernöstlichen Büro der RGI (Gewerkschafts-Internationale) in Shanghai und Nanking tätig. Vgl. Artikel G. Eisler in W. Roeder I S. 151; der Hanns-Eisler-Artikel in Bd. II dieses informativen Handbuchs ist leider fehlerhaft.

86 Vgl. Edgar Snow: Roter Stern über China. Mao Tse-tung und die chinesische Revolution, Frankfurt/M. 1974. S. 165. S. a. C. Brandt: Stalin's Failure in China 1924–1927. Cambridge/Mass. 1958

87 Vgl. Hoffmann S. 208 ff.

88 F. Mierau: Erfindung und Korrektur S. 127

89 Zitiert nach Günther Rühle: Theater für die Republik 1917–1933 im Spiegel der Kritik. Frankfurt/M. 1967, S. 192

90 Völker: Brecht, S. 176

91 Brecht GW 9, 741 f. Vgl. auch W. Mittenzwei: Brecht und die Schicksale der Materialästhetik. In: Argument-Sonderband 11.

92 Mierau S. 131.

93 Der Sinologe Karl August Wittfogel hielt schon 1919 Vorträge über die bäuerliche Kultur Chinas, wurde dann Theaterautor für den Malik-Verlag und schließlich Feuilletonredakteur der »Roten Fahne«. Zu seiner späteren Entwicklung als Chinaexperte in den USA vgl. sein Gespräch mit Fritz J. Raddatz in Die Zeit vom 2. März 1979.

94 Brecht, Dudow, Eisler: Anmerkungen zur ›Maßnahme‹. GW 17, 1032.

95 Brecht GW 17, 1034

96 Vgl. Knopf: Handbuch Drama S. 101

97 Vgl. Eislers Lieder »Predigt des Feldkuraten« und »Der kleine Cohn«.
98 Vgl. Bunge II S.134 ff. Eisler meinte, daß Brecht »sich eigentlich genierte, solche Freunde zu haben, damals, aus Berlin kommend.«
99 Eisler: Musik und Politik I S.61 ff. Über Strawinskys *Oedipus Rex* vgl. Schriften III. Addenda. S.25 f.
100 Bunge II S.54
101 Eisler: Brecht und die Musik. In: Materialien zu einer Dialektik der Musik. S.251
102 Eisler: Einiges über das Verhalten der Arbeitersänger und -musiker in Deutschland. In: Materialien S.102
103 Eisler: Inhalt und Form. In: Materialien S.322
104 Materialien S.302
105 Ib.
106 Bunge II S.17
107 Die antibürgerliche Lyrik Stefan Georges schlug gerade diesen entgegengesetzten Weg ein, indem sie sich die Adelskunst der Renaissance zum Vorbild nahm.
108 Eisler: Die Kunst als Lehrerin im Klassenkampf. In: Musik und Politik I S.122
109 Ib. S.143 f.
110 Brecht Tagebücher S.197
111 Eisler: Musik und Politik I S.144
112 Eisler: Inhalt und Form. In: Materialien S.309
113 Bunge II S.230 Zu Eislers Kampf gegen die »Dummheit in der Musik« ausführlich Csipák S. 109–152.
114 Eisler: Musik und Politik III (Addenda) S.36
115 Eisler: Materialien S.130. In der von A.Focke herausgegebenen Me-Ti-Ausgabe (Berlin 1922), die sich in Brechts Besitz befand, lautet das Zitat (S.366 f.): »Daß das Volk veranlaßt wird, Musikinstrumente zu gebrauchen, hat drei Nachteile zur Folge: Die Hungrigen werden dadurch nicht satt, die Frierenden werden nicht gekleidet und die Müden nicht ausgeruht. Diese drei Tatsachen bilden für das Volk große Nachteile. Wenn sie für ihre Herren die großen Glocken schlagen, die Pauken zum Tönen bringen, Harfen und Guitarren spielen, Flöten und Schalmeien blasen und dazu ihre Schilde und Streitäxte schwingen müssen, wie können sie sich dann die nötigen Stoffe für Kleidung und Nahrung verschaffen? (...) Der Meister Me-tse sagte: Denken wir an die hohen Steuern, welche vom Volk erhoben werden, um die Musik (...) hervorzubringen, so nützt das für das Wohl des Reichs und die Beseitigung etwaiger Mißstände gar nichts. Deshalb sagt der Meister Me-tse, daß die

Musik zu verdammen sei.« Einen ähnlichen Gedankengang, Kritik an den erhöhten Ausgaben für repräsentative bürgerliche Musikkultur, die durch Senkung der Sozialleistungen finanziert wurden, hatte Eisler 1928 in seinem Aufsatz »Man baut um« geäußert. Vgl. Eisler: Musik und Politik I S.77 f.
116 Musik und Politik III S.36
117 Aus eben diesem Grunde erlebte gerade in der Metternich-Ära der Wiener Walzer seinen Aufschwung. Vgl. Eisler: Materialien S.272
118 Brecht GW 18, 516
119 Briefe S.129
120 Eisler: Musik und Politik I
121 Vgl. Steinweg: Die Maßnahme S.479 ff.
122 Vgl. J.Engelhardt
123 Postkarte aus dem Besitz von Frau Stefanie Eisler, Berlin/DDR.
124 Fuhr S.118 ff. u. 160
125 Brecht GW 17, 1030
126 M.Grabs wies darauf hin, daß der Anapästrhythmus in der Bedeutung von »Klassenkampf« ferner im »Maßnahme«-Vorspiel bei den Worten »Auch in diesem Lande marschiert die Revolution« sowie im 3.Satz der »Kuhle Wampe«-Suite eingesetzt ist. Vgl. Eisler heute S.118 f.
127 Vgl. die Schrift »Arbeit und Rhythmus« von Kurt Bücher (Leipzig 1897), die 1924 in 6.Auflage erschien.
128 Eisler: Einige Ratschläge zur Einstudierung der »Maßnahme«. In: Musik und Politik I S.168
129 Textinterpretation bei Knopf: Handbuch Drama S.99 f.
130 Vgl. Homocord-Schallplatte Best. Nr.4 – 4032 I/II. Wiederveröffentlicht auf LP »Brüder, zur Sonne, zur Freiheit. Arbeitermusik der Weimarer Republik in Originalaufnahmen«. Pläne (Dortmund) 88 287
131 Ursprünglicher Titel »Song von Angebot und Nachfrage«. In der ersten Fassung begann er: »Reis gibt es oben am Flusse, unten am Ufer des Meeres brauchen die Leute Reis.« Bei Preisgabe der Entsprechung von geografischem und sozialem Oben und Unten, wohl aber, um damit den lokalen Gegebenheiten in China näherzukommen, änderte Brecht den Text: »Reis gibt es unten am Flusse/ In den oberen Provinzen brauchen die Leute Reis.«
132 Brecht GW 17, 1031 f.
133 Dümling: Symbol
134 Brecht Gedichte S.475
135 Das Wort »Ziegen« spielt möglicherweise auf die Tänzerinnen der damals bekanntesten New Yorker Ausstattungs-

Revue, die »Ziegfeld Follies«, an. Vgl. Schmidt-Joos: Das Musical. S. 44 f.

136 Csipák S. 94. Friedrich Deutsch vermutete allerdings, daß die »Händlerszene« bei der Uraufführung gerade wegen des Jazzklangs da capo verlangt wurde. F. Deutsch: Arbeiter und Musik. S. 11
137 D. Stern: Soziale Bestimmtheit
138 Zitiert nach J. Engelhardt: Eislers Weg S. 107
139 Siebig S. 59
140 Siebig S. 50
141 Gespräch mit Ernst Busch am 12. 10. 1976
142 Siebig S. 72 f. sowie Elsner
143 Siebig S. 80 f.
144 Eisler zitiert nach Steinweg: Die Maßnahme S. 260
145 Zitiert nach Siebig S. 228
146 S. Tretjakow in Grabs: Wer war Eisler S. 84
147 Vgl. Stephan Hermlin in Bunge I S. 344. Eisler donnerte auch auf Brechts altem Tafelklavier so lautstark, daß es danach nur noch als Abstelltisch verwendet werden konnte. E. Hauptmann S. 197
148 Nach Steinweg: Brechts Modell S. 220
149 Canetti S. 257
150 W. Roth: Hängt alles von der Beleuchtung ab. Teilabdruck in Monika Richarz (Hrsg.): Jüdisches Leben in Deutschland. Selbstzeugnisse zur Sozialgeschichte 1918–1945. Stuttgart 1982. S. 126
151 Eisler: Musik und Politik I, S. 168
152 Vgl. E. H. Meyer: Aus der Tätigkeit der ›Kampfgemeinschaft der Arbeitersänger‹. In: Sinn und Form-Sonderheft Eisler S. 156 f.
153 Friedrich Deutsch: Probenerfahrung bei der »Maßnahme«. Zitiert nach Steinweg: Maßnahme. S. 349. F. Deutsch, Schönberg-Schüler wie sein Bruder Max Deutsch und 1930 bis 1933 Musikkritiker der Berliner »Morgenpost«, leitete einen der drei Uraufführungschöre der Maßnahme, den Gemischten Chor Groß-Berlin. Nach der Emigration war er unter dem Namen Frederik Dorian als Professor in Pittsburgh tätig.
154 Ib.
155 Ib.
156 Vgl. Eisler: Musik und Politik I S. 224
157 Vgl. Fuhr S. 135 ff. sowie zur Krise des bürgerl. Konzertlebens S. 234
158 Dagegen wirkt Hindemiths »Wir bauen eine Stadt«, ein »Spiel für Kinder«, das er 1930 auf einen Text von Robert Seitz komponierte, wie eine positive Fortführung des »Mahagonny«-Songspiels.
159 1928 hatte Brecht Benns Lyrik als »Schleim von höchstem Adel« bezeichnet. GW 18, 62.
160 Nach Clark Fehn S. 29
161 Vgl. Dümling: Der Philharmonische Chor S. 249
162 Benn nach Clark Fehn S. 29
163 Clark Fehn S. 50
164 Gespräch mit H. H. Stuckenschmidt am 4. 9. 1976
165 Allerdings hatten schon die ersten öffentlichen Sinfoniekonzerte politischen Charakter besessen, da sie sich am Modell des bürgerlichen Parlaments orientierten. Vgl. Heister S. 109 f.
166 H. H. Stuckenschmidt: Ein politisches Oratorium. Brecht-Eislers ›Die Maßnahme‹. In: Berliner Zeitung vom 15. 12. 1930. Zitiert nach Steinweg: Die Maßnahme S. 324 f.
167 Vgl. Steinweg: Maßnahme S. 339. Diese Fehler sollten wohl, ebenso wie das fehlerhafte Verhalten des jungen Genossen, zu Änderung und Verbesserung anregen.
168 Vgl. Ernst Busch in Steinweg: Maßnahme S. 465
169 Vgl. die Pressestimmen bei Steinweg.
170 A. a. O. S. 326
171 Zitiert nach Notate 5/1982 S. 14
172 Steinweg S. 387
173 Das Mißverständnis lag allerdings nahe, da bei der Uraufführung der geforderte Rollenwechsel nicht verwirklicht wurde. Vgl. Steinweg: Brechts Modell S. 486. In einem 1931 verfaßten Beitrag von Haga Rost, der sich im Eisler-Nachlaß fand, heißt es dagegen: »Der ›junge Genosse‹ im 1. Fall (Reissschlepper), im 2. Fall (Baumwollspinner), 3. Fall (Händler), 4. Fall (Vorbereitung des Aufstands), ist gar keine konkrete Person, die sich ›entwickelt‹ und ›bessert‹, sondern er ist ein bestimmter Typus des ›Menschenfreunds‹, Gefühlsrevolutionärs, Anarchisten und Pazifisten, und es handelt sich um vier sich steigernde Beispiele, an denen die Unzweckmäßigkeit, Schädlichkeit und das Verbrecherische solch bloß gefühlsmäßigen Handelns für die revolutionäre Aktion aufgezeigt wird.«
174 Vgl. Steinweg: Brechts Modell. S. 96 u. 176
175 Fuhr S. 159
176 Eisler: Musik und Politik I S. 170 f. sowie Grabs-Handbuch 1.503
177 Fuhr S. 159
178 Vgl. Steinweg: Maßnahme S. 435
179 Vgl. Brief Eislers an die Universal Edition vom 1. Sept. 1931.
180 Bei dieser Aufführung wirkte auch der junge Bruno Kreisky mit. Mitteilung von Georg Eisler/Wien.
181 Eisler: Musik und Politik I S. 224. Völlige Übereinstimmung mit den Intentionen Brechts zeigt auch Eislers Beobachtung:

»Das Charakteristischste in der revolutionären Arbeitermusikbewegung ist die
Aufhebung des Gegensatzes zwischen
Musikkonsumenten und Musikprodu-
zenten.« Musik und Politik I S. 180.
182 H. H. Stuckenschmidt: Politische Musik.
Zu Brecht-Eislers ›Maßnahme‹. In: Anbruch 1/1931. Zitiert nach Grabs: Wer
war Eisler S. 63
183 Steinweg: Maßnahme S. 258
184 E. Hauptmann hat dies bestätigt. Vgl.
Steinweg: Maßnahme S. 271
185 Steinweg: Brechts Modell, S. 265

Appelle an die Schwankenden

*Der »Kuhle Wampe«-Film und das
»Solidaritätslied«*

1 »Welt am Abend« vom 29. 9. 1931
2 Jhering: Bert Brecht . . . S. 56 u. 172 sowie
Gersch S. 39 ff.
3 Brecht GW 18, 210. Vgl. Gersch S. 101 ff.
4 Th. W. Adorno/H. Eisler: Komposition für
den Film. München 1969, S. 44 f. Vgl. auch
Eislers Beiträge über Filmmusik in: Musik
und Politik I S. 384 ff. und 436 ff. sowie
seine grundsätzlichen Ausführungen über
Militärmärsche in seinem Aufsatz »Musik
und Musikpolitik im faschistischen
Deutschland« (1935), S. 336 ff. Ähnlich
Brecht: »Das Blech gießt ein wenig Heroismus in die blutarmen Herzen der Bürger.« GW 6, 2635
5 Brecht hat sich zu Filmmusikproblemen
nur sporadisch geäußert. Wie empfindlich
er jedoch reagierte, zeigt seine Notiz von
1926: »Ich habe Chaplins Film ›Goldrausch‹ mir erst ziemlich spät angesehen,
weil die Musik, die in dem Haus, wo er
läuft, gemacht wird, so überaus scheußlich
und unkünstlerisch ist.« GW 18, 138. Um
1926, vor Erfindung des Tonfilms, gab es
von Kino zu Kino unterschiedliche Live-
filmmusik.
6 Adorno/Eisler: Komposition für den Film
S. 48
7 Vgl. Inge Lammel: Das Arbeiterlied. Leipzig 1970
8 Fuhr S. 252 ff.
9 Brecht GW 19, 405
10 Ib.
11 Hoffmann/H.-Ostwald Bd. II S. 269
12 A. a. O. S. 270. Vom Verbot betroffen waren auch Eislers Lieder »Roter Wedding«
und »Arbeiter, Bauern«, beide auf Texte
von Erich Weinert.
13 Hoffmann Bd. II S. 306. In einer Schlußbe-
merkung der 68 Seiten starken Denkschrift heißt es: »Durch diese Anordnung
ist die wirksamste und zugleich übelste

Agitationsmethode der K. P. D. unmöglich
gemacht worden.«
14 Eisler ließ seine Ballade deshalb unvollendet (Grabs-Handbuch 1.57). Ein »Lied
der Obdachlosen« (Gedichte S. 366) wurde aus Rücksicht auf die Zensur zurückgezogen. In Eislers Manuskript trägt dieses Lied die Überschrift »Massenlied«.
Vgl. Grabs-Handbuch 1.397
15 S. Dudow zitiert nach W. Hecht (Hrsg.):
B. Brecht. Sein Leben in Bildern und Texten. S. 106. Wie sich die Schauspielerin
Hertha Thiele erinnert, nahm Eisler oft an
den Dreharbeiten teil und konnte dann
zwischen den gegensätzlichen Tempera-
menten Brecht und Dudow vermitteln.
Vgl. H. Thiele: Mit Brecht und Dudow
beim Friseur. In: Deutsche Volkszeitung/
die tat, 24. Aug. 1984, S. 14
16 In ähnlich kollektiver Arbeit entstanden
auch die Lieder und Szenen der Agitproptruppen. Vgl. Fuhr S. 229
17 BBA 815/5–6
18 BBA 1251/35. Diese »Mappe Eisler« wurde mit freundlicher Genehmigung von
Stefanie Eisler verwendet.
19 Brecht Gedichte S. 400
20 Erstveröffentlicht in Notate 6/1979
21 BBA 1251/38
22 Das Lied, das im Grabs-Handbuch fehlt,
ist in seinem szenischen Zusammenhang
abgedruckt bei Hoffmann/H.-Ostwald
Bd. II S. 311–315. Vgl. dazu auch Fuhr
S. 226 ff.
23 Schon im Film »Niemandsland« war Ernst
Busch Hauptdarsteller gewesen.
24 Zu mehr symbolischer Wirkung kamen
Massenlieder dagegen bei Piscator. Vgl.
Walter Moßmann/Peter Schleuning
S. 242. Vgl. auch die Interpretation von
Ottmar Gersters Oratorium »Wir« bei
Fuhr S. 210 ff.
25 Vgl. Hansjörg Pauli S. 175 f.
26 Zu den diversen Notendrucken vgl.
Grabs-Handbuch 1.504. Die Schallplatte
Nr. 10 294 des Gloria-Label der Carl Lind-
ström AG enthielt auf der A-Seite das
»Solidaritätslied«, auf der Rückseite Eislers
»Ballade von den Säckeschmeißern«, gesungen von Ernst Busch, begleitet von
Chor und Orchester unter Leitung des
Komponisten.
27 BBA 1251/42
28 Sie wurde später umformuliert in »Wessen
Morgen ist der Morgen? Wessen Welt ist
die Welt?«
29 Sie fand in Anwesenheit Brechts und Du-
dows am 14. 5. 1932 in Moskau statt. Vgl.
Wyss S. 157 ff. Die Berliner Premiere
folgte am 30. 5. 1932.
30 Vgl. Eisler: Musik und Politik III (Addenda) S. 35 Während Eisler das Lied als »So-

lidarität aus dem Tonfilm ›Kuhle Wampe‹« bezeichnete, also auf einen Gattungsnamen verzichtete, kündigte es die Redaktion als »Solidaritätssong« an.

31 Vgl. Grabs: Hanns Eisler – Werk und Edition S. 18

32 Vgl. dazu die musikalische Analyse von Hartmut Fladt, der der Verfasser wesentliche Anregung verdankt, sowie ferner die Analysen von Reinhold Brinkmann, Károlyi Csipák (S. 298), Jürgen Elsner, Georg Knepler u. Luca Lombardi.

33 Marcel Proust: Die wiedergefundene Zeit. Frankfurt/M. 1957. S. 316. Vgl. Bunge II S. 128

34 Brecht: Volkstümlichkeit und Realismus. IN: GW 19, 328 f.

35 Ib.

36 Fritz Cremer in Grabs: Wer war Eisler S. 267

37 Paul Dessau/Günther Mayer: Sehr weit in die Zukunft hinausgedacht. In: Hanns Eisler heute S. 236

38 »Busch singe« in »Welt am Abend« v. 16. 3. 1932

39 Laut Gespräch mit H. H. Stuckenschmidt

40 Vgl. Arbeitsjournal vom 20. 1. 1945: »Mitunter ruft Dessau an und spielt mir übers Telefon einen neuen Vierzeiler vor. Da kommt er mir wie von einem andern Planeten.« Auch in Brechts Einakter *Dansen* singt gleich zu Beginn die Hauptfigur ein Lied ins Telefon. GW 7, 2818

41 Vgl. Eisler: Musik und Politik I S. 161

Ringt um die Schwankenden!

1 Vgl. Eisler: Musik und Politik I S. 160: »Die Frage der Taktik ist die moderne Frage geworden.«

2 Im September 1930 erhielt die KPD 4,6 Millionen, im Juli 1932 5,3 Millionen Stimmen. Die Zahl der SPD-Wähler war zwar größer, sank jedoch im gleichen Zeitraum von 8,6 auf 7,9 Millionen.

3 Hatte die NSDAP bei den Reichstagswahlen vom Mai 1928 nur 0,8 Millionen Stimmen erhalten, so stieg ihr Anteil im September 1930 auf 6,4, im Juli 1932 auf einen Höchststand von 13,7, um dann im November 1932 auf 11,7 Millionen zurückzufallen.

4 1932 war die Arbeitslosenquote auf 44,4% gestiegen.

5 Heinrich Regius (= Max Horkheimer): Dämmerung. Notizen in Deutschland. Zürich 1934. Zitiert nach Fuhr S. 240.

6 Eisler: Musik und Politik III (Addenda) S. 33 f.

7 Sanders S. 199. Das Lied ist unveröffentlicht. Im Bericht der »Welt am Abend«

v. 27. 11. 1931 wurde allerdings nur eine von Lotte Lenya gesprochene Szene erwähnt.

8 Zitiert nach E. Klemm: Hanns Eisler 1898–1962. Berlin 1973 S. 24

9 Schon in seinem Lied »Frühlingsrede an einen Baum im Hinterhaushof« hatte Eisler die »Anpassung an das Milieu« durch eine ähnliche Parallelführung von Gesangsstimme und Begleitung dargestellt. Zur motiv.- themat. Arbeit im »Lied vom SA-Mann« vgl. Csipák S. 286 ff.

10 Manfred Georg in Volkszeitung (Berlin) v. 5. 1. 1928

11 Laut »Welt am Abend«. Die »Rote Fahne« v. 30. 11. 1931 erwähnt eine Silbersterveranstaltung der Jungen Volksbühne »Wer trägt den Mülleimer raus …?« Zu den Mitwirkenden gehörten Lotte Lenya, Helene Weigel, Ernst Busch und Hanns Eisler.

12 BBA 215/1–30

13 Hennenberg Nr. 60. Datierung nach Grabs-Handbuch 1. 440

Agitprop mit Bach-Fugen: »Die Mutter«

1 Günther Weisenborn in Grabs: Wer war Eisler S. 312. Die Auffassung von U. Weisstein (S. 271), *Die Maßnahme* sei die einzige gemeinsame Bühnenarbeit von Brecht und Eisler, ist falsch.

2 Vgl. Eisler über Brecht: »Er hatte in seinen jüngeren Jahren noch eine gewisse (…) Sturheit; so um 1929/30. Aber das löst sich doch kolossal rasch auf. Lesen Sie doch *Die Mutter*.« Vgl. Bunge II S. 208

3 Vgl. Sinn u. Form-Sonderband Eisler S. 280

4 Walter Benjamin: Ein Familiendrama auf dem epischen Theater. In: Literarische Welt. Berlin. 5. Febr. 1932. Abgedruckt in: Materialien zur ›Mutter‹. S. 25

5 Zitiert nach W. Mittenzwei in: Materialien S. 40

6 Den entscheidenden Anstoß für eine breitere bundesdeutsche »Mutter«-Rezeption gab die kollektiv geleitete Schaubühne am Halleschen Ufer in Berlin (West), deren erste Inszenierung 1970 *Die Mutter* war. Vgl. Volker Canaris (Hrsg.): Die Mutter. Regiebuch der Schaubühnen-Inszenierung. Edition Suhrkamp 517. Frankfurt/M. 1971.

7 Brecht GW 17, 1031

8 Brecht Gedichte S. 312

9 Materialien zur ›Mutter‹ S. 33

10 Bunge II S. 147

11 Eisler griff auch gelegentlich in Brechts Textvorlage ein, so in der Zeile »Er ist

nicht das Chaos, sondern die Ordnung«.
Bei Brecht hieß es: »Er ist nicht das Rätsel,
sondern die Lösung«.

12 Hanns Eisler heute S. 236
13 Dessau: Notizen zu Noten S. 18
14 Hennenberg Nr. 38
15 W. Benjamin: Ein Familiendrama ... In:
Materialien zur ›Mutter‹ S. 24
16 Eisler hatte das Gedicht 1931 für den Film
»Das Lied vom Leben« vertont.
17 Hennenberg Nr. 61–64. Nach der Erinnerung des Bühnenbildners Wolfgang Roth
soll Eisler die Wiegenlieder in Brechts
Wohnung an dessen Hammerklavier
komponiert haben. Vgl. Roth S. 127
18 Georg Knepler: Erinnerungen an Hanns
Eisler. In: Beiträge zur Musikwissenschaft XI, 1969. S. 3 f. Knepler, der zuvor
auch Karl Kraus am Klavier begleitet hatte,
wurde später einer der führenden Musikwissenschaftler der DDR. Vgl. zu Eislers
Auffassung über die Interpretation der
Wiegenlieder Lin Jaldati in: Hanns Eisler
heute, S. 191 ff.
19 Vgl. Schebera 1981 S. 62
20 Brecht GW 15, 479. Der französische
Brecht-Forscher Fred Fischbach hat in
den ›Recherches Germaniques‹ 1983/13
S. 137-166 (Strasbourg) die Lieder aus der
›Mutter‹ in ihrem Zusammenhang analysiert. Vgl. auch Kleinig.
21 Brief Brechts an die Universal Edition
Wien vom 2. 8. 1932
22 Die vierstimmigen Chorsätze sowie die
Nummern »Der zerrissene Rock« und
»Lob der Dialektik« wurden erst für die
New Yorker Aufführung von 1935 komponiert.
23 Bunge II S. 74
24 Materialien zur ›Mutter‹ S. 33
25 Eisler: Die Erbauer einer neuen Musikkultur. In: Musik und Politik I S. 140-163
26 Aufricht S. 110
27 Aufricht S. 111
28 G. Schubert S. 68 f.
29 Kritik am zeitgenössischen Schaffen. In:
Weill, S. 186
30 Eisler: Zeitungskritik. In: Musik und Politik I S. 94
31 Weill S. 188
32 Vgl. Bunge II S. 32
33 D. Stern: Soziale Bestimmtheit
34 Bunge II S. 56
35 Wyss S. 117
36 Wyss S. 118
37 Alfred Kerr in Berliner Tageblatt vom
18. 1. 1932. Zitiert nach Siebig S. 127
38 Rote Fahne vom 22. 1. 1932
39 Brecht: GW 17, 1067
40 GW 17, 1075 f.
41 Eine Szene aus der *Mutter* wurde auf einer
Wahlkundgebung für Ernst Thälmann

(KPD) im Berliner Sportpalast am 26. Febr.
1932 gespielt. Mitwirkende waren neben
der Gruppe Junger Schauspieler mit Helene Weigel auch Ernst Busch, Hanns Eisler
und Lotte Lenya. Lenya, die auch damals
mit Piscator in die Sowjetunion reiste, war
politisch stärker engagiert als ihr Mann.
Vgl. Schebera: Eisler-Bildbiografie S. 63
42 Materialien zur ›Mutter‹ S. 30
43 Vgl. Siebig S. 130
44 Wyss S. 154
45 Vgl. Milhaud S. 177
46 Bei der Magdeburger Aufführung von
Georg Kaisers *Der Silbersee* (Musik:
K. Weill) spielte Ernst Busch den Arbeitslosen Severin. Über Busch schrieb das
Berliner Tageblatt, sein »männlich starker,
prachtvoll klarer Ausdruck« beherrsche die
Aufführung. Vgl. Drew: Über K. Weill
S. 113
47 Siebig S. 131
48 Vgl. Grabs-Handbuch 1.364
49 Vgl. Berger/Lammel Nr. 172 sowie Grabs-
Handbuch 1.117. Textlich ist Brechts
»Marsch ins Dritte Reich« identisch mit
seinem Gedicht »Der Führer hat gesagt«
(Gedichte S. 374 ff.).
50 Brecht GW 19, 336.
51 Ein Beispiel war der Komponist Wladimir
Vogel. Dazu Eisler: Musik und Politik I
S. 137 f. Andere Beispiele waren der
Schreker-Schüler Bertold Goldschmidt
und der Komponist Boris Blacher, der
1931 einen dreistimmigen Männerchor
»Hinein in die rote Einheitsfront« komponierte.
52 Brecht unterschätzte allerdings die in
hoher Auflage vertriebene »Arbeiter-Illu-
strierte-Zeitung« (AIZ), in der Heartfields
Montagen veröffentlicht wurden. Heartfield schuf auch die Titelblätter auflagen-
starker Bücher, so z. B. zum »Braunbuch«
über den Reichstagsbrand.
53 Brecht GW 19, 336
54 Ib. S. 337
55 H. H. Stuckenschmidt: Ein politisches
Oratorium. Brecht-Eisler »Die Maßnahme«. In: Berliner Zeitung (BZ) vom 15. 12.
1930. Zitiert nach Steinweg: Die Maßnahme S. 325

Kunst im Exil

1933: Deutschland unter dem Ver-Führer

Nach dem Reichstagsbrand

1 B. Frei: Der Papiersäbel S. 165 ff.
2 Möglicherweise auch als Reaktion auf das
Erscheinen des »Gegen-Angriffs« stellte

Goebbels 1934 das Erscheinen des »Angriff« ein.
3 Frei S. 188
4 K. Schuhmann S. 410
5 Vgl. Hennenberg: Brecht-Liederbuch S. 383. Dort auch Hinweis auf eine szenische Aufführung der Ballade am 25. Februar 1934 in Moskau durch das »Deutsche Theater ›Kolonne links‹«. Dazu Helmut Kindler in Wyss S. 168 f.
6 Brecht Gedichte S. 408 ff. Bis heute noch überleben Hitlers Geschichtsfälschungen, wie sich beispielsweise 1983 in einer von Heinz Höhne verfaßten »Spiegel«-Serie zum Reichstagsbrand zeigte.
7 Vgl. zum Reichstagsbrand neben dem als Reprint wiederaufgelegten »Braunbuch über Reichstagsbrand und Hitlerterror« die grundlegende Darstellung von Walther Hofer etc. Zur illegalen Verbreitung des »Braunbuchs« auch in Hitler-Deutschland G. Weisenborn: Der lautlose Aufstand S. 190.
8 Vgl. M. Grabs: Das »Lied vom Kampf« führte in den Kampf. In: Notate 6/1984 S. 12
9 Robert Ehrenzweig: Das Lied vom Kampf. In: Die politische Bühne. Wien. 2. Jgg. März/April 1933, S. 66
10 Vgl. Grabs: a. a. O. Die Überschrift spielt an auf das Freiligrath-Zitat »Ich bin, ich war, ich werde sein«, das die Aufschrift bildete von Mies van der Rohes Denkmal der Novemberrevolution in Berlin-Friedrichsfelde.

Noch einmal Zusammenarbeit mit Weill:
»Die sieben Todsünden der Kleinbürger«

1 Zitiert nach Drew: Über K. Weill S. 110
2 Drew S. 110.
3 Drew S. 111
4 Siebig S. 131 ff.
5 Sanders S. 203
6 Sanders S. 210
7 Engberg S. 16
8 Vgl. Drew S. 92 ff.
9 BBA 386/26
10 G. Balanchine über *Die sieben Todsünden.* In: Abendzeitung (München) 21. 10. 1976
11 Vgl. Ausstellungskatalog »Theater im Exil 1933–1945«. Akademie der Künste Berlin/W. 1973 S. 33
12 Vgl. Musik und Gesellschaft, 1930, S. 32
13 Hanns-Werner Heister: Verkehrte Welt
14 Brecht Briefe S. 165
15 Drew: Über K. Weill S. 118
16 Wyss S. XXV
17 Sanders S. 218
18 Sanders S. 220 ff.

Gegen die Vernichtung der Wahrheit:
»Die Rundköpfe und die Spitzköpfe«
und »Arturo Ui«

1 Brief Brechts an den Schauspieler Heinrich George. Brecht GW 15, 232 f.
2 GW 17, 1103. Das Lied war allerdings erst seit 1920 in der deutschen Arbeiterbewegung verbreitet. Vgl. Fuhr S. 92
3 GW 17, 1104
4 Brecht Briefe S. 188
5 Briefe S. 184
6 Louise Eisler-Fischer S. 71
7 Zitiert nach Kotlan-Werner S. 110
8 Ruth Berlau in Sinn und Form-Sonderheft Eisler S. 327
9 Vgl. Rita von der Grün: Funktionen und Formen von Musiksendungen im Rundfunk. In: Heister/Klein S. 98
10 A. a. O. S. 102
11 A. a. O. S. 99. Vgl. die Statistiken bei Bergschicker S. 82 ff. u. 105.
12 Brecht Briefe S. 198
13 Briefe S. 200
14 Briefe S. 221. Brecht gehörte damals auch zu den Mitarbeitern am »Braunbuch II – Dimitroff gegen Göring«.
15 Vgl. V. Klemperer: ›LTI‹. Die unbewältigte Sprache. Aufschlußreich sind auch Ernst Blochs Aufsätze »Neue Sklavenmoral der Zeitung«, »Zur Methodenlehre der Nazis« und »Kritik der Propaganda« in Bloch: Vom Hasard zur Katastrophe.
16 Brecht Briefe S. 171
17 Briefe S. 174
18 Brecht GW 9, 678
19 Vgl. zur faschistischen Musikpolitik F. Prieberg und Heister/Klein.
20 Brecht GW 15, 232
21 Vgl. Knopf: Drama S. 133
22 Der Name spielt wohl auf Zolas Kurtisanenroman *Nana* an.
23 Brecht GW 3, 1015 ff.
24 GW 18, 253
25 BBA 432/11
26 Am 20. Juni 1934 brachte die einflußreiche »Berlingske Tidende« auf ihrer Titelseite die erstaunliche Schlagzeile »Entscheidung zwischen Nationalsozialismus und Reaktion kündigt sich an«. Vgl. Engberg S. 132
27 Brecht GW 9, 444 f.
28 Eisler, der gerne Wechselbeziehungen zwischen vokalen und instrumentalen Werken herstellte, übernahm den Anfang seines »Lieds von der Tünche« aus dem 2. Satz seiner »Kleinen Sinfonie«. Vgl. M. Grabs in: Hanns Eisler heute S. 121
29 Hennenberg Nr. 40
30 Brecht GW 17, 1086
31 Hennenberg S. 412

32 Die Veränderung des Refrains wurde in der Brecht-Forschung ausgiebig diskutiert. Vgl. Albrecht Schöne: Theatertheorie und dramatische Dichtung. In: Euphorion 52, 1958, S.272ff. Ulla Lerg-Kill: Dichterwort und Parteiparole. Propagandistische Gedichte und Lieder Bertolt Brechts. Bad Homburg v.d.Höhe 1968, S.49ff. Reinhold Grimm: Brechts Rad der Fortuna. In: Grimm: Brecht und Nietzsche oder Geständnisse eines Dichters. Frankfurt/M. 1979 S.138ff.

33 Die »Ballade vom Knopfwurf« behandelt die Manipulation des Rechts; durch Verweis auf das Schicksal wiegen die Herrschenden den kleinen Mann in der trügerischen Hoffnung auf eine höhere Gerechtigkeit, der alle unterworfen seien. Mißtrauen gegen weitere Manipulationen säen auch andere Gesänge. Von der Klassenjustiz spricht das »Lied von der belebenden Wirkung des Geldes« (Hennenberg Nr. 41), das auf der Bühne von einem korrupten Richter angestimmt wird. Dieser gibt die Abhängigkeit von Rechtsprechung und Moral von den wirtschaftlichen Verhältnissen zu. Das »Lied der Kupplerin«, das Eisler 1936 in London komponierte, betont die Macht des Geldes bei der käuflichen Liebe. »Geld macht sinnlich« verkündet über einem Zitat aus Wagners *Tristan* in ordinärem Tonfall die Bordellwirtin Cornamontis.

34 Brecht Briefe S.205

35 Briefe S.206

36 L.Eisler-Fischer S.71

37 Briefe S.166

38 Vgl. Klemm: Briefwechsel Eisler-Brecht S.102

39 Abdruck des vollständigen Eisler-Briefes bei Betz S.121 f.

40 Klemm S.103

41 Bunge II S.101 ff.

42 Brecht Briefe S.224

43 Klemm S.107

44 Mierau S.264 f.

45 Wyss S.170 ff.

46 Vgl. Eva Kreilisheim: Bertolt Brecht und die Sowjetunion. Universität Wien 1969. S.20 ff. Vgl. auch Brecht Briefe S.969 u. H.Kindler in Wyss S.170 f.

47 Briefe S.273

48 Briefe S.280

49 Engberg S.130

50 Klemm: Briefwechsel Brecht-Eisler S.105

51 Engberg S.149 ff.

52 Engberg S.175

53 Briefe S.302

54 Vgl. Briefe S.169

55 Brief Brechts an Eisler vom Herbst 1932, abgedruckt in Sinn und Form-Sonderheft Eisler S.13

56 Vgl. Knopf: Drama S.442

57 Brecht GW 17, 1087

58 GW 17, 1092

59 GW 17, 1095

60 GW 18, 254

61 Eisler: Musik und Musikpolitik im faschistischen Deutschland. In: Musik und Politik I S.344

62 Das Studentenliederbuch »Das aufrecht Fähnlein« und das Märchenliederbuch »Spinnerin Lobunddank« wurden 1934 von Walther Hensel herausgegeben, der auch für den »Zupfgeigenhansl« verantwortlich gezeichnet hatte.

63 Eisler a.a.O. S.346

64 Brecht GW 18, 254

65 Prieberg S.67

66 Hindemith war zwar kein Nazi, fand jedoch auch nicht den Mut zum aktiven Widerstand. Vgl. B.Heller/F.Reininghaus: Hindemiths heikle Jahre. In: Neue Zeitschrift für Musik 1984/5

67 Eisler a.a.O. S.350 ff.

68 Brecht GW 18, 220

69 Benjamin: Gespräche mit Brecht. Svendborger Notizen. In: Versuche über Brecht. S.117 ff.

70 Zitiert nach Eisler: Musik und Politik I S.343

71 Brecht GW 4, 1783 ff.

72 Bunge II S.33 f.

Lieder, Gedichte und Chöre gegen den Faschismus

Ein neues politisches Liederbuch

1 Brecht Briefe S.168

2 Knopf: Brecht-Handbuch Lyrik S.79

3 Vgl. zur Interpretation des Anhangs Knopf S.85 ff.

4 Eisler an Brecht. Zitiert nach Sinn und Form-Sonderheft Eisler S.136

5 Brecht Briefe S.173

6 Vgl. Heinz Gittig. Ferner Jürgen Stroech: Die illegale Presse – eine Waffe im Kampf gegen den deutschen Faschismus. Leipzig 1979. Der außerordentliche Umfang der illegalen antifaschistischen Presse läßt sich z.B. aus einem Lagebericht der Gestapo ablesen: »Es sind im Jahre 1937: 927 430 (1936: 1 643 200) Hetzschriften zur Verbreitung gelangt, wovon ca. 70% kommunistische Erzeugnisse gewesen sind.« Nach Weisenborn: Der lautlose Aufstand S.177. Die illegale Verbreitung von Brecht-Eisler-Liedern in Hitler-Deutschland ist noch kaum untersucht; so wäre beispielsweise auch zu berücksichtigen, daß Eisler u.a. Mitarbeiter der illegalen Zeitschrift »Das Tribunal« (Zentralorgan der Roten

Hilfe Deutschlands gegen Faschismus, Klassenjustiz und weißen Terror) war; diese Zeitschrift erschien von Dezember 1933 bis 1936 monatlich und hatte eine Auflagenhöhe von 25 000. Vgl. Stroech S. 264.

7 Vgl. Brecht Briefe S. 187. Mit welchen Gefahren diese illegalen Transporte verbunden waren, schildert Willi Bohn in seinem Buch »Transportkolonne Otto«. Vgl. auch den Film »Die unsichtbare Spur« von Matthias Knauer vom Filmkollektiv Zürich.

8 Vgl. C. Bohnert

9 Vgl. Eislers Aufsatz »Das revolutionäre Lied. Einiges über die Aufgaben der Arbeiter-Gesangsvereine«. In: Arbeiter-Zeitung, Saarbrücken, 1. 2. 1934.

10 Klemm S. 101

11 Engberg S. 120

12 Briefe S. 184

13 Briefe S. 187

14 Exil in den Niederlanden und in Spanien. Leipzig 1981. S. 69

15 Vgl. Eisler: Einiges über das Verhalten der Arbeitersänger und -musiker in Deutschland. In: Musik und Politik I S. 252 ff. Wieweit die Arbeitersänger in Hitler-Deutschland begrenzten Widerstand leisteten, beschreibt Dorothea Kolland in Heister/Klein S. 204.

16 Eisler: a. a. O. S. 253

Die große Illusion: Arbeitermärsche für ein rotes Rätedeutschland

1 Brecht GW 19, 405

2 Sinn und Form Eisler S. 328

3 Brecht Gedichte S. 469

4 Ruth Berlau in Sinn und Form S. 327

5 Siebig S. 140 f.

6 Zitiert nach Niels Kadritzke: Arbeiterbewegung und Faschismus. Warum die antifaschistische Einheitsfront nicht zustande kam. In: Wem gehört die Welt? S. 32 Zur Saar-Abstimmung vgl. die ausführlichen Darstellungen von Bies, zur Mühlen und Schock.

7 Eisler hatte eine »Botschaft an das Saargebiet« unterzeichnet, die im September in »Der Gegen-Angriff« erschien; vgl. Grabs-Handbuch 2.66. Neuerdings ist das Saar-Lied erschienen auf der Eisler-LP von Johannes Hodek: Eisler – Musik gegen die Dummheit. Argument-Verlag Berlin/W. 1981

8 Vgl. The Sunday Referee, London, 18.11. 1934, ferner Schweizerische Sänger-Zeitung, Bern, 1. 12. 1934.

9 Brecht Briefe S. 229

10 Briefe S. 225

11 Brecht Gedichte S. 498

12 Gedichte S. 651. Nach Grabs-Handbuch 1.337 hat Eisler das Lied erst 1935 in den USA komponiert.

13 Gedichte S. 653

14 Gedichte S. 649

15 Deutschland-Bericht der Sopade. 1. Jgg. 1934. Reprint Salzhausen – Frankfurt/M. 1980. (Erschienen bei Zweitausendeins.) S. 500

16 A. a. O. S. 682

17 A. a. O. S. 688

18 Vgl. a. a. O. S. 688 ff. und 723 ff.

19 Brecht Gedichte S. 651. Schon 1931 hatte Brecht im »Lob des Dolchstoßes« (Gedichte S. 372 f.) ähnliche Formulierungen verwendet.

20 Gedichte S. 654

21 Hennenberg Nr. 67

22 Hennenberg S. 450

23 Hennenberg Nr. 66

24 Klemm: Briefwechsel Brecht-Eisler. S. 105

25 Klemm S. 104

26 L. Eisler-Fischer S. 71

27 Grabs: Neue Fakten zur Entstehung des ›Einheitsfrontlieds‹. In: Notate 1/84, S. 6

28 Brecht Gedichte S. 653

29 Vgl. Heister: Das Einheitsfrontlied. In: Argument-Sonderband Eisler (AS 5) S. 173

30 Eisler: Musik und Politik I S. 262

31 A. a. O. S. 243

32 Vgl. Gustav Regler: Das Ohr des Malchus. Eine Lebensgeschichte. Frankfurt/M. 1975. S. 305 f.

Zwischen New York und Moskau: Die Massenlieder verbreiten sich

1 Vgl. Eislers Ansprache bei amerikanischen Solidaritätskonzerten, in: Musik und Politik I S. 266 ff.

2 A. a. O. S. 211 ff.

3 Schebera: Eisler im USA-Exil S. 60

4 Vgl. Ashley Pettis: Hanns Eisler, Master of Red Songs. In: New Masses, 26. Febr. 1935. S. 18 f.

5 BBA 1254/18

6 Klemm: Briefwechsel Brecht-Eisler S. 106

7 Siebig S. 140 ff. Vgl. Eislers »Bericht über die Entstehung eines Arbeiterliedes« in: Musik und Politik I S. 274 ff. sowie Hanns Eisler: Peat-Bog Soldiers, in: New Masses, New York, 12. März 1935. S. 18 f. Vgl. den Roman »Die Moorsoldaten« von Wolfgang Langhoff (Zürich 1935).

8 Betz S. 126

9 Bauman S. 421

10 Lyon: Brecht in America, S. 19

11 Schebera: USA-Exil S. 61

12 Eisler: Eine amerikanische Reise. In: Musik und Politik I S. 307

13 Brecht Gedichte S. 563 f.
14 Reich S. 370
15 Brecht GW 19, 407
16 Mierau S. 269
17 Fradkin S. 551
18 Vgl. E. Piscator: Theater, Film, Politik. Ausgewählte Schriften. Berlin/DDR 1980 S. 124 ff.

Vernünftige Identifikation: Der Sänger Ernst Busch

1 Siebig S. 147. Für die Moskauer »Prawda« vom 25. 12. 1935 schrieb Tretjakow das Blitz-Porträt »Der Sänger-Agitator Ernst Busch«.
2 Drew: Über Kurt Weill S. 53
3 Drew S. 76
4 Drew S. 97
5 Siebig S. 73 u. 79
6 Siebig S. 82
7 Hanns Eisler heute S. 42
8 Mittenzwei: Exil in der Schweiz S. 219 f.
9 Siebig S. 144
10 Siebig S. 146
11 Siebig S. 151
12 Ib. Dies mußte freilich heimlich geschehen. Laut Gestapobefehl vom 4. 9. 33 wurde das Hören von Radio Moskau mit KZ bestraft. Vgl. Bergschicker S. 105
13 Siebig S. 171
14 Eisler heute S. 240
15 Siebig S. 181 f.
16 Eisler heute S. 248

Musik für die Einheits- und Volksfront

1 Bunge II S. 369 ff.
2 Bunge II S. 201
3 Bunge II S. 199
4 Eisler: Musik und Politik I S. 322. Vgl. Michael Tippet: International Workers' Music Olympiad. In: Music of the Angels. Essays and Sketchbooks. London 1980. S. 31 ff.
5 Vgl. Hanns Eisler in Moskau. In: Sovjetskoye Iskustwo (Sowj. Kunst), Moskau 29. Juni 1935
6 Eisler: Musik und Politik I S. 296
7 Betz S. 128. Auch Erwin Piscator wurde durch kulturpolitische Arbeit in diesen Jahren gänzlich absorbiert; zwischen 1931 und 1940 führte er keine einzige Regie. Vgl. Kirfel-Lenk S. 44.
8 Klemm: Briefwechsel S. 108
9 Ib.
10 Engberg S. 141
11 Völker: Brecht S. 243
12 Brecht Gedichte S. 566
13 Brecht Briefe S. 262
14 Brecht GW 12, 425 ff.

15 Bunge II S. 123
16 Briefe S. 262 f.
17 Briefe S. 267
18 Vgl. Lucchesi S. 125
19 Bunge II S. 88 ff.
20 Briefe S. 264
21 Ib.
22 Klemm S. 110
23 Klemm S. 109 f.
24 Klemm S. 110

Eine Amerikareise und ihre Folgen

1 Brecht Gedichte S. 559
2 Briefe S. 273
3 Bunge II S. 335
4 Gedichte S. 1160
5 Vgl. J. Lyon: Der Briefwechsel zwischen Brecht und der New Yorker Theatre Union von 1935. In: Brecht-Jahrbuch 1975. S. a. Brecht Briefe S. 274 ff.
6 Bunge II S. 100. Vgl. Briefe S. 275
7 Briefliche Mitteilung von Elie Siegmeister
8 Briefe S. 280
9 Lyon: Brecht in America S. 17
10 Brecht GW 19, 405
11 Vgl. Materialien zur ›Mutter‹ S. 100 ff.
12 Betz S. 130
13 Schebera: Weill S. 184
14 Schebera a. a. O. S. 185
15 Briefe S. 278
16 Lyon: Brecht in America S. 8
17 Briefe S. 284
18 B. Zuck S. 155
19 Todd/Lehrman S. 5
20 Ashley Pettis: Proletarian Music. In: The Nation CXXXV/3516, 23. Nov. 1932. Vgl. Pettis: Musical Flashlights from Moscow. In: Modern Music X/1 Nov.–Dez. 1932, S. 49–52, sowie E. Siegmeister: Musical Life in Soviet Russia. In: New Masses XIII/3 16. Okt. 1934, S. 28
21 Aaron Copland: Workers sing! In: New Masses, 5. Juni 1934, S. 28 f.
22 Vgl. B. Zuck S. 117
23 Eisler: Musikalische Reise durch Amerika. In: Musik und Politik I S. 288
24 Benannt nach dem Komponisten der »Internationale«.
25 Inhaltsverzeichnis bei Zuck S. 131
26 Siegmeister hatte Eislers Vorträge ins Englische übersetzt.
27 Zitiert nach Schebera: Eisler im USA-Exil S. 56 f. Eislers Ansprachen vor amerikanischen Arbeiterchören, seine lobenden Äußerungen über die New Singers wurden auch in der Presse zur Kenntnis genommen. Vgl. Daily Worker, New York, vom 17. 2. u. 24. 2. 1936.
28 Vgl. Materialien zur ›Mutter‹ S. 109 ff.
29 Vgl. Todd/Lehman S. 17

30 New Masses 23. Juni 1936. Vgl. auch M. Blitzstein: Hanns Eisler and the Mass Song. Weekly Supplement of the Daily Worker (New York) 27. Febr. 1938, S. 12: »Eisler has given the mass song the power of an aggressive and cultivated personality.«
31 Zuck S. 206
32 Ib.
33 Todd/Lehman S. 21
34 Zuck S. 263 f.
35 Drew: Über Kurt Weill S. 129
36 Vgl. Lehman Engel: The American Musical Theatre. New York 1975. S. 146 ff.
37 Zum Brecht-Einfluß in Blitzsteins musiktheatralischen Werken »I've Got the Tune« (1937) und »No for an Answer« (1941) vgl. Robert J. Dietz: The Operatic Style of Marc Blitzstein. Diss. University of Iowa 1970
38 Dietz: Artikel Blitzstein in: The New Grove. London 1980. Bd. 2 S. 794 ff.
39 Todd/Lehman S. 17
40 A. a. O. S. 20
41 Brecht GW 15, 472 ff.
42 GW 15, 479 f.
43 GW 17, 1049
44 Brecht Briefe S. 292
45 Gersch S. 353
46 Bunge II S. 103
47 Brecht Briefe S. 295 f.
48 Wyss S. 352
49 Brecht GW 3, 1206
50 Da Musik sonst fehlte und das Stück ohnehin nicht abendfüllend war, wurde es laut Programmzettel bei der Uraufführung durch den Film »Der letzte Milliardär« von René Clair sowie durch Songs und Balladen von Joseph Kosma, des musikalischen Mitarbeiters von Jacques Prévert, ergänzt.

Weite und Vielfalt realistischer Kunst

Neue Töne: die Zwölftontechnik

1 Vgl. Fuhr
2 Brecht-Gedichte S. 624
3 Gedichte S. 743 f.
4 Bunge II S. 92
5 Eisler: Musik und Politik I S. 272 f.
6 Lukács: Es geht um den Realismus. In: Das Wort, Juni 1938. S. 112 ff.
7 Brecht GW 19, 338
8 1937 schrieb Brecht an Piscator: »Von den Deutschen möchte ich am liebsten zunächst nur Deinen, meinen und Eislers Namen haben.« Briefe S. 317
9 Eisler: Musik und Politik I S. 272 f.
10 Stuckenschmidt: Schönberg. Zürich 1974. S. 354
11 Vgl. Dümling: Die fremden Klänge
12 Vgl. Csípák S. 206 ff.
13 Brecht Gedichte S. 389
14 Dodekaphon sind die beiden Außensätze.
15 Klemm: Briefwechsel S. 109

Eislers Hauptwerk des Exils:
»Deutsche Symphonie«

1 Klemm: Briefwechsel S. 109
2 Grabs: Eisler – Werk und Edition S. 15
3 Brecht Gedichte S. 634 ff. Schon frühzeitig warnten die Antifaschisten vor den militärischen Zielsetzungen des Nazistaats. So erschien bereits 1934 in den Pariser Editions du Carrefour unter dem Pseudonym Dorothy Woodman Albert Schreiners reichdokumentiertes Buch »Hitler treibt zum Krieg«! (Reprint Frankfurt/M. 1974)
4 In der Umkehrform werden die Bewegungsrichtungen aller Intervalle innerhalb der Reihe umgekehrt; z. B. wird aus einer Quinte abwärts eine Quinte aufwärts. In der Krebsform wird die ganze Reihe rückwärts abgespielt, die Töne erklingen in der Reihenfolge 12, 11, 10 usw. Zur Reihenbehandlung in »Gegen den Krieg« vgl. Csípák S. 193 ff.
5 Brecht Gedichte S. 641
6 Eisler: Lieder und Kantaten (ELK) 1, S. 83
7 Grabs: Eisler – Werk und Edition. Dokument 57
8 ELK 2, 117 nach Brecht-Gedichte S. 647
9 ELK 2, 199 nach Gedichte S. 584
10 Sovjetskoye Iskustwo vom 29. Juni 1935
11 Klemm: Briefwechsel S. 113
12 Vgl. die 1936 gegründete Workers' Music Association, zu deren Vizepräsidenten neben Eisler so bekannte Persönlichkeiten wie Benjamin Britten, Pablo Casals, Aaron Copland, Alois Haba u. a. zählten. Vgl. Eisler: Musik und Politik II S. 118
13 Eisler: Musik und Politik I S. 331 f.
14 Schebera: USA-Exil S. 108
15 René Leibowitz, bei dem Webern und Ravel Komposition studiert hatten, unterrichtete damals in Paris Paul Dessau in Zwölftontechnik; Leibowitz wiederum lernte bei Dessau Dirigieren.
16 Auch Brecht wollte später im Zinksarg beigesetzt werden, er verstand sich als »Hetzer« im Sinn der Nazis.
17 Eisler: Musik und Politik II S. 75 Nach der englischen Erstaufführung in London folgte erst am 11. Mai 1983 eine weitere westliche Aufführung von Eislers Deutscher Symphonie, interpretiert vom Radio-Symphonie-Orchester Berlin (West) unter der Leitung von Harke de Roos. Das Konzert im Großen Sendesaal des Senders Freies Berlin, eine Veranstaltung des Berli-

ner Kulturrats zur Erinnerung an Hitlers
Machtübernahme 1933, wurde vom SFB
aufgezeichnet und ausgestrahlt.

Rückblick und Vorausschau:
Elegien und Kinderlieder

1 Bunge II S. 81
2 Brecht Gedichte S. 578
3 BBA 519/10
4 Schebera: USA-Exil S. 65
5 Bunge II S. 72
6 Ib.
7 Brecht Briefe S. 313
8 Bunge II S. 143
9 BBA 75/86
10 Hennenberg Nr. 72 u. 73
11 Brecht Gedichte S. 724
12 Vgl. Bunge II S. 146 f.
13 Brecht, Gedichte S. 332
14 Gedichte S. 340
15 Engberg S. 100
16 Engberg S. 101
17 Hennenberg Nr. 70
18 Gedichte S. 425
19 Frisch: Brecht in Augsburg S. 156 f.
20 Vgl. Csipák S. 347

Das große Vorbild: Lenin

1 Lyon: Brecht in America S. 14. Das Lenin-
Porträt, das Diego Rivera 1933 in seinem
Wandbild »Der Mensch am Scheideweg«
im Rockefeller Center New York gemalt
hatte, mußte auf Wunsch des Auftragge-
bers schon vor der Fertigstellung wieder
zerstört werden.
2 Brecht Gedichte S. 689 ff.
3 Hecht: Brecht – Bildbiografie S. 138 f.
4 In der Druckfassung der Svendborger Gedichte (1939) waren dagegen schon
»15 Jahre« vergangen seit Lenins Tod.
5 Klemm: Hanns Eisler S. 37
6 Ähnlich rätselhaft war das Schicksal der
großen vokalsymphonischen Lenin-Sym-
phonie nach Majakowski, an der Dmitri
Schostakowitsch 1938–40 arbeitete, ohne
sie zu vollenden.
7 Csipák S. 332
8 Vgl. die Takte 15, 33, 41, 47, 51, 142, 166,
256, 285, 348 usw.
9 Takt 263 ff.
10 Takt 100 ff. »Vielleicht wird er an Krücken
kommen«.
11 Vgl. Grabs-Handbuch 1.653
12 Inhaltlich basiert das Gedicht vor allem auf
Lenins Schrift »Was tun?« Vgl. Knopf:
Brecht-Handbuch Lyrik S. 75
13 Brecht GW 15, 485
14 GW 15, 484

Lyrik als Flaschenpost

Brecht ohne Eisler

1 Laut Gespräch mit Günther Anders/Wien
im Jan. 1979
2 Brecht AJ 1. 9. 39. Ähnlich Ernst Bloch
schon 1935 in seinem Weltbühnen-Auf-
satz »Musik der Bedrohung«. In: Vom
Hasard zur Katastrophe S. 30 ff.
3 AJ 9. 9. 39
4 AJ 8. 6. 40
5 AJ 5. 7. 40
6 AJ 8. 7. 40
7 AJ 4. 12. 40
8 Hennenberg S. 418
9 Kowalke S. 149. Immerhin vertonte Weill
aber Nannas Lied aus Die Rundköpfe und
die Spitzköpfe, das er zu Weihnachten 1939
seiner Frau schenkte. Es ist enthalten in der
Sammlung »The Unknown Weill«, hgg.
von Lys Symonette, European American
Music Corporation 1982 und wurde auf
der Schallplatte Nonesuch 33 = D-790 19
von Teresa Stratas gesungen.
10 AJ 7. 10. 40
11 AJ 16. 10. 40
12 AJ 2. 2. 41
13 Vgl. W. Mittenzwei: Das Zürcher Schauspielhaus 1933–45 oder Die letzte Chance. Berlin/DDR 1979. Ferner Curt Riess:
Sein oder Nichtsein – Roman eines Theaters – Zürcher Schauspielhaus. Zürich
1963. Leopold Lindtberg: Reden und Aufsätze. Zürich u. Freiburg i. Br. 1972
14 Hennenberg S. 419
15 Wyss S. 209
16 Notenbeispiel aus D. Baumann

Eisler ohne Brecht

1 Vgl. Zuck S. 137. Da die neue KP-Kultur-
politik stärker auf Folkmusic als auf Arbeiterlieder setzte, löste sich das New Yorker
Composers' Collective allmählich auf.
War Charles Seeger, der Altmeister der
amerikanischen Musikwissenschaft, unter
dem Pseudonym Carl Sands Sprecher des
Composers' Collective gewesen, so wurde
sein Sohn Pete Seeger zu einem der wichtigsten Vertreter der amerikanischen Folk-
song-Bewegung. Er begründete zusammen mit Woody Guthrie und den Alma-
nac Singers die sogenannten Hootenan-
nys, bei denen er – ähnlich wie Ernst
Busch – mit großen Volksmengen Lieder
einstudierte. Zu den eigenen Liedern von
Pete Seeger gehören »Where Have All
The Flowers Gone« (Sag mir wo die Blu-
men sind) und »If I Had A Hammer«.
2 Bauman S. 421

3 Grabs: Wer war Eisler S.102
4 Schebera: USA-Exil S.65
5 Ausführlich dazu Zuck S.155 ff.
6 Auch Kurt Weill setzte damals große Hoffnungen auf das Federal Theatre Project. Vgl. Weill S.85
7 A. Pettis hatte die Form der Gesprächskonzerte 1932 auf einer Studienreise durch die Sowjetunion kennengelernt.
8 Liste der zur Diskussion gestellten Komponisten bei Zuck S.172 f.
9 Zuck S.174
10 Betz S.145
11 Sinn und Form Eisler S.38
12 Betz S.152
13 Vgl. P. Casals: Licht und Schatten auf einem langen Weg. Frankfurt/M. 1974 S.174 ff. In dem Appell, den Casals am 17. Oktober 1938 über Radio an die demokratischen Nationen der Welt richtete, hieß es: »Wenn Sie es zulassen, daß Hitler in Spanien siegt, werden Sie die nächsten sein, die seinem Wahnsinn zum Opfer fallen werden.« Nach Francos Sieg emigrierte Casals und betrat aus Protest nie wieder spanischen Boden.
14 M. Bauman S.421
15 Betz S.152
16 K. Csipák (S. 209 ff.) erklärte dies durch die Brecht und Eisler gemeinsame Ausdrucksfeindschaft.
17 Brecht Gedichte S.720
18 Hennenberg Nr.71. Eisler hat das Gedicht auch als zweistimmigen Kanon vertont. Vgl. Grabs-Handbuch 1.298
19 Von diesem Lied existiert eine Schallplattenaufnahme mit Dietrich Fischer-Dieskau u. Aribert Reimann. EMI C 065-02 677.
20 Hanns Eisler heute S.116
21 Betz S.152
22 Möglicherweise plante Eisler damals, eine »Courage«-Bühnenmusik zu schreiben. In einem Brief vom 1. 2. 1941 an den Reiss-Verlag in Basel (BBA 1081/58) erwähnte Brecht diese Möglichkeit. Vgl. Grabs-Handbuch 1.415

Eislers Loslösung von der Zwölftontechnik

1 Th. Kirfel-Lenk S.71 u. 76
2 Vgl. Csipák S. 213 ff.
3 Adorno: Philosophie der Neuen Musik. Frankfurt/M. 1969 S.110
4 Adorno S.117
5 Adorno S.81 f.
6 Vgl. die von Eisler zitierten Pressestimmen in Musik und Politik III (Addenda) S.135 f.
7 Der Pianist Oscar Levant (1906–1972) studierte in Hollywood bei Schönberg, trat aber auch als Entertainer in Funk- und Fernsehshows sowie in Spielfilmen (»An American in Paris«) auf.
8 Adorno/Eisler: Komposition für den Film S.192 f.
9 Bunge II S.71 f.
10 Eisler: Musik und Politik III S.44 ff.
11 Zu seiner Filmkomposition »Vierzehn Arten den Regen zu beschreiben« ließ sich Eisler u.a. auch durch Mozarts Streichquintette inspirieren. Vgl. J. Schumacher
12 Eisler: Materialien S.289
13 A.a.O. S.291
14 J. Schumacher S.538

Gegen falsche Tonfülle:
Das Hollywooder Liederbuch

1 Betz S.160
2 Brecht AJ 21.4. 42
3 AJ 23.3. 42
4 AJ 21.10. 41
5 AJ 5.4. 42
6 AJ 24.8. 40. Zu Eislers Kritik der Autonomie-Ästhetik vgl. Csipák S. 42 ff.
7 AJ 15.4. 42
8 E. Bloch, Zerstörte Sprache – zerstörte Kultur. In: Vom Hasard … S.421
9 Clurman S.128 f., übersetzt vom Verfasser
10 Vgl. Eislers Änderungen von Brecht-Texten in der Mappe BBA 1250
11 Bunge II S.35
12 Clurman S.129 f.
13 Brecht Briefe S.455
14 Bunge II S.16
15 AJ 24.4. 42
16 AJ 27.4. 42
17 Eisler: Lieder für eine Singstimme und Klavier. Vorgelegt von Manfred Grabs. Gesammelte Werke Serie I Band 16. Leipzig 1976. S.241
18 Brecht GW 15, 487–497. Brecht erhielt dafür ein Honorar von 250 Dollars. Vgl. Schebera: USA-Exil S.79
19 Brecht GW 15, 493
20 A.a.O. S.497
21 AJ 21.6. 42
22 AJ 30.6. 42
23 AJ 7.5. 42
24 Bunge II S.110
25 Bunge II S.345
26 Brecht GW 10, 1293. Vgl. Bunge II S.296 ff.
27 GW 10, 1081. Ein ähnliches Motiv im Gedicht »Der Lautsprecher«. Gedichte S.758
28 Hennenberg Nr.76
29 AJ 26.7. 42
30 Bunge II S.33
31 AJ 29.7. 42
32 Gedichte S.815

33 Hennenberg Nr. 79
34 Erst am 1. Sept. 1942 bezog er eine richtige Wohnung
35 Vgl. Eislers Lieder »Der Sohn I« T. 27–29, »In den Weiden« T. 12–14

Die Hollywood-Elegien

1 Bunge II S. 43
2 AJ 27.12. 41
3 AJ 21.1. 42
4 AJ 12.8. 42
5 Gedichte S. 850
6 Gedichte S. 848
7 BBA 98/74–75
8 Bunge II S. 304
9 BBA 16/57
10 HEA 130/9–44
11 AJ 3.10. 42
12 Adorno/Eisler: Komposition für den Film S. 63 f.
13 Lyon: America S. 212 f.
14 G. Grosz: Ein kleines Ja und ein großes Nein. Sein Leben von ihm selbst erzählt. Reinbek 1974. S. 256
15 Bunge II S. 127
16 Vgl. Dümling: Friedrich Hölderlin vertont von Hanns Eisler, Paul Hindemith, Max Reger. (= Lied und Lyrik Bd. 2) München 1981, S. 93 ff.
17 AJ 16.8. 44

Brecht und Schönberg

1 AJ 9.5. 42
2 AJ 18.7. 42
3 AJ 19.7. 42
4 AJ 27.6. 42
5 Bunge II S. 61
6 H. H. Stuckenschmidt: Schönberg. Zürich 1974, S. 414
7 Bunge II S. 61 f.
8 AJ 21.10. 44
9 AJ 22.8. 42
10 Dümling: Fremde Klänge S. 204 ff.

Ein verschwiegenes Vorwort

1 Überliefert wurden 47 Lieder.
2 Abgedruckt in Grabs: Wer war Eisler S. 160. Wie gut auch die Eislerschen Melodien für sich bestehen können, zeigen die instrumentalen Jazz-Versionen auf den Schallplatten des Duos Heiner Goebbels & Alfred Harth.
3 Walter Goehr komponierte 1968 das dramatische Madrigal »Naboth's Vineyard« op. 25 nach Brecht. Dazu St. Sadie in Musical Times CIX, 1968, S. 625 f.

4 Grabs: Wer war Eisler S. 278
5 Betz S. 161
6 HEA 172/83
7 Grabs-Handbuch 1.312. Das Werk ist auch in Adorno/Eislers Buch »Komposition für den Film«, München 1969, S. 166 ff., erwähnt.
8 Bunge II S. 45
9 Adorno: Minima moralia. Reflexionen aus dem beschädigten Leben. Frankfurt/Main 1969. S. 58
10 Hennenberg: Hollywooder Liederbuch S. 417

An die deutschen Soldaten im Osten

Neue Hoffnung auf den Rundfunk

1 Lyon: America S. 270
2 AJ 26.12. 41
3 Lyon S. 207
4 Exil in den Niederlanden und in Spanien S. 257 ff.
5 Exil in den Niederlanden S. 246. Vgl. auch Deutschlandberichte der Sopade. 4. Jgg. 1937. S. 487 ff. und 621 ff.
6 Exil in der UdSSR S. 348 ff.
7 R. Wolff S. 162 f.
8 AJ 9.5. 42
9 Völker: Brecht S. 328 ff.

Aufgeschlossen für Brechts Ziele: Paul Dessau

1 Brecht Briefe S. 365 ff.
2 Brecht GW 19, 340 ff.
3 Helene Weigel stand dieser Musik kritisch gegenüber. Vgl. Hecht: Brecht-Bildbiografie S. 151
4 Vgl. die Passagen »Steht auf von eurem Essen« sowie »Und das muß sein noch heute«.
5 Hennenberg: Dessau/Brecht. Musikalische Arbeiten. S. 541
6 Hennenberg Nr. 91
7 Hennenberg: Dessau/Brecht S. 542
8 Lyon: America S. 274

Eine neue musikalische Anti-Hitler-Koalition

1 Vgl. Gedichte S. 718
2 Vgl. Jarman S. 139
3 Vgl. Sanders S. 310 f.
4 Zuck S. 183 ff.
5 Vgl. Erhard Bahr: Der Schriftstellerkongreß 1943 an der Universität von Kalifornien. In: Deutsche Exilliteratur seit 1933. Bd. 1: Kalifornien, hgg. von John M. Spalek und Joseph Strelka. Bern u. München o. J. S. 260

6 Jarman S.77
7 Kirfel-Lenk S.24
8 Lyon: America S.274
9 Brecht Gedichte S.843
10 Vgl. R.Stephan in Österreichische Musikzeitschrift 1/1984
11 Vgl. die von Heinz-Klaus Metzger betreute Ausgabe der Kompositionen Adornos
   in der Edition Text und Kritik, München.
12 Brecht Gedichte S.854
13 HEA 166/96
14 Eisler: Lieder und Kantaten Bd.IV, 11
15 Zeraschi S.201
16 Bunge II S.58
17 Brecht Gedichte S.1215
18 Hennenberg Nr.43
19 Hanns Eisler heute S.193
20 Hanns Eisler heute S.181

Zerschlagene Hoffnungen

1 Lyon: America S.287
2 Brecht Briefe S.491
3 Aufricht S.218f. Aufrichts Sohn konnte
   die Erfahrungen seines Vaters verwerten,
   als er ab 1946 in Europa Radiowerbe-
   shows für Coca Cola produzierte. Waren
   die antifaschistischen Rundfunksendungen aus Rücksicht auf nazifreundliche Hörer in den USA eingestellt worden, so
   nahm man bei den Coca-Cola-Shows weniger Rücksicht; sie wurden trotz der Proteste französischer Weinbauern regelmäßig über Radio Luxemburg ausgestrahlt.
   Vgl. Aufricht S.230.
4 Brecht Briefe S.485. Ähnlich Brechts Einschätzung in einem Brief, den er nach
   1945 an einen amerikanischen General
   richtete: »Die Widerstandsbewegung gegen Hitler war beträchtlich, erheblich umfangreicher, als die isolierte und verhältnismäßig unbedeutende, jedenfalls ganz
   unrepräsentative Aktion der Generäle am
   20.Juli es vermuten läßt. Mindestens
   30 Divisionen ziviler Kämpfer sind gegen
   Hitler gefallen.« Briefe S.568f. Laut Gestapobericht waren im Kriegsausbruch
   rund 300000 Deutsche aus politischen
   Gründen in Haft. Vgl. Weisenborn: Der
   lautlose Aufstand S.175.
5 R.Wolff S.19
6 Thomas Mann: Schicksal und Aufgabe. In:
   Politische Reden und Schriften. Bd.3
   Frankfurt/M. 1968. S.130f.
7 Hennenberg: Brecht-Liederbuch S.415
8 AJ 6.7.1942
9 Lyon: America S.113. Schon 1934 hatte
   der zunächst nach Wien emigrierte Robert
   Gilbert den Stoff in seinem Gedichtzyklus
   »Schweyk im 3.Reich« politisch aktualisiert. Ob Brecht diese Gedichte, die 1946

in Gilberts Band »Meine Reime deine
Reime« in New York veröffentlicht wurden, gekannt hat, ist nicht überliefert.
Hinweis auf Gilbert durch frdl. Mitteilung
von Horst Budjuhn/Locarno.
10 Knust (Hrsg.): Materialien zur ›Schweyk
   im 2.Weltkrieg‹, S.153. Brecht änderte
   die bei Hasek übliche Schreibweise
   »Schwejk« um in »Schweyk«.
11 Brecht Briefe S.461 ff.
12 Briefe S.472
13 Aufricht S.223
14 Zitiert nach K.Gleber S.320
15 Noch am 16. Juli 1954 notierte sich Piscator unter der Überschrift »Schweyk – oder
   ›Alle meine Freunde –« in sein Tagebuch:
   »Zuerst stahl ihn mir Kurt Weill (Jonny
   Johnson mit Paul Green). Dann Brecht –
   jetzt Kortner. Und alles ist so selbstverständlich. – Wir blieben Freunde, – waren
   wir es je?« Tagebuch 13 im Piscator-Center der Akademie der Künste Berlin/W.
16 Knopf: Handbuch Lyrik S.244
17 Lyon: America S.177
18 Lyon S.114. Virgil Thomson war der Auffassung, daß sich Weill gegen jeden Verdacht der Nähe zum Kommunismus abzusichern versuchte. Vgl. Jarman S.139.
19 Sanders S.319
20 Gersch S.200ff. Lyon S.58ff.
21 Brecht Gedichte S.852
22 R.Wolff S.21
23 Vgl. die kurze Beschreibung der Partitur-
   skizzen bei Schebera: USA-Exil S.136f.

Eisler als Komponist von Bühnenmusik

»Die Gesichte der Simone Machard«

1 AJ 7.7.40
2 AJ 28.5.43, Bunge II S.51f.
3 Sinn und Form-Sonderheft Eisler S.328
4 Dessau: Notizen zu Noten S.20
5 Bunge II S.82
6 New York Times 22.2.40
7 New York Post 28.3.40
8 Brecht Briefe S.456
9 Ähnlich forderte Brecht in seinem Dramenfragment »Das wirkliche Leben des
   Jakob Geherda« zu mehreren Traumszenen eine Musik, »die dem Vorgang Unwirklichkeit verleiht«. GW 7, 2969
10 Brecht Gedichte S.603
11 Dieses Filmszenario (BBA 158/10) beschreibt die Geschichte des Jazz als die
   Geschichte der Neger. Möglicherweise
   steht es in einem Zusammenhang mit dem
   Jazz-Film »Syncopation« von William
   Dieterle.

Brechts größter Theatererfolg in den USA: »Leben des Galilei«

1 Bunge II S. 167
2 S. Hovey
3 Bunge II S. 74
4 Notowicz S. 199

Vernünftiges Ziel oder Phantom: Dessau und das chinesische Modell

1 Aufricht S. 227
2 BBA 204/49
3 BBA 204/67
4 Als Schmutzaufwirblerin wollte Brecht die Musik auch in der *Dreigroschenoper* verwendet haben. Vgl. GW 15, 474
5 GW 10, 894
6 AJ 16. 11. 41
7 Hennenberg Nr. 88
8 Lyon: America S. 246
9 Dessau: Notizen zu Noten S. 51
10 Hennenberg: Dessau/Brecht S. 328 ff.
11 Hennenberg a. a. O. S. 354
12 Beeinflußt von Musik aus Afrika und Bali schufen Reich und Riley etwa ab 1970 längere Musikstücke, in denen sich einfache Ostinatoelemente allmählich verändern bzw. überlagern.
13 Eisler, der schon früh Texte nach dem Chinesischen vertonte, lernte chinesische Musik vor allem durch seine chinesische Schülerin Yao Chin-Hsin kennen. Vgl. Eisler: Die deutsch-chinesische Freundschaft. In: Musik und Politik II S. 111
14 AJ 3. 7. 44
15 Brecht Briefe S. 494
16 Brecht GW 17, 1207
17 Dessau: Notizen zu Noten S. 101
18 Dessau S. 185 ff.
19 Bunge II S. 69
20 Brecht GW 15, 481
21 Bunge II S. 54
22 Bunge II S. 69
23 AJ 6. 11. 44
24 Brecht GW 15, 487
25 Ib.
26 Stern nannte sich später Günther Anders.
27 AJ 8. 1. 42
28 Dessau: Gespräche S. 64
29 Hennenberg: Dessau/Brecht S. 330
30 Bunge II S. 157
31 Dessau: Gespräche S. 20

Wartend auf den Tag der Rückkehr

Rivalitäten

1 AJ 20. 6. 45
2 Bunge II S. 85 f.
3 Bunge II S. 84
4 Brecht GW 15, 423
5 AJ 20. 7. 45
6 Eisler: Musik und Politik III, S. 310
7 M. Druskin: Strawinsky. Persönlichkeit, Schaffen, Aspekte. Leipzig 1976. S. 82
8 Brecht GW 15, 291
9 BBA 1123/08
10 Dessau: Gespräche S. 64

Mozart statt Wagner

1 B. Britten hatte schon seine Blasorchesterkomposition »Krieg und Tod« für eine gemeinsame Aufführung mit dem Lehrstück *Die Maßnahme* am 8. März 1936 im Londoner Westminster Theatre geschrieben. Vgl. Sinn und Form Eisler S. 331. 1946 entstand seine Bühnenmusik zur New Yorker Aufführung von *The Duchess of Malfi*. Von der Zürcher Aufführung der *Mutter Courage* war er 1950 so beeindruckt, daß er eine »Courage«-Oper plante. Vgl. Stuckenschmidt: Zum Hören geboren S. 219. Noch kurz vor seinem Tod vertonte Britten Brechts »Kinderkreuzzug«. Vgl. Rezension in: Tempo (London), März 1975, S. 40 f.
2 Brecht GW 15, 485 ff.
3 Gedichte S. 717
4 AJ Juli 1944. Kortner jedoch erinnerte sich an »Klemperers stumm-staunendes Gesicht, als Brecht sein Mißfallen darüber äußerte, daß Lohengrin von Elsa von Brabant verlange, sie solle ihn nicht befragen.« Kortner: Aller Tage Abend. S. 501. Den Grund für Brechts Mißfallen fügte Kortner hinzu: »Brecht war unbedingt für Befragen und gegen mystifizierende Geheimnistuerei.«
5 Dessau: Notizen zu Noten S. 170
6 Bunge II S. 22 Thomas Manns politische Einschätzung der deutschen Musikalität, Innerlichkeit und Tiefe, vor deren Gefährlichkeit er am 29. Mai 1945 in seiner Rede »Deutschland und die Deutschen«, vor allem aber in seinem »Faustus«-Roman warnte, hätte Brecht allerdings geteilt.
7 Eisler: Materialien S. 227 ff.
8 Bunge II S. 115
9 Weill: Schriften S. 142
10 Brecht GW 15, 486
11 Vgl. Dessau: Notizen zu Noten S. 157 ff.; Eisler: Materialien S. 287 ff.

Der Ausschuß oder Die Kalte Hinrichtung

1 Völker: Brecht. S. 340. Auch Günther Weisenborn, der 1937 aus dem USA-Exil nach Hitler-Deutschland gegangen war, um sich dem innerdeutschen Widerstand anzuschließen, richtete einen Rückkehrruf an Brecht. Vgl. Wagenbach (u.a. Hrsg.): Vaterland, Muttersprache. S. 43 ff.
2 Eisler: Musik und Politik III S. 234 f.
3 Vollständige Transkription des Verhörs bei Schebera: USA-Exil, und Grabs: Wer war Eisler.
4 Vgl. Brechts Verhör in Alternative, 15. Jgg (1972) Nr. 87
5 R. Wolff S. 74 f.
6 Bunge II S. 94
7 Brecht: Anrede an den Ausschuß. GW 20
8 Schebera: Weill. S. 232
9 Eisler: Musik und Politik III S. 236
10 Ib.
11 Brecht: Wir Neunzehn. GW 20
12 Zu den Ausnahmen gehören die San Francisco Mime Troup, die Elemente des Agitprop- und Volkstheaters mit Eisler- und Folklore-Musik verbindet, sowie der Brecht-Übersetzer und -Sänger Eric Bentley, der 1967 zusammen mit dem Komponisten Earl Robinson ein »Brecht-Eisler Song Book« herausgab (Oak Publications, New York, N. Y.). Vgl. auch Bentleys Schallplatte »Songs of Hanns Eisler« bei Folkways (FH 5433).

Musik im Übergang

Zwischenstationen

Krieg und Frieden, Freiheit und Democracy

1 Brecht Gedichte S. 953
2 Brecht Briefe S. 546
3 Schumacher: Bildbiografie S. 179
4 Völker: Chronik S. 117 f.
5 Briefe S. 547
6 Vgl. B. Engelmann: Das Reich zerfiel, die Reichen blieben. Hamburg 1972. Sehr aufschlußreich auch Jörg Friedrich: Die kalte Amnestie. NS-Täter in der Bundesrepublik. Frankfurt/M. 1984.
7 Gedichte S. 943 ff.
8 HEA (Eisler-Archiv) 156/102-104. Vgl. die Aufnahme mit Ernst Busch auf Aurora 815 100. Vgl. die Eintragungen in der 1951 im Aufbau-Verlag erschienen Brecht-Ausgabe von »Hundert Gedichte« in Eislers Nachlaß. (S. 95 ff.)
9 Vgl. Hennenberg: Dessau-Brecht S. 228 ff.
10 Bei den Bundestagswahlen, bei denen unter der Parole »Freiheit statt Sozialismus« der bayrische Ministerpräsident F. J. Strauß als Kanzlerkandidat auftrat, erhielt Brechts Ballade neue Aktualität. Entsprechend der Tradition der Straßenaufzüge, an die sich der Dichter angelehnt hatte, wurde der Anachronistische Zug szenisch arrangiert und reiste in dieser Form durch die Bundesrepublik.
11 Brecht Briefe S. 569. Der Adressat von Brechts Brief war möglicherweise der Oberbefehlshaber der US-amerikanischen Besatzungsmacht, General Lucius Clay, der sich zunächst noch den antisowjetischen Zielsetzungen des US-Außenministeriums widersetzte. Vgl. dazu John H. Backer: Die deutschen Jahre des Generals Clay. München 1983.
12 AJ 25. 9. 45
13 Brecht Gedichte S. 1093
14 Gedichte S. 1100
15 Gedichte S. 1111
16 Gedichte S. 1123
17 Briefe S. 576
18 Briefe S. 583
19 Lerg-Kill S. 269 f.

Salzburg – ein Weimar des 20. Jahrhunderts?

1 Saathen: Einem. S. 168
2 Saathen S. 161
3 Vom »Zusammenschmieden« hatte Caspar Neher gesprochen. Vgl. Saathen S. 168
4 Saathen S. 177
5 Blacher hatte 1946 eine Hörspielmusik zum »Kinderkreuzzug« für den Berliner Rundfunk und 1947/48 eine Bühnenmusik für die »Furcht und Elend«-Aufführung am Deutschen Theater/Berlin komponiert; bei einzelnen Plattenproduktionen arbeitete er mit Ernst Busch zusammen.
6 AJ 29. 4. 50
7 Vgl. D. Härtwig: Der Opernkomponist Rudolf Wagner-Régeny. Leben und Werk. Berlin/DDR 1965.
8 Saathen S. 183
9 Saathen S. 184
10 Luigi Nono stellte Brechts »An die Nachgeborenen« als Epilog an den Schluß seines Bühnenwerks *Intolleranza* (1960), das sich auch im Februar 1985 an der Hamburger Staatsoper als unvermindert aktuell erwies.

Einer aus der »Clique«:
Rudolf Wagner-Régeny

1 Wyss S. 278
2 Brecht GW 19, 489

3 Briefe S. 685
4 Hennenberg Nr. 113
5 Hennenberg Nr. 116
6 Hennenberg Nr. 118
7 Hennenberg Nr. 117
8 Hennenberg Nr. 115
9 Tilo Medek: Vergessener Komponist aus Transsylvanien. Erfahrungen mit R. Wagner-Régeny. In: Neue Musikzeitung (Regensburg) April/Mai 1981, S. 3–4
10 Gedichte S. 660 ff.
11 Vgl. Hennenberg Nr. 56 u. 57
12 Knopf: Dramen S. 347
13 Wyss S. 327
14 Vgl. Medek a. a. O.

Die Mühen der Ebenen

Eislers Widerwille gegen Marschlieder

1 Nach John H. Backer, damals Mitarbeiter von General Clay, gehörte nach der Schaffung der Bizone »die Einheit Deutschlands für Washington nur noch pro forma zum politischen Programm«; es sollte »der Anschein gewahrt werden«, um »die Schuld der anderen Seite zuzuschieben«. Backer S. 197
2 Brecht Briefe S. 559
3 Eisler: Materialien S. 181 ff.
4 Briefe S. 557
5 Schon im November 1947 war der Kulturbund im amerikanischen u. britischen Sektor Berlins verboten worden.
6 Vgl. die Auflistung der überlieferten Musiktitel bei M. Grabs: Hanns Eislers Versuche um die Oper S. 627
7 »Ich hielt es für so wichtig.« Gespräch mit dem Arbeiterkomponisten Hanns Eisler, in: Berliner Zeitung vom 26. 10. 1948. Vgl. auch »Soziale Verantwortung des Komponisten«. Gespräch mit Hanns Eisler, in: Tägliche Rundschau (Berlin) v. 7. 10. 1948
8 Zitiert nach Eisler: Musik und Politik II S. 23
9 Bunge II S. 91 f.
10 Grabs: Werk und Edition S. 25. Eine orchestrale Fassung des »Einheitsfrontliedes« komponierte Eisler im September 1948 in Prag; sie wurde im Oktober beim XIV. Parteitag der KPÖ uraufgeführt. Eine mehr kammermusikalische Version entstand im Frühjahr 1949 in Wien.
11 Vgl. Peter Schleuning.

Erster großer Theatererfolg im Nachkriegsdeutschland: »Mutter Courage und ihre Kinder«

1 AJ 29. 12. 48
2 Hennenberg Nr. 93. Dazu Dessau: Notizen zu Noten S. 125 ff.
3 Hennenberg Nr. 92
4 Dessau: Notizen S. 41 f.
5 Hennenberg Nr. 44
6 Vgl. Parmet: Die ursprüngliche Musik
7 Vgl. Hennenberg: Brecht-Liederbuch S. 419
8 Vgl. Hennenberg: Dessau-Brecht S. 226 ff. Aus diesem grundlegenden Buch wurde auch das obige Notenbeispiel entnommen.
9 Hennenberg Nr. 45
10 Dessau: Gespräche S. 14
11 Dessau: Notizen zu Noten S. 70
12 Notizen zu Noten S. 52 ff.
13 Notizen S. 59
14 H. F. Hartig war über Boris Blacher zu Brecht gekommen und dirigierte insgesamt 98 mal die »Mutter Courage«-Musik des mit ihm befreundeten Dessau. Oft begleitete er Ernst Busch am Klavier. Mit Aufführungsangeboten versuchten Brecht und Helene Weigel, Hartig in der DDR zu halten; dieser, der »mit Politik nichts zu tun haben wollte«, konnte sich jedoch nicht zur Übersiedlung entschließen. (Laut Telefongespräch 1984 mit der Witwe des Komponisten.) Es war keine ganz unabhängige, freie Entscheidung. Während von den Ost-Berliner Behörden damals gesamtdeutsche Aktivitäten gefördert wurden, verhängte der Westberliner Senat Sanktionen gegen solche Künstler, die in beiden Teilen Berlins arbeiten wollten. So wurde beispielsweise Erich Kleiber wegen gleichzeitiger Verpflichtungen in Ost-Berlin 1952 daran gehindert, in West-Berlin das Berliner Philharmonische Orchester zu dirigieren. Vgl. die Proteste von Kleiber und Peter Huchel gegen dieses Verbot bei Wagenbach: Vaterland, Muttersprache. S. 112
15 Jhering: Brecht hat ... S. 227
16 AJ 7. 1. 48
17 Briefe S. 584 u. 595
18 AJ 17. 1. 49
19 Brecht GW 17, 1148
20 Kortner: Aller Tage Abend S. 482
21 Bunge II S. 25 f.
22 Brecht GW 17, 1135
23 Leopold Lindtberg: Paul Burkhard – Ein Gespräch mit Dorothea Baumann. In: Baumann S. 241 f.

Gegen deutschen Untertanengeist:
»Puntila« und »Hofmeister«

1 Brecht Gedichte S. 955
2 AJ 2.1.49
3 Hennenberg: Brecht-Liederbuch S. 470
4 Hennenberg Nr. 92
5 Dessau: Notizen zu Noten S. 70
6 Brecht Briefe S. 579
7 Brecht Gedichte S. 1209
8 Außer dem Puntila-Lied enthält die Bühnenmusik noch ein »Pflaumenlied« und eine »Ballade vom Förster und der schönen Gräfin«. Vgl. Hennenberg Nr. 50. Für den »Puntila«-Film von Alberto Cavalcanti hat auch Eisler 1956 diese Gedichte vertont.
9 Brecht GW 17, 1173
10 Vgl. Dessau: Notizen zu Noten S. 60
11 Brecht GW 17, 1233
12 Vgl. »Die türkische Musik«. Gedichte S. 580
13 Vgl. AJ 8.3.41
14 Vgl. Hennenberg: Dessau-Brecht S. 461
15 Brecht Briefe S. 638
16 Briefe S. 659 f.

Auseinandersetzungen um kritische Opern

»Die Verurteilung des Lukullus« (Brecht/Dessau)

1 Dessau: Gespräche S. 78
2 Bernhard Eichhorn machte sich neben seiner Kapellmeistertätigkeit an den Münchner Kammerspielen, am Theater am Schiffbauerdamm (1930–33), am Staatstheater Dresden (1934–44) und an den Städtischen Bühnen München (1945–47) vor allem als Komponist von Filmmusik einen Namen.
3 Dessau: Notizen zu Noten S. 43
4 Brecht GW 17, 1152
5 Dessau: Notizen S. 69
6 Dessau: Notizen S. 65
7 Ernst Legal (1882–1955) hatte sich als Direktor der Berliner Krolloper lebhaft für die Uraufführung der »Mahagonny«-Oper eingesetzt, konnte sich jedoch gegen Otto Klemperer nicht durchsetzen. 1945 wurde er zum Generalintendanten der ehemaligen Berliner Staatstheater ernannt.
8 Briefe S. 641
9 Brecht GW 17, 1156
10 Dessau: Notizen S. 67
11 Dessau: Notizen S. 79
12 Dessau: Notizen S. 148
13 Hennenberg: Dessau-Brecht S. 51
14 Vgl. Völker: Brecht S. 375
15 AJ 15.1.1951

16 Brecht Briefe S. 650
17 Brecht GW 16, 723
18 Peter Rühmkorf in Wagenbach S. 165
19 Brecht Briefe S. 650
20 Neues Deutschland v. 22.3.51
21 Briefe S. 651
22 Briefe S. 658
23 Brecht GW 17, 1154
24 Briefe S. 654
25 Dessau: Notizen S. 69. Daß es sich dabei um geringfügigere Ergänzungen handelte, als im Westen gemutmaßt wurde, hebt auch Hans Mayer hervor, in: Versuche über die Oper. Frankfurt/M. 1981 S. 182 ff. Zur »Lukullus«-Rezeption ferner Dümling, Formalismus.
26 Briefe S. 661
27 So sah Adorno in seinem Aufsatz »Die gegängelte Musik«, der 1953 in der Zeitschrift »Der Monat« erschien, »die östlichen Kulturvögte im Gefolge der nazistischen«. Wiederabdruck in: Dissonanzen. Musik in der verwalteten Welt. 3. Ausgabe. Frankfurt/M. 1963. S. 46
28 Vgl. Brecht Briefe S. 699 f.
29 Vgl. zum aggressiven Klima der Auseinandersetzung die Fragen Wolfgang Weyrauchs an Brecht. GW 19, 496 ff.
30 Vgl. Heinz Enke: Des Lukullus' Weg ins Nichts. In: Frankfurter Rundschau v. 31.1.52
31 GW 19, 496
32 Vgl. die Stimmen der Schriftsteller bei Wagenbach.

Eislers »Johann-Faustus«-Libretto

1 Vgl. Marquardt
2 Eisler: Materialien S. 227
3 Brecht Briefe S. 662
4 Sinn und Form-Sonderheft Eisler S. 14 ff.
5 Briefe S. 662
6 Eisler an Brecht am 27.8.1951. Zitiert nach Sinn und Form S. 14
7 In einer biografischen Skizze von 1950 bezeichnete Eisler die von ihm komponierte Hymne als »Deutsche Nationalhymne«. In: Musik und Politik II S. 75
8 Eisler: Musik und Politik II S. 146
9 Eisler: Materialien S. 211 ff. Dazu Hans Mayer.
10 Brecht Briefe S. 683
11 AJ 25.8.52
12 Zitiert nach Zobl S. 244
13 Thomas Mann an Hanns Eisler am 5.11.1952. Zitiert nach Sinn und Form-Sonderheft Eisler S. 247
14 Eisler: Musik und Politik II S. 242 f. Anm. 28
15 Vgl. Musik u. Politik II S. 273 ff.
16 Vgl. Zobl

17 Eisler am 14. Mai 1953 an seine Frau. Nach Zobl S. 246

18 Brecht GW 19, 533 ff.

19 Ernst Fischer hatte in Sinn und Form 1952/6 einen begeisterten Essay über Eislers Libretto beigesteuert.

20 Zitiert nach Zobl S. 250

21 Zobl S. 251

22 Vgl. Amzoll.

23 Eisler: Musik und Politik II S. 278 f.

24 Bei den Aufführungen von Eislers »Johann Faustus« am Landestheater Tübingen sowie bei der Theatermanufaktur Berlin/ W. wurden Eislersche Kompositionen aus anderen Zusammenhängen verwendet. Die »Faustus«-Aufführung am Berliner Ensemble war durch Lieder von Eislers Schüler Siegfried Matthus ergänzt.

25 Dessau: Gespräche S. 22 u. 54

26 Vgl. Eislers Tagebuchaufzeichnungen in: Musik und Politik II S. 306 ff.

27 Schon im Mai 1955 hatte Eisler ein Gedicht »Für B. B.« geschrieben. Vgl. Grabs-Handbuch 2.182

28 AJ 15. 10. 53

Auf der Suche nach dem Arbeiterpublikum

Arbeiter als Zaungäste

1 Brecht AJ 17. 1. 49

2 Brecht Briefe S. 582, ganz ähnlich S. 595.

3 Briefe S. 584

4 AJ 17. 1. 49

5 AJ 22. 12. 48

6 Vgl. Hennenberg: Dessau-Brecht S. 181 ff.

7 Vgl. Hennenberg a. a. O. S. 476

8 AJ 2. 1. 49

9 AJ 3. 1. 49

10 »In unserer Republik, um es sehr deutlich zu sagen, ist das gesellschaftliche Sein voraus dem gesellschaftlichen Bewußtsein.« Eisler: Musik und Politik II S. 78

11 BBA 1052/12

12 BBA 2157/1–24

13 Vgl. zur Musik Hennenberg: Dessau-Brecht S. 95, 304, 360 f., 372 ff. u. 364 f.

14 AJ 22. 12. 49

15 Bericht über die Diskussion nach unserer Veranstaltung im Kabelwerk Oberspree mit dem Publikum (12. Dezember 1949). Abgedruckt bei Steinweg: Brechts Modell S. 188

16 Hennenberg: Dessau-Brecht S. 256

Ein verschmähtes Geschenk:
Die Koloman-Wallisch-Kantate

1 Eisler: Musik und Politik II S. 59

2 Vgl. Lutz Holzinger: Die Fieberhitze des Februars. Vor 50 Jahren: Erhebung der österreichischen Arbeiter, Februar 1934. In: Deutsche Volkszeitung/die tat. 17. Februar 1984, S. 15

3 Die Novelle wurde schon im Juli 1934 in den Neuen Deutschen Blättern in Prag veröffentlicht.

4 Vgl. Kurt Batt: Anna Seghers. Versuch über Entwicklung und Werke. Frankfurt/ M. 1973. S. 102 ff.

5 Vgl. Werner Martin: Der österreichische Februaraufstand von 1934 in der deutschsprachigen Literatur. In: Weimarer Beiträge, Heft 4, 1970, S. 117 ff. Vgl. auch den ZDF-Film »Die Kameraden des Koloman Wallisch« (1984). Buch und Regie: Michael Scharang.

6 Vgl. Knopf: Handbuch Lyrik S. 164. Die Datierung in Brecht-Briefe S. 626 wäre demnach zu korrigieren.

7 Brecht Briefe S. 625

8 Mitteilung von Georg Eisler/Wien, in dessen Wohnung damals die Verhandlungen stattfanden.

9 Vgl. Knopf; Lyrik S. 164

Angst vor Proletkult

1 Brecht GW 16, 784

2 Brecht zählte nach der ersten Aufführung 40 Vorhänge. AJ 10. 1. 51

3 Schumacher: Bildbiografie S. 252

4 Brecht Briefe S. 685. Vgl. auch GW 17, 1080

5 Siebig S. 207

6 Siebig S. 182

7 Siebig S. 208

8 Siebig S. 210

Aktuelle Stellungnahme mit dokumentarischer Kunst: »Der Herrnburger Bericht«

1 Vgl. Knopf: Lyrik S. 180 ff.

2 AJ 26. 5. 50

3 Vgl. Supplementband IV S. 415–423. Ursprünglich hatte zum »Herrnburger Bericht« auch das Gedicht »Angebot« (Gedichte S. 995) gehört, in dem der Gesang Ernst Buschs als besondere Attraktion Berlins hingestellt wurde.

4 Musikalische Beiträge zu den Weltjugendfestspielen lieferten auch Eislers Kompositionsschüler. Vgl. Eisler: Musik und Politik II S. 138 ff.

5 Vgl. Margot Pfannstiel: So öffneten sich

die jungen Friedenskämpfer den Weg in ihre westdeutsche Heimat. In: Neues Deutschland vom 2. Juni 1950.

6 AJ 3.7.51

7 Vgl. zu Dessaus Musik Hennenberg: Dessau-Brecht S. 128 ff., 234 ff., 466 f.

8 Bei Knopf: Lyrik S. 182 heißt es fälschlich, es sei nur eine interne Aufführung zustande gekommen.

9 slf.: Brecht/Dessau. ›Herrnburger Bericht‹. Festliche Uraufführung zu den Weltfestspielen im Deutschen Theater. In: Neues Deutschland, 10. August 1951, S. 4

10 AJ 17.8.51

11 AJ 21.8.51

12 Vgl. Hennenberg Nr. 99

13 Vgl. G. F.: Das Ende von Bert Brecht. In: Die Tat (Zürich), 11.8.1951

Künstler in die Betriebe und aufs Land!

1 Brecht GW 20, 321 f. und Eisler: Musik und Politik II S. 244 f.

2 Brief Eislers an Brecht, zitiert in Brecht-Briefe S. 1126

3 Briefe S. 683

4 Eisler: Lieder und Kantaten VI, 100

5 Briefe S. 776

6 In einem Beitrag für sowjetische Leser schrieb Eisler 1950: »Im nächsten Jahr will ich vor allem meine Kantate ›Die Erziehung der Hirse‹ (von Bertolt Brecht) fertig machen und aufführen. (...) Diese Kantate soll unserer Jugend den neuen Typus des Sowjetmenschen nahebringen.« Eisler: Musik und Politik II S. 115

7 Dessau: Gespräche S. 72 f.

8 Dessau: Notizen zu Noten S. 73

9 Hennenberg: Dessau. Leipzig 1965. S. 104

10 Dessau: Gespräche S. 73

11 Vgl. die genauen Besetzungsangaben bei Hennenberg: Dessau-Brecht S. 473, dort auch eine musikalische Analyse S. 163 ff.

12 AJ 15.11.52

13 Das Musikepos, das wie der »Herrnburger Bericht« von der zeitgenössischen westlichen Kritik negativ bewertet wurde, findet erst heute, im Zusammenhang mit der Wiederentdeckung verwandter Texte Sergej Tretjakows, eine gerechtere Beurteilung. Vgl. Knopf: Lyrik. S. 177 ff.

Für die Rehabilitierung von Agitpropkultur und Lehrstück

1 Brecht AJ 20.8.53

2 Briefe S. 694

3 Brecht GW 19, 500

4 Briefe S. 696 f.

5 Völker: Brecht S. 394

6 Briefe S. 698

7 Briefe S. 702

8 Schon am 1. August 1952 hatte Brecht Eisler zu einer gemeinsamen Arbeit am Garbe-Projekt angeregt. Vgl. Briefe S. 683

9 Hildegard Brenner: Schule des Helden. Anmerkungen zu Brechts Büsching-Entwurf. In: Programmheft der Schaubühne am Halleschen Ufer zur Aufführung *Der Lohndrücker* von Heiner Müller am 31. August 1974, S. 71

10 Zitiert nach Schumacher S. 296

11 Brecht im Gespräch S. 219

12 Vgl. Lucchesi S. 121 ff.

13 Brecht im Gespräch S. 224

14 A. a. O. S. 225

15 A. a. O. S. 226

16 A. a. O. S. 235

17 A. a. O. S. 235 f.

18 Eisler: Musik und Politik II S. 358 f. Vgl. auch S. 306 seine Notiz über Agitprop.

19 Brecht im Gespräch S. 239

20 Ib.

Musik für das Brecht-Theater

Dessau: Vom »Guten Menschen von Sezuan« Zum »Kaukasischen Kreidekreis«

1 Vgl. Lyon: Brecht in America S. 100. Kirfel-Lenk S. 124

2 AJ 1.6.1942

3 J. K. Lyon nahm fälschlich an (S. 121), durch Weills Vertrag sei das »Sezuan«-Stück 30 Monate lang für den Broadway blockiert gewesen

4 Vgl. Textentwurf Leonard Steckel über Huldreich Früh im Steckel-Archiv der Akademie der Künste Berlin/W.

5 Vgl. Wyss S. 226. Wie sein Lehrer Webern hatte Ludwig Zenk den »Nationalsozialismus« zunächst naiv bewundert. Hanspeter Krellmann: Anton Webern in Selbstzeugnissen und Bilddokumenten. Reinbek 1975, S. 94

6 Dessau: Notizen zu Noten S. 60

7 Hennenberg: Dessau-Brecht S. 118 ff.

8 Text: Brecht GW 4, 1582. Noten: Hennenberg Nr. 49.

9 Hennenberg: Brecht-Liederbuch S. 427

10 R. Leibowitz: Brecht et la musique de scène. In: Théâtre populaire. Nr. 11 (Jan./Febr. 1955) S. 44

11 Brecht Briefe S. 742

12 Vgl. Ekkehard Jost: Sozialgeschichte des Jazz in den USA. Frankfurt/M. 1982

13 Vgl. Dieter Baacke: Beat – die sprachlose Opposition. München 1968 sowie J. Seuss/G. Dommermuth/H. Maier: Beat in Liverpool. Frankfurt/M. 1965

14 Brecht GW 20, 37

709

15 GW 17, 1204
16 AJ 25.1.1941
17 Brecht Briefe S. 494
18 Briefe S. 498 f.
19 Bunge II S. 73
20 Lyon: America S. 124
21 Bunge II S. 321
22 Wyss S. 261
23 Briefe S. 685 f.
24 Ib.
25 Hennenberg: Brecht-Liederbuch S. 434
26 Unseld S. 167
27 E. Schumacher S. 273
28 Auskunft von Harry Buckwitz/Zürich
29 Zitiert nach P. Suhrkamp: Briefe an die Autoren. Frankfurt/M. 1963. S. 90 f.
30 Dessau: Notizen zu Noten S. 75
31 Brecht GW 17, 1207
32 Hennenberg: Liederbuch S. 435
33 Hennenberg: Dessau-Brecht S. 335 ff.
34 Dessau: Notizen zu Noten S. 77 f.
35 Hennenberg: Dessau-Brecht S. 362 ff. Zum Gongspiel: Notizen zu Noten S. 80 f.
36 Brecht Briefe S. 1151
37 Vgl. zu den Funktionen des Sängers Hennenberg: Dessau-Brecht S. 123 ff.
38 Wyss S. 263
39 AJ 7.2. 54. Versehentlich verwechselte Brecht hier Buschs Geburtsstadt Kiel mit Hamburg.
40 Briefe S. 738
41 Briefe S. 739
42 Seinen Briefwechsel mit Paul Dessau und Hanns Eisler stellte Harry Buckwitz dem Autor freundlich zur Verfügung.
43 Brecht Briefe S. 737
44 Brief Dessau an Buckwitz vom 2.4.1955
45 Wyss S. 269
46 Negativ für Piscator wirkte es sich aus, daß ihn sein früherer Mitarbeiter Otto Katz im Prager Slansky-Prozeß als Trotzkist bezeichnet hatte. Vgl. Tagebuch Nr. 13 im Piscator-Center der Akademie der Künste Berlin-W.
47 Tagebuch 15. Eintragung vom 27. Okt. 1955. Piscator-Center
48 Vgl. Wyss S. 271

Eisler: Von Bechers »Winterschlacht« zu »Schweyk im Zweiten Weltkrieg«

1 Gedichte S. 840. Möglicherweise bezog Eisler 1953 den Text auf seine eigene Situation. Vgl. ähnliche Gedanken in: Musik und Politik II S. 310
2 Gedichte S. 205
3 Eisler: Musik und Politik II S. 307
4 Brecht Briefe S. 715
5 Vgl. Eisler: Musik und Politik II S. 44
6 Brecht Briefe S. 724
7 M. Wekwerth: Musikalische Merkwürdigkeiten auf dem Theater. In: Musik und Gesellschaft. 1958, Heft 6, S. 18
8 Briefe S. 725
9 Hanns Eisler heute S. 155 ff.
10 Brecht GW 17, 1292. Vgl. zum motivischen Zusammenhang zwischen der Musik zur »Winterschlacht«, zum Resnais-Film »Nuit et Brouillard« und dem Lied »Horatio-Monolog« Manfred Grabs in: Hanns Eisler heute S. 124 ff.
11 Dazu Eisler in: Musik und Politik II S. 40 ff.
12 Bunge II S. 215
13 Bunge II S. 106
14 AJ 27.5. 43
15 Brecht Briefe S. 480
16 Brecht GW 5, 1995
17 Münsterer S. 81
18 Hennenberg Nr. 43
19 Brecht GW 5, 1946
20 Die bei Münsterer (S. 56) erwähnte Parodie wurde mittlerweile im Supplement-Band II S. 130 abgedruckt.
21 Brecht GW 5, 1958
22 GW 5, 1960
23 GW 5, 1972
24 GW 5, 1958
25 W. Helfert: Die schöpferische Entwicklung Friedrich Smetanas. Leipzig 1956. S. 46 ff.
26 Vgl. Detlev Peukert: Die Edelweißpiraten. Köln 1980. Ähnlich die Musikgruppe »Goldene Sechs«, vgl. G. Weisenborn: Der lautlose Aufstand S. 193. Weisenborn legte das Schicksal dieser im Widerstand aktiven Tanzkapelle seinem Roman »Der Verfolger. Die Niederschrift des Daniel Brendel« (Frankfurt/M. 1977) zugrunde.
27 Vgl. AJ 21.8. 1942. Zur politischen Bedeutung der Widerstandsgruppe »Neu Beginnen« Bunge II S. 304 sowie Weisenborn: Aufstand S. 197 ff.
28 Brecht: Supplement-Bd. II S. 114. Vgl. dort auch Brechts Schlagerparodie »Wann irgendwo ein Baum grünt« nach »O my baby«.
29 Supplement Bd. II S. 336
30 Eisler: Schweyk und der deutsche Militarismus. In: Materialien zu einer Dialektik der Musik. S. 298
31 Vgl. dazu die gründliche Analyse von K. Csipák in Argument-Sonderband Eisler. Zur Zusammenarbeit von Eisler und Joh. R. Becher Stefan Amzoll: »Wohin mündest du, mein Gesang?«
32 Eisler: Materialien S. 209
33 Eisler: Hörer und Komponist. In: Musik und Politik II S. 69
34 Vgl. Musik und Politik II S. 388 ff.
35 Eisler: Musik und Politik I S. 242 ff.
36 Musik und Politik II S. 107
37 Brecht Briefe S. 471

38 Brecht GW 5, 2034
39 Eisler: Musik und Politik II S. 108
40 Briefe S. 1040
41 Brecht Gedichte S. 1218
42 Brecht GW 5, 1967
43 GW 5, 1949
44 GW 5, 1966
45 Bunge II S. 59
46 Eisler: Schweyk und der deutsche Militarismus. In: Materialien S. 296
47 Bunge II S. 59 u. 215
48 Eisler: Materialien S. 294
49 Wyss S. 336. Positiver beurteilte Andrzey Wirth im Ost-Berliner »Sonntag« vom 3. 2. 1957 die Warschauer Aufführung: »›Schweyk‹ warb für Brecht neue Zuschauer aus dem Volke, auch aus den Kreisen, denen seine anderen Stücke ›zu schwierig‹ oder ›zu reflexiv‹ waren.« Über Eislers Musik schrieb er: »Diese Musik, die leicht von lyrischen zu dramatischen Stimmungen übergeht, ist gegen den Text komponiert ... sie versteht es, den Zuschauern zu helfen, die richtige Haltung zu den Vorgängen auf der Bühne einzunehmen. Sie gestattet, aus dem Lustspiel die Elemente des historischen Ernsts hervorzuheben.«
50 Zur Frankfurter Aufführung Wyss S. 340, zur Mailänder Aufführung Jhering: Brecht hat ... S. 249 ff.
51 Wyss S. 344 ff.
52 Engel S. 65
53 Eisler: Schweyk und der deutsche Militarismus. A. a. O. S. 296 ff.
54 Brecht Briefe S. 324
55 Brecht GW 5, 1975 f.
56 Eisler: Musik und Politik II S. 566
57 Eisler: Schweyk a. a. O. S. 294

Produktivität und Denken als Genuß

1 Brecht GW 19, 551
2 GW 19, 507 ff.
3 GW 19, 508
4 Schwaen S. 84 f.
5 A. a. O.
6 AJ 4. 6. 1954. Gedichte S. 971 u. 1031
7 Eisler: Brecht und die Musik (1957). In: Musik u. Politik II S. 374
8 Eisler: Musik und Politik II S. 335
9 Ruth Berlau: Zum 65. Geburtstag von Hanns Eisler. In: Grabs, Wer war Eisler S. 258
10 Ib.
11 Hanns Eisler heute S. 156
12 Brecht: Zum Geleit. GW 16, 771
13 GW 19, 511
14 GW 19, 509 f.
15 Gedichte S. 977
16 Auf Anregung von Theodor Heuss hatten der Dichter Rudolf Alexander Schröder und der Komponist Hermann Reutter eine neue deutsche Hymne verfaßt. Vgl. Ulrich Günther: Über alles in der Welt? Studien zur Geschichte und Didaktik der deutschen Nationalhymne. Neuwied-Berlin/W. 1966 S. 12 ff. S. a. S. Schutte: Nationalhymnen
17 Vgl. S. Schutte S. 212 f.
18 Hans-Klaus Jungheinrich: Von der Mitteilung zur Kunst. Wolf Biermann als Musiker. In Thomas Rothschild (Hrsg.): Wolf Biermann. Liedermacher und Sozialist. Reinbek bei Hamburg 1976. S. 106 f. Vgl. auch Biermanns Gedicht »Hanns Eisler oder Die Anatomie einer Kugel« in: Drahtharfe S. 24 Vgl. auch Bunge II S. 383.
19 Nova 885039. Eisler: Klingende Dokumente I
20 Schon rückblickend formulierte Eisler ca. 1959: »Ich wollte folgendes versuchen: Klangschönheit sollte politische Intelligenz haben und politische Intelligenz Klangschönheit.« In: Musik und Politik II S. 453
21 Gedichte S. 997
22 André Müller/Gerd Semmer: Geschichten vom Herrn B. 100 neue Brecht-Anekdoten. S. 46
23 Hennenberg: Brecht-Dessau S. 431
24 Gisela May in: Hanns Eisler heute S. 194
25 HEA 161/24
26 Gedichte S. 1031
27 Nach Ruth Berlau in Grabs: Wer war Eisler S. 263
28 Käthe Rülicke in Grabs S. 301
29 Eisler: Musik und Politik II S. 361
30 Musik und Politik II S. 445
31 Vgl. die Briefe von Buckwitz an Eisler vom 13. 8. 1959 und 2. 2. 1960.
32 Vgl. Bunge II S. 182: »Ich bin gegen das schlechte Hören und gegen die schlechten Interpreten, und ich bin gegen die schlechten Komponisten, die Dummheiten, Schwulst, Dreck und Schwindeleien in der Musik ausüben. Nun, ich bekämpfe das seit 1918. Heute ist 1961. Ich gebe zu, ich bin besiegt worden.«
33 Musik und Politik II S. 368
34 Vgl. Paul Dessau/Friedrich Goldmann: Versuch einer Analyse zu Hanns Eislers Kantate »Die Teppichweber von Kujan-Bulak« (1964). In Dessau: Notizen S. 133–144.
35 Grabs-Handbuch 1.650
36 Vgl. Sinn und Form-Sonderheft Eisler S. 381 ff.
37 Dessau: Notizen S. 82
38 Vgl. Frank Schneider: Momentaufnahme. Notate zu Musik und Musikern in der DDR. Leipzig 1979. S. 251 ff.

Literaturverzeichnis

Aber, Adolf: Bert Brecht und Kurt Weill: Aufstieg und Fall der Stadt Mahagonny. In: Die Musik XXII/7, April 1930, S. 521

Abusch, Alexander: Bert Brechts Hauspostille. In: Die Rote Fahne, 15.10.1927

Adorno, Theodor W.: Hanns Eisler, Zeitungsausschnitte. Für Gesang und Klavier, op. 11. In: Musikblätter des Anbruch, Wien 1929, S. 219 f.

–: Mahagonny. Abgedruckt in Drew (Hrsg.): Über Kurt Weill S. 58 ff.

Adorno, Th. W. und Hanns Eisler: Komposition für den Film. München 1969

Allihn, Ingeborg: »Die Musik ist der wichtigste Beitrag zum Thema«. Zusammenarbeit Hanns Eislers mit Bertolt Brecht. In: Musik und Gesellschaft, 1978, H. 2, S. 65–73

–: »In Wirklichkeit soll gezeigt werden politisches Verhalten...« Die Musik Hanns Eislers im Brecht-Theater. In: Musik und Gesellschaft, 1978, H. 7, S. 392–399

Alternative, Heft 69: Materialistische Kunsttheorie II, Hanns Eisler. Berlin-W. 1969

–, Heft 87: Eisler und Brecht – Verhöre

Amzoll, Stefan: »Wohin mündest du, mein Gesang?« Johannes R. Becher und die Musik. In: Bulletin des Musikrates der DDR Heft 2/3 1981, S. 36 ff.

Arbeitshefte der Akademie der Künste der DDR, Nr. 19: Hanns Eisler heute (Dokumentation des Eisler–Colloquiums in der Akademie der Künste im Nov. 1973)

–, Nr. 31: J. Lucchesi u. U. Schneider: Lehrstücke in der Praxis. Berlin/DDR 1979

Das Argument, Sonderband 5: Hanns Eisler. Berlin-W. 1975

–, Sonderband 11: Brechts Tui-Kritik (1976)

–, Sonderband 24: Angewandte Musik der zwanziger Jahre (1977)

Aufricht, Ernst Josef: Erzähle, damit Du Dein Recht erweist. Aufzeichnungen eines Berliner Theaterdirektors. München 1969.

Augsburger Liedertafel e. V. Vereinsgeschichte 1833–1925 und Mitgliedsliste 1925. Zusammengestellt von Paul Moser, 1. Schriftführer Augsburg 1925

Ausstellungskatalog »Theater im Exil 1933–1945«. Hgg. von der Akademie der Künste Berlin-W. 1973

Baacke, Rolf-Peter u. Michael Nungesser: Ich bin, ich war, ich werde sein! Drei Denkmäler der deutschen Arbeiterbewegung in den Zwanziger Jahren. In: Wem gehört die Welt. Kunst und Gesellschaft in der Weimarer Republik. Hgg. v. d. Neuen Gesellschaft für bildende Kunst Berlin-W. 1977. S. 280–289

Balanchine, George: Die 7 Todsünden von Brecht/Weill. In: Abendzeitung (München) 21.10.1976

Banholzer, Paula: So viel wie eine Liebe. Der unbekannte Brecht. Hgg. von A. Poldner u. W. Eser. München 1981

Baser, Friedrich: Große Musiker in Baden-Baden. Tutzing 1973

Bauman, Mordecai: We called him Hanns. Erinnerungen an Eisler. In: Musik und Gesellschaft, Berlin/DDR, Juli 1983, S. 420 ff.

Baumann, Dorothea (Hrsg.): Musiktheater. Zum Schaffen von Schweizer Komponisten des 20. Jahrhunderts. Hgg. von der Schweizerischen Gesellschaft für Theaterkultur. Bonstetten 1983

Baxandall, Lee: Brecht in America, 1935. In: The Drama Review, Fall 1967, S. 69–87

Benjamin, Walter: Kommentare zu Gedichten von Brecht. In: Schriften Bd. II Frankfurt/M. 1955

–: Versuche über Brecht. Frankfurt/M. 1966

–: Ein Familiendrama auf dem epischen Theater. Abgedruckt bei W. Hecht (Hrsg.): Materialien zur Mutter

Berger, Elfriede u. Inge Lammel: Diskographie der deutschen proletarischen Schallplatten aus der Zeit vor 1933. Leipzig 1980

Berger, Friedemann: Die nichtgedruckte »Hauspostille«. Die Beziehungen zwischen Bertolt Brecht und dem Gustav Kiepenheuer Verlag 1922 bis 1925. In: Notate. Informations- und Mitteilungsblatt des Brecht-Zentrums der DDR. 1984/6

Bergschicker, Heinz: Deutsche Chronik 1933–1945. Alltag im Faschismus. Berlin-W. 1983

Berlau, Ruth: Für Hanns Eisler. In: Sinn und Form-Sonderheft Eisler. Berlin/DDR 1964 S. 326–329

Betz, Albrecht: Hanns Eisler. Musik einer Zeit, die sich eben bildet. München 1976

–: Dynamisierung des Widerspruchs. Über Eisler und Brecht. In: Bertolt Brecht I, Text und Kritik-Sonderband. München 1972. S. 72 ff.

Bies, Luitwin: Klassenkampf an der Saar 1919 bis 1935. Frankfurt/M. 1978

Birkenhauer, Klaus: Die eigenrhythmische Lyrik Bertolt Brechts. Theorie eines kommunikativen Sprachstils. Tübingen 1971

Blaukopf, Kurt: Hanns Eisler und das Zwölftonsystem. Zu einem Dokument aus den dreißiger Jahren. In: HiFi-Stereofonie, 1972, H. 9, S. 808

Blitzstein, Marc: Coming – The Mass Audience. In: Modern Music XIII/4 (Mai/Juni 1936) S. 23–29

Bloch, Ernst: Lied der Seeräuberjenny in der Dreigroschenoper (1929). In Drew (Hrsg.): Über Kurt Weill

–: Vom Hasard zur Katastrophe. Politische Aufsätze aus den Jahren 1934-1939. Frankfurt/M. 1972

Blüher, Hans: Wandervogel. Geschichte einer Jugendbewegung. 5. Aufl. Rien 1920

Bohn, Willi: Transportkolonne Otto. Frankfurt/M. 1970

Bohnert, Christiane: Brechts Lyrik im Kontext. Zyklen und Exil. Königstein/Ts. 1982

Bowers, David: Encyclopedia of Automatic Musical Instruments. New York 1972

Brachtel, Karl Robert: Bertolt Brecht und die Musik. In: Neue Zeitschrift für Musik, 1966, S. 393–95

Brandt, C.: Stalin's Failure in China. 1924–1927. Cambridge/Mass. 1958

Braun, Alfred: Achtung, Achtung, hier ist Berlin! Aus der Geschichte des Deutschen Rundfunks in Berlin 1923–1932. Berlin-W. o. J.

Braunbuch über Reichstagsbrand und Hitlerterror. Universum-Bücherei, Basel 1933. Faksimile-Nachdruck Frankfurt/M. 1983

Brecht, Bertolt: Arbeitsjournal. Hgg. von Werner Hecht. 3 Bde. Frankfurt/M. 1973 (= AJ)

–: BBA. Bertolt-Brecht-Archiv. Berlin/DDR

–: Brecht im Gespräch. Diskussionen, Dialoge, Interviews. Hgg. v. Werner Hecht. Berlin/DDR 1977

–: Briefe. Herausgegeben und kommentiert von Günther Glaeser. 2 Bde. Frankfurt/M. 1981

–: Dreigroschenbuch. Texte, Materialien, Dokumente. Frankfurt/Main 1960

–: Kuhle Wampe. Protokoll des Films und Materialien. Ediert von Wolfgang Gersch und Werner Hecht. Frankfurt/M. 1969

–: Lieder Gedichte Chöre. Paris 1934

–: Tagebücher 1920–1922. Autobiografische Aufzeichnungen 1920–1954. Hgg. v. Hertha Ramthun. Berlin und Weimar 1976.

–: Taschenpostille. Mit Anleitungen, Gesangsnoten und einem Anhange. Potsdam 1926 (Privatdruck). Neuausgabe Berlin 1958

–: Gesammelte Werke in 20 Bänden. Frankfurt/M. 1967 (= GW) Supplement Bd. I/II

(Texte für Filme) 1969, Supplement Bd. III/IV (Gedichte aus dem Nachlaß) 1982

Brecht und die Musik. Beiträge von den Brecht-Tagen 1984. (Material zum Theater. Beiträge zur Theorie und Praxis des sozialistischen Theaters Nr. 180. Reihe Musiktheater Heft 34. Hgg. v. Verband der Theaterschaffenden der Deutschen Demokratischen Republik)

Brecht: Bestandsverzeichnis. Bertolt-Brecht-Archiv. Bestandsverzeichnis des literarischen Nachlasses. 4 Bde. Bearbeitet von Hertha Ramthun. Berlin u. Weimar 1969–1973

Brecht, Walter: Unser Leben in Augsburg, damals. Erinnerungen. Frankfurt/M. 1984

Breloer, Heinrich: Bi und Bidi in Augsburg. Film des NDR-Fernsehens 1975

Briner, Andres: Hanns Eislers Musikmarxismus. Die ›Materialien zu einer Dialektik der Musik‹. In: Neue Zürcher Zeitung. 22./23. März 1975

Brinkmann, Reinhold: Kompositorische Maßnahmen Eislers. In: Musik und Politik. Hgg. v. Rudolf Stephan, Main 1971. S. 9–22

–: Kritische Musik – Bericht über den Versuch Hanns Eislers. In: Über Musik und Kritik. Hgg. v. R. Stephan. Mainz 1971 S. 19–41

Brock, Hella: Musiktheater der Schule. Leipzig 1958

–: Brechts Bedeutung für die Musikerziehung. In: Musik und Gesellschaft. 1978, H. 2, S. 72–78

Brockhaus, Heinz Alfred: Hanns Eisler. Leipzig 1961

Bronnen, Arnolt: Tage mit Brecht. Berlin/DDR 1975

Brückener, Egon u. Klaus Modick: Lion Feuchtwangers Roman »Erfolg«. Leistung und Problematik schriftstellerischer Aufklärung in der Endphase der Weimarer Republik. Kronberg/Ts. 1978 (= Monographien Literaturwiss. 42)

Bücher, Kurt: Arbeit und Rhythmus. Leipzig 1897. 6. Aufl. 1924

Bukofzer, Manfred: Soziologie des Jazz. In: Melos, 1929, S. 390

–: Revolutionäre Musik. In: Melos, 1930, S. 443

Bunge, Hans: Fragen Sie mehr über Brecht. Hanns Eisler im Gespräch. Nachwort von Stephan Hermlin. München 1970 (= Bunge I)

–: Hanns Eisler. Gespräche mit Hans Bunge. Fragen Sie mehr über Brecht. Übertragen und erläutert von H. Bunge (= Eisler, Gesammelte Werke. Serie III. Bd. 7) Leipzig 1975 (= Bunge II)

Burnshaw, Stanley: The Theatre Union Produces ›Mother‹. In: New Masses. Dez. 1935. S. 27 f.

Busoni, Ferruccio: Von der Macht der Töne. Ausgewählte Schriften. (=Reclam-Universalbibliothek 993) Leipzig 1983

Canaris, Volker (Hrsg.): Die Mutter. Regiebuch der Schaubühnen-Inszenierung. Frankfurt/M. 1971
—: ›Leben Eduard des Zweiten von England‹. Ein vormarxistisches Stück Bertolt Brechts. Bonn 1973. (=Bonner Arbeiten zur deutschen Literatur. Hgg. v. B.v. Wiese. Bd.24)
Canetti, Elias: Die Fackel im Ohr. Lebensgeschichte 1921–1931. Frankfurt/M. 1982 (=Fischer-Taschenbuch 5404)
Canon, Cornelius B.: The Federal Music Project of the Works Progress Administration: Musik in a Democracy. Ph.D., University of Minnesota 1963
Clark Fehn, Ann (Hrsg.): Gottfried Benn. Briefwechsel mit Paul Hindemith. Wiesbaden 1978
Clurman, Harold: All People Are Famous. Instead of an Autobiography. New York 1974
Copland, Aaron: ›Workers Sing!‹. In: New Masses XI/10 (5. Juni 1934) S.28
Csipák, Károly: Probleme der Volkstümlichkeit bei Hanns Eisler. München-Salzburg 1975 (=Berliner musikwissenschaftliche Arbeiten, Bd.11)
Curjel, Hans: Erinnerungen um Kurt Weill. In: Melos, 37 (1970), S. 81–85
—: Kurt Weill. II: Die großen Berliner Jahre. In: Neue Zeitschrift für Musik. 133 (1972), S. 503–507

Danuser, Hermann: Die Musik des 20. Jahrhunderts. Laaber 1984 (=Neues Handbuch der Musikwissenschaft. Hgg. v. Carl Dahlhaus. Bd.7)
Dessau, Paul: Brecht Dessau. Lieder und Gesänge. Berlin 1963
—: Aus Gesprächen. Leipzig 1974
—: Notizen zu Noten. Hgg. v. F.Hennenberg. Leipzig 1974
Deutsch, Friedrich: Probenerfahrung bei der ›Maßnahme‹. In: Musikblätter des Anbruch XIII, Wien 1931, S. 8–9
—: Arbeiter und Musik? In: Melos, 1933, H.1, S. 9–12. Abgedruckt in Grabs: Wer war Eisler? S.78ff.
Diebold, Bernhard: Baal dichtet. Zu Bert Brechts Hauspostille. In: Frankfurter Zeitung, 30.4. 1927
Dieckmann, Friedrich: Komponisten am Berliner Ensemble. In: Streifzüge. Aufsätze und Kritiken. Berlin und Weimar 1977, S. 266–282
Dietz, Robert J.: The Operatic Style of Marc Blitzstein in the American ›Agit-Prop Era‹. Ph.D., University of Iowa 1970
Drew, David (Hrsg.): Über Kurt Weill. Frankfurt/M. 1975

Dümling, Albrecht: »Im Zeichen der Erkenntnis der socialen Verhältnisse«. Der junge Schönberg und die Arbeitersängerbewegung. In: Zeitschrift für Musiktheorie, 1/1975. Gekürzt auch in Österreich. Musikzeitschrift 2/1981 S. 65–73 sowie in Musica/Realtà I/3 (Dez. 1980) S. 39–49
—: Eisler und Schönberg. In: Argument-Sonderband Eisler S. 57–85
—: Rezension der Eisler-Bibliografien. Mit einem bibliografischen Anhang. In: Argument-Sonderband Eisler S. 292–301
—: Schönberg und sein Schüler Hanns Eisler. Ein dokumentarischer Abriß. In: Die Musikforschung 4/1967 S. 431–461. Auch in Arbeitsheft 24 der Akademie der Künste der DDR. S. 252–273.
—: Symbol des Fortschritts, der Dekadenz und der Unterdrückung. Zum Bedeutungswandel des Jazz in den zwanziger Jahren. In: Argument-Sonderband 24 »Angewandte Musik der zwanziger Jahre« S. 81–106
—: Zwischen Formalismus und Engagement. Zur west-östlichen Rezeption von Brecht-Dessaus zwei »Lukullus«-Fassungen. In: Argument-Sonderband 42 »Musik 50er Jahre« S. 172–189
—: Die fremden Klänge der hängenden Gärten. Die öffentliche Einsamkeit der Neuen Musik am Beispiel von Arnold Schönberg und Stefan George. München 1981
—: Umwertung der Werte. Das Verhältnis Stefan Georges zur Musik. In: Jahrbuch des Staatlichen Instituts für Musikforschung Preußischer Kulturbesitz 1981/82. Hgg. v. Dagmar Droysen-Reber. Berlin-W. 1982 S. 9–92
—: Der Philharmonische Chor Berlin und seine Verpflichtung gegenüber dem zeitgenössischen Musikschaffen. In: Marianne Buder und Dorette Gonschorek (Hrsg.): Tradition ohne Schlendrian. 100 Jahre Philharmonischer Chor Berlin 1882 bis 1982. Berlin-W. 1982 S. 221–268
—: Zur Funktion der Reihentechnik in Eislers Deutscher Sinfonie. In: Bericht über den Internationalen Musikwissenschaftlichen Kongreß Bayreuth 1981. Hgg. von Christoph-Helmut Mahling und Sigrid Wiesmann. Kassel und Basel 1985. S. 475–481

Egk, Werner: Die Zeit wartet nicht. Percha 1973
Ehrenzweig, Robert: Das Lied vom Kampf. In: Die politische Bühne Wien. 2.Jgg., März/April 1933
Eisler, Hanns: Lieder und Kantaten Bd. I–X. VEB Breitkopf und Härtel Musikverlag, Leipzig 1955ff. (=ELK) Lieder für eine Singstimme und Klavier. Vorgelegt von Manfred Grabs (=Gesammelte Werke Serie I Bd.16) Leipzig 1976

–: Johann Faustus, Oper (Libretto) Aufbau-Verlag Berlin 1952
–: Materialien zu einer Dialektik der Musik. Herausgegeben von Manfred Grabs. Leipzig 1976
–: Musik und Politik. Schriften 1924–1948. Textkritische Ausgabe von Günter Mayer. Leipzig 1973 (=Gesammelte Werke Serie III Bd. 1)
–: Musik und Politik. Schriften 1948–1962. Leipzig 1982 (Musik und Politik II)
–: Musik und Politik. Schriften. Addenda. Leipzig 1983 (Musik und Politik III)
–: Reden und Aufsätze. Leipzig 1961
Hanns Eisler heute. Vgl. Arbeitshefte Eisler-Fischer, Louise: Faust in der DDR. Dokumente, betreffend Hanns Eisler, Bertolt Brecht und Ernst Fischer. In: Neues Forum, Wien, Okt. 1969, S. 561 ff.
–: Eisler in der Emigration. In: Neues Forum, Okt. 1972, S. 70 ff.
Elsner, Jürgen: Humorvoll kämpferische Überlegenheit. Zur Aufführung der Kantatenfassung von Eislers Musik zur »Mutter«. In: Musik und Gesellschaft, 1968, S. 735 ff.
–: Zur vokalsolistischen Vortragsweise der Kampfmusik Hanns Eislers. Leipzig 1971
Engberg, Harald: Brecht auf Fünen. Wuppertal 1974
Engel, Erich: Schriften über Theater und Marxismus. Reflexionen, Bekenntnisse, Arbeitserfahrungen. München 1971 (= Kindler Paperback)
Engelhardt, Jürgen: Eislers Weg vom Agitprop zum Lehrstück. In: Argument-Sonderband 5 S. 97–110
–: Fragwürdiges in der Kurt Weill-Rezeption. Zur Diskussion über einen wiederentdeckten Komponisten. In: Argument-Sonderband 24 S. 118–137
Engelmann, Hans Ulrich: Kurt Weill – heute. In: W. Steinecke (Hrsg.): Darmstädter Beiträge zur Neuen Musik III, Mainz 1960, S. 90 ff.
Exil in den Niederlanden und in Spanien. (= Kunst und Literatur im antifaschistischen Exil 1933–1945 in sieben Bänden, Bd. 6) Leipzig 1981
Exil in der Schweiz. (Werner Mittenzwei) (= Bd. 2) Leipzig 1978
Exil in der UdSSR (= Bd. 1) Leipzig 1981
Exil in den USA (Eike Middel u. a.) (= Bd. 3) Leipzig 1980

Fassmann, Kurt: Brecht. Eine Bildbiografie. München 1958
Feuchtwanger, Lion: Erfolg. Berlin u. Weimar 4. Aufl. 1976
–: Hanns Eisler. In: Sinn und Form-Sonderheft Eisler S. 30–31. Wiederabdruck in Grabs: Wer war Hanns Eisler
Fischer, Ernst: Das Einfache, das schwer zu machen ist. Notizen zur Lyrik Brechts. In: Sinn und Form, 2. Brecht-Sonderheft 1957
–: Hanns Eisler und die Literatur. In: Sinn und Form-Sonderheft Eisler S. 248–270. Auch in Fischer: Überlegungen zur Situation der Kunst. Zürich 1971, S. 77 ff.
Fladt, Hartmut: Eisler und die Neue Sachlichkeit. In: Argument-Sonderband Eisler S. 86–96
–: Solidaritätslied. In: Argument-Sonderband Eisler S. 167–171
Fladt, Harmut sowie Hanns-Werner Heister und Dietrich Stern: Eislers Massenlieder. In: A. a. O. S. 154 ff.
Florian (Pseudonym): Wickersdorf und Wyneken. In: Die Weltbühne, 1928, Bd. 1, S. 439
Frécot, Janos, Johann Friedrich Geist u. Diethart Kerbs: Fidus 1868–1948. Zur ästhetischen Praxis bürgerlicher Fluchtbewegungen. München 1972
Frisch, Werner u. K. W. Obermeier: Brecht in Augsburg. Frankfurt/M. 1976
Fuhr, Werner: Proletarische Musik in Deutschland 1928–1933. Göppingen 1977 (= Göppinger Akademische Beiträge, hgg. v. Ulrich Müller, Franz Hundsnurscher u. K. Werner Jauss, Nr. 101)

Gersch, Wolfgang: Film bei Brecht. Bertolt Brechts praktische und theoretische Auseinandersetzung mit dem Film. München 1975.
Gilbert, Robert: Mich hat kein Esel im Galopp verloren. Gedichte aus Zeit und Unzeit. München 1972
Gittig, Heinz: Illegale antifaschistische Tarnschriften 1933 bis 1945. Leipzig und Frankfurt/M. 1972
Gleber, Klaus: Theater und Öffentlichkeit. Produktions- und Rezeptionsbedingungen politischen Theaters am Beispiel Piscator 1920–1966 (= Tübinger Studien zur dt. Literatur) Frankfurt/M. 1966
Goldschmidt, Harry: Hermann Scherchen. In: Um die Sache der Musik. Reden und Aufsätze. 2. erweiterte Auflage Leipzig 1976, S. 200–228
Grabs, Manfred: Interviews mit Interpreten. in: Hanns Eisler heute S. 170–190
–: Über die Berührungspunkte zwischen der Vokal- und der Instrumentalmusik Hanns Eislers. A. a. O.
–: Hanns Eisler – Werk und Edition. Berlin 1978 (= Arbeitshefte der Akademie der Künste der DDR, Heft 28)
–: Hanns Eislers Versuche um die Oper. In: Sinn und Form 33 (1981), S. 621–636
–: Wer war Hanns Eisler? Auffassungen aus sechs Jahrzehnten. Berlin-W. 1983
–: Hanns Eisler. Kompositionen – Schriften – Literatur. Ein Handbuch. Leipzig 1984

715

Grimm, Reinhold: Brecht und Nietzsche oder Geständnisse eines Dichters. Frankfurt/M. 1979

Groß, Babette: Willi Münzenberg. Eine politische Biografie. Stuttgart 1967

Grossmann, Kurt R.: Emigration. Geschichte der Hitler-Flüchtlinge 1933–1945. Frankfurt/M. 1969

Grosz, George: Ein kleines Ja und ein großes Nein. Sein Leben von ihm selbst erzählt. Reinbek bei Hamburg 1974

Günther, Siegfried: Neue pädagogische Musik. In: Die Musik XXIII/7 (April 1931) S. 490 ff.

–: Lehrstück und Schuloper. In: Melos, 1931, S. 410–413

Hartung, Günther: Zur epischen Oper Brechts und Weills. In: Wissenschaftliche Zeitschrift der Martin-Luther-Universität Halle-Wittenberg. Gesellschaftswiss.-sprachwiss. Reihe. 8 (1959) S. 659–762

Hauber, Richard: Geschichte des Augsburger Orchesters. Eine Monografie zum Augsburger Musikleben, im Auftrag des Orchesterreferats ausgearbeitet. Augsburg 1924. Manuskript Stadtbibliothek Augsburg

Haug, Wolfgang Fritz: Hans Faust und Hans Wurst in Eislers Version der Faust-Sage. In: Argument-Sonderheft Eisler

–: Zu einigen theoretischen Problemen der Diskussion über die Kultur der Arbeiterklasse. In: Das Argument Nr. 115. 21. Jgg., Mai/Juni 1979, S. 342 ff.

Hauptmann, Elisabeth: Julia ohne Romeo. Geschichten, Stücke, Aufsätze, Erinnerungen. Berlin und Weimar 1977

Hecht, Werner (Hrsg.): Bertolt Brecht. Sein Leben in Bildern und Texten. Frankfurt/M. 1978

Heinsheimer, Hans: Schönste Grüße an Aida. München 1969

Heister, Hanns-Werner: Einheitsfrontlied. In: Eisler-Sonderband »Das Argument« S. 172–182

–: Verkehrte Welt. Moral und Musik der »Sieben Todsünden der Kleinbürger«. In: Programmheft der Deutschen Oper Berlin. November 1980

Heister, H. W. und Hans-Günther Klein (Hrsg.): Musik und Musikpolitik im faschistischen Deutschland. Frankfurt/Main 1984

Heister, Hanns-Werner: Das Konzert. Theorie einer Kulturform. 2 Bde. Wilhelmshaven 1983

Heller, Berndt u. Frieder Reinighaus: Hindemiths heikle Jahre. Eine Dokumentation. In: Neue Zeitschrift für Musik, 1984/5

Hennenberg, Fritz: Dessau-Brecht. Musikalische Arbeiten. Berlin-DDR 1963

–: Zur Dialektik des Schließens in Liedern von Hanns Eisler. In: Sammelbände zur Musikgeschichte der DDR II, Berlin 1971, S. 181 ff.

–: Brecht schreibt Lieder. Zu den kompositorischen Arbeiten und Liedereditionen der frühen Jahre. Die Zusammenarbeit mit Franz S. Bruinier. In: Notate. Informations- und Mitteilungsblatt des Brecht-Zentrums der DDR, 1981/6 S. 5–8

–: Das Hollywooder Liederbuch – Struktur und Interpretation. In: Musik und Gesellschaft, Juli 1983, S. 413–417

–: Der erste Brecht-Komponist. In: Die Weltbühne, 78. Jgg. (1983) S. 841 ff.

–: Das große Brecht-Liederbuch. Hgg. und kommentiert v. F. Hennenberg. 3 Bde. Frankfurt/M. 1984

–: Brecht als Herausforderung an die Musik. Überlegungen zur Partnerschaft von Dichter, Komponist und Interpret. In: Notate 1984/1 S. 7–9

Heuß, Alfred: Wird es endlich dämmern? Zur Mahagonny-Theaterschlacht am 9. März im Neuen Theater zu Leipzig. In: Zeitschrift für Musik, Mai 1930, S. 392 ff.

Hinck, Walter: Metamorphosen eines Volkslieds. In: Von Heine zu Brecht. Lyrik im Geschichtsprozeß. Frankfurt/M. 1978

Hindemith, Paul: Forderungen an den Laien. In: Musik und Gesellschaft, 1930

–: Briefe. Hgg. von Dieter Rexroth. Frankfurt/M. 1982

Hodek, Johannes: Musikalisch-pädagogische Bewegung zwischen Demokratie und Faschismus. Zur Konkretisierung der Faschismuskritik Th. W. Adornos. Weinheim u. Basel 1977

Höckner, Hilmar: Die Musik der deutschen Jugendbewegung. Wolfenbüttel 1927

Hofer, Walter, Edouard Calic u. a. (Hrsg.): Der Reichstagsbrand. Eine wissenschaftliche Dokumentation. Bd. I Berlin-W. 1972, Bd. II München 1978

Hoffmann, Ludwig und Daniel Hoffmann-Ostwald: Deutsches Arbeitertheater 1918–1933. 2 Bde. Berlin/DDR 1972

Hollaender, Friedrich: Von Kopf bis Fuß. Mein Leben mit Text und Musik. München 1965

Hommel, Ferdinand: Rückblick auf ein Experiment. Paul Hindemith und Bertolt Brecht. In: Hindemith-Jahrbuch 1977, Mainz 1978, S. 65–75

Hovey, Serge: »Zeit zum Aufstehen!« Erinnerungen an Hanns Eisler im USA-Exil. In: Notate 1982/5 S. 12–13

Jarman, Douglas: Kurt Weill. An illustrated Biography. London 1982

Jens, Walter: Statt einer Literaturgeschichte. Pfullingen 1958

–: Deutsche Literatur der Gegenwart. München 1961

–: Der Lyriker Bertolt Brecht. In: Zueignungen. München 1962

Jerome, V. J.: Letters to and from Brecht. In: Progressive Labor, Dez. 1965, S. 74 ff.

Jhering, Herbert: Bert Brecht hat das literarische Antlitz Deutschlands verändert. Gesammelte Kritiken zum Theater Brechts. Herausgegeben u. eingeleitet von Klaus Völker. München 1980 (= Edition Kindlers Literatur Lexikon)

Jhering, H. u. Hugo Fetting: Ernst Busch. Berlin/DDR 1965

Jöde: Fritz: Robert Kothe und das deutsche Volkslied. Marburg 1917

Jungheinrich, Hans-Klaus: Musik und Realismus – einige Aspekte bei Hanns Eisler. In: Musik zwischen Engagement und Kunst. Studien zur Wertungsforschung 3. Graz 1972, S. 69 ff.

Kahn, Gordon: Hollywood on Trial. New York 1948

Kahnt, Hartmut: Die Opernversuche Weills und Brechts mit ›Mahagonny‹. In: Musiktheater heute. Hgg. v. H. Kühn. Mainz 1982. (= Veröffentlichungen des Instituts für Neue Musik und Musikerziehung Darmstadt, Bd. 22)

Karasek, Hellmuth: Bertolt Brecht. München 1978

Karsen, Fritz: Neue Schule in Neukölln. In: Die Weltbühne, 1929, Bd. 1, S. 670–72

Kasack, Hermann: Bertolt Brecht. In Wolfgang Kasack: Leben und Werk von Hermann Kasack. Ein Brevier. Frankfurt/Main 1966

Kaulla, Guido von: Und verbrenn' in seinem Herzen. Die Schauspielerin Carola Neher und Klabund. Herder-Bücherei Bd. 1037. Freiburg i. B. 1984

Kemp, Ian: Weills Harmonik. In: Drew (Hrsg.): Über Kurt Weill S. 155–161

Kesting, Marianne: Bertolt Brecht in Selbstzeugnissen und Bilddokumenten. Reinbek 1959

–: Wagner/Meyerhold/Brecht oder die Erfindung des ›epischen Theaters‹. In Brecht-Jahrbuch 1977

Kleinig, Karl: Analysen zu Hanns Eislers Liedern und Chören aus ›Die Mutter‹ von Brecht. Ein Beitrag zur Frage des sozialistischen Realismus in der Musik. In: Wissenschaftliche Zeitschrift der Martin-Luther-Universität Halle-Wittenberg, Ges.- und sprachwiss. Reihe VIII, 1958/59, S. 219 ff.

Klemm, Eberhardt: Hanns Eisler an Bertolt Brecht 1933–1936. Briefexzerpte und Kommentare. In: Deutsches Jahrbuch für Musikwissenschaft, 17 (1972), S. 98–113

–: Chronologisches Verzeichnis der Kompositionen von Hanns Eisler. In: Beiträge zur Musikwissenschaft 1973

–: Hanns Eisler – für Sie porträtiert. Leipzig 1973

Knepler, Georg: Erinnerungen an Hanns Eisler. In: Beiträge zur Musikwissenschaft XI, 1969, S. 3–10

–: Hanns Eisler und das »Neue« in der Musik. In: Hanns Eisler: Reden und Aufsätze. S. 155–178

–: ». . . was des Eislers ist.« In Beiträge zur Musikwissenschaft XV, 1, 1973, S. 29 ff. Auch in Knepler: Gedanken über Musik. Berlin/DDR 1980. S. 19–43

Knopf, Jan: Brecht-Handbuch Theater. Eine Ästhetik der Widersprüche. Stuttgart 1980

–: Brecht-Handbuch Lyrik, Prosa, Schriften. Mit einem Anhang: Film. Stuttgart 1984

Koch, Gerhard R.: Geschichte einer Verdrängung. Hanns Eisler. In: HiFi-Stereofonie 9/1972 S. 793 ff.

Kocks, Klaus: Brechts literarische Evolution. Untersuchungen zum ästhetisch-ideologischen Bruch in den Dreigroschen-Bearbeitungen. München 1981

Koebner, Thomas: Die Zeitoper in den Zwanziger Jahren. Gedanken zu ihrer Geschichte und Theorie. In: Erprobungen und Erfahrungen. Zu Paul Hindemiths Schaffen in den zwanziger Jahren. Hgg. v. D. Rexroth. Mainz 1978. S. 60–115

Köhn, Eckhardt: Das Ruhrepos. Dokumentation eines gescheiterten Projekts. In: Brecht-Jahrbuch 1977

Kolland, Dorothea: Eislers Beitrag zur antifaschistischen Bündnispolitik unter den Musikern. In: Argument-Sonderband Eisler S. 111–127

–: ». . . in keiner Not uns trennen . . .« Arbeitermusikbewegung im Widerstand. In: Heister/Klein S. 204–212

Kolland, Hubert: »Auf den Straßen zu singen«. In: Argument-Sonderband Eisler S. 183–201

Kortner, Fritz: Aller Tage Abend. München 1959

Kotlan-Werner, Henriette: Kunst und Volk. David Josef Bach 1874–1947. Wien 1977 (= Materialien zur Arbeiterbewegung Nr. 6)

Kowalke, Kim H.: Kurt Weill in Europe. UMI Research Press 1979 (= Studies in Musicology 14)

Kranz, Dieter: Gisela May. Schauspielerin und Diseuse. Berlin/DDR 1973

Krenek, Ernst: Ist Oper heute noch möglich? (1936) Abgedruckt in Krenek: Im Zweifelsfalle. Aufsätze über Musik. Wien 1984. S. 36–50

Krieg, Peter: Der Mensch stirbt nicht am Brot allein . . . Vom Weizen zum Brot zum Hunger. Lesebuch zum Film »Septemberweizen«. Wuppertal 1981

Kuhnert, Heinz: Zur Rolle des Songs im Werk

von Bertolt Brecht. In: Neue deutsche Literatur. 11 (1963), S. 77–100

Lacis, Asja: Revolutionär im Beruf. Berichte über proletarisches Theater, über Meyerhold, Brecht, Benjamin und Piscator. 2. Aufl. München 1976
Lammel, Inge (Hrsg.): Das Arbeiterlied. Leipzig 1970
–: Eislers Wirken für die Einheitsfront in der internationalen revolutionären Musikbewegung. In: Arbeitshefte der Akademie der Künste der DDR 19, S. 61 ff.
–: Arbeitermusikkultur in Deutschland 1844–1945. Bilder und Dokumente. Leipzig 1984
Lania, Leo: Welt im Umbruch. Wien 1953
Ledermann, Minna: Memories of Marc Blitzstein. Music's Angry Young Man. In: Show Magazine. Juni 1964, S. 18–24
Lehmann, Hans-Thies und Helmut Lethen: Bertolt Brechts »Hauspostille«. Text und kollektives Lesen. Stuttgart 1978
Leibowitz, René: Brecht et la musique de scène. In: Théâtre populaire. Nr. 11 (Jan./Febr. 1955) S. 43–49
Lenya-Weill, Lotte: Das waren Zeiten! In: Dreigroschenbuch, S. 220–225
–: September Song. In: The Listener, 24.5. 1979, S. 707 ff.
Lerg-Kill, Ulla C.: Dichterwort und Parteiparole. Bad Homburg v. d. H.-Berlin-W.-Zürich 1968
Lindtberg, Leopold: Reden und Aufsätze. Zürich u. Freiburg i. Br. 1972
Lingen, Theo: Ich über mich. Velber 1963 (= Reihe Theater heute 9)
Lucchesi, Joachim: Zum Lehrstück vgl. Arbeitshefte
–: Franz Servatius Bruinier – der erste Brecht-Komponist. In: Musik und Gesellschaft 5/1985, S. 276 ff.
Lukács, Georg: In memoriam Hanns Eisler. In: Alternative (69), 1969, S. 220 ff.
Lyon, James K.: Bertolt Brecht in America. Princeton N. J. 1980
–: Bertolt Brecht und Rudyard Kipling. Frankfurt/M. 1976
–: The Source of Brecht's Poem ›Vorbildliche Bekehrung eines Branntweinhändlers‹. In: Modern Language Notes, 84 (1969), S. 802–806

Maiberger, Erich: Bert Brechts Augsburger Jahre. In: Geschichte des Realgymnasiums Augsburg von 1864 bis 1964. Augsburg 1964
Mainka, Jürgen: Musikalische Betroffenheit. Zum Begriff des Gestischen. In: Beiträge zur Musikwissenschaft XV, 1 (1973)
Mann, Thomas: Der Zauberberg. Frankfurt/M. 1963

Marquardt, Udo: Thomas Manns »Doktor Faustus« und Hanns Eislers »Johann Faustus« unter besonderer Berücksichtigung des Musikalischen. Wissenschaftl. Hausarbeit, Staatsprüfung. Fachbereich Germanistik. FU Berlin/W. 1979
Materialien: Baal. Der böse Baal der asoziale. Texte, Varianten, Materialien. Kritisch ediert und kommentiert von Dieter Schmidt. Frankfurt/M. 1968
–: Materialien zu Brechts »Der gute Mensch von Sezuan«. Zusammengestellt und redigiert von Werner Hecht. Frankfurt/M. 1968
–: Brechts »Guter Mensch von Sezuan«. Materialien. Hgg. v. Jan Knopf. Frankfurt/M. 1982
–: Materialien zu Brechts »Der kaukasische Kreidekreis«. Zusammengestellt von Werner Hecht. Frankfurt/M. 1966
–: Die heilige Johanna der Schlachthöfe. Bühnenfassung, Fragmente, Varianten. Kritisch ediert von Gisela E. Bahr. Frankfurt/M. 1971
–: Materialien zu Brechts »Die Mutter«. Zusammengestellt und redigiert von Werner Hecht. Frankfurt/M. 1969
–: Die Rundköpfe und die Spitzköpfe. Bühnenfassung, Einzelszenen, Varianten. Hgg. v. Gisela E. Bahr. Frankfurt/M. 1979
–: Im Dickicht der Städte. Erstfassung und Materialien. Ediert u. kommentiert von Gisela E. Bahr. Frankfurt/M. 1968
–: Brechts »Mann ist Mann«. Materialien. Hgg. v. Carl Wege. Frankfurt/M. 1982
–: Materialien zu Brechts »Mutter Courage und ihre Kinder«. Zusammengestellt von Werner Hecht. Frankfurt/Main 1964
–: Brechts »Mutter Courage und ihre Kinder« Materialien. Hgg. v. Klaus-Detlef Müller. Frankfurt/M. 1982
–: Materialien zu Bertolt Brechts »Schweyk im zweiten Weltkrieg«. Vorlagen (Bearbeitungen), Varianten, Fragmente, Skizzen, Brief- und Tagebuchnotizen. Ediert u. kommentiert von Herbert Knust. Frankfurt/M. 1974
May, Gisela: Zusammenarbeit mit Hanns Eisler. In: Hanns Eisler heute. Berlin 1974 (= Arbeitshefte der Akademie der Künste der DDR, H. 19) S. 193–195
–: Mit meinen Augen. Begegnungen und Impressionen. Berlin/DDR 1977
Mayer, Günter: Materialtheorie bei Eisler. Zu Hanns Eislers Konzeption einer dialektischen Theorie der Musik. In G. Mayer: Weltbild – Notenbild. Zur Dialektik des musikalischen Materials. Leipzig 1978. S. 93–348
Mayer, Günter u. Georg Knepler: Hätten sich Georg Lukacs und Hanns Eisler in der Mitte des Tunnels getroffen? Zur Polemik zwischen gegensätzlich Gleichgesinnten. In

W. Mittenzwei (Hrsg.): Dialog und Kontroverse mit Georg Lukacs. Leipzig 1975. S. 358 ff.

Mayer, Hans: Bertolt Brecht oder Die plebejische Tradition. In: Deutsche Literatur und Weltliteratur. Berlin 1957

–: Bertolt Brecht und die Tradition. Pfullingen 1961

–: An Aesthetic Debate of 1951: Comment on a Text by Hanns Eisler. In: New German Critique, 2, Wisconsin 1974, S. 58 ff.

–: Die Verurteilung des Lukullus (Bert Brecht und Paul Dessau). In H. Mayer: Versuche über die Oper. Frankfurt/M. S. 182–201

McLean, Sammy: The »Bänkelsang« and the Work of Bertolt Brecht. The Hague/Paris 1972

Mehring, Walter: Großes Ketzerbrevier. Die Kunst der lyrischen Fuge. München 1974

Mersmann, Hans: Die neue Musik und ihre Texte. In: Melos, 1931, S. 168–1972

Mersmann, Hans/Eberhardt Preussner/Heinrich Strobel: Brecht-Eisler: Die Maßnahme. In: Melos, 1931, S. 15 f.

Meyer, Ernst Hermann: Aus der Tätigkeit der ›Kampfgemeinschaft der Arbeitersänger‹. In: Sinn und Form-Sonderheft Eisler S. 152–160

Meyrowitz, Jan: Brechts Wirkung auf die Musikgeschichte. Sendung des Bayrischen Rundfunks v. 7. Aug. 1976

Mierau, Fritz: Erfindung und Korrektur. Tretjakows Ästhetik der Operativität. Berlin/DDR 1976 (= Literatur und Gesellschaft)

Milhaud, Darius: Die Entwicklung der Jazz-Bands und die nordamerikanische Negermusik. In: Musikblätter des Anbruch, 1925, S. 200 f.

–: Noten ohne Musik. Eine Autobiographie. München 1962

Mittenzwei, Johannes: Brechts Kampf gegen die kulinarische Musik. In: Das Musikalische in der Literatur. Ein Überblick von Gottfried v. Straßburg bis Brecht. Halle (Saale) 1962. S. 427–462

Mittenzwei, Werner: Bertolt Brecht. Von der »Maßnahme« zu »Leben des Galilei« Berlin/DDR 1973

–: Brecht und die Schicksale der Materialästhetik. In: Claas, Herbert u. Wolfgang Fritz Haug (Hrsg.): Brechts Tui-Kritik. Argument-Sonderband 11. Karlsruhe Berlin-W. 1976. S. 175–212

Molkow, Wolfgang: »Litanei vom Hauch« (Brecht/Eisler). In: Argument-Sonderband Eisler S. 202–207

–: Paul Hindemith – Hanns Eisler. Zweckbestimmung und gesellschaftliche Funktion. In: Erprobungen und Erfahrungen. Zu Paul Hindemiths Schaffen in den Zwanziger Jahren. Hgg. v. D. Rexroth. Mainz 1978, S. 35–46

Moßmann, Walter u. Peter Schleuning: Alte und neue politische Lieder. Entstehung und Gebrauch, Texte und Noten. Reinbek bei Hamburg 1978.

de la Motte-Haber, Helga: »Das Unerreichbare«. Über die Zusammenhänge von Brecht, Hindemith und Weill an dem Radiohörspiel »Der Lindberghflug«. In: Neue Zürcher Zeitung. 28./29. Mai 1983 S. 68

Mühlen, P. V. zur: »Schlagt Hitler an der Saar«. Abstimmungskampf, Emigration und Widerstand im Saargebiet 1933 bis 1935. Bonn 1979

Müller, Tilo (= Tilo Medek): Lieder – Sterne – Gesichter. Zum Liedschaffen Rudolf Wagner-Régenys. In: Musik und Gesellschaft 13 (1963), S. 495–500

Münsterer, Hanns Otto: Bert Brecht. Erinnerungen aus den Jahren 1917–1922. Berlin und Weimar 1977

Musik und Gesellschaft. Arbeitsblätter für soziale Musikpflege und Musikpolitik (1930/31) Reprint hgg. v. D. Kolland. Berlin-W. 1978

Nestjew, Israil W.: Lieder und Artikel Eislers in der sowjetischen Presse. In: Beiträge zur Musikwiss. X, 1968, S. 33–41

North, Joseph: New Masses. An Anthology of the Rebel Thirties. International Publishers 1969

Notowicz, Nathan u. Jürgen Elsner: Hanns Eisler Quellennachweise. Leipzig 1961

Notowicz, Nathan: Wir reden hier nicht von Napoleon! Wir reden von Ihnen! Gespräche mit Hanns Eisler und Gerhart Eisler. Berlin/DDR 1971

Orff, Carl: Dokumentation. Tutzing 1975

Panofsky, W.: Protest in der Oper. Das provokative Musiktheater der Zwanziger Jahre. München 1966

Parmet, Simon: Die ursprüngliche Musik zu ›Mutter Courage‹. Meine Zusammenarbeit mit Bertolt Brecht. In: Schweizerische Musikzeitung. 97 (1957), S. 465–468

Pauli, Hansjörg: Filmmusik: Stummfilm. Stuttgart 1981

Petr, Pavel: Haseks »Schweyk« in Deutschland. Berlin/DDR 1963 (= Neue Beiträge zur Literaturwissenschaft, Bd. 19)

Pettis, Ashley: The WPA and the American Composer. In: The Musical Quarterly XXVI/1 (Jan. 1940) S. 101–112

Peukert, Detlev: Die Edelweißpiraten. Köln 1980

Pietzcker, Carl: Die Lyrik des jungen Brecht. Frankfurt/M. 1974

Piscator, Erwin: Das politische Theater. Berlin 1968

Pischner, Hans: Brecht und die gesellschaftliche Funktion von Musik. In: Musik und Gesellschaft, 1968, S. 75 ff.

Preussner, Eberhard: Gemeinschaftsmusik 1929 in Baden-Baden. In: Die Musik XXI/12 (Sept. 1929) S. 900

–: Mahagonny. In: Musik und Gesellschaft, 1930

Prieberg, Fred: Musik im NS-Staat. Frankfurt/M. 1982

Pringsheim, Klaus: Mahagonny. In: Die Weltbühne XXVI, 12, 8. März 1930

Radde, Gerd: Fritz Karsen. Ein Berliner Schulreformer. Berlin 1973

Raiß, Hans-Peter: Bertolt Brecht und die Komponisten Kurt Weill, Paul Dessau und Hanns Eisler. Rundfunksendung des SFB 1975

Ratz, Erwin: Hanns Eisler. In: Musikblätter des Anbruch, 1924, S. 381–384

–: Hanns Eisler zum 50. Geburtstag. In: Europäische Rundschau. Wien 1948. Nr. 22 Auch in Ratz: Gesammelte Aufsätze. Wien 1975 S. 110–114

Rebling, Eberhard: Ein Blick in ein großes Werk. Zum Liedschaffen Hanns Eislers. In: Musik und Gesellschaft VII, 1957, S. 5 ff.

Reich, Bernhard: Erinnerungen an den jungen Brecht. In: Sinn und Form, 2. Sonderheft Brecht. 1957

–: Im Wettlauf mit der Zeit. Erinnerungen aus fünf Jahrzehnten deutscher Theatergeschichte. Berlin-DDR 1970

Reichardt, J. F.: Etwas über die Entstehung des deutschen Liederspiels. In: Briefe die Musik betreffend. Leipzig 1976

Reiss, Erwin u. Thomas Radewagen: »An alle!« Zum Kampf der Arbeiterbewegung um den Rundfunk in Deutschland 1918–1933. In: Wem gehört die Welt – Kunst und Gesellschaft in der Weimarer Republik. Hgg. v. d. Neuen Gesellschaft für bildende Kunst. Berlin-W. 1977 S. 566–590

Reuss, Richard A.: American Folklore and Left-Wing Politics: 1927–1957, Ph. D. Dissertation, Indiana University 1971

Rexroth, Dieter: Paul Hindemith und Brechts »Lehrstück«. Zu den theoretischen und praktischen Aspekten des gemeinsamen Stücks. In: Neue Zürcher Zeitung. 11./12. Febr. 1984 S. 69

Rienäcker, Gert: Thesen zur Opernästhetik Kurt Weills. In: Jahrbuch Peters 1980. Leipzig 1981

Riha, Karl: Moritat. Bänkelsong. Protestballade. Königstein/Ts. 1979

–: Notizen zur ›Legende vom toten Soldaten‹. Ein Paradigma der frühen Lyrik Brechts. In: Text und Kritik-Sonderband Bertolt Brecht II, München 1973

Ringer, Alexander L.: Weill, Schönberg und die ›Zeitoper‹. In: Die Musikforschung, 33 (1980), Heft 4, S. 465–472

Ritter, Hans Martin: Die Lieder der Hauspostille. Untersuchungen zu Brechts eigenen Kompositionen und ihrer Aufführungspraxis. In: Lehmann/Lethen S. 204–230

Roeder, Werner: Biographisches Handbuch der deutschsprachigen Emigration. 3 Bde. München 1980 ff.

Rösler, Walter: Angewandte Musik. Notizen zu Bühnenmusiken Hanns Eislers. In: Theater der Zeit XXIII, 13, Berlin 1968, S. 21–24

Rohse, Eberhard: Der frühe Brecht und die Bibel. Studien zum Augsburger Religionsunterricht und zu den literarischen Versuchen des Gymnasiasten. Göttingen 1983

Rosenbauer, Hansjürgen: Brecht und der Behaviorismus. Bad Homburg v. d. Höhe 1970

Rosenberg, Herbert: Das Lehrstück und die Frage der »Proletarischen Musik«. Zu der Uraufführung der »Maßnahme« von Brecht und Eisler. In: Musik und Gesellschaft, 1931, Heft 8, S. 249 f.

Rost, Haga: Um die Maßnahme (1931). In: Notate. 5/1982. S. 14–15

Roth, Wolfgang: Hängt alles von der Beleuchtung ab. Teilabdruck in Monika Richarz (Hrsg.): Jüdisches Leben in Deutschland. Selbstzeugnisse zur Sozialgeschichte 1918–1945. Stuttgart 1982

Rühle, Günther: Theater für die Republik. 1917–1933 im Spiegel der Kritik. Frankfurt/M. 1967

Rufer, Josef: Brechts Anmerkungen zur Oper. In: Stimmen, Berlin, 1948, S. 193–198

Sanders, Ronald: Kurt Weill. München 1980

Schebera, Jürgen: Hanns Eisler im USA-Exil. Zu den politischen, ästhetischen und kompositorischen Positionen des Komponisten 1938 bis 1948. Berlin/DDR 1978

–: Hanns Eisler. Eine Bildbiografie. Berlin/DDR 1981

–: Kurt Weill. Leben und Werk. Leipzig 1983

–: ». . . mehr Wichtigkeit als ein halbes Dutzend Stücke« Eine Betrachtung zur Rolle der Musik für die Massenwirkung von Brechts Lyrik. In: Notate 1/1984 S. 1 f.

–: »Der Jasager«. 1930–32. Vom Siegeszug einer Schuloper. In: Notate 1/1984 S. 5

Schleuning, Peter: Deponite potentes de sede! Ein Bach-Zitat in Hanns Eislers Musik zur »Mutter«. In: Schleuning (Hrsg.): Warum wir von Beethoven erschüttert werden und andere Aufsätze über Musik. Frankfurt/M. 1978 S. 75–94

Schmidt, Dieter: Baal und der junge Brecht. Eine textkritische Untersuchung. Stuttgart 1966 (= Reihe Germanistische Abhandlungen, 12)

720

Schmidt-Garre, Helmut: Die Musik in Shakespeares Dramen. In: Melos/NZ, 1976, H. 6, S. 439 ff.

—: Von Shakespeare bis Brecht. Dichter und ihre Beziehungen zur Musik. Wilhelmshaven 1979

Schmidt-Joos: Das Musical. München 1965

Schneider, Annelies: Hanns Eisler: Musikkultur im Übergang in theoretischer Sicht – Lieder im Exil nach Gedichten von Bertolt Brecht. Diss. Berlin/DDR 1981

Schneider, Edith: Hanns Eislers Deutsche Sinfonie. Diplomarbeit. Leipzig: Karl-Marx-Universität 1970

Schock, Ralph (Hrsg.): Haltet die Saar, Genossen! – Antifaschistische Schriftsteller im Abstimmungskampf 1935. Bonn 1984

Schönberg, Arnold: Stuckenschmidt – Brecht Operngesetze. Territet 3. 7. 1931. Notiz im Schönberg-Nachlaß

Schönewolf, Karl: Hanns Eislers Musik (zu »Die Mutter«). In: Theaterarbeit – 6 Aufführungen des Berliner Ensembles. Berlin/DDR 1966. S. 152 ff.

Schubert, Giselher: Paul Hindemith in Selbstzeugnissen und Bilddokumenten. Reinbek bei Hamburg 1981

Schuhmann, Klaus: Der Lyriker Bertolt Brecht. 1913–1933. München 1971

Schulte, Michael: Karl Valentin in Selbstzeugnissen und Bilddokumenten. Reinbek bei Hamburg 1969

—: (Hrsg): Alles von Karl Valentin. München und Zürich 1978

Schultz, Hartwig: Vom Rhythmus der modernen Lyrik. Parallele Versstrukturen bei Holz, Rilke, Brecht und den Expressionisten. München 1970

Schumacher, Ernst: Brecht-Kritiken. Berlin/DDR 1977

Schumacher, Ernst u. Renate: Leben Brechts in Wort und Bild. Berlin/DDR 1978

Schumacher, Joachim: Erinnerungen an Hanns Eisler. In: Musik und Gesellschaft, 1977, S. 538 ff.

Schutte, Sabine: Nationalhymnen und ihre Verarbeitung. Zur Funktion musikalischer Zitate und Anklänge. In: Argument-Sonderband Eisler S. 208 ff.

Schwaen, Kurt: Stufen und Intervalle. Erinnerungen und Miszellen. Berlin/DDR 1976

Schwarz, Peter-Paul: Brechts frühe Lyrik 1914–1922. Bonn 2. Aufl. 1980

Seeger, Charles: On Proletarian Music. In: Modern Music XI/3 (März/April 1934) S. 121–127

Sehm, Gunter G.: Moses, Christus und Paul Ackermann. Brechts ›Aufstieg und Fall der Stadt Mahagonny‹. In: Brecht-Jahrbuch 1976. S. 83–100

Seliger, Helfried: Das Amerikabild Bertolt Brechts. Bonn 1974

Siebig, Karl: »Ich geh mit dem Jahrhundert mit.« Ernst Busch. Eine Dokumentation. Reinbek bei Hamburg 1980

Siegmeister, Elie: Music and Society. London 1943. (Erstveröffentlichung durch Critic's Group of New York 1938) Teilabdruck in Kneif, Tibor (Hrsg.): Texte zur Musiksoziologie. Köln 1975, S. 184–193

Singermann, Boris: Brechts »Dreigroschenoper«. Zur Ästhetik der Montage. In: Brecht-Jahrbuch 1976, S. 61–82

Sinn und Form. Beiträge zur Literatur. Sonderheft Hanns Eisler. Hgg. von der Deutschen Akademie der Künste. Berlin/DDR 1964

Snow, Edgar: Roter Stern über China. Mao Tse-tung und die chinesische Revolution. Frankfurt/M. 1974

Spalek, John M. (Hrsg.): Lion Feuchtwanger. Los Angeles 1972

Steinweg, Reiner: Bertolt Brecht, Die Maßnahme. Kritische Ausgabe mit einer Spielanleitung. Frankfurt/M. 1972

—: Das Badener Lehrstück vom Einverständnis. In: Bertolt Brecht II, Sonderband Text und Kritik, München 1973. S. 109–130

—: Brechts Modell der Lehrstücke. Zeugnisse, Diskussion, Erfahrungen. Frankfurt/M. 1976

Stern, Dietrich: Zur Theorie des musikalischen Materials bei Adorno und Eisler. In: Argument-Sonderband Eisler S. 141–153

—: Soziale Bestimmtheit des musikalischen Materials. Hanns Eislers Balladen für Gesang und kleines Orchester und ihre Beziehung zur Musik Kurt Weills. In: Argument-Sonderband 24, S. 101–117

Sternberg, Fritz: Der Dichter und die Ratio. Erinnerungen an Bertolt Brecht. Göttingen 1963

Sternitzke, Erwin: Der stilisierte Bänkelsang. Würzburg 1933

Strobel, Heinrich: Krise der Oper – Krise der Kritik. In: Melos, 1930, S. 191 f.

—: Erinnerungen an Kurt Weill. In: Melos, Mai 1950

Stuckenschmidt, Hans Heinz: Hanns Eisler. In: Musikblätter des Anbruch, 1928. Wiederabdruck in Grabs: Wer war Eisler

—: Musik und Musiker in der Novembergruppe. In: Anbruch, 1928

—: Politische Musik. Zu Brecht-Eislers ›Maßnahme‹. In: Anbruch XIII, 1931, S. 5–8

—: Ein politisches Oratorium. Brecht-Eisler ›Die Maßnahme‹. In: Berliner Zeitung vom 15. 12. 1930. Abgedruckt in Steinweg: Die Maßnahme S. 324 f.

—: Hanns Eisler. In: Die großen Komponisten unseres Jahrhunderts. München 1971, S. 99 ff.

—: Zum Hören geboren. Ein Leben mit der Musik unserer Zeit. München/Zürich 1979

Sudendorf, Werner: Zum 50. Todestag des Filmkomponisten Edmund Meisel. In: Der Tagesspiegel, Berlin-W. 16. 11. 1980
–: Der Stummfilmmusiker Edmund Meisel. Deutsches Filmmuseum Frankfurt am Main 1984
Suhrkamp, Peter: Munderloh. Fünf Erzählungen. Frankfurt/M. 1957
Szeskus, Reinhard: Bemerkungen zu Eislers Deutscher Sinfonie. In: Musik und Gesellschaft, Juli 1973, S. 390–396

Talley, Paul Myers: Social Criticism in the Original Theatre Librettos of Marc Blitzstein. Ph. D. Dissertation, University of Wisconsin 1965
Terkel, Studs: Hard Times. An Oral History of the Great Depression. New York 1970
Thole, Bernward: Die ›Gesänge‹ in den Stükken Bertolt Brechts. Göppingen 1973
Tibbe, Monika: Volkstümlichkeit als Problem des Komponierens. In: Argument-Sonderheft Eiser S. 128–140
Todd, Sally Lou und Leonhard Lehrman: Bert Brecht and Marc Blitzstein. Vortrag vor der Special Brecht Session der Modern Language Association. Chicago 28. Dez. 1977. Manuskript.
Tomberg, Friedrich: Politisch Lied ein garstig Lied. Zur Eisler-Kritik des Musikwissenschaftlers Carl Dahlhaus. In: Argument-Sonderband Eisler S. 12–28
Tretjakow, Sergej: Hanns Eisler. In: Sinn und Form-Sonderheft Eisler S. 110–127. Auch in Tretjakow: Lyrik, Dramatik, Prosa, hgg. v. Fritz Mierau, Leipzig 1972, S. 358–379. Wiederabdruck bei Grabs: Wer war Eisler.
Trexler, Roswitha (unter Mitarbeit von Fritz Hennenberg): Was der Sänger von Brecht lernen kann oder Meine Auffassung von Weill. In: Brecht-Jahrbuch 1979 Frankfurt/M. 1979 S. 30–45

Unseld, Siegfried: Peter Suhrkamp. Zur Biographie eines Verlegers in Daten, Dokumenten und Bildern. Frankfurt/M. 1975

Viertel, Salka: Das unbelehrbare Herz. Hamburg 1970
Völker, Klaus: Brecht-Chronik. Daten zu Leben und Werk. München 1971
–: Der positive und der negative Faust. In: Argument-Sonderband Eisler S. 256–261
–: Bertolt Brecht. Eine Biographie. München 1976
Vötterle, Karl: Haus unterm Stern. Ein Verleger erzählt. 4. Aufl. Kassel etc. 1969
Vogel, Wladimir: Schriften und Aufzeichnungen über Musik. Zürich 1977
Vollmer, Bernhard: Volksopposition im Polizeistaat. Gestapo- und Regierungsberichte 1934–1936. Stuttgart 1957

Wächter, Hans Christof: Theater im Exil. Sozialgeschichte des deutschen Exiltheaters, 1933–1945. München 1973
Wagenbach, Klaus u. a. (Hrsg.): Vaterland, Muttersprache. Deutsche Schriftsteller und ihr Staat von 1945 bis heute. Ein Nachlesebuch: Offene Briefe, Reden, Aufsätze, Gedichte, Manifeste, Polemiken. Berlin-W. 1979 (= Quartheft 100)
Wagenknecht, Regine: Bertolt Brechts Hauspostille. In: Text und Kritik-Sonderband B. Brecht II, München 1973
Wagner, Gottfried: Weill und Brecht. Das musikalische Zeittheater. München 1977
Wagner-Régeny, Rudolf: Begegnungen. Biographische Aufzeichnungen, Tagebücher und sein Briefwechsel mit Caspar Neher. Berlin/DDR 1968
Wedekind, Frank: Gesammelte Briefe 1, München 1924
–: Die Musik. In: Werke in 3 Bänden. Hgg. u. eingel. v. Manfred Hahn. Berlin u. Weimar 1969. Bd. 2
Weill, Kurt: Ausgewählte Schriften. Hgg. v. David Drew. Frankfurt/M. 1975
Weimarer Republik. Hgg. v. Kunstamt Kreuzberg und dem Institut für Theaterwissenschaft der Universität Köln. Berlin-W. 1977
Weisenborn, Günther: Der lautlose Aufstand. Bericht über die Widerstandsbewegung des deutschen Volkes 1933–1945. 4. verbesserte Auflage, Frankfurt/M. 1974
–: Hanns Eisler. In: Sinn und Form-Sonderheft Hanns Eisler S. 392 f. Auch in Grabs: Wer war Eisler
Weisstein, Ulrich: Von reitenden Boten und singenden Holzfällern: Bertolt Brecht und die Oper. In: Walter Hinderer (Hrsg.): Brechts Dramen. Stuttgart 1984, S. 266–299
Wekwerth, Manfred: Musikalische Merkwürdigkeiten auf dem Theater. In: Musik und Gesellschaft VIII, 1958, S. 336–338. Auch in: Schriften zum Theater. Berlin/DDR 1973, S. 21–24
–: Notate. Zur Arbeit des Berliner Ensembles 1956–1966. Berlin u. Weimar 1967
Willett, John: Die Musik. In: Das Theater Bertolt Brechts. Reinbek bei Hamburg 1964, S. 117–131
Wolff, Raymond: Bertolt Brechts Verhör vor dem House Committee on Un-American Activities. Magisterarbeit am Fachbereich 16 (Germanistik) der Freien Universität Berlin 1975
Worms, Hardy: Das Hohelied vom Nepp. Hgg. v. Wolfgang Schütte. Berlin 1978
Wyss, Monika: Brecht in der Kritik. Rezensionen aller Brecht-Uraufführungen. Mit einführenden und verbindenden Texten von Helmut Kindler. München 1977

Zarek, Otto: Bert Brechts Balladen. Des Dichters Hauspostille. In: Vossische Zeitung v. 26.5.1927

Zeraschi, Helmut: Drehorgeln. Leipzig 1976

Zimmermann, Sara: The Influence of John Gay, François Villon und Rudyard Kipling on the Songs in Bertolt Brecht's Dreigroschenoper. Indiana University 1966

Zobl, Wilhelm: Einiges zur Arbeit Hanns Eislers in den Wiener Arbeiterchören. In: Hanns Eisler heute S. 36–41

–: Die Auseinandersetzung um Eislers revolutionäre Umfunktionierung des Dr. Faustus. In: Argument-Sonderband Eisler S. 236–255

Zoff, Otto: Tagebücher aus der Emigration (1934–1944). Heidelberg 1968

Zuck, Barbara: A History of Musical Americanism. Ann Arbor 1980 (= Studies in Musicology Nr.19)

Zuckmayer, Carl: Als wärs ein Stück von mir. Horen der Freundschaft. Werkausgabe in 10 Bdn. Bd.2 Frankfurt/M. 1976

–: Nach Brechts Tod. In Zuckmayer: Aufruf zum Leben. Porträts und Zeugnisse aus bewegten Zeiten. Frankfurt/M. 1976

Namenverzeichnis

Werkverzeichnis